■ CISS

Diccionario de Prevención de Riesgos Laborales

Coordinador

Francisco Alemán Pardo

Autores

Pedro Alemán Guillén
Fernando Alemán Guillén

© **Francisco Alemán Pardo, Pedro Alemán Guillén y Fernando Alemán Guillén**, 2020
© **Wolters Kluwer España, S.A.**

Wolters Kluwer
C/ Collado Mediano, 9
28231 Las Rozas (Madrid)
Tel: 902 250 500 – Fax: 902 250 502
e-mail: clientes@wolterskluwer.es
http://www.wolterskluwer.es

Primera edición: Diciembre 2020

Depósito Legal: M-29050-2020
ISBN versión impresa: 978-84-9954-591-2
ISBN versión electrónica: 978-84-9954-623-0

Diseño, Preimpresión e Impresión: Wolters Kluwer España, S.A.
Printed in Spain

DICCIONARIO DE PREVENCIÓN DE RIESGOS LABORALES

Coordinador
Francisco Alemán Pardo
Licenciado en Derecho. Subinspector de Empleo y Seguridad Social
Profesor Asociado del Departamento de Derecho del Trabajo y Seguridad Social,
de la Universidad de Murcia. (Jubilado)

Fernando Alemán Guillén
Licenciado en Farmacia
Doctor en Biologíamolecular y Biotecnología

Pedro Alemán Guillén
Licenciado en Derecho
Máster Universitario en Prevención de Riesgos Laborales

NOTA INTRODUCTORIA

La prevención de riesgos laborales es una materia interdisciplinar donde intervienen elementos técnicos, médicos, farmacológicos, químicos, psicológicos, etc. Por ello, la normativa que regula esta materia se hace de suyo compleja y, en ocasiones, difícil de abordar.

El presente diccionario proporciona al estudioso de esta materia y al técnico prevencionista, un instrumento interdisciplinar entre los términos más usuales que encontramos en la normativa de prevención de riesgos laborales y que, en ocasiones, emplean especialistas de las distintas disciplinas que intervienen en esta materia.

En cada uno de los términos se indica la fuente donde vienen definidos legalmente y/o técnicamente cada concepto, y las disposiciones legales que hacen referencia a ellos, lo cual, hace que el usuario del mismo pueda ampliar y contextualizar el concepto y las consecuencias jurídicas previstas por la legislación vigente.

Asimismo, contiene criterios jurisprudenciales de distintas situaciones de hecho planteadas ante los tribunales que permiten visualizar de una forma más completa el contenido de las consecuencias jurídicas contenidas en la normativa de prevención de riesgos para los casos de incumplimiento. Al final de cada voz, se indica la concordancia con otras voces de la obra.

Por último, señalar que, la presente obra es de especial interés para los Servicios de Prevención, las Mutuas de Accidentes de Trabajo y Enfermedades Profesionales, los Técnicos de Prevención, los Estudiantes de Grado en Relaciones Laborales y Recursos Humanos, los Abogados especialistas en Derecho del Trabajo, los Graduados Sociales, las Organizaciones patronales y sindicales, los Estudiantes de Máster en Prevención de Riesgos Laborales, y los Departamentos de Recursos Humanos de las empresas.

Abreviaturas

CC	Real Decreto de 24 de julio de 1889 por el que se publica el Código Civil.
CCGC	VI Convenio Colectivo General del sector de la Construcción. Resolución de 21 de septiembre de 2017, de la Dirección General de Empleo, por la que se registra y publica el Convenio colectivo general del sector de la construcción (2017-2021).
CE	Constitución española, de 27 de diciembre de 1978.
Convenio OIT 16	de 11 de noviembre de 1921, sobre el examen médico obligatorio de los menores empleados a bordo de los buques (Ratificado: 17.5.24).
Convenio OIT 77	de 9 de octubre de 1946, sobre el examen médico de aptitud para el empleo de los menores en la industria (Ratificado: 8.4.71).
Convenio OIT 78	de 9 de octubre de 1946, sobre el examen médico de aptitud para el empleo de los menores en trabajos no industriales (Ratificado: 8.4.71).
Convenio OIT 79	de 9 de octubre de 1946, sobre limitación del trabajo nocturno de los menores en trabajos no industriales (Ratificado: 8.4.71).
Convenio OIT 113	de 19 de junio de 1959, sobre el examen médico de los pescadores (Ratificado: 28.6.1961).
Convenio OIT 119	de 25 de junio de 1963, sobre la protección de la maquinaria (Ratificado: 26.11.71).
Convenio OIT 127	de 28 de junio de 1967, sobre el peso máximo de la carga que puede ser transportada por un trabajador (Ratificado: 6.3.69).
Convenio OIT 129	de 25 de junio de 1969, sobre la Inspección del Trabajo en la agricultura (Ratificado: 11.3.71).
Convenio OIT 136	de 23 de junio de 1971, sobre la protección contra los riesgos de intoxicación por el benceno. (Ratificado: 8.11.72).
Convenio OIT 148	de 20 de junio de 1977, sobre la protección de los trabajadores contra los riesgos profesionales debidos a la contaminación del aire, el ruido y las vibraciones en el lugar de trabajo. (Ratificado: 24.11.80).
Convenio OIT 152	de 25 de junio de 1979, sobre seguridad e higiene en los trabajos portuarios. (Ratificado: 13.2.82).
Convenio OIT 155	de 22 de junio de 1981, sobre seguridad y salud de los trabajadores y medio ambiente de trabajo. (Ratificado: 26.7.85).
Convenio OIT 161	de 25 de junio de 1985, sobre los servicios de salud en el trabajo (No ratificado por España).
Convenio OIT 162	de 24 de junio de 1986, sobre utilización del asbesto en condiciones de seguridad. (Ratificado: 17.7.90).
Convenio OIT 164	de 8 de octubre de 1987, sobre la protección de la salud y la asistencia médica de la gente de mar. (Ratificado: 26.2.90).
Convenio OIT 170	de 25 de junio de 1990, sobre los productos químicos. (No ratificado por España).
Convenio OIT 174	de 22 de junio de 1993, sobre la prevención de accidentes industriales mayores (No ratificado por España).
Convenio OIT 176	de 22 de junio de 1995, sobre seguridad y salud en las minas. (Ratificado: 24.4.97).
Convenio OIT 177	de 20 de junio de 1996, sobre el trabajo a domicilio (No ratificado por España).
Convenio OIT 178	de 22 de octubre de 1996, sobre la inspección de trabajo de las condiciones de vida y de trabajo de la gente de mar. (No ratificado por España).
Convenio OIT 180	de 22 de octubre de 1996, sobre las horas de trabajo a bordo y la dotación de los buques. (Ratificado: 27.11.03).
Convenio OIT 183	de 15 de junio de 2000, sobre la protección de la maternidad. (No ratificado por España).

Convenio OIT 184	de 21 junio de 2001, sobre la seguridad y la salud en la agricultura. (No ratificado por España).
Convenio OIT 187	de 31 de mayo de 2006, sobre el marco promocional para la seguridad y salud en el trabajo. (Ratificado: 1.4.09).
Convenio OIT 189	de 16 de junio de 2011, sobre las trabajadoras y los trabajadores domésticos (No ratificado por España).
CP	Ley Orgánica 10/1995, de 23 de noviembre, del Código Penal.
CTIT	Criterios Técnicos de la Inspección de Trabajo.
DEAS	Decreto 2055/1969, de 25 de septiembre, por el que se regula el ejercicio de actividades subacuáticas.
DPRG	Decreto 1646/1972, de 23 de junio, para la aplicación de la Ley 24/1972, de 21 de junio, en materia de prestaciones del Régimen General de la Seguridad Social.
DRETA	Decreto 2530/1970, de 20 de agosto, por el que se regula el régimen especial de la Seguridad Social de los trabajadores por cuenta propia o autónomos.
INSST	Instituto Nacional de Seguridad y Salud en el Trabajo.
ITC	Instrucción Técnica Complementaria.
LAE	Ley 14/2013, de 27 de septiembre, de apoyo a los emprendedores y su internacionalización.
LET	Real Decreto Legislativo 2/2015, de 23 de octubre, por el que se aprueba el texto refundido de la Ley del Estatuto de los Trabajadores.
LETA	Ley 20/2007, de 11 de julio, del Estatuto del trabajo autónomo.
LETT	Ley 14/1994, de 1 de junio, por la que se regulan las empresas de trabajo temporal.
LGDPDIS	Real Decreto Legislativo 1/2013, de 29 de noviembre, por el que se aprueba el Texto Refundido de la Ley General de derechos de las personas con discapacidad y de su inclusión social.
LGSP	Ley 33/2011, de 4 de octubre, General de Salud Pública.
LGSS	Real Decreto Legislativo 8/2015, de 30 de octubre, por el que se aprueba el Texto Refundido de la Ley General de la Seguridad Social.
LI	Ley 21/1992, de 16 de julio, de Industria.
LISOS	Real Decreto Legislativo 5/2000, de 4 de agosto, por el que se aprueba el texto refundido de la Ley sobre Infracciones y Sanciones en el Orden Social.
LMFAOS	Ley 62/2003, de 30 de diciembre, de Medidas Fiscales, Administrativas y del Orden Social.
LMST	Ley 28/2005, de 26 de diciembre, de medidas sanitarias frente al tabaquismo y reguladora de la venta, el suministro, el consumo y la publicidad de los productos del tabaco.
LOE	Ley 38/1999, de 5 de noviembre, de Ordenación de la Edificación.
LOGP	Ley Orgánica 1/1979, de 26 de septiembre, General Penitenciaria.
LOIEMH	Ley Orgánica 3/2007 de 23 marzo, para la Igualdad Efectiva de Mujeres y Hombres.
LOIT	Ley 23/2015, de 21 de julio, Ordenadora del Sistema de Inspección de Trabajo y Seguridad Social.
LOLS	Ley Orgánica 11/1985, de 2 agosto, de libertad sindical.
LPACAP	Ley 39/2015, de 1 de octubre, del Procedimiento Administrativo Común de las Administraciones Públicas.
LPCC	Real Decreto Legislativo 1/2016, de 16 de diciembre, por el que se aprueba el Texto Refundido de la Ley de prevención y control integrados de la contaminación.
LPRL	Ley 31/1995, de 8 de noviembre, de Prevención de Riesgos Laborales.
LRSC	Ley 22/2011, de 28 de julio, de residuos y suelos contaminados.
LSC	Ley 32/2006, de 18 de octubre, reguladora de la subcontratación en el Sector de la Construcción.
LV	Ley 45/2015, de 14 de octubre, de Voluntariado.

NTP	Notas Técnicas de Prevención, elaboradas por el Instituto Nacional de Seguridad y Salud en el Trabajo.
OIT	Organización Internacional del Trabajo.
Orden	de 20 de enero de 1956, por la que se aprueba el Reglamento de Higiene y Seguridad en los trabajos realizados en cajones con aire comprimido.
Orden	de 9 de mayo de 1962, por la que se aprueba el Reglamento del Decreto 792/1961, de 13 de abril, por el que se organiza el aseguramiento de las enfermedades profesionales.
Orden	de 8 de abril de 1964, por la que se modifican los artículos 38, 39, 45, 48, 57, 60, 63, 72 y 77 del Reglamento de Enfermedades Profesionales aprobado por Orden ministerial de 9 de mayo de 1962.
Orden	de 15 de abril de 1969, por la que se establecen normas para la aplicación y desarrollo de las prestaciones por invalidez en el Régimen General de la Seguridad Social.
Orden	de 25 de enero de 1985, por la que se aprueba el Reglamento de Funcionamiento del Consejo General del Instituto Nacional de Seguridad e Higiene en el Trabajo.
Orden	de 13 de septiembre de 1985, por la que se aprueban determinadas Instrucciones Técnicas Complementarias de los capítulos III y IV del Reglamento General de Normas Básicas de Seguridad Minera.
Orden	de 16 de diciembre de 1987, por la que se establecen nuevos modelos para la notificación de accidentes de trabajo y se dan instrucciones para su cumplimentación y tramitación.
Orden TAS/2926/2002	de 19 de noviembre, por la que se establecen nuevos modelos para la notificación de los accidentes de trabajo y se posibilita su transmisión por procedimiento electrónico.
Orden TAS/3623/2006	de 28 de noviembre, por la que se regulan las actividades preventivas en el ámbito de la Seguridad Social y la financiación de la Fundación para la Prevención de Riesgos Laborales.
Orden TAS/1/2007	de 2 de enero, por la que se establece el modelo de parte de enfermedad profesional, se dictan normas para su elaboración y transmisión y se crea el correspondiente fichero de datos personales.
Orden TAS/2947/2007	de 8 de octubre, por la que se establece el suministro a las empresas de botiquines con material de primeros auxilios en caso de accidente de trabajo, como parte de la acción protectora del sistema de la Seguridad Social.
Orden TIN/1071/2010	de 27 de abril, sobre los requisitos y datos que deben reunir las comunicaciones de apertura o de reanudación de actividades en los centros de trabajo.
Reglamento (CE)n.º 2062/1994	del Consejo de 18 de julio de 1994, por el que se crea la Agencia europea para la seguridad y la salud en el trabajo.
Reglamento (CE)n.º 561/2006	Del Parlamento Europeo y del Consejo, de 15 de marzo de 2006, relativo a la armonización de determinadas disposiciones en materia social en el sector de los transportes por carretera y por el que se modifican los Reglamentos (CEE) n.º 3821/85 y (CE) n.º 2135/98, del Consejo y se deroga el Reglamento (CEE) n.º 3820/85 del Consejo.
Reglamento (CE)n.º 1907/2006	Del Parlamento Europeo y del Consejo, de 18 de diciembre de 2006, relativo al registro, la evaluación, la autorización y la restricción de las sustancias y preparados químicos (REACH), por el que se crea la Agencia Europea de Sustancias y Preparados Químicos, se modifica la Directiva 1999/45/CE y se derogan el Reglamento (CEE) n.º 793/93 del Consejo y el Reglamento (CE) n.º 1488/94 de la Comisión así como la Directiva 76/769/CEE del Consejo y las Directivas 91/155/CEE, 93/67/CEE, 93/105/CE y 2000/21/CE de la Comisión.
Reglamento (CE)nº 1272/2008	Del Parlamento Europeo y del Consejo, de 16 de diciembre de 2008, sobre clasificación, etiquetado y envasado de sustancias y mezclas.

Reglamento (UE)n.º 167/2013	Del Parlamento Europeo y del Consejo, de 5 de febrero de 2013, relativo a la homologación de los vehículos agrícolas o forestales y a la vigilancia del mercado de dichos vehículos.
RAMINP	Decreto 2414/1961, de 30 de noviembre, por el que se aprueba el Reglamento de Actividades Molestas, Insalubres, Nocivas y Peligrosas.
RAPQ	Real Decreto 656/2017, de 23 de junio, por el que se aprueba el Reglamento de Almacenamiento de Productos Químicos y sus Instrucciones Técnicas Complementarias MIE APQ 0 a 10.
RCEEPP	Real Decreto 255/2003, de 28 de febrero, por el que se aprueba el Reglamento sobre clasificación, envasado y etiquetado de preparados peligrosos.
RCEESP	Real Decreto 363/1995, de 10 de marzo, por el que se aprueba el Reglamento sobre notificación de sustancias nuevas y clasificación, envasado y etiquetado de sustancias peligrosas.
RDAG	Real Decreto 840/2015, de 21 de septiembre, por el que se aprueban medidas de control de los riesgos inherentes a los accidentes graves en los que intervengan sustancias peligrosas.
RDCA	Real Decreto 203/2016, de 20 de mayo, por el que se establecen los requisitos esenciales de seguridad para la comercialización de ascensores y componentes de seguridad para ascensores.
RDCAE	Real Decreto 171/2004, de 30 de enero, por el que se desarrolla el artículo 24 de la Ley 31/1995, de 8 de noviembre, de Prevención de Riesgos Laborales, en materia de coordinación de actividades empresariales.
RDCEP	Real Decreto 709/2015, de 24 de julio, por el que se establecen los requisitos esenciales de seguridad para la comercialización de los equipos a presión.
RDCEPI	Real Decreto 1407/1992, de 20 noviembre, por el que se regulan las condiciones para la comercialización y libre circulación intracomunitaria de los equipos de protección individual.
RDCNSST	Real Decreto 1879/1996, de 2 de agosto, por el que se regula la composición de la Comisión Nacional de Seguridad y Salud en el Trabajo.
RDCTE	Real Decreto 314/2006, de 17 de marzo, por el que se aprueba el Código Técnico de la Edificación.
RDEACT	Real Decreto 665/1997, de 12 de mayo, sobre la protección de los trabajadores contra los riesgos relacionados con la exposición a agentes cancerígenos durante el trabajo.
RDEM	Real Decreto 3255/1983, de 21 de diciembre, por el que se aprueba el Estatuto del Minero.
RDEP	Real Decreto 1299/2006, de 10 de noviembre, por el que se aprueba el cuadro de enfermedades profesionales en el sistema de la Seguridad Social y se establecen criterios para su notificación y registro.
RDEPI	Real Decreto 773/1997, de 30 de mayo, sobre disposiciones mínimas de seguridad y salud relativas a la utilización por los trabajadores de equipos de protección individual.
RDESTM	Real Decreto 1451/1983, de 11 de mayo, por el que en cumplimiento de lo previsto en la Ley 13/1982, de 7 de abril, se regula el empleo selectivo o las medidas de fomento del empleo de los trabajadores minusválidos.
RDFRE	Real Decreto 229/2006, de 24 de febrero, sobre el control de fuentes radiactivas encapsuladas de alta actividad y fuentes huérfanas.
RDHE	Real Decreto 1247/2008, de 18 de julio, por el que se aprueba la instrucción de hormigón estructural (EHE-08).
RDIPPF	Real Decreto 1702/2011, de 18 de noviembre, de inspecciones periódicas de los equipos de aplicación de productos fitosanitarios.
RDIAAC	Real Decreto 389/1998, de 13 de marzo, por el que se regula la investigación de los accidentes e incidentes de aviación civil.

RDIAF	Real Decreto 623/2014, de 18 de julio, por el que se regula la investigación de los accidentes e incidentes ferroviarios y la Comisión de Investigación de Accidentes Ferroviarios.
RDIAM	Real Decreto 800/2011, de 10 de junio, por el que se regula la investigación de los accidentes e incidentes marítimos y la Comisión permanente de investigación de accidentes e incidentes marítimos.
RDJET	Real Decreto 1561/1995, de 21 de septiembre, sobre jornadas especiales de trabajo.
RDM	Real Decreto 1644/2008, de 10 de octubre, por el que se establecen las normas para la comercialización y puesta en servicio de las máquinas.
RDMFE	Real Decreto 1445/1982, de 25 de junio, por el que se regulan diversas medidas de fomento del empleo.
RDOTTM	Real Decreto 525/2002, de 14 junio, sobre el control de cumplimiento del acuerdo comunitario relativo a la ordenación del tiempo de trabajo de la gente de mar.
RDPAGE	Real Decreto 67/2010, de 29 de enero, de adaptación de la legislación de Prevención de Riesgos Laborales a la Administración General del Estado.
RDPCRAG	Real Decreto 1196/2003, de 19 de septiembre, por el que se aprueba la Directriz básica de protección civil para el control y planificación ante el riesgo de accidentes graves en los que intervienen sustancias peligrosas.
RDPS	Real Decreto 1591/2009, de 16 de octubre, por el que se regulan los productos sanitarios.
RDPTBC	Real Decreto 840/2011, de 17 de junio, por el que se establecen las circunstancias de ejecución de las penas de trabajo en beneficio de la comunidad y de localización permanente en centro penitenciario, de determinadas medidas de seguridad, así como de la suspensión de la ejecución de la penas privativas de libertad y sustitución de penas.
RDPTERI	Real Decreto 413/1997, de 21 de marzo, sobre protección operacional de los trabajadores externos con riesgo de exposición a radiaciones ionizantes por intervención en zona controlada.
RDRCSS	Real Decreto 231/2017, de 10 de marzo, por el que se regula el establecimiento de un sistema de reducción de las cotizaciones por contingencias profesionales a las empresas que hayan disminuido de manera considerable la siniestralidad laboral.
RDRLP	Real Decreto 782/2001, de 6 de julio, por el que se regula la relación laboral de carácter especial de los penados que realicen actividades laborales en talleres penitenciarios y la protección de Seguridad Social de los sometidos a penas de trabajo en beneficio de la comunidad.
RDRMEM	Real Decreto 1696/2007, de 14 de diciembre, por el que se regulan los reconocimientos médicos de embarque marítimo.
RDSC	Real Decreto 1109/2007, de 24 de agosto, por el que se desarrolla la Ley 32/2006, de 18 de octubre, reguladora de la subcontratación en el Sector de la Construcción.
RDSHF	Real Decreto 1620/2011, de 14 de noviembre, por el que se regula la relación laboral de carácter especial del servicio del hogar familiar.
RDSSAM	Real Decreto 1389/1997, de 5 de septiembre, por el que se aprueban las disposiciones mínimas destinadas a proteger la seguridad y la salud de los trabajadores en las actividades mineras.
RDSSAQ	Real Decreto 374/2001, de 6 de abril, sobre la protección de la salud y seguridad de los trabajadores contra los riesgos relacionados con los agentes químicos durante el trabajo.
RDSC	Real Decreto 1109/2007, de 24 de agosto, por el que se desarrolla la Ley 32/2006, de 18 de octubre, reguladora de la subcontratación en el Sector de la Construcción.

RDSSCEM	Real Decreto 1932/1998, de 11 de septiembre, de adaptación de los capítulos III y V de la Ley 31/1995, de 8 de noviembre, de Prevención de Riesgos Laborales, al ámbito de los centros y establecimientos militares.
RDSSET	Real Decreto 1215/1997, de 18 de julio, por el que se establecen las disposiciones mínimas de seguridad y salud para la utilización por los trabajadores de los equipos de trabajo.
RDSSETT	Real Decreto 216/1999, de 5 de febrero, sobre disposiciones mínimas de seguridad y salud en el trabajo en el ámbito de las empresas de trabajo temporal.
RDSSLT	Real Decreto 486/1997, de 14 abril, por el que se establecen las disposiciones mínimas de seguridad y salud en los lugares de trabajo.
RDSSMMC	Real Decreto 487/1997, de 14 abril, sobre disposiciones mínimas de seguridad y salud relativas a la manipulación manual de cargas que entrañe riesgos, en particular dorsolumbares, para los trabajadores.
RDSSPV	Real Decreto 488/1997, de 14 de abril, sobre disposiciones mínimas de seguridad y salud relativas al trabajo con equipos que incluyen pantallas de visualización.
RDSSRA	Real Decreto 396/2006, de 31 de marzo, por el que se establecen las disposiciones mínimas de seguridad y salud aplicables a los trabajos con riesgo de exposición al amianto.
RDSSROA	Real Decreto 486/2010, de 23 abril, sobre la protección de la salud y la seguridad de los trabajadores contra los riesgos relacionados con la exposición a radiaciones ópticas artificiales.
RDSSRR	Real Decreto 286/2006, de 10 de marzo, sobre la protección de la salud y la seguridad de los trabajadores contra los riesgos relacionados con la exposición al ruido.
RDSSST	Real Decreto 485/1997, de 14 de abril, sobre disposiciones mínimas en materia de señalización de seguridad y salud en el trabajo.
RDSSTAE	Real Decreto 681/2003, de 12 junio, sobre la protección de la salud y seguridad de los trabajadores expuestos a los riesgos derivados de atmósferas explosivas en el lugar de trabajo.
RDSSTBP	Real Decreto 1216/1997, de 18 de julio, por el que se establecen las disposiciones mínimas de seguridad y salud en el trabajo a bordo de los buques de pesca.
RDSSTOC	Real Decreto 1627/1997, de 24 octubre, por el que se establecen disposiciones mínimas de seguridad y salud en las obras de construcción.
RDSSTRE	Real Decreto 614/2001, de 8 de junio, sobre disposiciones mínimas para la protección de la salud y seguridad de los trabajadores frente al riesgo eléctrico.
RDSSVM	Real Decreto 1311/2005, de 4 de noviembre, sobre la protección de la salud y la seguridad de los trabajadores frente a los riesgos derivados o que puedan derivarse de la exposición a vibraciones mecánicas.
RDTMBP	Real Decreto 963/2013, de 5 de diciembre, por el que se fijan las tripulaciones mínimas de seguridad de los buques de pesca y auxiliares de pesca y se regula el procedimiento para su asignación.
RDTRV	Real Decreto 1457/1986, de 10 de enero, por el que se regulan la actividad industrial y la prestación de servicios en los talleres de reparación de vehículos automóviles, de sus equipos y componentes.
REBT	Real Decreto 842/2002, de 2 de agosto, por el que se aprueba el Reglamento electrotécnico para baja tensión.
RGSM	Real Decreto 863/1985, de 2 de abril, por el que se aprueba el Reglamento General de Normas Básicas de Seguridad Minera.
RINR	Real Decreto 1836/1999, de 3 de diciembre, por el que se aprueba el Reglamento sobre instalaciones nucleares y radiactivas.
RIPI	Real Decreto 513/2017, de 22 de mayo, por el que se aprueba el Reglamento de instalaciones de protección contra incendios.

ROFIT   Real Decreto 138/2000, de 4 de febrero, por el que se aprueba el Reglamento de Organización y Funcionamiento de la Inspección de Trabajo y Seguridad Social.

RP   Real Decreto 190/1996, de 9 de febrero, por el que se aprueba el Reglamento Penitenciario.

RPOS   Real Decreto 928/1998, de 14 de mayo, por el que se aprueba el Reglamento general sobre procedimientos para la imposición de sanciones por infracciones de Orden social y para los expedientes liquidatorios de cuotas de la Seguridad Social.

RPSRI   Real Decreto 783/2001, de 6 de julio, por el que se aprueba el Reglamento sobre protección sanitaria contra radiaciones ionizantes.

RSOCVM   Real Decreto 1507/2008, de 12 de septiembre, por el que se aprueba el Reglamento del seguro obligatorio de responsabilidad civil en la circulación de vehículos a motor.

RSP   Real Decreto 39/1997, de 17 de enero, por el que se aprueba el Reglamento de los Servicios de Prevención.

SAP   Sentencia Audiencia Provincial.

STC   Sentencia Tribunal Constitucional.

STCT   Sentencia Tribunal Central de Trabajo.

STS   Sentencia Tribunal Supremo.

STSJ   Sentencia Tribunal Superior de Justicia.

Notas Técnicas de Prevención del INSST consultadas

NTP 001	Estadísticas de accidentabilidad en la empresa. 1982.
NTP 002	Estadísticas de accidentabilidad en la empresa. Caso Práctico. 1982.
NTP 003	Señalizaciones de conducciones. 1982. Actualizada por NTP 566. 2000.
NTP 004	Señalización de vías de evacuación. 1982.
NTP 005	Identificación de productos químicos por etiqueta. 1982.
NTP 006	Radiaciones en soldadura. Guía para la selección de oculares filtrantes. 1982.
NTP 007	Soldadura. Prevención de Riesgos Higiénicos. 1982.
NTP 008	Reglamentaciones relativas a productos químicos. 1982. Actualizada por NTP 178. 1986.
NTP 009	Líquidos inflamables y combustibles. Almacenamiento en recipientes móviles. 1982.
NTP 010	Resguardos. Distancias de seguridad. 1982.
NTP 011	Detectores de posición eléctricos en resguardos de enclavamientos. 1982.
NTP 012	Enclavamiento de movimientos peligrosos con inercia. 1982.
NTP 013	Enclavamientos de seguridad mediante cerraduras. 1982.
NTP 014	Troqueles cerrados. 1982.
NTP 015	Construcción de una escala de actitudes tipo Likert. 1982.
NTP 016	Modelo para el diseño y preparación de una clase. 1982.
NTP 017	Protectores auditivos. Atenuación en dBA. 1982. Actualizada por NTP 156. 1986.
NTP 018	Estrés térmico. Evaluación de las exposiciones muy intensas. 1982.
NTP 019	Instrucciones generales para la toma, conservación y envío de muestras. 1982.
NTP 020	Toma de muestras de contaminantes con filtro. Norma general. 1982.
NTP 021	Toma de muestras de polvo inerte o molesto. 1982.
NTP 022	Toma de muestras de contaminantes con soluciones absorbentes. Norma general. 1982.
NTP 023	Toma de muestra de contaminantes mediante absorbentes sólidos. Norma general. 1982.
NTP 024	Toma de muestra de vapores de disolventes mediante adsorbentes sólidos. Normas de captación. 1982.
NTP 025	Norma básica de la edificación NBE-CPI-82. Obligatoriedad. 1982.
NTP 026	Propagación del fuego. Limitación por aislamiento de riesgos. Criterios legales. 1982.
NTP 027	Propagación del fuego. Limitación por aislamiento de riesgos. Criterios técnicos. 1982.
NTP 028	Medios manuales de extinción. 1982.
NTP 029	Instalaciones de recogida de polvos combustibles. Control del riesgo de explosión. 1982.
NTP 030	Permisos de trabajos especiales. 1982. Actualizada por NTP 562. 2000.
NTP 031	Actos de las instituciones de las Comunidades Europeas como fuentes del derecho comunitario. 1982.
NTP 032	Convenios de la OIT referentes a prevención. 1982. Actualizada por la NTP 172. 1986.
NTP 033	Offset. Seguridad. 1982.
NTP 034	Grado de protección de los aparatos eléctricos. 1982. Sustituida por NTP 588.2001.
NTP 035	Señalización de equipos de lucha contra incendios. 1982.
NTP 036	Riesgo intrínseco de incendio (I). 1983.
NTP 037	Riesgo intrínseco de incendio (II). 1983.
NTP 038	Reacción al fuego. 1983.
NTP 039	Resistencia ante el fuego de elementos constructivos. 1983.

NTP 040	Detección de incendios. 1983.
NTP 041	Alarma de incendio. 1983.
NTP 042	Bocas e hidrantes de incendio. Condiciones de instalación. 1983.
NTP 043	Columnas secas contra incendios. Condiciones de instalación. 1983.
NTP 044	Sistemas fijos de extinción (I). 1983.
NTP 045	Plan de emergencia contra incendios. 1983.
NTP 046	Evacuación de edificios. 1983.
NTP 047	Parámetros de interés a efectos de incendio de las sustancias químicas más usuales. Valores. 1983.
NTP 048	Homologación de medios de protección personal. Lista de normas y su alcance. 1983.
NTP 049	Identificación por distintivos de colores de filtros respiratorios. 1983.
NTP 050	Almacenamiento de hidrógeno. 1983.
NTP 051	Almacenamiento de oxígeno. 1983.
NTP 052	Consignación de máquinas. Año 1983.
NTP 053	Equipo eléctrico de máquinas-herramientas. Órganos de servicio. Colores. 1983.
NTP 054	Documentos: Definiciones. 1983.
NTP 055	Túneles de secado de disolventes inflamables control del riesgo de explosión. 1983.
NTP 056	Instalación de limpieza en seco. Prevención de riesgos higiénicos. 1983.
NTP 057	Cabinas de laboratorio. Control por ventilación de productos de elevada toxicidad en laboratorios. 1983.
NTP 058	Toma de muestras de 2,4-toluendiisocianato (TDI). 1983
NTP 059	Toma de muestras de sílice libre. Análisis colorimétrico. 1983.
NTP 060	Toma de muestras de sílice libre. Análisis difractométrico. 1983.
NTP 061	Toma de muestras de ácido clorhídrico.
NTP 062	Toma de muestras de amoníaco. 1983.
NTP 063	Toma de muestras de hidróxido sódico. 1983.
NTP 064	Toma de muestras de estibamina. 1983.
NTP 065	Toxicología de compuestos de pirólisis y combustión. 1983.
NTP 066	Diferencias entre los MAK de la RFA (1982) y los TLV (1982). 1983.
NTP 067	Troqueladora y Minerva de presión plana. 1983.
NTP 068	Tupí. Seguridad. 1983. Complementada por NTP 645. 2003.
NTP 069	Sistemas de protección en prensas mecánicas excéntricas. 1983.
NTP 070	Mandos a dos manos. Requerimientos de seguridad. 1983.
NTP 071	Sistemas de protección contra contactos eléctricos indirectos. 1983.
NTP 072	Trabajos con elementos de altura en presencia de líneas eléctricas aéreas. 1983.
NTP 073	Distancias a líneas eléctricas de BT y AT. 1983. Actualizada por NTP 763. 2007.
NTP 074	Confort térmico - Método de Fanger para su evaluación. 1983.
NTP 075	Bulldozer. 1983.
NTP 076	Dumper - Carretilla a motor con volquete. 1983.
NTP 077	Bateas - Paletas y plataformas para cargas unitarias. 1983.
NTP 078	Aparejos manuales. 1983.
NTP 079	Pala cargadora. 1983.
NTP 080	Directorio de organismos elaboradores de normas. 1983.
NTP 081	Recomendaciones de la OIT referentes a prevención. 1983.
NTP 082	Legislación de las Comunidades Europeas sobre riesgos profesionales y contaminación, depositada en el CENFYD. 1983.
NTP 083	Aplicación de los reconocimientos médicos preventivos a la medicina del trabajo. 1983.
NTP 084	Redacción de la historia laboral. 1983.
NTP 085	Audiometrías. 1983.
NTP 086	Dispositivos de parada de emergencia. 1984.
NTP 087	Equipo eléctrico en máquinas herramientas. Medidas de seguridad. 1984.
NTP 088	Autoclaves de tintura Mejora de los sistemas de cierre. 1984.
NTP 089	Cinta transportadora de materiales a granel. 1984.

NTP 090	Plantas de hormigonado. Tipo radial. 1984.
NTP 091	Cepilladora. 1984.
NTP 092	Sierra de cinta. 1984.
NTP 093	Camión hormigonera. 1984.
NTP 094	Plantas de hormigonado. Tipo torre. 1984.
NTP 095	Escombros y su evacuación desde plantas de pisos. 1984.
NTP 096	Sierra circular para construcción. Dispositivos de protección 1984.
NTP 097	Baterías de arranque. Riesgos de accidentes durante su manejo. 1984.
NTP 098	Guillotina de papel. 1984.
NTP 099	Métodos de extinción y agentes extintores. 1984.
NTP 100	Evaluación del riesgo de incendio. Método de Gustav Purt. 1984.
NTP 101	Comunicación de riesgos en la empresa. 1984.
NTP 102	Clasificación y tipos de elementos de protección personal especificados en las normas técnicas reglamentarias (MT). 1984.
NTP 103	Etiquetas para la identificación de mercancías peligrosas en el transporte por carretera. 1984. Sustituida por la NTP 309. 1993.
NTP 104	Baterías de Ni-Cd. Uso y mantenimiento. 1984.
NTP 105	Sistemas aplicables para la toma de muestras de contaminantes químicos. 1984.
NTP 106	Documentación: Indización. 1984.
NTP 107	Diseño y realización de entrevistas. 1984.
NTP 108	Criterios toxicológicos generales para los contaminantes químicos. 1984.
NTP 109	Valores límite biológicos para el control de exposición a metales. 1984.
NTP 110	Toma de muestras de metales (polvos y humos). 1984.
NTP 111	Toma de muestras de ácido nítrico. 1984.
NTP 112	Toma de muestras de nieblas de ácido crómico. 1984.
NTP 113	Toma de muestras de vapor de mercurio. 1984.
NTP 114	Toma de muestras de Baygón. 1984.
NTP 115	Toma de muestras de cloro. 1984.
NTP 116	Toma de muestras de metilen-bis-4-fenil-isociananto (MDI). 1984.
NTP 117	Toma de muestra de gases y vapores con bolsas. Norma general. 1984.
NTP 118	Freones. Nomenclatura y toxicidad. 1984.
NTP 119	Cancerígenos químicos. 1984.
NTP 120	Cuestionario médico específico para mercurio. 1984.
NTP 121	Hormigonera. 1985.
NTP 122	Retroexcavadora. 1985.
NTP 123	Barandillas. 1985.
NTP 124	Redes de seguridad. 1985.
NTP 125	Grúa torre. 1985.
NTP 126	Máquinas para movimiento de tierras. 1985.
NTP 127	Estación de trituración primaria. 1985.
NTP 128	Estaciones depuradoras de aguas residuales. Riesgos específicos. 1985.
NTP 129	Slotter. 1985.
NTP 130	Regruesadora. 1985.
NTP 131	Cilindros curvadores de chapa. 1985.
NTP 132	Válvulas antirretroceso de llama. 1985.
NTP 133	Tronzadora - Ingletadora. 1985.
NTP 134	Asiento anatómico. 1985.
NTP 135	Seguridad en el laboratorio. "Cuestionario de Seguridad". 1985. Adaptada y ampliada por NTP 921. 2011.
NTP 136	Valoración del trauma acústico. 1985.
NTP 137	Etiquetado de sustancias peligrosas. 1985. Actualizada por NTP 332. 1994.
NTP 138	Pérdida de carga de los soportes de retención. 1985.
NTP 139	El trabajo con pantallas de visualización. 1985.
NTP 140	Estadística y mediciones ambientales. 1985.

NTP 141	Exposición laboral a gases anestésicos. 1985. Complementada por NTP 606, 932 y 933.
NTP 142	Grupos electrógenos. Protección contra contactos eléctricos indirectos. 1985.
NTP 143	Pesticidas: Clasificación y riesgos principales. 1985.
NTP 144	Disposiciones de la C.E.E. sobre Seguridad e Higiene en el Trabajo. 1985.
NTP 145	Disposiciones legales referentes a Seguridad e Higiene en la Construcción. 1985.
NTP 146	Control biológico de contaminantes químicos. 1985. Actualizada por NTP 586. 2001.
NTP 147	Valores límite biológicos para el control de exposición a compuestos orgánicos. 1985.
NTP 148	Riesgos higiénicos por isocianatos. 1985.
NTP 149	Plegadora de chapa. 1985.
NTP 150	Encoladora de rodillos. 1985.
NTP 151	Toma de muestras con captadores pasivos. 1985.
NTP 152	Cizalla circular de cartón. 1985.
NTP 153	Cizalla de guillotina para metal. 1985.
NTP 154	Detectores de proximidad inductivos. 1985.
NTP 155	Cables de acero. 1985. Complementada por NTP 221. 1988.
NTP 156	Protectores auditivos. Atenuación en dB A. 1986. Actualiza a la NTP 17. 1982.
NTP 157	Exposición laboral a óxido de etileno. 1986. Actualizada por la NTP 286. 1991.
NTP 158	Toma de muestras de fibras de amianto. 1986.
NTP 159	Prevención del cáncer laboral. 1986.
NTP 160	La ZPP como marcador biológico en la detección precoz y diagnosis del saturnismo. 1986.
NTP 161	Modelos de actuación del profesor según los objetivos. 1986.
NTP 162	Diferencias entre los MAK de la RFA (1986) y los TLV (1986-1987). 1986.
NTP 163	Exposición laboral a compuestos citostáticos. 1986. Actualizada y ampliada por NTP 740. 2006.
NTP 164	Colas y adhesivos. Tipos y riesgos higiénicos. 1986
NTP 165	Plomo. Normas para su evaluación y control. 1986.
NTP 166	Dermatosis por agentes químicos – prevención. 1986.
NTP 167	Aparejos, cabrias y garruchas. 1986.
NTP 168	Comunicación en una situación docente: problemas básicos. 1986.
NTP 169	Condiciones de cableado en máquinas. 1986.
NTP 170	Toma de muestras de formaldehido. 1986.
NTP 171	Toma de muestras de dióxido y monóxido de nitrógeno. 1986.
NTP 172	Convenios de la O.I.T. referentes a prevención. 1986. Actualiza a la NTP 32. 1982.
NTP 173	Videoterminales: protocolo de exploración osteomuscular. 1986.
NTP 174	Exploración oftalmológica específica para operadores de pantallas de visualización (PVD). 1986.
NTP 175	Evaluación de las Condiciones de Trabajo: El método L.E.S.T. 1986.
NTP 176	Evaluación de las condiciones de trabajo: Método de los perfiles de puestos. 1986.
NTP 177	La carga física de trabajo: Definición y evaluación. 1986
NTP 178	Reglamentaciones relativas a productos químicos. 1986. Actualiza a la NTP 8.1982.
NTP 179	La carga mental del trabajo: Definición y evaluación.
NTP 180	Los guantes en la prevención de las dermatosis profesionales. 1986.
NTP 181	Alumbrados especiales. 1986.
NTP 182	Encuesta de autovaloración de las condiciones de trabajo. 1986.
NTP 183	El trabajo con grupos semi-autónomos. 1986.
NTP 184	Mercurio. Control ambiental y biológico. 1986.
NTP 185	Detección automática de incendios. Detectores térmicos. 1986.
NTP 186	Escopleadora de cadena. 1986.
NTP 187	Prensa de balas vertical. 1986.
NTP 188	Señales de seguridad para centros y locales de trabajo. 1986.
NTP 189	Guía de inspección del riesgo de incendio en establecimientos hoteleros. 1986.

NTP 190	Cubas de desengrase con tricoloroetileno y percloroetileno. Prevención de riesgos higiénicos. 1986.
NTP 191	Asma laboral: Diagnóstico precoz. 1988.
NTP 192	Genotóxicos: control biológico. 1988.
NTP 193	Ruido: Vigilancia epidemiológica de los trabajadores expuestos. 1988.
NTP 194	Cerámica decorativa: Contaminación por plomo y su control ambiental. 1988.
NTP 195	Proceso Ashland: Riesgos higiénicos y normas de seguridad. 1988.
NTP 196	Videoterminales: Evaluación ambiental. 1988.
NTP 197	Desplazamientos de personas sobre grúas-torre. 1988.
NTP 198	Gases comprimidos: Identificación de botellas. 1988.
NTP 199	Reconocimientos médicos de trabajadores expuestos a plaguicidas. 1988.
NTP 200	Estructuras metálicas: Comportamiento frente al fuego (I). 1988.
NTP 201	Estructuras metálicas: Comportamiento frente al fuego. 1988.
NTP 202	Andamios de borriquetas. 1988.
NTP 203	Contaminantes biológicos: Evaluación en ambientes laborales. 1988.
NTP 204	Videoterminales: Evaluación subjetiva de las condiciones de trabajo. 1988.
NTP 205	Ultrasonidos: Exposición laboral. 1988
NTP 206	Óxido de etileno: Exposición y efectos. 1988.
NTP 207	Plataformas eléctricas para trabajos en altura. 1988.
NTP 208	Grúa móvil. 1988. Sustituida por NTP 1077. 2016.
NTP 209	Botellas de G.L.P.: Instalación. 1988.
NTP 210	Análisis de las condiciones de trabajo: Método de la A.N.A.C.T. 1988.
NTP 211	Iluminación de los centros de trabajo. 1988.
NTP 212	Evaluación de la satisfacción laboral: Métodos directos e indirectos. 1988.
NTP 213	Satisfacción laboral: Encuesta de evaluación. 1988.
NTP 214	Carretillas elevadoras. 1988. Sustituida por NTP 213. 2005.
NTP 215	Detectores de humos. 1988.
NTP 216	Acto didáctico: Estructura temporal. 1988.
NTP 217	Validación de un espirómetro. 1988.
NTP 218	La espirometría forzada en Medicina del Trabajo. 1988.
NTP 219	Clasificación, envasado y etiquetado de preparados peligrosos. Normativa de la CEE (88/379/CEE). 1988. Sustituida por NTP 314. 1993.
NTP 220	Seguridad en el almacenamiento de madera. 1988.
NTP 221	Eslingas de cables de acero. 1988. Complementa a la NTP 155. 1986.
NTP 222	Alta tensión: Seguridad en trabajos y maniobras en centros de transformación. 1988.
NTP 223	Trabajos en recintos confinados. 1988.
NTP 224	Brucelosis: Normas preventivas. 1988.
NTP 225	Electricidad estática en el trasvase de líquidos inflamables. 1988.
NTP 226	Mandos: Ergonomía de diseño y accesibilidad. 1989.
NTP 227	Calzado de seguridad contra riesgos mecánicos: Guías para la elección, uso y mantenimiento. 1989.
NTP 228	Cascos de protección: Guías para la elección, uso y mantenimiento. 1989.
NTP 229	Mercurio inorgánico y metálico: Protocolo de vigilancia médica. 1989.
NTP 230	Cromo: Protocolo de vigilancia médica. 1989.
NTP 231	Bisinosis: Vigilancia médica. 1989.
NTP 232	Pantallas de visualización de datos (P.V.D.): Fatiga postural. 1989.
NTP 233	Cabinas de seguridad biológica. 1989.
NTP 234	Exposición a radiofrecuencias y microondas (I). Evaluación. 1989.
NTP 235	Medidas de seguridad en máquinas: Criterios de selección. 1989.
NTP 236	Accidentes de trabajo: Control estadístico. 1989..
NTP 237	Reacciones químicas peligrosas con el agua. 1989.
NTP 238	Los análisis de peligros y de operabilidad en instalaciones de proceso. 1989.
NTP 239	Escaleras manuales. 1989.
NTP 240	Las condiciones materiales del acto didáctico. 1989.
NTP 241	Mandos y señales: Ergonomía de percepción. 1989.

NTP 242	Ergonomía: análisis ergonómico de los espacios de trabajo en oficinas. 1989.
NTP 243	Ambientes cerrados: Calidad del aire. 1989.
NTP 244	Criterios de valoración en Higiene Industrial. 1989.
NTP 245	Sustancias químicas y efectos sobre la reproducción humana. 1989.
NTP 246	Intoxicaciones agudas: Primeros auxilios. 1989.
NTP 247	Reanimación cardiopulmonar: Primeros auxilios. 1989. Actualizada por NTP 605. 2001.
NTP 248	Formaldehído: Su control en laboratorios de Anatomía y Anatomía Patológica. 1989.
NTP 249	SIDA: Repercusiones en el ambiente laboral. 1989.
NTP 250	Traumatismos oculares: Primeros auxilios. 1989.
NTP 251	Pantallas de visualización: Medida de distancias y ángulos visuales. 1989.
NTP 252	Pantallas de Visualización de Datos: Condiciones de iluminación. 1989.
NTP 253	Puente-grúa. 1989. Sustituida por NTP 736, 737 y 738. 2006.
NTP 254	Legislación española sobre etiquetado de sustancias y preparados peligrosos. 1989.
NTP 255	Características estructurales. 1989.
NTP 256	Prensas verticales: Elección de los sistemas de protección. 1989.
NTP 257	Perforación de rocas: Eliminación de polvo. 1989.
NTP 258	Prevención de riesgos en demoliciones manuales. 1989.
NTP 259	Tractor agrícola: prevención del vuelco. 1989. Sustituida por NTP 1086. 2017.
NTP 260	Trabajo a turnos: Efectos médico-patológicos. 1989.
NTP 261	Láseres: riesgos en su utilización. 1991.
NTP 262	Protectores visuales contra impactos y/o salpicaduras: Guías para la elección, uso y mantenimiento. 1991.
NTP 263	Guantes de protección contra riesgos mecánicos: Guías para la elección, uso y mantenimiento. 1991.
NTP 264	Aparatos de tracción mediante cables. 1991.
NTP 265	Tratamientos electrolíticos: Riesgos higiénicos. 1991.
NTP 266	Adhesivos sintéticos: Riesgo higiénico de resinas y otros componentes. 1991.
NTP 267	Tomas de corriente para usos industriales. 1991. Modificada por NTP 588. 2001.
NTP 268	Pesticidas: Medidas preventivas en el almacenamiento y utilización. 1991.
NTP 269	Cancerígenos, mutágenos y teratógenos: manipulación en el laboratorio. 1991.
NTP 270	Evaluación de la exposición al ruido. Determinación de niveles representativos. 1991.
NTP 271	Instalaciones eléctricas en obras de construcción. 1991. Modificada por NTP 588. 2001.
NTP 272	La comunicación escrita en la empresa. 1991.
NTP 273	Costes no asegurados de los accidentes: Método simplificado de cálculo. 1991.
NTP 274	Investigación de accidentes: Árbol de causas. 1991.
NTP 275	Carga mental en el trabajo hospitalario: Guía para su valoración. 1991.
NTP 276	Eliminación de residuos en el laboratorio: Procedimientos generales. 1991.
NTP 277	Efecto antabús debido a la inhalación e substancias de origen industrial. 1991.
NTP 278	Zanjas: Prevención del desprendimiento de tierras. 1991.
NTP 279	Ambiente térmico y deshidratación. 1991.
NTP 280	Cromo en orina: Utilización como índice biológico en la exposición laboral. 1991.
NTP 281	Amoladoras angulares. 1991.
NTP 282	Hospitales: Protección contra incendios. 1991.
NTP 283	Encuestas: Metodología para su utilización. 1991.
NTP 284	Audiometría tonal liminar: Exploraciones previas y vía aérea. 1991.
NTP 285	Audiometría tonal liminar: Vía ósea y enmascaramiento. 1991.
NTP 286	Óxido de etileno: Exposición laboral. 1991. Actualiza a la NTP 157. 1986.
NTP 287	Hipoacusia laboral por exposición a ruido: Evaluación clínica y diagnóstico. 1991.
NTP 288	Síndrome del edificio enfermo: Enfermedades relacionadas y papel de los bioaerosoles. 1991.
NTP 289	Síndrome del edificio enfermo: Factores de riesgo. 1991.

NTP 290	El síndrome del edificio enfermo: Cuestionario para su detección. 1991.
NTP 291	Modelos de vulnerabilidad de las personas por accidentes mayores: Método Probit. 1991.
NTP 292	Concentración "inmediatamente peligrosa para la vida o la salud". 1991.
NTP 293	Explosiones BLEVE (I): Evaluación de la radiación térmica. 1991.
NTP 294	Explosiones BLEVE (II): Medidas preventivas. 1991.
NTP 295	Valoración de la carga física mediante la monitorización de la frecuencia cardiaca. 1991.
NTP 296	El grupo de discusión. 1993.
NTP 297	Manipulación de bidones. 1993.
NTP 298	Almacenamiento en estanterías y estructuras. 1993.
NTP 299	Método para el recuento de bacterias y hongos en aire. 1993.
NTP 300	Dispositivos personales para operaciones de elevación y descenso: Guías para la elección, uso y mantenimiento. 1993.
NTP 301	Cinturones de seguridad: Guías para la elección, uso y mantenimiento. 1993.
NTP 302	Reactividad e inestabilidad química: Análisis termodinámico preliminar. 1993.
NTP 303	Instalaciones radiactivas. 1993. Sustituida por nTP 589. 2001.
NTP 304	Radiaciones ionizantes: Normas de protección. 1993. Sustituida por NTP 614. 2003.
NTP 305	Tipos de indicadores para el balance social de la empresa. 1993.
NTP 306	Las fibras alternativas al amianto: Consideraciones generales. 1993.
NTP 307	Líquidos inflamables y combustibles: Almacenamiento en recipientes móviles. 1993.
NTP 308	Análisis preliminar de la gestión preventiva: Cuestionarios de evaluación. 1993.
NTP 309	Transporte de mercancías peligrosas por carretera: Identificación e información de peligros. 1993. Sustituye a la NTP 103. 1984.
NTP 310	Trabajo nocturno y trabajo a turnos: Alimentación. 1993.
NTP 311	Microtraumatismos repetitivos: Estudio y prevención. 1993.
NTP 312	Comunicación interpersonal: El efecto Palo Alto. 1993.
NTP 313	Calidad del aire interior: Riesgos microbiológicos en los sistemas de ventilación/climatización. 1993.
NTP 314	Clasificación, envasado y etiquetado de preparados peligrosos: Directivas de la CEE (88/379/CEE y siguientes). 1993. Sustituye a NTP 219. 1988.
NTP 315	Calidad del aire: gases presentes a bajas concentraciones en ambientes cerrados. 1993.
NTP 316	Fiabilidad de componentes: La distribución exponencial. 1993.
NTP 317	Fluidos de corte: Criterios de control de riesgos higiénicos. 1993
NTP 318	El estrés: Proceso de generación en el ámbito laboral. 1993.
NTP 319	Carretillas manuales: Transpaletas manuales. 1993.
NTP 320	Umbrales olfativos y seguridad de sustancias químicas peligrosas. 1993.
NTP 321	Explosiones de nubes de vapor no confinadas: evaluación de la sobrepresión. 1993.
NTP 322	Valoración del riesgo de estrés térmico: Índice WBGT . 1993.
NTP 323	Determinación del metabolismo energético. 1993. Sustituida por NTP 1011. 2014.
NTP 324	Cuestionario de chequeo para el control de riesgos de accidente. 1993.
NTP 325	Cuestionario de chequeo para el control de riesgo de atrapamiento en máquinas. 1993.
NTP 326	Radiación térmica en incendios de líquidos y gases. 1993
NTP 327	Asma ocupacional: Criterios diagnósticos actuales. 1993.
NTP 328	Análisis de riesgos mediante el árbol de sucesos. 1993.
NTP 329	Modelos de dispersión de gases y/o vapores en la atmósfera: Fuentes puntuales continuas. 1993
NTP 330	Sistema simplificado de evaluación de riesgos de accidente. 1993.
NTP 331	Fiabilidad: La distribución de Weibull. 1994.
NTP 332	Clasificación, envasado y etiquetado de sustancias peligrosas: Directivas de la CEE (67/548/CEE y siguientes). Actualización de la NTP 137. 1985. 1994.

NTP 333	Análisis probabilístico de riesgos: Metodología del "Árbol de fallos y errores". 1994.
NTP 334	Planes de emergencia interior en la industria química. 1994. Complementada por NTP 339. 1994.
NTP 335	Calidad de aire interior: Evaluación de la presencia de polen y espora fúngicas. 1994.
NTP 336	Absorción de sustancias químicas por la piel. 1994.
NTP 337	Control de fugas en almacenamientos de gases licuados tóxicos (I). 1994.
NTP 338	Control de fugas en almacenamientos de gases licuados tóxicos (II). 1994.
NTP 339	Divulgación de planes de emergencia interior a los trabajadores de la industria química. 1994. Complementa a la NTP 334. 1994.
NTP 340	Riesgo de asfixia por suboxigenación en la utilización de gases inertes 1994.
NTP 341	Exposición a cloro en piscinas cubiertas. 1994.
NTP 342	Válvulas de seguridad (I): Características técnicas. 1994. Complementada por NTP 510. 1999.
NTP 343	Nuevos criterios para futuros estándares de ventilación de interiores. 1994.
NTP 344	Trabajos en situación de aislamiento. 1994.
NTP 345	El control de la ventilación mediante gases trazadores. 1994.
NTP 346	Válvulas de seguridad (II): Capacidad de alivio y dimensionado. 1994. Complementada por NTP 510. 1999.
NTP 347	Contaminantes químicos: evaluación de la concentración ambiental. 1994.
NTP 348	Envejecimiento y trabajo: La visión. 1994.
NTP 349	Prevención del estrés: Intervención sobre el individuo. 1994.
NTP 350	Evaluación del estrés térmico. Índice de sudoración requerida. 1994.
NTP 351	Micotoxinas (aflatoxinas y tricotecenos) en ambientes laborales. 1994.
NTP 352	Neurotoxicidad: Estudio de la visión cromática. 1994.
NTP 353	Productos químicos carcinógenos: Sustancias y preparados sometidos a la Directiva 90/394/CEE. 1994. Sustituida por NTP 514. 1999.
NTP 354	Control biológico de la exposición a genotóxicos: técnicas citogenéticas. 1994.
NTP 355	Fisiología del estrés. 1994.
NTP 356	Condiciones de seguridad en la carga y descarga de camiones cisterna: Líquidos inflamables (I). 1994.
NTP 357	Condiciones de seguridad en la carga y descarga de camiones cisterna: Líquidos inflamables (II). 1994.
NTP 358	Olores: Un factor de calidad y confort en ambientes interiores. 1994.
NTP 359	Seguridad en el laboratorio: Gestión de residuos tóxicos y peligrosos en pequeñas cantidades. 1994.
NTP 360	Fiabilidad humana: Conceptos básicos. 1994.
NTP 361	Planes de emergencia en lugares de pública concurrencia. 1994.
NTP 362	Fugas en recipientes y conducciones: Emisión en fase líquida. 1994.
NTP 363	Prevención de fugas en instalaciones (I): seguridad en proyecto. 1994
NTP 364	Prevención de fugas en instalaciones (II): Juntas de estanqueidad. 1994.
NTP 365	Normativa española relacionada con la seguridad y la salud de los trabajadores. 1994.
NTP 366	Envejecimiento y trabajo: Audición y motricidad. 1995.
NTP 367	Envejecimiento y trabajo: La gestión de la edad. 1995.
NTP 368	Extinción de incendios: Plan de revisión de equipos. 1995. Actualizada por NTP 680. 2004.
NTP 369	Atmósferas potencialmente explosivas: Instalaciones eléctricas. 1995.
NTP 370	Atmósferas potencialmente explosivas: Clasificación de emplazamientos de clase I. 1995.
NTP 371	Información sobre productos químicos: Fichas de datos de seguridad. 1995.
NTP 372	Tratamiento de residuos sanitarios. 1995.
NTP 373	La ventilación general en el laboratorio. 1995. Complementada por NTP 672. 2004.
NTP 374	Electricidad estática: Carga y descarga de camiones cisterna (I). 1995.
NTP 375	Electricidad estática: Carga y descarga de camiones cisterna (II). 1995.

NTP 376	Exposición a agentes biológicos: Seguridad y buenas prácticas de laboratorio. 1995.
NTP 377	Fiabilidad humana: métodos. 1995.
NTP 378	Recipientes metálicos para líquidos inflamables. 1995.
NTP 379	Productos inflamables: Variación de los parámetros de peligrosidad. 1995.
NTP 380	El síndrome del edificio enfermo: Cuestionario simplificado. 1995.
NTP 381	Envases plásticos: Condiciones generales de seguridad (I). 1995.
NTP 382	Envases plásticos: Condiciones generales de seguridad (II). 1995.
NTP 383	Riesgo en la utilización de gases licuados a baja temperatura. 1995
NTP 384	La inmunización activa: Una herramienta de prevención - Año 1995.
NTP 385	Fugas en recipientes: Emisión en fase gaseosa. 1995.
NTP 386	Observaciones planeadas del trabajo. 1995.
NTP 387	Evaluación de las condiciones de trabajo: Método del análisis ergonómico del puesto de trabajo. 1995.
NTP 388	Ambigüedad y conflicto de rol. 1995.
NTP 389	Protección de la capa de ozono: Aspectos legales. 1995. Sustituida por NTP 706. 2005.
NTP 390	La conducta humana ante situaciones de emergencia: análisis de proceso en la conducta individual. 1995.
NTP 391	Herramientas manuales (I): Condiciones generales de seguridad. 1995.
NTP 392	Herramientas manuales (II): Condiciones generales de seguridad. 1995.
NTP 393	Herramientas manuales (III): Condiciones generales de seguridad. 1995.
NTP 394	Satisfacción laboral: Escala general de satisfacción. 1995.
NTP 395	La conducta humana ante situaciones de emergencia: la conducta colectiva. 1995.
NTP 396	Deflagraciones producidas por gases, vapores y polvos combustibles: Sistemas de protección. 1995.
NTP 397	Botellas de gas: Riesgos genéricos en su utilización. 1995.
NTP 398	Patógenos transmitidos por la sangre: Un riesgo laboral. 1995.
NTP 399	Seguridad en el laboratorio: Actuación en caso de fugas y vertidos. 1995
NTP 400	Corriente eléctrica: Efectos al atravesar el organismo humano. 1995.
NTP 401	Fiabilidad humana: Métodos de cuantificación, juicio de expertos. 1996.
NTP 402	Sistemas supresores de explosión (I): Fundamentos teóricos y medios de extinción. 1996.
NTP 403	Sistemas supresores de explosión (II): Factores de diseño y aplicaciones prácticas. 1996
NTP 404	Escaleras fijas. 1996.
NTP 405	Factor humano y siniestralidad: Aspectos sociales. 1996.
NTP 406	Contaminantes químicos: Evaluación de la exposición laboral (I). 1996.
NTP 407	Contaminantes químicos: Evaluación de la exposición laboral (II). 1996.
NTP 408	Escalas fijas de servicio. 1996.
NTP 409	Contaminantes biológicos: Criterios de valoración. 1996.
NTP 410	Justificación analítica de medida del riesgo: Método JAM. 1996.
NTP 411	Zoonosis de origen laboral. 1996.
NTP 412	Teletrabajo: Criterios para su implantación. 1996.
NTP 413	Carga de trabajo y embarazo. 1996. Completada y actualizada por NTP 612. 2003.
NTP 414	Reproducción: Fuentes de información. 1996. Completada y actualizada por NTP 612. 2003.
NTP 415	Actos inseguros en el trabajo: Guía de intervención. 1996.
NTP 416	Actitudes frente al cambio en trabajadores de edad avanzada. 1996.
NTP 417	Análisis cuantitativo de riesgos: Fiabilidad de componentes e implicaciones en el mantenimiento preventivo.
NTP 418	Fiabilidad: La distribución lognormal. 1996.
NTP 419	Condiciones de trabajo y círculos de calidad. 1996.
NTP 420	Instalaciones de abastecimiento de agua contra incendios. 1996.
NTP 421	"Test de salud total" de Langner-Amiel: Su aplicación en el contexto laboral. 1996.
NTP 422	Endotoxinas en ambientes laborales. 1996.

NTP 423	Programación neurolingüística (PNL): Aplicaciones a la mejora de las condiciones de trabajo (I). 1996.
NTP 424	Programación neurolingüística (PNL): Aplicaciones a la mejora de las condiciones de trabajo (II). 1996.
NTP 425	Laboratorios fotográficos: Riesgos por exposición a contaminantes químicos (I). 1996.
NTP 426	Laboratorios fotográficos: Riesgos por exposición a contaminantes químicos (II). 1996.
NTP 427	Paramentos débiles para el venteo de alivio de explosiones (I). 1996.
NTP 428	Paramentos débiles para el venteo de alivio de explosiones (II). 1996.
NTP 429	Desinfectantes: Características y usos más corrientes. 1996.
NTP 430	Gases licuados: Evaporación de fugas y derrames. 1996.
NTP 431	Caracterización de la calidad del aire en ambientes interiores. 1996.
NTP 432	Prevención del riesgo en el laboratorio. Organización y recomendaciones generales. 1996.
NTP 433	Prevención del riesgo en el laboratorio. Instalaciones, material de laboratorio y equipos. 1996.
NTP 434	Superficies de trabajo seguras (I). 1996.
NTP 435	Superficies de trabajo seguras (II). 1996.
NTP 436	Cálculo estimativo de vías y tiempos de evacuación. 1997.
NTP 437	Aspectos particulares de los efectos de la corriente eléctrica (I). 1997.
NTP 438	Prevención del estrés: intervención sobre la organización. 1997.
NTP 439	El apoyo social. 1997.
NTP 440	Radón en ambientes interiores. 1997.
NTP 441	Tóxicos para la reproducción masculina. 1997.
NTP 442	Investigación de accidentes-incidentes: Procedimiento. 1997.
NTP 443	Factores psicosociales: Metodología de evaluación. 1997.
NTP 444	Mejora del contenido del trabajo: Rotación, ampliación y enriquecimiento de tareas. 1997.
NTP 445	Carga mental de trabajo: Fatiga. 1997.
NTP 446	Fallo de componentes: Válvulas. 1997.
NTP 447	Actuación frente a un accidente con riesgo biológico. 1997.
NTP 448	Trabajos sobre cubiertas de materiales ligeros. 1997.
NTP 449	Contaminantes químicos: Esquema de decisión para la evaluación de la exposición. 1997.
NTP 450	Factores psicosociales: Fases para su evaluación. 1997.
NTP 451	Evaluación de las condiciones de trabajo: Métodos generales. 1997.
NTP 452	Evaluación de las condiciones de trabajo: Carga postural. 1997. Complementada por NTP 674. 2004.
NTP 453	La negociación en la prevención de riesgos laborales (I): Concepto y esquema básico. 1997.
NTP 454	La negociación en la prevención de riesgos laborales (II): La técnica negociadora. 1997.
NTP 455	Trabajo a turnos y nocturno: Aspectos organizativos. 1997.
NTP 456	Discos de ruptura (I): Características. 1997. Complementada por NTP 510. 1999.
NTP 457	Discos de ruptura (II): Dimensionado. 1997. Complementada por NTP 510. 1999.
NTP 458	Primeros auxilios en la empresa: Organización. 1997.
NTP 459	Peligrosidad de productos químicos: Etiquetado y fichas de datos de seguridad. 1997. Sustituida por NTP 635. 2003.
NTP 460	Mantenimiento preventivo de las instalaciones peligrosas. 1997.
NTP 461	Seguridad en el laboratorio: Características de peligrosidad de los productos químicos de uso más corriente. 1997.
NTP 462	Estrés por frío: Evaluación de las exposiciones laborales. 1997.
NTP 463	Exposición a fibras de amianto en ambientes interiores. 1997.
NTP 464	Prevención del riesgo en el laboratorio químico: Operaciones básicas. 1997.

NTP 465	Sustancias carcinogénicas: Criterios para su clasificación. 1997.
NTP 466	Calidad del aire: Determinación ambiental de formaldehído y medición de su contenido en tableros. 1997.
NTP 467	Obstrucción de las vías respiratorias: Primeros auxilios. 1997
NTP 468	Trabajo con animales de experimentación. 1997.
NTP 469	Primeros auxilios: Hemorragias y shock. 1997.
NTP 470	Óxido de etileno: Prevención de la exposición en hospitales. 1997.
NTP 471	La vigilancia de la salud en la normativa de prevención de riesgos laborales. 1998.
NTP 472	Aspectos económicos de la prevención de riesgos laborales: Caso práctico 1998.
NTP 473	Estaciones depuradoras de aguas residuales: Riesgo biológico. 1998.
NTP 474	Plataformas de trabajo en carretillas elevadoras. 1998.
NTP 475	Modelos de dispersión de gases y/o vapores en la atmósfera: Fuentes puntuales instantáneas. 1998.
NTP 476	El hostigamiento psicológico en el trabajo: Mobbing. 1998.
NTP 477	Levantamiento manual de cargas: Ecuación del NIOSH. 1998.
NTP 478	Prevención del riesgo en el laboratorio químico: Reactividad de los productos químicos (I). 1998.
NTP 479	Prevención del riesgo en el laboratorio químico: Reactividad de los productos químicos (II). 1998.
NTP 480	La gestión de los residuos peligrosos en los laboratorios universitarios y de investigación. 1998.
NTP 481	Orden y limpieza de lugares de trabajo. 1998.
NTP 482	Aseguramiento de la calidad en un laboratorio de higiene industrial: El manual de calidad (I). 1998.
NTP 483	Aseguramiento de la calidad en un laboratorio de higiene industrial: El manual de calidad (II). 1998.
NTP 484	Documentación del sistema de prevención de riesgos laborales (I). 1998. Complementada por NTP 591. 2001.
NTP 485	Documentación del sistema de prevención de riesgos laborales (II). 1998. Complementada por NTP 591. 2001.
NTP 486	Evaluación de la exposición a benceno: Control ambiental y biológico. 1998.
NTP 487	Neurotoxicidad: Agentes neurotóxicos. 1998.
NTP 488	Calidad de aire interior: Identificación de hongos. 1998.
NTP 489	Violencia en el lugar de trabajo. 1998.
NTP 490	Trabajadores minusválidos: Diseño del puesto de trabajo. 1998.
NTP 491	Actitudes y habilidades de los mandos frente al cambio. 1998.
NTP 492	Cambios de actitud en la prevención de riesgos laborales (I): Métodos y clasificación. 1998.
NTP 493	Cambios de actitud en la prevención de riesgos laborales (II): Guía de intervención. 1998.
NTP 494	Soldadura eléctrica al arco: Normas de seguridad. 1998.
NTP 495	Soldadura oxiacetilénica y oxicorte: Normas de seguridad. 1998.
NTP 496	Nivel de "salud" y calidad de la empresa: Autoevaluación simplificada según el modelo EFQM (I). 1998. Complementada y actualizada por NTP 556. 2000.
NTP 497	Nivel de "salud" y calidad de la empresa: Autoevaluación simplificada según el modelo EFQM (II). 1998. Complementada y actualizada por NTP 556. 2000.
NTP 498	Nivel de "salud" y calidad de la empresa: Cuestionario de autoevaluación (III). 1998. Complementada y actualizada por NTP 556. 2000.
NTP 499	Nuevas formas de organizar el trabajo: La organización que aprende. 1998.
NTP 500	Prevención del riesgo en el laboratorio: Elementos de actuación y protección en casos de emergencia. 1998.
NTP 501	Ambiente térmico: Inconfort térmico local. 1998.
NTP 502	Trabajo a turnos: Criterios para su análisis. 1998.
NTP 503	Confort acústico: El ruido en oficinas. 1998.

NTP 504	Cambio de conducta y comunicación (I): Introducción y elementos fundamentales del proceso. 1998.
NTP 505	Cambio de conducta y comunicación (II): Metodología de actuación. 1998.
NTP 506	Prevención de la exposición a glutaraldehído en hospitales. 1999
NTP 507	Acoso sexual en el trabajo. 1999.
NTP 508	Aseguramiento de la calidad en los laboratorios de higiene industrial: Procedimientos normalizados de trabajo. 1999.
NTP 509	Válvulas de seguridad: Modos de fallo y fiabilidad. 1999.
NTP 510	Válvulas de seguridad: Selección. 1999. Complementa a las NTP 342 y 346. 1994, y 456 y 457. 1997.
NTP 511	Señales visuales de seguridad: Aplicación práctica. 1999.
NTP 512	Plaguicidas organofosforados (I): Aspectos generales y toxicocinética. 1999
NTP 513	Plaguicidas organofosforados (II): Toxicodinamia y control biológico. 1999.
NTP 514	Productos químicos carcinógenos: Sustancias y preparados sometidos a la Directiva 90/394/CEE. 1999. Sustituye a la NTP 353. 1994.
NTP 515	Planes de trabajo para operaciones de retirada o mantenimiento de materiales con amianto. 1999. Sustituida por NTP 796. 2008.
NTP 516	Andamios perimetrales fijos. 1999.
NTP 517	Prevención del riesgo en el laboratorio. Utilización de equipos de protección individual (I): Aspectos generales. 1999.
NTP 518	Prevención del riesgo en el laboratorio. Utilización de equipos protección individual (II): Gestión. 1999.
NTP 519	Exposición ocupacional a medicamentos administrados en forma de aerosol. Ribavirina. 1999.
NTP 520	Prevención del riesgo biológico en el laboratorio: Trabajo con virus. 1999.
NTP 521	Calidad de aire interior: Emisiones de materiales utilizados en la construcción, decoración y mantenimiento de edificios. 1999.
NTP 522	Radiofrecuencias y microondas (I): Evaluación de la exposición laboral. 1999.
NTP 523	Radiofrecuencias y microondas (II): Control de la exposición laboral. 1999.
NTP 524	Primeros auxilios: Quemaduras. 1999.
NTP 525	Criterios de establecimiento de valores límite de exposición profesional en la Unión Europea. 1999.
NTP 526	Valores límite de exposición profesional en la Unión Europea y en España. 1999.
NTP 527	Reacciones químicas exotérmicas (I): Factores de riesgo y prevención. 1999.
NTP 528	Reacciones químicas exotérmicas (II): Control térmico y refrigeración. 1999
NTP 529	Reacciones químicas exotérmicas (III): Análisis de accidentes graves. 1999.
NTP 530	Andamios colgados móviles de accionamiento manual (I): Normas constructivas. 1999.
NTP 531	Andamios colgados móviles de accionamiento manual (II): Normas de montaje y utilización. 1999.
NTP 532	Andamios colgados móviles de accionamiento manual (III): Aparatos de elevación y de maniobra. 1999.
NTP 533	El radón y sus efectos sobre la salud. 1999.
NTP 534	Carga mental de trabajo: factores - Año 1999.
NTP 535	Isocianatos: Control ambiental de la exposición. 1999.
NTP 536	Extintores de incendio portátiles: Utilización. 1999.
NTP 537	Gestión integral de riesgos y factor humano. Modelo simplificado de evaluación. 1999.
NTP 538	Legionelosis: Medidas de prevención y control en instalaciones de suministro de agua. 1999. Complementada por NTP 691. 2005.
NTP 539	Prevención del riesgo biológico en el laboratorio: Trabajo con hongos. 1999.
NTP 540	Costes de los accidentes de trabajo: Procedimiento de evaluación. 1999.
NTP 541	Exposición laboral a medicamentos administrados en forma de aerosol: Pentamidina. 2000.

NTP 542	Tóxicos para la reproducción femenina. 2000. Completada y actualizada por NTP 612. 2003.
NTP 543	Planes de trabajo con amianto: Orientaciones prácticas para su realización. 2000. Sustituida por NTP 815. 2008.
NTP 544	Estimación de la carga mental de trabajo: El método NASA TLX. 2000.
NTP 545	Prevención del riesgo biológico en el laboratorio: Trabajo con parásitos. 2000.
NTP 546	Primeros auxilios: Fracturas, luxaciones y esguinces. 2000.
NTP 547	Evaluación de riesgos por agentes químicos. El método analítico: Aspectos básicos. 2000.
NTP 548	Evaluación de riesgos por agentes químicos: Guía para la selección y utilización del método analítico. 2000.
NTP 549	El dióxido de carbono en la evaluación de la calidad del aire interior. 2000.
NTP 550	Prevención de riesgos en el laboratorio: Ubicación y distribución. 2000.
NTP 551	Prevención de riesgos en el laboratorio: La importancia del diseño. 2000.
NTP 552	Protección de máquinas frente a peligros mecánicos: Resguardos. 2000.
NTP 553	Agentes químicos: Estrategias de muestreo y valoración (I). 2000.
NTP 554	Agentes químicos: Estrategias de muestreo y valoración (II). 2000.
NTP 555	Agentes químicos: Estrategias de muestreo y valoración (III). 2000.
NTP 556	Nivel de "salud" y calidad de la empresa: El modelo de auditoría EFQM actualizado. 2000. Complementa y actualiza a las NTP 496, 497 y 498. 1988. Actualizada por NTP 870. 2010.
NTP 557	Intolerancia ambiental idiopática (IAI): Sensibilidad química múltiple (SQM) y fenómenos asociados. 2000.
NTP 558	Sistema de gestión preventiva: Declaración de principios de política preventiva. 2000.
NTP 559	Sistema de gestión preventiva: Procedimiento de control de la información y formación preventiva. 2000.
NTP 560	Sistema de gestión preventiva: Procedimiento de elaboración de las instrucciones de trabajo. 2000.
NTP 561	Sistema de gestión preventiva: Procedimiento de comunicación de riesgos y propuestas de mejora. 2000.
NTP 562	Sistema de gestión preventiva: Autorizaciones de trabajos especiales. 2000. Actualiza a la NTP 30. 1982.
NTP 563	Sistema de gestión preventiva: Gestión de procesos de cambios en la empresa. 2000.
NTP 564	Sistema de gestión preventiva: Procedimiento de contratas. 2000.
NTP 565	Sistema de gestión preventiva: Organización y definición de funciones preventivas. 2000.
NTP 566	Señalización de recipientes y tuberías: Aplicaciones prácticas. 2000. Actualiza NTP 3. 1982.
NTP 567	Protección frente a cargas electrostáticas. 2000.
NTP 568	Primeros auxilios: Contusiones y heridas. 2000.
NTP 569	Prevención e inteligencia emocional (I): Enseñanza de la prevención y recuerdo emocional. 2000.
NTP 570	Prevención e inteligencia emocional (II): Capacidad de influencia y recursos lingüísticos. 2000.
NTP 571	Exposición a agentes biológicos: Equipos de protección individual. 2000.
NTP 572	Exposición a agentes biológicos. La gestión de equipos de protección individual en centros sanitarios. 2000.
NTP 573	Operaciones de demolición, retirada o mantenimiento de materiales con amianto. Ejemplos prácticos. 2000. Sustituida por NTP 862. 2010.
NTP 574	Estrés en el colectivo docente: Metodología para su evaluación. 2000.
NTP 575	Carga mental de trabajo: Indicadores. 2000.
NTP 576	Integración de sistemas de gestión: Prevención de riesgos laborales, calidad y medio ambiente. 2001.

NTP 577	Sistema de gestión preventiva: Revisiones de seguridad y mantenimiento de equipos. 2001.
NTP 578	Riesgo percibido: Un procedimiento de evaluación. 2001.
NTP 579	Evaluación de la exposición a N, N-dimetilformamida: Control ambiental y biológico. 2001.
NTP 580	Actitud hacia la prevención: un instrumento de evaluación. 2001.
NTP 581	Gestión del cambio organizativo. 2001.
NTP 582	Gestión de los equipos de medición en un laboratorio de higiene industrial. 2001.
NTP 583	Evaluación de la exposición laboral a agentes químicos. Norma UNE-EN-482 y relacionadas. 2001.
NTP 584	Evaluación de la exposición a anilina: Control ambiental y biológico. 2001.
NTP 585	Prevención del riesgo biológico en el laboratorio: Trabajo con bacterias. 2001.
NTP 586	Control biológico: Concepto, práctica e interpretación. 2001. Actualiza a NTP 146. 1985.
NTP 587	Evaluación de la exposición a agentes químicos: Condicionantes analíticos. 2001.
NTP 588	Grado de protección de las envolventes de los materiales eléctricos. 2001. Sustituye a NTP 34. 1982. Modifica a NTP 267 y 271. 1991.
NTP 589	Instalaciones radiactivas: Definición y normas para su funcionamiento. 2001. Sustituye a NTP 303. 1993. Complementada por NTP 614. 2003.
NTP 590	Prevención de la exposición a formaldehido. 2001. Sustituida por NTP 873. 2010.
NTP 591	Documentación del sistema de prevención de riesgos laborales (III): Registros documentales. 2001. Complementa a las NTP 484 y 485. 1998.
NTP 592	La gestión integral de los accidentes de trabajo (I): Tratamiento documental e investigación de accidentes. 2001.
NTP 593	La gestión integral de los accidentes de trabajo (II): Control estadístico. Año 2001.
NTP 594	La gestión integral de los accidentes de trabajo (III): Costes de los accidentes - Año 2001.
NTP 595	Plaguicidas: Riesgos en las aplicaciones en interior de locales. 2001.
NTP 596	Técnica de la mejora continua aplicada a la prevención: Benchmarking. 2001.
NTP 597	Plantas de compostaje para el tratamiento de residuos: Riesgos higiénicos. 2001.
NTP 598	Exposición a campos magnéticos estáticos. 2001.
NTP 599	Evaluación del riesgo de incendio: Criterios. 2001.
NTP 600	Reglamento de seguridad contra incendios en establecimientos industriales (RD 786/2001). 2001. Sustituida por NTP 831 y 832. 2009.
NTP 601	Evaluación de las condiciones de trabajo: Carga postural. Método REBA (Rapid Entire Body Assessment). 2001.
NTP 602	El diseño ergonómico del puesto de trabajo con pantallas de visualización: El equipo de trabajo. 2001.
NTP 603	Riesgo psicosocial: el modelo demanda-control-apoyo social (I). 2001.
NTP 604	Riesgo psicosocial: El modelo demanda-control-apoyo social (II). 2001
NTP 605	Primeros Auxilios: Evaluación primaria y soporte vital básico. 2001. Actualizada por NTP 1062. 2015.
NTP 606	Exposición laboral a gases anestésicos. 2001. Complementada por NTP 932 y 933. 2012.
NTP 607	Guías de calidad de aire interior: Contaminantes químicos. 2001.
NTP 608	Agentes biológicos: Planificación de la medición. 2001.
NTP 609	Agentes biológicos: Equipos de muestreo (I). 2001.
NTP 610	Agentes biológicos: Equipos de muestreo (II). 2001.
NTP 611	Agentes biológicos: Análisis de las muestras. 2003.
NTP 612	Protección y promoción de la salud reproductiva: Funciones del personal sanitario del servicio de prevención. 2003. Complementa y actualiza NTP 413 y 414. 1996 y 542. 2000.
NTP 613	Encefalopatías espongiformes transmisibles: Prevención de riesgos frente a agentes causantes. 2003.
NTP 614	Radiaciones ionizantes: Normas de protección. 2003.

NTP 615	Medición de la presión estática para la comprobación rutinaria de sistemas de extracción localizada. 2003
NTP 616	Riesgos biológicos en la utilización, mantenimiento y reparación de instrumentos de laboratorio. 2003.
NTP 617	Locales de carga de baterías de acumuladores eléctricos de plomo-ácido sulfúrico. 2003.
NTP 618	Almacenamiento en estanterías metálicas. 2003. Sustituida por NTP 852. 2009.
NTP 619	Fiabilidad humana: Evaluación simplificada del error humano (I). 2003.
NTP 620	Fiabilidad humana: Evaluación simplificada del error humano (II). 2003.
NTP 621	Fiabilidad humana: Evaluación simplificada del error humano (III). 2003.
NTP 622	Carga postural: Técnica goniométrica. 2003.
NTP 623	Prevención de riesgos laborales en acuicultura. 2003.
NTP 624	Prevención de riesgos laborales en la pesca de bajura: artes menores. 2003.
NTP 625	Riesgos biológicos en la pesca marítima. 2003.
NTP 626	Método LEST (I): Aplicación a una empresa de empaquetado. 2003.
NTP 627	Método LEST (II): Aplicación a una empresa de empaquetado. 2003.
NTP 628	Riesgo biológico en el transporte de muestras y materiales infecciosos. 2003.
NTP 629	Movimientos repetitivos: Métodos de evaluación Método OCRA: Actualización. 2003.
NTP 630	Riesgo de incendio y explosión en atmósferas sobreoxigenadas. 2003.
NTP 631	Riesgos en la utilización de equipos y herramientas portátiles, accionados por aire comprimido. 2003.
NTP 632	Detección de amianto en edificios (I): Aspectos básicos. 2003.
NTP 633	Detección de amianto en edificios (II): Identificación y metodología de análisis. 2003.
NTP 634	Plataformas elevadoras móviles de personal. 2003.
NTP 635	Clasificación, envasado y etiquetado de las sustancias peligrosas. 2003. Sustituye a la NTP 459. 1997.
NTP 636	Ficha de datos de seguridad para agentes biológicos. 2003.
NTP 637	Evaluación de riesgos por agentes químicos. Principales fuentes de métodos analíticos. 2003.
NTP 638	Estimación de la atenuación efectiva de los protectores auditivos. 2003.
NTP 639	La promoción de la salud en el trabajo: Cuestionario para la evaluación de la calidad. 2003.
NTP 640	Indicadores para la valoración de intangibles en prevención. 2003.
NTP 641	Fibras minerales artificiales y otras fibras diferentes del amianto (I): Toxicología y clasificación. 2003.
NTP 642	Fibras minerales artificiales y otras fibras diferentes del amianto (II): Evaluación y control. 2003.
NTP 643	Responsabilidad social de las empresas (I): Conceptos generales. 2003.
NTP 644	Responsabilidad social de las empresas (II): Tipos de responsabilidades y plan de actuación. 2003.
NTP 645	Tupí: Accesorios para la mejora de la seguridad. 2003. Complementa a la NTP 68.
NTP 646	Seguridad en el laboratorio: Selección y ubicación de vitrinas. 2004.
NTP 647	Responsabilidad social de las empresas Modelo SAI 8000 (Social Accountability). 2004.
NTP 648	Responsabilidad social de las empresas. Modelo GRI (Global Reporting Initiative). 2004.
NTP 649	Clasificación, envasado y etiquetado de preparados peligrosos: RD 255/2003. 2004. Actualizada por NTP 973. 2013.
NTP 650	Clasificación de preparados peligrosos para la salud y el medio ambiente. Método convencional (I). 2004. Actualizada por NTP 1059. 2015.
NTP 651	Clasificación de preparados peligrosos para la salud y el medio ambiente. Método convencional. (II). Actualizada por NTP 1059.

NTP 652	Sensibilización laboral por exposición a ácaros (I): Ácaros en el ambiente laboral. 2004.
NTP 653	Sensibilización laboral por exposición a ácaros (II): Técnicas de muestreo y prevención. 2004.
NTP 654	Láseres: Nueva clasificación del riesgo (UNE EN 60825-1 /A2: 2002). 2004.
NTP 655	La imagen como elemento motivador para la prevención de riesgos laborales. 2004.
NTP 656	Materiales de referencia. Utilización en el laboratorio de higiene industrial. 2004.
NTP 657	Los trastornos músculo-esqueléticos de las mujeres (I): Exposición y efectos diferenciales. 2004.
NTP 658	Los trastornos músculo-esqueléticos de las mujeres (II): Recomendaciones preventivas. 2004.
NTP 659	Carga mental de trabajo: Diseño de tareas. 2004.
NTP 660	Control biológico de trabajadores expuestos a plaguicidas (I): Aspectos generales. 2004.
NTP 661	Control biológico de trabajadores expuestos a plaguicidas (II): Técnicas específicas. 2004.
NTP 662	La experiencia y la imagen en el proceso de la comunicación en PRL. 2004.
NTP 663	Propiedades fisicoquímicas relevantes en la prevención del riesgo químico. 2004.
NTP 664	Lactancia materna y vuelta al trabajo. 2004.
NTP 665	La persuasión como técnica comunicativa en prevención de riesgos laborales (I). 2004.
NTP 666	Sustitutos y alternativas para los halones de extinción. 2004.
NTP 667	La conducta asertiva como habilidad social. 2004.
NTP 668	Medición del caudal en sistemas de extracción localizada. 2004.
NTP 669	Andamios de trabajo prefabricados (I): Normas constructivas. 2004. Sustituida por NTP 1015. 2014.
NTP 670	Andamios de trabajo prefabricados (II): Montaje y utilización. 2004. Sustituida por NTP 1016. 2014.
NTP 671	Referencias bibliográficas: Contenido, forma y estructura. 2004.
NTP 672	Extracción localizada en el laboratorio. 2004. Complementa a la NTP 373. 1995.
NTP 673	La sustitución de agentes químicos peligrosos: Aspectos generales. 2004.
NTP 674	Evaluación de la carga postural: Método de la Universidad de Lovaina; Método LUBA. 2004. Complementa a la NTP 452. 1997.
NTP 675	Riesgos laborales en empresas de gestión y tratamiento de residuos: clasificación y actividades. 2004. Actualizada por NTP 1055. 2015.
NTP 676	Bases de la acción preventiva en PYMES. 2004.
NTP 677	Seguridad en el laboratorio. Vitrinas de gases de laboratorio: Utilización y mantenimiento. 2004.
NTP 678	Pantallas de visualización: Tecnologías (I). 2004..
NTP 679	Análisis modal de fallos y efectos. AMFE. 2004.
NTP 680	Extinción de incendios: Plan de revisión de equipos. 2004. Actualiza a la NTP 368. 1995.
NTP 681	Evaluación de la calidad en el laboratorio de higiene industrial. Programas de intercomparación. 2005.
NTP 682	Seguridad en trabajos verticales (I): Equipos. 2005.
NTP 683	Seguridad en trabajos verticales (II): Técnicas de instalación. 2005
NTP 684	Seguridad en trabajos verticales (III): Técnicas operativas. 2005.
NTP 685	La comunicación en las organizaciones. 2005.
NTP 686	Aplicación y utilización de la ficha de datos de seguridad en la empresa. 2005.
NTP 687	Responsabilidad social de las empresas: Modelo de Balance Social de ANDI - OIT (I). 2005..
NTP 688	Responsabilidad social de las empresas: Modelo de balance social de ANDI-OIT. Indicadores (II). 2005..
NTP 689	Piscinas de uso público (I). Riesgos y prevención. 2005.
NTP 690	Piscinas de uso público (II). Peligrosidad de los productos químicos. 2005.

NTP 691	Legionelosis: Revisión de las normas reglamentarias (I).Aspectos generales. 2005. Complementa a la NTP 538. 1999.
NTP 692	Legionelosis: Revisión de las normas reglamentarias (II). Medidas específicas. 2005.
NTP 693	Condiciones de trabajo y códigos de conducta. 2005.
NTP 694	Pantallas de visualización: tecnologías (II). 2005.
NTP 695	Torres de trabajo móviles (I): Normas constructivas. 2005.
NTP 696	Torres de trabajo móviles (II): Montaje y utilización. 2005.
NTP 697	Exposición a contaminantes químicos por vía dérmica. 2005.
NTP 698	Campos electromagnéticos entre 0 Hz y 300 GHz: criterios ICNIRP para valorar la exposición laboral. 2005.
NTP 699	Creosota: Riesgos asociados a su utilización.2005.
NTP 700	Precauciones para el control de las infecciones en centros sanitarios. 2005.
NTP 701	Grúas-torre. Recomendaciones de seguridad en su manipulación. 2005. Completada por NTP 782 y 783. 2007.
NTP 702	El proceso de evaluación de los factores psicosociales. 2005.
NTP 703	El método COPSOQ (ISTAS21, PSQCAT21) de evaluación de riesgos psicosociales. 2005.
NTP 704	Síndrome de estar quemado por el trabajo o "burnout" (I): Definición y proceso de generación. 2005.
NTP 705	Síndrome de estar quemado por el trabajo o "burnout" (II): Consecuencias, evaluación y prevención. 2005.
NTP 706	Protección de la capa de ozono: Aspectos legales. 2005.
NTP 707	Diagnóstico de amianto en edificios (I): Situación en España y actividades vinculadas a diagnóstico en Francia. 2005.
NTP 708	Diagnóstico de amianto en edificios (II): Norma NF X46-020 (AFNOR). 2005.
NTP 709	"Foto-safari": Una herramienta de observación del trabajo. 2005.
NTP 710	Riesgos laborales en empresas de gestión y tratamiento de residuos. Plantas de selección de envases (I). 2005.
NTP 711	Riesgos laborales en empresas de gestión y tratamiento de residuos. Plantas de selección de envases (II). 2005.
NTP 712	Sustitución de agentes químicos peligrosos (II): Criterios y modelos prácticos. 2005
NTP 713	Carretillas elevadoras automotoras (I): Conocimientos básicos para la prevención de riesgos. 2005. Sustituye a la NTP 214. 1988.
NTP 714	Carretillas elevadoras automotoras (II): Principales peligros y medidas preventivas. 2005.
NTP 715	Carretillas elevadoras automotoras (III): Mantenimiento y utilización. 2005.
NTP 716	Convenios de la OIT relacionados con la seguridad y la salud en el trabajo. 2006.
NTP 717	Gestión y tratamiento de residuos urbanos. Riesgos laborales en centros de transferencia. 2006.
NTP 718	Ropa de señalización de alta visibilidad. 2006.
NTP 719	Encofrado horizontal. Puntales telescópicos de acero. 2006.
NTP 720	El trabajo emocional: Concepto y prevención. 2006.
NTP 721	Los fármacos en la industria farmacéutica (I): Exposición y riesgos para la salud. 2006.
NTP 722	Los fármacos en la industria farmacéutica (II): Control de la exposición por categorías. 2006.
NTP 723	Los fármacos en la industria farmacéutica (III): Evaluación de los riesgos de los principios activos. 2006.
NTP 724	Los fármacos en la industria farmacéutica (IV): Valores guía de exposición laboral. 2006.
NTP 725	Seguridad en el laboratorio: Almacenamiento de productos químicos. 2006.
NTP 726	Clasificación y etiquetado de productos químicos: Sistema mundialmente armonizado (GHS). 2006.
NTP 727	Clasificación y etiquetado de productos químicos: Comparación entre el GHS y la reglamentación europea. 2006

NTP 728	Exposición laboral a radiación natural. 2006.
NTP 729	Diseño de dispositivos de información visual. 2006.
NTP 730	Tecnoestrés: Concepto, medida e intervención psicosocial. 2006.
NTP 731	Evaluación de la exposición laboral a aerosoles (I): Aspectos generales. 2006.
NTP 732	Síndrome de estar quemado por el trabajo "Burnout" (III): Instrumento de medición. 2006.
NTP 733	Criterios de selección de equipos de protección individual (EPI) en minería a cielo abierto. 2006.
NTP 734	Torres de acceso (I): Normas constructivas. 2006.
NTP 735	Torres de acceso (II): Montaje y utilización. 2006.
NTP 736	Grúas tipo puente (I): Generalidades. 2006. Sustituye a la NTP 253. 1989.
NTP 737	Grúas tipo puente (II): Utilización. Formación de operadores. 2006.
NTP 738	Grúas tipo puente III. Montaje, instalación y mantenimiento. 2006. Sustituye a la NTP 253. 1989.
NTP 739	Inspecciones de bioseguridad en los laboratorios. 2006.
NTP 740	Exposición laboral a citostáticos en el ámbito sanitario. 2006.
NTP 741	Ventilación general por dilución. 2006.
NTP 742	Ventilación general de edificios. 2006.
NTP 743	Elementos básicos para la elaboración de una herramienta pedagógica para niños y adolescentes. 2006.
NTP 744	¿Podemos enseñar a aprender? Coaching: Una herramienta eficaz para la prevención. 2006.
NTP 745	Nueva cultura de empresa y condiciones de trabajo. 2006.
NTP 746	Espacios para fumadores. Diseño, ventilación y exposición laboral. 2006.
NTP 747	Guantes de protección: Requisitos generales. 2006.
NTP 748	Guantes de protección contra productos químicos. 2006.
NTP 749	Evaluación del riesgo de accidente por agentes químicos. Metodología simplificada. 2006.
NTP 750	Evaluación del riesgo por exposición inhalatoria de agentes químicos. Metodología simplificada. 2006. Sustituida por NTP 935 y 936. 2012.
NTP 751	Acción preventiva y generación de activos intangibles. Criterios de valoración. 2007.
NTP 752	Colofonia. Riesgos asociados a su utilización. 2007.
NTP 753	Innovación y condiciones de trabajo (I). 2007.
NTP 754	Limitaciones a la comercialización y al uso de sustancias y preparados peligrosos. 2007.
NTP 755	Radiaciones ópticas: Metodología de evaluación de la exposición laboral. 2007.
NTP 756	La salud laboral en el arte flamenco. 2007.
NTP 757	Alteradores endocrinos: Aspectos generales, estrategia comunitaria. Agencias. 2007.
NTP 758	Alteradores endocrinos: Exposición laboral. 2007.
NTP 759	La adicción al trabajo. 2007.
NTP 760	Aparatos a presión (I): Definiciones. Clasificación. Certificación. 2007.
NTP 761	Aparatos a presión (II): Requisitos de seguridad para su fabricación. 2007.
NTP 762	Aparatos a presión (III): Procedimientos de evaluación de la conformidad. 2007.
NTP 763	Distancias a líneas eléctricas de baja tensión. 2007.
NTP 764	Evaluación de la exposición laboral a aerosoles (II): Muestreadores personales de las fracciones del aerosol. 2007
NTP 765	Evaluación de la exposición laboral a aerosoles (III): Muestreadores de la fracción torácica, respirable y multifracción. 2007.
NTP 766	Carga de fuego ponderada: parámetros de cálculo. 2007.
NTP 767	Residuos peligrosos en centros docentes de secundaria: Gestión intracentro. 2007.
NTP 768	Trasvase de agentes químicos: Medidas básicas de seguridad. 2007.
NTP 769	Ropa de protección: Requisitos generales. 2007.

NTP 770   Riesgos radiológicos del uso de electrodos de tungsteno toriados en la soldadura de arco (TIG). 2007.

NTP 771   Agricultura: Prevención de riesgos biológicos. 2007.

NTP 772   Ropa de protección contra agentes biológicos. 2007.

NTP 773   Equipos de protección individual de pies y piernas. Calzado. Generalidades. 2007.

NTP 774   Sistemas anticaídas. Componentes y elementos. 2007.

NTP 775   Riesgos higiénicos de los trabajadores de estaciones de servicio. 2007.

NTP 776   Promoción organizacional desleal: Trepismo. 2007.

NTP 777   Bombas de muestreo personal para agentes químicos (I): Recomendaciones para su selección y uso. 2007.

NTP 778   Bombas de muestreo personal para agentes químicos (II): Verificación de las características técnicas. 2007.

NTP 779   Bienestar térmico: Criterios de diseño para ambientes térmicos confortables. 2007.

NTP 780   El programa de ayuda al empleado (EAP): Intervención individual en la prevención de riesgos psicosociales. 2007.

NTP 781   Gestión y tratamiento de residuos sólidos urbanos. Riesgos laborales en vertederos. 2007.

NTP 782   Grúas torre. Recomendaciones de seguridad en el montaje, desmontaje y mantenimiento (I). 2007.

NTP 783   Grúas torre. Recomendaciones de seguridad en el montaje, desmontaje y mantenimiento (II). 2007.

NTP 784   Evaluación de las vibraciones de cuerpo completo sobre el confort, percepción y mareo producido por el movimiento. 2007.

NTP 785   Ergomater: Método para la evaluación de riesgos ergonómicos en trabajadoras embarazadas. 2007.

NTP 786   Transporte de mercancías peligrosas por carretera: Identificación e información de peligros. 2008.

NTP 787   Equipos de protección respiratoria: Identificación de los filtros según sus tipos y clases. 2008.

NTP 788   Piscinas de uso público (III): Riesgos asociados a los reductores del pH y subproductos de desinfección. 2008.

NTP 789   Ergonomía en trabajos verticales: El asiento. 2008.

NTP 790   Visión y trabajo. 2008.

NTP 791   Planes de emergencia interior en la industria química. 2008.

NTP 792   Evaluación de la exposición a la vibración mano-brazo. Evaluación por estimación. 2008. Complementada por NTP 839. 2009 y 1068. 2016.

NTP 793   Residuos peligrosos en centros docentes: Gestión extracentro. 2008.

NTP 794   Evaluación de la comunicación verbal: Método SIL. 2008.

NTP 795   Evaluación del ruido en ergonomía: Criterio RC MARK II. 2008.

NTP 796   Amianto: Planes de trabajo para operaciones de retirada o mantenimiento. 2008. Sustituye a NTP 515. Complementada por NTP 815. 2008.

NTP 797   Riesgos asociados a la nanotecnología. 2008.

NTP 798   Industria farmacéutica: Medidas preventivas de la exposición a principios activos. 2008.

NTP 799   Evaluación de la exposición laboral a aerosoles (IV): Selección del elemento de retención. 2008.

NTP 800   Evaluación de la exposición laboral a aerosoles (V): Recomendaciones para la toma de muestra de los aerosoles. 2008.

NTP 801   Amianto: Fiabilidad de los resultados de las determinaciones de fibras en aire. Requisitos. 2008.

NTP 802   Agentes biológicos no infecciosos: Enfermedades respiratorias. 2008.

NTP 803   Encofrado horizontal: Protecciones colectivas (I). 2008.

NTP 804   Encofrado horizontal: Protecciones colectivas (II). 2008.

NTP 805   Residuos sólidos urbanos: Riesgos laborales en plantas de compostaje. 2008.

NTP 806   Residuos sólidos urbanos: Riesgos laborales en plantas de compostaje (II). 2008.

NTP 807	Agentes biológicos: Glosario. 2008.
NTP 808	Exposición laboral a agentes químicos: Requisitos de los procedimientos de medición. 2008.
NTP 809	Descripción y elección de dispositivos de anclaje. 2008. Desarrollada por NTP 843. 2009.
NTP 810	Transparencia y condiciones de trabajo (I). 2008.
NTP 811	Cementos óseos: Prevención de la exposición a sus componentes durante su preparación. 2008.
NTP 812	Riesgo biológico: Prevención de accidentes por lesión cutánea. 2008.
NTP 813	Calzado para protección individual: Especificaciones, clasificación y marcado. 2008.
NTP 814	Evaluación de la exposición laboral a aerosoles: El muestreador personal IOM para la fracción inhalable. 2008.
NTP 815	Planes de trabajo con amianto: Orientaciones prácticas para su realización. 2008. Sustituye a la NTP 543. Complementa a la NTP 796. 2008.
NTP 816	Encofrado horizontal: Protecciones individuales contra caídas de altura. 2008.
NTP 817	Transparencia y condiciones de trabajo (II): Su contribución al liderazgo. 2008.
NTP 818	Norma Básica de Autoprotección. 2008.
NTP 819	Evaluación de posturas de trabajo estáticas: El método de la posición de la mano. 2008.
NTP 820	Ergonomía y construcción: Trabajo en zanjas. 2008.
NTP 821	Centro veterinarios: Exposición laboral a agentes biológicos. 2009.
NTP 822	Agentes biológicos. Enfermedades de la piel. 2009.
NTP 823	Sistema de Análisis Triangular del Acoso (SATA): Un método de análisis del acoso psicológico en el trabajo. 2009.
NTP 824	Clasificación de equipos utilizados para la elevación de cargas, con maquinaria de elevación. 2009.
NTP 825	La prevención de accidentes en trabajadores inmigrantes: Aspectos a considerar y pautas de intervención. 2009.
NTP 826	El documento de protección contra explosiones (DPCE). 2009.
NTP 827	Electricidad estática en polvos combustibles (I): Características de las descargas electrostáticas. 2009.
NTP 828	Electricidad estática en polvos combustibles (II): Medidas de seguridad. 2009.
NTP 829	Nueva cultura de empresa y condiciones de trabajo (II): Factores de éxito del cambio. 2009.
NTP 830	Integración de la prevención y desarrollo de competencias. 2009.
NTP 831	Reglamento de seguridad contra incendios en establecimientos industriales (RD 2267/2004) (I). 2009.
NTP 832	Reglamento de seguridad contra incendios en establecimientos industriales (RD 2267/2004) (II). 2009.
NTP 833	Agentes biológicos. Evaluación simplificada. 2009.
NTP 834	Encofrado vertical. Muros a dos caras, pilares, muros a una cara (I). 2009.
NTP 835	Encofrado vertical. Muros a dos caras, pilares, muros a una cara (II). 2009
NTP 836	Encofrado vertical. Sistemas trepantes (I). 2009.
NTP 837	Encofrado vertical. Sistemas trepantes (II). 2009.
NTP 838	Gestión de residuos sanitarios. 2009. Complementada por NTP 853.
NTP 839	Exposición a vibraciones mecánicas. Evaluación del riesgo. 2009. Complementada por NTP 792 y 1068.
NTP 840	El método del INSL para la identificación y evaluación de factores psicosociales. 2009.
NTP 841	Eslingas textiles (I). 2009.
NTP 842	Eslingas textiles (II). 2009.
NTP 843	Dispositivos de anclaje de clase C. 2009.
NTP 844	Tareas repetitivas: Método Ergo/IBV. 2009.

NTP 845	Prosodia: Modificación de la conducta a partir de las bases emocionales orales de la comunicación. 2009.
NTP 846	La percepción fonética neutra en los alumnos de Prevención de Riesgos Laborales (PRL). 2009.
NTP 847	Evaluación de posturas estáticas: El método WR. 2009.
NTP 848	Empresas de nueva creación y condiciones de trabajo (I). 2009.
NTP 849	Empresas de nueva creación y condiciones de trabajo (II). Plan de empresa y plan de PRL. 2009.
NTP 850	Empresas de nueva creación y condiciones de trabajo (III). Implantación del plan de prevención. 2009.
NTP 851	Empresas de nueva creación y condiciones de trabajo (IV). Análisis de factores de éxito. 2009.
NTP 852	Almacenamiento en estanterías metálicas. 2009. Sustituye a la NTP 618. 2003.
NTP 853	Recogida, transporte y almacenamiento de residuos sanitarios. 2009.
NTP 854	Acoso psicológico en el trabajo: Definición. 2009.
NTP 855	Industria farmacéutica: Prevención de la exposición a principios. 2009.
NTP 856	Desarrollo de competencias y riesgos psicosociales (I). 2010.
NTP 857	Desarrollo de competencias y riesgos psicosociales (II). Ejemplo de aplicación en la docencia. 2010.
NTP 858	Servicios funerarios: Exposición laboral a agentes biológicos. 2010.
NTP 859	Ventilación general en hospitales. 2010.
NTP 860	Intervención psicosocial: Guía del INRS para agentes de prevención. 2010.
NTP 861	Eslingas de cadena. 2010..
NTP 862	Operaciones de demolición, retirada o mantenimiento con amianto: Ejemplos prácticos. 2010. Sustituye a la NTP 573. 2000.
NTP 863	El informe higiénico. Pautas de elaboración. 2010.
NTP 864	Ruido en los sectores de la música y el ocio (I). 2010.
NTP 865	Ruido en los sectores de la música y el ocio (II). 2010.
NTP 866	Eslingas de cables de acero. 2010.
NTP 867	Ropa de protección para bomberos forestales. 2010.
NTP 868	Grúas hidráulicas articuladas sobre camión (I). 2010.
NTP 869	Grúas hidráulicas articuladas sobre camión (II). 2010.
NTP 870	Excelencia empresarial y condiciones de trabajo: El modelo EFQM. 2010.
NTP 871	Regulación UE sobre productos químicos (I): Reglamento REACH. 2010.
NTP 872	Agentes químicos: Aplicación de medidas preventivas al efectuar la evaluación simplificada por exposición inhalatoria. 2010
NTP 873	Prevención de la exposición a formaldehído. 2010. Sustituye a la NTP 590. 2001.
NTP 874	Protección de la capa de ozono. 2010.
NTP 875	Riesgo biológico: Metodología para la evaluación de equipos corto punzantes con dispositivos de bioseguridad. 2010
NTP 876	Evaluación de los riesgos específicos derivados de las atmósferas explosivas (ATEX). 2010.
NTP 877	Evaluación del riesgo por exposición a nanopartículas mediante el uso de metodologías simplificadas. 2010.
NTP 878	Regulación UE sobre productos químicos (II). 2010.
NTP 879	Fabricación de principios activos farmacéuticos y medicamentos potentes. Instalaciones y personal. 2010.
NTP 880	Regulación UE sobre productos químicos (III). Reglamento CLP: Peligros físicos. 2010.
NTP 881	Regulación UE sobre productos químicos (IV). Reglamento CLP: Peligros para la salud y para el medioambiente. 2010.
NTP 882	Guantes de protección contra riesgos mecánicos. 2010.
NTP 883	Productos fitosanitarios: Medidas preventivas en los equipos de aplicación. 2010.
NTP 884	Evaluación de las condiciones de evacuación en centros de trabajo. 2010.

NTP 885	Situaciones comunicativas emocionalmente desagradables: Respuesta verbal y no verbal. 2010.
NTP 886	Términos relacionados con la prevención de riesgos laborales: Dudas y dificultades en su escritura. 2010.
NTP 887	Calzado y ropa de protección "antiestáticos". 2010.
NTP 888	Señalización de emergencia en los centros de trabajo (I). 2010.
NTP 889	Señalización de emergencia en los centros de trabajo (II). 2010.
NTP 890	Aglomerados de cuarzo: Medidas preventivas en operaciones de mecanizado. 2010.
NTP 891	Procedimiento de solución autónoma de los conflictos de violencia laboral (I). 2011.
NTP 892	Procedimiento de solución autónoma de los conflictos de violencia laboral (II). 2011.
NTP 893	Anclajes estructurales. 2011.
NTP 894	Campos electromagnéticos: Evaluación de la exposición laboral. 2011.
NTP 895	Exposición dérmica a sustancias químicas: Métodos de medida. 2011.
NTP 896	Exposición dérmica a sustancias químicas: Metodología simplificada para su determinación. 2011.
NTP 897	Exposición dérmica a sustancias químicas: Evaluación y gestión del riesgo. 2011.
NTP 898	ohsas 18001. Sistemas de gestión de la seguridad y salud en el trabajo: Implantación (I). 2011.
NTP 899	ohsas 18001. Sistemas de gestión de la seguridad y salud en el trabajo: Implantación (II). 2011.
NTP 900	ohsas 18001. Sistemas de gestión de la seguridad y salud en el trabajo: Implantación (III). 2011.
NTP 901	Riesgo biológico: Prevención en mataderos. 2011.
NTP 902	Riesgo biológico: evaluación y prevención en trabajos con cultivos celulares. 2011.
NTP 903	Radiaciones ópticas artificiales: Criterios de evaluación. 2011.
NTP 904	Arco eléctrico: Estimación de la energía calorífica incidente sobre un trabajador. 2011.
NTP 905	Seguridad en trabajos con tuneladoras (I). 2011.
NTP 906	Seguridad en trabajos con tuneladoras (II). 2011.
NTP 907	Evaluación del riesgo por manipulación manual de pacientes: Método MAPO. 2011.
NTP 908	Residuos sólidos urbanos. Riesgos laborales en plantas de tratamiento de frigoríficos (I). 2011.
NTP 909	Residuos sólidos urbanos. Riesgos laborales en plantas de tratamiento de frigoríficos (II). 2011.
NTP 910	Referencias bibliográficas: Documentos electrónicos. 2011.
NTP 911	Productividad y condiciones de trabajo (I): Bases conceptuales para su medición. 2011.
NTP 912	Productividad y condiciones de trabajo (II): Indicadores. 2011.
NTP 913	Productividad y condiciones de trabajo (III): El modelo SIMAPRO. 2011.
NTP 914	Embarazo, lactancia y trabajo: Promoción de la salud. 2011.
NTP 915	Embarazo, lactancia y trabajo: Vigilancia de la salud. 2011.
NTP 916	El descanso en el trabajo (I): Pausas. 2011.
NTP 917	El descanso en el trabajo (II): Espacios. 2011.
NTP 918	Coordinación de actividades empresariales (I). 2011.
NTP 919	Coordinación de actividades empresariales (II). 2011.
NTP 920	La formación inicial universitaria de maestros/as de educación infantil y primaria en PRL. 2011.
NTP 921	Seguridad en el laboratorio: Cuestionario de seguridad para laboratorios de secundaria. 2011.
NTP 922	Estrés térmico y sobrecarga térmica: Evaluación de los riesgos (I). 2011.
NTP 923	Estrés térmico y sobrecarga térmica: Evaluación de los riesgos. 2011.

NTP 924	Causas de accidentes: Clasificación y codificación. 2011.
NTP 925	Exposición simultánea a varios agentes químicos: criterios generales de evaluación del riesgo. 2011.
NTP 926	Factores psicosociales: Metodología de evaluación. 2012.
NTP 927	Riesgo biológico en la industria biotecnológica. 2012.
NTP 928	Sistemas de control de temperaturas y evacuación de humos de incendio. 2012.
NTP 929	Ropa de protección contra productos químicos. 2012.
NTP 930	Toma de muestras personal: determinación de la incertidumbre del volumen de aire muestreado. 2012.
NTP 931	Determinación de la incertidumbre de medida de agentes químicos (I): Gases y vapores. 2012.
NTP 932	Gases anestésicos en ámbitos no quirúrgicos (I): Sistemas de aplicación. 2012. Complementa a la NTP 141. 1985 y 606. 2001.
NTP 933	Gases anestésicos en ámbitos no quirúrgicos (II): Protocolos de actuación y medidas de control. 2012.
NTP 934	Agentes químicos: Metodología cualitativa y simplificada de evaluación del riesgo de accidente. 2012
NTP 935	Agentes químicos: Evaluación cualitativa y simplificada del riesgo por inhalación (I). Aspectos generales. 2012. Sustituye a la NTP 750.
NTP 936	Agentes químicos: Evaluación cualitativa y simplificada del riesgo por inhalación (II). Modelo COSHH Essentials. 2012. Sustituye a la NTP 750.
NTP 937	Agentes químicos: Evaluación cualitativa y simplificada del riesgo por inhalación (III). Método basado en el INRS. 2012.
NTP 938	Guantes de protección frente a microorganismos. 2012.
NTP 939	Industria farmacéutica: Control de las medidas de contención y de protección. 2012.
NTP 940	Ropa y guantes de protección contra el frío. 2012.
NTP 941	Innovación y condiciones de trabajo (II): Sistematizar el proceso creativo. 2012.
NTP 942	Innovación y condiciones de trabajo (III): Instrumentos para la creatividad. 2012.
NTP 943	Innovación y condiciones de trabajo (IV): Creatividad en procesos. 2012.
NTP 944	Intervención psicosocial en prevención riesgos laborales: Principios comunes (I). 2012.
NTP 945	Intervención psicosocial en prevención riesgos laborales: Principios comunes (II). 2012.
NTP 946	Máquinas: Diseño de las partes de los sistemas de mando relativas a la seguridad. 2012.
NTP 947	Valores y condiciones de trabajo (I): Identificación. 2012.
NTP 948	Valores y condiciones de trabajo (II): Selección. 2012.
NTP 949	Valores y condiciones de trabajo (III): Implementación. 2012.
NTP 950	Estrategias de medición y valoración de la exposición a ruido (I): Incertidumbre de la medición. 2012.
NTP 951	Estrategias de medición y valoración de la exposición a ruido (II): Tipos de estrategias. 2012.
NTP 952	Estrategias de medición y valoración de la exposición a ruido (III): Ejemplos de aplicación. 2012.
NTP 953	Trabajos con amianto friable: Diseño y montaje de un confinamiento dinámico (I). 2012.
NTP 954	Trabajos con amianto friable: Diseño y montaje de un confinamiento dinámico (II). 2012.
NTP 955	Plataformas para elevación de personas acopladas a equipos de elevación de cargas (I). 2012.
NTP 956	Plataformas para elevación de personas acopladas a equipos de elevación de cargas (II). 2012.
NTP 957	Arco eléctrico: Caso práctico de estimación de la energía calorífica incidente sobre un trabajador. 2012.

NTP 958	Infraestructuras ferroviarias: Mantenimiento preventivo. 2012.
NTP 959	La vigilancia de la salud en la normativa de prevención de riesgos laborales. 2012.
NTP 960	Ruido: Control de la exposición (I). Programa de medidas técnicas o de organización. 2012.
NTP 961	Concienciación de directivos en PRL (I): Fundamentos. 2013.
NTP 962	Concienciación de directivos en PRL (II): Estrategias. 2013.
NTP 963	Vibraciones: Vigilancia de la salud en trabajadores expuestos. 2013.
NTP 964	Carga física en jardinería: Principales riesgos y sus consecuencias para la salud. 2013.
NTP 965	Carga física en jardinería: Métodos de evaluación y medidas preventivas. 2013.
NTP 966	Eficacia preventiva y excelencia empresarial (I): Buenas prácticas en gestión empresarial. 2013.
NTP 967	Eficacia preventiva y excelencia empresarial (II): Buenas prácticas en gestión preventiva. 2013.
NTP 968	Pesca: Cuestionario de seguridad para buques pesqueros de eslora inferior a 15 metros. 2013.
NTP 969	Andamios colgados móviles y accionamiento manual (I): Normas constructivas. 2013.
NTP 970	Andamios colgados móviles de accionamiento manual (II): Normas de montaje y utilización. 2013.
NTP 971	Andamios colgados móviles de accionamiento manual (III): Aparatos de elevación y de maniobra. 2013.
NTP 972	Calidad de aire interior: Compuestos orgánicos y volátiles, olores y confort. 2013.
NTP 973	Reglamento CLP. Criterios generales para la clasificación de mezclas. 2013. Complementada por NTP 1059. 2015.
NTP 974	Reglamento CLP. Clasificación de mezclas: Peligros para la salud. 2013. Complementada por NTP 1059. 2015.
NTP 975	Instalaciones de extinción automática con agentes extintores gaseosos. 2013.
NTP 976	Andamios colgados móviles de accionamiento motorizado (I). 2013.
NTP 977	Andamios colgados móviles de accionamiento motorizado (II). 2013.
NTP 978	Compuestos orgánicos volátiles: Determinación por captación en tubos multilecho y análisis DT-CG-EM. 2013.
NTP 979	Notificación de primer uso de agentes biológicos de los grupos 2, 3 ó 4. 2013.
NTP 980	Protectores auditivos: Orejeras dependientes del nivel. 2013.
NTP 981	Motovolquete o dumper. 2013.
NTP 982	Análisis coste beneficio en la acción preventiva (I): Bases conceptuales. 2013.
NTP 983	Análisis coste beneficio en la acción preventiva (II): Estrategias de medición. 2013.
NTP 984	Análisis coste beneficio en la acción preventiva (III): Caso práctico. 2013.
NTP 985	Muelles de carga y descarga: Seguridad. 2013. Sustituida por NTP 1076. 2016.
NTP 986	Enfermedades profesionales subacuáticas: Vigilancia de la salud. 2013.
NTP 987	Laboratorios químicos: Clasificación y estimación de su peligrosidad (I). 2013
NTP 988	Laboratorios químicos: Clasificación y estimación de su peligrosidad (II). 2013.
NTP 989	Calidad de aire interior: Filtros de carbón activo para su mejora. 2013.
NTP 990	Seguridad en el laboratorio: Medición de la contención de las vitrinas de gases. 2013.
NTP 991	Modelo cinemático y análisis postural de la extremidad superior. 2013.
NTP 992	Embarazo y lactancia natural: Procedimiento para la prevención de riesgos en las empresas. 2013.
NTP 993	Embarazo y lactancia natural: El papel de la empresa en la prestación por riesgo laboral. 2013.
NTP 994	El recurso preventivo. 2013.
NTP 995	Buques de pesca: Valoración de las condiciones de seguridad de los equipos de trabajo de a bordo. 2013.
NTP 996	Búsqueda de información en PRL: El catálogo de la biblioteca del INSHT. 2014.
NTP 997	Responsabilidad Social de las empresas: Modelo GRI G 4 (I). 2014.

NTP 998	Responsabilidad Social de las empresas: Modelo GRI G 4 (II). 2014.
NTP 999	Seguridad en las góndolas suspendidas. 2014.
NTP 1000	El futuro de la prevención. 2014.
NTP 1001	Invernaderos artesanales: Riesgos de seguridad en su construcción y mantenimiento (I). 2014.
NTP 1002	Invernaderos artesanales: Riesgos de seguridad en su construcción y mantenimiento (II). 2014.
NTP 1003	Diseño de puestos ocupados por personas con discapacidad: Principios básicos. 2014.
NTP 1004	Diseño de puestos ocupados por personas con discapacidad: Adaptación y accesibilidad. 2014.
NTP 1005	Inspección de los equipos de aplicación de productos fitosanitarios. 2014.. Complementada por NTP 1067. 2016.
NTP 1006	Materiales con amianto en viviendas: Guía práctica (I). 2014.
NTP 1007	Materiales con amianto en viviendas: Guía práctica (II). 2014.
NTP 1008	Lugares excelentes para trabajar. 2014.
NTP 1009	Materiales con amianto: Pavimentos de amianto-vinilo. 2014.
NTP 1010	Infraestructuras ferroviarias: Seguridad en la construcción y renovación de la vía. 2014.
NTP 1011	Determinación del metabolismo energético mediante tablas. 2014. Sustituye a la NTP 323. 1993.
NTP 1012	Unidades de olor: evaluación de la molestia en ambientes interiores industriales. 2014.
NTP 1013	Cuadro de mando integral (CMI) y condiciones de trabajo (I): Bases metodológicas. 2014.
NTP 1014	Cuadro de mando integral (CMI) y condiciones de trabajo (II): Aplicación práctica. 2014.
NTP 1015	Andamios tubulares de componentes prefabricados (I): Normas constructivas. 2014.
NTP 1016	Andamios de fachadas de componentes prefabricados (II): Normas montaje y utilización. 2014.
NTP 1017	Industria químico-farmacéutica: Exposición a principios activos en operaciones de mantenimiento. 2014.
NTP 1018	Lenguaje efectivo: Creación, estructura y matización (I). 2014.
NTP 1019	Lenguaje efectivo: Creación, estructura y matización (II). 2014.
NTP 1020	Riesgos biológicos en silvicultura, explotación forestal y jardinería: Prevención. 2014.
NTP 1021	Trabajos con amianto: Formación de los trabajadores. 2014.
NTP 1022	Aerogeneradores (I): Funcionamiento y marco normativo de prevención de riesgos laborales. 2014.
NTP 1023	Aerogeneradores (II): Riesgos laborales en las operaciones de mantenimiento. 2014.
NTP 1024	Aerogeneradores (III): Medidas de prevención y protección durante el mantenimiento. 2014.
NTP 1025	Liderazgo transformador y condiciones de trabajo (I): Bases conceptuales. 2014.
NTP 1026	Liderazgo transformador y condiciones de trabajo (II): Bases de actuación. 2014.
NTP 1027	Liderazgo transformador y condiciones de trabajo (III): Estrategias y caso práctico. 2014.
NTP 1028	Seguridad en soldadura aluminotérmica de cobre. 2014.
NTP 1029	Ergonomía en el laboratorio: Requisitos de diseño de mobiliario y equipos. 2014.
NTP 1030	Carcinógenos: Criterios para su clasificación. 2014.
NTP 1031	Gestión de proyectos de cambio: Marco lógico (I). 2015.
NTP 1032	Gestión de proyectos de cambio: Marco lógico (II). 2015.
NTP 1033	Productos fitosanitarios: Prevención de riesgos durante su uso. 2015.
NTP 1034	Máquinas para la aplicación de plaguicidas: Nuevos requisitos de comercialización. 2015.
NTP 1035	Bocas de incendio equipadas (BIE): Utilización. 2015.

NTP 1036	Estrés por frío (I). 2015.
NTP 1037	Estrés por frío (II). 2015.
NTP 1038	Dispositivos de sujeción de equipos de trabajo y cargas diversas sobre vehículos de transporte: Seguridad. 2015.
NTP 1039	Plataformas elevadoras móviles de personal (I): Gestión preventiva para su uso seguro. 2015.
NTP 1040	Plataformas elevadoras móviles de personal (II): Gestión preventiva para su uso seguro. 2015.
NTP 1041	Revisión sistemática y meta-análisis en seguridad y salud laboral (I): Planteamiento y aplicación. 2015.
NTP 1042	Revisión sistemática y meta-análisis en seguridad y salud laboral (II): Etapas. 2015.
NTP 1043	Eficacia preventiva y responsabilidad social empresarial (I). 2015.
NTP 1044	Eficacia preventiva y responsabilidad social empresarial (II): Buenas prácticas. 2015.
NTP 1045	Salud mental: Etapas para su promoción en la empresa en la empresa. 2015.
NTP 1046	Investigación de accidentes: Recogida de testimonios. 2015.
NTP 1047	Pulverizador de productos fitosanitarios: Seguridad. 2015.
NTP 1048	Plataformas elevadoras móviles de personal: Seguridad en el transporte, carga y descarga (I). 2015.
NTP 1049	Plataformas elevadoras móviles de personal: Seguridad en el transporte, carga y descarga (II). 2015.
NTP 1050	Alcance máximo en el plano sagital. 2015.
NTP 1051	Exposición laboral a compuestos citostáticos: Sistemas seguros para su preparación. 2015.
NTP 1052	Coordinación de actividades empresariales: Criterios de eficiencia (I). 2015.
NTP 1053	Coordinación de actividades empresariales: Criterios de eficiencia (II). 2015.
NTP 1054	Gestión de residuos: Clasificación y tratamiento. 2015.
NTP 1055	Seguridad en el laboratorio: Utilización de vitrinas de recirculación con filtro. 2015. Actualiza la NTP 675. 2004.
NTP 1056	PRIMA-EF: Marco europeo para la gestión del riesgo psicosocial. 2015.
NTP 1057	Infraestructuras ferroviarias: Instalaciones de electrificación, señalización y comunicaciones. Seguridad. 2015.
NTP 1058	Sector gasista: Riesgos laborales en instalaciones de almacenamiento, transporte y distribución de gas. 2015.
NTP 1059	Reglamento CLP. Clasificación de mezclas: Peligros para el medio ambiente. 2015.
NTP 1060	Fosos de inspección de vehículos: Seguridad. 2015.
NTP 1061	Aplicación de los escenarios de exposición del Reglamento REACH en la PRL. 2015.
NTP 1062	Primeros auxilios: Soporte vital básico en el adulto. 2015.
NTP 1063	Imagen mediante Resonancia Magnética (I): Técnica, riesgos y medidas preventivas. 2015.
NTP 1064	Calidad del aire interior. Contaminantes biológicos (I): Estrategia de muestreo. 2015.
NTP 1065	Calidad del aire interior. Contaminantes biológicos (II). Tipos de muestreo. 2015.
NTP 1066	Seguridad inherente: rutas de síntesis y diseño de procesos. 2016.
NTP 1067	Pulverizador de productos fitosanitarios: Requisitos de inspección. 2016.
NTP 1068	Vibraciones: Alternativas para evaluar el riesgo de vibraciones. Estimación. 2016. Complementada por NTP 792. 2008 y 839. 2009.
NTP 1069	Cimbras montadas con elementos prefabricados (I): Normas constructivas. 2016.
NTP 1070	Cimbras montadas con elementos prefabricados (II): Montaje y utilización. 2016.
NTP 1071	Gestión de la seguridad y salud en obras sin proyecto (I): En un centro de trabajo con distinta actividad. 2016.
NTP 1072	Gestión de la seguridad y salud en obras sin proyecto (II): En una comunidad de propietarios. 2016.
NTP 1073	Agentes químicos: Jornadas de trabajo no convencionales. Modelo farmacocinético. 2016.
NTP 1074	Productos cosméticos: Marco normativo y prevención de riesgos laborales. 2016.

NTP 1075	Formaldehído: exposición en plantas de tratamiento mecánico biológico de residuos. 2016.
NTP 1076	Muelles de carga y descarga: Seguridad. 2016.
NTP 1077	Grúas móviles autopropulsadas: Seguridad. 2016.
NTP 1078	Pesca de arrastre (I): Identificación de riesgos. 2017.
NTP 1079	Pesca de Arrastre (II): Medidas preventivas. 2017.
NTP 1080	Agentes químicos: Jerarquización de riesgos potenciales (método basado en el INRS). 2017.
NTP 1081	Pesca de cerco (I): Identificación de riesgos. 2017.
NTP 1082	Elevadores de vehículos: Seguridad. 2017.
NTP 1083	Grúas pórtico portacontenedores. Cestas acopladas: seguridad. 2017.
NTP 1084	Prevención de riesgos laborales originados por la caída de rayos. 2017.
NTP 1085	Calidad del aire interior. Equipos y materiales de oficina: Contaminantes químicos. 2017.
NTP 1086	Tractor agrícola: Estabilidad frente al vuelco. 2017.
NTP 1087	Tractor agrícola: Prevención del riesgo de vuelco. 2017.
NTP 1088	Alcance máximo y normal en el plano horizontal. 2017
NTP 1089	Radiaciones ópticas artificiales: Aplicación de los VLE para la determinación del factor de protección de un filtro (FPF) de protección ocular. 2017.
NTP 1090	Riesgos laborales viarios: Marco conceptual (I). 2017.
NTP 1091	Riesgos laborales viarios: Marco conceptual (II). 2017.
NTP 1092	Coste-beneficio de la prevención de riesgos (I). 2017.
NTP 1093	Coste-beneficio de la prevención de riesgos laborales viarios (II). 2017.
NTP 1094	Agricultura y ganadería: Cuestionarios para la identificación de peligros durante las tareas de mantenimiento (I). 2017.
NTP 1095	Agricultura y ganadería: Cuestionarios para la identificación de peligros durante las tareas de mantenimiento (II). 2017.
NTP 1096	Liderazgo, conflicto y condiciones de trabajo (I): El análisis. 2017.
NTP 1097	Liderazgo, conflicto y condiciones de trabajo (II): La negociación. 2017.
NTP 1098	Equipo eléctrico de máquinas: Colores y marcados de los órganos de accionamiento. 2017.
NTP 1099	Proyectos de investigación universitarios: Gestión de la prevención de riesgos laborales (I). 2017.
NTP 1100	Proyectos de investigación universitarios: Gestión de la prevención de riesgos laborales (II). 2017.

A

ABERTURAS EN LOS SUELOS

1. Las aberturas o desniveles que supongan un riesgo de caída de personas se protegerán mediante barandillas u otros sistemas de protección de seguridad equivalente, que podrán tener partes móviles cuando sea necesario disponer de acceso a la abertura. Deberán protegerse, en particular:

- Las aberturas en los suelos.
- Las aberturas en paredes o tabiques, siempre que su situación y dimensiones suponga riesgo de caída de personas, y las plataformas, muelles o estructuras similares. La protección no será obligatoria, sin embargo, si la altura de caída es inferior a 2 metros.
- Los lados abiertos de las escaleras y rampas de más de 60 centímetros de altura. Los lados cerrados tendrán un pasamanos, a una altura mínima de 90 centímetros, si la anchura de la escalera es mayor de 1,2 metros; si es menor, pero ambos lados son cerrados, al menos uno de los dos llevará pasamanos.

— Anexo I. Parte 3.2.º RDSSLT.

2. Obras de construcción. En los puestos de trabajo en las obras en el exterior de los locales, y siempre que lo exijan las características de la obra o de la actividad; las circunstancias o cualquier riesgo, las plataformas, andamios y pasarelas, así como los desniveles, huecos y aberturas existentes en los pisos de las obras, que supongan para los trabajadores un riesgo de caída de altura superior a dos metros, se protegerán mediante barandillas u otro sistema de protección colectiva de seguridad equivalente. Las barandillas serán resistentes, tendrán una altura mínima de noventa centímetros y dispondrán de un reborde de protección, un pasamanos y una protección intermedia que impidan el paso o deslizamiento de los trabajadores

— Anexo IV. Parte C.3 RDSSTOC.

3. La falta de protección de la abertura de una pared y la concurrente falta de protección de un hueco de un piso, no se consideran infracciones separadas sino que deben ser considerada una sola infracción que afecta a la falta de protección que afecta a toda una planta, si bien ha de tenerse en cuenta esa circunstancia a la hora de graduar la sanción.

— STS Cont.-Adm. 3.11.98.

Véase: Plataformas de trabajo. Barandillas. Andamios. Plataformas suspendidas. Góndolas. Desniveles. Pasarelas. Torres de acceso. Torres de trabajo móviles. Muelles de carga y descarga. Caída de objetos. Caída de personas. Redes de seguridad. Trabajos en altura.

ABONOS

1. Sustancias con que se abona la tierra o las plantas.

2. Los trabajadores expuestos a los abonos, pueden contraer una Enfermedad Profesional (E.P.), en las actividades o trabajos que a continuación de relacionan:

a) Causada por agentes químicos:

- Preparación, utilización, manutención y transportes de abonos con sulfato de manganeso. (Código 1A0612).

• Producción de abonos orgánicos, explosivos, nitrocelulosa, seda artificial y cuero sintético, barnices, lacas, colorantes y colodium, donde se utilice ácido nítrico. (Código 1D0102).

• Usos (del ácido sulfúrico) como ácido para acumulador en la electrolisis, en la industria química (producción de abonos) y laboratorios. (Código 1D0210).

• Fabricación y manipulación de cianamida cálcica y su utilización como abono, donde se utilice ácido cianhídrico. (Código 1D0409).

• Producción de abonos artificiales, donde se utilice amoníaco. (Código 1J0101).

b) Causada por inhalación de sustancias y agentes no comprendidos en otros apartados:

• Fabricación y utilización de escorias de Thomas como abono, que puede provocar la E.P. denominada escorias de Thomas. (Código 4F0101).

c) Causada por agentes cancerígenos:

• Fabricación y manipulación de cianamida cálcica y su utilización como abono, donde se utilice ácido cianhídrico, que puede provocar una E.P. cancerígena. (Código 6Q0109).

Por ello, debe realizarse reconocimientos médicos previos y periódicos a dichos trabajadores, con la prohibición de no contratar a los calificados como no aptos para desempeñar los puestos de trabajo de que se trate.

— Artículo 243 LGSS, en relación con RDEP (Anexo I).

Véase: Compost. Agricultura. Escorias de Thomas. E.P. escorias de Thomas. Ácido nítrico. Ácido sulfúrico. Amoniaco.

ABRASIVOS

1. Productos que sirven para desgastar o pulir, por fricción, sustancias duras como metales, vidrios.

2. Los trabajadores expuestos a los abrasivos, pueden contraer una Enfermedad Profesional (E.P.), en las actividades o trabajos que a continuación de relacionan, causada por inhalación de sustancias y agentes no comprendidos en otros apartados:

a) Fabricación y manutención de abrasivos y de polvos detergentes, donde se utilice polvo silíceo, que pueden provocar la E.P. de silicosis. (Códigos 4A0105, 4A0112).

b) Fabricación y manipulación de abrasivos de aluminio, que pueden provocar la E.P. de neumoconiosis, por inhalación de polvo de aluminio. (Código 4G0105).

Por ello, debe realizarse reconocimientos médicos previos y periódicos a dichos trabajadores, con la prohibición de no contratar a los calificados como no aptos para desempeñar los puestos de trabajo de que se trate.

— Artículo 243 LGSS, en relación con RDEP (Anexo I).

Véase: Sustancias abrasivas. Pulidores. Azogado de espejos. Espejos. Cristales. Industria del vidrio. Pulidores.

ABSENTISMO LABORAL

1. Faltas de asistencia, justificadas o sin justificar, del trabajador a su trabajo.

Cabe distinguir entre absentismo legal, que serían las faltas de asistencia al trabajo producidas por hacer uso de los derechos laborales que reconocen la normativa legal, como vacaciones, permisos, huelgas, representación sindical, etc. y absentismo de salud, que serían las faltas de asistencia al trabajo producidas por accidentes de trabajo, enfermedades profesionales, enfermedad común o accidente no laboral, etc.

2. El porcentaje de absentismo de una empresa se calcula teniendo en cuenta: el número total de días laborables de ausencia, dividido por (número de trabajadores de la empresa, multiplicado los días laborables de la empresa), y multiplicado por cien.

3. El empresario podrá verificar el estado de salud del trabajador que sea alegado por este para justificar sus faltas de asistencia al trabajo, mediante reconocimiento a cargo de personal médico. La negativa del trabajador a dichos reconocimientos podrá determinar la suspensión de los derechos económicos que pudieran existir a cargo del empresario por dichas situaciones.

— Artículo 20.4 LET.

> *Véase: Índice de siniestralidad. Índice de absentismo de salud. Índice de duración media de accidentes. Índice de frecuencia. Índice de Gravedad. Índice de incidencia.*

ÁCAROS

1. Arácnidos de pequeñas dimensiones. Se pueden clasificar en ácaros no parásitos, que se encuentran principalmente en el polvo, el papel viejo, en las plantas, en productos alimenticios almacenados y en el agua, y ácaros parásitos, que se alimentan de sangre, pelo y/o tejidos vivos.

• Actividades donde se pueden desarrollar los ácaros: Agricultura, ganadería, industria de la alimentación y oficinas y despachos, en archivos de papel envejecido, moquetas, telas y cortinas.

• Efectos de la exposición a ácaros. Los ácaros pueden causar: Fiebre, enfermedades alérgicas, como asma, rinitis, dermatitis y sarna, por los ácaros parásitos.

• Técnicas de prevención: Mantener, la temperatura del local de trabajo por debajo de 25.º o por encima de 35.º, y la humedad relativa por debajo del 50.º o por encima del 75.º. El uso de deshumificador consigue reducir la población acárida de manera significativa. En las librerías colocar bolsas que absorban la humedad, bolsas de sílica-gel

— Notas Técnicas de Prevención n.º 652, 653/2004. INSST.

> *Véase: Hongos. Alimentación. Agricultura. E.P. asma. E.P. de la piel.*

ACCIDENTE MAYOR

1. La expresión accidente mayor designa todo acontecimiento repentino, como una emisión, un incendio o una explosión de gran magnitud, en el curso de una actividad dentro de una instalación expuesta a riesgos de accidentes mayores, en el que estén implicadas una o varias sustancias peligrosas y que exponga a los trabajadores, a la población o al medio ambiente a un peligro grave, inmediato o diferido.

— Artículo 3 Convenio OIT 174, de 22 de junio de 1993.

2. Plan de emergencia interior en la industria química.

— Notas Técnicas de Prevención n.º 334, 339/1994. INSST.

3. Modelos de vulnerabilidad de las personas por accidentes mayores.

— Nota Técnica de Prevención n.º 291/1991. INSST.

Véase: Emergencia. Plan de emergencia. Plan de emergencia exterior. Plan de emergencia interior. Plan de emergencia estatal. Accidentes graves. Trabajadores de Protección Civil.

ACCIDENTE NO LABORAL

Se considerará accidente no laboral el que, no tenga el carácter de accidente de trabajo.

— Artículo 168.1 LGSS.

Véase: Accidente de trabajo.

ACCIDENTES BLANCOS

Se considera accidente blanco todo suceso eventual e imprevisto y no querido que se produzca en la empresa, que sin producir daños a los trabajadores, da lugar a una interrupción del trabajo con pérdidas, o no, en los bienes y materiales.

A pesar de que no se han producido daños a los trabajadores, hay que investigar las causas que lo han producido, con el fin de adoptar las medidas necesarias para que este tipo de accidentes no se produzca.

Véase: Incidentes. Causas de los accidentes e incidentes.

ACCIDENTES DE TRABAJO DE AUTÓNOMO ECONÓMICAMENTE DEPENDIENTE

Se entenderá por accidente de trabajo toda lesión corporal del trabajador autónomo económicamente dependiente que sufra con ocasión o por consecuencia de la actividad profesional, considerándose también accidente de trabajo el que sufra el trabajador al ir o volver del lugar de la prestación de la actividad, o por causa o consecuencia de la misma.

Salvo prueba en contrario, se presumirá que el accidente no tiene relación con el trabajo cuando haya ocurrido fuera del desarrollo de la actividad profesional que se trate.

— Artículo 26.1 LETA.

Véase: Accidentes de trabajo de autónomos. Parte de accidente de trabajo.

ACCIDENTES DE TRABAJO DE AUTÓNOMO

Se entenderá como accidente de trabajo del trabajador autónomo el ocurrido como consecuencia directa e inmediata del trabajo que realiza por su propia cuenta y que determina su inclusión en el campo de aplicación de dicho Régimen Especial.

También se entenderá como accidente de trabajo el sufrido al ir o al volver del lugar de la prestación de la actividad económica o profesional. A estos efectos se entenderá como lugar de la prestación el establecimiento en donde el trabajador autónomo ejerza habitualmente su actividad siempre que no coincida con su domicilio y se corresponda con el local, nave u oficina declarado como afecto a la actividad económica a efectos fiscales.

— Artículo 26.1 LETA

Véase: Accidentes de trabajo de autónomos dependientes. Parte de accidente de trabajo.

ACCIDENTES DE TRABAJO DE CONDUCTORES PROFESIONALES

Es aquel sufrido o provocado por el trabajador que utiliza el vehículo como centro de trabajo para cumplir su tarea, es el caso de transportistas, mensajeros, conductores de servicios de trasportes o personas que realizan con vehículo propio o de la empresa en tareas comerciales y de atención a clientes. Se incluyen también en este grupo, aquellos accidentes en los que están implicados vehículos y que ocurren en centros de trabajo como las obras, grandes fábricas, zonas de estacionamiento, etc.

— Notas Técnicas de Prevención n.º 1090, 1091/2017. INSST.

Véase: Accidentes en misión.

ACCIDENTES DE TRABAJO: COMUNICACIÓN

Véase: Comunicación de los accidentes de trabajo.

ACCIDENTES DE TRABAJO

1. Se entiende por accidente de trabajo toda lesión corporal que el trabajador sufra con ocasión o por consecuencia del trabajo que ejecute por cuenta ajena.

2. Tendrán la consideración de accidentes de trabajo:

- Los que sufra el trabajador al ir o al volver del lugar de trabajo.
- Los que sufra el trabajador con ocasión o como consecuencia del desempeño de cargos electivos de carácter sindical, así como los ocurridos al ir o al volver del lugar en que se ejerciten las funciones propias de dichos cargos.
- Los ocurridos con ocasión o por consecuencia de las tareas que, aun siendo distintas a las de su categoría profesional, ejecute el trabajador en cumplimiento de las órdenes del empresario o espontáneamente en interés del buen funcionamiento de la empresa.
- Los acaecidos en actos de salvamento y en otros de naturaleza análoga, cuando unos y otros tengan conexión con el trabajo.
- Las enfermedades, no incluidas en el artículo siguiente, que contraiga el trabajador con motivo de la realización de su trabajo, siempre que se pruebe que la enfermedad tuvo por causa exclusiva la ejecución del mismo.
- Las enfermedades o defectos, padecidos con anterioridad por el trabajador, que se agraven como consecuencia de la lesión constitutiva del accidente.
- Las consecuencias del accidente que resulten modificadas en su naturaleza, duración, gravedad o terminación, por enfermedades intercurrentes, que constituyan complicaciones derivadas del proceso patológico determinado por el accidente mismo o tengan su origen en afecciones adquiridas en el nuevo medio en que se haya situado el paciente para su curación.

3. Se presumirá, salvo prueba en contrario, que son constitutivas de accidente de trabajo las lesiones que sufra el trabajador durante el tiempo y en el lugar del trabajo.

- El infarto de miocardio ocurrido en los vestuarios de la empresa antes del inicio de la jornada laboral, no goza de la presunción de laboralidad.

— STS 20.12.05.

4. No obstante lo establecido en los apartados anteriores, no tendrán la consideración de accidente de trabajo:

• Los que sean debidos a fuerza mayor extraña al trabajo, entendiéndose por ésta la que sea de tal naturaleza que ninguna relación guarde con el trabajo que se ejecutaba al ocurrir el accidente.

• En ningún caso se considerará fuerza mayor extraña al trabajo la insolación, el rayo y otros fenómenos análogos de la naturaleza.

• Los que sean debidos a dolo o a imprudencia temeraria del trabajador accidentado.

5. No impedirán la calificación de un accidente como de trabajo:

• La imprudencia profesional que es consecuencia del ejercicio habitual de un trabajo y se deriva de la confianza que éste inspira.

• La concurrencia de culpabilidad civil o criminal del empresario, de un compañero de trabajo del accidentado o de un tercero, salvo que no guarde relación alguna con el trabajo.

— Artículo 156 LGSS.

Véase: Parte de accidente de trabajo. Comunicación de los accidentes de trabajo. Notificación de los accidentes de trabajo. Riesgos catastróficos.

ACCIDENTES EN MISIÓN

1. Se consideran accidentes de trabajo aquellos accidentes ocurridos desde el centro de trabajo a otro lugar de trabajo y viceversa.

— Artículo 156.2.c LGSS.

2. Es aquel sufrido por el trabajador que utiliza el vehículo de forma no continuada, pero que debe realizar desplazamientos fuera de las instalaciones de la empresa para cumplir con su misión.

— Notas Técnicas de Prevención n.º 1090, 1091/2017. INSST.

Véase: Accidentes de trabajo de conductores profesionales. Accidentes in itinere.

ACCIDENTES GRAVES

1. Cualquier suceso, como una emisión en forma de fuga o vertido, un incendio o una explosión importantes, que resulte de un proceso no controlado durante el funcionamiento de cualquier establecimiento al que sea de aplicación este real decreto, que suponga un riesgo grave, inmediato o diferido, para la salud humana, los bienes, o el medio ambiente, dentro o fuera del establecimiento y en el que intervengan una o varias sustancias peligrosas.

— Artículo 3.1 RDAG.

2. Accidentes graves por reacciones químicas exotérmicas.

— Notas Técnicas de Prevención n.º 527, 528, 529/1999. INSST.

Véase: Fugas de sustancias peligrosas. Sustancias Peligrosas. Accidente mayor. Establecimiento vecino. Riesgo laboral grave. Lesión grave. Emergencia. Plan de emergencia. Plan de emergencia exterior. Plan de emergencia interior. Plan de emergencia estatal. Trabajadores de Protección Civil. Público interesado.

ACCIDENTES «IN ITINERE»

1. Se consideran accidentes de trabajo aquellos accidentes ocurridos desde el domicilio del trabajador al centro de trabajo y viceversa. Hay que probar que se iba o venía del trabajo y que se ha utilizado el trayecto más adecuado. Comienza en la puerta de la vivienda, no en la calle.

— Artículo 165.2.a LGSS.

2. La jurisprudencia ha definido de modo preciso lo que se considera por accidente «*in itinere*», puesto que puntualiza lo siguiente:

- El accidente debe producirse en el recorrido habitual entre el lugar de residencia y el de trabajo.
- No deben producirse interrupciones durante dicho recorrido habitual.

Hay que tener en cuenta que no todos los accidentes de trabajo «*in itinere*» son accidentes de tráfico, también hay caídas, patologías no traumáticas, etc.

— Notas Técnicas de Prevención n.º 1090, 1091/2017. INSST.

3. Itinerario Seguro. Son aquellas rutas o caminos que ofrecen seguridad o una mayor seguridad en los desplazamientos, al evitar el paso por puntos críticos en su recorrido, ser entornos de movilidad más segura, o bien, evitar situaciones conflictivas de circulación como posibles atascos u otros problemas de tráfico. Tales términos se han utilizado normalmente para designar aquellos recorridos urbanos protegidos que facilitan la movilidad y accesibilidad de un determinado grupo de ciudadanos, como peatones y ciclistas, más vulnerables al tráfico, especialmente en las ciudades. Dentro de tales itinerarios están los carriles reservados, adaptados al uso exclusivo del transporte público o de la bicicleta, como es el carril bus/taxi y el carril-bici, respectivamente. Son carriles o caminos destinados exclusivamente a este fin y que no pueden ser compartidos ni por peatones ni por otro tipo de vehículos. En general no suelen ser habituales en polígonos industriales.

— Notas Técnicas de Prevención n.º 1090, 1091/2017. INSST.

Véase: Accidentes en misión.

ACCIDENTES POR FUERZA MAYOR

No tendrán la consideración de accidente de trabajo los que sean debidos a fuerza mayor extraña al trabajo, entendiéndose por ésta la que sea de tal naturaleza que ninguna relación guarde con el trabajo que se ejecutaba al ocurrir el accidente.

En ningún caso se considerará fuerza mayor extraña al trabajo la insolación, el rayo y otros fenómenos análogos de la naturaleza.

— Artículo 156.4.a LGSS.

Véase: Fuerza mayor.

ACCIDENTES POR IMPRUDENCIA PROFESIONAL

Se consideran accidentes de trabajo aquellos accidentes ocurridos a consecuencia de la confianza que inspira el ejercicio habitual de un trabajo.

— Artículo 156.5.a LGSS.

Véase: Imprudencia profesional.

ACCIDENTES POR IMPRUDENCIA TEMERARIA

No tendrán la consideración de accidentes de trabajo los que sean debidos a dolo o a imprudencia temeraria del trabajador accidentado.

Se considera imprudencia temeraria la violación consciente de una norma de prevención de riesgos laborales recordada con insistencia y notoriedad por el empresario, aunque el mero no uso de medidas de prevención, no constituye por sí solo imprudencia temeraria.

No constituye imprudencia temeraria, la simple infracción de normas de circulación.

La impudencia temeraria no se presume, hay que probarla.

— Artículo 156.4.b LGSS.

Véase: Imprudencia temeraria. Accidentes por imprudencia profesional.

ACEITES INDUSTRIALES

1. Líquido denso de origen natural, como el petróleo, o que se obtiene por destilación de ciertos minerales bituminosos o de la hulla, el lignito y la turba.

Sustancia grasa, líquida a temperatura ordinaria, de mayor o menor viscosidad, no miscible con agua y de menor densidad que ella, que se puede obtener sintéticamente.

2. Los trabajadores expuestos a los aceites industriales, pueden contraer una Enfermedad Profesional (E.P.), en las actividades o trabajos que a continuación de relacionan:

a) Causadas por agentes químicos:

• Fabricación de detergentes, colorantes, aditivos para aceites, etc., donde se utilicen fenoles. (Código 1F0206).

• La combustión de combustibles fósiles, madera y el calentamiento de aceites produce acroleína, donde se utilicen aldehídos. (Código 1G0113).

• Empleo del benceno y sus homólogos como decapantes, como diluente, como disolvente para la extracción de aceites, grasas, alcaloides, resinas, desengrasado de pieles, tejidos, huesos, piezas metálicas, caucho, etc. (Código 1K0103).

• Utilización como aditivos de carburantes y de aceites de motor, donde se utilicen ésteres orgánicos. (Código 1N0112).

• Disolventes y codisolventes de lacas, resinas, pigmentos, tintes, esmaltes, barnices, perfumes, aceites, acetato de celulosa y nitrato de celulosa, que contengan éteres. (Código 1O0101).

• Utilización de policlorobifenilos (PCBs) (organoclorados) como constituyente de fluidos dieléctricos en condensadores y transformadores, fluidos hidráulicos, aceites lubricantes, plaguicidas o aditivos en plastificantes y pinturas, etc. (Código 1S0201).

• Empleo del sulfuro de carbono como disolvente de grasas, aceites, resinas, ceras, caucho, gutapercha y otras sustancias. (Código 1U0104).

• Extracción de aceites volátiles de las flores, donde se utilice sulfuro de carbono. (Código 1U0109).

b) Causadas por agentes cancerígenos:

• Empleo del benceno y sus homólogos como decapantes, como diluente, como disolvente para la extracción de aceites, grasas, alcaloides, resinas, desengrasado de pieles, tejidos, huesos, piezas metálicas, caucho, etc., que pueden provocar la E.P. síndrome linfo y mieloproliferativos. (Código 6D0103).

Por ello, debe realizarse reconocimientos médicos previos y periódicos a dichos trabajadores, con la prohibición de no contratar a los calificados como no aptos para desempeñar los puestos de trabajo de que se trate.

— Artículo 243 LGSS, en relación con RDEP (Anexo I).

Véase: Aceites. Destilación. Refinado de aceites minerales. Refinado de aceites vegetales. Refinado de metales. Refinado de minerales.

ACEITES

1. Líquido graso que se obtiene de frutos o semillas, como cacahuetes, algodón, soja, nueces, almendras, linaza, ricino o coco, y de algunos animales, como la ballena, la foca o el bacalao.

2. Los trabajadores expuestos a los aceites, pueden contraer una Enfermedad Profesional (E.P.), en las actividades o trabajos que a continuación de relacionan:

a) Causadas por inhalación de sustancias y agentes no comprendidos en otros apartados:

• Industria del té, industria del café, industria del aceite, donde los trabajadores estén expuestos a sustancias de alto peso molecular (de origen vegetal o animal), que pueden provocar alguna de las siguientes E.P.: rinoconjuntivitis (Código 4H0102), asma (Código 4H0202), alveolitis alérgica extrínseca (Código 4H0302), síndrome de disfunción reactivo de la vía aérea (Código 4H0402), fibrosis intersticial difusa (Código 4H0502), bisinosis, cannabiosis, linnosis, bagazosis, estipatosis, suberosis (Códigos 4H0602), y neumopatía intersticial difusa. (Código 4H0702).

b) E.P. de la piel, causadas por sustancias y agentes no comprendidos en alguno de los otros apartados:

• Industria del té, industria del café, industria del aceite, donde los trabajadores estén expuestos a sustancias de alto peso molecular (de origen vegetal o animal), que pueden provocar una E.P. de la piel, causada por sustancias de alto peso molecular (Código 5B0102).

Por ello, debe realizarse reconocimientos médicos previos y periódicos a dichos trabajadores, con la prohibición de no contratar a los calificados como no aptos para desempeñar los puestos de trabajo de que se trate.

— Artículo 243 LGSS, en relación con RDEP (Anexo I).

Véase: Aceites industriales. Grasas. Destilación. Refinado de aceites minerales. Refinado de aceites vegetales. Refinado de metales. Refinado de minerales.

ACELERADORES

1. De sustancias: Dar mayor velocidad, aumentar la velocidad de una sustancia. De motores: Accionar un mecanismo para aumentar las revoluciones de un motor, con el fin de que la máquina que controla se mueva con mayor velocidad.

2. Los trabajadores expuestos a los aceleradores de sustancias, pueden contraer una Enfermedad Profesional (E.P.), en las actividades o trabajos que a continuación de relacionan:

a) Causadas por agentes químicos:

• Fabricación y utilización de derivados utilizados como aceleradores y como antioxidantes en la industria del caucho, donde se utilicen aminas e hidracinas. (Código 1I0102).

b) Causadas por agentes cancerígenos:

• Aceleradores de partículas, fuentes de gammagrafía, bombas de cobalto, etc., que pueden provocar la E.P. de síndrome linfo y mieloproliferativos. (Código 6N0114).

• Aceleradores de partículas, fuentes de gammagrafía, bombas de cobalto, etc., que puede provocar la E.P. de carcinoma epidermoide de piel. (Código 6N0214).

• Fabricación y utilización de derivados de aminas, utilizados como aceleradores y como antioxidantes en la industria del caucho, que pueden provocar la E.P. de cáncer versical. (Código 6O0102).

Por ello, debe realizarse reconocimientos médicos previos y periódicos a dichos trabajadores, con la prohibición de no contratar a los calificados como no aptos para desempeñar los puestos de trabajo de que se trate.

— Artículo 243 LGSS, en relación con RDEP (Anexo I).

Véase: Sustancias oxidantes. Antioxidantes.

ACERO

1. Aleación de hierro y carbono, en la que este entra en una proporción entre el 0,02 y el 2%, y que, según su tratamiento, adquiere especial elasticidad, dureza o resistencia.

2. Los trabajadores expuestos al acero, pueden contraer una Enfermedad Profesional (E.P.), en las actividades o trabajos que a continuación se relacionan:

a) Causadas por agentes químicos:

• Fabricación de acero al silicio, con utilización de arsénico y sus compuestos. (Código 1A0112).

• Trabajos en horno de fundición de hierro o acero, donde se utilice cadmio. (Código 1A0311).

• Fabricación de aceros inoxidables, donde se utilice cromo y sus compuestos. (Código 1A0412).

• Trabajos que implican soldadura y oxicorte de aceros inoxidables, donde se utilice cromo. (Código 1A0413).

• Fundición y refino de níquel, producción de acero inoxidable, fabricación de baterías, donde se utilice níquel. (Código 1A0801).

• Fabricación de aceros especiales al níquel (ferroníquel). (Código 1A0806).

• Trabajos que implican soldadura y oxicorte de acero inoxidable, donde se utilice níquel. (Código 1A0809).

• Trabajos en horno de fundición de hierro y de acero inoxidable, donde se utilice níquel. (Código 1A0810).

• Temple en baño de plomo y trefilado de los aceros templados en el baño de plomo. (Código 1A0906).

b) Causadas por agentes físicos:

• Trabajos con cristal incandescente, masas y superficies incandescentes, en fundiciones, acererías, etc., así como en fábricas de carburos, que pueden producir E.P. provocadas por la energía radiante. (Código 2K0101).

c) Causadas por inhalación de sustancias y agentes no comprendidos en otros apartados:

• Trabajos con acero inoxidable, donde los trabajadores estén expuestos a sustancias de bajo peso molecular (metales, polvos de maderas, sustancias químicas, etc.), que pueden provocar alguna de las siguientes E.P: rinoconjuntivitis (Código 4I0129), urticaria (Código 4I0229), angiodemas (Código 4I0229), asma (Código 4I0329), alveolitis alérgica extrínseca (Código 4I0429), síndrome de disfunción de la vía reactiva (Código 4I0529), fibrosis intersticial difusa (Código 4I0629), fiebre de los metales (Código 4I0729), y neumopatía intersticial difusa (Código 4I0829).

d) E.P. de la piel, causadas por sustancias y agentes no comprendidos en alguno de los otros apartados:

• Trabajos con acero inoxidable, donde los trabajadores estén expuestos a sustancias de bajo peso molecular (metales, polvos de maderas, sustancias químicas, etc.), que pueden provocar una E.P. de la piel, causada por sustancias de bajo peso molecular. (Código 5A0128).

e) Causadas por agentes cancerígenos:

• Fabricación de acero al silicio, donde se utilice arsénico, que puede provocar alguna de las siguientes E.P. (cánceres): neoplasia de maligna de bronquio y pulmón (Código 6C0118), carcinoma epidemoide de piel (Código 6C0218), disqueratosis lenticular en disco (Código 6C0318) y angiosarcoma del hígado (Código 6C0418).

• Trabajos en horno de fundición de hierro o acero, que contengan cadmio, que puede provocar la E.P. de neoplasia maligna de bronquio, pulmón y próstata. (Código 6G0111).

• Fabricación de aceros inoxidables, donde se utilice cromo, que puede provocar la E.P. de neoplasia maligna de cavidad nasal. (Código 6I0112).

• Fabricación de aceros inoxidables, donde se utilice cromo, que puede provocar la E.P. de neoplasia de bronquio y pulmón. (Código 6I0212).

• Fundición y refino de níquel, producción de acero inoxidable, fabricación de baterías, donde se utilice níquel, que puede provocar alguna de las siguientes E.P. (Cánceres): E.P. neoplasia maligna de cavidad nasal (Código 6K0101), E.P. cáncer primitivo del etmoides y de los senos de la cara (Código 6K0201), o E.P. neoplasia maligna de bronquio y pulmón (Código 6K0301).

• Fabricación de aceros especiales al níquel (ferroníquel). Fabricación de acumuladores al níquel cadmio, donde se utilice níquel, que puede provocar alguna de las siguientes E.P. (Cánceres): E.P. neoplasia maligna de cavidad nasal (Código 6K0106), E.P. cáncer primitivo del etmoides y de los senos de la cara (Código 6K0206), o E.P. neoplasia maligna de bronquio y pulmón (Código 6K0306)

• Trabajos en horno de fundición de hierro y de acero inoxidable, donde se utilice níquel, que puede provocar alguna de las siguientes E.P. (Cánceres): E.P. neoplasia maligna de cavidad nasal (Código 6K0109), E.P. cáncer primitivo del etmoides y de los senos de la cara (Código 6K0209), o E.P. neoplasia maligna de bronquio y pulmón (Código 6K0309).

Por ello, debe realizarse reconocimientos médicos previos y periódicos a dichos trabajadores, con la prohibición de no contratar a los calificados como no aptos para desempeñar los puestos de trabajo de que se trate.

— Artículo 243 LGSS, en relación con RDEP (Anexo I).

Véase: Cromo. Hierro. Níquel. Silicio. Vanadio. Pirolusita.

ACETILENO

1. Hidrocarburo gaseoso y muy inflamable que se obtiene por la acción del agua sobre el carburo de calcio y se utilizó como gas de alumbrado y, actualmente, en la soldadura y en la industria química.

2. Los trabajadores expuestos al acetileno, pueden contraer una Enfermedad Profesional (E.P.), en las actividades o trabajos que a continuación se relacionan, causada por agentes químicos:

• Procesos en que puede producirse fosfina, tales como la generación de acetileno, la limpieza de metales con ácido fosfórico, etc.. (Código 1A0503).

Por ello, debe realizarse reconocimientos médicos previos y periódicos a dichos trabajadores, con la prohibición de no contratar a los calificados como no aptos para desempeñar los puestos de trabajo de que se trate.

— Artículo 243 LGSS, en relación con RDEP (Anexo I).

Véase: Soldadura y oxicorte. Soldadura oxiacetilénica. Soldadores. Carburos.

ÁCIDO ACÉTICO

1. Líquido incoloro, de olor picante, que se produce por oxidación del alcohol etílico, da su sabor característico al vinagre y se usa en la síntesis de productos químicos.

2. Los trabajadores expuestos al ácido acético, pueden contraer una Enfermedad Profesional (E.P.), causada por agentes químicos, en las actividades o trabajos que a continuación se relacionan:

• Utilización en litografía. (Código 1E0120).
• Disolvente de barnices y pinturas. (Código 1E0121).

Por ello, debe realizarse reconocimientos médicos previos y periódicos a dichos trabajadores, con la prohibición de no contratar a los calificados como no aptos para desempeñar los puestos de trabajo de que se trate.

— Artículo 243 LGSS, en relación con RDEP (Anexo I).

Véase: Vinagre. Síntesis.

ÁCIDO CIANHÍDRICO, CIANUROS, COMPUESTOS DE CIANÓGENO Y ACRI-LONITRILOS

1. Ácido cianhídrico: Líquido incoloro, muy volátil, de olor a almendras amargas, y muy venenoso. Cianuro: Sal del ácido cianhídrico, de toxicidad elevada. Son utilizados como disolventes.

El ácido cianhídrico ha sido el gas utilizado en la ejecución de la pena de muerte mediante cámara de gas.

2. Los trabajadores expuestos al ácido cianhídrico, cianuros, compuestos de cianógeno y acrilonitrilos, pueden contraer una Enfermedad Profesional (E.P.), causada por agentes químicos (Código 1D) o por agentes cancerígenos (Código 6Q), en las actividades o trabajos que a continuación se relacionan:

• Preparación de ácido cianhídrico líquido, cianuros, ferrocianuros y otros derivados. (Códigos 1D0401, 6Q0101).

• Utilización del ácido cianhídrico gaseoso en la lucha contra los insectos parásitos en agricultura y contra los roedores. (Códigos 1D0402, 6Q0102).

• Obtención de metales preciosos (oro y plata) por cianuración. (Códigos 1D0403, 6Q0103).

• Fabricación de joyas. (Códigos 1D0404, 6Q0104).

• Empleo de cianuro en las operaciones de galvanoplastia (niquelado, cadmiado, cobrizado, etc.). (Códigos 1D0405, 6Q0105).

• Tratamiento térmico de piezas metálicas. (Códigos 1D0406, 6Q0106).

• Fabricación de «plexiglás» (acetonacianhidrina). (Códigos 1D0407, 6Q0107).

• Utilización de acrilonitrilo como pesticida. (Códigos 1D0408, 6Q0108).

• Fabricación y manipulación de cianamida cálcica y su utilización como abono. (Códigos 1D0409, 6Q0109).

• Producción de acrilatos, sales de amonio, cianógeno y otras sustancias químicas de síntesis. (Códigos 1D0410, 6Q0110).

• Fabricación de limpia metales. (Códigos 1D0411, 6Q0111).

• Fabricación de colorantes, pigmentos plásticos y fibras sintéticas. (Códigos 1D0412, 6Q0112).

• Emisiones gaseosas en los altos hornos, hornos de coque o combustión de espumas de poliuretano. (Códigos 1D0413, 6Q0113).

• Uso en laboratorio. (Códigos 1D0414, 6Q0114).

• Fabricación de ácido nítrico y otros reactivos químicos como ácido sulfúrico, cianuros, amidas, urea, sosa, nitritos e intermediarios de colorantes, donde se utilice amoniaco. (Código 1J0108).

Por ello, debe realizarse reconocimientos médicos previos y periódicos a dichos trabajadores, con la prohibición de no contratar a los calificados como no aptos para desempeñar los puestos de trabajo de que se trate.

— Artículo 243 LGSS, en relación con RDEP (Anexo I).

Véase: Fabricación de joyas. Sustancias disolventes. Ácidos inorgánicos.

ÁCIDO FÓRMICO

1. Líquido incoloro, de olor picante, presente en una secreción de las hormigas, que se emplea en la industria textil y del curtido.

2. Los trabajadores expuestos al ácido fórmico, pueden contraer una Enfermedad Profesional (E.P.), causada por agentes químicos, en las actividades o trabajos que a continuación se relacionan:

- La industria del cuero como neutralizador, para teñir, eliminar el pelo, etc. (Código 1E0117).
- La preparación de cables para soldadura. (Código 1E0118).
- La industria de la electrónica. (Código 1E0119).

Por ello, debe realizarse reconocimientos médicos previos y periódicos a dichos trabajadores, con la prohibición de no contratar a los calificados como no aptos para desempeñar los puestos de trabajo de que se trate.

— Artículo 243 LGSS, en relación con RDEP (Anexo I).

Véase: Curtidos. Curtidores. Industria del cuero. Industrias de las pieles. Industria textil.

ÁCIDO NÍTRICO

1. Ácido nítrico: Líquido fumante, muy corrosivo e incoloro, compuesto por nitrógeno, oxígeno e hidrógeno, que se emplea en la fabricación de explosivos y de fertilizantes.

Ácido nitroso: Líquido muy inestable a temperatura ordinaria, compuesto por nitrógeno, oxígeno e hidrógeno, conocido principalmente por sus sales, los nitritos.

2. Recogida de muestras de ácido nítrico. NTP 111

1984. INSST.

3. Los trabajadores expuestos al ácido nítrico y sus compuestos, pueden contraer una Enfermedad Profesional (E.P.), causada por agentes químicos, en las actividades y trabajos que a continuación se relacionan:

- Fabricación de ácido nítrico. (Código 1D0101).
- Producción de abonos orgánicos, explosivos, nitrocelulosa, seda artificial y cuero sintético, barnices, lacas, colorantes y colodium. (Código 1D0102).
- Decapado, fijación, mordentado, afinado damasquinado, revestimiento electrolítico de metales. (Código 1D0103).
- Grabado al agua fuerte. (Código 1D0104).
- Fabricación de fieltros y perlas de vidrio. (Código 1D0105).
- Producción de nitratos metálicos, ácidos oxálicos, ftálico o sulfúrico, de nitritos y ácidos nitrosos, de trinitrofenol, de trinitrotolueno, de nitroglicerina, de dinitrato de etilenglicol. (Código 1D0106).
- Fabricación de joyas, industria farmacéutica y ciertos procedimientos de impresión. (Código 1D0107).
- Fabricación de ácido nítrico y otros reactivos químicos como ácido sulfúrico, cianuros, amidas, urea, sosa, nitritos e intermediarios de colorantes, donde se utilice amoniaco. (Código 1J0108).
- Producción de ácido nítrico, donde utilicen óxidos de nitrógeno. (Código 1T0304).

Por ello, debe realizarse reconocimientos médicos previos y periódicos a dichos trabajadores, con la prohibición de no contratar a los calificados como no aptos para desempeñar los puestos de trabajo de que se trate.

— Artículo 243 LGSS, en relación con RDEP (Anexo I).

Véase: Industria de explosivos. Pirotecnia. Abonos. Sustancias explosivas. Atmosferas explosivas. Urea.

ÁCIDO PROPIÓNICO

1. Líquido incoloro, corrosivo con un olor acre. Se utiliza como conservante para piensos y para alimentos de consumo humano. El ácido propiónico o propanóico inhibe el crecimiento de moho y de algunas bacterias.

2. Los trabajadores expuestos al ácido propiónico, pueden contraer una Enfermedad Profesional (E.P.), causada por agentes químicos, en las actividades o trabajos que a continuación se relacionan:

- Utilización como fungicida. (Código 1E0122).
- Utilización como preservadores del grano y la madera. (Código 1E0123).

Por ello, debe realizarse reconocimientos médicos previos y periódicos a dichos trabajadores, con la prohibición de no contratar a los calificados como no aptos para desempeñar los puestos de trabajo de que se trate.

— Artículo 243 LGSS, en relación con RDEP (Anexo I).

Véase: Ácidos orgánicos. Conservantes. Moho. Bacterias.

ÁCIDO SULFHÍDRICO

1. Gas incoloro, de olor a huevos podridos, inflamable, muy soluble en agua, compuesto de azufre e hidrógeno, que se origina en la putrefacción de las proteínas y está presente en las aguas sulfurosas. Se puede encontrar en la depuración de aguas residuales, en el tratamiento de cueros, etc.

2. Los trabajadores expuestos al ácido sulfhídrico, pueden contraer una Enfermedad Profesional (E.P.), causada por agentes químicos, en las actividades o trabajos que a continuación se relacionan:

- Trabajos en fosas de putrefacción de mataderos o instalaciones de curtidos. (Código 1D0301).
- Trabajos de exhumación de cadáveres. (Código 1D0302).
- Trabajos de alcantarillado y cloacas. (Código 1D0303).
- Trabajos subterráneos. (Código 1D0304).
- Excavaciones. (Código 1D0305).
- Enriado de cáñamo y del esparto. (Código 1D0306).
- Procesos de la industria química en que interviene el hidrógeno sulfurado. (Código 1D0307).
- Fabricación de fibras textiles sintéticas. (Código 1D0308).
- Refinerías de petróleo. (Código 1D0309).
- Fabricación de gases industriales. (Código 1D0310).
- Refinerías de azúcar. (Código 1D0311).

Por ello, debe realizarse reconocimientos médicos previos y periódicos a dichos trabajadores, con la prohibición de no contratar a los calificados como no aptos para desempeñar los puestos de trabajo de que se trate.

— Artículo 243 LGSS, en relación con RDEP (Anexo I).

Véase: Ácidos orgánicos. Curtidos. Exhumación de cadáveres.

ÁCIDO SULFÚRICO

1. Ácido sulfúrico: Líquido cáustico de consistencia oleosa, compuesto de azufre, hidrógeno y oxígeno, que se utiliza en la fabricación de fertilizante y explosivos, entre otros.

Ácido sulfuroso: Líquido incoloro, compuesto de azufre, hidrógeno y oxígeno, y que se utiliza como agente blanqueador. Se utiliza en la fabricación de fertilizantes, en la refinación del petróleo, producción de pigmentos, tratamiento del acero, extracción de metales no ferrosos, manufactura de explosivos, detergentes, plásticos y fibras.

2. Los trabajadores expuestos al ácido sulfúrico, pueden contraer una Enfermedad Profesional (E.P.), en las actividades o trabajos que a continuación se relacionan:

a) Causadas por agentes químicos:

• Preparación del ácido sulfúrico partiendo de piritas arseníferas. (Código 1A0110).

• Producción de nitratos metálicos, ácidos oxálicos, ftálico o sulfúrico, de nitritos y ácidos nitrosos, de trinitrofenol, de trinitrotolueno, de nitroglicerina, de dinitrato de etilenglicol, donde se utilice ácido nítrico. (Código 1D0106).

• Producción de ácido sulfúrico, donde se utilice anhídrido sulfuroso. (Código 1D0201).

• Producción, almacenamiento y manipulación de ácido sulfúrico. (Código 1D0204).

• Fabricación de papel encerado. (Código 1D0205).

• Industria de explosivos. (Código 1D0206).

• Refinado de aceites vegetales. (Código 1D0207).

• Carbonizado de tejidos de lana. (Código 1D0208).

• Purificación de petróleo. (Código 1D0209).

• Usos como ácido para acumulador en la electrolisis, en la industria química (producción de abonos) y laboratorios. (Código 1D0210).

• Producto intermediario en la producción del ácido sulfúrico y del oleum; se utiliza para la sulfonación de los ácidos orgánicos, donde se utilice trióxido sulfúrico. (Código 1D0213).

• Fabricación de ácido nítrico y otros reactivos químicos como ácido sulfúrico, cianuros, amidas, urea, sosa, nitritos e intermediarios de colorantes, donde se utilice amoniaco. (Código 1J0108).

b) Causadas por agentes cancerígenos:

• Preparación del ácido sulfúrico partiendo de piritas arseníferas, que puede provocar alguna de las siguientes E.P. (cánceres): neoplasia de maligna de bronquio y pulmón (Código 6C0116), carcinoma epidemoide de piel (Código 6C0216), disqueratosis lenticular en disco (Código 6C0316) y angiosarcoma del hígado (Código 6C0416).

Por ello, debe realizarse reconocimientos médicos previos y periódicos a dichos trabajadores, con la prohibición de no contratar a los calificados como no aptos para desempeñar los puestos de trabajo de que se trate.

— Artículo 243 LGSS, en relación con RDEP (Anexo I).

Véase: Abonos. Industrias de explosivos. Pirotecnia. Atmosferas explosivas. Sustancias explosivas.

ÁCIDOS INORGÁNICOS

1. Se denomina ácido a una solución, que tiene un pH inferior a 7, e inorgánico, a la sustancia, que no tiene como componente el carbono.

2. Los ácidos inorgánicos son corrosivos, especialmente cuando se encuentran a altas concentraciones. Pueden destruir los tejidos corporales y producir quemaduras químicas cuando entran en contacto con la piel y las mucosas. Son especialmente peligrosos los accidentes oculares. Los vapores o nieblas de los ácidos inorgánicos irritan el tracto respiratorio y las mucosas, dependiendo el grado de irritación de su concentración; los trabajadores expuestos a estos ácidos pueden sufrir también decoloración o erosiones de los dientes. El contacto repetido con la piel provoca dermatitis.

3. Los trabajadores expuestos a determinados ácidos inorgánicos: Ácido nítrico (Código 1D01), ácido sulfúrico (Código 1D02), anhídrido sulfuroso (Código 1D02), óxido de azufre (Código 1D02), dióxido de azufre (Código 1D02), trióxido sulfúrico (Código 1D02), ácido sulfhídrico (Código 1D03), acido cianhídrico (cianuros) (Código 1D04), pueden contraer una Enfermedad Profesional (E.P.), causada por agentes químicos.

Por ello, debe realizarse reconocimientos médicos previos y periódicos a dichos trabajadores, con la prohibición de no contratar a los calificados como no aptos para desempeñar los puestos de trabajo de que se trate.

— Artículo 243 LGSS, en relación con RDEP (Anexo I).

Véase: Quemaduras.

ÁCIDOS ORGÁNICOS

1. En general, los ácidos orgánicos son ácidos débiles y no se disocian completamente en agua, mientras que los ácidos minerales fuertes sí lo hacen. Los ácidos orgánicos de baja masa molecular, como los ácidos fórmico y láctico, son miscibles en agua, pero los ácidos orgánicos de mayor masa molecular, como el ácido benzoico, son insolubles en forma molecular (neutra).

Por otro lado, la mayoría de los ácidos orgánicos son muy solubles en disolventes orgánicos. Existen excepciones a estas características de solubilidad en presencia de otros sustituyentes que afectan la polaridad del compuesto.

Ácidos orgánicos: Ácido fórmico, ácido acético, ácido propiónico, ácido oxálico, ácido abiético, ácido plicático, etc.

2. Los trabajadores expuestos a los ácidos orgánicos, pueden contraer una Enfermedad Profesional (E.P.), causada por agentes químicos, en las actividades o trabajos que a continuación se relacionan:

- Fabricación de ácidos orgánicos y de sus sales. (Código 1E0101).
- Utilización en la industria textil. (Código 1E0102).
- Utilización en la industria química. (Código 1E0103).
- Utilización en la industria alimentaria. (Código 1E0104).
- Utilización en la industria farmacéutica y cosmética. (Código 1E0105).
- Empleo en la industria metalúrgica, del caucho y en fotografía. (Código 1E0106).
- Fabricación de productos quitamanchas. (Código 1E0107).
- Fabricación del ácido acetilsalicílico. (Código 1E0108).

- Utilización en la limpieza ácida de metales. (Código 1E0109)
- Utilización en el electroplateado de metales. (Código 1E0110).
- Utilización en la industria textil. (Código 1E0111).
- Fabricación y utilización de adhesivos y resinas. (Código 1E0112).
- Utilización en la industria papelera. (Código 1E0113).
- Utilización en la industria del plástico. (Código 1E0114).
- Utilización como desinfectantes y herbicidas. (Código 1E0115).
- Utilización como reactivos de laboratorio. (Código 1E0116).
- Producto intermediario en la producción del ácido sulfúrico y del oleum; se utiliza para la sulfonación de los ácidos orgánicos, donde se utiliza trióxido sulfhídrico. (Código 1D0213).

Por ello, debe realizarse reconocimientos médicos previos y periódicos a dichos trabajadores, con la prohibición de no contratar a los calificados como no aptos para desempeñar los puestos de trabajo de que se trate.

— Artículo 243 LGSS, en relación con RDEP (Anexo I).

Véase: Ácido fórmico. Ácido propiónico.

ACOSO PSICOLÓGICO EN EL TRABAJO O MOBBING

1. Exposición a conductas de violencia psicológica, dirigidas de forma reiterada y prolongada en el tiempo, hacia una o más personas por parte de otra/s que actúan frente aquella/s desde una posición de poder (no necesariamente jerárquica). Dicha exposición se da en el marco de una relación laboral y supone un riesgo importante para la salud.

— Notas Técnicas de Prevención n.º 476/1998. 823, 854/2009. INSST.

2. Procede la responsabilidad civil contractual del empresario a indemnizar al trabajador por los daños y perjuicios, cuando se acredita que:

- Cuando la empresa no ejerce su poder disciplinario contra el trabajador acosador, teniendo conocimiento de ello.

— STSJ Galicia 3.7.09.

Véase: Riesgo laboral. Acoso. Acoso sexual. Violencia laboral.

ACOSO SEXUAL

1. Cualquier comportamiento, verbal o físico, de naturaleza sexual que tenga el propósito o produzca el efecto de atentar contra la dignidad de una persona, en particular cuando se crea un entorno intimidatorio, degradante u ofensivo.

Constituye acoso por razón de sexo cualquier comportamiento realizado en función del sexo de una persona, con el propósito o el efecto de atentar contra su dignidad y de crear un entorno intimidatorio degradante u ofensivo.

— Artículo 7 LOIEMH.

2. A nivel de efectos o consecuencias, el acoso sexual afecta negativamente al trabajo. Repercute sobre la satisfacción laboral, incrementa los intentos de evitar tareas e incluso el abandono del trabajo; las víctimas se toman tiempo libre, lo que implica un incremento de costes al empleador vía paga por enfermedad y seguros médicos.

Cuando acuden a trabajar se suele dar una menor productividad, menos motivación, lo que conlleva menos cantidad y calidad de trabajo.

La búsqueda de nuevo empleo que conlleva que la empresa incurra en costes para contratar nuevos empleados, por ello, la prevención el acoso sexual ahorrará más dinero que el coste de permitir que continúe.

También se ve afectada la salud psicológica; reacciones relacionadas con el estrés como los traumas emocionales, la ansiedad, la depresión, estados de nerviosismo, sentimientos de desesperación y de indefensión, de impotencia, de cólera, de aversión, de asco, de violación, de baja autoestima, etc.

La salud física también se ve resentida; trastornos del sueño, dolores de cabeza, problemas gastrointestinales, náuseas, hipertensión, úlceras, etc., en definitiva, sintomatología física asociada a estrés.

— Nota Técnica de Prevención n.º 507/1999. INSST.

3. Se ha considerado causa justa para solicitar la extinción de contrato de trabajo:

• El acoso sexual sufrido por una trabajadora por parte del director-gerente, que le causó un trastorno depresivo, y adicionalmente una indemnización por daños y perjuicios de 6.000 euros.

— STSJ Madrid 13.6.07.

4. Procede la responsabilidad civil contractual de forma solidaria a indemnizar al trabajador/a por los daños y perjuicios:

• De la empresa, por acoso sexual practicado por un compañero de trabajo, al existir el deber en las organizaciones de promover condiciones de trabajo que eviten el acoso y de evitar procedimientos específicos para su prevención.

— STSJ Galicia 22.1.10.

Véase: Riesgo laboral. Acoso. Violencia laboral. Acoso psicológico.

ACOSO

1. Toda conducta no deseada relacionada con el origen racial o étnico, la religión o las convicciones, la discapacidad, la edad o la orientación sexual de una persona, que tenga como objetivo o consecuencia atentar contra su dignidad y crear un ambiente intimidatorio, humillante u ofensivo.

El acoso por razón de origen racial o étnico, religión o convicciones, discapacidad, edad u orientación sexual se consideran en todo caso actos discriminatorios.

— Artículo 28.1.d LMFAOS.

2. Hay que distinguir entre situaciones de acoso de otras situaciones, como el ejercicio arbitrario de las facultades empresariales, sin que tales situaciones sean atentatorias de los derechos fundamentales, y no todo trastorno psíquico, aunque pueda estar relacionado con el trabajo, puede ser calificado como acoso.

— STSJ Asturias 12.2.10.

3. La denuncia ante la Inspección de Trabajo de la situación de acoso proporciona una garantía de indemnidad al trabajador denunciante. Así, se declara nulo el despido por vulneración de dicha garantía, al entender que la decisión extintiva obedeció a la denuncia formulada por el trabajador.

— TS Auto 19.12.07.

— STSJ Asturias 22.1206.

4. Se ha considerado causa justa para solicitar la extinción de contrato de trabajo:

• Aunque no se califique la situación de acoso moral, puede haber habido un ataque a la dignidad de la trabajadora y un menoscabo de la misma.

— STSJ Cataluña 11.6.03.

5. Acoso y violencia en el trabajo.

— CTIT n.º 69/2009, de 19 febrero.

Véase: Riesgo laboral. Acoso psicológico. Acoso sexual. Violencia laboral.

ACTIVIDAD EMPRENDEDORA

Se entenderá como actividad emprendedora aquella que sea de carácter innovador con especial interés económico para España y a tal efecto cuente con un informe favorable emitido por la Oficina Económica y Comercial del ámbito de demarcación geográfica o por la Dirección General de Comercio Internacional e Inversiones.

— Artículo 70.1 LAE.

Véase: Emprendedores.

ACTIVIDADES CON AGENTES QUÍMICOS

Todo trabajo en el que se utilicen agentes químicos, o esté previsto utilizarlos, en cualquier proceso, incluidos la producción, la manipulación, el almacenamiento, el transporte o la evacuación y el tratamiento, o en que se produzcan como resultado de dicho trabajo.

— Artículo 2.6 RDSSAQ.

Véase: Agentes químicos. Industria química.

ACTIVIDADES INSALUBRES

Las que den lugar a desprendimiento o evacuación de productos que puedan resultar directa o indirectamente perjudiciales para la salud humana.

— Artículo 3 RAMINP.

Véase: Trabajos insalubres. Actividades nocivas.

ACTIVIDADES MOLESTAS

Las que constituyan una incomodidad por los ruidos o vibraciones que produzcan o por los humos, gases, olores, nieblas, polvos en suspensión o sustancias que eliminen.

— Artículo 3 RAMINP.

Véase: Trabajos penosos. Pluses por trabajos penosos, tóxicos o peligrosos.

ACTIVIDADES NOCIVAS

Las que por desprendimiento o evacuación de productos, puedan ocasionar daños a la riqueza agrícola, forestal, pecuaria o piscícola.

— Artículo 3 RAMINP.

Véase: Actividades insalubres. Trabajos tóxicos.

ACTIVIDADES PELIGROSAS

1. Las que tengan por objeto fabricar, manipular, expender o almacenar productos susceptibles de originar riesgos graves por explosiones, combustiones, radiaciones u otros de análoga importancia para las personas o los bienes.

— Artículo 3 RAMINP.

2. Constituyen actividades peligrosas:

• Trabajos con exposición a radiaciones ionizantes en zonas controladas según Real Decreto 783/2001, de 6 de julio, sobre protección sanitaria contra radiaciones ionizantes.

• Trabajos con exposición a sustancias o mezclas causantes de toxicidad aguda de categoría 1, 2 y 3, y en particular a agentes cancerígenos, mutagénicos o tóxicos para la reproducción, de categoría 1A y 1B, según el Reglamento (CE) n.º 1272/2008, de 16 de diciembre de 2008, sobre clasificación, etiquetado y envasado de sustancias y mezclas.

• Actividades en que intervienen productos químicos de alto riesgo y son objeto de la aplicación del Real Decreto 840/2015, de 21 de septiembre.

• Trabajos con exposición a agentes biológicos de los grupos 3 y 4, según la Directiva 90/679/CEE y sus modificaciones, sobre protección de los trabajadores contra los riesgos relacionados a agentes biológicos durante el trabajo. La citada Directiva citada ha sido derogada por la Directiva 2000/54/CE, de 18 d€ septiembre.

• Actividades de fabricación, manipulación y utilización de explosivos, incluidos los artículos pirotécnicos y otros objetos o instrumentos que contengan explosivos.

• Trabajos propios de minería a cielo abierto y de interior, y sondeos en superficie terrestre o en plataformas marinas.

• Actividades en inmersión bajo el agua.

• Actividades en obras de construcción, excavación, movimientos de tierras y túneles, con riesgo de caída de altura o sepultamiento.

• Actividades en la industria siderúrgica y en la construcción naval.

• Producción de gases comprimidos, licuados o disueltos o utilización significativa de los mismos.

• Trabajos que produzcan concentraciones elevadas de polvo silíceo.

• Trabajos con riesgos eléctricos en alta tensión.

— Disposición Adicional Undécima RSP.

— Anexo I RSP.

Véase: Actividades potencialmente peligrosas. Trabajos con riesgo especial. Trabajos peligrosos. Trabajos con explosivos. Pluses por trabajos penosos, tóxicos o peligrosos.

ACTIVIDADES POTENCIALMENTE PELIGROSAS

Aquellas que, en ausencia de medidas preventivas específicas, originen riesgos para la seguridad y la salud de los trabajadores que los desarrollan o utilizan.

— Artículo 4.5 LPRL.

Véase: Actividades peligrosas. Trabajos con riesgo especial.

ACTORES

1. Personas que interpretan un papel en una obra teatral, cinematográfica, radiofónica o televisiva.

2. Los trabajadores (actores), pueden contraer una Enfermedad Profesional (E.P.), causada por agentes físicos, en las actividades o trabajos que a continuación se relacionan:

• Trabajos que precisan lámparas germicidas, antorchas de plomo, soldadura de arco o xenón, irradiación solar en grandes altitudes, láser industrial, colada de metales en fusión, vidrieros, empleados en estudios de cine, actores, personal de teatros, laboratorios bacteriológicos y similares, con exposición a radiaciones no ionizantes, con longitud de onda entre los 100 y 400 nm, que pueden producir E.P. oftalmológicas por su exposición a radiaciones no ionizantes (radiaciones ultravioleta). (Código 2J0101).

• Actividades en las que se precise uso mantenido y continuo de la voz, como son profesores, cantantes, actores, teleoperadores, locutores, pueden provocar una E.P. de nódulos de las cuerdas vocales. (Código 2L0101).

Por ello, debe realizarse reconocimientos médicos previos y periódicos a dichos trabajadores, con la prohibición de no contratar a los calificados como no aptos para desempeñar los puestos de trabajo de que se trate.

— Artículo 243 LGSS, en relación con RDEP (Anexo I).

Véase: Cine. Celuloide. Locutores. Profesores. E.P. nódulos de las cuerdas vocales.

ACUICULTURA

1. La acuicultura se define como una actividad dirigida a producir y engordar organismos acuáticos (animales y vegetales) en su medio.

También se define como la cría en condiciones más o menos controladas de especies que se desarrollan en el medio acuático y que son útiles para el hombre.

Los cultivos que han alcanzado mayor desarrollo son los de especies comestibles pertenecientes a los tres grupos siguientes: moluscos, crustáceos y peces. Estos tres grupos junto a las algas constituyen los cuatro grandes grupos objetos de la acuicultura.

— Nota Técnica de Prevención n.º 623/2003. INSST.

2. Buceo en la acuicultura.

— Nota Técnica de Prevención n.º 623/2003. INSST.

Véase: Piscicultura. Pesca de cerco. Buceo. Zoonosis.

ACUMULADORES ELÉCTRICOS

1. Pila reversible que acumula energía durante la carga y la restituye en la descarga.

2. Los trabajadores ocupados en las actividades económicas, y expuestos a los agentes o sustancias que a continuación se indican, pueden contraer una Enfermedad Profesional (E.P.):

a) Causada por agentes químicos:

• Fabricación de acumuladores de níquel-cadmio. (Códigos 1A0302 y 1A0807).

• Fabricación y reparación de acumuladores eléctricos de mercurio. (Código 1A0707).

• Fabricación y reparación de acumuladores de plomo. (Código 1A0908).

b) Causada por agentes cancerígenos:

• Fabricación de acumuladores al níquel-cadmio, que puede provocar la E.P. neoplasia maligna de bronquio, pulmón y próstata. (Código 6G0102).

• Fabricación de aceros especiales al níquel (ferroníquel). Fabricación de acumuladores al níquel cadmio, que puede provocar la E.P. de neoplasia de bronquio y pulmón (Cáncer). (Código 6K0306).

Por ello, debe realizarse reconocimientos médicos previos y periódicos a dichos trabajadores, con la prohibición de no contratar a los calificados como no aptos para desempeñar los puestos de trabajo de que se trate.

— Artículo 243 LGSS, en relación con el RDEP (Anexo I).

Véase: Baterías. Pilas. Condensadores. Plomo. Ácido sulfúrico.

ADHESIVOS

1. Un adhesivo se puede definir como una sustancia capaz de sujetar dos cuerpos mediante la unión de sus superficies.

2. Un adhesivo sintético contiene un componente básico, que es un polímero o macromolécula de origen sintético, fabricado industrialmente.

Los adhesivos sintéticos de tipo polímero se han generalizado en la industria del calzado, de la madera y muebles, del cartonaje, etc.

— Notas Técnicas de Prevención n.º 164/1986. 266/1991. INSST.

3. Los trabajadores expuestos a sustancias adhesivas, pueden contraer una Enfermedad Profesional (E.P.), en las actividades o trabajos que a continuación se relacionan:

a) Causadas por agentes químicos:

• Fabricación y utilización de adhesivos y resinas, donde se utilicen ácidos orgánicos. (Código 1E0112).

• Operaciones de disolución de resinas naturales o sintéticas para la preparación de colas, adhesivos, lacas, barnices, esmaltes, masillas, tintas, diluyentes de pinturas y productos de limpieza, donde se utilice xileno o tolueno. (Código 1K0303).

• Empleo de barnices, pinturas, esmaltes, adhesivos, lacas y masillas, que contengan cetonas. (Código 1L0111).

• Utilización de epóxidos como reactivos en la fabricación de disolventes, plastificantes, cementos, adhesivos y resinas sintéticas. (Código 1M0101).

• Fabricación de adhesivos, donde se utilicen ésteres orgánicos. (Código 1N0105).

• Utilización de adhesivos, que contengan ésteres orgánicos. (Código 1N0114).

• Elaboración y utilización de adhesivos y pinturas que contienen poliuretano, donde se utilicen isocianatos. (Código 1Q0104).

b) Causadas por inhalación de sustancias y agentes no comprendidos en otros apartados:

• Fabricación y aplicación de lacas, pinturas, colorantes, adhesivos, barnices, esmaltes, donde los trabajadores estén expuestos a sustancias de bajo peso molecular (metales, polvos de maderas, sustancias químicas, etc.), que pueden provocar alguna de las siguientes E.P: rinoconjuntivitis (Código 4I0109), urticaria (Código 4I0209), angiodemas (Código 4I0209), asma (Código 4I0309), alveolitis alérgica extrínseca (Código 4I0409), síndrome de disfunción de la vía reactiva (Código 4I0509), fibrosis intersticial difusa (Código 4I0609), fiebre de los metales (Código 4I0709), neumopatía intersticial difusa. (Código 4I0809).

c) E.P. de la piel, causadas por sustancias y agentes no comprendidos en alguno de los otros apartados:

• Fabricación y aplicación de lacas, pinturas, colorantes, adhesivos, barnices, esmaltes, donde los trabajadores estén expuestos a sustancias de bajo peso molecular (metales, polvos de maderas, sustancias químicas, etc.), que pueden provocar una E.P. de la piel, causada por sustancias de bajo peso molecular. (Código 5A0109).

Por ello, debe realizarse reconocimientos médicos previos y periódicos a dichos trabajadores, con la prohibición de no contratar a los calificados como no aptos para desempeñar los puestos de trabajo de que se trate.

— Artículo 243 LGSS, en relación con RDEP (Anexo I).

Véase: Colas. Sustancias adhesivas. Fabricación de adhesivos. Pegamento. Gomas. Gutapercha. Vulcanización.

ADICCIÓN AL TRABAJO

Necesidad excesiva e incontrolable de trabajar incesantemente que afecta a la salud, a la felicidad y a las relaciones personales del adicto.

— Nota Técnica de Prevención n.º 759/2007. INSST.

Véase: Riesgos psicosociales.

ADITIVOS

1. Sustancias que se agregan a otras para darles cualidades de que carecen o para mejorar las que poseen.

2. Los trabajadores expuestos a los aditivos, pueden contraer una Enfermedad Profesional (E.P.), en las actividades o trabajos que a continuación se relacionan:

a) Causada por agentes químicos:

• Fabricación de vidrio: preparación y mezcla de la pasta, fusión y colada, manipulación de aditivos, donde se utilice arsénico y sus compuestos. (Código 1A0123).

• Uso de compuestos órgano mangánicos como aditivos de *fuel oil* y algunas naftas sin plomo, donde se utilice manganeso. (Código 1A0617).

• Fabricación de aditivos combustibles, donde se utilice bromo. (Código 1C0103).

• Fabricación de detergentes, colorantes, aditivos para aceites, etc., donde se utilicen fenoles. (Código 1F0206).

• Aditivo de las gasolinas, donde se utilice xileno o tolueno. (Código 1K0306).

• Utilización de vinilbenceno (estireno y divinilbenceno) como disolvente y aditivo en el carburante para aviones. (Código 1K0403).

• 5. Utilización de derivados halogenados de hidrocarburos aromáticos como aditivo en lubrificantes de alta presión. (Código 1K0504).

• Utilización como aditivos de carburantes y de aceites de motor, donde se utilicen ésteres orgánicos. (Código 1N0112).

• Utilización de éteres como aditivos de combustibles. (Código 1O0106).

• Empleo de nitroderivados alifáticos como aditivos de ciertos explosivos, pesticidas, fungicidas, gasolinas y propulsores para proyectiles. (Código 1R0102).

• Utilización de policlorobifenilos (PCBs) (organoclorados) como constituyente de fluidos dieléctricos en condensadores y transformadores, fluidos hidráulicos, aceites lubricantes, plaguicidas o aditivos en plastificantes y pinturas, etc. (Código 1S0201).

b) Causada por agentes cancerígenos:

• Preparación de aditivos para papel autocopiativo, donde se utilicen hidrocarburos aromáticos, que pueden provocar la E.P. de lesiones premalignas de piel (Código 6J0102), y/o E.P. de carcinoma de células escamosas (Código 6J0202).

Por ello debe realizarse reconocimientos médicos previos y periódicos a dichos trabajadores, con la prohibición de no contratar a los calificados como no aptos para desempeñar los puestos de trabajo de que se trate.

— Artículo 243 LGSS, en relación con RDEP (Anexo I).

Véase: Sustancias. Plastificantes.

AEROGENERADORES

Las turbinas eólicas o aerogeneradores son máquinas que se emplean para transformar la energía del viento en energía eléctrica.

Se clasifican, en función de la orientación de las palas, en las de eje horizontal y de eje vertical. Los aerogeneradores más eficientes y utilizados en la actualidad son los de eje horizontal.

Los tres componentes principales para la conversión de la energía del viento en las turbinas eólicas son: el rotor o sistema de captación de viento, la caja de engranajes o multiplicadora y el generador eléctrico.

— Nota Técnica de Prevención n.º 1022/2014. INSST.

Véase: Máquinas. Corriente eléctrica.

AEROGRAFÍA

1. Técnica de aplicación de pintura en fotografía, dibujo y artes decorativas mediante el aerógrafo.

2. Los trabajadores ocupados en las actividades económicas, y expuestos a los agentes o sustancias que a continuación se indican, pueden contraer una Enfermedad Profesional (E.P.):

a) Causadas por inhalación de sustancias y agentes no comprendidos en otros apartados:

• Aplicación de pinturas, pigmentos etc., mediante aerografía, donde los trabajadores estén expuestos a sustancias de alto peso molecular (de origen vegetal o animal), que pueden provocar alguna de las siguientes E.P: rinoconjuntivitis (Código 4H0131), asma (Código 4H0231), alveolitis alérgica extrínseca (Código 4H0331), síndrome de disfunción reactivo de la vía aérea (Código 4H0431), fibrosis intersticial difusa (Código 4H0531), bisinosis, cannabiosis, linnosis, bagazosis, estipatosis, suberosis (Código 4H0631) y neumopatía intersticial difusa (Código 4H0731).

• Aplicación de pinturas, pigmentos etc., mediante aerografía, donde los trabajadores estén expuestos a sustancias de bajo peso molecular (metales, sustancias químicas, etc.), que pueden provocar alguna de las siguientes E.P: rinoconjuntivitis (Código 4I0133), urticaria (Código 4I0233), angiodemas (Código 4I0233), asma (Código 4I0333), alveolitis alérgica extrínseca (Código 4I0433), síndrome de disfunción de la vía reactiva (Código 4I0533), fibrosis intersticial difusa (Código 4I0633) fiebre de los metales (Código 4I0733), y neumopatía intersticial difusa (Código 4I0833).

b) E.P. de la piel, causadas por sustancias y agentes no comprendidos el alguno de los otros apartados:

• Aplicación de pinturas, pigmentos etc., mediante aerografía, donde los trabajadores estén expuestos a sustancias de bajo peso molecular (metales, sustancias químicas, etc.), que pueden provocar una E.P. de la piel, causada por sustancias de bajo peso molecular. (Código 5A0132).

Por ello, debe realizarse reconocimientos médicos previos y periódicos a dichos trabajadores, con la prohibición de no contratar a los calificados como no aptos para desempeñar los puestos de trabajo de que se trate.

— Artículo 243 LGSS, en relación con RDEP (Anexo I).

Véase: Fabricación de pinturas. Pintores. Barnices. Esmaltes.

AEROSOLES

1. Líquido que, almacenado bajo presión, puede ser lanzado al exterior en forma de aerosol. Se emplea mucho en perfumería, farmacia, pintura, etc.

2. Dispersión de partículas sólidas o líquidas en un medio gaseoso. Suspensión de partículas ultramicroscópicas de sólidos o líquidos en el aire u otro gas.

— Nota Técnica de Prevención n.º 49/1983. INSST.

3. En ingeniería ambiental, se denomina aerosol a un coloide de partículas sólidas o líquidas suspendidas en un gas (normalmente aire).

El término aerosol se refiere tanto a las partículas como al gas en el que las partículas están suspendidas.

El tamaño de las partículas puede ser desde 0,002 μm a más de 100 μm, esto es, desde unas pocas moléculas hasta el tamaño en el que dichas partículas no pueden permanecer suspendidas en el gas al menos durante unas horas.

— Notas Técnicas de Prevención n.º 731/2006. 764, 765/2007. INSST.

Véase: Presión. Botellas de butano y propano. Extintores. Gas. Ventilación. Ambiente de trabajo.

AGENCIA EUROPEA PARA LA SEGURIDAD Y SALUD EN EL TRABAJO

1. Creada en 1994, tiene su sede en el País Vasco, con el objeto de mejorar el medio de trabajo, para proteger la seguridad y la salud de los trabajadores, en el ámbito de la Unión Europea.

— Artículo 1 Reglamento (CE) n° 2062/94.

2. Tiene las siguientes funciones, entre otras:

• Investigación sobre estadísticas de accidentes de trabajo y enfermedades profesionales.

• Fomentar programas de formación en materia de prevención de riesgos laborales: conferencias, seminarios, apoyo al traslado temporal de expertos, etc.

• Recibir y proporcionar información a los órganos de la Unión Europea, como el Consejo y la Comisión; a los Estados; a las Organizaciones empresariales y sindicales; a terceros países; a las Organizaciones Internacionales, como OMS; y a organismos temáticos, como el de energía nuclear.

— Artículo 3 Reglamento (CE) n° 2062/94.

Véase: INSST.

AGENTES QUÍMICOS

1. Todo elemento o compuesto químico, por sí solo o mezclado, tal como se presenta en estado natural o es producido, utilizado o vertido, incluido el vertido como residuo, en una actividad laboral, se haya elaborado o no de modo intencional y se haya comercializado o no.

— Artículo 2.1 RDSSAQ.

— Notas Técnicas de Prevención n.° 526/1999. 583/2001. 808/2008. INSST.

2. La concentración del agente químico se calcula como el cociente entre la masa del agente químico presente en el muestreador y el volumen de aire que pasa a través del mismo. Por tanto, para estimar la incertidumbre asociada a la concentración del agente químico en el aire, hay que considerar todos los factores que afecten a la determinación de la masa del agente químico y del volumen de aire. Además, hay que tener en cuenta que la masa retenida en el muestreador puede verse afectada por factores tales como la eficacia de muestreo, las condiciones ambientales del lugar de trabajo y la concentración del agente químico en el aire. Otro factor a considerar en la estimación de la incertidumbre es la pérdida de masa que puede producirse en la etapa de transporte y almacenamiento.

— Notas Técnicas de Prevención n.° 930, 931/2012. INSST.

3. Agentes químicos: Estrategias de muestreo y valoración.

— Notas Técnicas de Prevención n.° 140/1985. 553, 554, 555/2000. INSST.

— Norma UNE EN 689:1995. Aenor.

4. Evaluación riesgos por agentes químicos.

— Notas Técnicas de Prevención n.° 347/1994. 406, 407, 408/1996. 547/2000. 587/2001. 749, 750/2006. INSST.

5. Se estima que el 21% de los productos químicos utilizados en la industria poseen potencialmente propiedades neurotóxicas. Como consecuencia, va adquiriendo cada vez más importancia la

neurotoxicología, cuya función principal es estudiar este tipo de sustancias y desarrollar metodologías lo suficientemente sensibles para evaluar los efectos sobre el sistema nervioso en poblaciones de trabajadores expuestos. En este sentido, se han desarrollado distintas disciplinas que enfocan la situación desde diferentes puntos de vista:

• La toxicología del comportamiento estudia los cambios de conducta observados en exposiciones agudas o crónicas a neurotóxicos en individuos expuestos. Desarrolla diferentes ensayos que valoran cambios en las funciones motoras, sensoriales, pérdida de memoria, pérdida de la capacidad del aprendizaje, etc.

• La toxicología neuroquímica se encarga de estudiar los mecanismos celulares, moleculares y químicos que intervienen en la interacción entre el neurotóxico y su lugar de acción.

• La toxicología electrofisiológica estudia aquellos agentes neurotóxicos que producen alteraciones en la conducción del impulso nervioso, mediante la alteración de su naturaleza electroquímica. Esta clase de sustancias modifican las propiedades eléctricas de las membranas celulares que rodean las fibras nerviosas por lo que dificultan la transmisión del impulso nervioso.

La toxicología neuropatológica estudia y define la naturaleza y característica del daño causado en el sistema nervioso provocado por el neurotóxico. Las observaciones neuropatológicas proporcionan correlaciones entre los resultados obtenidos a partir de los estudios de los datos neuroquímicos, electrofisiológicos y de comportamiento.

— Nota Técnica de Prevención n.º 487/1998. INSST.

6. Se consideran agentes químicos que pueden provocar una Enfermedad Profesional (E.P.):

• Arsénico y sus compuestos (Metales) (Código 1A01).
• Berilio (glucinio) y sus compuestos (Metales) (Código 1A02).
• Cadmio y sus compuestos (Metales) (Código 1A03).
• Cromo trivalente y sus compuestos (Metales) Código 1A04).
• Fósforo y sus compuestos (Metales) (Código 1A05).
• Manganeso y sus compuestos (Metales) (Código 1A06).
• Mercurio y sus compuestos (Metales) (Código 1A07).
• Níquel y sus compuestos (Metales) (Código 1A08).
• Plomo y sus compuestos (Metales) (Código 1A09).
• Talio y sus compuestos (Metales) (Código 1A10).
• Vanadio y sus compuestos (Metales) (Código 1A11).
• Antimonio y sus derivados (Metaloides) (Código 1B01).
• Bromo y sus compuestos inorgánicos (Halógenos) (1C01).
• Cloro y sus compuestos inorgánicos (Halógenos) (1C02).
• Flúor y sus compuestos (Halógenos) (Código 1C03).
• Yodo y sus compuestos inorgánicos (Halógenos) (1C04).
• Ácido nítrico (Ácidos inorgánicos) (Código 1D01).
• Anhídrido sulfuroso (Dióxido de azufre) (Ácido sulfúrico y óxidos de azufre) (Código 1D02).

• Ácido sulfhídrico (Ácidos inorgánicos) (Código 1D03).

• Ácido cianhídrico, cianuros, compuestos de cianógeno y acrilonitrilos (Ácidos inorgánicos) (Código 1D04).

• Ácido fórmico, ácido acético, ácido oxálico, ácido abiético, ácido plicático, etc. (Ácidos inorgánicos) (Código 1E01).

• Alcoholes (Alcoholes y fenoles) (Código 1F01).

• Fenoles, homólogos y sus derivados halógenos, pentaclorofenol, hidroxibenzo-nitrilo (Alcoholes y fenoles) (1F01)

• Aldehídos: acetaldehído, aldehído acrílico, aldehído benzoico, formaldehído y el glutaraldehído (Aldehídos) (1G01).

• Hidrocarburos alifáticos saturados o no; cíclicos o no constituyentes del éter, del petróleo y de la gasolina. Saturados: alcanos, parafinas (Alifáticos) (Código 1H01).

• Aminas (primarias, secundarias, terciarias, heterocíclicas) e hidracinas aromáticas y sus derivados halógenos, fenólicos, nitrosados, nitrados (Aminas e hidracinas) (Código 1I01).

• Amoníaco (Amoníaco) (Código 1J01).

• Benceno (Aromáticos) (Código 1K01).

• Naftaleno y sus homólogos (Aromáticos) (Código 1K02).

• Xileno, tolueno (Aromáticos) (Código 1K03).

• Vinilbenceno (estireno y divinilbenceno) (Aromáticos) (1K04).

• Derivados halogenados de hidrocarburos aromáticos (Aromáticos) (1K05).

• Nitroderivados de los hidrocarburos aromáticos: nitro-dinitrobenceno, dinitro-trinitrotolueno (Aromáticos) (1K06).

• Derivados nitrados de los fenoles y homólogos: dinitrofenol, dinitro-ortocresol, dinoseb (2-sec-butil-4, 6-dinitrofenol), ioxinil, bromoxinil (Aromáticos) (1K07).

• ii) Cetonas (Cetonas) (1L01).

• Epóxidos, óxido de etileno, tetrahidrofurano, furfural, epiclorhidrina, guayacol, alcohol furfurílico, óxido de propileno (Epóxidos) (1M01).

• Ésteres orgánicos y sus derivados (Ésteres) (Código 1N01).

• Éteres de glicol: metil cellosolve o metoxi-etanol, etil cellosolve, etoxietanol, etc., otros éteres no comprendidos en el apartado anterior: Éter metílico, etílico, isopropí-lico, vinílico, dicloro-isopropílico, etc. (Éteres) (Código 1O01).

• Glicoles: etilenglicol, dietilenglicol, 1-4 butanediol, así como los derivados nitra-dos de los glicoles y del glicerol. (Glicoles) (Código 1P01).

• Poliuretanos. (Isocianatos) (Código 1Q01).

• Nitroderivados alifáticos, nitroalcanos. (Nitroderivados) (Código 1R01).

• Nitroglicerina y otros ésteres del ácido nítrico. (Nitroderivados) (Código 1R02).

• Órgano fosforados y carbamatos. (Órganofosforados). (1S01).

• Órganos clorados. (Órganoclorados) (1S02).

• Óxidos de carbono. (Óxidos) (1T01).

• Oxicloruro de carbono. (Óxidos) (1T02).

• Óxidos de nitrógeno. (Óxidos) (1T03).

• Sulfuro de carbono. (Sulfuros) (1U01).

Véase: Productos químicos. Preparados. Agentes químicos peligrosos. Exposición a un agente químico. Riesgos químicos. Sustancias químicas. Industria química. Productos químicos: Etiquetado. Productos químicos: Envasado. Sustancias peligrosas. Fichas de datos de seguridad. Ropa de trabajo contra riesgos químicos.

AGENTES FÍSICOS

1. Se trata de una forma de energía presente en el entorno que tiene capacidad de interactuar con la materia produciendo diferentes cambios que pueden ir desde una modificación sustancial de la misma hasta un cambio momentáneo en su estado.

2. Se consideran agentes físicos que pueden provocar una Enfermedad Profesional (E.P.):

- Ruido (Código 2A).
- Vibraciones (Código 2B).
- Posturas forzadas (Códigos 2C, 2D, 2E, 2F, 2G).
- Movimientos repetitivos (Códigos 2C, 2D, 2E, 2F, 2G).
- Compresión y descompresión atmosférica (Código 2H).
- Radiaciones ionizantes (Código 2I).
- Radiaciones ultravioleta (Código 2J).
- Energía radiante (Código 2K).
- Esfuerzos de voz (Código 2L).
- Iluminación insuficiente (Código 2M01).

Véase: Ruido. Vibraciones. Radiaciones. Posturas forzadas. Movimientos repetitivos. Energía radiante. Cámaras hiperbáricas. Iluminación.

AGENTES BIOLÓGICOS

1. Microorganismos, con inclusión de los genéticamente modificados, cultivos celulares y endoparásitos humanos, susceptibles de originar cualquier tipo de infección, alergia o toxicidad.

— Artículo 2.a RDPTAB.

2. En esta definición quedan incluidos: los virus, las bacterias, los hongos (naturales y los modificados genéticamente), los cultivos celulares (fundamentalmente por su posible contaminación por virus) y los organismos que colonizan el interior del cuerpo humano (protozoos y gusanos parásitos), que causen cualquiera de los efectos mencionados.

Se excluyen de esta definición legal: los organismos que parasitan el exterior del cuerpo humano (ácaros, piojos, etc.), las toxinas y venenos producidos por seres vivos (artrópodos, plantas, animales) y las sustancias derivadas de los agentes biológicos con efectos tóxicos o alérgicos cuando éstas se manejen de forma aislada, es decir, sin la presencia del agente productor.

— Artículo 2.a RDPTAB.

— Notas Técnicas de Prevención n.º 447/1997. 608, 609, 610/2001. 611, 628/2003. 802, 807, 812/2008. 821, 822, 833/2009. 927 2112. INSST.

— Guía técnica para la evaluación y prevención de los riesgos relacionados con la exposición a agentes biológicos. 2014. INSST.

3. La exposición a agentes biológicos puede producir enfermedades infecciosas, respiratorias y cáncer.

— Notas Técnicas de Prevención n.º 203/1988. 802/2008. INSST.

4. Uno de los principios fundamentales de protección frente al riesgo biológico es evitar siempre que el agente pueda salir del lugar de confinamiento primario: envase, cápsula, cabina de seguridad biológica, etc. El peligro fundamental, en caso contrario, es el paso del agente al aire en forma de bioaerosol, lo que provoca automáticamente el riesgo de contagio, principalmente por inhalación.

— Nota Técnica de Prevención n.º 616/2003. INSST.

5. Control biológico: Es la medida y valoración de los agentes del lugar de trabajo, o de sus metabolitos, bien en tejidos, secreciones, productos de excreción, aire espirado o cualquier combinación de ellos, para evaluar la exposición y el riesgo para la salud comparado con una referencia adecuada.

Control ambiental: Es la medida y valoración de los agentes en el lugar de trabajo y evalúa la exposición ambiental y el riesgo para la salud comparado con una referencia adecuada. En el mismo documento se da esta definición por la relación del control biológico, en cualquiera de sus variantes, con las propias concentraciones ambientales.

— Notas Técnicas de Prevención n.º 146/1985. 203/1988. 586/2001. INSST.

6. Existe la obligación de notificar a la Autoridad Laboral sobre la utilización de agentes biológicos de los:

• Grupo 2: Aquél que puede causar una enfermedad en el hombre y puede suponer un peligro para los trabajadores, siendo poco probable que se propague a la colectividad y existiendo generalmente una profilaxis o un tratamiento eficaz.

• Grupo 3: Aquél que puede causar una enfermedad grave en el hombre y presenta un serio peligro para los trabajadores, con riesgo de que se propague a la colectividad y existiendo generalmente una profilaxis o un tratamiento eficaz.

• Grupo 4: Aquél que causando una enfermedad grave en el hombre supone un serio peligro para los trabajadores, con muchas posibilidades de que se propague a la colectividad y sin que exista generalmente una profilaxis o un tratamiento eficaz.

— Artículo 10 RDPTAB.

— Nota Técnica de Prevención n.º 979/2013. INSST.

7. Se consideran agentes biológicos que pueden provocar una Enfermedad Profesional (E.P.):

• Enfermedades infecciosas transmitidas por el hombre (Códigos 3A01, 3C01, 3D01).

• Enfermedades infecciosas o parasitarias transmitidas por animales (Códigos 3B01, 3C01, 3D01).

Véase: Productos biológicos. Riesgos biológicos. Control biológico. Control de efectos biológicos. Indicadores de efecto biológico. Indicadores de exposición biológica. Indicadores de susceptibilidad biológica. Valor límite biológico. Epi contra agentes biológicos. Ropa de protección contra riesgos biológicos. Vacunación. Bacterias. Virus.

AGENTES NO COMPRENDIDOS EN OTROS APARTADOS

1. Son aquellos recogidos en el Código 4 del Real Decreto 1299/2006, de 10 de noviembre, por el que se aprueba el cuadro de enfermedades profesionales en el sistema de la Seguridad Social y se establecen criterios para su notificación y registro.

2. Se consideran agentes que pueden provocar una Enfermedad Profesional (E.P.), por inhalación de sustancias:

- Polvo de sílice (Código 4A).
- Polvo de carbón (Código 4B).
- Polvo de amianto (Código 4C).
- Otros polvos minerales (talco, caolín, tierra de batán, bentonita, sepiolita, mica, otros silicatos naturales) (Código 4D).
- Metales sintetizados, compuestos de carburos metálicos de alto punto de fusión y metales de ligazón de bajo punto de fusión (Código 4E).
- Escorias de Thomas (Código 4F).
- Polvo de aluminio (Código 4G).
- Sustancias de alto peso molecular (sustancias de origen vegetal, animal, microorganismos, y sustancias enzimáticas de origen vegetal, animal y/o de microorganismos) (Código 4H).
- Sustancias de bajo peso molecular (metales y sus sales, polvos de maderas, productos farmacéuticos, sustancias químico plásticas, aditivos, etc.) (Código 4I).
- Polvos, humos y vapores de antimonio y derivados (Código 4J).
- Berilio (glucinio) y sus compuestos (Código 4K).

Véase: Aluminio. Amianto. Berilio. Carbón.

AGENTES NO COMPRENDIDOS EN OTROS APARTADOS. E.P DE LA PIEL

1. Son aquellos recogidos en el Código 5 del Real Decreto 1299/2006, de 10 de noviembre, por el que se aprueba el cuadro de enfermedades profesionales en el sistema de la Seguridad Social y se establecen criterios para su notificación y registro.

2. Se consideran agentes que pueden provocar una Enfermedad Profesional (E.P.), de la piel:

- Sustancias de bajo peso molecular por debajo de los 1.000 daltons (metales y sus sales, polvos de maderas, productos farmacéuticos, sustancias químico plásticas, aditivos, disolventes, conservantes, catalizadores, perfumes, adhesivos, acrilatos, resinas de bajo peso molecular, formaldehído y derivados, etc. (Código 5A01).
- Agentes y sustancias de alto peso molecular, por encima de los 1.000 daltons (sustancias de origen vegetal, animal, microorganismos y sustancias enzimáticas de origen vegetal, animal y/o de microorganismos (Código 5B01).
- Sustancias fotosensibles exógenas (5C01).
- Agentes infecciosos (Código 5D01).

Véase: Sustancias fotosensibilizantes. Sustancias infecciosas. Sustancias de bajo peso molecular. Sustancias de alto peso molecular.

AGENTES CANCERÍGENOS

1. Se entenderá por agente cancerígeno o mutágeno:

- Una sustancia que cumpla los criterios para su clasificación como cancerígeno de 1ª o 2ª categoría, o mutágeno de 1ª o 2ª categoría, establecidos en la normativa vigente relativa a notificación de sustancias nuevas y clasificación, envasado y etiquetado de sustancias peligrosas.
- Un preparado que contenga alguna de las sustancias mencionadas en el apartado anterior, que cumpla los criterios para su clasificación como cancerígeno o mutágeno, establecidos en la normativa vigente sobre clasificación, envasado y etiquetado de preparados peligrosos.

También se entenderá como agente cancerígeno una sustancia, preparado o procedimiento de los mencionados en el anexo I de este Real Decreto, así como una sustancia o preparado que se produzca durante uno de los procedimientos mencionados en dicho anexo.

— Artículo 2.1 RDEACT.

2. Se denomina agente cancerígeno a cualquier agente físico, químico o biológico que es capaz de dar origen a un cáncer en el organismo. Se entiende como cáncer a aquel grupo de enfermedades que presentan una característica común: la proliferación de células que se escapan a las leyes de la homeostasis tisular y cuyo resultado final es la formación de una masa tumoral.

— Nota Técnica de Prevención n.º 269/1991. INSST.

3. Se consideran agentes cancerígenos que pueden provocar una Enfermedad Profesional (E.P.):

- Amianto (Código 6A),
- Aminas aromáticas (Código 6B).
- Arsénico y sus compuestos (Código 6C).
- Benceno (Código 6D).
- Berilio (Código 6E).
- Bis-(cloro-metil) éter (Código 6F).
- Cadmio (Código 6G).
- Cloruro de vinilo monómero (Código 6H).
- Cromo VI (Código 6I).
- Hidrocarburos aromáticos policíclicos (6J).
- Níquel (Código 6K).
- Polvo de madera dura (Código 6L).
- Radón (Código 6M).
- Radiación ionizante (Código 6N).
- Aminas (Código 6O).
- Nitrobenceno (Código 6P).
- Ácido cianhídrico, cianuros, compuestos de cianógeno y acrilonitrilos (Código 6Q).

Véase: Cáncer profesional. Sustancias cancerígenas. Valores límite cancerígenos.

AGENTES MUTÁGENOS

Se entiende como agente mutágeno a aquella sustancia o preparado que puede producir alteración en el material genético de las células.

— Nota Técnica de Prevención n.º 269/1991. INSST.

Véase: Sustancias mutagénicas. Sustancias cancerígenas. Sustancias teratógenas. Sustancias citostáticas.

AGENTES QUÍMICOS PELIGROSOS

1. Aquellos agentes químicos que puede representar un riesgo para la seguridad y salud de los trabajadores debido a sus propiedades fisicoquímicas, químicas o toxicológicas y a la forma en que se utiliza o se halla presente en el lugar de trabajo. Se consideran incluidos en esta definición, en particular:

• Los agentes químicos que cumplan los criterios para su clasificación como sustancias o preparados peligrosos establecidos, respectivamente, en la normativa sobre notificación de sustancias nuevas y clasificación, y envasado y etiquetado de sustancias peligrosas y en la normativa sobre clasificación, envasado y etiquetado de preparados peligrosos, con independencia de que el agente esté clasificado o no en dichas normativas, con excepción de los agentes que únicamente cumplan los requisitos para su clasificación como peligrosos para el medio ambiente.

• Los agentes químicos que dispongan de un valor límite ambiental de los indicados en el apartado 4 del artículo 3.º del presente Real Decreto.

— Artículo 2.5 RDSSAQ.

2. Existe una gran diversidad de métodos que se emplean para determinar o estimar la concentración de los agentes químicos en las atmósferas de los lugares de trabajo, pero cuando el objetivo de la medición es la evaluación de la exposición, los métodos a utilizar son los métodos con etapas separadas de toma de muestra y análisis.

En la mayor parte de estos métodos la captación de la muestra se realiza mediante el uso de una bomba de muestreo personal que aspira el aire a través del elemento de retención (tubo adsorbente, borboteador o impinger, filtro, etc.), quedando los agentes químicos retenidos en el mismo.

— Notas Técnicas de Prevención n.º 777, 778/2007. INSST.

3. Existe un alto riesgo para la seguridad y salud de los trabajadores que realizan tareas de transvase de recipientes grandes de productos químicos peligros a recipientes más pequeños para su uso habitual.

— Nota Técnica de Prevención n.º 768/2007. INSST.

Véase: Productos químicos. Preparados. Agentes químicos. Exposición a un agente químico. Riesgos químicos. Sustancias químicas. Industria química. Productos químicos: Etiquetado. Productos químicos: Envasado. Sustancias peligrosas. Presencia de sustancias peligrosas. Fichas de datos de seguridad. Ropa de trabajo contra riesgos químicos.

AGENTES TERATÓGENOS

Se denomina agente teratógeno a aquella sustancia o preparado que puede producir alteraciones en el feto durante su desarrollo intrauterino.

— Nota Técnica de Prevención n.º 269/1991. INSST.

Véase: Sustancias teratógenas. Sustancias tóxicas para la reproducción. Trabajadora y fertilidad. Trabajador y fertilidad. Siloxanos.

AGENTES TRANSMISIBLES

Agentes transmisibles son las entidades patógenas no clasificadas, los priones y otras entidades como los agentes de la encefalopatía espongiforme bovina y de la tembladera.

— Artículo 2.1.u RDPS.

Véase: Enfermedades infecciosas. Enfermedades contagiosas.

AGOTAMIENTO POR CALOR

1. Se produce principalmente cuando existe una gran deshidratación. Los síntomas incluyen la pérdida de capacidad de trabajo, disminución de las habilidades psicomotoras, náuseas, fatiga, etc. Si no es una situación muy grave, con la rehidratación y el reposo se produce la recuperación del individuo.

— Nota Técnica de Prevención n.º 922/2011. INSST.

2. En caso de síncope, desvanecimiento, se deberá tumbar a la persona boca arriba (en decúbito supino) manteniendo las piernas elevadas y aflojar la ropa (cinturón, cuello de camisa, corbata, etc.).

— Nota Técnica de Prevención n.º 279/1991. INSST.

Véase: Calor. Estrés térmico. Deshidratación. Síncope por calor. Golpe de calor.

AGRICULTURA

1. Conjunto de técnicas y conocimientos relativos al cultivo de la tierra.

2. Una de las principales características del sector agrícola es la diversidad de tareas. Hoy en día, muchas de ellas se realizan parcial o totalmente con la ayuda de maquinaria, lo que reduce en gran medida el riesgo debido a factores de origen biológico a la vez que introduce otros nuevos riesgos. No obstante, siguen existiendo tareas en las que el agricultor entra o puede entrar en contacto directo con materia susceptible de originar riesgos biológicos. Entre ellas destacan: la siembra y manipulación de la tierra, el abonado, el riego, la recolección, transporte y almacenaje, y el control biológico de plagas.

— Nota Técnica de Prevención n.º 771/2007. INSST.

3. El término agricultura abarca las actividades agrícolas y forestales realizadas en explotaciones agrícolas, incluidas la producción agrícola, los trabajos forestales, la cría de animales y la cría de insectos, la transformación primaria de los productos agrícolas y animales por el encargado de la explotación o por cuenta del mismo, así como la utilización y el mantenimiento de maquinaria, equipo, herramientas e instalaciones agrícolas y cualquier proceso, almacenamiento, operación o transporte que se efectúe en una explotación agrícola, que estén relacionados directamente con la producción agrícola.

— Artículo 1 Convenio OIT 184, de 21 de junio de 2001.

4. La expresión empresa agrícola significa las empresas o partes de empresas que se dedican a cultivos, cría de ganado, silvicultura, horticultura, transformación primaria de productos agrícolas por el mismo productor o cualquier otra forma de actividad agrícola.

— Artículo 1 Convenio OIT 129, de 25 de junio de 1969.

5. Los trabajadores ocupados en la agricultura y expuestos a los agentes o sustancias que a continuación se indican, pueden contraer una Enfermedad Profesional (E.P.):

a) Causada por agentes químicos:

• Utilización del fósforo, del ácido fosfórico y de compuestos inorgánicos de fósforo en las industrias química, farmacéutica, gráfica y en la producción de productos agrícolas. (Código 1A0506).

• Preparación y empleo de fungicidas para la conservación de los granos, donde se utilice mercurio y sus compuestos. (Código 1A0715).

• Utilización del ácido cianhídrico gaseoso en la lucha contra los insectos parásitos en agricultura y contra los roedores. (Código 1D0402).

• Utilización como preservadores del grano y la madera, donde se utilice ácido propiónico. (Código 1E0123).

• Uso del bromuro de metilo (derivado halogenado) en la agricultura para el tratamiento de parásitos del suelo. (Código 1H0213).

• Utilización de hexaclorobenceno como fungicida en el tratamiento de semillas y suelos. (Código 1S0203).

• Manipulación y empleo del sulfuro de carbono o productos que lo contengan, como insecticidas o parasiticidas en los trabajos de tratamiento de suelos o en el almacenado de productos agrícolas. (Código 1U0107).

b) Causada por agentes físicos:

• Talado y corte de árboles con sierras portátiles, donde el trabajador este expuesto a ruidos continuos y diarios de un nivel sonoro igual o superior a 80 decibelios A, que puede contraer la E.P. de hipoacusia. (Código 2A0108).

• Trabajos que requieran habitualmente de una posición de rodillas mantenidas como son trabajos en minas, en la construcción, servicio doméstico, colocadores de parquet y baldosas, jardineros, talladores y pulidores de piedras, trabajadores agrícolas y similares, que pueden producir la E.P. de bursitis. (Código 2C0101).

c) Causada por agentes biológicos:

• Agricultores, que pueden contraer una E.P. infecciosa transmitida por animales (o por sus productos y cadáveres). (Código 3B0101).

• Trabajadores del campo, que pueden contraer una E.P. infecciosa transmitida por animales (o por sus productos y cadáveres). (Código 3B0124).

• Segadores de arrozales, que pueden contraer una E.P. infecciosa transmitida por animales (o por sus productos y cadáveres). (Código 3B0125).

• Trabajos en zonas húmedas y/o pantanosas: pantanos, arrozales, salinas, huertas, que pueden provocar una E.P. infecciosa (micosis, legionella y helmintiasis). (Código 3D0107).

• Agricultores (centeno), que pueden provocar una E.P. infecciosa (micosis, legionella y helmintiasis). (Código 3D0108).

d) Causada por la inhalación de sustancias y agentes no comprendidos en otros apartados:

• Molienda de semillas, donde los trabajadores estén expuestos a sustancias de alto peso molecular (de origen vegetal o animal), que pueden provocar alguna de las siguientes E.P: rinoconjuntivitis (Código 4H0108), asma (Código 4H0208), alveolitis alérgica extrínseca (Código 4H0308), síndrome de disfunción reactivo de la vía aérea (Código 4H0408), fibrosis intersticial difusa (Código 4H0508), bisinosis, cannabiosis, linnosis, bagazosis, estipatosis, suberosis (Códigos 4H0608), y neumopatía intersticial difusa. (Código 4H0708).

• Trabajos de agricultura, donde los trabajadores estén expuestos a sustancias de alto peso molecular (de origen vegetal o animal), que pueden provocar alguna de las siguientes E.P: rinoconjuntivitis (Código 4H0112), asma (Código 4H0212), alveolitis alérgica extrínseca (Código 4H0312), síndrome de disfunción reactivo de la vía aérea (Código 4H0412), fibrosis intersticial difusa (Código 4H0512), bisinosis, cannabiosis, linnosis, bagazosis, estipatosis, suberosis (Códigos 4H0612), y neumopatía intersticial difusa. (Código 4H0712).

• Trabajos en los que se manipula cáñamo, bagazo de caña de azúcar, yute, lino, esparto, sisal y corcho, donde los trabajadores estén expuestos a sustancias de alto peso molecular (de origen vegetal o animal), que pueden provocar alguna de las siguientes E.P: rinoconjuntivitis (Código 4H0129), asma (Código 4H0229), alveolitis alérgica extrínseca (Código 4H0329), síndrome de disfunción reactivo de la vía aérea (Código 4H0429), fibrosis intersticial difusa (Código 4H0529), bisinosis, cannabiosis, linnosis, bagazosis, estipatosis, suberosis (Código 4H0629) y neumopatía intersticial difusa (Código 4H0729).

e) E.P. de la piel, causadas por sustancias y agentes no comprendidos en alguno de los otros apartados:

• Agricultores, expuestos a agentes infecciosos, que pueden contraer una E.P. de la piel causada por dichos agentes. (Código 5D0112).

• Molienda de semillas, donde los trabajadores estén expuestos a sustancias de alto peso molecular (de origen vegetal o animal), que pueden provocar una E.P. de la piel, causada por sustancias de alto peso molecular. (Código 5B0108).

• Trabajos de agricultura, donde los trabajadores estén expuestos a sustancias de alto peso molecular (de origen vegetal o animal), que pueden provocar una E.P. de la piel, causada por sustancias de alto peso molecular. (Código 5B0112).

f) Causadas por agentes cancerígenos:

• Utilización del ácido cianhídrico gaseoso en la lucha contra los insectos parásitos en agricultura y contra los roedores, que puede provocar una E.P. cancerígena. (Código 6Q0102).

Por ello, debe realizarse reconocimientos médicos previos y periódicos a dichos trabajadores, con la prohibición de no contratar a los calificados como no aptos para desempeñar los puestos de trabajo de que se trate.

— Artículo 243 LGSS, en relación con RDEP (Anexo I).

Véase: Invernaderos. Abonos. Compost. Centeno. Trabajos en arrozales. Trabajos en pantanos. Trabajos en salinas. Alimentación. Talado de árboles. Ácaros. Silvicultura. Explotación forestal. Jardinería. Procesamiento de la patata.

AGUA POTABLE

1. Los lugares de trabajo dispondrán de agua potable en cantidad suficiente y fácilmente accesible. Se evitará toda circunstancia que posibilite la contaminación del agua potable. En las fuentes de agua se indicará si ésta es o no potable, siempre que puedan existir dudas al respecto.

— Anexo V. Parte A.1 RDSSLT.

2. Obras de construcción. En los lugares de trabajo de las obras de construcción, y siempre que lo exijan las características de la obra o de la actividad; las circunstancias o cualquier riesgo, los trabajadores deberán disponer de agua potable y, en su caso, de otra bebida apropiada no alcohólica en cantidad suficiente, tanto en los locales que ocupen como cerca de los puestos de trabajo.

— Anexo IV. Parte A.19. RDSSTOC.

Véase: Legionella. Bacterias. Lugares de trabajo. Locales de aseo. Locales de comedores. Locales de primeros auxilios. Flúor. Cloro.

AGUA. TRATAMIENTO

1. Conjunto de medios que se emplean para transformar el agua contaminada, en agua potable o en agua para otros usos.

2. Los trabajadores ocupados en el tratamiento del agua y expuestos a los agentes o sustancias que a continuación se indican, pueden contraer una Enfermedad Profesional (E.P.):

a) Causada por agentes químicos:

- Desinfección del agua, donde se utilice bromo. (Código 1C0107).

- Utilización de cloro en tratamiento de aguas. (Código 1C0206).

b) Causada por la inhalación de sustancias y agentes no comprendidos en otros apartados:

- Utilización del hidrato de aluminio en la industria papelera (preparación del sulfato de aluminio), en el tratamiento de aguas, en la industria textil (capa impermeabilizante), en las refinerías de petróleo (preparación y utilización de ciertos catalizadores) y en numerosas industrias donde el aluminio y sus compuestos entran en la composición de numerosas aleaciones, que puede provocar la E.P. de neumoconiosis por inhalación de polvo de aluminio. (Código 4G0107).

Por ello, debe realizarse reconocimientos médicos previos y periódicos a dichos trabajadores, con la prohibición de no contratar a los calificados como no aptos para desempeñar los puestos de trabajo de que se trate.

— Artículo 243 LGSS, en relación con RDEP (Anexo I).

Véase: Legionella. Bacterias. Depuración. Aguas contaminadas. Aguas residuales. Piscinas. Flúor. Cloro.

AGUAS CONTAMINADAS

Aquellas que no cumplan con las condiciones de vertido, de acuerdo con la legislación vigente al respecto. En general se consideran como susceptibles de estar contaminadas las aguas que estén en contacto con los productos almacenados como las de limpieza de recipientes, las aguas de lluvia y las de extinción de incendios u otras semejantes.

— Artículo 2.2 ITC MIE APG-0 del RAPG.

Véase: Agua: Tratamiento. Depuración. Aguas residuales.

AGUAS RESIDUALES

Las aguas residuales suelen transportar bacterias, virus, hongos y parásitos procedentes de reservorios humanos o animales. En general estos microorganismos son de origen fecal y no patógeno y pueden vivir de forma natural en el agua y en el suelo, aunque la mayoría están unidos a los materiales en suspensión, lo que explica su concentración en los lodos de decantación. Otros microorganismos pueden estar asociados a la presencia de animales que viven en este entorno (ratas e insectos) o bien asociados a objetos contaminados con fluidos biológicos (jeringas, preservativos, compresas higiénicas, apósitos, etc.).

La concentración de los agentes biológicos en las aguas residuales está en función del reservorio humano o animal, de su dilución en los efluentes y de su supervivencia en el medio. En general, las aguas residuales de procedencia doméstica tienen una composición relativamente estable. Sin embargo, su contenido puede variar por distintas causas, sobre todo cuando la recogida es en una red única: existencia de residuos agrícolas, de producción de alimentos o dilución con aguas pluviales, entre otras. También a causa de epidemias (humanas o animales) pueden variar las concentraciones y aumentar temporalmente la contaminación de las aguas residuales por el microorganismo causante.

Por otro lado, las aguas residuales industriales presentan los problemas propios de contaminación en función de su actividad. Cuando el efluente industrial sea común con el doméstico, habrá que tenerlo en cuenta de cara a la estimación de las características finales del mismo.

— Nota Técnica de Prevención n.º 473/1998. INSST.

> Véase: *Agua: Tratamiento. Aguas contaminadas. Depuración. Residuo. Endotoxinas.*

AGUDEZA VISUAL

1. Es la habilidad para discriminar los pequeños detalles. Es el grado de aptitud del ojo para percibir los detalles espaciales medidos mediante el ángulo bajo el cual son vistos de forma tal que cuanto más pequeño sea este ángulo, mejor será la agudeza visual.

— Nota Técnica de Prevención n.º 790. INSST.

2. Envejecimiento y trabajo: La visión.

— Nota Técnica de Prevención n.º 348/1994. INSST.

> Véase: *Visión cromática. Trabajadores especialmente sensibles.*

AIRE ACONDICIONADO

1. Aire: Gas que constituye la atmósfera terrestre, formado principalmente de oxígeno y nitrógeno, y con otros componentes como el dióxido de carbono y el vapor de agua.

2. Aire acondicionado: Sistema artificial que permite regular la temperatura en un espacio cerrado y lo deshumidifica.

> Véase: *Ventilación. Calidad del aire. Síndrome del edificio enfermo. Ambiente de trabajo. Alergias.*

AISLAMIENTO DE UN CABLE

Conjunto de materiales aislantes que forman parte de un cable y cuya función específica es soportar la tensión.

— ITC-BT-01, del REBT.

> Véase: *Aislante. Corriente eléctrica. Instalación eléctrica.*

AISLAMIENTO TÉRMICO

1. Sistema o dispositivo que impide la transmisión del calor o el frio.

2. Los trabajadores ocupados en las actividades de aislamiento térmico, y expuestos a los agentes o sustancias que a continuación se indican, pueden contraer una Enfermedad Profesional (E.P.):

a) Causada por la inhalación de sustancias y agentes no comprendidos en otros apartados:

• Trabajos de aislamiento térmico en construcción naval y de edificios y su destrucción, que pueden provocar la E.P. de asbestosis (Código 4C0105) y/o afecciones fibrosantes de la pleura y pericardio (Código 4C0205), provocadas por la inhalación de polvo de amianto (asbesto).

b) Causadas por agentes cancerígenos:

• Industrias en las que se utiliza amianto (asbesto) (por ejemplo, minas de rocas amiantíferas, industria de producción de amianto, trabajos de aislamientos, trabajos de construcción, construcción naval, trabajos en garajes, etc.), que pueden provocar alguna de las siguientes E.P (cánceres): neoplasia maligna de bronquio y pulmón (Códigos 6A0101, 6A0106), mesotelioma (Códigos 6A0202, 6A0206), mesotelioma de pleura (Códigos 6A0302, 6A0306), mesotelioma de peritoneo (Códigos 6A0402, 6A0406), mesotelioma de otras localizaciones (Códigos 6A0502, 6A0506) y cáncer de laringe (Códigos 6A0602, 6A0606).

Por ello, debe realizarse reconocimientos médicos previos y periódicos a dichos trabajadores, con la prohibición de no contratar a los calificados como no aptos para desempeñar los puestos de trabajo de que se trate.

— Artículo 243 LGSS, en relación con RDEP (Anexo I).

Véase: Aislante. Calor. Deshidratación. Estrés térmico. Estrés por frío. Agotamiento por calor. Síncope por calor. Golpe de calor.

AISLANTE

1. Separar un elemento o un cuerpo de una combinación o del medio en que se halla, generalmente para identificarlo o analizarlo. Impedir que un agente físico, como la electricidad, el calor, el sonido o la humedad pasen o se transmitan a un cuerpo o a un lugar.

2. Los trabajadores ocupados en las actividades económicas y expuestos a los agentes o sustancias que a continuación se indican, pueden contraer una Enfermedad Profesional (E.P.):

a) Causada por agentes químicos:

• Fabricación y utilización de barnices y capas aislantes para la industria eléctrica (diacetona-alcohol acetona), donde se utilice alcohol. (Código 1F0105).

• Fabricación de plásticos, goma sintética, resinas, aislantes, donde se utilice vinilbenceno (estireno y divinilbenceno). (Código 1K0406).

• Fabricación de transformadores, condensadores, aislamiento de cables y de hilos eléctricos, donde se utilicen derivados halogenados de hidrocarburos aromáticos. (Código 1K0506).

• Fabricación y utilización de anticorrosivos y material aislante de cables, donde se utilicen isocianatos. (Código 1Q0108).

b) Causada por inhalación de sustancias y agentes no comprendidos en otros apartados:

• Trabajos de aislamiento térmico en construcción naval y de edificios y su destrucción, con exposición a la inhalación de polvos de amianto (asbesto), que pueden provocar asbestosis. (Código 4C0105).

• Trabajos de aislamiento térmico en construcción naval y de edificios y su destrucción, con exposición a la inhalación de polvos de amianto (asbesto), que pueden provocar afecciones fibrosantes de la pleura y pericardio. (Código 4C0205).

c) Causada por agentes cancerígenos:

• Fabricación de pigmentos, deshollinado de chimeneas, pavimentación de carreteras, aislamientos, donde se utilicen hidrocarburos aromáticos, que pueden provocar la E.P. de lesiones premalignas de piel (Código 6J0101), y/o E.P. de carcinoma de células escamosas (Código 6J0201).

Por ello, debe realizarse reconocimientos médicos previos y periódicos a dichos trabajadores, con la prohibición de no contratar a los calificados como no aptos para desempeñar los puestos de trabajo de que se trate.

— Artículo 243 LGSS, en relación con RDEP (Anexo I).

Véase: Aislamiento de un cable. Aislamiento térmico.

ALBAÑILES

1. Personas que se dedican profesionalmente a la construcción de edificios u obras en que se empleen, según los casos, ladrillos, piedra, cal, arena, yeso, cemento u otros materiales semejantes.

2. Los trabajadores ocupados en obras de construcción, y expuestos a los agentes o sustancias que a continuación se indican, pueden contraer una Enfermedad Profesional (E.P.), causada por agentes físicos:

• Trabajos que requieran movimientos de impacto o sacudidas, supinación o pronación repetidas del brazo contra resistencia, así como movimientos de flexoextensión forzada de la muñeca, como pueden ser: carniceros, pescaderos, curtidores, deportistas, mecánicos, chapistas, caldereros, albañiles, que pueden provocar la E.P. de epicondilitis y/o epitrocleitis. (Código 2D0201).

Por ello, debe realizarse reconocimientos médicos previos y periódicos a dichos trabajadores, con la prohibición de no contratar a los calificados como no aptos para desempeñar los puestos de trabajo de que se trate.

— Artículo 243 LGSS, en relación con RDEP (Anexo I).

Véase: Construcción. Obra de construcción. Obras públicas. Trabajos en la construcción. Trabajos en obras públicas.

ALCALOIDES

1. Compuestos orgánicos nitrogenados, como la morfina o la cocaína, producido casi exclusivamente por vegetales.

2. Los trabajadores ocupados en la extracción de alcaloides, y expuestos a los agentes o sustancias que a continuación se indican, pueden contraer una Enfermedad Profesional (E.P.), causada por agentes químicos:

• Empleo del benceno y sus homólogos como decapantes, como diluente, como disolvente para la extracción de aceites, grasas, alcaloides, resinas, desengrasado de pieles, tejidos, huesos, piezas metálicas, caucho, etc. (Código 1K0103).

Por ello, debe realizarse reconocimientos médicos previos y periódicos a dichos trabajadores, con la prohibición de no contratar a los calificados como no aptos para desempeñar los puestos de trabajo de que se trate.

— Artículo 243 LGSS, en relación con RDEP (Anexo I).

Véase: Benceno. Sustancias disolventes.

ALCANTARILLADO

1. La alcantarilla es un acueducto subterráneo, o sumidero, fabricado para recoger las aguas llovedizas o residuales y darles paso. La cloaca es un conducto por donde van las aguas sucias o las inmundicias de las poblaciones.

2. Los trabajadores ocupados en las actividades económicas, y expuestos a los agentes o sustancias que a continuación se indican, pueden contraer una Enfermedad Profesional (E.P.):

a) Causada por agentes químicos:

• Trabajos de alcantarillado y cloacas, donde se utilice ácido sulfhídrico. (Código 1D0303).

b) Causada por agentes biológicos:

• Trabajos de alcantarillado (ratas), que pueden provocar una E.P. infecciosa transmitida por animales (o por sus productos y cadáveres), por la exposición a agentes biológicos durante el trabajo. (Código 3B0127).

Por ello, debe realizarse reconocimientos médicos previos y periódicos a dichos trabajadores, con la prohibición de no contratar a los calificados como no aptos para desempeñar los puestos de trabajo de que se trate.

— Artículo 243 LGSS, en relación con RDEP (Anexo I).

Véase: Sustancias infecciosas. Zoonosis. Rodenticia. Pesticidas. Trabajos de alcantarillado. Trabajos en túneles. Trabajos subterráneos.

ALCOHOLES

1. El alcohol es compuesto orgánico formado por carbono, hidrógeno y oxígeno. Líquido incoloro, inflamable y de olor fuerte, obtenido de la fermentación de sustancias azucaradas, que se usa como combustible o desinfectante.

2. Los trabajadores expuestos a la acción de los alcoholes, pueden contraer una Enfermedad Profesional (E.P.), causada por agentes químicos, en las actividades o trabajos que a continuación se relacionan:

• Utilización en las síntesis orgánicas. (Código 1F0101).
• Fabricación de alcohol y sus compuestos halogenados. (Código 1F0102).
• Fabricación del formaldehído. (Código 1F0103).
• Fabricación y utilización de disolventes o diluyentes para los colorantes, pinturas, lacas, barnices, resinas naturales y sintéticos, desengrasantes y quitamanchas. (Código 1F0104).

• Fabricación y utilización de barnices y capas aislantes para la industria eléctrica (diacetona-alcohol acetona). (Código 1F0105).

• Fabricación de colores de anilina (metanol). (Código 1F0106).

• Industria de cosméticos, perfumes, jabones y detergentes. (Código 1F0107).

• Fabricación de esencia de frutas. (Código 1F0108).

• Industria farmacéutica. (Código 1F0109).

• Fabricación de líquidos anticongelantes, de líquidos de frenos hidráulicos, de lubrificantes sintéticos, etc. (Código 1F0110).

• Industria del caucho y de los cueros sintéticos. (Código 1F0111).

• Industria de fibras textiles artificiales. (Código 1F0112).

• Industria de explosivos. (Código 1F0113).

• Industria de la refinería de petróleo. (Código 1F0114).

• Utilización de alcoholes como agentes deshidratantes o antigerminativos. (Código 1F0115).

Por ello debe realizarse reconocimientos médicos previos y periódicos a dichos trabajadores, con la prohibición de no contratar a los calificados como no aptos para desempeñar los puestos de trabajo de que se trate.

— Artículo 243 LGSS, en relación con RDEP (Anexo I).

Véase: Etilómetro.

ALDEHÍDOS

1. Compuesto orgánico ternario que se forma como primer producto de la oxidación de ciertos alcoholes y que se utiliza en la industria y en laboratorios químicos por sus propiedades reductoras.

2. Los trabajadores expuestos a los aldehídos (Código 1G01) (Acetaldehído, aldehído acrílico, aldehído benzoico, formaldehído y el glutaraldehído), pueden contraer una Enfermedad Profesional (E.P.) causada por agentes químicos, en las actividades o trabajos que a continuación se relacionan:

• Fabricación de aldehídos y sus compuestos. (Código 1G0101).

• Empleo en la industria química, textil y farmacéutica, cosmética, alimenticia. (Código 1G0102).

• Productos intermedios en numerosos procesos de síntesis orgánica. (Código 1G0103).

• Fabricación de desinfectantes, tintes, productos farmacéuticos, perfumes, explosivos, potenciadores del sabor, resinas, antioxidantes, barnices, levaduras, productos fotográficos, caucho, plásticos, polímeros de alto peso molecular, plaguicidas, etc. (Código 1G0104).

• Utilización como disolventes. (Código 1G0105).

• Utilización como herbicidas y pesticidas. (Código 1G0106).

• Utilización como desinfectantes. (Código 1G0107).

• Utilización del formaldehído en esterilización y desinfección. (Código 1G0108).

• Utilización del formol como agente desinfectante, desodorante, bactericida, etc. (Código 1G0109).

• Utilización del acetaldehído en la fabricación del vinagre y en el azogado de espejos. (Código 1G0110).

• Utilización de la acroleína en las fábricas de jabón, en la galvanoplastia, en la soldadura de piezas metálicas. (Código 1G0111).

• El uso de adhesivos y colas con polímeros de formol puede implicar exposición a formaldehído. (Código 1G0112).

• La combustión de combustibles fósiles, madera y el calentamiento de aceites produce acroleína. (Código 1G0113).

Por ello, debe realizarse reconocimientos médicos previos y periódicos a dichos trabajadores, con la prohibición de no contratar a los calificados como no aptos para desempeñar los puestos de trabajo de que se trate.

— Artículo 243 LGSS, en relación con RDEP (Anexo I).

Véase: Formol. Desinfectantes.

ALÉRGENOS

1. En esta categoría se incluye un elevado número de sustancias que comprenden desde las de peso molecular bajo, mayoritariamente compuestos químicos, a las de peso molecular alto las cuales, a menudo, consisten en proteínas de origen biológico.

Entre estas sustancias cabe destacar los enzimas derivados de hongos y bacterias que habitualmente se obtienen de procesos biotecnológicos para su utilización en la fabricación de detergentes o de alimentos tanto para humanos como para animales.

Otros reconocidos alérgenos son: el polen de las plantas, el látex o proteínas de origen animal (ácaros, gatos, ratas y ratones). Todos ellos asociados con la manifestación de fenómenos alérgicos tipo I en sectores de actividad tales como: tareas agrícolas, trabajadores de invernaderos, sector sanitario o trabajos con animales de investigación.

— Nota Técnica de Prevención n.º 802/2008. INSST.

Véase: Sustancias de bajo peso molecular. Sustancias de alto peso molecular. Enzimas. Agentes biológicos. Hongos. Bacterias. Endotoxinas. Peptidoglicanos. Glucanos. Micotoxinas. Enfermedades respiratorias. Asma laboral. Rinitis. E.P. Neumonitis por hipersensibilidad. Síndrome toxico.

ALERGIAS

Se define la alergia como una reacción de hipersensibilidad. Las reacciones de hipersensibilidad son consecuencia de la exposición a materiales del ambiente que actúan a modo de antígenos, estimulando la producción de anticuerpos específicos.

La Aerobiología estudia las partículas vivas, o biológicamente activas, constituyendo una parcela más del control del medio ambiente. El polen y las esporas fúngicas presentes en la atmósfera son partículas vivas, dispersas en el aire que entran en contacto con el organismo a través de las mucosas, durante el proceso de respiración. Su estudio en aire comprende la parte de la Aerobiología denominada Aeropalinología, que por otra parte presenta los casos más corrientes de la Aerobiología. Las alergias causadas por las esporas fúngicas y el polen son, la causa más común del síndrome del edificio enfermo.

— Nota Técnica de Prevención n.º 335/1994. INSST.

Véase: Calidad del aire. Ambiente de trabajo. Aire acondicionado. Síndrome del edificio enfermo. Ventilación.

ALGODÓN

Planta vivaz de la familia de las malváceas, con tallos verdes al principio y rojos al tiempo de florecer, hojas alternas casi acorazonadas y de cinco lóbulos, flores amarillas con manchas encarnadas, y cuyo fruto es una cápsula que contiene de 15 a 20 semillas, envueltas en una borra muy larga y blanca, que se desenrolla y sale al abrirse la cápsula.

Véase: Bisinosis. Endotoxinas.

ALICATES

Los alicates son herramientas manuales diseñadas para sujetar, doblar o cortar. Los tipos de alicates más utilizados son: de punta redonda, de tenaza, de corte, de mecánico, de punta semiplana o fina (plana), y de electricista.

— Nota Técnica de Prevención n.º 391/1995. INSST.

Véase: Herramientas portátiles manuales. Cinceles. Cuchillos. Destornillado-res. Limas. Llaves. Martillos. Picos. Punzones. Sierras. Tijeras.

ALIMENTACIÓN

1. Actividad industrial o comercial de productos alimenticios.

2. Los trabajadores ocupados en las actividades económicas, y expuestos a los agentes o sustancias que a continuación se indican, pueden contraer una Enfermedad Profesional (E.P.):

a) Causada por agentes químicos:

• Industria química como agente oxidante, preparación de oxígeno, cloro, fabricación de aditivos alimentarios; utilización como agente antidetonante, donde se utilice manganeso. (Código 1A0614).

• Utilización de flúor en la industria alimenticia (conservas de jugos de frutas, azúcares, espirituosos, fermentación de la cerveza, etc.). (Código 1C0309).

• Refinerías de azúcar, donde se utilice ácido sulfhídrico. Código 1D0311).

• Utilización de ácidos orgánicos en la industria alimentaria. (Código 1E0104).

• Fabricación de esencia de frutas, donde se utilice alcohol. (Código 1F0108).

• Empleo en la industria química, textil y farmacéutica, cosmética, alimenticia, donde se utilicen aldehídos. (Código 1G0102).

• Fabricación de desinfectantes, tintes, productos farmacéuticos, perfumes, explosivos, potenciadores del sabor, resinas, antioxidantes, barnices, levaduras, productos fotográficos, caucho, plásticos, polímeros de alto peso molecular, plaguicidas, etc., donde se utilicen aldehídos. (Código 1G0104).

• Utilización del acetaldehído en la fabricación del vinagre y en el azogado de espejos. (Código 1G0110).

• Empleo de bromuro de metilo (derivado halogenado) para el tratamiento de vegetales en bodegas, cámaras de fumigación, contenedores, calas de barcos, camiones cubiertos, entre otros. (Código 1H0212).

• Industria hulera, papel, extractiva, alimenticia, peletera y farmacéutica (como estabilizador), donde se utilice amoníaco. (Código 1J0111).

• El óxido de propileno (Epóxido) se utiliza, además, como esterilizante de alimentos envasados y otros materiales. (Código 1M0105).

• El óxido de etileno (epóxido) se utiliza, además, en la industria sanitaria y alimentaria como agente esterilizante, como fumigante de alimentos y tejidos, intermediario en síntesis química y en la síntesis de películas y fibras de poliéster. (Código 1M0107).

• El guayacol (epóxido) se utiliza, además, como anestésico local, antioxidante, expectorante y aromatizante de bebidas. (Código 1M0108).

• El tetrahidrofurano (epóxido) se utiliza, además, en histología, y en la fabricación de artículos para el envasado, transporte y conservación de alimentos. (Código 1M0110).

• Fabricación de lacas de uñas y perfumes, esencias de frutas, donde se utilicen ésteres orgánicos. (Código 1N0108).

• Fabricación de ciertas esencias, extractos en la industria alimentaria, donde se utilicen glicoles. (Código 1P0105).

b) Causada por agentes físicos:

• Conservación de alimentos, donde se utilicen sustancias radioactivas, que pueden producir E.P. provocadas por radiaciones ionizantes. (Código 2I0108).

c) Causada por agentes biológicos:

• Plantas de procesamiento de las patatas, que pueden provocar una E.P. infecciosa por la exposición a agentes biológicos durante el trabajo. (Código 3D0102).

d) Causada por inhalación de sustancias y agentes no comprendidos en otros apartados:

• Industria de la alimentación, donde se utilicen polvos de talco o de caolín, que pueden producir las E.P. de talcosis (Código 4D0106), silicocaolinosis (Código 4D0206) o caolinosis y otras silicatosis (Código 4D0306), provocadas por la inhalación de polvos de talco o de caolín.

• Industria alimenticia, panadería, industria de la cerveza, donde los trabajadores estén expuestos a sustancias de alto peso molecular (de origen vegetal o animal), que pueden provocar alguna de las siguientes E.P: rinoconjuntivitis (Código 4H0101), asma (Código 4H0201), alveolitis alérgica extrínseca (Código 4H0301), síndrome de disfunción reactivo de la vía aérea (Código 4H0401), fibrosis intersticial difusa (Código 4H0501), bisinosis, cannabiosis, linnosis, bagazosis, estipatosis, suberosis (Códigos 4H0601), y neumopatía intersticial difusa (Código 4H0701).

e) E.P. de la piel, causada por sustancias y agentes no comprendidos en alguno de los otros apartados:

• Industria alimenticia, panadería, industria de la cerveza, donde los trabajadores estén expuestos a sustancias de alto peso molecular (de origen vegetal o animal), que puede provocar una E.P. de la piel, causada por sustancias de alto peso molecular (Código 5B0101).

• Industria alimentaria, expuestos a agentes infecciosos, que pueden contraer una E.P. de la piel causada por dichos agentes. (Código 5D0113).

f) Causada por agentes cancerígenos:

• Conservación de alimentos por radiaciones ionizantes, que pueden provocar la E.P. de síndrome linfo y mieloproliferativos. (Código 6N0108).

• Conservación de alimentos por radiaciones ionizantes, que puede provocar la E.P. de carcinoma epidermoide de piel. (Código 6N0208).

Por ello debe realizarse reconocimientos médicos previos y periódicos a dichos trabajadores, con la prohibición de no contratar a los calificados como no aptos para desempeñar los puestos de trabajo de que se trate.

— Artículo 243 LGSS, en relación con RDEP (Anexo I).

Véase: Conservantes. Colorantes. Centeno. Agricultura. Azúcar. Ácaros. Panaderías. Queso. Industria del café. Industria del té.

ALMACENAMIENTO

1. Disponer de una cantidad de productos mayor al uso diario y para un tiempo superior a 24 horas.

Almacén puede definirse, como un edificio, sala dentro de un edificio o un área exterior separada para almacenar productos en su interior.

— Notas Técnicas de Prevención n.º 307/1993. *721, 722, 723,* 724, 725/2006. INSST.

2. La presencia de una cantidad determinada de sustancias peligrosas con fines de almacenamiento, depósito en custodia o reserva.

— Artículo 3 RDAG.

3. Almacenamiento de sustancias infecciosas. No existen recomendaciones específicas para el almacenamiento de materiales infecciosos durante su transporte ni en el caso de almacenamiento temporal ni definitivo.

Para los laboratorios se recomienda «almacenamiento de seguridad» para los niveles de riesgo 2 y 3, recalcándose, «almacenamiento seguro» para el nivel de riesgo 4.

Como almacenamiento seguro se debe entender un lugar controlado, con acceso restringido, preferiblemente con llave, e identificado empleando la señalización correspondiente.

— Nota Técnica de Prevención n.º 628/2003. INSST.

4. Almacenamiento en estanterías y estructuras.

— Nota Técnica de Prevención n.º 298/1993. INSST.

5. Almacenamiento en tránsito. Almacenamiento esporádico de productos en espera de ser reexpedidos y cuyo período de almacenamiento previsto no supere las 72 horas continuas. No obstante, si en el almacén existiera producto durante más de 8 días al mes o 36 días al año, no será considerado almacenamiento en tránsito. El cómputo de días se obtendrá por la suma de los tiempos de almacenamiento del producto.

—Artículo 2 ITC MIE-APQ-0 del RAPQ.

6. Área de almacenamiento. Superficie delimitada por el perímetro de las instalaciones propias de almacenamiento.

—Artículo 2 ITC MIE-APQ-0 del RAPQ.

Véase: Sustancias peligrosas. Envasado de productos peligrosos. Embalaje de sustancias infecciosas.

ALMIDONES

1. Hidratos de carbono que constituyen la principal reserva energética de casi todos los vegetales y tiene usos alimenticios e industriales.

2. Los trabajadores ocupados en las actividades económicas, y expuestos a los agentes o sustancias que a continuación se indican, pueden contraer una Enfermedad Profesional (E.P.), causada por agentes químicos:

• Industria textil para dar la flexibilidad a los tejidos y preparación para la textura e impresión de tejidos a base de acetatos de celulosa, así como en la preparación y utilización de ciertos almidones sintéticos, donde se utilicen glicoles. (Código 1P0106).

Por ello, debe realizarse reconocimientos médicos previos y periódicos a dichos trabajadores, con la prohibición de no contratar a los calificados como no aptos para desempeñar los puestos de trabajo de que se trate.

— Artículo 243 LGSS, en relación con RDEP (Anexo I).

Véase: Industria textil.

ALQUITRÁN

1. Líquido viscoso, de color muy oscuro y fuerte olor, que se obtiene de la destilación de maderas resinosas, carbones, petróleo, pizarras y otros materiales. Composición de pez, sebo, grasa, resina y aceite, muy inflamable, que se usó como arma incendiaria.

2. Los trabajadores ocupados en las actividades económicas, y expuestos a los agentes o sustancias que a continuación se indican, pueden contraer una Enfermedad Profesional (E.P.):

a) Causada por agentes químicos:
• Extracción del naftaleno, durante la destilación del alquitrán de hulla. (Código 1K0201).

b) Causada por agentes cancerígenos:
• Aplicación de pinturas con base de alquitrán, que contengan hidrocarburos aromáticos, que pueden provocar la E.P. de lesiones premalignas de piel (Código 6J0114), y/o E.P. de carcinoma de células escamosas (Código 6J0214).

Por ello, debe realizarse reconocimientos médicos previos y periódicos a dichos trabajadores, con la prohibición de no contratar a los calificados como no aptos para desempeñar los puestos de trabajo de que se trate.

— Artículo 243 LGSS, en relación con RDEP (Anexo I).

Véase: Petróleo. Hidrocarburos aromáticos. Fenoles. Hulla. Destilación.

ALTURA DE LOS LOCALES DE TRABAJO

1. Las dimensiones de los locales de trabajo deberán permitir que los trabajadores realicen su trabajo sin riesgos para su seguridad y salud y en condiciones ergonómicas aceptables. Sus dimensiones mínimas serán las siguientes:

• 3 metros de altura desde el piso hasta el techo. No obstante, en locales comerciales, de servicios, oficinas y despachos, la altura podrá reducirse a 2,5 metros.
• 2 metros cuadrados de superficie libre por trabajador.
• 10 metros cúbicos, no ocupados, por trabajador.

— Anexo I. Parte A.2.1.º RDSSLT.

2. Altura de los locales de trabajo en el interior de las obras de construcción: Los locales deberán tener una superficie y una altura que permita que los trabajadores lleven a cabo su trabajo sin riesgos para su seguridad, su salud o su bienestar.

— Anexo IV. Parte B.10 RDSSTOC.

Véase: Lugares de trabajo. Locales de los lugares de trabajo. Locales de aloja-miento. Locales de aseo. Locales de descanso. Locales de primeros auxilios.

ALUMBRADO DE EMERGENCIA

1. El alumbrado de emergencia o luces de emergencia son dispositivos de ilumina-ción respaldados por una batería que tienen por objeto asegurar, en caso de fallo de la alimentación del alumbrado normal, la iluminación en los locales y accesos hasta las salidas, para una eventual evacuación del público o iluminar otros puntos que se señalen.

— Nota Técnica de Prevención n.º 181/1986. INSST.

2. Es el suministro eléctrico de seguridad que se pone en funcionamiento automáti-camente, en los locales de pública afluencia, cuando se produce un fallo en el suministro eléctrico normal. Tiene dos niveles: Alumbrado de seguridad y Alumbrado de reemplazo.

— Artículo 3 ITC-BT-28 del REBT.

3. Los lugares de trabajo, o parte de los mismos, en los que un fallo del alumbrado normal suponga un riesgo para la seguridad de los trabajadores dispondrán de un alum-brado de emergencia de evacuación y de seguridad.

— Anexo IV. Punto 5 RDSSLT.

Véase: Iluminación. Iluminación de seguridad. Alumbrado de seguridad. Sumi-nistro eléctrico de seguridad. Alumbrado de reemplazo.

ALUMBRADO DE REEMPLAZO

1. Es el suministro eléctrico de seguridad que se pone en funcionamiento automáti-camente, en los locales de pública afluencia, cuando se produce un fallo en el suministro eléctrico normal, con la finalidad de permitir la continuidad de las actividades normales durante dos horas como mínimo. Cuando proporcione una iluminación inferior al alum-brado normal se usará únicamente para terminar el trabajo con seguridad. Es obligatorio en hospitales, etc.

— Artículo 3 ITC-BT-28 del REBT.

— Nota Técnica de Prevención n.º 181/1986. INSST.

Véase: Iluminación. Iluminación de seguridad. Alumbrado de seguridad. Sumi-nistro eléctrico de seguridad. Alumbrado de emergencia.

ALUMBRADO DE SEGURIDAD

1. Es el suministro eléctrico de seguridad que se pone en funcionamiento automáti-camente, en los locales de pública afluencia, cuando se produce un fallo en el suministro eléctrico normal con la finalidad de garantizar la seguridad de las personas que evacuen una zona o que tienen que terminar un trabajo potencialmente peligroso antes de aban-donar la zona. Entrará en funcionamiento cuando la tensión de alimentación descienda del 70% de la tensión nominal. La instalación de este alumbrado será fija y estará provista de fuentes propias de energía. Tiene tres niveles: de evacuación, de ambiente o antipático y de zonas de alto riesgo. Es obligatorio en todos los locales de pública afluencia, en las salidas de emergencia, pasillos, cerca de los equipos de extinción de incendios, etc.

— Artículo 3 ITC-BT-28 del REBT.

— Nota Técnica de Prevención n.º 181/1986. INSST.

2. Los lugares de trabajo, o parte de los mismos, en los que un fallo del alumbrado normal suponga un riesgo para la seguridad de los trabajadores dispondrán de un alumbrado de emergencia de evacuación y de seguridad.

— Anexo IV. Punto 5 RDSSLT.

> *Véase: Iluminación. Iluminación de seguridad. Suministro eléctrico de seguridad. Alumbrado de emergencia. Alumbrado de reemplazo.*

ALUMINIO

1. Elemento químico metálico, de color similar al de la plata, ligero, resistente y dúctil, que tiene diversas aplicaciones industriales.

2. Los trabajadores expuestos a la inhalación de polvo de aluminio, pueden contraer una Enfermedad Profesional (E.P.), en las actividades o trabajos que a continuación se relacionan:

a) Causada por agentes químicos:

 • Preparación de pentóxidos de vanadio usado, entre otros fines, en la producción de minerales de aluminio. (Código 1A1104).

 • Fabricación del aluminio. (Código 1C0302).

b) Causada por la inhalación de sustancias y agentes no comprendidos en otros apartados:

 • Extracción de aluminio a partir de sus minerales, en particular la separación por fusión electrolítica del oxido de aluminio, de la bauxita (fabricación de corindón artificial), que puede provocar la E.P. de neumoconiosis. (Código 4G0101).

 • Preparación de polvos de aluminio, especialmente el polvo fino (operaciones, demolido, cribado y mezclas), que puede provocar la E.P. de neumoconiosis. (Código 4G0102).

 • Preparación de aleaciones de aluminio, que pueden provocar la E.P. de neumoconiosis. (Código 4G0103).

 • Preparación de tintas de imprimir a partir del pigmento extraído de los residuos de los baños de fusión de la bauxita, que pueden provocar la E.P. de neumoconiosis. (Código 4G0104).

 • Fabricación y manipulación de abrasivos de aluminio, que pueden provocar la E.P. de neumoconiosis. (Código 4G0105).

 • Fabricación de artefactos pirotécnicos con granos de aluminio, que pueden provocar la E.P. de neumoconiosis. (Código 4G0106).

 • Utilización del hidrato de aluminio en la industria papelera (preparación del sulfato de aluminio), en el tratamiento de aguas, en la industria textil (capa impermeabilizante), en las refinerías de petróleo (preparación y utilización de ciertos catalizadores) y en numerosas industrias donde el aluminio y sus compuestos entran en la composición de numerosas aleaciones, que puede provocar la E.P. de neumoconiosis. (Código 4G0107).

• Industria del aluminio, donde los trabajadores estén expuestos a sustancias de bajo peso molecular (metales, polvos de maderas, sustancias químicas, etc.), que pueden provocar alguna de las siguientes E.P: rinoconjuntivitis (Código 4I0127), urticaria (Código 4I0227), angiodemas (Código 4I0227), asma (Código 4I0327), alveolitis alérgica extrínseca (Código 4I0427), síndrome de disfunción de la vía reactiva (Código 4I0527), fibrosis intersticial difusa (Código 4I0627), fiebre de los metales (Código 4I0727), neumopatía intersticial difusa (Código 4I0827).

c) E.P. de la piel, causada por sustancias y agentes no comprendidos en alguno de los otros apartados:

• Industria del aluminio, donde los trabajadores estén expuestos a sustancias de bajo peso molecular (metales, polvos de maderas, sustancias químicas, etc.), que pueden provocar una E.P. de la piel, causada por sustancias de bajo peso molecular (Código 5A0126).

d) Causada por agentes cancerígenos:

• Producción de aluminio, donde se utilicen hidrocarburos aromáticos, que pueden provocar la E.P. de lesiones premalignas de piel (Código 6J0108), y/o E.P. de carcinoma de células escamosas (Código 6J0208).

Por ello, debe realizarse reconocimientos médicos previos y periódicos a dichos trabajadores, con la prohibición de no contratar a los calificados como no aptos para desempeñar los puestos de trabajo de que se trate.

— Artículo 243 LGSS, en relación con RDEP (Anexo I).

Véase: Fabricación de aluminio. Bauxita. Espejos. Azogado de espejos. Anodizado.

AMALGAMAS DENTALES

1. Las amalgamas dentales se obtienen mezclando mercurio líquido con una mezcla de otros metales, principalmente plata, pero también estaño, cobre y una pequeña cantidad de zinc.

2. Los trabajadores ocupados en las actividades económicas, y expuestos a los agentes o sustancias que a continuación se indican, pueden contraer una Enfermedad Profesional (E.P.):

a) Causada por agentes químicos:

• Fabricación de amalgamas dentales, donde se utilice cadmio y sus compuestos. (Código 1A0317).

b) Causada por agentes cancerígenos:

• Fabricación de amalgamas dentales, que contengan cadmio, que puede provocar la E.P. de neoplasia maligna de bronquio, pulmón y próstata. (Código 6G0117).

Por ello debe realizarse reconocimientos médicos previos y periódicos a dichos trabajadores, con la prohibición de no contratar a los calificados como no aptos para desempeñar los puestos de trabajo de que se trate.

— Artículo 243 LGSS, en relación con RDEP (Anexo I).

Véase: Amalgamas. Protésicos dentales. Higienistas dentales. Odontólogos. Odontología. Dentistas. Mercurio. Estaño. Cobre.

AMALGAMAS

1. Unión o mezcla de cosas de naturaleza contraria o distinta. Aleación de mercurio con otro u otros metales, como oro, plata, etc., generalmente sólida o casi líquida.

2. Los trabajadores ocupados en las actividades económicas, y expuestos a los agentes o sustancias que a continuación se indican, pueden contraer una Enfermedad Profesional (E.P.), causada por agentes químicos:

- Preparación y utilización de amalgamas y compuestos del mercurio. (Código 1A0712).

Por ello, debe realizarse reconocimientos médicos previos y periódicos a dichos trabajadores, con la prohibición de no contratar a los calificados como no aptos para desempeñar los puestos de trabajo de que se trate.

— Artículo 243 LGSS, en relación con RDEP (Anexo I).

Véase: Amalgamas dentales. Mercurio. Estaño. Cobre.

AMBIENTE DE TRABAJO

1. El nivel de la calidad del aire en el interior de los centros de trabajo viene determinado por la presencia de:

- Gases y vapores orgánicos e inorgánicos (compuestos orgánicos volátiles (COV), ozono, monóxido de carbono, radón, etc.).
- Aerosoles inhalables (polvo, fibras, humos, etc.).
- Bioaerosoles (microorganismos y subproductos)
- Las condiciones termohigrométricas, las corrientes de aire y el ruido molesto.

La presencia de compuestos orgánicos volátiles, irritantes de membranas mucosas, ojos, piel, y parte de ellos sospechosos o comprobados (cancerígenos, mutagénicos y/o tóxicos de la reproducción), puede provocar molestias (irritación, picor, quemazón, dolor de cabeza, mareos, fatiga, náuseas), así como producir efectos perjudiciales sobre la salud a largo plazo en los ocupantes de los espacios interiores.

— Notas Técnicas de Prevención n.º 431/1996. 488/1998. 971, 972, 978, 989/2013. INSST.

2. Un ambiente interior viene definido fundamentalmente por la calidad del aire que se proporciona a los ocupantes de un espacio, por el clima que se crea en ese espacio, por el ambiente lumínico y acústico y por el entorno visual en el que se desarrollará la actividad. Buena parte de esos aspectos está directamente relacionado con el sistema de ventilación y de acondicionamiento del aire que se suministra a los locales.

— Notas Técnicas de Prevención n.º 343/1994. 779/2007. INSST.

3. El olor como un factor de calidad y confort en ambientes interiores de trabajo.

— Nota Técnica de Prevención n.º 358/1994. INSST.

Véase: Olores. Olores desagradables. Ventilación. Aerosoles. Gas. Vapores. Ruido. Calidad del aire. Síndrome del edificio enfermo. Aire acondicionado.

AMBIENTE HIPERBÁRICO

Que tiene presión superior a la atmosférica normal. Medio con una alta presión atmosférica, como la que hay bajo el agua.

— Nota Técnicas de Prevención n.º 905 INSST.

Véase: Presurizar. Cámaras hiperbáricas. Buceo. Trabajos con riesgos especiales. Trabajos en cajones de aire comprimido. Trabajos subacuáticos. Trabajos en espacios confinados. E.P. por descompresión atmosférica.

AMBIGÜEDAD DE ROL

La persona con ambigüedad de rol vive en la incertidumbre, no sabe qué se espera de ella, es decir, no tiene configurado con claridad cuál es su rol en la empresa. La ambigüedad de rol se refiere a la situación que vive la persona cuando no tiene suficientes puntos de referencia para desempeñar su labor o bien éstos no son adecuados. En definitiva, dispone de una información inadecuada para hacerse una idea clara del rol que se le asigna, bien por ser incompleta, bien por ser interpretable de varias maneras, o bien por ser muy cambiante. Tal información debería tratar sobre el propósito u objetivos de su trabajo, su autoridad y sus responsabilidades, su estilo de relación y comunicación con los demás, etc.

— Nota Técnica de Prevención n.º 388/1995. INSST.

Véase: Rol. Conflicto de rol.

AMIANTO

1. Mineral constituido por silicato de cal, alúmina y hierro, que se presenta en fibras blancas y flexibles, es incombustible y tiene efectos nocivos para la salud.

2. Amiento o asbesto es un término utilizado para denominar una serie de meta-silicatos de hierro y magnesio, entre otros, que presentan formas fibrosas.

Existe una amplia gama de variedades de amianto, siendo las más empleadas en aplicaciones de construcción el crisotilo o amianto blanco, la amosita o amianto marrón y la crocidolita o amianto azul. Todas las variedades de amianto se caracterizan por su incombustibilidad, un buen aislamiento térmico y acústico, y su resistencia a altas temperaturas, al paso de la electricidad, a la abrasión y a los microorganismos.

— Notas Técnicas de Prevención n.º 158/1986. 463/1997. 632, 633/2003. INSST.

— Guía técnica para la evaluación y prevención de los riesgos relacionados con la exposición al amianto/2008. INSST.

3. Recogida de muestras de fibras de amianto.

— Nota Técnica de Prevención n.º 158/1986. INSST.

4. Las fibras alternativas al amianto.

— Nota Técnica de Prevención n.º 306/1993. INSST.

5. A efectos de aplicación de este real decreto, el término amianto designa a los silicatos fibrosos siguientes, de acuerdo con la identificación admitida internacionalmente del registro de sustancias químicas del Chemical Abstract Service (CAS):

- Actinolita amianto, n.º 77536-66-4 del CAS,
- Grunerita amianto (amosita), n.º L2172-73-5 del CAS,
- Antofilita amianto, n.º 77536-67-5 del CAS,
- Crisotilo, n.º 12001-29-5 del CAS,
- Crocidolita, n.º 12001-28-4 del CAS, y
- Tlemolita amianto, n.º 77536-68-6 del CAS.

— Artículo 2 RDSSRA.

— Notas Técnicas de Prevención n.º 641, 642/2003. 707, 708/2005. 796, 815/2008. 862/2010. 953, 954/2012. 1006, 1007, 1009/2014. INSST.

6. La exposición al amianto puede provocar las siguientes E.P. (Cánceres):

- Neoplasia maligna de bronquio y pulmón (Código 6A01).
- Mesotelioma (Código 6A02).
- Mesotelioma de pleura (Código 6A03).
- Mesotelioma de peritoneo (Código 6A04).
- Mesotelioma de otra localizaciones (Código 6A05).
- Cáncer de laringe (Código 6A06).

7. Los trabajadores expuestos al amianto (Código 6A), pueden contraer una Enfermedad Profesional (E.P.), causada por agentes cancerígenos, en las actividades o trabajos que a continuación se relacionan:

- Industrias en las que se utiliza amianto (asbesto) (por ejemplo, minas de rocas amiantíferas, industria de producción de amianto, trabajos de aislamientos, trabajos de construcción, construcción naval, trabajos en garajes, etc.), que pueden provocar alguna de las siguientes E.P (cánceres): neoplasia maligna de bronquio y pulmón (Código 6A0101), mesotelioma (Código 6A0201), mesotelioma de pleura (Código 6A0301), mesotelioma de peritoneo (Código 6A0401), mesotelioma de otras localizaciones (Código 6A0501) y cáncer de laringe (Código 6A0601).

Por ello, deben realizarse reconocimientos médicos previos y periódicos a dichos trabajadores, con la prohibición de no contratar a los calificados como no aptos para desempeñar los puestos de trabajo de que se trate.

— Artículo 243 LGSS, en relación con RDEP (Anexo I).

— Artículo 16 RDSSRA.

8. Se ha declarado Enfermedad Profesional:

- El cáncer de laringe producido por la prolongada exposición a la inhalación de polvo de amianto.

— STS 13.11.06. 26.6.08.

— STSJ Cataluña 10.11.09.

b) Por no probar la empresa los niveles de amianto a que estaba sometido el trabajador.

— STSJ Murcia 6.10.99.

9. Procede la imposición del recargo en las prestaciones económicas de la Seguridad Social:

- Por no facilitar al trabajador que manipulaba piezas con amianto, realizando cortes y perforaciones, ningún medio de protección eficaz para evitar la inhalación de polvo de amianto.

— STSJ Cataluña 23.3.10.

— STSJ Murcia 25.10.17.

Véase: E.P. asbestosis. Asbesto. Valores límite al amianto. Reconocimientos médicos previos: Obligatoriedad expresa.

AMIDAS

1. Compuesto que resulta de sustituir un átomo de hidrógeno del amoniaco o de las aminas por un acilo.

2. Los trabajadores ocupados en las actividades económicas, y expuestos a los agentes o sustancias que a continuación se indican, pueden contraer una Enfermedad Profesional (E.P.), causada por agentes químicos:

• Fabricación de ácido nítrico y otros reactivos químicos como ácido sulfúrico, cianuros, amidas, urea, sosa, nitritos e intermediarios de colorantes, donde se utilice amoniaco. (Código 1J0108).

Por ello, debe realizarse reconocimientos médicos previos y periódicos a dichos trabajadores, con la prohibición de no contratar a los calificados como no aptos para desempeñar los puestos de trabajo de que se trate.

— Artículo 243 LGSS, en relación con RDEP (Anexo I).

Véase: Industria farmacéutica.

AMINAS

1. Sustancia derivada del amoniaco por sustitución de uno o dos átomos de hidrógeno por radicales alifáticos o aromáticos.

2. Los trabajadores ocupados en las actividades económicas, y expuestos a los agentes o sustancias que a continuación se indican, pueden contraer una Enfermedad Profesional (E.P.):

a) Causada por agentes químicos:

• Fabricación de estas sustancias y su utilización como productos intermediarios en la industria de colorantes sintéticos y en numerosas síntesis orgánicas, en la industria química, en la industria de insecticidas, en la industria farmacéutica, etc. (Código 1I0101).

• Fabricación y utilización de derivados utilizados como aceleradores y como antioxidantes en la industria del caucho. (Código 1I0102).

• Fabricación de ciertos explosivos. (Código 1I0103).

• Utilización como colorantes en la industria del cuero, de pieles del calzado, de productos capilares, etc., así como en papelería y en productos de peluquería. (Código 1I0104).

• Utilización de reveladores (para-aminofenoles) en la industria fotográfica. (Código 1I0105).

b) Causadas por agentes cancerígenos, pudiendo provocar la E.P. de cáncer versical:

• Fabricación de estas sustancias y su utilización como productos intermediarios en la industria de colorantes sintéticos y en numerosas síntesis orgánicas, en la industria química, en la industria de insecticidas, en la industria farmacéutica, etc. (Código 6O0101).

• Fabricación y utilización de derivados utilizados como aceleradores y como antioxidantes en la industria del caucho. (Código 6O0102).

• Fabricación de ciertos explosivos. (Código 6O0103).

• Utilización como colorantes en la industria del cuero, de pieles del calzado, de productos capilares, etc., así como en papelería y en productos de peluquería. (Código 6O0104).

• Utilización de reveladores (para-aminofenoles) en la industria fotográfica. (Código 6O0105).

Por ello, debe realizarse reconocimientos médicos previos y periódicos a dichos trabajadores, con la prohibición de no contratar a los calificados como no aptos para desempeñar los puestos de trabajo de que se trate.

— Artículo 243 LGSS, en relación con RDEP (Anexo I).

Véase: Hidracinas. E.P. neoplasia de vejiga.

AMOLADORAS

1. Se trata de máquinas portátiles, accionadas normalmente por energía eléctrica o aire comprimido, que, utilizando distintas herramientas de inserción, ejecutan trabajos muy variados sobre diversos materiales. Entre los trabajos realizados se puede citar: tronzado, rebarbado, desbaste, ranurado, lijado, desoxidado, pulido, etc. Entre los materiales trabajados: acero u otros productos metálicos, hormigón, piedra natural o artificial, productos de tierra cocida, fibrocemento, madera, etc.

Las herramientas de inserción que utilizan son: discos de desbastar y tronzar, platos de goma con hojas de lijar, cepillos planos y de vaso, muelas de vaso, esponjas o fundas de pulir, discos de trapo, etc. Ser de dos tipos: amoladoras rectas y amoladoras angulares, también denominadas, radial.

— Nota Técnica de Prevención n.º 281/1991. INSST.

Véase: Herramientas portátiles eléctricas. Pulidoras. Enfermedades vasculares. Vibraciones.

AMONÍACO

1. Gas incoloro, de olor irritante, soluble en agua, compuesto de un átomo de nitrógeno y tres de hidrógeno.

2. Recogida de muestras de amoníaco.

— Nota Técnica de Prevención n.º 62/1983. INSST.

3. Los trabajadores expuestos al amoníaco (Código 1J01), pueden contraer una Enfermedad Profesional (E.P.), causada por agentes químicos, en las actividades o trabajos que a continuación se relacionan:

• Producción de abonos artificiales. (Código 1J0101).
• Preparación de ciertos residuos sintéticos del tipo ceraformol. (Código 1J0102).
• Fabricación de hielo artificial, utilizando amoniaco como refrigerante. (Código 1J0103).
• Los hornos de coque, fábricas de gas. (Código 1J0104).
• Utilización como decapante en pintura. (Código 1J0105).
• Utilización en laboratorios. (Código 1J0106).
• Galvanoplastia. (Código 1J0107).
• Fabricación de ácido nítrico y otros reactivos químicos como ácido sulfúrico, cianuros, amidas, urea, sosa, nitritos e intermediarios de colorantes. (Código 1J0108).
• Producción de monómeros de fibras sintéticas y otros plásticos. (Código 1J0109).

• Refino de petróleo (como inhibidor de la corrosión). (Código 1J0110).

• Industria hulera, papel, extractiva, alimenticia, peletera y farmacéutica (como estabilizador). (Código 1J0111).

Por ello, debe realizarse reconocimientos médicos previos y periódicos a dichos trabajadores, con la prohibición de no contratar a los calificados como no aptos para desempeñar los puestos de trabajo de que se trate.

— Artículo 243 LGSS, en relación con RDEP (Anexo I).

Véase: Abonos. Hielo. Urea.

ANDAMIOS COLGADOS MÓVILES

Los andamios colgados móviles de accionamiento manual son construcciones auxiliares suspendidas de cables o sirgas, que se desplazan verticalmente por las fachadas mediante un mecanismo de elevación y descenso accionado manualmente; se utilizan para la realización de numerosos trabajos en altura de cerramientos de fachadas de edificios, revocados, etc., así como reparaciones diversas en trabajos de rehabilitación de edificios.

— Notas Técnicas de Prevención n.º 530, 531, 532/1999. 969, 970, 976, 977/2013. INSST.

Véase: Andamios. Góndolas. Plataformas de trabajo. Pasarelas. Desniveles. Torres de acceso. Torres de trabajo móviles. Trabajos en altura. Trabajos verticales.

ANDAMIOS

1. Los andamios de trabajo prefabricados, sistema modular, son estructuras tubulares provisionales para proporcionar un lugar de trabajo, de paso, o de protección seguro para la construcción, mantenimiento, reparación o demolición de edificios, entre otros. Según se haya definido su uso, los andamios pueden cumplir la función de habilitar superficies de trabajo, sustentación de carga, protección horizontal o perimetral, de servicio (para circulación de operarios y materiales conectando diferentes zonas), etc.

— Notas Técnicas de Prevención n.º 516/1999. 105, 1016/2014. INSST.

2. Andamio de borriquetas es el constituido por dos borriquetas, sobre las que apoyan unos tablones para formar el piso del andamio, plataforma de trabajo o andamiada, regulable en altura o no.

— Nota Técnica de Prevención n.º 202/1988. INSST.

3. Obras de construcción. En los puestos de trabajo en las obras en el exterior de los locales, y siempre que lo exijan las características de la obra o de la actividad; las circunstancias o cualquier riesgo, las plataformas, andamios y pasarelas, así como los desniveles, huecos y aberturas existentes en los pisos de las obras, que supongan para los trabajadores un riesgo de caída de altura superior a dos metros, se protegerán mediante barandillas u otro sistema de protección colectiva de seguridad equivalente. Las barandillas serán resistentes, tendrán una altura mínima de noventa centímetros y dispondrán de un reborde de protección, un pasamanos y una protección intermedia que impidan el paso o deslizamiento de los trabajadores.

— Anexo IV. Parte C.3 RDSSTOC.

— Artículo 169 y siguientes CCGC.

4. Procede la imposición del recargo en las prestaciones económicas de la Seguridad Social:

a) Por caída de un trabajador de un andamio cuya instalación adolecía de medidas de seguridad.

— STS 16.1.06.

Véase: Aberturas en los suelos. Plataformas de trabajo. Barandillas. Plataformas suspendidas. Dispositivos de anclaje. Góndolas. Desniveles. Pasarelas. Torres de acceso. Torres de trabajo móviles. Muelles de carga y descarga. Caída de objetos. Caída de personas. Redes de seguridad.

ANEMÓMETRO

Aparato que sirve para medir la velocidad media del viento durante un determinado tiempo.

— Nota Técnica de Prevención n.º 175/1986. INSST.

Véase: Acelerómetro. Aparatos medidores.

ANESTÉSICO

1. Que produce o causa anestesia. Pérdida temporal de las sensaciones de tacto y dolor producidas por un medicamento o sustancia. Anestesia general: Anestesia que afecta a todo el organismo con pérdida del conocimiento. Anestesia local: Anestesia que afecta solo a una parte del cuerpo, sin pérdida del conocimiento.

2. Los trabajadores ocupados en las actividades económicas, y expuestos a los agentes o sustancias que a continuación se indican, pueden contraer una Enfermedad Profesional (E.P.), causada por agentes químicos:

• Fabricación de ciertos desinfectantes, anestésicos, antisépticos y otros productos de la industria farmacéutica y química, donde se utilicen hidrocarburos alifáticos. (Código 1H0205).

• Uso de derivados halogenados en anestesia quirúrgica. (Código 1H0211).

• El guayacol (epóxido) se utiliza, además, como anestésico local, antioxidante, expectorante y aromatizante de bebidas. (Código 1M0108).

• Utilización de éteres como agentes de esterilización y como anestésicos. (Código 1O0113).

• Utilización del protóxido de nitrógeno como gas anestésico. (Código 1T0307).

Por ello, debe realizarse reconocimientos médicos previos y periódicos a dichos trabajadores, con la prohibición de no contratar a los calificados como no aptos para desempeñar los puestos de trabajo de que se trate.

— Artículo 243 LGSS, en relación con RDEP (Anexo I).

Véase: Productos anestésicos. Gases anestésicos. Éteres. Quirófanos.

ANHÍDRIDO ARSENIOSO

1. Compuesto de oxígeno con arsénico, también conocido como óxido de arsénico o trióxido de arsénico.

2. Los trabajadores expuestos al anhídrido arsenioso, pueden contraer una Enfermedad Profesional (E.P.), causada por agentes químicos, en las actividades o trabajos que a continuación se relacionan:

• Empleo del anhídrido arsenioso en la fabricación del vidrio. (Código 1A0111).

Por ello, debe realizarse reconocimientos médicos previos y periódicos a dichos trabajadores, con la prohibición de no contratar a los calificados como no aptos para desempeñar los puestos de trabajo de que se trate.

— Artículo 243 LGSS, en relación con RDEP (Anexo I).

Véase: Arsénico. Industria del vidrio.

ANHÍDRIDO SULFUROSO

1. El anhídrido sulfuroso o dióxido de cobre es un gas incoloro, de olor fuerte e irritante, que resulta de la combinación del azufre con el oxígeno al quemarse el primero de estos dos componentes.

2. Los trabajadores expuestos al anhídrido sulfuroso o dióxido de cobre (Ácidos inorgánicos) (Código 1D02), pueden contraer una Enfermedad Profesional (E.P.), causada por agentes químicos, en las actividades o trabajos que a continuación se relacionan:

• Producción de ácido sulfúrico. **(Código 1D0201).**
• Refino de minerales ricos en azufre. **(Código 1D0202).**
• Procesos en que interviene la combustión de carbones ricos en azufre. (Código 1D0203).

Por ello, debe realizarse reconocimientos médicos previos y periódicos a dichos trabajadores, con la prohibición de no contratar a los calificados como no aptos para desempeñar los puestos de trabajo de que se trate.

— Artículo 243 LGSS, en relación con RDEP (Anexo I).

Véase: Azufre. Dióxido de azufre.

ANILINA

La anilina es una amina aromática que se utiliza como materia prima en la industria química para la síntesis orgánica de numerosos productos como tintes y colorantes, isocianatos, productos fitosanitarios (herbicidas y fungicidas), farmacéuticos, explosivos o de química fina.

Esta sustancia también se usa en la industria de los polímeros para la fabricación de intermedios en la síntesis de los poliuretanos, así como en la industria del caucho como antioxidante y acelerador de vulcanización. Además, la anilina se emplea como disolvente en la elaboración de perfumes, barnices y resinas.

En el ambiente laboral se halla principalmente en estado vapor. La anilina es un líquido aceitoso e incoloro a temperatura ambiente que tiende a oscurecer con la exposición al aire o la luz.

En condiciones de presión y temperatura normales es un producto estable, altamente soluble en agua y miscible con la mayoría de los disolventes orgánicos.

— Nota Técnica de Prevención n.º 584/2001. INSST.

Véase: Aminas.

ANODIZADO

El anodizado, consiste en la oxidación del aluminio formando una capa de óxido sobre la superficie de la pieza (ánodo). El óxido de aluminio tiene gran resistencia a la corrosión.

— Nota Técnica de Prevención n.º 265/1991. INSST.

Véase: Tratamientos electrolíticos. Aluminio. Galvanoplastia. Electrodeposición. Electrólisis.

ANTICONGELANTES

1. Sustancias que se añaden al agua para refrigerar los motores, haciendo bajar su punto de congelación y elevar el de ebullición.

2. Los trabajadores ocupados en las actividades económicas, y expuestos a los agentes o sustancias que a continuación se indican, pueden contraer una Enfermedad Profesional (E.P.), causada por agentes químicos:

- Fabricación de líquidos anticongelantes, de líquidos de frenos hidráulicos, de lubrificantes sintéticos, etc., donde se utilice alcohol. (Código 1F0110).
- La industria de cosméticos, fabricación y utilización de anticongelantes, de líquidos de sistemas hidráulicos y de líquidos de frenos, donde se utilicen glicoles. (Código 1P0104).

Por ello, debe realizarse reconocimientos médicos previos y periódicos a dichos trabajadores, con la prohibición de no contratar a los calificados como no aptos para desempeñar los puestos de trabajo de que se trate.

— Artículo 243 LGSS, en relación con RDEP (Anexo I).

Véase: Hidráulico. Lubrificantes. Martillos hidráulicos. Herramientas portátiles hidráulicas.

ANTICORROSIVOS

1. Sustancia que se añade a un metal para evitar que se corroa o que corroa a otro con el que pueda entrar en contacto.

2. Los trabajadores ocupados en las actividades económicas, y expuestos a los agentes o sustancias que a continuación se indican, pueden contraer una Enfermedad Profesional (E.P.), causada por agentes químicos:

- Fabricación y utilización de anticorrosivos y material aislante de cables, donde se utilicen isocianatos. (Código 1Q0108).

Por ello, debe realizarse reconocimientos médicos previos y periódicos a dichos trabajadores, con la prohibición de no contratar a los calificados como no aptos para desempeñar los puestos de trabajo de que se trate.

— Artículo 243 LGSS, en relación con RDEP (Anexo I).

Véase: Sustancias corrosivas.

ANTICUERPO

Sustancia que se produce en el organismo y que se opone a la acción de elementos patógenos. También se puede definir como sustancia específica de los animales inmunes, producida como reacción a la presencia de un antígeno y que ejerce una acción antagónica específica sobre la sustancia por cuya influencia se ha formado. Es el agente de la inmunidad.

— Nota Técnica de Prevención n.º 335/1994. INSST.

Véase: Antígeno.

ANTÍDOTO

La sustancia utilizada para prevenir o tratar el efecto o los efectos deletéreos directos o indirectos producidos por una o varias de las sustancias incluidas en la lista de sustancias peligrosas del Anexo III.

— Artículo 1.e Directiva 92/29/CEE, de 31 marzo.

Véase: Sustancias peligrosas.

ANTÍGENO

Substancia que, introducida en el organismo, estimula la formación de anticuerpos.

— Nota Técnica de Prevención n.º 335/1994. INSST.

Véase: Anticuerpos.

ANTIMONIO

1. Elemento químico duro, quebradizo de color blanco azulado y aleado en pequeñas cantidades con diversos metales, le da dureza. Se emplea en la fabricación de materiales resistentes al fuego, esmaltes, vidrios, pinturas y cerámicas.

2. Los trabajadores expuestos a la inhalación de polvos, humos y vapores de antimonio y sus derivados (Metaloides), pueden contraer una Enfermedad Profesional (E.P.), causada por agentes químicos (Código 1B01) o una E.P. causada por inhalación de sustancias (Código 4J01), en las actividades o trabajos que a continuación se relacionan:

• Extracción de minerales que contienen antimonio y sus procesos de molienda, tamizado y concentrado. (Códigos 1B0101, 4J0101).

• Envasado del óxido de antimonio. (Códigos 1B0102, 4J0102).

• Soldadura con antimonio. (Códigos 1B0103, 4J0103).

• Fabricación de semiconductores. (Códigos 1B0104, 4J0104).

• Fabricación de placas para baterías y material para forrado de cables. (Códigos 1B0105, 4J0105).

• Fabricación de pinturas, barnices, cristal, cerámica (pentóxido de antimonio). (Códigos 1B0106, 4J0106).

• Fabricación de explosivos y de pigmentos para la industria del caucho (trisulfuro de antimonio). (Códigos 1B0107, 4J0107).

• Uso en la industria del caucho y farmacéutica (pentacloruro de antimonio). (Códigos 1B0108, 4J0108).

• Fabricación de colorantes y uso en cerámica (trifluoruro de antimonio). (Códigos 1B0109, 4J0109).

Por ello debe realizarse reconocimientos médicos previos y periódicos a dichos trabajadores, con la prohibición de no contratar a los calificados como no aptos para desempeñar los puestos de trabajo de que se trate.

— Artículo 243 LGSS, en relación con RDEP (Anexo I).

Véase: Metaloides. Semiconductores. Industria del vidrio. Fabricación de pinturas.

ANTIOXIDANTES

1. Sustancias o productos que evitan la oxidación. Un antioxidante es una molécula capaz de retardar o evitar la oxidación de otras moléculas. La oxidación es una reacción química de transferencia de electrones de una sustancia a un agente oxidante. Las reacciones de oxidación pueden producir radicales que comienzan reacciones en cadena que dañan las células.

2. Los trabajadores ocupados en las actividades económicas, y expuestos a los agentes o sustancias que a continuación se indican, pueden contraer una Enfermedad Profesional (E.P.):

a) Causada por agentes químicos:

• Fabricación de desinfectantes, tintes, productos farmacéuticos, perfumes, explosivos, potenciadores del sabor, resinas, antioxidantes, barnices, levaduras, productos fotográficos, caucho, plásticos, polímeros de alto peso molecular, plaguicidas, etc., donde se utilicen aldehídos. (Código 1G0104).

• Fabricación y utilización de derivados utilizados como aceleradores y como antioxidantes en la industria del caucho, donde se utilicen aminas e hidracinas. (Código 1I0102).

• El guayacol (epóxido) se utiliza, además, como anestésico local, antioxidante, expectorante y aromatizante de bebidas. (Código 1M0108).

b) Causada por agentes cancerígenos:

• Fabricación y utilización de derivados de aminas, utilizados como aceleradores y como antioxidantes en la industria del caucho, que pueden provocar la E.P.de cáncer versical. (Código 6O0102).

Por ello, debe realizarse reconocimientos médicos previos y periódicos a dichos trabajadores, con la prohibición de no contratar a los calificados como no aptos para desempeñar los puestos de trabajo de que se trate.

— Artículo 243 LGSS, en relación con RDEP (Anexo I).

Véase: Aceleradores. Sustancias oxidantes

ANTISÉPTICO

1. Sustancia que sirve para combatir o prevenir los padecimientos infecciosos destruyendo los microbios que los causan.

2. Los trabajadores ocupados en las actividades económicas, y expuestos a los agentes o sustancias que a continuación se indican, pueden contraer una Enfermedad Profesional (E.P.), causada por agentes químicos:

• Fabricación de ciertos desinfectantes, anestésicos, antisépticos y otros productos de la industria farmacéutica y química, donde se utilicen derivados halogenados. (Código 1H0205).

• Fabricación de repelente de polillas, insecticida, antiséptico (tópico y vía oral), antihelmíntico, donde se utilice naftaleno. (Código 1K0206).

Por ello, debe realizarse reconocimientos médicos previos y periódicos a dichos trabajadores, con la prohibición de no contratar a los calificados como no aptos para desempeñar los puestos de trabajo de que se trate.

— Artículo 243 LGSS, en relación con RDEP (Anexo I).

Véase: Sustancias infecciosas.

APARAMENTA

Equipo, aparato o material previsto para ser conectado a un circuito eléctrico con el fin de asegurar una o varias de las siguientes funciones: protección, control, seccionamiento, conexión.

— ITC-BT-01, del REBT.

Véase: Circuito eléctrico. Corriente eléctrica.

APARATOS ELEVADORES

1. Los montacargas de obra están constituidos por una plataforma que se desliza por una guía lateral rígida o por dos guías rígidas paralelas; en ambos casos, ancladas a la estructura de la construcción. Se utilizan para subir o bajar materiales, pudiendo detenerse la plataforma en las distintas plantas de la obra.

— Nota Técnica de Prevención n.º 255/1989. INSST.

2. Obras de construcción. En los puestos de trabajo en las obras en el exterior de los locales, y siempre que lo exijan las características de la obra o de la actividad; las circunstancias o cualquier riesgo, los aparaos elevadores deberán ser manejados por trabajadores cualificados que hayan recibido una formación adecuada.

— Anexo IV. Parte C.6. RDSSTOC.

— Artículo 208 CCGC.

3. La realización de los trabajos de estiba y desestiba de contenedores por parte de los estibadores, en situaciones excepcionales debidamente justificadas previamente por el empresario, en que el buque no dispone de pasarelas de trabajo, o estas no permiten el acceso en todas sus alturas, utilizando cestas acopladas a la grúa portacontenedores, requieren el cumplimiento de unos requisitos específicos en las características de las grúas, las cestas y en el modo de realizar la operativa específica.

— Nota Técnica de Prevención n.º 1083/2017. INSST.

4. Se aprecia infracción a la normativa de prevención de riesgos laborales y por ello se sanciona.

• Por caerse un montacargas por exceso de peso, habiendo quedado probado la ausencia de señalización y de prohibición de subir personas en las operaciones de pruebas de cargas, ni haber sido informados los trabajadores de los riesgos de utilizarlo.

— STSJ Cataluña 15.6.04.

Véase: Aparatos elevadores. Ascensores. Cadenas, cables y cinchas. Eslingas. Grúas: Aparatos para elevación de personas. Grúas móviles. Grúas pórtico. Grúas puente. Grúas torre. Grúas: Cestas para elevación de personas. Elevación: Accesorios.

APARATOS MEDIDORES

1. Aparatos que sirven para medir determinadas magnitudes físicas, y/o niveles químicos, como: anemómetros, dosímetros de radiación, etilómetros, luxómetros, psicómetros y sonómetros, etc.

2. Se ha declarado la invalidez de la prueba de alcoholemia practicada con etilómetro del que no consta en qué fecha fue objeto de la última revisión.

— SAP Cuenca 20.3.98.

> *Véase: Acelerómetro. Anemómetro. Dosímetros de radiación. Espirómetro. Etilómetro. Luxómetro. Termómetros. Psicómetro. Sonómetro. Revisión de aparatos medidores. Revisiones periódicas de seguridad.*

APARCAMIENTOS

1. Lugares o recintos destinados a aparcar vehículos.

2. Los trabajadores ocupados en las actividades económicas, y expuestos a los agentes o sustancias que a continuación se indican, pueden contraer una Enfermedad Profesional (E.P.), causada por agentes cancerígenos:

• Trabajadores de aparcamientos, que contengan hidrocarburos aromáticos, que pueden provocar la E.P. de lesiones premalignas de piel (Código 6J0119), y/o E.P. de carcinoma de células escamosas (Código 6J0219).

Por ello, debe realizarse reconocimientos médicos previos y periódicos a dichos trabajadores, con la prohibición de no contratar a los calificados como no aptos para desempeñar los puestos de trabajo de que se trate.

— Artículo 243 LGSS, en relación con RDEP (Anexo I).

> *Véase: Automóviles. Vehículos.*

ARCO ELÉCTRICO

Un arco eléctrico es una descarga disruptiva generada por la ionización de un medio gaseoso (por ejemplo, el aire) entre dos superficies o elementos a diferente potencial.

El arco eléctrico es un fenómeno caótico (es decir, no lineal y fuertemente dependiente de las condiciones iníciales), complejo (depende de muchos factores como el medio físico donde se produce, la intensidad de corriente o la forma y materiales de la instalación eléctrica en tensión) y que puede originarse, tanto por un fallo técnico como por un error humano (caída de herramientas, maniobra inadecuada, etc.).

El arco eléctrico es uno de los principales riesgos a los que se ven expuestos los trabajadores de instalaciones eléctricas. Cuando se produce un arco, se desencadena una fuerte liberación de energía y se producen muchos fenómenos diferentes.

— Nota Técnica de Prevención n.º 904/2011. INSST.

> *Véase: Cebado. Choque eléctrico. Circuito eléctrico. Corriente de contacto. Corriente de defecto. Corriente de puesta a tierra. Corriente eléctrica. Cortocircuito fusible. Electricistas. Industria eléctrica. Instalación eléctrica. Instalaciones de distribución de energía. Instalaciones de puesta a tierra. Interruptor automático. Riesgo eléctrico. Soldadura exotérmica. Zona de trabajos en tensión.*

ARMADOR

1. El propietario registrado de un buque, excepto cuando el buque sea fletado con cesión de la gestión náutica o sea gestionado, total o parcialmente, por una persona física o jurídica distinta del propietario registrado en virtud de un acuerdo de gestión; en este caso, se considerará que el armador es, según corresponda, el fletador a quien se ha cedido la gestión náutica del buque o la persona física o jurídica que efectúa la gestión del buque.

— Artículo 2.6 RDSSTBP.

2. El propietario de un buque o cualquier otra persona física o jurídica, por ejemplo el gestor naval o fletador con gestión náutica, en quien el armador delegue la responsabilidad de la explotación del buque y que, al asumir esta responsabilidad, acepta hacerse cargo de todos los deberes y responsabilidades correspondientes.

— Anexo. Cláusula 2.d RDOTTM.

3. El término armador designa al propietario del buque o a cualquier otra organización o persona, como puede ser el gestor naval o el fletador a casco desnudo, que asume del armador la responsabilidad por la explotación del buque y que, al hacerlo, acepta hacerse cargo de todos los deberes y responsabilidades correspondientes.

— Artículo 2 Convenio OIT 180, de 22 de octubre de 1996.

Véase: Empresario. Empresario principal. Empresario titular del centro de trabajo. Gente del mar. Trabajador del mar. Trabajos en navíos.

ARMARIOS
Véase: Locales de vestuarios.

ARROZALES
Véase: Trabajos en arrozales.

ARSÉNICO
1. Elemento químico tóxico, que se utiliza en electrónica y en la industria del vidrio, así como en la elaboración de plaguicidas y germicidas.

2. Los trabajadores expuestos al arsénico y sus compuestos, en las actividades económicas que a continuación se indican, pueden contraer una Enfermedad Profesional (E.P.), causada por agentes químicos:

• Minería del arsénico, fundición de cobre, producción y uso de pesticidas arsenicales, herbicidas e insecticidas, producción de vidrio. (Código 1A0101).

• Calcinación, fundición y refino de minerales arseníferos. (Código 1A0102).

• Fabricación y empleo de insecticidas y anticriptográmicos que contengan compuestos de arsénico. (Código 1A0103).

• Fabricación y empleo de colorantes y pinturas que contengan compuestos de arsénico. (Código 1A0104).

• Tratamiento de cueros y maderas con agentes de conservación a base de compuestos arsenicales. (Código 1A0105).

• Conservación de pieles, donde se utilice arsénico. (Código 1A0106).

• Pirotecnia, donde se utilice arsénico. .Código 1A0107).

• Procesos o procedimientos que impliquen el uso y/o desprendimiento de trihidruro de arsénico (hidrógeno arseniado/arsina/arsenamina). (Código 1A0108).

• Industria farmacéutica, donde se utilice arsénico. (Código 1A0109).

• Preparación del ácido sulfúrico partiendo de piritas arseníferas. (Código 1A0110).

• Empleo del anhídrido arsenioso en la fabricación del vidrio. (Código 1A0111).

• Fabricación de acero al silicio, donde se utilice arsénico. (Código 1A0112).

• Desincrustado de calderas, donde se utilice arsénico. (Código 1A0113).

• Decapado de metales, donde se utilice arsénico. (Código 1A0114).

• Limpieza de metales, donde se utilice arsénico. (Código 1A0115).

- Revestimiento electrolítico de metales, donde se utilice arsénico. (Código 1A0116).
- Industria de caucho, donde se utilice arsénico. (Código 1A0117).
- Fabricación y utilización de insecticidas, herbicidas y fungicidas, donde se utilice arsénico. (Código 1A0118).
- Industria de colorantes arsenicales, donde se utilice arsénico. (Código 1A0119).
- Aleación con otros metales (Pb). Refino de Cu, Pb, Zn, Co (presente como impureza), donde se utilice arsénico. (Código 1A0120).
- Producción de cobre, donde se utilice arsénico. (Código 1A0121).
- Industria de la madera: imprimación de madera con sales de arsénico, mecanización de maderas imprimadas con compuestos de arsénico. (Código 1A0122).
- Fabricación de vidrio: preparación y mezcla de la pasta, fusión y colada, manipulación de aditivos, donde se utilice arsénico. (Código 1A0123).
- Taxidermia, donde se utilice arsénico. (Código 1A0124).
- Restauradores de arte, donde se utilice arsénico. (Código 1A0125).
- Utilización de compuestos arsenicales en electrónica. (Código 1A0126).
- Fabricación de municiones y baterías de polarización, donde se utilice arsénico. (Código 1A0127).

Por ello, debe realizarse reconocimientos médicos previos y periódicos a dichos trabajadores, con la prohibición de no contratar a los calificados como no aptos para desempeñar los puestos de trabajo de que se trate.

— Artículo 243 LGSS, en relación con RDEP (Anexo I).

Véase: Industria del vidrio. Cristales. Plaguicidas. E.P. neoplasia de bronquio y pulmón. E.P. carcinoma epidemoide de piel. E.P. disqueratosis lenticular. E.P. angiosarcoma del hígado.

ARTISTAS
Véase: Actores.

ASBESTO
El término asbesto designa la forma fibrosa de los silicatos minerales pertenecientes a los grupos de rocas metamórficas de las serpentinas, es decir, el crisotilo (asbesto blanco), y de las anfibolitas, es decir, la actinolita, la amosita (asbesto pardo, cummingtonita-grunerita), la antofilita, la crocidolita (asbesto azul), la tremolita o cualquier mezcla que contenga uno o varios de estos minerales.

— Artículo 2 Convenio OIT 162, de 24 de junio de 1986.

Véase: Amianto.

ASCENSORES
1. Es todo aparato de elevación que sirva niveles específicos, con un habitáculo que se desplace siguiendo guías rígidas e inclinadas a un ángulo superior a quince grados sobre la horizontal o dispositivo de elevación que se desplace siguiendo un recorrido fijo, aunque no utilice para ello guías rígidas.

— Artículo 2 RDCA.

2. El presente real decreto se aplicará a los ascensores que se pongan en servicio de forma permanente en edificios y construcciones y están destinados al transporte:

• de personas,

• de personas y objetos,

• solo de objetos si el habitáculo es accesible, es decir, si una persona puede entrar en él sin dificultad, y si está provisto de mandos o elementos de accionamiento situados dentro del habitáculo o al alcance de una persona situada dentro del mismo.

— Artículo 2 RDCA.

Véase: Equipos de elevación de personas. Aparatos elevadores. Grúas: Aparatos para elevación de personas. Grúas: Cestas para la elevación de personas. Máquinas.

ASERRADO DE LA MADERA

1. Cortar o dividir la madera, con la sierra.

2. Los trabajadores ocupados en las actividades económicas, y expuestos a los agentes o sustancias que a continuación se indican, pueden contraer una Enfermedad Profesional (E.P.):

a) Causada por agentes químicos:

• Aserrado y mecanizado de madera tratada con compuestos de cromo. (Código 1A0403).

b) Causada por inhalación de sustancias y agentes no comprendidos en otros apartados:

• Industria de la madera: Aserraderos, acabados de madera, carpintería, ebanistería, fabricación y utilización de conglomerados de madera, donde los trabajadores estén expuestos a sustancias de alto peso molecular (de origen vegetal o animal), que pueden provocar alguna de las siguientes E.P: rinoconjuntivitis (Código 4H0122), asma (Código 4H0222), alveolitis alérgica extrínseca (Código 4H0322), síndrome de disfunción reactivo de la vía aérea (Código 4H0422), fibrosis intersticial difusa (Código 4H0522), bisinosis, cannabiosis, linnosis, bagazosis, estipatosis, suberosis (Código 4H0622), y neumopatía intersticial difusa (Código 4H0722).

• Industria de la madera: Aserraderos, acabados de madera, carpintería, ebanistería, fabricación y utilización de conglomerados de madera, donde los trabajadores estén expuestos a sustancias de bajo peso molecular (metales, sustancias químicas, etc.), que pueden provocar alguna de las siguientes E.P: rinoconjuntivitis (Código 4I0115), urticaria (Código 4I0215), angiodemas (Código 4I0215), asma (Código 4I0315), alveolitis alérgica extrínseca (Código 4I0415), síndrome de disfunción de la vía reactiva (Código 4I0515), fibrosis intersticial difusa (Código 4I0615), fiebre de los metales (Código 4I0715), y neumopatía intersticial difusa (Código 4I0815).

c) E.P. de la piel, causada por sustancias y agentes no comprendidos en alguno de los otros apartados:

• Industria de la madera: Aserraderos, acabados de madera, carpintería, ebanistería, fabricación y utilización de conglomerados de madera, donde los trabajadores estén expuestos a sustancias de bajo peso molecular (metales, sustancias químicas, etc.), que pueden provocar una E.P. de la piel, causada por sustancias de bajo peso molecular. (Código 5A0115).

• Industria de la madera: Aserraderos, acabados de madera, carpintería, ebanistería, fabricación y utilización de conglomerados de madera, donde los trabajadores estén expuestos a sustancias de alto peso molecular (de origen vegetal o animal), que pueden provocar una E.P. de la piel, causada por sustancias de alto peso molecular. (Código 5B0122).

d) Causada por agentes cancerígenos:

• Aserrado y mecanizado de madera tratada con compuestos de cromo, que puede provocar la E.P. de neoplasia maligna de cavidad nasal. (Código 6I0103).

• Aserrado y mecanizado de madera tratada con compuestos de cromo, que puede provocar la E.P. de neoplasia de bronquio y pulmón. (Código 6I0203).

• Trabajos en aserraderos, donde se produzca polvo de madera dura, que puede provocar la E.P. de neoplasia maligna de cavidad nasal. (Código 6L0103).

Por ello, debe realizarse reconocimientos médicos previos y periódicos a dichos trabajadores, con la prohibición de no contratar a los calificados como no aptos para desempeñar los puestos de trabajo de que se trate.

— Artículo 243 LGSS, en relación con RDEP (Anexo I).

Véase: Industria de la madera. Polvo de madera dura. Carpinterías. Carpinteros. Ebanistería. Parquet.

ASFALTO

1. Sustancia de color negro que procede de la destilación del petróleo crudo, se encuentra en grandes depósitos naturales, y se utiliza para pavimentar carreteras y como revestimiento impermeable de muros y tejados.

2. Los trabajadores ocupados en las actividades económicas, y expuestos a los agentes o sustancias que a continuación se indican, pueden contraer una Enfermedad Profesional (E.P.), causada por agentes cancerígenos:

• Fabricación de pigmentos, deshollinado de chimeneas, pavimentación de carreteras, aislamientos, donde se utilicen hidrocarburos aromáticos, que pueden provocar la E.P. de lesiones premalignas de piel (Código 6J0101), y/o E.P. de carcinoma de células escamosas (Código 6J0201).

• Fabricación de tela asfáltica, donde se utilicen hidrocarburos aromáticos, que pueden provocar la E.P. de lesiones premalignas de piel (Código 6J0105) y/o E.P. de carcinoma de células escamosas (Código 6J0205).

• Producción, transporte y almacenamiento de productos de asfalto, que contengan hidrocarburos aromáticos, que pueden provocar la E.P. de lesiones premalignas de piel (Código 6J0110) y/o E.P. de carcinoma de células escamosas (Código 6J0210).

• Trabajos de pavimentación, donde se utilicen hidrocarburos aromáticos, que pueden provocar la E.P. de lesiones premalignas de piel (Código 6J0112) y/o E.P. de carcinoma de células escamosas (Código 6J0212).

• Trabajos de eliminación de suelos asfaltados, que contengan hidrocarburos aromáticos, que pueden provocar la E.P. de lesiones premalignas de piel (Código 6J0113) y/o E.P. de carcinoma de células escamosas (Código 6J0213).

Por ello, debe realizarse reconocimientos médicos previos y periódicos a dichos trabajadores, con la prohibición de no contratar a los calificados como no aptos para desempeñar los puestos de trabajo de que se trate.

— Artículo 243 LGSS, en relación con RDEP (Anexo I).

Véase: Petróleo. Destilación. Obras públicas.

ASMA LABORAL

1. El asma es una enfermedad caracterizada por el estrechamiento reversible de los bronquios debido al aumento de la reactividad bronquial frente a diversos estímulos que producen inflamación. Durante un ataque de asma, los músculos lisos de los bronquios producen un espasmo y los tejidos que revisten las vías aéreas se inflaman segregando mucosidad. Este hecho reduce el diámetro de los bronquios (broncoconstricción) dificultándose así la respiración. El desencadenante de estos efectos es la liberación, por parte de mastocitos y eosinófilos, de sustancias tales como la histamina y los leucotrienos. La liberación de estas sustancias se produce como consecuencia del estímulo provocado por determinados agentes extraños, los alérgenos, entre los que se pueden distinguir el polen o las sustancias de alto peso molecular de origen biológico.

Esta respuesta también es propiciada por otros factores como pueden ser la inhalación de sustancias irritantes, el estrés, la ansiedad, respirar aire frío o hacer ejercicio.

Los síntomas más característicos del asma son los siguientes: tos, sibilancias, opresión torácica, dificultad en la respiración.

— Notas Técnicas de Prevención n.º 191/1988. 327/1993. 802/2008. INSST.

2. Entre otras actividades, se puede contraer el asma en granjas por la acción del polvo de los cereales, en la industria alimentaria por la acción de las harinas, de los ácaros de los cereales, de los hongos, esporas, etc.

— Nota Técnica de Prevención n.º 802/2008. INSST.

Véase: Ácaros. Agentes biológicos. Hongos. Bacterias. Endotoxinas. Peptidoglicanos. Glucanos. Micotoxinas. Alérgenos. Enfermedades respiratorias. Rinitis. E.P. neumonitis por hipersensibilidad. Síndrome toxico.

ASUNCIÓN DE LA PREVENCIÓN POR EL EMPRESARIO

El empresario podrá desarrollar personalmente la actividad de prevención, con excepción de las actividades relativas a la vigilancia de la salud de los trabajadores, cuando concurran las siguientes circunstancias:

• Que se trate de empresa de hasta diez trabajadores; o que, tratándose de empresa que ocupe hasta veinticinco trabajadores, disponga de un único centro de trabajo.

• Que las actividades desarrolladas en la empresa no estén incluidas en el Anexo I del RSP.

• Que desarrolle de forma habitual su actividad profesional en el centro de trabajo.

• Que tenga la capacidad correspondiente a las funciones preventivas que va a desarrollar, de acuerdo con lo establecido en el capítulo VI del RSP.

— Artículo 30.5 LPRL.

— Artículo 11 RSP.

Véase: Sistemas de Prevención. Designación de trabajadores. Servicios de Prevención ajenos. Servicios de Prevención propios. Servicios de Prevención mancomunados. Auditorias de prevención.

ATAGUÍAS

1. Macizos de tierra arcillosa u otro material impermeable, para atajar el paso del agua durante la construcción de una obra hidráulica.

2. En el exterior de las obras de construcción. Las ataguías deberán estar bien construidas, con materiales apropiados y sólidos, con una resistencia suficiente, y provistas de un equipamiento adecuado para que los trabajadores puedan ponerse a salvo en caso de irrupción de agua y de materiales.

La construcción, el montaje, la transformación o el desmontaje de una ataguía deberá realizarse únicamente bajo la vigilancia de una persona competente. Asimismo, las ataguías deberán ser inspeccionadas por una persona competente a intervalos regulares.

— Anexo IV. Parte C.12 RDSSTOC.

Véase: Recurso preventivo. Evaluaciones de riesgos. Controles periódicos.

ATMÓSFERAS EXPLOSIVAS

1. La mezcla con el aire, en condiciones atmosféricas, de sustancias inflamables en forma de gases, vapores, nieblas o polvos, en la que, tras una ignición, la combustión se propaga a la totalidad de la mezcla no quemada.

— Artículo 2 RDSSTAE.

2. Ha ve evitarse que el trabajador se cargue electrostáticamente y pueda transportar potenciales peligrosos a zonas de riesgo de incendio o explosión, porque las propiedades dieléctricas de la piel humana pueden provocar descargas con energías de activación suficientes para provocarlo.

En los trabajos con atmosferas explosivas los trabajadores deben utilizar calzado y guantes específicos para evitar este riesgo.

— Notas Técnicas de Prevención n.º 876, 887/2010. INSST.

3. Existe riesgo de explosión en las fábricas de aceite de girasol que empleen hexano, altamente tóxico e inflamable.

— STS 4.4.00.

Véase: Industrias de explosivos. Sustancias explosivas. Pirotecnia. Municiones.

ATRACO

1. El atraco o robo con intimidación que pueden sufrir las oficinas bancarias es un riesgo laboral y como tal, ha de formar parte de la evaluación de riesgos y de inclusión en el contenido de la formación en materia preventiva que deben recibir todos los trabajadores.

— STS 25.6.08.

2. Actuaciones de la Inspección de Trabajo, en relación con el riesgo laboral de atraco.

— CTIT n.º 87/2011, de 9 de febrero.

Véase: Riesgo. Riesgo laboral. Violencia laboral. Acoso. Acoso psicológico en el trabajo.

AUDIOMETRÍA

Prueba médica para determinar cuantitativamente y cualitativamente el grado de adición de una persona.

— Notas Técnicas de Prevención n.º 85/1983. 136/1985. INSST.

Véase: Ruido. Sonómetro. Protectores auditivos. Epi contra el ruido. E.P. hipoacusia.

AUDITORÍAS DE PREVENCIÓN

1. Las auditorías de gestión de la prevención evalúan de forma sistemática los métodos de gestión, organización y ejecución de las medidas para la mejora de las condiciones de trabajo en la empresa. Su objetivo general es determinar tanto la eficacia de los métodos empleados por las empresas, como la idoneidad de las medidas concretas adoptadas.

— Nota Técnica de Prevención n.º 308/1993. INSST.

2. El empresario que no hubiere concertado el Servicio de Prevención con una entidad especializada ajena a la empresa deberá someter su sistema de prevención al control de una auditoría o evaluación externa.

Las personas o entidades especializadas que pretendan desarrollar la actividad de auditoría del Sistema de Prevención habrán de contar con una única autorización de la Autoridad Laboral, que tendrá validez en todo el territorio español. El vencimiento del plazo máximo del procedimiento de autorización sin haberse notificado resolución expresa al interesado permitirá entender desestimada la solicitud por silencio administrativo, con el objeto de garantizar una adecuada protección de los trabajadores.

— Artículo 30.6, 7 LPRL.

— Artículos 29 a 33 RSP.

3. No someter, en los términos reglamentariamente establecidos, el Sistema de Prevención de la empresa al control de una auditoría o evaluación externa cuando no se hubiera concertado el Servicio de Prevención con una entidad especializada ajena a la empresa, constituye una infracción grave en materia de prevención de riesgos laborales que lleva aparejada una sanción económica de 2.046 euros a 40.985 euros.

— Artículos 12.20 y 40.2.b LISOS.

4. Incumplir las obligaciones derivadas de actividades correspondientes a las personas o entidades que desarrollen la actividad de auditoría del Sistema de Prevención de las empresas, de acuerdo con la normativa aplicable, constituye una infracción grave en materia de prevención de riesgos laborales que lleva aparejada una sanción económica de 2.046 euros a 40.985 euros.

— Artículos 12.25 y 40.2 LISOS.

5. Ejercer sus actividades las entidades especializadas que actúen como Servicios de Prevención ajenos a las empresas, las personas o entidades que desarrollen la actividad de auditoría del Sistema de Prevención de las empresas o las que desarrollen y certifiquen la formación en materia de prevención de riesgos laborales, sin contar con la preceptiva acreditación o autorización, cuando ésta hubiera sido suspendida o extinguida, cuando hubiera caducado la autorización provisional, así como cuando se excedan en su actuación del alcance de la misma, constituye una infracción muy grave en materia de prevención de riesgos laborales que lleva aparejada una sanción económica de 40.986 euros a 819.780 euros y la publicación de infracción.

— Artículos 13.11 y 40.2.c LISOS.

6. Mantener las entidades especializadas que actúen como servicios de prevención ajenos a las empresas o las personas o entidades que desarrollen la actividad de auditoría del sistema de prevención de las empresas, vinculaciones comerciales, financieras o de cualquier otro tipo, con las empresas auditadas o concertadas, distintas a las propias de su actuación como tales, así como certificar, las entidades que desarrollen o certifiquen la formación preventiva, actividades no desarrolladas en su totalidad, constituye una infracción muy grave en materia de prevención de riesgos laborales que lleva aparejada una sanción económica de 40.986 euros a 819.780 euros y la publicación de infracción.

— Artículos 13.12 y 40.2.c LISOS.

7. La alteración o el falseamiento, por las personas o entidades que desarrollen la actividad de auditoría del sistema de prevención de las empresas, del contenido del informe de la empresa auditada, constituye una infracción muy grave en materia de prevención de riesgos laborales que lleva aparejada una sanción económica de 40.986 euros a 819.780 euros y la publicación de infracción.

— Artículos 13.13 y 40.2.c LISOS.

8. Las auditorias en la Administración General del Estado las realiza el INSST.

— Artículo 10 RDPAGE.

> *Véase: Sistemas de Prevención. Asunción de la prevención por el empresario. Designación de trabajadores. Servicios de Prevención ajenos. Servicios de Prevención mancomunados. Servicio de Prevención propio.*

AUTOMÓVILES

1. Vehículos que pueden ser guiados para marchar por una vía ordinaria sin necesidad de carriles y llevan un motor, generalmente de combustión interna o eléctrico, que los propulsa.

2. Los trabajadores ocupados en las actividades económicas, y expuestos a los agentes o sustancias que a continuación se indican, pueden contraer una Enfermedad Profesional (E.P.):

a) Causada por inhalación se sustancias y agentes no comprendidos en otros apartados:

• Aplicación de amianto a pistola (chimeneas, fondos de automóviles y vagones), con exposición a la inhalación de polvos de amianto (asbesto), que pueden provocar asbestosis. (Código 4C0104).

• Aplicación de amianto a pistola (chimeneas, fondos de automóviles y vagones), con exposición a la inhalación de polvos de amianto (asbesto), que pueden provocar afecciones fibrosantes de la pleura y pericardio. (Código 4C0204).

b) Causada por agentes cancerígenos:

• Aplicación de amianto a pistola (chimeneas, fondos de automóviles y vagones), que puede provocar alguna de las siguientes E.P (cánceres): neoplasia maligna de bronquio y pulmón (Código 6A0105), mesotelioma (Código 6A0205), mesotelioma de pleura (Código 6A0305), mesotelioma de peritoneo (Código 6A0405), mesotelioma de otras localizaciones (Código 6A0505) y cáncer de laringe (Código 6A0605).

Por ello, debe realizarse reconocimientos médicos previos y periódicos a dichos trabajadores, con la prohibición de no contratar a los calificados como no aptos para desempeñar los puestos de trabajo de que se trate.

— Artículo 243 LGSS, en relación con RDEP (Anexo I).

Véase: Conducción. Conducción en equipo. Conductor. Vehículos. Vehículos eléctricos híbridos. Conductores de automóviles. Transporte por carretera. Transporte de mercancías. Transporte de mercancías peligrosas. Transporte de materias radiactivas. Transporte de animales. Tractores. Remolques.

AUTORIDAD LABORAL

1. La Autoridad laboral es el órgano donde reside, entre otros, la potestad sancionadora de la administración laboral.

2. La Autoridad laboral puede ser de carácter estatal y de carácter autonómico, dependiendo que la materia haya sido descentralizada o no.

3. La Autoridad laboral de carácter estatal es la referente a las materias de:

- Seguridad Social.
- Medidas de fomento de empleo de carácter estatal.
- Desempleo.
- Mutuas de Accidentes de Trabajo y Enfermedades Profesionales.
- Extranjeros.
- Alta inspección, sobre la actuación administrativa autonómica.

4. La Autoridad laboral de carácter autonómico es la referente a las materias de:

- Prevención de riesgos laborales.
- Trabajo de menores.
- Aperturas de centros de trabajo.
- Comedores y economatos.
- Jornadas y horarios de trabajo.
- Convenios colectivos.
- Expedientes de regulación de empleo.
- Huelgas y cierres laborales.
- Mediación, arbitraje y conciliación.
- Autorización de ETT.
- Elecciones sindicales.
- Cooperativas y Sociedades Laborales.
- Medidas de fomento de empleo de carácter autonómico.

Véase: Inspección de Trabajo.

AUTORIZACIÓN

Permiso concedido por la autoridad competente de forma documental, previa solicitud, o establecido por la legislación española, para ejercer una práctica en la cual está implicada una fuente.

— Artículo 2 RDFRE.

Véase: Homologación. Homologación: Autoridades. Homologación: Obligaciones de los Estados. Marcado CE. Certificación. Normalización. Norma normalizada. Zonas peligrosas.

AUTORIZACIONES PARA REALIZAR TRABAJOS ESPECIALES

1. Tienen por objetivo garantizar que determinados trabajos que puedan generar riesgos de accidente con consecuencias graves, debido a la intervención en instalaciones o ámbitos peligrosos, se realizan bajo condiciones controladas. Se consideran trabajos especiales:

• Las operaciones con generación de calor, producción de chispas, llamas o elevadas temperaturas en proximidad de polvos, líquidos o gases inflamables o en recipientes que contengan o hayan contenido tales productos. Por ejemplo: soldadura y oxicorte, emplomado, esmerilado, taladrado, etc.

• Las operaciones que normalmente se realizan sin generar calor pero que se efectúan en instalaciones por las que circulan o en las que se almacenan fluidos peligrosos. Comprenden trabajos tales como: reparaciones en las bombas de trasvase de líquidos corrosivos, sustitución de tuberías, etc.

• Trabajos en espacios confinados. Comprenden todas las operaciones en el interior de depósitos, cisternas, fosos y en general todos aquellos espacios confinados en los que la atmósfera pueda no ser respirable o convertirse en irrespirable a raíz del propio trabajo, por falta de oxígeno o por contaminación por productos tóxicos.

• Trabajos eléctricos. Están constituidos por todo tipo de trabajos eléctricos o no, que hayan de realizarse sobre o en las proximidades de instalaciones o equipos eléctricos energizados.

• Otros trabajos especiales. Trabajos que por sus especiales características puedan suponer riesgos importantes a personas o a la propiedad, y por ello requieran de autorización. En principio, cualquier lugar de trabajo peligroso debería requerir que para intervenir en él, se dispusiera de autorización, pudiendo tener su acceso incluso limitado a cualquier persona ajena, distinta de las autorizadas.

Para los trabajos de mantenimiento y reparación de máquinas en los que se requiera una previa utilización de los dispositivos de consignación para el enclavamiento de las fuentes de energía, sería conveniente disponer de un procedimiento específico diferente de la autorización. A su vez también debería existir procedimiento específico para limitar el acceso de personal foráneo a áreas peligros.

— Notas Técnicas de Prevención n.º 30/1982. 562/2000. INSST.

Véase: Autorización. Trabajos con riesgos especiales. Zonas peligrosas. Trabajos peligrosos.

AVICULTORES

1. Personas que se dedican a la cría de aves.

2. Los trabajadores ocupados en las actividades económicas, y expuestos a los agentes o sustancias que a continuación se indican, pueden contraer una Enfermedad Profesional (E.P.):

a) Causada por agentes biológicos:

• Avicultores, que pueden contraer una E.P. infecciosa transmitida por animales (o por sus productos y cadáveres). (Código 3B0117).

b) Causada por la inhalación de sustancias y agentes no comprendidos en otros apartados:

• Trabajos en avicultura, donde los trabajadores estén expuestos a sustancias de alto peso molecular (de origen vegetal o animal), que pueden provocar alguna de las siguientes E.P: rinoconjuntivitis (Código 4H0114), asma (Código 4H0214), alveolitis alérgica extrínseca (Código 4H0314), síndrome de disfunción reactivo de la vía aérea (Código 4H0414), fibrosis intersticial difusa (Código 4H0514), bisinosis, cannabiosis, linnosis, bagazosis, estipatosis, suberosis (Códigos 4H0614), y neumopatía intersticial difusa (Código 4H0714).

c) E.P. de la piel, causada por sustancias y agentes no comprendidos en alguno de los otros apartados:

• Trabajos en avicultura, donde los trabajadores estén expuestos a sustancias de alto peso molecular (de origen vegetal o animal), que pueden provocar una E.P. de la piel, causada por sustancias de alto peso molecular. (Código 5B0114).

Por ello, debe realizarse reconocimientos médicos previos y periódicos a dichos trabajadores, con la prohibición de no contratar a los calificados como no aptos para desempeñar los puestos de trabajo de que se trate.

— Artículo 243 LGSS, en relación con RDEP (Anexo I).

Véase: Ganaderos. Granjas. Granjeros. Granjas de ganado vacuno. Curtidores. Curtidos. Carniceros. Matarifes. Mataderos. Pastores. Trabajos con animales. Comercio de animales. Veterinarios. Entomólogos. Zoonosis. Zoológicos. Transporte de animales.

AVIONES

1. Aeronaves más pesadas que el aire, provistas de alas, cuya sustentación y avance son consecuencia de la acción de uno o varios motores.

2. Los trabajadores ocupados en las actividades económicas, y expuestos a los agentes o sustancias que a continuación se indican, pueden contraer una Enfermedad Profesional (E.P.), causada por agentes físicos:

• Deficiencia mantenida de los sistemas de presurización durante vuelos de gran altitud, que pueden producir una E.P. provocada por compresión o descompresión atmosférica. (Código 2H0103).

Por ello, debe realizarse reconocimientos médicos previos y periódicos a dichos trabajadores, con la prohibición de no contratar a los calificados como no aptos para desempeñar los puestos de trabajo de que se trate.

— Artículo 243 LGSS, en relación con RDEP (Anexo I).

Véase: Aviones. Tráfico aéreo. Trabajadores de tráfico aéreo. Presurizar. Trabajadores aéreos. Trabajadores de aeropuertos. Motores de aviación. Motores reactores.

AZOGADO DE ESPEJOS

1. Cristal recubierto en una de sus caras con mercurio o con alguna de sus amalgamas (sobre todo la de estaño).

2. Los trabajadores ocupados en las actividades económicas, y expuestos a los agentes o sustancias que a continuación se indican, pueden contraer una Enfermedad Profesional (E.P.), causada por agentes químicos:

• Utilización del acetaldehído en la fabricación del vinagre y en el azogado de espejos. (Código 1G0110).

Por ello, debe realizarse reconocimientos médicos previos y periódicos a dichos trabajadores, con la prohibición de no contratar a los calificados como no aptos para desempeñar los puestos de trabajo de que se trate.

— Artículo 243 LGSS, en relación con RDEP (Anexo I).

Véase: Espejos. Cristales. Industria del vidrio. Pulidores. Abrasivos. Aluminio. Arsénico. Mercurio.

AZÚCAR

1. Sustancia cristalina perteneciente al grupo químico de los hidratos de carbono, de sabor dulce y de color blanco en estado puro, soluble en el agua, que se obtiene de la caña dulce, de la remolacha y de otros vegetales.

2. Los trabajadores ocupados en las actividades económicas, y expuestos a los agentes o sustancias que a continuación se indican, pueden contraer una Enfermedad Profesional (E.P.), causada por agentes químicos:

• Refinerías de azúcar, donde se utilice ácido sulfhídrico. Código 1D0311).

Por ello, debe realizarse reconocimientos médicos previos y periódicos a dichos trabajadores, con la prohibición de no contratar a los calificados como no aptos para desempeñar los puestos de trabajo de que se trate.

— Artículo 243 LGSS, en relación con RDEP (Anexo I).

Véase: Alimentación. Agricultura.

AZUFRE

1. Elemento químico de color amarillo y olor intenso característico, muy abundante en la corteza terrestre, donde se encuentra nativo o en forma de sulfuros como la pirita o de sulfatos como el yeso, y que tiene usos industriales y farmacéuticos.

2. Los trabajadores expuestos al azufre (Código 1D02), pueden contraer una Enfermedad Profesional (E.P.), causada por agentes químicos, en las actividades o trabajos que a continuación se relacionan:

• Refino de minerales ricos en azufre, donde se utilice anhídrido sulfuroso. (Código 1D0202).
• Procesos en que interviene la combustión de carbones ricos en azufre, donde se utilice anhídrido sulfuroso. (Código 1D0203).
• Combustión del azufre (carburantes fósiles) y refinerías de minerales metálicos, donde se utilice dióxido de azufre. (Código 1D0211).
• Extracción del azufre, donde se utilice sulfuro de carbono. (Código 1U0110).

Por ello, debe realizarse reconocimientos médicos previos y periódicos a dichos trabajadores, con la prohibición de no contratar a los calificados como no aptos para desempeñar los puestos de trabajo de que se trate.

— Artículo 243 LGSS, en relación con RDEP (Anexo I).

Véase: Anhídrido sulfuroso. Dióxido de azufre. Níquel. Vulcanización. Pirita.

B

BACTERIAS

1. Son organismos más complejos que los virus y a diferencia de ellos son capaces de vivir, en un medio adecuado, sin la necesidad de un huésped para completar su desarrollo. De todos modos un buen número de ellos son patógenos para el hombre.

Es de destacar la capacidad de elaborar esporas que presentan algunas bacterias. Las esporas no son más que formas de vida resistentes a condiciones adversas. Pueden resistir, durante años incluso, altas temperaturas, sequedad, falta de nutrientes, etc., recuperando su estado normal y capacidad infectiva al entrar en contacto con un medio adecuado para su desarrollo.

— Nota Técnica de Prevención n.º 203/1988. INSST.

2. Microorganismo celular que se reproduce por escisión. Organismos unicelulares vivos. Visibles únicamente al microscopio. Se encuentran en todas partes, tierra, mar, aire, cuerpo humano, etc. Algunas son inocuas, otras beneficiosas para el cuerpo humano, pero otras pueden causar enfermedades infeccionas como, tuberculosis, cólera, tifus, sífilis, lepra, etc. Las enfermedades bacterianas se tratan con antibióticos.

En la industria se utilizan bacterias para el tratamiento de aguas residuales, en la elaboración de queso, mantequilla, yogur, vinagre, medicamentos, etc.

— Nota Técnica de Prevención n.º 335/1994. INSST.

3. Los hongos y las bacterias termófilas son una reconocida fuente de alérgenos que tienen un papel importante en el desarrollo de las neumonitis hipersensitivas.

Entre las bacterias termófilas destacan: Saccharopolyspora rectivirgula o Thermoactinomyces vulgaris. La mayor parte de las bacterias no son alérgenos excesivamente potentes, a excepción de las bacterias termófilas. Los componentes de las paredes bacterianas, tanto de las bacterias Gram negativo como de las Gram positivo, sí tienen propiedades pro inflamatorias que pueden inducir síntomas respiratorios.

— Nota Técnica de Prevención n.º 802/2008. INSST.

4. Método para el recuento de bacterias y hongos en aire.

— Nota Técnica de Prevención n.º 299/1993. INSST.

Véase: Sustancias bactericidas. Hongos. Ácido propiónico. Agentes biológicos. Hongos. Endotoxinas. Peptidoglicanos. Glucanos. Micotoxinas. Alergia. Alérgenos. Microorganismo. Virus. Vacunación. Glutaraldehído. Enfermedades respiratorias. Asma laboral. Rinitis. E.P. neumonitis por hipersensibilidad. Síndrome toxico. Enfermedades infecciosas.

BAÑERAS

1. Recipiente hondo y alargado con espacio suficiente para que una persona pueda bañarse en él tendida o sentada. En un camión, volquete.

2. Los trabajadores ocupados en las actividades económicas, y expuestos a los agentes o sustancias que a continuación se indican, pueden contraer una Enfermedad Profesional (E.P.), causada por agentes químicos:

• Fabricación de piscinas, yates, bañeras, carrocerías de automóviles, donde se utilice vinilbenceno (estireno y divinilbenceno). (Código 1K0405).

Por ello, debe realizarse reconocimientos médicos previos y periódicos a dichos trabajadores, con la prohibición de no contratar a los calificados como no aptos para desempeñar los puestos de trabajo de que se trate.

— Artículo 243 LGSS, en relación con RDEP (Anexo I).

Véase: Carrocerías. Aguas: Tratamiento. Depuración. Piscinas. Yates.

BAQUELITA

1. Resina sintética que tiene mucho uso en la industria, especialmente en la preparación de barnices y lacas y en la fabricación de productos moldeados.

2. Los trabajadores expuestos a la baquelita, pueden contraer una Enfermedad Profesional (E.P.), causada por agentes químicos, en las actividades o trabajos que a continuación se relacionan:

• <u>Fabricación de baquelita poliepóxido y policarbonatos, donde se utilicen fenoles</u>. (Código 1F0202).

Por ello, debe realizarse reconocimientos médicos previos y periódicos a dichos trabajadores, con la prohibición de no contratar a los calificados como no aptos para desempeñar los puestos de trabajo de que se trate.

— Artículo 243 LGSS, en relación con RDEP (Anexo I).

Véase: Fabricación de resinas. Barnices. Lacas.

BARANDILLAS

1. Las aberturas o desniveles que supongan un riesgo de caída de personas se protegerán mediante barandillas u otros sistemas de protección de seguridad equivalente, que podrán tener partes móviles cuando sea necesario disponer de acceso a la abertura. Las barandillas serán de materiales rígidos, tendrán una altura mínima de 90 centímetros y dispondrán de una protección que impida el paso o deslizamiento por debajo de las mismas o la caída de objetos sobre personas.

— Anexo I. Parte A.3 RDSSLT.

2. En obras de construcción. Barandilla: Es la barra superior, sin asperezas, destinada a poder proporcionar sujeción utilizando la mano. El material será madera o hierro situado a 90 cm del suelo y su resistencia será de 150 Kg por metro lineal.

Barra horizontal o listón intermedio: Es el elemento situado entre el plinto y la barandilla, asegurando una protección suplementaria tendente a evitar que pase el cuerpo de una persona. Plinto o rodapié: Es un elemento apoyado sobre el suelo que impide la caída de objetos. Estará formado por un elemento plano y resistente (una tabla de madera puede ser utilizada) de una altura entre los 15 y 30 cm. El rodapié no solamente sirve para impedir que el pie de las personas que resbalen pase por debajo de la barandilla y listón intermedio, sino también para evitar permanentemente la caída de materiales y herramientas.

Montante: Es el elemento vertical que permite el anclaje del conjunto guardacuerpo al borde de la abertura a proteger. En él se fijan la barandilla, el listón intermedio y el plinto, por ello en montante debe estar fijado fuertemente al forjado.

— Nota Técnica de Prevención n.º 123/1985. INSST.

— Artículo 181 CCGC.

Véase: Aberturas en los suelos. Plataformas de trabajo. Andamios. Plataformas suspendidas. Góndolas. Desniveles. Pasarelas. Torres de acceso. Torres de trabajo móviles. Muelles de carga y descarga. Caída de objetos. Caída de personas. Redes de seguridad.

BARCOS

Véase: Navíos.

BARNICES

1. Disolución de una o más sustancias resinosas en un líquido que, al aire, se volatiliza o se deseca, y que se aplica a las pinturas, maderas y otras cosas con objeto de preservarlas de la acción de la atmósfera, el sol y otros agentes externos. Baño que se da en crudo al barro, a la loza y a la porcelana, y que se vitrifica con la cocción.

2. Los trabajadores ocupados en las actividades económicas, y expuestos a los agentes o sustancias que a continuación se indican, pueden contraer una Enfermedad Profesional (E.P.):

a) Causada por agentes químicos:

• Aplicación por proyección de pinturas y barnices que contengan cadmio. (Código 1A0313).

• Barnizado y esmaltado de cerámica, que contengan cadmio. (Código 1A0314).

• Aplicación por proyección de pinturas y barnices que contengan cromo. (Código 1A0404).

• Aplicación por proyección de pinturas y barnices que contengan níquel. (Código 1A0813).

• Fabricación y aplicación de pinturas, lacas, barnices o tintas a base de compuestos de plomo. (Código 1A0910).

• Fabricación de pinturas, barnices, cristal, cerámica (pentóxido de antimonio), donde se utilice antimonio, que pueden provocar una E.P., causada por la inhalación de polvos, humos y vapores de antimonio. (Código 1B0106).

• Producción de abonos orgánicos, explosivos, nitrocelulosa, seda artificial y cuero sintético, barnices, lacas, colorantes y colodium, donde se utilice ácido nítrico. (Código 1D0102).

• Disolvente de barnices y pinturas, donde se utilice ácido acético. (Código 1E0121).

• Fabricación y utilización de disolventes o diluyentes para los colorantes, pinturas, lacas, barnices, resinas naturales y sintéticos, desengrasantes y quitamanchas. (Código 1F0104).

• Fabricación y utilización de barnices y capas aislantes para la industria eléctrica (diacetona-alcohol acetona), donde se utilice alcohol. (Código 1F0105).

• Fabricación de desinfectantes, tintes, productos farmacéuticos, perfumes, explosivos, potenciadores del sabor, resinas, antioxidantes, barnices, levaduras, productos fotográficos, caucho, plásticos, polímeros de alto peso molecular, plaguicidas, etc. (Código 1G0104).

• Fabricación y utilización de pinturas, disolventes, decapantes, barnices, látex, etc., donde se utilicen derivados halogenados. (Código 1H0206).

• Uso del naftaleno en fungicidas, bronceadores sintéticos, conservantes, textiles, químicos, materia prima y producto intermedio en industria del plástico y en la fabricación de lacas y barnices. (Código 1K0207).

• Operaciones de disolución de resinas naturales o sintéticas para la preparación de colas, adhesivos, lacas, barnices, esmaltes, masillas, tintas, diluyentes de pinturas y productos de limpieza, donde se utilice xileno o tolueno. (Código 1K0303).

• Empleo de barnices, pinturas, esmaltes, adhesivos, lacas y masillas, que contengan cetonas. (Código 1L0111).

• La epiclorhidrina (Epóxido) se utiliza además, como insecticida, fumigante y disolvente de pinturas, barnices, esmaltes y lacas. Producción de resinas de alta resistencia a la humedad en la industria papelera. (Código 1M0106).

• Fabricación de pinturas, barnices, tintes, donde se utilicen ésteres orgánicos. (Código 1N0107).

• Disolventes y codisolventes de lacas, resinas, pigmentos, tintes, esmaltes, barnices, perfumes, aceites, acetato de celulosa y nitrato de celulosa, que contengan éteres. (Código 1O0101).

• Fabricación y utilización de disolventes y decapantes para las pinturas y barnices, donde se utilicen éteres. (Código 1O0117).

• Utilización de glicoles en la industria química como productos intermedios en numerosas síntesis orgánicas, como disolventes de lacas, resinas, barnices celulósicos de secado rápido, de ciertas pinturas, pigmentos, nitrocelulosa y acetatos de celulosa, tintes y plásticos. (Código 1P0102).

b) Causada por inhalación de sustancias y agentes no comprendidos en otros apartados:

• Fabricación y aplicación de lacas, pinturas, colorantes, adhesivos, barnices, esmaltes, donde los trabajadores estén expuestos a sustancias de bajo peso molecular (metales, polvos de maderas, sustancias químicas, etc.), que pueden provocar alguna de las siguientes E.P: rinoconjuntivitis (Código 4I0109), urticaria (Código 4I0209), angiodemas (Código 4I0209), asma (Código 4I0309), alveolitis alérgica extrínseca (Código 4I0409), síndrome de disfunción de la vía reactiva (Código 4I0509), fibrosis intersticial difusa (Código 4I0609), fiebre de los metales (Código 4I0709), y neumopatía intersticial difusa. (Código 4I0809).

• Fabricación de pinturas, barnices, cristal, cerámica (pentóxido de antimonio), donde se utilice antimonio, que pueden provocar una E.P., causada por la inhalación de polvos, humos y vapores de antimonio. (Código 4J0106).

c) E.P. de la piel, causada por sustancias y agentes no comprendidos en alguno de los otros apartados:

• Fabricación y aplicación de lacas, pinturas, colorantes, adhesivos, barnices, esmaltes, donde los trabajadores estén expuestos a sustancias de bajo peso molecular (metales, polvos de maderas, sustancias químicas, etc.), que pueden provocar una E.P. de la piel, causada por sustancias de bajo peso molecular. (Código 5A0109).

d) Causada por agentes cancerígenos:

• Barnizado y esmaltado de cerámica, que contengan cadmio, que puede provocar la E.P. de neoplasia maligna de bronquio, pulmón y próstata. (Código 6G0114).

• Aplicación por proyección de pinturas y barnices que contengan cromo o níquel, que puede provocar la E.P. de neoplasia de bronquio y pulmón. (Códigos 6I0204, 6K0312).

Por ello, debe realizarse reconocimientos médicos previos y periódicos a dichos trabajadores, con la prohibición de no contratar a los calificados como no aptos para desempeñar los puestos de trabajo de que se trate.

— Artículo 243 LGSS, en relación con RDEP (Anexo I).

Véase: Fabricación de pinturas. Esmaltes. Fabricación de resinas. Lacas. Pintores. Aerografía. Baquelita.

BARÓMETROS

1. Instrumento que sirve para determinar la presión atmosférica. Barómetro de mercurio es aquel que indica la presión atmosférica de un gas por la diferencia de nivel entre dos recipientes llenos de mercurio, comunicados entre sí, uno de los cuales es un tubo vertical de unos 90 cm de largo, en cuya parte superior se ha hecho el vacío por encima del nivel de mercurio. El otro recipiente puede ser otro tubo o un depósito cualquiera y en él la superficie del mercurio está directamente en contacto con la atmósfera o con el gas cuya presión se quiere medir.

2. Los trabajadores ocupados en las actividades económicas, y expuestos a los agentes o sustancias que a continuación se indican, pueden contraer una Enfermedad Profesional (E.P.), causada por agentes químicos:

• Fabricación y reparación de termómetros, barómetros, bombas de mercurio, lámparas de incandescencia, lámparas radiofólicas, tubos radiográficos, rectificadores de corriente y otros aparatos que contengan mercurio. (Código 1A0709).

Por ello, debe realizarse reconocimientos médicos previos y periódicos a dichos trabajadores, con la prohibición de no contratar a los calificados como no aptos para desempeñar los puestos de trabajo de que se trate.

— Artículo 243 LGSS, en relación con RDEP (Anexo I).

Véase: Mercurio.

BARRAS DE CONTROL DE REACTORES NUCLEARES

1. Las barras de control consisten en barras de unos cuatro metros de longitud, hechas normalmente de acero al boro, de una aleación de plata y cadmio que tiene gran capacidad de absorción de neutrones o de hafnio, suelen usarse en los reactores nucleares de algunos submarinos y recubiertas de circonio.

2. Los trabajadores ocupados en las actividades económicas, y expuestos a los agentes o sustancias que a continuación se indican, pueden contraer una Enfermedad Profesional (E.P.):

a) Causada por agentes químicos:

• Fabricación de barras de control de reactores nucleares, que contengan berilio. (Código 1A0205).

• Fabricación de barras de control de reactores nucleares, que contengan cadmio. (Código 1A0308).

b) Causada por inhalación de sustancias y agentes no comprendidos en otros apartados:

• Fabricación de barras de control de reactores nucleares, que contengan berilio, que puede provocar una E.P. causada por inhalación de sustancias. (Código 4K0105).

c) Causada por agentes cancerígenos:

• Fabricación de barras de control de reactores nucleares, que contengan berilio, que puede provocar la E.P. neoplasia maligna de bronquio y pulmón. (Código 6E0105).

• Fabricación de barras de control de reactores nucleares, que puede provocar la E.P. de neoplasia maligna de bronquio, pulmón y próstata. (Código 6G0108).

Por ello, debe realizarse reconocimientos médicos previos y periódicos a dichos trabajadores, con la prohibición de no contratar a los calificados como no aptos para desempeñar los puestos de trabajo de que se trate.

— Artículo 243 LGSS, en relación con RDEP (Anexo I).

Véase: Reactores nucleares. Motores reactores.

BASURAS

Véase: Residuos urbanos.

BATERÍAS

1. Se trata de un dispositivo que almacena energía por procedimientos electroquímicos y de la que se puede disponer en forma de electricidad. Es necesario distinguir entre baterías recargables o acumuladores y baterías desechables o pilas.

2. Se puede definir la batería de arranque como aquel aparato, capaz de almacenar energía en forma química para restituirla bajo forma de energía eléctrica, la cual se aprovecha para el servicio combinado de la puesta en marcha y el funcionamiento del motor de combustión interna, además de la iluminación y servicios auxiliares del vehículo.

Estas baterías son de las denominadas reversibles, es decir, una vez transformada la energía química en eléctrica pueden ser cargadas de nuevo con una corriente continua, haciéndola circular en sentido inverso a la descarga.

— Nota Técnica de Prevención n.º 97/1984. INSST.

3. Las baterías de Ni-Cd son elementos capaces de almacenar energía eléctrica. En las baterías Ni-Cid la tensión media entre bornes del elemento es de 1,2 Voltios y su capacidad se expresa en Amperios-h (A.h) o miliamperios-hora (mAh) que es el producto de la intensidad de la corriente continua suministrada por la batería por el tiempo que dura la descarga hasta el agotamiento de la misma.

— Nota Técnica de Prevención n.º 104/1984. INSST.

4. Las baterías de acumuladores eléctricos de plomo-ácido sulfúrico almacenan energía química durante la operación de carga y la devuelven en forma de energía eléctrica para su aprovechamiento en distintas aplicaciones.

Una batería está constituida por un recipiente que contiene un conjunto de elementos formados de placas positivas y negativas sumergidas en un electrolito que es una disolución de ácido sulfúrico en agua.

Una batería se caracteriza por su capacidad de almacenamiento de energía eléctrica en amperios hora (A-h) y su voltaje en voltios (V). Las más usuales son de 12 V y con varias capacidades según el uso a que estén destinadas. Conectadas en serie se obtienen los voltajes requeridos.

Se emplean como fuente de energía eléctrica en vehículos de transporte, maquinaria de obras públicas, carretillas elevadoras, grupos electrógenos, centrales eléctricas, etc.

Después de un determinado tiempo de uso agotan su carga y requieren una recarga. Esta operación puede repetirse muchas veces y se debe realizar en condiciones de seguridad.

— Nota Técnica de Prevención n.º 617/2003. INSST.

5. Los trabajadores ocupados en las actividades económicas, y expuestos a los agentes o sustancias que a continuación se indican, pueden contraer una Enfermedad Profesional (E.P.):

a) Causada por agentes químicos:

• Fabricación de municiones y baterías de polarización, donde se utilice arsénico y sus compuestos. (Código 1A0127).

• Fabricación de baterías, donde se utilice manganeso y sus compuestos. (Código 1A0613).

• Fabricación y reparación de acumuladores eléctricos de mercurio. (Código 1A0707).

• Fabricación de baterías, donde se utilice mercurio. (Código 1A0708).

• Fundición y refino de níquel, producción de acero inoxidable, fabricación de baterías, donde se utilice níquel. (Código 1A0801).

• Fabricación de placas para baterías y material para forrado de cables, donde se utilice antimonio. (Código 1B0105).

b) Causada por la inhalación de sustancias y agentes no comprendidos en otros apartados:

• Fabricación de placas para baterías y material para forrado de cables, donde se utilice antimonio, que pueden provocar una E.P., causada por la inhalación de polvos, humos y vapores de antimonio. (Código 4J0105).

c) Causada por agentes cancerígenos:

• Fabricación de municiones y baterías de polarización, donde se utilice arsénico, que puede provocar alguna de las siguientes E.P. (cánceres): neoplasia de maligna de bronquio y pulmón (Código 6C0114), carcinoma epidemoide de piel (Código 6C0214), disqueratosis lenticular en disco (Código 6C0314) y angiosarcoma del hígado (Código 6C0414).

• Fundición y refino de níquel, producción de acero inoxidable, fabricación de baterías, donde se utilice níquel, que puede provocar alguna de las siguientes

E.P. (Cánceres): E.P. neoplasia maligna de cavidad nasal (Código 6K0101), E.P. cáncer primitivo del etmoides y de los senos de la cara (Código 6K0201), o E.P. neoplasia maligna de bronquio y pulmón (Código 6K0301).

Por ello, debe realizarse reconocimientos médicos previos y periódicos a dichos trabajadores, con la prohibición de no contratar a los calificados como no aptos para desempeñar los puestos de trabajo de que se trate.

— Artículo 243 LGSS, en relación con RDEP (Anexo I).

Véase: Pilas. Acumuladores eléctricos. Condensadores. Níquel. Zinc.

BAUXITA

1. Óxido hidratado de aluminio que contiene generalmente cierta cantidad de óxido de hierro y suele ser de color blanquecino, gris o rojizo.

2. Los trabajadores expuestos a la bauxita, pueden contraer la Enfermedad Profesional (E.P.), de neumoconiosis por la inhalación de polvo de aluminio, en las actividades o trabajos que a continuación se relacionan:

• Extracción de aluminio a partir de sus minerales, en particular la separación por fusión electrolítica del oxido de aluminio, de la bauxita (fabricación de corindón artificial). (Código 4G0101).

• Preparación de tintas de imprimir a partir del pigmento extraído de los residuos de los baños de fusión de la bauxita. (Código 4G0104).

Por ello, debe realizarse reconocimientos médicos previos y periódicos a dichos trabajadores, con la prohibición de no contratar a los calificados como no aptos para desempeñar los puestos de trabajo de que se trate.

— Artículo 243 LGSS, en relación con RDEP (Anexo I).

Véase: Aluminio.

BENCENO

1. Hidrocarburo aromático líquido, de estructura en forma de anillo y con seis átomos de carbono, incoloro e inflamable, de amplia utilización como disolvente y como reactivo en operaciones de laboratorio y usos industriales.

2. El benceno, que se obtiene por destilación del alquitrán de hulla y del petróleo, además de ser un producto químico de uso industrial, aunque limitado, es un componente de las gasolinas y, en consecuencia, de las emisiones de los motores de combustión interna. También se asocia a otras combustiones, como por ejemplo el humo del tabaco, lo que determina su presencia en el ambiente a unas concentraciones que oscilan entre 5 y 30 $\mu g/m^3$, tanto en aire exterior como interior, dependiendo en este último caso de las actividades que se realicen en él. En ambientes laborales, es usual que la concentración de benceno se encuentre entre 100-1500 $\mu g/m^3$. Todo ello explica su presencia en el organismo tanto de los trabajadores expuestos profesionalmente, como del público en general. La inhalación de benceno produce una afectación del sistema nervioso central, en forma de excitación, para pasar rápidamente a una fase de depresión, con cefalea, fatiga, parestesia en las manos y los pies, vértigos y dificultad para la articulación de las palabras.

— Nota Técnica de Prevención n.º 486/1998. INSST.

3. Es un hidrocarburo aromático, benceno C6H6. Son productos que contienen benceno aquellos cuyo contenido en benceno exceda de 1 por ciento por unidad de volumen.

— Artículo 1 Convenio OIT 136, de 23 de junio de 1971.

4. Los trabajadores expuestos al benceno, en las actividades o trabajos que a continuación se relacionan, pueden contraer una Enfermedad Profesional (E.P.):

a) Causada por agentes químicos:

• Ocupaciones con exposición a benceno, por ejemplo, hornos de coque, uso de disolventes que contienen benceno. (Código 1K0101).

• Empleo del benceno para la preparación de sus derivados utilizados en las industrias de materias colorantes, perfumes, explosivos, productos farmacéuticos, etc. (Código 1K0102).

• Empleo del benceno y sus homólogos como decapantes, como diluente, como disolvente para la extracción de aceites, grasas, alcaloides, resinas, desengrasado de pieles, tejidos, huesos, piezas metálicas, caucho, etc. (Código 1K0103).

• Preparación, distribución y limpieza de tanques de carburantes que contengan benceno. (Código 1K0104).

• Trabajos de laboratorio en los que se emplee benceno. (Código 1K0105).

• Industria química: fabricación de ácido benzoico, benzoaldehidos, benceno, fenol, caprolactama, linóleo, toluendiisocianato (resinas poliuretano), sulfonatos de tolueno (detergentes), cuero artificial, revestimiento de tejidos y papeles, explosivos, tintes y otros compuestos orgánicos, donde se utilice xileno y tolueno. (Código 1K0301).

b) Causada por agentes cancerígenos (E.P. síndrome linfo y mieloproliferativos):

• Ocupaciones con exposición a benceno, por ejemplo, hornos de coque, uso de disolventes que contienen benceno. (Código 6D0101).

• Empleo del benceno para la preparación de sus derivados utilizados en las industrias de materias colorantes, perfumes, explosivos, productos farmacéuticos, etc. (Código 6D0102).

• Empleo del benceno y sus homólogos como decapantes, como diluente, como disolvente para la extracción de aceites, grasas, alcaloides, resinas, desengrasado de pieles, tejidos, huesos, piezas metálicas, caucho, etc. (Código 6D0103).

• Preparación, distribución y limpieza de tanques de carburantes que contengan benceno. (Códigos 1K0104, 6D0104).

• Trabajos de laboratorio en los que se emplee benceno. (Código 6D0105).

Por ello, debe realizarse reconocimientos médicos previos y periódicos a dichos trabajadores, con la prohibición de no contratar a los calificados como no aptos para desempeñar los puestos de trabajo de que se trate.

— Artículo 243 LGSS, en relación con RDEP (Anexo I).

Véase: Hidrocarburos aromáticos. Naftaleno. Naftas. Sustancias disolventes. Sustancias reactivas. Nitrobenceno. Gasolinas. Gasolineras. Fuel oil. E.P. síndrome linfo y mieloproliferativos. E.P. linfoma.

BERILIO

1. Elemento químico metálico ligero, duro, no corrosible, de color gris negruzco y muy tóxico, que se encuentra en el berilo y la esmeralda, y se usa en las industrias nuclear y aeroespacial.

2. Los trabajadores expuestos al berilio (glucinio) y sus compuestos (Manipulación y empleo del berilio, del fluoruro doble de glucinio y del sodio), pueden contraer una Enfermedad Profesional (E.P.), en las actividades o trabajos que a continuación se relacionan:

a) Causada por agentes químicos:

• Extracción y metalurgia de berilio, industria aeroespacial, industria nuclear. (Código 1A0201).

• Extracción del berilio de los minerales. (Código 1A0202).

• Preparación de aleaciones y compuestos de berilio. (Código 1A0203).

• Fabricación de cristales, cerámicas, porcelanas y productos altamente refractarios. (Código 1A0204).

• Fabricación de barras de control de reactores nucleares. (Código 1A0205).

b) Causada por inhalación de sustancias y agentes no comprendidos en otros apartados:

• Extracción y metalurgia de berilio, industria aeroespacial, industria nuclear. (Código 4K0101).

• Extracción del berilio de los minerales. (Código 4K0102).

• Preparación de aleaciones y compuestos de berilio. (Código 4K0103).

• Fabricación de cristales, cerámicas, porcelanas y productos altamente refractarios. (Código 4K0104).

• Fabricación de barras de control de reactores nucleares. (Código 4K0105).

c) Causada por agentes cancerígenos:

• Extracción y metalurgia de berilio, industria aeroespacial, industria nuclear. (Código 6E0101).

• Extracción del berilio de los minerales. (Códigos 6E0102).

• Preparación de aleaciones y compuestos de berilio. (Código 6E0103).

• Fabricación de cristales, cerámicas, porcelanas y productos altamente refractarios. (Código 6E0104).

• Fabricación de barras de control de reactores nucleares. (Código 6E0105).

Por ello, debe realizarse reconocimientos médicos previos y periódicos a dichos trabajadores, con la prohibición de no contratar a los calificados como no aptos para desempeñar los puestos de trabajo de que se trate.

— Artículo 243 LGSS, en relación con RDEP (Anexo I).

Véase: Industria nuclear. Industria aeroespacial.

BIBLIOTECAS

1. Institución cuya finalidad consiste en la adquisición, conservación, estudio y exposición de libros y documentos.

2. Los trabajadores ocupados en las actividades económicas, y expuestos a los agentes o sustancias que a continuación se indican, pueden contraer una Enfermedad Profesional (E.P.), causada por agentes biológicos:

• Museos y bibliotecas, que pueden provocar una E.P. infecciosa (micosis, legionella y helmintiasis). (Código 3D0103).

Por ello, debe realizarse reconocimientos médicos previos y periódicos a dichos trabajadores, con la prohibición de no contratar a los calificados como no aptos para desempeñar los puestos de trabajo de que se trate.

— Artículo 243 LGSS, en relación con RDEP (Anexo I).

Véase: Museos. Agentes biológicos. E.P. infecciosas.

BIDONES

1. Los bidones son recipientes metálicos o de plástico, normalmente cilíndricos, utilizados para el envasado y transporte de líquidos o semisólidos. El bidón de 200 litros es el más utilizado en toda la industria en general, y además una vez utilizado y limpiado por dentro y fuera, apropiadamente, puede reaprovecharse convirtiéndose en un contenedor para usos diversos.

Los principales riesgos y problemas derivados de la manipulación de bidones son los generales de la manipulación manual de cargas, que en el caso particular de los bidones son:

• Sobreesfuerzos por levantamiento inadecuado transporte de carga excesiva.

• Golpes y atrapamientos en manos y pies al desplazar bidones y depositarlos en los lugares de ubicación.

• Cortes en manos con los bordes de la parte superior del bidón una vez cortada la tapa superior.

— Nota Técnica de Prevención n.º 297/1993. INSST.

Véase: Manipulación manual de cargas. Carretillas manuales. Paletas.

BIORESIDUOS

1. Residuos biodegradables de jardines y parques, residuos alimenticios y de cocina procedentes de hogares, restaurantes, servicios de restauración colectiva y establecimientos de venta al por menor, así como residuos procedentes de plantas de procesado de alimentos.

— Artículo 3.g LRSC.

— Nota Técnica de Prevención n.º 1054/2015. INSST.

Véase: Trabajos de recogida de basuras. Ruido. Residuos. Residuos comerciales. Residuos domésticos. Residuos industriales. Residuos peligrosos. Residuos radiactivos. Residuos urbanos.

BIS (CLORO-METIL) ÉTER

1. Se trata de un éter cloroalquilo, qu puede producir un cáncer de las vías respiratorias, incluyendo el carcinoma de células pequeñas.

2. Los trabajadores expuestos a bis (cloro-metil) éter, pueden contraer la Enfermedad Profesional (E.P.) de neoplasia maligna de bronquio y pulmón (Código 6F01), en las actividades o trabajos que a continuación se relacionan:

- Síntesis de plásticos. (Código 6F0101).
- Síntesis de resinas de intercambio iónico. (Código 6F0102).
- Tratamientos de caucho vulcanizado. (Código 6F0103).

Por ello, debe realizarse reconocimientos médicos previos y periódicos a dichos trabajadores, con la prohibición de no contratar a los calificados como no aptos para desempeñar los puestos de trabajo de que se trate.

— Artículo 243 LGSS, en relación con RDEP (Anexo I).

Véase: Industria del plástico. Industria del caucho. Resinas. Vulcanización.

BISINOSIS

1. Afección pulmonar producida por la inhalación del polvo del algodón.

2. Bisinosis: Vigilancia médica.

— Nota Técnica de Prevención n.º 231/1989. INSST.

Véase: Algodón. Endotoxinas.

BISUTERÍA

1. Industria que produce objetos de adorno, hechos de materiales no preciosos.

2. Los trabajadores ocupados en las actividades económicas, y expuestos a los agentes o sustancias que a continuación se indican, pueden contraer una Enfermedad Profesional (E.P.):

a) Causada por agentes químicos:
- Trabajos de bisutería, donde se utilice níquel y sus compuestos. (Código 1A0804).

b) Causada por agentes cancerígenos:
- Trabajos de bisutería, donde se utilice níquel, que puede provocar alguna de las siguientes E.P. (Cánceres): E.P. neoplasia maligna de cavidad nasal (Código 6K0104), E.P. cáncer primitivo del etmoides y de los senos de la cara (Código 6K0204), o E.P. neoplasia maligna de bronquio y pulmón (Código 6K0304)

Por ello, debe realizarse reconocimientos médicos previos y periódicos a dichos trabajadores, con la prohibición de no contratar a los calificados como no aptos para desempeñar los puestos de trabajo de que se trate.

— Artículo 243 LGSS, en relación con RDEP (Anexo I).

Véase: Níquel. Acero.

BODEGAS

1. Establecimiento industrial, para la elaboración y guarda de vinos.

2. Los trabajadores ocupados en las actividades económicas, y expuestos a los agentes o sustancias que a continuación se indican, pueden contraer una Enfermedad Profesional (E.P.), causada por agentes químicos:

- Empleo de bromuro de metilo (derivado halogenado) para el tratamiento de vegetales en bodegas, cámaras de fumigación, contenedores, calas de barcos, camiones cubiertos, entre otros. (Código 1H0212).

• Uso sanitario de los productos plaguicidas que contienen organofosforados y carbamatos inhibidores de la colinesterasa para desinsectación de edificios, bodegas, calas de barcos, control de vectores de enfermedades transmisibles. (Código 1S0105).

Por ello, debe realizarse reconocimientos médicos previos y periódicos a dichos trabajadores, con la prohibición de no contratar a los calificados como no aptos para desempeñar los puestos de trabajo de que se trate.

— Artículo 243 LGSS, en relación con RDEP (Anexo I).

Véase: Contenedores. Bromuro de metilo. Sustancias infecciosas. Desinfectantes. Enfermedades infecciosas.

BOMBEROS

1. Personas que tiene por oficio extinguir incendios y prestar ayuda en otros siniestros.

2. Los trabajadores ocupados en las actividades económicas, y expuestos a los agentes o sustancias que a continuación se indican, pueden contraer una Enfermedad Profesional (E.P.), causada por agentes químicos:

• Bomberos, por su exposición al óxido de carbono. (Código 1T0114).

Por ello, debe realizarse reconocimientos médicos previos y periódicos a dichos trabajadores, con la prohibición de no contratar a los calificados como no aptos para desempeñar los puestos de trabajo de que se trate.

— Artículo 243 LGSS, en relación con RDEP (Anexo I).

Véase: Óxidos de carbono. Incendios. Fuego clase: A, B, C, D, E. Sustancias combustibles.

BORNE

1. Borne o barra prevista para la conexión a los dispositivos de puesta a tierra de los conductores de protección, incluyendo los conductores de equipotencialidad y eventualmente los conductores de puesta a tierra funcional.

— ITC-BT-01 del REBT.

2. Cada uno de los tornillos-botones de metal que tienen ciertas máquinas y aparatos eléctricos, y a los cuales se unen hilos conductores.

Véase: Corriente de puesta a tierra. Instalación de puesta tierra. Hilos conductores.

BOTELLAS DE BUTANO Y DE PROPANO

El butano y el propano (gases licuados del petróleo) son hidrocarburos que a la temperatura ordinaria y a la presión atmosférica se encuentran en estado gaseoso y que tienen la propiedad de pasar al estado líquido al someterlos a una presión relativamente baja. Esta propiedad les confiere la ventaja de poder ser almacenados en estado líquido en botellas.

— Notas Técnicas de Prevención n.º 198, 209/1988. INSST.

Véase: Gas. Presión. Extintores. Aerosoles.

BOTIQUÍN

1. Los lugares de trabajo dispondrán de material para primeros auxilios en caso de accidente, que deberá ser adecuado, en cuanto a su cantidad y características, al número

137

de trabajadores, a los riesgos a que estén expuestos y a las facilidades de acceso al centro de asistencia médica más próximo. El material de primeros auxilios deberá adaptarse a las atribuciones profesionales del personal habilitado para su prestación.

La situación o distribución del material en el lugar de trabajo y las facilidades para acceder al mismo y para, en su caso, desplazarlo al lugar del accidente, deberán garantizar que la prestación de los primeros auxilios pueda realizarse con la rapidez que requiera el tipo de daño previsible.

Sin perjuicio de lo dispuesto en los apartados anteriores, todo lugar de trabajo deberá disponer, como mínimo, de un botiquín portátil que contenga desinfectantes y antisépticos autorizados, gasas estériles, algodón hidrófilo, venda, esparadrapo, apósitos adhesivos, tijeras, pinzas y guantes desechables.

El material de primeros auxilios se revisará periódicamente y se irá reponiendo tan pronto como caduque o sea utilizado.

— Anexo VI. Parte A.1 RDSSLT.

2. Los botiquines para primeros auxilios podrán ser facilitados por las entidades gestoras y las mutuas de accidentes de trabajo y enfermedades profesionales de la Seguridad Social a las empresas respecto de cuyos trabajadores asuman la protección por las contingencias profesionales, así como la reposición del contenido de los mismos.

— Orden TAS/2947/2007, de 8 de octubre.

— Resolución de 27 de agosto de 2008.

Véase: Primeros auxilios. Heridas. Contusiones. Emergencia. Locales de primeros auxilios. Agua potable.

BREA

1. La brea mineral es una sustancia crasa y negra semejante a la brea, que se obtiene por destilación de la hulla.

2. Los trabajadores ocupados en las actividades económicas, y expuestos a los agentes o sustancias que a continuación se indican, pueden contraer una Enfermedad Profesional (E.P.), causada por agentes químicos:

• Tratamiento de brea de hulla, de gas de alumbrado y para el calentamiento de ciertas materias plásticas, donde se utilicen fenoles. (Código 1F0209).

Por ello, debe realizarse reconocimientos médicos previos y periódicos a dichos trabajadores, con la prohibición de no contratar a los calificados como no aptos para desempeñar los puestos de trabajo de que se trate.

— Artículo 243 LGSS, en relación con RDEP (Anexo I).

Véase: Hulla. Fenoles.

BRIQUETAS

1. Conglomerado de carbón u otra materia en forma de ladrillo.

2. Los trabajadores ocupados en las actividades económicas, y expuestos a los agentes o sustancias que a continuación se indican, pueden contraer una Enfermedad Profesional (E.P.), causada por agentes químicos:

• Fabricación de briquetas de manganeso. (Código 1A0605).

Por ello, debe realizarse reconocimientos médicos previos y periódicos a dichos trabajadores, con la prohibición de no contratar a los calificados como no aptos para desempeñar los puestos de trabajo de que se trate.

— Artículo 243 LGSS, en relación con RDEP (Anexo I).

Véase: Carbón. Manganeso. Ladrillos refractarios. Material refractario.

BROMO

1. Elemento químico líquido tóxico, de color rojo parduzco y olor fuerte, que se encuentra en el mar y en depósitos salinos en forma de bromuros, y actualmente se usa en la fabricación de antidetonantes, fluidos contra incendios, productos farmacéuticos y gases de combate.

2. Los trabajadores expuestos al bromo y sus compuestos inorgánicos (Código 1C01) (Halógenos), por su producción, empleo y manipulación pueden contraer una Enfermedad Profesional (E.P.) causada por agentes químicos, en las actividades o trabajos que a continuación se relacionan:

- Producción del bromo por desplazamiento del cloro. (Código 1C0101).
- Producción de compuestos inorgánicos del bromo. (Código 1C0102).
- Fabricación de aditivos combustibles. (Código 1C0103).
- Utilización de bromuros inorgánicos como agentes reductores y catalizadores. (Código 1C0104).
  - Industria fotográfica. (Código 1C0105).
  - Agente de blanqueo. (Código 1C0106).
  - Desinfección del agua. (Código 1C0107).
  - Compuesto antidetonante de la gasolina. (Código 1C0108).
  - Extracción de oro. (Código 1C0109).
  - Industria química y farmacéutica. (Código 1C0110).

Por ello, debe realizarse reconocimientos médicos previos y periódicos a dichos trabajadores, con la prohibición de no contratar a los calificados como no aptos para desempeñar los puestos de trabajo de que se trate.

— Artículo 243 LGSS, en relación con RDEP (Anexo I).

Véase: Industria química. Industria farmacéutica.

BROMURO DE METILO

1. El compuesto químico bromuro de metilo o bromometano es un compuesto orgánico halogenado. Gas incoloro, ininflamable.

2. Los trabajadores expuestos al bromuro de metilo (Código 1H0212), pueden contraer una Enfermedad Profesional (E.P.), causada por agentes químicos, en las actividades o trabajos que a continuación se relacionan:

- Empleo de bromuro de metilo (derivado halogenado) para el tratamiento de vegetales en bodegas, cámaras de fumigación, contenedores, calas de barcos, camiones cubiertos, entre otros. (Código 1H0212).
- Uso del bromuro de metilo (derivado halogenado) en la agricultura para el tratamiento de parásitos del suelo. (Código 1H0213).

Por ello, debe realizarse reconocimientos médicos previos y periódicos a dichos trabajadores, con la prohibición de no contratar a los calificados como no aptos para desempeñar los puestos de trabajo de que se trate.

— Artículo 243 LGSS, en relación con RDEP (Anexo I).

Véase: Derivados halogenados de los hidrocarburos alifáticos. Hidrocarburos alifáticos. Bodegas.

BRONCEADORES SINTÉTICOS

1. Sustancia cosmética que produce o favorece el bronceado de la piel.

2. Los trabajadores ocupados en las actividades económicas, y expuestos a los agentes o sustancias que a continuación se indican, pueden contraer una Enfermedad Profesional (E.P.), causada por agentes químicos:

• <u>Uso del naftaleno en fungicidas, bronceadores sintéticos, conservantes, textiles, químicos, materia prima y producto intermedio en industria del plástico y en la fabricación de lacas y barnices</u>. (Código 1K0207).

Por ello, debe realizarse reconocimientos médicos previos y periódicos a dichos trabajadores, con la prohibición de no contratar a los calificados como no aptos para desempeñar los puestos de trabajo de que se trate.

— Artículo 243 LGSS, en relación con RDEP (Anexo I).

Véase: Naftaleno. Hidrocarburos aromáticos.

BRUCELOSIS

Enfermedad infecciosa producida en el hombre por gérmenes presentes en cabras, vacas, cerdos, etc.

La forma de contagio suele ser por la piel o por vía digestiva, según si existe manipulación de ganado contaminado o consumo de leche y derivados, o de carne de animales afectados.

La brucelosis ocupa el segundo lugar en cuanto a nivel de registro de enfermedades profesionales, detrás de las dermopatías profesionales.

— Nota Técnica de Prevención n.º 224/1988. INSST.

Véase: Enfermedades infecciosas. Enfermedades contagiosas.

BUCEO

1. Se entiende por buceo el hecho de mantenerse bajo el agua con el auxilio de aparatos o técnicas que permitan el intercambio de aire con el exterior, o bien de cualquier sistema que facilite la respiración, con objeto de conseguir una permanencia prolongada dentro del medio líquido.

— Artículo 1 DEAS.

2. Buceo en la acuicultura.

— Nota Técnica de Prevención n.º 623/2003. INSST.

Véase: Buzos. Ambiente hiperbárico. Cámaras hiperbáricas. Presurizar. Trabajos con riesgos especiales. Trabajos en cajones de aire comprimido. Trabajos subacuáticos. Trabajos en espacios confinados. E.P. por descompresión atmosférica.

BULLDOZERS

1. Máquina de excavación y empuje compuesta de un tractor sobre orugas o sobre dos ejes con neumáticos y chasis rígido o articulado y una cuchilla horizontal, perpendicular al eje longitudinal del tractor situada en la parte delantera del mismo.

— Nota Técnica de Prevención n.º 75/1983. INSST.

2. Los trabajadores ocupados en las actividades económicas, y expuestos a los agentes o sustancias que a continuación se indican, pueden contraer una Enfermedad Profesional (E.P.), causada por agentes físicos:

• Trabajos de obras públicas (rutas, construcciones, etc.) efectuados con máquinas ruidosas como las bulldozers, excavadoras, palas mecánicas, etc., donde el trabajador este expuesto a ruidos continuos y diarios de un nivel sonoro igual o superior a 80 decibelios A. (Código 2A0110).

Por ello, debe realizarse reconocimientos médicos previos y periódicos a dichos trabajadores, con la prohibición de no contratar a los calificados como no aptos para desempeñar los puestos de trabajo de que se trate.

— Artículo 243 LGSS, en relación con RDEP (Anexo I).

Véase: Ruido. Excavadoras. Excavaciones. Trabajos con bulldozers. Construcción. Obras públicas. Palas cargadoras. Vehículos y maquinaria para movimientos de tierras. Trabajos de movimiento de tierras. Trabajos con palas mecánicas. Trabajos con excavadoras. Trabajos con bulldozers. Conducción. Conductor.

BUQUE DE PESCA

1. Todo buque abanderado en España o registrado bajo la plena jurisdicción española, utilizado a efectos comerciales para la captura y el acondicionamiento del pescado u otros recursos vivos del mar.

— Artículo 2.1 RDSSTBP.

— Notas Técnicas de Prevención n.º 958, 995/2013. INSST.

— Guía técnica para la evaluación y prevención de los riesgos relativos a la utilización de los buques de pesca. 2011. INSST.

2. Buque de pesca nuevo. Todo buque de pesca, cuya eslora entre perpendiculares sea igual o superior a 15 metros, que a partir del 23 de noviembre de 1995, o con posterioridad, cumpla alguna de las condiciones siguientes:

a) Que se haya celebrado un contrato de construcción o de transformación importante.

b) Que, de haberse celebrado un contrato de construcción o de transformación importante antes del 23 de noviembre de 1995, la entrega del buque se produzca transcurridos al menos tres años a partir de dicha fecha.

c) Que, en ausencia de un contrato de construcción:

• Se haya instalado la quilla del buque.

• se haya iniciado una construcción por la que se reconozca un buque concreto.

• se haya empezado una operación de montaje que suponga la utilización de, al menos, 50 toneladas del total estimado de los materiales de estructura o un 1 por ciento de dicho total si este segundo valor es inferior al primero.

— Artículo 2.2 RDSSTBP.

3. Buque de pesca existente. Todo buque de pesca, cuya eslora entre perpendiculares sea igual o superior a 18 metros, que no sea un buque de pesca nuevo.

— Artículo 2.4 RDSSTBP.

4. La expresión buque comprende todas las categorías de buques, embarcaciones, gabarras, alijadores y aerodeslizadores, con exclusión de los buques de guerra.

— Artículo 3 Convenio OIT 152, de 25 de junio de 1979.

> *Véase: Navíos. Trabajos en navíos. Gente del mar. Trabajador del mar. Armador. Capitán de buque. Pesca de altura. Pesca de arrastre. Pesca de bajura. Pesca de cerco.*

BURILADO

1. Grabar algo con un instrumento de acero, puntiagudo, que sirve a los grabadores para abrir líneas en los metales (buril).

2. Los trabajadores ocupados en las actividades económicas, y expuestos a los agentes o sustancias que a continuación se indican, pueden contraer una Enfermedad Profesional (E.P.), causada por agentes físicos:

> • Trabajos en los que se produzca un apoyo prolongado y repetido de forma directa o indirecta sobre las correderas anatómicas que provocan lesiones nerviosas por compresión. Movimientos extremos de hiperflexión y de hiperextensión. Trabajos que entrañen compresión prolongada en la muñeca o de una presión mantenida o repetida sobre el talón de la mano, como ordeño de vacas, grabado, talla y pulido de vidrio, burilado, trabajo de zapatería, leñadores, herreros, peleteros, lanzadores de martillo, disco y jabalina, que pueden producir enfermedades por posturas forzadas y movimientos repetitivos, como el síndrome del canal de Guyon. (Código 2F0301).

Por ello, debe realizarse reconocimientos médicos previos y periódicos a dichos trabajadores, con la prohibición de no contratar a los calificados como no aptos para desempeñar los puestos de trabajo de que se trate.

— Artículo 243 LGSS, en relación con RDEP (Anexo I).

> *Véase: Grabadores. Esmeriles. Trabajos con pulidoras.*

BURNOUT O SÍNDROME DE ESTAR QUEMADO POR EL TRABAJO

1. Es una respuesta al estrés laboral crónico integrada por actitudes y sentimientos negativos hacia las personas con las que se trabaja y hacia el propio rol profesional, así como por la vivencia de encontrarse emocionalmente agotado.

Esta respuesta ocurre con frecuencia en los profesionales de la salud y, en general, en profesionales de organizaciones de servicios que trabajan en contacto directo con los usuarios de la organización.

— Notas Técnicas de Prevención n.º 704, 705/2005. 732/2006. INSST.

2. Es considerado accidente de trabajo, dada su conexión directa y exclusiva con el trabajo que realiza.

— STSJ País Vasco 2.11.99.

> *Véase: Carga física de trabajo. Estrés laboral. Tecnoestrés. Carga mental de trabajo. Fatiga. Rotación del puesto de trabajo. Riesgos psicosociales.*

BUZOS

1. Personas que hacen inmersiones bajo el agua con un equipo adecuado para respirar.

2. Los trabajadores ocupados en las actividades económicas, y expuestos a los agentes o sustancias que a continuación se indican, pueden contraer una Enfermedad Profesional (E.P.), causada por agentes físicos:

- Trabajos subacuáticos en operadores de cámaras submarinas hiperbáricas con escafandra o provistos de equipos de buceo autónomo, que pueden producir E.P. provocadas por compresión o descompresión atmosférica. (Código 2H0101).

Por ello, debe realizarse reconocimientos médicos previos y periódicos a dichos trabajadores, con la prohibición de no contratar a los calificados como no aptos para desempeñar los puestos de trabajo de que se trate.

— Artículo 243 LGSS, en relación con RDEP (Anexo I).

Véase: Buceo. Ambiente hiperbárico. Cámaras hiperbáricas. Trabajos con riesgos especiales. Trabajos en cajones de aire comprimido. Trabajos subacuáticos. E.P. por descompresión atmosférica.

C

CABLES

1. Cordón formado con varios conductores aislados unos de otros y protegido generalmente por una envoltura flexible y resistente.

2. Conjunto constituido por:

- Uno o varios conductores aislados.
- Su eventual revestimiento individual.
- La eventual protección del conjunto.
- El o los eventuales revestimientos de protección que se dispongan. Puede tener, además, uno o varios conductores no aislados.

— ITC-BT-01 del REBT.

3. Los trabajadores ocupados en las actividades económicas, y expuestos a los agentes o sustancias que a continuación se indican, pueden contraer una Enfermedad Profesional (E.P.):

a) Causada por agentes químicos:

- Fabricación de placas para baterías y material para forrado de cables, donde se utilice antimonio. (Código 1B0105).

- Fabricación de transformadores, condensadores, aislamiento de cables y de hilos eléctricos, donde se utilicen derivados halogenados de hidrocarburos aromáticos. (Código 1K0506).

- Fabricación y utilización de anticorrosivos y material aislante de cables, donde se utilicen isocianatos. (Código 1Q0108).

b) Causada por inhalación de sustancias y agentes no comprendidos en otros apartados:

- Fabricación de placas para baterías y material para forrado de cables, donde se utilice antimonio. (Código 4J0105).

c) Causada por agentes cancerígenos:

- Fabricación de cables eléctricos, donde se utilicen hidrocarburos aromáticos, que pueden provocar la E.P. de lesiones premalignas de piel (Código 6J0104), y/o E.P. de carcinoma de células escamosas (Código 6J0204).

Por ello, debe realizarse reconocimientos médicos previos y periódicos a dichos trabajadores, con la prohibición de no contratar a los calificados como no aptos para desempeñar los puestos de trabajo de que se trate.

— Artículo 243 LGSS, en relación con RDEP (Anexo I).

Véase: Hilos eléctricos. Hilos conductores.

CADENAS, CABLES Y CINCHAS

Cadenas, cables y cinchas diseñados y fabricados para la elevación como parte de las máquinas de elevación o de los accesorios de elevación.

— Artículo 2.2.e RDM.

Véase: Aparatos elevadores. Elevación: Accesorios. Eslingas. Grúas móviles.

CADMIO

1. Elemento químico metálico de color blanco azulado, brillante, dúctil y maleable, escaso en la corteza terrestre, donde se encuentra en forma de sulfuro junto a minerales de cinc, y que se usa como recubrimiento electrolítico de metales, en la fabricación de baterías y acumuladores eléctricos y en la industria nuclear.

2. Los trabajadores expuestos al cadmio y sus compuestos (Metales), por su preparación y empleo, pueden contraer una Enfermedad Profesional (E.P.) causada por agentes químicos (Códigos 1A03, 1A08, 1D04), o una E.P. de neoplasia maligna de bronquio, pulmón y próstata (Código 6G01), en las actividades o trabajos que a continuación se relacionan:

- Preparación del cadmio por procesado del zinc, cobre o plomo. (Códigos 1A0301, 6G0101).
- Fabricación de acumuladores de níquel-cadmio. (Códigos 1A0302, 6G0102).
- Fabricación de pigmentos cadmíferos para pinturas, esmaltes, materias plásticas, papel, caucho, pirotecnia. (Códigos 1A0303, 6G0103).
- Fabricación de lámparas fluorescentes. (Códigos 1A0304, 6G0104).
- Cadmiado electrolítico. (Códigos 1A0305, 6G0105).
- Soldadura y oxicorte de piezas con cadmio. (Códigos 1A0306, 6G0106).
- Procesado de residuos que contengan cadmio. (Códigos 1A0307, 6G0107).
- Fabricación de barras de control de reactores nucleares. (Códigos 1A0308, 6G0108).
- Fabricación de células fotoeléctricas. (Códigos 1A0309, 6G0109).
- Fabricación de varillas de soldadura. (Códigos 1A0310, 6G0110).
- Trabajos en horno de fundición de hierro o acero. (Códigos 1A0311, 6G0111).
- Fusión y colada de vidrio. (Códigos 1A0312, 6G0112).
- Aplicación por proyección de pinturas y barnices que contengan cadmio. (Códigos 1A0313, 6G0113).
- Barnizado y esmaltado de cerámica. (Códigos 1A0314, 6G0114).
- Tratamiento de residuos peligrosos en actividades de saneamiento público. (Códigos 1A0315. 6G0115).
- Fabricación de pesticidas. (Códigos 1A0316, 6G0116).
- Fabricación de amalgamas dentales. (Códigos 1A0317, 6G0117).
- Fabricación de joyas. (Códigos 1A0318, 6G0118).
- Fabricación de acumuladores al níquel-cadmio. (Código 1A0807).
- Empleo de cianuro en las operaciones de galvanoplastia (niquelado, cadmiado, cobrizado, etc.) que puede provocar una E.P. causada por agentes químicos (Código 1D0405), o una E.P. cancerígena (Código 6Q0105).

Por ello, debe realizarse reconocimientos médicos previos y periódicos a dichos trabajadores, con la prohibición de no contratar a los calificados como no aptos para desempeñar los puestos de trabajo de que se trate.

— Artículo 243 LGSS, en relación con RDEP (Anexo I).

Véase: Fabricación de joyas. Electrólisis. Baterías. Acumuladores eléctricos. Lámparas fluorescentes.

CAÍDA DE OBJETOS

1. Deberán tomarse las medidas adecuadas para la protección de los trabajadores autorizados a acceder a las zonas de los lugares de trabajo donde la seguridad de los trabajadores pueda verse afectada por riesgos de caída, caída de objetos y contacto o exposición a elementos agresivos. Asimismo, deberá disponerse, en la medida de lo posible, de un sistema que impida que los trabajadores no autorizados puedan acceder a dichas zonas.

— Anexo I. Parte A.2 RDSSLT.

2. Caída de objetos en el exterior de las obras de construcción:

• Los trabajadores deberán estar protegidos contra la caída de objetos o materiales; para ello se utilizarán, siempre que sea técnicamente posible, medidas de protección colectiva.

• Cuando sea necesario, se establecerán pasos cubiertos o se impedirá el acceso a las zonas peligrosas.

• Los materiales de acopio, equipos y herramientas de trabajo deberán colocarse o almacenarse de forma que se evite su desplome, caída o vuelco.

— Anexo IV. Parte C.2 RDSSTOC.

— Artículo 164 CCGC.

3. La delimitación de aquellas zonas de los locales de trabajo, en las que se presenten riesgos de caída de personas, caída de objetos, choques o golpes, se realizará mediante un color de seguridad, consistente en franjas inclinadas amarillas y negras.

— Anexo VII.2 RDSSST.

Véase: Aberturas en los suelos. Plataformas de trabajo. Barandillas. Andamios. Plataformas suspendidas. Góndolas. Desniveles. Pasarelas. Torres de acceso. Torres de trabajo móviles. Muelles de carga y descarga. Caída de personas. Redes de seguridad. Tejados de materiales ligeros. Trabajos en los tejados. Trabajos en altura.

CAÍDA DE PERSONAS

1. Deberán tomarse las medidas adecuadas para la protección de los trabajadores autorizados a acceder a las zonas de los lugares de trabajo donde la seguridad de los trabajadores pueda verse afectada por riesgos de caída, caída de objetos y contacto o exposición a elementos agresivos. Asimismo, deberá disponerse, en la medida de lo posible, de un sistema que impida que los trabajadores no autorizados puedan acceder a dichas zonas.

— Anexo I. Parte A.2 RDSSLT.

2. Caídas de altura en el exterior de las obras de construcción:

• Las plataformas, andamios y pasarelas, así como los desniveles, huecos y aberturas existentes en los pisos de las obras, que supongan para los trabajadores un riesgo de caída de altura superior a 2 metros, se protegerán mediante barandillas u otro sistema de protección colectiva de seguridad equivalente. Las barandillas serán resistentes, tendrán una altura mínima de 90 centímetros y dispondrán de un reborde de protección, un pasamanos y una protección intermedia que impidan el paso o deslizamiento de los trabajadores.

• Los trabajos en altura sólo podrán efectuarse en principio, con la ayuda de equipos concebidos para tal fin o utilizando dispositivos de protección colectiva tales como barandillas, plataformas o redes de seguridad. Si por la naturaleza del trabajo ello no fuera posible deberá disponerse de medios de acceso seguros y utilizarse cinturones de seguridad con anclaje u otros medios de protección equivalente.

• La estabilidad y solidez de los elementos de soporte y el buen estado de los medios de protección deberán verificarse previamente a su uso, posteriormente de forma periódica y cada vez que sus condiciones de seguridad puedan resultar afectadas por una modificación período de no utilización o cualquier otra circunstancia.

— Anexo IV. Parte C.3 RDSSTOC.

— Artículo 162 CCGC.

3. La delimitación de aquellas zonas de los locales de trabajo, en las que se presenten riesgos de caída de personas, caída de objetos, choques o golpes, se realizará mediante un color de seguridad, consistente en franjas inclinadas amarillas y negras.

— Anexo VII.2 RDSSST.

Véase: Aberturas en los suelos. Plataformas de trabajo. Barandillas. Andamios. Plataformas suspendidas. Góndolas. Desniveles. Pasarelas. Torres de acceso. Torres de trabajo móviles. Muelles de carga y descarga. Caída de objetos. Redes de seguridad. Tejados de materiales ligeros. Trabajos en los tejados. Trabajos en altura.

CALDERAS

1. Recipiente de metal, grande, abombado en la base, que sirve comúnmente para poner a calentar o cocer algo dentro de él. En una instalación de calefacción, aparato dotado de una fuente de energía, donde se calienta el agua que circula por tubos y radiadores. Aparato donde hierve el agua, cuyo vapor en tensión constituye la fuerza motriz de una máquina.

2. Los trabajadores ocupados en las actividades económicas, y expuestos a los agentes o sustancias que a continuación se indican, pueden contraer una Enfermedad Profesional (E.P.):

• Desincrustado de calderas, donde se utilice arsénico y sus componentes. (Código 1A0113).

2. Limpiezas de calderas y tanques, hornos de fuel-oil, donde se utilice vanadio. (Código 1A1103).

• Trabajos en calderas navales, industriales y domésticas, donde se utilice óxido de carbono. (Código 1T0106).

a) Causada por agentes físicos:

• Trabajos de calderería, donde el trabajador este expuesto a ruidos continuos y diarios de un nivel sonoro igual o superior a 80 decibelios A, que puede contraer la E.P. de hipoacusia. (Código 2A0101).

b) Causada por agentes cancerígenos:

• Desincrustado de calderas, donde se utilice arsénico, que puede provocar alguna de las siguientes E.P. (cánceres): neoplasia de maligna de bronquio y pulmón (Código

6C0105), carcinoma epidemoide de piel (Código 6C0205), disqueratosis lenticular en disco (Código 6C0305) y angiosarcoma del hígado (Código 6C0405).

• Trabajos en unidades de combustión (calderas), donde se utilicen hidrocarburos aromáticos, que pueden provocar la E.P. de lesiones premalignas de piel (Código 6J0120), y/o E.P. de carcinoma de células escamosas (Código 6J0220).

Por ello, debe realizarse reconocimientos médicos previos y periódicos a dichos trabajadores, con la prohibición de no contratar a los calificados como no aptos para desempeñar los puestos de trabajo de que se trate.

— Artículo 243 LGSS, en relación con RDEP (Anexo I).

Véase: *Ruido. Trabajos de calderería. Caldereros. Calefacción. Industria metalúrgica.*

CALDEREROS

1. Operario que cuida y repara la caldera del sistema de calefacción de un edificio.

2. Los trabajadores ocupados en las actividades económicas, y expuestos a los agentes o sustancias que a continuación se indican, pueden contraer una Enfermedad Profesional (E.P.):

• Trabajos que requieran movimientos de impacto o sacudidas, supinación o pronación repetidas del brazo contra resistencia, así como movimientos de flexoextensión forzada de la muñeca, como pueden ser: carniceros, pescaderos, curtidores, deportistas, mecánicos, chapistas, caldereros, albañiles, que pueden provocar la E.P. de epicondilitis y/o epitrocleitis. (Código 2D0201).

Por ello, debe realizarse reconocimientos médicos previos y periódicos a dichos trabajadores, con la prohibición de no contratar a los calificados como no aptos para desempeñar los puestos de trabajo de que se trate.

— Artículo 243 LGSS, en relación con RDEP (Anexo I).

Véase: *Trabajos de calderería. Calderas. Calefacción. Industria metalúrgica.*

CALEFACCIÓN

1. Conjunto de aparatos destinados a calentar un edificio o parte de él.

2. Los trabajadores ocupados en las actividades económicas, y expuestos a los agentes o sustancias que a continuación se indican, pueden contraer una Enfermedad Profesional (E.P.), causada por agentes químicos:

• Trabajos en instalaciones de calefacción, por la exposición a los óxidos de carbono. (Código 1T0111).

• Utilización de medios de calefacción o combustión libre, por la exposición a los óxidos de carbono. (Código 1T0112).

Por ello, debe realizarse reconocimientos médicos previos y periódicos a dichos trabajadores, con la prohibición de no contratar a los calificados como no aptos para desempeñar los puestos de trabajo de que se trate.

— Artículo 243 LGSS, en relación con REDP (Anexo I).

Véase: *Óxidos de carbono. Calderas. Trabajos de calderería. Caldereros.*

CALIDAD DEL AIRE

La calidad del aire interior de los edificios puede verse deteriorada por las emisiones nocivas de los materiales utilizados en la construcción del edificio así como por los materiales utilizados en la decoración, mantenimiento y limpieza del edificio.

— Nota Técnica de Prevención n.º 521/1999. INSST.

Véase: Síndrome de edificio enfermo. Ventilación. Ambiente de trabajo. Olores. Olores desagradables. Aerosoles. Gas. Vapores. Alergias. Aire acondicionado.

CALOR

La acción del calor puede producir, entre otras, las siguientes patologías:

• Alteraciones sistémicas: Golpe de calor o hiperpirexia. Síncope de calor por agotamiento. Deplección salina (déficit de sal). Calambres. Sudoración insuficiente.

• Alteraciones cutáneas: Erupciones por calor. Cáncer de piel.

• Trastornos psiconeuroticos: Fatiga crónica leve. Pérdida aguda de control emocional.

— Nota Técnica de Prevención n.º 279/1991. INSST.

Véase: Temperatura. Aislamiento térmico. Deshidratación. Estrés térmico. Agotamiento por calor. Síncope por calor. Golpe de calor.

CALZADO DE SEGURIDAD

Calzado que incorpora elementos para proteger al usuario de riesgos que puedan dar lugar a accidentes, está equipado con tope de seguridad para proteger la parte delantera del pie (dedos), diseñado para ofrecer protección contra el impacto cuando se ensaya con un nivel de energía de, al menos, 200 J y contra la compresión cuando se ensaya con una carga de, al menos, 15 kN.

— Notas Técnicas de Prevención n.º 773/2007. 813/2008. INSST.

Véase: Epi: Calzado de seguridad. Calzado de trabajo. Calzado.

CALZADO DE TRABAJO

Calzado que incorpora elementos para proteger al usuario de riesgos que puedan dar lugar a accidentes. No garantiza protección contra el impacto y la compresión en la parte delantera del pie.

— Notas Técnicas de Prevención n.º 773/2007. 813/2008. INSST.

Véase: Calzado de seguridad. Epi: Calzado de seguridad. Calzado.

CALZADO

1. Clase o conjunto de prendas que cubren o protegen el pie y tienen suela.

2. Los trabajadores ocupados en las actividades económicas, y expuestos a los agentes o sustancias que a continuación se indican, pueden contraer una Enfermedad Profesional (E.P.):

a) Causada por agentes químicos:

• <u>Utilización de aminas e hidracinas como colorantes en la industria del cuero, de pieles del calzado, de productos capilares, etc., así como en papelería y en productos de peluquería.</u> (Código 1I0104).

• <u>Industria del calzado, donde se utilicen éteres.</u> (Código 1O0115).

b) Causada por agentes físicos:

• Zapateros y trabajos que requieran presión mantenida en cara anterior del muslo. (Código 2C0301).

c) Causada por agentes cancerígenos:

• Utilización de aminas como colorantes en la industria del cuero, de pieles del calzado, de productos capilares, etc., así como en papelería y en productos de peluquería, que pueden provocar la E.P. de cáncer versical. (Código 6O0104).

Por ello, debe realizarse reconocimientos médicos previos y periódicos a dichos trabajadores, con la prohibición de no contratar a los calificados como no aptos para desempeñar los puestos de trabajo de que se trate.

— Artículo 243 LGSS, en relación con RDEP (Anexo I).

Véase: Calzado de trabajo. Calzado de seguridad. Zapateros.

CÁMARAS HIPERBÁRICAS

1. Compartimento cerrado que incrementa la presión del entorno y es de utilidad en el tratamiento del síndrome de descompresión que afecta a los buzos y submarinistas al subir a la superficie.

2. Los trabajadores ocupados en las actividades económicas, y expuestos a los agentes o sustancias que a continuación se indican, pueden contraer una Enfermedad Profesional (E.P.), causada por agentes físicos:

• Trabajos subacuáticos en operadores de cámaras submarinas hiperbáricas con escafandra o provistos de equipos de buceo autónomo, que pueden producir E.P. provocadas por compresión o descompresión atmosférica. (Código 2H0101).

• Todo trabajo efectuado en un medio hiperbárico, que puede producir una E.P. provocada por compresión o descompresión atmosférica. (Código 2H0102).

Por ello, debe realizarse reconocimientos médicos previos y periódicos a dichos trabajadores, con la prohibición de no contratar a los calificados como no aptos para desempeñar los puestos de trabajo de que se trate.

— Artículo 243 LGSS, en relación con RDEP (Anexo I).

Véase: Ambiente hiperbárico. Presurizar. Buceo. Trabajos con riesgos especiales. Trabajos en cajones de aire comprimido. Trabajos subacuáticos. Trabajos en espacios confinados. E.P. por descompresión atmosférica.

CAMAREROS

1. Personas que tienen por oficio servir consumiciones en restaurantes, bares u otros establecimientos similares.

2. Los trabajadores ocupados en las actividades económicas, y expuestos a los agentes o sustancias que a continuación se indican, pueden contraer una Enfermedad Profesional (E.P.), causada por agentes físicos:

• Trabajos en los que se produzca un apoyo prolongado y repetido de forma directa o indirecta sobre las correderas anatómicas que provocan lesiones nerviosas por compresión. Movimientos extremos de hiperflexión y de hiperextensión. Trabajos que requieran movimientos repetidos o mantenidos de hiperextensión e hiperflexión de la muñeca, de aprehensión de la mano como lavanderos, cortadores de tejidos y material plástico y similares, trabajos de montaje (electrónica, mecánica), industria textil, mataderos (carniceros, matarifes), hostelería (camareros, cocineros), soldadores, carpinteros, pulidores, pintores, que pueden provocar la E.P. de síndrome del túnel carpiano. (Código 2F0201).

Por ello, debe realizarse reconocimientos médicos previos y periódicos a dichos trabajadores, con la prohibición de no contratar a los calificados como no aptos para desempeñar los puestos de trabajo de que se trate.

— Artículo 243 LGSS, en relación con RDEP (Anexo I).

Véase: Cocineros. Hostelería. Discotecas. Trabajos en discotecas.

CAMBIO DE PUESTO DE TRABAJO

1. Los trabajadores no serán empleados en aquellos puestos de trabajo en los que, a causa de sus características personales, estado biológico o por su discapacidad física, psíquica o sensorial debidamente reconocida, puedan ellos, los demás trabajadores u otras personas relacionadas con la empresa ponerse en situación de peligro o, en general, cuando se encuentren manifiestamente en estados o situaciones transitorias que no respondan a las exigencias psicofísicas de los respectivos puestos de trabajo.

— Artículo 25.1 LPRL.

2. En los casos de trabajadoras embarazadas y de trabajadoras durante el período de lactancia, el empresario adaptara el puesto de trabajo a la nueva situación. Si no fuese posible, se les cambiará de puesto de trabajo exento de riesgo. Si no existe puesto de trabajo exento de riesgo se producirá la suspensión de contrato de trabajo.

— Artículo 26. LPRL.

— Artículo 45.1.d. LET.

3. Cambio de puesto de trabajo durante el período de observación por Enfermedad Profesional.

— Artículos 169.1.b, 176.2, 199 LGSS.

— Artículos 45, 46, 48 Orden de 9 de mayo de 1962, modificada por la Orden de 8 de abril de 1964.

4. Se ha declarado la obligación empresarial de cambiar de puesto de trabajo exento de riesgo:

• A un trabajador que desempeña funciones de atención al público y que sufre estrés laboral, porque padece una discapacidad auditiva que le dificulta la comprensión de la comunicación oral del puesto que desempeña.

— STSJ Cantabria 27.7.06.

b) A una trabajadora que padece una dermatitis de contacto, que se ve agravada por el calor y la humedad del puesto de trabajo que ocupa.

— STSJ Valencia 12.6.08.

Véase: Rotación de puesto de trabajo. Trabajadores especialmente sensibles. Estrés laboral. Incapacidad Permanente Parcial.

CÁNCER PROFESIONAL

El cáncer consiste en diversas enfermedades con características distintas, que no siempre tienen un desenlace fatal, y que originan tumores. Los tumores son el resultado de una multiplicación atípica de células. Pueden ser benignos (no invasivos) o malignos (invasivos). El cáncer profesional es el adquirido a consecuencia de la exposición de los trabajadores a sustancias cancerígenas.

— Notas Técnicas de Prevención n.º 159/1986. 269/1991. INSST.

Véase: Agentes cancerígenos. Sustancias cancerígenas. Sustancias genotóxicas. Valor límite cancerígeno.

CANELA

1. Árbol originario de Ceilán, de la familia de las lauráceas, que alcanza de siete a ocho metros de altura, con tronco liso, flores terminales blancas y de olor agradable y por fruto drupas ovales de color pardo azulado. La segunda corteza de sus ramas es la canela.

2. Los trabajadores ocupados en las actividades económicas, y expuestos a los agentes o sustancias que a continuación se indican, pueden contraer una Enfermedad Profesional (E.P.):

a) Causada por inhalación de sustancias y agentes no comprendidos en otros apartados:

• Procesamiento de canela, donde los trabajadores estén expuestos a sustancias de alto peso molecular (de origen vegetal o animal), que pueden provocar alguna de las siguientes E.P: rinoconjuntivitis (Código 4H0105), asma (Código 4H0205), alveolitis alérgica extrínseca (Código 4H0305), síndrome de disfunción reactivo de la vía aérea (Código 4H0405), fibrosis intersticial difusa (Código 4H0505), bisinosis, cannabiosis, linnosis, bagazosis, estipatosis, suberosis (Códigos 4H0605), neumopatía intersticial difusa (Código 4H0705).

b) E.P. de la piel, causada por sustancias y agentes no comprendidos en alguno de los otros apartados:

• Procesamiento de canela, donde los trabajadores estén expuestos a sustancias de alto peso molecular (de origen vegetal o animal), que pueden provocar una E.P. de la piel, causada por sustancias de alto peso molecular. (Código 5B0105).

Por ello, debe realizarse reconocimientos médicos previos y periódicos a dichos trabajadores, con la prohibición de no contratar a los calificados como no aptos para desempeñar los puestos de trabajo de que se trate.

— Artículo 243 LGSS, en relación con RDEP (Anexo I).

Véase: Especias. Agricultura. Alimentación.

CANTERAS

1. Sitio de donde se saca piedra, greda u otra sustancia análoga para obras varias.

2. La vigilancia y control en materia de prevención de riesgos laborales en los trabajos de minas, canteras y túneles que exijan la aplicación de la técnica minera, la corresponde a los ingenieros de minas del Ministerio de Industria.

— Artículo 7 LPRL.

3. Los trabajadores ocupados en las actividades económicas, y expuestos a los agentes o sustancias que a continuación se indican, pueden contraer una Enfermedad Profesional (E.P.):

a) Causada por agentes físicos:

• Trabajos de molienda de piedras y minerales, donde el trabajador este expuesto a ruidos continuos y diarios de un nivel sonoro igual o superior a 80 decibelios A, que puede contraer la E.P. de hipoacusia. (Código 2A0117).

b) Causada por inhalación de sustancias y agentes no comprendidos en otros apartados:

• Trabajos en minas, túneles, canteras, galerías, obras públicas, que pueden provocar la E.P. de silicosis, por la inhalación de polvo de sílice libre. (Código 4A0101).

• Trabajos de tallado y pulido de rocas silíceas, trabajos de canterías, que pueden provocar la E.P. de silicosis, por la exposición a la inhalación de polvo de sílice libre. (Código 4A0102).

• Trabajos en chorro de arena y esmeril, que contengan sílice, que pueden provocar la E.P. de silicosis. (Código 4A0108).

Por ello, debe realizarse reconocimientos médicos previos y periódicos a dichos trabajadores, con la prohibición de no contratar a los calificados como no aptos para desempeñar los puestos de trabajo de que se trate.

— Artículo 243 LGSS, en relación con RDEP (Anexo I).

Véase: Minería. Industrias extractivas.

CAÑA DE AZÚCAR

1. Planta gramínea, originaria de la India, con el tallo leñoso, de unos dos metros de altura, hojas largas, lampiñas, y flores purpúreas en panoja piramidal, cuyo tallo está lleno de un tejido esponjoso y dulce, del que se extrae azúcar.

2. Los trabajadores ocupados en las actividades económicas, y expuestos a los agentes o sustancias que a continuación se indican, pueden contraer una Enfermedad Profesional (E.P.):

a) Causada por inhalación de sustancias y agentes no comprendidos en otros apartados:

• Trabajos en los que se manipula cáñamo, bagazo de caña de azúcar, yute, lino, esparto, sisal y corcho, donde los trabajadores estén expuestos a sustancias de alto peso molecular (de origen vegetal o animal), que pueden provocar alguna de las siguientes E.P: rinoconjuntivitis (Código 4H0129), asma (Código 4H0229), alveolitis alérgica extrínseca (Código 4H0329), síndrome de disfunción reactivo de la vía aérea (Código 4H0429), fibrosis intersticial difusa (Código 4H0529), bisinosis, cannabiosis, linnosis, bagazosis, estipatosis, suberosis (Código 4H0629), y neumopatía intersticial difusa (Código 4H0729).

b) E.P. de la piel causada sus sustancias y agentes no comprendidos en alguno de los otros apartados:

• Trabajos en los que se manipula cáñamo, bagazo de caña de azúcar, yute, lino, esparto, sisal y corcho, donde los trabajadores estén expuestos a sustancias de alto peso molecular (de origen vegetal o animal), que pueden provocar una E.P. de la piel, causada por sustancias de alto peso molecular. (Código 5B0129).

Por ello, debe realizarse reconocimientos médicos previos y periódicos a dichos trabajadores, con la prohibición de no contratar a los calificados como no aptos para desempeñar los puestos de trabajo de que se trate.

— Artículo 243 LGSS, en relación con RDEP (Anexo I).

Véase: Cáñamo. Esparto. Corcho. Yute.

CÁÑAMO

1. Planta anual, de la familia de las cannabáceas, de unos dos metros de altura, con tallo erguido, ramoso, áspero, hueco y velloso, hojas lanceoladas y opuestas, y flores verdosas.

2. Los trabajadores ocupados en las actividades económicas, y expuestos a los agentes o sustancias que a continuación se indican, pueden contraer una Enfermedad Profesional (E.P.):

a) Causada por agentes químicos:

• Enriado de cáñamo y del esparto, donde se utilice ácido sulfhídrico. (Código 1D0306).

b) Causada por inhalación de sustancias y agentes no comprendidos en otros apartados:

• Trabajos en los que se manipula cáñamo, bagazo de caña de azúcar, yute, lino, esparto, sisal y corcho, donde los trabajadores estén expuestos a sustancias de alto peso molecular (de origen vegetal o animal), que pueden provocar alguna de las siguientes E.P: rinoconjuntivitis (Código 4H0129), asma (Código 4H0229), alveolitis alérgica extrínseca (Código 4H0329), síndrome de disfunción reactivo de la vía aérea (Código 4H0429), fibrosis intersticial difusa (Código 4H0529), bisinosis, cannabiosis, linnosis, bagazosis, estipatosis, suberosis (Código 4H0629), y neumopatía intersticial difusa (Código 4H0729).

c) E.P. de la piel, causada por sustancias y agentes no comprendidos en alguno de los otros apartados:

• Trabajos en los que se manipula cáñamo, bagazo de caña de azúcar, yute, lino, esparto, sisal y corcho, donde los trabajadores estén expuestos a sustancias de alto peso molecular (de origen vegetal o animal). (Código 5B0129).

Por ello, debe realizarse reconocimientos médicos previos y periódicos a dichos trabajadores, con la prohibición de no contratar a los calificados como no aptos para desempeñar los puestos de trabajo de que se trate.

— Artículo 243 LGSS, en relación con RDEP (Anexo I).

Véase: Esparto. Corcho. Caña de azúcar. Sisal. Tute.

CAPITÁN DE BUQUE

Todo trabajador debidamente habilitado para ello, que manda el buque o es responsable del funcionamiento operativo-marítimo del mismo.

— Artículo 2.7 RDSSTBP.

Véase: Buque de pesca. Navíos. Trabajos en navíos. Gente del mar. Trabajador del mar. Armador. Pesca de altura. Pesca de arrastre. Pesca de bajura. Pesca de cerco.

CARBÓN

1. Sustancia fósil, dura, bituminosa, de color oscuro o casi negro, que resulta de la descomposición lenta de materia leñosa. Materia sólida, ligera, negra y muy combustible, que resulta de la destilación o de la combustión incompleta de la leña o de otros cuerpos orgánicos. Brasa o ascua después de apagada.

2. Los trabajadores ocupados en las actividades económicas, y expuestos a los agentes o sustancias que a continuación se indican, pueden contraer una Enfermedad Profesional (E.P.), causada por inhalación de sustancias y agentes no comprendidos en otros apartados:

• Trabajos que impliquen exposición a polvo de carbón, pueden provocar la E.P. de neumoconiosis. (Código 4B0101).

Por ello, debe realizarse reconocimientos médicos previos y periódicos a dichos trabajadores, con la prohibición de no contratar a los calificados como no aptos para desempeñar los puestos de trabajo de que se trate.

— Artículo 243 LGSS, en relación con RDEP (Anexo I).

Véase: Briquetas. Combustibles fósiles. E.P. neumoconiosis. Sustancias combustibles.

CARBONATOS

1. Sal del ácido carbónico. Carbonatar: Introducir ácido carbónico en una sustancia.

2. Los trabajadores ocupados en las actividades económicas, y expuestos a los agentes o sustancias que a continuación se indican, pueden contraer una Enfermedad Profesional (E.P.), causada por agentes químicos:

• Fabricación de baquelita poliepóxido y policarbonatos, donde se utilicen fenoles. (Código 1F0202).

Por ello, debe realizarse reconocimientos médicos previos y periódicos a dichos trabajadores, con la prohibición de no contratar a los calificados como no aptos para desempeñar los puestos de trabajo de que se trate.

— Artículo 243 LGSS, en relación con RDEP (Anexo I).

Véase: Fenoles.

CARBONO

Elemento químico, abundante en la naturaleza, tanto en los seres vivos como en el mundo mineral y en la atmósfera, que se presenta, entre otras, en forma de diamante y de grafito, constituye la base de la química orgánica y tiene gran importancia biológica.

Carbono 14: Isótopo radiactivo del carbono, que se utiliza para fechar objetos y restos antiguos, y como trazador en la investigación biológica.

Véase: Óxidos de carbono. Dióxido de carbono. Monóxido de carbono. Sulfuro de carbono. Organoclorados.

CARBURANTES

1. Mezcla de hidrocarburos que se emplea como combustible en los motores de combustión interna.

2. Los trabajadores ocupados en las actividades económicas, y expuestos a los agentes o sustancias que a continuación se indican, pueden contraer una Enfermedad Profesional (E.P.):

a) Causada por agentes químicos:

• Preparación, distribución y limpieza de tanques de carburantes que contengan benceno. (Código 1K0104).

• Utilización de vinilbenceno (estireno y divinilbenceno) como disolvente y aditivo en el carburante para aviones. (Código 1K0403).

• Utilización como aditivos de carburantes y de aceites de motor, donde se utilicen ésteres orgánicos. (Código 1N0112).

b) Causada por agentes cancerígenos:

• Preparación, distribución y limpieza de tanques de carburantes que contengan benceno, que puede provocar la E.P. de síndrome linfo y mieloproliferativos. (Código 6D0104).

Por ello, debe realizarse reconocimientos médicos previos y periódicos a dichos trabajadores, con la prohibición de no contratar a los calificados como no aptos para desempeñar los puestos de trabajo de que se trate.

— Artículo 243 LGSS, en relación con RDEP (Anexo I).

Véase: Sustancias carburantes. Sustancias combustibles. Combustión. Sustancias peligrosas.

CARBUROS

1. Están formados por una combinación del carbono con un metal. El carburo de calcio, denominado corrientemente como «carburo» es uno de los más importantes para la industria, porque entre los carburos que reaccionan con el agua, este desprende acetileno. Este carburo está formado por una carga de cal y otra de coque mezclada en proporciones preestablecidas.

2. Los trabajadores ocupados en las actividades económicas, y expuestos a los agentes o sustancias que a continuación se indican, pueden contraer una Enfermedad Profesional (E.P.):

a) Causada por agentes químicos:

• Fabricación y utilización de ferrosilicio, manganosiliceo, carburos de calcio y de cianamida cálcica cuando contienen residuos de fósforo y cuando esas operaciones se hacen en presencia de humedad. (Código 1A0508).

b) Causada por agentes físicos:

• Trabajos con cristal incandescente, masas y superficies incandescentes, en fundiciones, acererías, etc., así como en fábricas de carburos, que pueden producir E.P. provocadas por la energía radiante. (Código 2K0101).

c) Causada por inhalación de sustancias y agentes no comprendidos en otros apartados:

• Trabajos en los que exista la posibilidad de inhalación de metales sinterizados, compuestos de carburos metálicos de alto punto de fusión y metales de ligazón de bajo punto de fusión (Los carburos metálicos más utilizados son los de titanio, vanadio, cromo, molibdeno, tungsteno y wolframio; como metales de ligazón se utilizan hierro, níquel y cobalto), que pueden provocar las E.P. de neumoconiosis o de siderosis. (Códigos 4E0101, 4E0201).

• Trabajos de mezclado, tamizado, moldeado y rectificado de carburos de tungsteno, titanio, tantalio, vanadio y molibdeno aglutinados con cobalto, hierro y níquel, con exposición a la inhalación de metales sintetizados, que pueden provocar la la E.P. de neumoconiosis, por inhalación de metales sintetizados y de metales de ligazón, que pueden provocar las E.P. de neumoconiosis o de siderosis. (Códigos 4E0102, 4E0202).

d) Causada por agentes cancerígenos:

• Producción de carburo de silíceo, donde se utilicen hidrocarburos aromáticos, que pueden provocar la E.P. de lesiones premalignas de piel (Código 6J0124), y/o E.P. de carcinoma de células escamosas (Código 6J0224).

Por ello, debe realizarse reconocimientos médicos previos y periódicos a dichos trabajadores, con la prohibición de no contratar a los calificados como no aptos para desempeñar los puestos de trabajo de que se trate.

— Artículo 243 LGSS, en relación con RDEP (Anexo I).

Véase: Acetileno. Carbono. Óxidos de carbono.

CÁRCELES

Véase: Centros penitenciarios.

CARGA DE FUEGO PONDERADA

1. La densidad de carga térmica o carga de fuego se determina mediante el cálculo del sumatorio del producto de la cantidad de cada materia combustible por su poder calorífico respectivo y dividido por la superficie del local que contenga las materias consideradas.

Este concepto representa la energía calorífica por unidad de superficie que se liberaría en el caso de incendio de todo el material combustible existente en el local.

En las normativas de protección contra incendios se han introducido unos coeficientes correctores que ponderan la facilidad de ignición de las materias combustibles existentes. Este nuevo cálculo ha recibido el nombre de carga térmica o carga de fuego ponderada.

— Nota Técnica de Prevención n.º 766/2006. INSST.

2. Carga de fuego es la suma de las energías caloríficas que se liberan en la combustión de todos los materiales combustibles existentes en un espacio (contenidos del edificio y elementos constructivos).

— Norma UNE-EN 1991-1-2:2004.

— Real Decreto 314/2006, de 17 de marzo.

Véase: Incendios. Dispositivos de lucha contra incendios. Detectores de incendios. Sistemas de alarma. Detectores de humos. Fuego clase: A, B, C, D, E. Radiaciones térmicas. Extintores. Equipos contra incendios.

CARGA FÍSICA DE TRABAJO

1. Podemos definir la carga de trabajo como el conjunto de requerimientos físicos y mentales a los que se ve sometida la persona durante la jornada laboral. Podemos definir la fatiga física como la disminución de la capacidad física de la persona, después de haber desarrollado una tarea durante un tiempo determinado.

En toda actividad en la que se requiere un esfuerzo físico se consume energía y aumentan los ritmos cardíaco y respiratorio; estos parámetros son los que sirven para determinar el grado de penosidad de una tarea. La consecuencia directa de la carga física es la fatiga muscular y, cuando ésta es tal que la persona no puede llegar a recuperarse, puede producirse una patología osteomuscular. La fatiga puede responder a múltiples factores dependientes tanto del individuo como de las condiciones de trabajo y de las circunstancias acompañantes.

— Notas Técnicas de Prevención n.º 177/1986. 413/1996. INSST.

2. Para el análisis de los distintos aspectos de carga física (posturas, movimientos repetitivos, etc.) se utilizan normalmente los métodos de observación. Si bien es cierto que esta técnica tiene sus virtudes, entre las que destacan las de ser económica, no interrumpir el trabajo, ser accesible a gran cantidad de personas y que el empleo de material es reducido (papel y lápiz principalmente), también es conocida su principal desventaja, que es su falta de precisión y que presenta una gran variabilidad inter e intraobservacional. Una alternativa a los métodos de observación la constituyen los métodos directos. De entre ellos, uno de los más precisos y fácilmente aplicable, en muchos casos, es el basado en la técnica electrogoniométrica.

— Nota Técnica de Prevención n.º 622/2003. INSST.

3. Reducción de jornada por trabajos en el campo. En aquellas faenas que exijan para su realización extraordinario esfuerzo físico o en las que concurran circunstancias de especial penosidad derivadas de condiciones anormales de temperatura o humedad, la jornada ordinaria no podrá exceder de seis horas y veinte minutos diarios y treinta y ocho horas semanales de trabajo efectivo.

— Artículo 24 RDJET.

Véase: Período de descanso. Fatiga. Estrés laboral. Burnout. Tecnoestrés. Carga mental de trabajo. Rotación de puesto de trabajo.

CARGA MENTAL DE TRABAJO

1. Conjunto de tensiones inducidas en una persona por las exigencias del trabajo mental que realiza (procesamiento de información del entorno a partir de los conocimientos previos, actividad de rememoración, de razonamiento y búsqueda de soluciones, etc.).

— Notas Técnicas de Prevención n.º 177, 179/1986. 445/1997. 534/1999. 544, 575/2000. 659/2004. INSST.

— Norma UNE-EN ISO 10075-2:2001.

2. Carga mental en el trabajo hospitalario: Guía para su valoración.

— Nota Técnica de Prevención n.º 275/1991. INSST.

Véase: Período de descanso. Estrés laboral. Burnout. Tecnoestrés. Carga física de trabajo. Fatiga. Rotación de puesto de trabajo.

CARNICEROS

1. Personas que manipulan y venden la carne.

2. Los trabajadores ocupados en las actividades económicas, y expuestos a los agentes o sustancias que a continuación se indican, pueden contraer una Enfermedad Profesional (E.P.):

a) Causada por agentes físicos:

• Trabajos que requieran movimientos de impacto o sacudidas, supinación o pronación repetidas del brazo contra resistencia, así como movimientos de flexoextensión forzada de la muñeca, como pueden ser: carniceros, pescaderos, curtidores, deportistas, mecánicos, chapistas, caldereros, albañiles, que pueden provocar la E.P. de epicondilitis y/o epitrocleitis. (Código 2D0201).

• Trabajos en los que se produzca un apoyo prolongado y repetido de forma directa o indirecta sobre las correderas anatómicas que provocan lesiones nerviosas por compresión. Movimientos extremos de hiperflexión y de hiperextensión. Trabajos que requieran movimientos repetidos o mantenidos de hiperextensión e hiperflexión de la muñeca, de aprehensión de la mano como lavanderos, cortadores de tejidos y material plástico y similares, trabajos de montaje (electrónica, mecánica), industria textil, mataderos (carniceros, matarifes), hostelería (camareros, cocineros), soldadores, carpinteros, pulidores, pintores, que pueden provocar la E.P. de síndrome del túnel carpiano. (Código 2F0201).

b) Causada por agentes biológicos:

• Carniceros, que pueden contraer una E.P. infecciosa transmitida por animales (o por sus productos y cadáveres). (Código 3B0115).

c) Causada por inhalación de sustancias y agentes no comprendidos en otros apartados:

• Granjeros, ganaderos, veterinarios y procesadores de carne, donde los trabajadores estén expuestos a sustancias de alto peso molecular (de origen vegetal o animal), que pueden provocar alguna de las siguientes E.P: rinoconjuntivitis (Código 4H0113), asma (Código 4H0213), alveolitis alérgica extrínseca (Código 4H0313), síndrome de disfunción reactivo de la vía aérea (Código 4H0413), fibrosis intersticial difusa (Código 4H0513), bisinosis, cannabiosis, linnosis, bagazosis, estipatosis, suberosis (Códigos 4H0613), y neumopatía intersticial difusa (Código 4H0713).

d) E.P. de la piel, causada por sustancias y agentes no comprendidos en alguno de los otros apartados:

• Granjeros, ganaderos, veterinarios y procesadores de carne, donde los trabajadores estén expuestos a sustancias de alto peso molecular (de origen vegetal o animal), que pueden provocar una E.P. de la piel, causada por sustancias de alto peso molecular. (Código 5B0113).

• Carniceros, expuestos a agentes infecciosos. (Código 5D0114).

Por ello, debe realizarse reconocimientos médicos previos y periódicos a dichos trabajadores, con la prohibición de no contratar a los calificados como no aptos para desempeñar los puestos de trabajo de que se trate.

— Artículo 243 LGSS, en relación con RDEP (Anexo I).

Véase: Avicultores. Ganaderos. Granjas. Granjeros. Granjas de ganado vacuno. Curtidores. Curtidos. Matarifes. Mataderos. Pastores. Pescaderos. Trabajos con animales. Veterinarios. Entomólogos. Zoonosis. Zoológicos. Transporte de animales.

CARPINTERÍAS

1. Taller donde trabaja el carpintero, en la construcción de muebles, armaduras de puertas y ventanas, etc.

2. Los trabajadores ocupados en las actividades económicas, y expuestos a los agentes o sustancias que a continuación se indican, pueden contraer una Enfermedad Profesional (E.P.):

a) Causada por agentes físicos:

• Carpintero y trabajos que requieran presión mantenida en región preesternal. (Código 2C0501).

b) Causada por la inhalación de sustancias y agentes no comprendidos en otros apartados:

• Industria de la madera: Aserraderos, acabados de madera, carpintería, ebanistería, fabricación y utilización de conglomerados de madera, donde los trabajadores estén expuestos a sustancias de alto peso molecular (de origen vegetal o animal), que pueden provocar alguna de las siguientes E.P: rinoconjuntivitis (Código 4H0122), asma (Código 4H0222), alveolitis alérgica extrínseca (Código 4H0322), síndrome de disfunción reactivo de la vía aérea (Código 4H0422), fibrosis intersticial difusa (Código 4H0522), bisinosis, cannabiosis, linnosis, bagazosis, estipatosis, suberosis (Código 4H0622), y neumopatía intersticial difusa (Código 4H0722).

• Industria de la madera: Aserraderos, acabados de madera, carpintería, ebanistería, fabricación y utilización de conglomerados de madera, donde los trabajadores estén expuestos a sustancias de bajo peso molecular (metales, sustancias químicas, etc.), que pueden provocar alguna de las siguientes E.P: rinoconjuntivitis (Código 4I0115), urticaria (Código 4I0215), angiodemas (Código 4I0215), asma (Código 4I0315), alveolitis alérgica extrínseca (Código 4I0415), síndrome de disfunción de la vía reactiva (Código 4I0515), fibrosis intersticial difusa (Código 4I0615), fiebre de los metales (Código 4I0715), y neumopatía intersticial difusa (Código 4I0815).

c) E.P. de la piel, causada por sustancias y agentes no comprendidos en alguno de los otros apartados:

• Industria de la madera: Aserraderos, acabados de madera, carpintería, ebanistería, fabricación y utilización de conglomerados de madera, donde los trabajadores estén expuestos a sustancias de bajo peso molecular (metales, sustancias químicas, etc.), que pueden provocar una E.P. de la piel, causada por sustancias de bajo peso molecular (Código 5A0115).

• Industria de la madera: Aserraderos, acabados de madera, carpintería, ebanistería, fabricación y utilización de conglomerados de madera, donde los trabajadores estén expuestos a sustancias de alto peso molecular (de origen vegetal o animal), que pueden provocar una E.P. de la piel, causada por sustancias de alto peso molecular. (Código 5B0122).

Por ello, debe realizarse reconocimientos médicos previos y periódicos a dichos trabajadores, con la prohibición de no contratar a los calificados como no aptos para desempeñar los puestos de trabajo de que se trate.

— Artículo 243 LGSS, en relación con RDEP (Anexo I).

Véase: Carpinteros. Ebanistería. Industria de la madera. Aserrado de la madera. Parquet. Sierras. Trabajos con máquina tupi.

CARPINTEROS

1. Personas que por oficio trabajan y labran la madera, ordinariamente común. Carpintero de obra, es el carpintero que hace las armaduras, entramados y demás armazones de madera para los edificios. Carpintero de ribera, es el carpintero que trabaja en obras navales.

2. Los trabajadores ocupados en las actividades económicas, y expuestos a los agentes o sustancias que a continuación se indican, pueden contraer una Enfermedad Profesional (E.P.), causada por agentes físicos:

• Carpintero y trabajos que requieran presión mantenida en región preesternal, que pueden producir la E.P. de bursitis. (Código 2C0501).

• Trabajos en los que se produzca un apoyo prolongado y repetido de forma directa o indirecta sobre las correderas anatómicas que provocan lesiones nerviosas por compresión. Movimientos extremos de hiperflexión y de hiperextensión. Trabajos que requieran movimientos repetidos o mantenidos de hiperextensión e hiperflexión de la muñeca, de aprehensión de la mano como lavanderos, cortadores de tejidos y material plástico y similares, trabajos de montaje (electrónica, mecánica), industria textil, mataderos (carniceros, matarifes), hostelería (camareros, cocineros), soldadores, carpinteros, pulidores, pintores, que pueden provocar la E.P. de síndrome del túnel carpiano. (Código 2F0201).

Por ello, debe realizarse reconocimientos médicos previos y periódicos a dichos trabajadores, con la prohibición de no contratar a los calificados como no aptos para desempeñar los puestos de trabajo de que se trate.

— Artículo 243 LGSS, en relación con RDEP (Anexo I).

Véase: Carpinterías. Ebanistería. Industria de la madera. Aserrado de la madera. Parquet.

CARRETILLAS ELEVADORAS AUTOMOTORAS

1. Carretilla elevadora automotora es todo equipo con conductor a pie o montado, ya sea sentado o de pie, sobre ruedas, que no circula sobre raíles, con capacidad para auto cargarse y destinado al transporte y manipulación de cargas vertical u horizontalmente. También se incluyen en este concepto las carretillas utilizadas para la tracción o empuje de remolques y plataformas de carga.

— Notas Técnicas de Prevención n.º 474/1998. 713/2005. INSST.

2. Procede la imposición del recargo en las prestaciones económicas de la Seguridad Social:

a) Ante la ausencia de señalización adecuada de las vías de circulación para las carretillas elevadoras, de modo que cualquier persona podía pasa por los lugares de circulación de las mismas, aunque se alertara o llamara la atención a los trabajadores del riesgo de atropello, ya que ello por sí solo no era suficiente para prevenir adecuadamente el riesgo.

— STSJ Cataluña 17.2.10.

b) Por falta de dispositivo sonoro de marcha atrás, que produjo el atropello del trabajador.

— STSJ Murcia 5.10.98.

— STSJ Burgos 7.6.99.

Véase: Equipos de elevación de cargas. Dumper. Palas cargadoras. Trabajos con palas mecánicas. Construcción. Obras públicas. Excavadoras. Excavaciones.

CARRETILLAS MANUALES

La transpaleta manual es una carretilla de pequeño recorrido de elevación, trasladable a brazo, equipada con una horquilla formada por dos brazos paralelos horizontales unidos sólidamente a un cabezal vertical provisto de ruedas en tres puntos de apoyo sobre el suelo y que puede levantar y transportar paletas o recipientes especialmente concebidos para este uso.

— Nota Técnica de Prevención n.º 319/1993. INSST.

Véase: Manipulación manual de cargas. Bidones. Paletas.

CARROCERÍAS

1. Parte de los vehículos automóviles o ferroviarios que, asentada sobre el bastidor, reviste el motor y otros elementos, y en cuyo interior se acomodan los pasajeros o la carga.

2. Los trabajadores ocupados en las actividades económicas, y expuestos a los agentes o sustancias que a continuación se indican, pueden contraer una Enfermedad Profesional (E.P.), causada por agentes químicos:

• Fabricación de piscinas, yates, bañeras, carrocerías de automóviles, donde se utilice vinilbenceno (estireno y divinilbenceno). (Código 1K0405).

Por ello, debe realizarse reconocimientos médicos previos y periódicos a dichos trabajadores, con la prohibición de no contratar a los calificados como no aptos para desempeñar los puestos de trabajo de que se trate.

— Artículo 243 LGSS, en relación con RDEP (Anexo I).

Véase: Bañeras. Aguas: Tratamiento. Depuración. Piscinas. Yates.

CATALIZADORES

1. Catalizador es una clase de sustancia que, durante la catálisis, altera el desarrollo de una reacción.

2. Los trabajadores ocupados en las actividades económicas, y expuestos a los agentes o sustancias que a continuación se indican, pueden contraer una Enfermedad Profesional (E.P.):

a) Causada por agentes químicos:

• Fabricación de catalizadores, productos químicos para la curtición, y productos de tratamiento de la madera que contengan compuestos de cromo. (Código 1A0401).

• Empleo del mercurio o de sus compuestos como catalizadores. (Código 1A0711).

• Empleo de níquel como catalizador en la industria química. (Código 1A0808).

• Empleo de óxidos de vanadio como catalizadores en procesos de oxidación de la industria química y como reveladores y sensibilizadores fotográficos. (Código 1A1102).

• Utilización de bromuros inorgánicos como agentes reductores, y catalizadores. (Código 1C0104).

• Empleo de ácido fluorhídrico en los procesos químicos como agente de ataque (industria del vidrio, decapado de metales, limpieza del grafito, de los metales, de los cristales, etc.) y como catalizador. (Código 1C0306).

b) Causada por inhalación de sustancias y agentes no comprendidos en otros apartados:

• Utilización del hidrato de aluminio en la industria papelera (preparación del sulfato de aluminio), en el tratamiento de aguas, en la industria textil (capa impermeabilizante), en las refinerías de petróleo (preparación y utilización de ciertos catalizadores) y en numerosas industrias donde el aluminio y sus compuestos entran en la composición de numerosas aleaciones, que pueden provocar neumoconiosis por polvo de aluminio. (Código 4G0107).

c) Causada por agentes cancerígenos:

• Fabricación de catalizadores, productos químicos para la curtición, y productos de tratamiento de la madera que contengan compuestos de cromo, que puede provocar la E.P. de neoplasia de neoplasia maligna de cavidad nasal. (Código 6I0101).

• Fabricación de catalizadores, productos químicos para la curtición, y productos de tratamiento de la madera que contengan compuestos de cromo, que puede provocar la E.P. de neoplasia de bronquio y pulmón. (Código 6I0201).

• Empleo del níquel como catalizador en la industria química, que puede provocar alguna de las siguientes E.P. (Cánceres): E.P. neoplasia maligna de cavidad nasal (Código 6K0107), E.P. cáncer primitivo del etmoides y de los senos de la cara (Código 6K0207), o E.P. neoplasia maligna de bronquio y pulmón (Código 6K0307).

Por ello debe realizarse reconocimientos médicos previos y periódicos a dichos trabajadores, con la prohibición de no contratar a los calificados como no aptos para desempeñar los puestos de trabajo de que se trate.

— Artículo 243 LGSS, en relación con RDEP (Anexo I).

Véase: Cromo. Níquel. Vanadio. Talio.

CATENARIA

1. La línea aérea de contacto flexible o catenaria es el conductor que se monta sobre la vía del ferrocarril con el objeto de permitir alimentar eléctricamente al material rodante ferroviario. Igualmente, se incluyen dentro de la definición de catenaria el resto de elementos necesarios de la instalación, como pueden ser los postes de sujeción, herrajes, aisladores, seccionadores, pórticos, etc.

El hilo de contacto de la catenaria está formado por conductores de cobre o aleación cobre-magnesio (CuMg) de secciones hasta 150 mm^2 y cuya tensión de alimentación es de 25.000 KV – 50 Hz de corriente alterna, para el caso de trenes de Alta Velocidad, o de 3.000 V en corriente continua en caso de líneas convencionales de ferrocarril. Sobre el techo de los vehículos ferroviarios se instala un componente denominado pantógrafo, en contacto directo con el conductor que permite mediante rozamiento la toma de corriente eléctrica desde la catenaria hasta el motor del vehículo.

— Nota Técnica de Prevención n.º 1057/2015. INSST.

Véase: Corriente eléctrica. Hilos conductores. Hilos eléctricos.

CAUSAS DE LOS ACCIDENTES E INCIDENTES

Las acciones, omisiones, acontecimientos o condiciones existentes o preexistentes, o cualquier combinación de estos factores que hayan determinado el accidente o incidente

— Artículo 3.3.c RDIAAC.

— Artículo 3.4 RDIAM.

— Artículo 3.f RDIAF.

Véase: Accidentes blancos. Incidentes. Efecto dominó.

CAZA

Véase: Guardas de caza.

CEBADO

Establecimiento de un arco como consecuencia de una perforación de aislamiento.

— ITC-BT-01 del REBT.

Véase: Arco eléctrico.

CEBOS

1. Comida que se da a los animales para atraerlos.

2. Los trabajadores ocupados en las actividades económicas, y expuestos a los agentes o sustancias que a continuación se indican, pueden contraer una Enfermedad Profesional (E.P.), causada por agentes químicos:

• Uso agrícola de los productos plaguicidas que contiene organofosforados y carbamatos inhibidores de la colinesterasa; preparación, formulación y las soluciones, cebos, gel y toda otra forma de presentación. (Código 1S0103).

Por ello, debe realizarse reconocimientos médicos previos y periódicos a dichos trabajadores, con la prohibición de no contratar a los calificados como no aptos para desempeñar los puestos de trabajo de que se trate.

— Artículo 243 LGSS, en relación con RDEP (Anexo I).

Véase: Plaguicidas. Pesticidas. Parásitos. Rodenticidas.

CELOFÁN

1. Película transparente y flexible, que se obtiene por regeneración de la celulosa y que se utiliza principalmente como envase o envoltura.

2. Los trabajadores ocupados en las actividades económicas, y expuestos a los agentes o sustancias que a continuación se indican, pueden contraer una Enfermedad Profesional (E.P.), causada por agentes químicos:

 • Constituyentes de fluidos hidráulicos, fabricación de filmes radiográficos y de celofán, donde se utilicen éteres. (Código 1O0103).
 • Fabricación de la seda artificial del tipo viscosa, rayón, del fibrán, del celofán, donde se utilice sulfuro de carbono. (Código 1U0101).

Por ello, debe realizarse reconocimientos médicos previos y periódicos a dichos trabajadores, con la prohibición de no contratar a los calificados como no aptos para desempeñar los puestos de trabajo de que se trate.

— Artículo 243 LGSS, en relación con RDEP (Anexo I).

Véase: Celulosa. Industria del plástico.

CÉLULAS FOTOELÉCTRICAS

1. Dispositivo que detecta la luz u otra radiación electromagnética y la transforma en corriente eléctrica, y que tiene aplicaciones en aparatos como fotómetros o paneles solares.

2. Los trabajadores ocupados en las actividades económicas, y expuestos a los agentes o sustancias que a continuación se indican, pueden contraer una Enfermedad Profesional (E.P.):

a) Causada por agentes químicos:

 • Fabricación de células fotoeléctricas, donde se utilice cadmio. (Código 1A0309).

 • Fabricación de células fotoeléctricas sensibles al infrarrojo. (Código 1A1005).

b) Causada por agentes cancerígenos:

 • Fabricación de células fotoeléctricas, que contengan cadmio, que puede provocar la E.P. de neoplasia maligna de bronquio, pulmón y próstata. (Código 6G0109).

Por ello, debe realizarse reconocimientos médicos previos y periódicos a dichos trabajadores, con la prohibición de no contratar a los calificados como no aptos para desempeñar los puestos de trabajo de que se trate.

— Artículo 243 LGSS, en relación con RDEP (Anexo I).

Véase: Radiaciones. Infrarrojos. Radiaciones infrarrojas.

CELULOIDE

1. Derivado plastificado de la celulosa, casi transparente y muy elástico, que se emplea especialmente en la industria fotográfica y cinematográfica.

2. Los trabajadores ocupados en las actividades económicas, y expuestos a los agentes o sustancias que a continuación se indican, pueden contraer una Enfermedad Profesional (E.P.):

a) Causada por agentes químicos:

 • Fabricación de resinas sintéticas, celuloide e hidronaftalenos (tetralin, decalin) que se usan como disolventes, en lubricantes y en combustibles, donde se utilice naftaleno. (Código 1K0205).

• Utilización de dinitrobenceno en la producción de celuloide, etc. (Código 1K0610).

• Fabricación de celuloide, donde se utilicen cetonas. (Código 1L0105).

• El óxido de etileno (Epóxido) se utiliza, además, en la industria sanitaria y alimentaria como agente esterilizante, como fumigante de alimentos y tejidos, intermediario en síntesis química y en la síntesis de películas y fibras de poliéster. (Código 1M0107).

• Constituyentes de fluidos hidráulicos, fabricación de filmes radiográficos y de celofán, donde se utilicen éteres. (Código 1O0103).

• Preparación de ciertas películas y placas en la industria fotográfica, donde se utilicen glicoles. (Código 1P0108).

b) Causada por agentes cancerígenos:

• Utilización de dinitrobenceno en la producción de celuloide, etc., que puede provocar la E.P. de linfoma. (Código 6P0110).

Por ello, **debe** realizarse reconocimientos médicos **previos** y **periódicos** a dichos trabajadores, con la prohibición de no contratar a los calificados como **no aptos** para desempeñar los puestos de trabajo de que se trate.

— Artículo 243 LGSS, en relación con RDEP (Anexo I).

Véase: Laboratorios de fotografía. Industria del plástico. Celulosa. Cine. Actores.

CELULOSA

1. Polisacárido que forma la pared de las células vegetales y es el componente fundamental del papel.

2. Los trabajadores ocupados en las actividades económicas, y expuestos a los agentes o sustancias que a continuación se indican, pueden contraer una Enfermedad Profesional (E.P.), causada por agentes químicos:

• Producción de abonos orgánicos, explosivos, nitrocelulosa, seda artificial y cuero sintético, barnices, lacas, colorantes y colodium, donde se utilice ácido nítrico. (Código 1D0102).

• Disolventes y codisolventes de lacas, resinas, pigmentos, tintes, esmaltes, barnices, perfumes, aceites, acetato de celulosa y nitrato de celulosa, donde se utilicen éteres. (Código 1O0101).

• Utilización de glicoles en la industria química como productos intermedios en numerosas síntesis orgánicas, como disolventes de lacas, resinas, barnices celulósicos de secado rápido, de ciertas pinturas, pigmentos, nitrocelulosa y acetatos de celulosa, tintes y plásticos. (Código 1P0102).

• Industria textil para dar la flexibilidad a los tejidos y preparación para la textura e impresión de tejidos a base de acetatos de celulosa, así como en la preparación y utilización de ciertos almidones sintéticos, donde se utilicen glicoles. (Código 1P0106).

Por ello, debe realizarse reconocimientos médicos previos y periódicos a dichos trabajadores, con la prohibición de no contratar a los calificados como no aptos para desempeñar los puestos de trabajo de que se trate.

— Artículo 243 LGSS, en relación con RDEP (Anexo I).

Véase: Celofán. Corcho. Colodión. Celuloide. Industria del plástico.

CEMENTO

1. Mezcla formada de arcilla y materiales calcáreos, sometida a cocción y muy finamente molida, que mezclada a su vez con agua se solidifica y endurece.

2. Los trabajadores ocupados en las actividades económicas, y expuestos a los agentes o sustancias que a continuación se indican, pueden contraer una Enfermedad Profesional (E.P.).

a) Causada por agentes químicos:

• Fabricación de cemento y sus derivados, donde se utilice cromo. (Código 1A0414).

• Utilización de epóxidos como reactivos en la fabricación de disolventes, plastificantes, cementos, adhesivos y resinas sintéticas. (Código 1M0101).

b) Causada por inhalación de sustancias y agentes no comprendidos en otros apartados:

• Fabricación de guarniciones para frenos y embragues, de productos de fibrocemento, de equipos contra incendios, de filtros y cartón de amianto, de juntas de amianto y caucho, que pueden provocar las E.P. de asbestosis (Código 4C0106) y/o afecciones fibrosantes de la pleura y pericardio (Código 4C0206), provocadas por la inhalación de polvo de amianto (asbesto).

• Industria del papel del linóleo, cartón y de ciertas especies de fibrocemento, donde se utilicen polvos de talco o de caolín, que pueden producir las E.P. de talcosis (Código 4D0107), silicocaolinosis (Código 4D0207) o caolinosis y otras silicatosis (Código 4D0307), provocadas por la inhalación de polvos de talco o de caolín.

c) Causada por agentes cancerígenos:

• Fabricación de guarniciones para frenos y embragues, de productos de fibrocemento, de equipos contra incendios, de filtros y cartón de amianto, de juntas de amianto y caucho, donde exista exposición a la inhalación de polvos de amianto (asbesto), que pueden provocar alguna de las siguientes E.P (cánceres): neoplasia maligna de bronquio y pulmón (Códigos 6A0107, 6A0111), mesotelioma (Códigos 6A0207, 6A0211), mesotelioma de pleura (Códigos 6A0307, 6A0311), mesotelioma de peritoneo (Códigos 6A0407, 6A0411), mesotelioma de otras localizaciones (Códigos 6A0507, 6A0511) y cáncer de laringe (Códigos 6A0607, 6A0611).

• Fabricación de cemento y sus derivados, donde se utilice cromo, que puede provocar la E.P. de neoplasia maligna de cavidad nasal. (Código 6I0114).

• Fabricación de cemento y sus derivados, donde se utilice cromo, que puede provocar la E.P. de neoplasia de bronquio y pulmón. (Código 6I0214).

Por ello, debe realizarse reconocimientos médicos previos y periódicos a dichos trabajadores, con la prohibición de no contratar a los calificados como no aptos para desempeñar los puestos de trabajo de que se trate.

— Artículo 243 LGSS, en relación con RDEP (Anexo I).

Véase: Cromo. Construcción.

CENTENO

1. Conjunto de granos del centeno, muy alimenticios y con los mismos usos que el trigo.

2. Los trabajadores ocupados en las actividades económicas, y expuestos a los agentes o sustancias que a continuación se indican, pueden contraer una Enfermedad Profesional (E.P.), causada por agentes biológicos:

● Agricultores (centeno), que pueden provocar una E.P. infecciosa (micosis, legionella y helmintiasis). (Código 3D0108).

Por ello, debe realizarse reconocimientos médicos previos y periódicos a dichos trabajadores, con la prohibición de no contratar a los calificados como no aptos para desempeñar los puestos de trabajo de que se trate.

— Artículo 243 LGSS, en relación con RDEP (Anexo I).

Véase: Agricultura. Alimentación Enfermedades infecciosas.

CENTRO DE TRABAJO: APERTURA

Véase: Comunicación de apertura.

CENTRO DE TRABAJO

1. A los efectos de la LET se considera centro de trabajo la unidad productiva con organización específica que sea dada de alta, como tal, ante la autoridad laboral.

En la actividad de trabajo en el mar se considerará como centro de trabajo el buque, entendiéndose situado en la provincia donde radique su puerto de base

— Artículo 1.5 LET.

2. Cualquier área, edificada o no, en la que los trabajadores deban permanecer o a la que deban acceder por razón de su trabajo.

— Artículo 2.a RDCAE.

3. La jurisprudencia del Tribunal Supremo viene declarando que las referencias de la normativa de prevención de riesgos laborales al centro de trabajo deben entenderse hechas al de lugar de trabajo, y no al concepto restringido de centro de trabajo recogido en el artículo 1.5 de LET.

— Notas Técnicas de Prevención n.º 918. INSST.

4. Se prohíbe fumar en los centros de trabajo públicos y privados, salvo en los espacios al aire libre.

— Artículo 7.a LMST.

5. Centros de trabajo en la Administración General del Estado.

— Anexo I RDPAGE.

Véase: Comunicación de apertura. Plan de Seguridad y Salud. Lugares de trabajo. Altura de los locales de trabajo.

CENTROS MILITARES

En los centros y establecimientos militares será de aplicación la normativa general con las peculiaridades que se contemplan en los apartados siguientes:

• Lo previsto en el Real Decreto 1932/1998, de 11 de septiembre, en el ámbito de las relaciones de trabajo del personal laboral y los funcionarios civiles que prestan sus servicios en establecimientos dependientes de la Administración Militar.

• Para el personal militar y miembros del Cuerpo de la Guardia Civil que presten sus servicios en el ámbito del Ministerio de Defensa, lo previsto en los capítulos III, V y VII de la Ley 31/1995, de 8 de noviembre, se aplicará de acuerdo con el Real Decreto 1755/2007, de 28 de diciembre, de prevención de riesgos laborales del personal militar de las Fuerzas Armadas y de la organización de los servicios de prevención del Ministerio de Defensa.

— Artículo 2.5 y Disposición Adicional Primera RDPAGE.

Véase: Trabajos en centros militares. Trabajadores de las fuerzas armadas.

CENTROS PENITENCIARIOS

1. Establecimiento carcelario donde se recluye a los presos.

2. Es de aplicación el RDPAGE en la adaptación de la normativa a los establecimientos penitenciarios.

— Artículo 2.2 RDPAGE.

3. Los trabajadores ocupados en las actividades económicas, y expuestos a los agentes o sustancias que a continuación se indican, pueden contraer una Enfermedad Profesional (E.P.):

a) Causada por agentes biológicos:

• Trabajadores de centros penitenciarios, que puede contraer una E.P. infecciosa transmitida por personas. (Código 3A0109).

b) E.P. de la piel, causada por sustancias y agentes no comprendidos en alguno de los otros apartados:

• Trabajadores de centros penitenciarios, expuestos a agentes infecciosos, que pueden contraer una E.P. de la piel causada por dichos agentes. (Código 5D0108).

Por ello, debe realizarse reconocimientos médicos previos y periódicos a dichos trabajadores, con la prohibición de no contratar a los calificados como no aptos para desempeñar los puestos de trabajo de que se trate.

— Artículo 243 LGSS, en relación con RDEP (Anexo 1).

Véase: Trabajos en beneficio de la comunidad. Trabajo de los penados. Trabajos en centros penitenciarios. E.P. infecciosas transmitidas por personas.

CEPILLADORAS

1. Está formada de un bastidor que soporta el plano de trabajo rectangular, compuesto de dos mesas horizontales entre las cuales está situado el árbol portacuchillas para el cepillado de madera.

— Nota Técnica de Prevención n.º 91/1984. INSST.

2. Los trabajadores ocupados en las actividades económicas, y expuestos a los agentes o sustancias que a continuación se indican, pueden contraer una Enfermedad Profesional (E.P.), causada por agentes físicos:

• Trabajos de molienda de caucho, de plástico y la inyección de esos materiales para moldeo-Manejo de maquinaria de transformación de la madera, sierras circulares, de cinta, cepilladoras, tupies, fresas, donde el trabajador este expuesto a ruidos continuos y diarios de un nivel sonoro igual o superior a 80 decibelios A, que puede contraer la E.P. de hipoacusia. (Código 2A0116).

Por ello, debe realizarse reconocimientos médicos previos y periódicos a dichos trabajadores, con la prohibición de no contratar a los calificados como no aptos para desempeñar los puestos de trabajo de que se trate.

— Artículo 243 LGSS, en relación con RDEP (Anexo I).

Véase: Ruido. Trabajos con cepilladoras. Carpinterías. Máquinas.

CERA

1. Sustancia sólida, blanda, amarillenta y fundible que segregan las abejas para formar las celdillas de los panales y que se emplea principalmente para hacer velas. También la fabrican algunos otros insectos. Producto que se usa para abrillantar muebles y suelos.

2. Los trabajadores ocupados en las actividades económicas, y expuestos a los agentes o sustancias que a continuación se indican, pueden contraer una Enfermedad Profesional (E.P.), causada por agentes químicos:

• Utilización de éteres en la industria química como disolventes de ceras, grasas, etc., y en la fabricación de colodium para la extracción de nicotina. (Código 1O0111).

• Empleo del sulfuro de carbono como disolvente de grasas, aceites, resinas, ceras, caucho, gutapercha y otras sustancias. (Código 1U0104).

Por ello, debe realizarse reconocimientos médicos previos y periódicos a dichos trabajadores, con la prohibición de no contratar a los calificados como no aptos para desempeñar los puestos de trabajo de que se trate.

— Artículo 243 LGSS, en relación con RDEP (Anexo I).

Véase: Cerillas. Éteres. Sulfuro de carbono.

CERÁMICA

1. Material no metálico, fabricado por sinterización. Se utiliza en la fabricación de vasijas y otros objetos de barro, loza y porcelana.

2. La elaboración de piezas de cerámica decorativa incluye el proceso de barnizado y decoración mediante barnices y pinturas en cuya formulación intervienen compuestos de plomo. Esta circunstancia, unida a las deficiencias en áreas, limpieza, orden y procedimientos, provocan importantes aportes de plomo al ambiente de trabajo.

— Nota Técnica de Prevención n.º 194/1988. INSST.

2. Los trabajadores ocupados en las actividades económicas, y expuestos a los agentes o sustancias que a continuación se indican, pueden contraer una Enfermedad Profesional (E.P.):

a) Causada por agentes químicos:

• Fabricación de cristales, cerámicas, porcelanas y productos altamente refractarios, donde se utilice berilio. (Código 1A0204).

• Barnizado y esmaltado de cerámica, que contengan cadmio. (Código 1A0314).

• Envejecimiento de tejas, donde se utilice manganeso y sus compuestos. (Código 1A0610).

• Industria de cerámica y vidrio, donde se utilice níquel. (Código 1A0812).

• Industria de la cerámica y alfarería, donde se utilice plomo y sus compuestos. (Código 1A0917).

• Fabricación de pinturas, barnices, cristal, cerámica (pentóxido de antimonio), donde se utilice antimonio. (Código 1B0106).

• Fabricación de colorantes y uso en cerámica (trifluoruro de antimonio), donde se utilice antimonio. (Código 1B0109).

b) Causada por inhalación de sustancias y agentes no comprendidos en otros apartados:

• Fabricación de carborundo, vidrio, porcelana, loza y otros productos cerámicos, fabricación y conservación de los ladrillos refractarios a base de sílice, que pueden provocar la E.P. de silicosis, por la exposición a la inhalación de polvo de sílice libre. (Código 4A0104).

• Industria cerámica, donde se utilice polvo silíceo, que puede provocar la E.P. de silicosis. (Código 4A0109).

• Industria cerámica y de la porcelana, donde se utilicen polvos de talco o de caolín, que pueden producir las E.P. de talcosis (Código 4D0103), silicocaolinosis (Código 4D0203) o caolinosis y otras silicatosis (Código 4D0303), provocadas por la inhalación de polvos de talco o de caolín.

• Fabricación de pinturas, barnices, cristal, cerámica (pentóxido de antimonio), donde se utilice antimonio, que pueden provocar una E.P., causada por la inhalación de polvos, humos y vapores de antimonio. (Código 4J0106).

• Fabricación de colorantes y uso en cerámica (trifluoruro de antimonio), donde se utilice antimonio, que pueden provocar una E.P., causada por la inhalación de polvos, humos y vapores de antimonio. (Código 4J0109).

• Fabricación de cristales, cerámicas, porcelanas y productos altamente refractarios, donde se utilice berilio, que pueden provocar E.P. causada por inhalación de sustancias no comprendidas en otros apartados. (Código 4K0104).

c) Causada por agentes cancerígenos:

• Fabricación de cristales, cerámicas, porcelanas y productos altamente refractarios, donde se utilice berilio, que pueden provocar una E.P. neoplasia maligna de bronquio y pulmón. (Código 6E0104).

• Barnizado y esmaltado de cerámica, que contengan cadmio, que puede provocar la E.P. de neoplasia maligna de bronquio, pulmón y próstata. (Código 6G0114).

• Producción de ladrillos refractarios y cerámicos, donde se utilicen hidrocarburos aromáticos, que pueden provocar la E.P. de lesiones premalignas de piel (Código 6J0123), y/o E.P. de carcinoma de células escamosas (Código 6J0223).

• Industria de cerámica y vidrio, donde se utilice níquel, que puede provocar alguna de las siguientes E.P. (Cánceres): E.P. neoplasia maligna de cavidad nasal (Código 6K011), E.P. cáncer primitivo del etmoides y de los senos de la cara (Código 6K0211), o E.P. neoplasia maligna de bronquio y pulmón (Código 6K0311).

Por ello, debe realizarse reconocimientos médicos previos y periódicos a dichos trabajadores, con la prohibición de no contratar a los calificados como no aptos para desempeñar los puestos de trabajo de que se trate.

— Artículo 243 LGSS, en relación con RDEP (Anexo I).

Véase: Porcelana. Polvos. Sustancias sólidas.

CERILLAS

1. Varilla fina de cera, madera, cartón, etc., con una cabeza de fósforo que se enciende al frotarla con una superficie adecuada.

2. Los trabajadores ocupados en las actividades económicas, y expuestos a los agentes o sustancias que a continuación se indican, pueden contraer una Enfermedad Profesional (E.P.):

a) Causada por agentes químicos:

• Fabricación de cerillas o fósforos, donde se utilice cromo y sus compuestos. (Código 1A0407).

• Fabricación de cerillas, donde se utilice fósforo y sus compuestos. (Código 1A0504).

• Fabricación de cerillas y fulminantes, donde se utilice cloro. (Código 1C0208).

• Fabricación de cerillas, donde se utilice sulfuro de carbono. (Código 1U0105).

b) Causada por agentes cancerígenos.

• Fabricación de cerillas o fósforos, donde se utilice cromo, que puede provocar la E.P. de neoplasia maligna de cavidad nasal. (Código 6I0107).

• Fabricación de cerillas o fósforos, donde se utilice cromo, que puede provocar la E.P. de neoplasia de bronquio y pulmón. (Código 6I0207).

Por ello, debe realizarse reconocimientos médicos previos y periódicos a dichos trabajadores, con la prohibición de no contratar a los calificados como no aptos para desempeñar los puestos de trabajo de que se trate.

— Artículo 243 LGSS, en relación con RDEP (Anexo I).

Véase: Cera. Fósforo.

CERTIFICACIÓN

1. Es la actividad que permite establecer la conformidad de una determinada empresa, producto, proceso o servicio con los requisitos definidos en normas o especificaciones técnicas.

— Artículo 8.6 LI.

2. Certificado de homologación de tipo: el documento por el cual la autoridad de homologación certifica oficialmente que un tipo de vehículo, sistema, componente o unidad técnica independiente está homologado.

— Artículo 3.31 Reglamento (UE) n.º 167/2013.

3. Certificado de homologación de tipo UE: el certificado basado en el modelo previsto en el acto de ejecución adoptado en virtud del presente Reglamento o el formulario de comunicación establecido en los reglamentos de la CEPE pertinentes contemplados en el presente Reglamento o en los actos delegados adoptados en virtud del presente Reglamento.

— Artículo 3.32 Reglamento (UE) n.º 167/2013.

4. Certificado de conformidad: el documento expedido por el fabricante, por el que se certifica que el vehículo fabricado se ajusta al tipo de vehículo homologado.

— Artículo 3.33 Reglamento (UE) n.º 167/2013.

Véase: Homologación. Homologación: Autoridades. Homologación: Obligaciones de los Estados. Marcado CE. Vigilancia del mercado. Autorización. Normalización. Norma normalizada.

CERVEZA

1. Bebida alcohólica hecha con granos germinados de cebada u otros cereales fermentados en agua, y aromatizada con lúpulo, boj, casia, etc.

2. Los trabajadores ocupados en las actividades económicas, y expuestos a los agentes o sustancias que a continuación se indican, pueden contraer una Enfermedad Profesional (E.P.):

a) Causada por inhalación de sustancias y agentes no comprendidos en otros apartados:

• Industria alimenticia, panadería, industria de la cerveza, donde los trabajadores estén expuestos a sustancias de alto peso molecular (de origen vegetal o animal), que pueden provocar alguna de las siguientes E.P: rinoconjuntivitis (Código 4H0101), asma (Código 4H0201), alveolitis alérgica extrínseca (Código 4H0301), síndrome de disfunción reactivo de la vía aérea (Código 4H0401), fibrosis intersticial difusa (Código 4H0501), bisinosis, cannabiosis, linnosis, bagazosis, estipatosis, suberosis (Códigos 4H0601), y neumopatía intersticial difusa (Código 4H0701).

b) E.P. de la piel causada por sustancias y agentes no comprendidos en alguno de los otros apartados:

• Industria alimenticia, panadería, industria de la cerveza, donde los trabajadores estén expuestos a sustancias de alto peso molecular (de origen vegetal o animal), que pueden provocar una E.P. de la piel, causada por sustancias de alto peso molecular. (Código 5B0101).

Por ello, debe realizarse reconocimientos médicos previos y periódicos a dichos trabajadores, con la prohibición de no contratar a los calificados como no aptos para desempeñar los puestos de trabajo de que se trate.

— Artículo 243 LGSS, en relación con RDEP (Anexo I).

Véase: Alimentación. Soja. Centeno.

CETONAS

1. Compuesto orgánico caracterizado por la presencia de un grupo carbonilo.

2. Los trabajadores expuestos a las cetonas, pueden contraer una Enfermedad Profesional (E.P.), causada por agentes químicos, en las actividades o trabajos que a continuación se relacionan:

- Producción de cetonas y sus derivados. (Código 1L0101).
- Utilización como agentes de extracción, como materia prima o intermedia en numerosas síntesis orgánicas. (Código 1L0102).
- Utilización como disolventes. (Código 1L0103).
- Fabricación de fibras textiles artificiales, seda y cueros artificiales, limpieza y preparación de tejidos para la tintura. (Código 1L0104).
- Fabricación de celuloide. (Código 1L0105).
- Industria farmacéutica. (Código 1L0106).
- Industria de perfumería y de los cosméticos. (Código 1L0107).
- Industria del caucho sintético y de explosivos. (Código 1L0108).
- Fabricación de productos de limpieza. (Código 1L0109).
- Tratamiento de resinas naturales y sintéticas. (Código 1L0110).
- Empleo de barnices, pinturas, esmaltes, adhesivos, lacas y masillas. (Código 1L0111).
- Procesos de refinado de metales preciosos. (Código 1L0112).

Por ello, debe realizarse reconocimientos médicos previos y periódicos a dichos trabajadores, con la prohibición de no contratar a los calificados como no aptos para desempeñar los puestos de trabajo de que se trate.

— Artículo 243 LGSS, en relación con RDEP (Anexo I).

Véase: Hidrocarburos alifáticos. Hidrocarburos aromáticos.

CHAPISTAS

1. Personas que trabajan la chapa.

2. Los trabajadores ocupados en las actividades económicas, y expuestos a los agentes o sustancias que a continuación se indican, pueden contraer una Enfermedad Profesional (E.P.), causada por agentes físicos:

- Trabajos que requieran movimientos de impacto o sacudidas, supinación o pronación repetidas del brazo contra resistencia, así como movimientos de flexoextensión forzada de la muñeca, como pueden ser: carniceros, pescaderos, curtidores, deportistas, mecánicos, chapistas, caldereros, albañiles, que pueden provocar la E.P. de epicondilitis y/o epitrocleitis. (Código 2D0201).

Por ello, debe realizarse reconocimientos médicos previos y periódicos a dichos trabajadores, con la prohibición de no contratar a los calificados como no aptos para desempeñar los puestos de trabajo de que se trate.

— Artículo 243 LGSS, en relación con RDEP (Anexo I).

Véase: Mecánicos. Garajes. Talleres. Fosos de inspección de vehículos.

CHIMENEAS

1. Conductos para que salga el humo que resulta de la combustión.

2. Los trabajadores ocupados en las actividades económicas, y expuestos a los agentes o sustancias que a continuación se indican, pueden contraer una Enfermedad Profesional (E.P.):

a) Causada por inhalación de sustancias y agentes no comprendidos en otros apartados:

• Aplicación de amianto a pistola (chimeneas, fondos de automóviles y vagones), con exposición a la inhalación de polvos de amianto (asbesto), que pueden provocar asbestosis. (Código 4C0104).

• Aplicación de amianto a pistola (chimeneas, fondos de automóviles y vagones), que puede provocar afecciones fibrosantes de la pleura y pericardio. (Código 4C0204).

b) Causada por agentes cancerígenos:

• Aplicación de amianto a pistola (chimeneas, fondos de automóviles y vagones), que puede provocar la E.P. de neoplasia maligna de bronquio y pulmón. (Código 6A0105).

• Fabricación de pigmentos, deshollinado de chimeneas, pavimentación de carreteras, aislamientos, donde se utilicen hidrocarburos aromáticos, que pueden provocar la E.P. de lesiones premalignas de piel (Código 6J0101), y/o E.P. de carcinoma de células escamosas (Código 6J0201).

Por ello, debe realizarse reconocimientos médicos previos y periódicos a dichos trabajadores, con la prohibición de no contratar a los calificados como no aptos para desempeñar los puestos de trabajo de que se trate.

— Artículo 243 LGSS, en relación con RDEP (Anexo I).

Véase: Amianto. Humo. Material refractario. Briquetas.

CHOQUE ELÉCTRICO

Efecto fisiopatológico resultante del paso de corriente eléctrica a través del cuerpo humano o de un animal.

— ITC-BT-01 del REBT.

Véase: Arco eléctrico. Circuito eléctrico. Corriente de contacto. Corriente de defecto. Corriente de puesta a tierra. Corriente eléctrica. Cortocircuito fusible. Electricistas. Industria eléctrica. Instalación eléctrica. Instalaciones de distribución de energía. Instalaciones de puesta a tierra. Interruptor automático. Riesgo eléctrico. Soldadura exotérmica. Zona de trabajos en tensión.

CIANUROS

Véase: Ácido cianhídrico.

CIMBRAS

Las cimbras son estructuras provisionales de apuntalamiento en altura, que sirven para la sustentación de las distintas plataformas, mesas o planchas de trabajo que conforman el encofrado, cumplen, según los casos, funciones de servicio, carga y protección. Las cimbras también se pueden utilizar como apeo para cualquier carga, por ejemplo: estructuras como apeo en fase de montaje, demoliciones, refuerzo de estructuras existentes frente cargas puntuales, etc.

— Artículo 68.2 RDHE.

— Nota Técnica de Prevención n.º 1069/2016. INSST.

— Norma UNE-EN 12812:2008. Aenor.

Véase: Encofrados. Estructuras de hormigón.

CINABRIO

1. Mineral compuesto de azufre y mercurio, muy pesado y de color rojo oscuro, del que se extrae, por calcinación y sublimación, el mercurio o azogue.

2. Los trabajadores ocupados en las actividades económicas, y expuestos a los agentes o sustancias que a continuación se indican, pueden contraer una Enfermedad Profesional (E.P.), causada por agentes químicos:

• Fabricación y empleo de pigmentos y pinturas anticorrosivas a base de cinabrio (mercurio). (Código 1A0713).

Por ello, debe realizarse reconocimientos médicos previos y periódicos a dichos trabajadores, con la prohibición de no contratar a los calificados como no aptos para desempeñar los puestos de trabajo de que se trate.

— Artículo 243 LGSS, en relación con RDEP (Anexo I).

Véase: Mercurio. Azogado de espejos. Azufre.

CINCELES

Los cinceles son herramientas de mano diseñadas para cortar, ranurar o desbastar material en frío, mediante la transmisión de un impacto. Son de acero en forma de barras, de sección rectangular, hexagonal, cuadrada o redonda, con filo en un extremo y biselado en el extremo opuesto.

— Nota Técnica de Prevención n.º 391/1995. INSST.

Véase: Herramientas portátiles manuales. Alicates. Cuchillos. Destornilladores. Limas. Llaves. Martillos. Picos. Punzones. Sierras. Tijeras.

CINE

1. Los estudios de cine son los locales o salas donde se ruedan las películas cinematográficas.

2. Los trabajadores ocupados en las actividades económicas, y expuestos a los agentes o sustancias que a continuación se indican, pueden contraer una Enfermedad Profesional (E.P.), causada por agentes físicos:

• Trabajos que precisan lámparas germicidas, antorchas de plomo, soldadura de arco o xenón, irradiación solar en grandes altitudes, láser industrial, colada de metales en fusión, vidrieros, empleados en estudios de cine, actores, personal de teatros, laboratorios bacteriológicos y similares, con exposición a radiaciones no ionizantes, con longitud de onda entre los 100 y 400 nm, que pueden producir E.P. oftalmológicas por su exposición a radiaciones no ionizantes (radiaciones ultravioleta). (Código 2J0101).

Por ello, debe realizarse reconocimientos médicos previos y periódicos a dichos trabajadores, con la prohibición de no contratar a los calificados como no aptos para desempeñar los puestos de trabajo de que se trate.

— Artículo 243 LGSS, en relación con RDEP (Anexo I).

Véase: Actores. Celuloide.

CINTAS RODANTES

En el interior de las obras de construcción: Las escaleras mecánicas y las cintas rodantes deberán funcionar de manera segura y disponer de todos los dispositivos de seguridad

179

necesarios. En particular deberán poseer dispositivos de parada de emergencia fácilmente identificables y de fácil acceso.

— Anexo IV. Parte B.9 RDSSTOC.

Véase: Escaleras mecánicas. Máquinas: Parada de emergencia. Cintas transportadoras de materiales.

CINTAS TRANSPORTADORAS DE MATERIALES

Este tipo de transportadoras continuas están constituidas básicamente por una banda sinfín flexible que se desplaza apoyada sobre unos rodillos de giro libre. El desplazamiento de la banda se realiza por la acción de arrastre que le transmite uno de los tambores extremos, generalmente el situado en «cabeza». Todos los componentes y accesorios del conjunto se disponen sobre un bastidor, casi siempre metálico, que les da soporte y cohesión.

— Nota Técnica de Prevención n.º 89/1984. INSST.

Véase: Parada de emergencia. Cintas rodantes.

CIRCUITO ELÉCTRICO

Un circuito es un conjunto de materiales eléctricos (conductores, aparamenta, etc.) de diferentes fases o polaridades, alimentadas por la misma fuente de energía y protegidos contra las sobreintensidades por el o los mismos dispositivos de protección. No quedan incluidos en esta definición los circuitos que formen parte de los aparatos de utilización o receptores.

— ITC-BT-01 del REBT.

Véase: Aparamenta. Arco eléctrico. Choque eléctrico. Corriente de contacto. Corriente de defecto. Corriente de puesta a tierra. Corriente eléctrica. Cortocircuito fusible. Electricistas. Industria eléctrica. Instalación eléctrica. Instalaciones de distribución de energía. Instalaciones de puesta a tierra. Interruptor automático. Riesgo eléctrico. Soldadura exotérmica. Zona de trabajos en tensión. Industria de la electrónica.

CISTERNAS

1. Deposito, receptáculo, tanque, que instalado en un vehículo sirve para transportar líquidos.

2. Equipo de transporte que engloba a los contenedores cisterna, las cisternas portátiles, las cisternas desmontables y las cisternas fijas (vehículos cisternas y vagones cisterna), así como las cisternas que constituyen elementos de vehículos batería o de Contenedores de Gas de Elementos Múltiples (CGEM).

— Artículo 2.14 RAPQ.

3. Los trabajadores ocupados en las actividades económicas, y expuestos a los agentes o sustancias que a continuación se indican, pueden contraer una Enfermedad Profesional (E.P.), causada por agentes químicos:

- Preparación de combustibles y las operaciones de mezclado, trasvasado, limpiado de estanques y cisternas, donde se utilice xileno o tolueno. (Código 1K0302).

Por ello, debe realizarse reconocimientos médicos previos y periódicos a dichos trabajadores, con la prohibición de no contratar a los calificados como no aptos para desempeñar los puestos de trabajo de que se trate.

— 243 LGSS, en relación con RDEP (Anexo I).

Véase: Depósitos. Estanque. Tanques. Transporte de mercancías. Transporte de mercancías peligrosas. Transporte por carretera.

CIZALLA CIRCULAR DE CARTÓN

La cizalla circular de cartón se utiliza para cortar y rayar cartón a las medidas deseadas para su posterior impresión y plegado, disponiendo para ello de cuchillas cortadoras y anillos hendedores. Se distinguen dos tipos de cizallas circulares:

• Cizallas circulares utilizadas tan sólo para operaciones de corte.

• Cizallas circulares en que se aúnan las operaciones de corte y rayado o hendido en el cartón.

— Nota Técnica de Prevención n.º 152/1985. INSST.

Véase: Cizallas de guillotina.

CIZALLAS DE GUILLOTINA

Las cizallas de guillotina para metal, son máquinas empleadas para cortar metales generalmente en láminas. Su campo de aplicación se extiende a varios sectores industriales. Dentro de las cizallas guillotinas para metal, podemos distinguir cizallas mecánicas y cizallas hidráulicas.

— Nota Técnica de Prevención n.º 153/1985. INSST.

Véase: Cizalla circular de cartón.

CLÍNICAS DE RADIOTERAPIA

1. Establecimientos sanitarios donde se practica el tratamiento de la enfermedad del cáncer mediante radiaciones.

2. Deben tener suministro eléctrico de seguridad que se pone en funcionamiento automáticamente, en los locales de pública afluencia, cuando se produce un fallo en el suministro eléctrico normal, con la finalidad de permitir la continuidad de las actividades normales durante dos horas como mínimo. Cuando proporcione una iluminación inferior al alumbrado normal se usará únicamente para terminar el trabajo con seguridad. Es obligatorio en hospitales, etc.

— Artículo 3 ITC-BT-28 del REBT.

— Nota Técnica de Prevención n.º 181/1986. INSST.

3. Los trabajadores ocupados en las actividades económicas, y expuestos a los agentes o sustancias que a continuación se indican, pueden contraer una Enfermedad Profesional (E.P.):

a) Causada por agentes físicos:

• Trabajos en las consultas de radiodiagnóstico, de radio y radioterapia y de aplicación de isótopos radiactivos, en consultas, clínicas, sanatorios, residencias y hospitales, que pueden producir E.P. provocadas por radiaciones ionizantes. (Código 2I0107).

b) Causada por agentes cancerígenos:

• Trabajos en las consultas de radiodiagnóstico, de radio y radioterapia y de aplicación de isótopos radiactivos, en consultas, clínicas, sanatorios, residencias y hospitales, que pueden provocar la E.P. de síndrome linfo y mieloproliferativos. (Código 6N0107).

• Trabajos en las consultas de radiodiagnóstico, de radio y radioterapia y de aplicación de isótopos radiactivos, en consultas, clínicas, sanatorios, residencias y hospitales, que puede provocar la E.P. de carcinoma epidermoide de piel. (Código 6N0207).

Por ello, debe realizarse reconocimientos médicos previos y periódicos a dichos trabajadores, con la prohibición de no contratar a los calificados como no aptos para desempeñar los puestos de trabajo de que se trate.

— Artículo 243 LGSS, en relación con RDEP (Anexo I).

Véase: Clínicas de Radioterapia. Radón. Hospitales. Sanatorios. Enfermeros. Trabajadores sanitarios. Trabajos en hospitales. Trabajos con exposición a rayos X. Fabricación de aparatos de radioterapia. Suministro eléctrico de seguridad. E.P. infecciosas transmitidas por personas.

CLOACAS

Véase: Alcantarillado.

CLORO

1. Elemento químico gaseoso de color verde amarillento y olor sofocante, muy venenoso, fácilmente licuable, muy abundante en la corteza terrestre en forma de cloruros en el agua de mar, en depósitos salinos y en tejidos animales y vegetales, usado para blanquear, como herbicida y en la desinfección de aguas.

2. El cloro es un gas irritante de las mucosas y del aparato respiratorio que puede producir hiperreactividad bronquial en individuos susceptibles. El primer síntoma de exposición es la irritación de las mucosas oculares, de la nariz y de la garganta, que va en aumento hasta producir un dolor agudo. Esta irritación afecta también a las vías respiratorias inferiores, produciendo una tos refleja que puede provocar el vómito y en casos extremos edema pulmonar. Las personas expuestas durante largos períodos de tiempo a bajas concentraciones de cloro pueden presentar una erupción que se conoce como cloracné.

— Nota Técnica de Prevención n.º 341/1994. INSST.

3. Recogida de muestras de cloro.

— Nota Técnica de Prevención n.º 115/1984. INSST

4. Los trabajadores expuestos al cloro y sus compuestos inorgánicos (Halógenos), por su producción, empleo y manipulación, pueden contraer una Enfermedad Profesional (E.P.) causada por agentes químicos, en las actividades o trabajos que a continuación se relacionan:

• Industria química como agente oxidante, preparación de oxígeno, cloro, fabricación de aditivos alimentarios; utilización como agente antidetonante, donde se utilice manganeso. (Código 1A0614).

• Producción del bromo por desplazamiento del cloro. (Código 1C0101).

• Proceso electrolítico de producción de cloro. (Código 1C0201).

• Extracción y licuefacción del cloro. (Código 1C0202).

• Transporte y manipulación del cloro licuado. (Código 1C0203).

• Fabricación de derivados clorados en la industria química y farmacéutica. (Código 1C0204).

• Procesos de blanqueo y decoloración en las industrias, textil, papelera y de fibras artificiales. (Código 1C0205).

• Utilización de cloro en tratamiento de aguas. (Código 1C0206).

• Pirotecnia. (Código 1C0207).

• Fabricación de cerillas y fulminantes. (Código 1C0208).

• Empleo como herbicida y defoliante. (Código 1C0209).

• Utilización de hexaclorobenceno en los procesos industriales de fabricación y combustión de compuestos clorados. (Código 1S0202).

• Procesos industriales en que se utilicen hidrocarburos clorados. (Código 1T0203).

Por ello, debe realizarse reconocimientos médicos previos y periódicos a dichos trabajadores, con la prohibición de no contratar a los calificados como no aptos para desempeñar los puestos de trabajo de que se trate.

— Artículo 243 LGSS, en relación con RDEP (Anexo I).

Véase: Organoclorados. Piscinas. Agua: Tratamiento. Herbicidas.

CLORURO DE VINILO

1. El cloruro de vinilo es un gas incoloro, inestable a altas temperaturas y que se incendia fácilmente. Tiene un olor levemente dulce. El cloruro de vinilo se usa para fabricar cloruro de polivinilo (PVC). El PVC se usa para fabricar una variedad de productos plásticos muy resistentes, incluyendo tuberías, revestimientos de alambres y cables, muebles, marcos para ventanas, envases, etc.

2. La presencia de cloruro de vinilo monómero en los puestos de trabajo puede originar en los trabajadores expuestos afecciones como: Alteraciones esclerodérmicas, trastornos circulatorios en las manos y en los pies comparables al síndrome de Raynaud acroosteolisis que afecta fundamentalmente las falanges de las manos, fibrosis de hígado y de bazo, trombocitopenias y angiosarcoma de hígado.

3. Los trabajadores expuestos al cloruro de vinilo, pueden contraer una Enfermedad Profesional (E.P.), en las actividades o trabajos que a continuación de relacionan:

a) Causada por agentes químicos:

• Trabajos de síntesis de policloruro de vinilo (PVC) que exponen al monómero. (Código 1H0215).

• Producción de monómeros de fibras sintéticas y otros plásticos, donde se utilice amoniaco. (Código 1J0109).

b) Causada por agentes cancerígenos:

• Producción y polimerización de cloruro de vinilo, que puede provocar la E.P. de neoplasia maligna de hígado y conductos biliares intrahepáticos (Código 6H0101), y/o E.P. de angiosarcoma de hígado (Código 6H0201).

Por ello, debe realizarse reconocimientos médicos previos y periódicos a dichos trabajadores, con la prohibición de no contratar a los calificados como no aptos para desempeñar los puestos de trabajo de que se trate.

— Artículo 243 LGSS, en relación con RDEP (Anexo).

Véase: Hidrocarburos alifáticos. Derivados halogenados de los hidrocarburos alifáticos. E.P angiosarcoma de hígado. E.P. neoplasia de hígado y conductos biliares.

COBALTO

1. Elemento químico metálico, de color gris o blanco rojizo, similar al hierro en muchas propiedades, escaso en la corteza terrestre, donde se encuentra muy diseminado en diversos minerales en forma de sulfuros y arseniuros, que se utiliza en la industria metalúrgica y en la fabricación de vidrios, esmaltes y pinturas, y uno de cuyos isótopos, el cobalto 60, es radiactivo y tiene aplicaciones industriales y médicas, como la bomba de cobalto.

2. Los trabajadores ocupados en las actividades económicas, y expuestos a los agentes o sustancias que a continuación se indican, pueden contraer una Enfermedad Profesional (E.P.):

a) Causada por inhalación de sustancias y agentes no comprendidos en otros apartados:

• Trabajos en los que exista la posibilidad de inhalación de metales sinterizados, compuestos de carburos metálicos de alto punto de fusión y metales de ligazón de bajo punto de fusión (Los carburos metálicos más utilizados son los de titanio, vanadio, cromo, molibdeno, tungsteno y wolframio; como metales de ligazón se utilizan hierro, níquel y cobalto), que pueden provocar las E.P. de neumoconiosis o de siderosis. (Códigos 4E0101, 4E0201).

• Trabajos de mezclado, tamizado, moldeado y rectificado de carburos de tungsteno, titanio, tantalio, vanadio y molibdeno aglutinados con cobalto, hierro y níquel, con exposición a la inhalación de metales sintetizados, que pueden provocar la la E.P. de neumoconiosis, por inhalación de metales sintetizados y de metales de ligazón, que pueden provocar las E.P. de neumoconiosis o de siderosis. (Códigos 4E0102, 4E0202).

b) Causada por agentes cancerígenos:

• Aceleradores de partículas, fuentes de gammagrafía, bombas de cobalto, etc., que pueden provocar la E.P. de síndrome linfo y mieloproliferativos. (Código 6N0114).

• Aceleradores de partículas, fuentes de gammagrafía, bombas de cobalto, etc., que puede provocar la E.P. de carcinoma epidermoide de piel. (Código 6N0214).

Por ello, debe realizarse reconocimientos médicos previos y periódicos a dichos trabajadores, con la prohibición de no contratar a los calificados como no aptos para desempeñar los puestos de trabajo de que se trate.

— Artículo 243 LGSS, en relación con RDEP (Anexo I).

Véase: Industria metalúrgica. Industria del vidrio. Fabricación de pinturas.

COBRE

1. Elemento químico metálico de color rojo pardo, brillante, maleable y excelente conductor del calor y la electricidad, abundante en la corteza terrestre nativo o, más corrientemente, como sulfuro, que forma aleaciones, como el latón o el bronce, y se usa en la industria eléctrica y en la fabricación de alambre, monedas y utensilios diversos.

2. Los trabajadores ocupados en las actividades económicas, y expuestos a los agentes o sustancias que a continuación se indican, pueden contraer una Enfermedad Profesional (E.P.):

a) Causada por agentes químicos:

• Producción de cobre, donde se utilice arsénico y sus compuestos. (Código 1A0121).

2. Preparación del cadmio por procesado del zinc, cobre o plomo, donde se utilice cadmio y sus compuestos. (Código 1A0301).

• Fabricación de aleaciones con níquel (cobre, manganeso, zinc, cromo, hierro, molibdeno), donde se utilice níquel. (Código 1A0805).

• Empleo de cianuro en las operaciones de galvanoplastia (niquelado, cadmiado, cobrizado, etc.). (Código 1D0405).

b) Causada por agentes cancerígenos:

• Minería del arsénico, fundición de cobre, producción de cobre, donde se utilice arsénico, que puede provocar alguna de las siguientes E.P.: neoplasia de maligna de bronquio y pulmón (Código 6C0101), carcinoma epidermoide de piel (Código 6C0201), disqueratosis lenticular en disco (Código 6C0301) y angiosarcoma del hígado (Código 6C0401).

• Fabricación de aleaciones con níquel (cobre, manganeso, zinc, cromo, hierro, molibdeno), que puede provocar la E.P. de neoplasia de bronquio y pulmón. (Código 6K0305).

• Preparación del cadmio por procesado del zinc, cobre o plomo, que puede provocar la E.P. de neoplasia maligna de bronquio, pulmón y próstata. (Código 6G0101).

• Empleo de cianuro en las operaciones de galvanoplastia (niquelado, cadmiado, cobrizado, etc.) que puede provocar una E.P. cancerígena. (Código 6Q0105).

Por ello, debe realizarse reconocimientos médicos previos y periódicos a dichos trabajadores, con la prohibición de no contratar a los calificados como no aptos para desempeñar los puestos de trabajo de que se trate.

— Artículo 243 LGSS, en relación con RDEP (Anexo I).

Véase: Industria eléctrica. Estaño. Pirita.

COCINEROS

1. Personas que tienen por oficio guisar y aderezar los alimentos.

2. Los trabajadores ocupados en las actividades económicas, y expuestos a los agentes o sustancias que a continuación se indican, pueden contraer una Enfermedad Profesional (E.P.), causada por agentes físicos:

• Trabajos en los que se produzca un apoyo prolongado y repetido de forma directa o indirecta sobre las correderas anatómicas que provocan lesiones nerviosas por compresión. Movimientos extremos de hiperflexión y de hiperextensión. Trabajos que requieran movimientos repetidos o mantenidos de hiperextensión e hiperflexión de la muñeca, de aprehensión de la mano como lavanderos, cortadores de tejidos y material plástico y similares, trabajos de montaje (electrónica, mecánica), industria textil, mataderos (carniceros, matarifes), hostelería (camareros, cocineros), soldadores, carpinteros, pulidores, pintores, que pueden provocar la E.P. de síndrome del túnel carpiano. (Código 2F0201).

Por ello, debe realizarse reconocimientos médicos previos y periódicos a dichos trabajadores, con la prohibición de no contratar a los calificados como no aptos para desempeñar los puestos de trabajo de que se trate.

— Artículo 243 LGSS, en relación con RDEP (Anexo I).

Véase: Hostelería. Camareros.

COLADA DE METALES

1. Vertido del metal fundido en un molde o recipiente. Sangría que se hace en los altos hornos para que salga el hierro fundido.

2. Los trabajadores ocupados en las actividades económicas, y expuestos a los agentes o sustancias que a continuación se indican, pueden contraer una Enfermedad Profesional (E.P.):

a) Causada por agentes químicos:

• Fusión y colada de vidrio, donde se utilice cadmio y sus compuestos. (Código 1A0312).

b) Causada por agentes físicos:

• Trabajos que precisan lámparas germicidas, antorchas de plomo, soldadura de arco o xenón, irradiación solar en grandes altitudes, láser industrial, colada de metales en fusión, vidrieros, empleados en estudios de cine, actores, personal de teatros, laboratorios bacteriológicos y similares, con exposición a radiaciones no ionizantes, con longitud de onda entre los 100 y 400 nm, que pueden producir E.P. oftalmológicas por su exposición a radiaciones no ionizantes (radiaciones ultravioleta). (Código 2J0101).

Por ello, debe realizarse reconocimientos médicos previos y periódicos a dichos trabajadores, con la prohibición de no contratar a los calificados como no aptos para desempeñar los puestos de trabajo de que se trate.

— Artículo 243 LGSS, en relación con RDEP (Anexo I).

Véase: Hornos de fundición. Metales.

COLAS

1. Sustancia pastosa que sirve como adhesivo, especialmente en carpintería.

2. Son sustancias capaces de mantener unidas las superficies en contacto de dos sólidos, ya sean del mismo material o de distinto material.

— Nota Técnica de Prevención n.º 164/1986. INSST.

3. Máquinas encoladoras de rodillos.

— Nota Técnica de Prevención n.º 150/1985. INSST.

4. Los trabajadores ocupados en las actividades económicas, y expuestos a los agentes o sustancias que a continuación se indican, pueden contraer una Enfermedad Profesional (E.P.), causada por agentes químicos:

• El uso de adhesivos y colas con polímeros de formol puede implicar exposición a formaldehido. (Código 1G0112).

• El n-hexano se utiliza principalmente como disolvente (colas), donde se utilicen hidrocarburos alifáticos. (Código 1H0104).

• Operaciones de disolución de resinas naturales o sintéticas para la preparación de colas, adhesivos, lacas, barnices, esmaltes, masillas, tintas, diluyentes de pinturas y productos de limpieza, donde se utilice xileno o tolueno. (Código 1K0303).

• Fabricación de mástiques y colas, donde se utilice sulfuro de carbono. (Código 1U0102).

Por ello, debe realizarse reconocimientos médicos previos y periódicos a dichos trabajadores, con la prohibición de no contratar a los calificados como no aptos para desempeñar los puestos de trabajo de que se trate.

— Artículo 243 LGSS, en relación con RDEP (Anexo).

Véase: Adhesivos. Sustancias adhesivas. Fabricación de adhesivos. Pegamento. Gomas. Gutapercha. Vulcanización. Fabricación de resinas.

COLOCADORES DE PARQUET

1. Trabajadores dedicados a revestir el suelo de un lugar con plaquetas de madera.

2. Los trabajadores ocupados en las actividades económicas, y expuestos a los agentes o sustancias que a continuación se indican, pueden contraer una Enfermedad Profesional (E.P.), causada por agentes físicos:

• Trabajos que requieran habitualmente de una posición de rodillas mantenidas como son trabajos en minas, en la construcción, servicio doméstico, colocadores de parquet y baldosas, jardineros, talladores y pulidores de piedras, trabajadores agrícolas y similares, que pueden producir la E.P. de bursitis. (Código 2C0101).

• Trabajos en los que se produzca un apoyo prolongado y repetido de forma directa o indirecta sobre las correderas anatómicas que provocan lesiones nerviosas por compresión. Movimientos extremos de hiperflexión y de hiperextensión. Trabajos que requieran posición prolongada en cuclillas, como empedradores, soladores, colocadores de parqué, jardineros y similares, que pueden provocar la E.P. de síndrome de compresión ciática, por la exposición a posturas forzadas y/o movimientos repetitivos. (Código 2F0401).

• Trabajos que requieran posturas en hiperflexión de la rodilla en posición mantenida en cuclillas de manera prolongada como son: Trabajos en minas subterráneas, electricistas, soladores, instaladores de suelos de madera, fontaneros, que pueden provocar la E.P. de lesiones del menisco por la exposición a posturas forzadas y/o movimientos repetitivos. (Código 2G0101).

Por ello, debe realizarse reconocimientos médicos previos y periódicos a dichos trabajadores, con la prohibición de no contratar a los calificados como no aptos para desempeñar los puestos de trabajo de que se trate.

— Artículo 243 LGSS, en relación con RDEP (Anexo I).

Véase: E.P. bursitis. E.P. higroma. Parquet. Trabajos con posturas forzadas. Soladores. Trabajos en cuclillas. Lacas.

COLODIÓN

1. Derivado de la celulosa en una mezcla de éter y alcohol, que se emplea como aglutinante y, especialmente, en la preparación de placas fotográficas.

2. Los trabajadores ocupados en las actividades económicas, y expuestos a los agentes o sustancias que a continuación se indican, pueden contraer una Enfermedad Profesional (E.P.), causada por agentes químicos:

• Utilización de éteres en la industria química como disolventes de ceras, grasas, etc., y en la fabricación de colodium para la extracción de nicotina. (Código 1O0111).

Por ello, debe realizarse reconocimientos médicos previos y periódicos a dichos trabajadores, con la prohibición de no contratar a los calificados como no aptos para desempeñar los puestos de trabajo de que se trate.

— Artículo 243 LGSS, en relación con RDEP (Anexo I).

Véase: Celulosa. Laboratorios de fotografía.

COLOFONIA

La colofonia, también identificada como resina de colofonia, es un producto natural (sustancia orgánica) que se obtiene a partir de varias especies de plantas pináceas y que se presenta en forma de masa resinosa transparente de color ámbar.

La colofonia tiene numerosas aplicaciones industriales ya que posee propiedades que justifican una amplia utilización como colorante, emulsificante y decapante.

Las industrias en las que tanto la colofonia como sus derivados se utilizan de una manera más extendida son en la:

• Fabricación de tintas (23%), adhesivos (23%) y papel (21%).

• Industria electrónica para el recubrimiento de las varillas para soldadura blanda, ya que sus propiedades decapantes provocan una limpieza efectiva de las superficies a unir, facilitando el proceso de soldadura entre dos metales.

— Nota Técnica de Prevención n.º 752/2007. INSST.

Véase: Fabricación de resinas. Fabricación de tintes. Fabricación de adhesivos. Industria papelera. Varillas de soldadura.

COLORANTES

1. Producto que da color, utilizado para teñir. Sustancia que, añadida a ciertos alimentos, sirve para darles color o teñirlos.

2. Los trabajadores ocupados en las actividades económicas, y expuestos a los agentes o sustancias que a continuación se indican, pueden contraer una Enfermedad Profesional (E.P.):

a) Causadas por agentes químicos:

• Fabricación y empleo de colorantes y pinturas que contengan compuestos de arsénico. (Código 1A0104).

• Industria de colorantes arsenicales. (Código 1A0119).

• Fabricación y empleo de pigmentos, colorantes y pinturas a base de compuestos de cromo. (Código 1A0402).

• Fabricación de colorantes y secantes que contengan compuestos de manganeso. (Código 1A0609).

• Utilización del talio y sus compuestos en la industria farmacéutica, industria del vidrio, en la fabricación de colorantes y pigmentos y en la pirotecnia. (Código 1A1004).

• Fabricación de colorantes y uso en cerámica (trifluoruro de antimonio), donde se utilice antimonio. (Código 1B0109).

• Producción de abonos orgánicos, explosivos, nitrocelulosa, seda artificial y cuero sintético, barnices, lacas, colorantes y colodium, donde se utilice ácido nítrico. (Código 1D0102).

• Fabricación de colorantes, pigmentos plásticos y fibras sintéticas, donde se utilice ácido cianhídrico. (Código 1D0412).

• Fabricación y utilización de disolventes o diluyentes para los colorantes, pinturas, lacas, barnices, resinas naturales y sintéticos, desengrasantes y quitamanchas, donde se utilice alcohol. (Código 1F0104).

• Fabricación de colores de anilina (metanol), donde se utilice alcohol. (Código 1F0106).

• Fabricación de detergentes, colorantes, aditivos para aceites, etc., donde se utilicen fenoles. (Código 1F0206).

• Fabricación de estas sustancias (aminas e hidracinas) y su utilización como productos intermediarios en la industria de colorantes sintéticos y en numerosas síntesis orgánicas, en la industria química, en la industria de insecticidas, en la industria farmacéutica, etc. (Código 1I0101).

• Utilización de aminas e hidracinas como colorantes en la industria del cuero, de pieles del calzado, de productos capilares, etc., así como en papelería y en productos de peluquería. (Código 1I0104).

• Fabricación de ácido nítrico y otros reactivos químicos como ácido sulfúrico, cianuros, amidas, urea, sosa, nitritos e intermediarios de colorantes, donde se utilice amoniaco. (Código 1J0108).

• Empleo del benceno para la preparación de sus derivados utilizados en las industrias de materias colorantes, perfumes, explosivos, productos farmacéuticos, etc. (Código 1K0102).

• Empleo de derivados alogenados de hidrocarburos aromáticos en las industrias de materias colorantes, perfumería y fotografía. (Código 1K0502).

• Producción de colorantes, pigmentos, tintes, donde se utilice nitroderivados de los hidrocarburos aromáticos. (Código 1K0602).

• Utilización de oxicloruro de carbono y sus compuestos en la industria química (preparación de productos farmacéuticos, de materias colorantes, etc.). (Código 1T0204).

• Fabricación de colorantes, lacas y tintes, donde se utilicen óxidos de nitrógeno. (Código 1T0302).

b) Causada por inhalación de sustancias o agentes no comprendidos en otros apartados:

• Fabricación y aplicación de lacas, pinturas, colorantes, adhesivos, barnices, esmaltes, donde los trabajadores estén expuestos a sustancias de bajo peso molecular (metales, polvos de maderas, sustancias químicas, etc.), que pueden provocar alguna de las siguientes E.P: rinoconjuntivitis (Código 4I0109), urticaria (Código 4I0209), angiodemas (Código 4I0209), asma (Código 4I0309), alveolitis alérgica extrínseca (Código 4I0409), síndrome de disfunción de la vía reactiva (Código 4I0509), fibrosis intersticial difusa (Código 4I0609), fiebre de los metales (Código 4I0709), y neumopatía intersticial difusa (Código 4I0809).

• Fabricación de colorantes y uso en cerámica (trifluoruro de antimonio), donde se utilice antimonio. (Código 4J0109).

c) E.P. de la piel, causada por sustancias o agentes no comprendidos en alguno de los otros apartados:

• Fabricación y aplicación de lacas, pinturas, colorantes, adhesivos, barnices, esmaltes, donde los trabajadores estén expuestos a sustancias de bajo peso molecular (metales, polvos de maderas, sustancias químicas, etc.), que pueden provocar una E.P. de la piel, causada por sustancias de bajo peso molecular. (Código 5A0109).

d) Causadas por agentes cancerígenos:

• Trabajos en los que se emplee tintes, alfa-naftilamina y beta-naftilamina, bencidina, colorantes con base de bencidina, aminodifenilo, nitrodifenilo, auramina, magenta y sus sales, donde se utilice aminas, que pueden provocar al E.P. de neoplasia de vejiga. (Código 6B0102).

• Fabricación y empleo de colorantes y pinturas que contengan compuestos de arsénico, que puede provocar alguna de las siguientes E.P. (cánceres): neoplasia de maligna de bronquio y pulmón (Códigos 6C0106, 6C0107), carcinoma epidemoide de piel (Códigos 6C0206, 6C0207), disqueratosis lenticular en disco (Códigos 6C0306, 6C0307) y angiosarcoma del hígado (Códigos 6C0406, 6C0407).

• Empleo del benceno para la preparación de sus derivados utilizados en las industrias de materias colorantes, perfumes, explosivos, productos farmacéuticos, etc., que puede provocar una E.P. síndrome linfo y mieloproliferativos. (Códigos 6D0102).

• Fabricación y empleo de pigmentos, colorantes y pinturas a base de compuestos de cromo, que puede provocar la E.P. de neoplasia maligna de cavidad nasal. (Código 6I0102).

• Fabricación y empleo de pigmentos, colorantes y pinturas a base de compuestos de cromo, que puede provocar la E.P. de neoplasia de bronquio y pulmón. (Código 6I0202).

• Utilización de aminas como colorantes en la industria del cuero, de pieles del calzado, de productos capilares, etc., así como en papelería y en productos de peluquería, que pueden provocar la E.P. de cáncer versical. (Código 6O0104).

• Producción de colorantes, pigmentos, tintes, donde se utilice nitrobenceno, que puede provocar la E.P. de linfoma (Cáncer). (Código 6P0102).

• Fabricación de colorantes, pigmentos plásticos y fibras sintéticas, donde se utilice ácido cianhídrico, que puede provocar una E.P. cancerígena. (Código 6Q0112).

Por ello, debe realizarse reconocimientos médicos previos y periódicos a dichos trabajadores, con la prohibición de no contratar a los calificados como no aptos para desempeñar los puestos de trabajo de que se trate.

— Artículo 243 LGSS, en relación con RDEP (Anexo I).

Véase: Fabricación de tintes. Fabricación de pinturas. Alimentación. Productos capilares. Peluquería.

COLORES DE SEGURIDAD

1. Colores a los que se le atribuye una significación determinada en relación con la seguridad y salud en el trabajo.

— Artículo 2.i RDSSST.

— Notas Técnicas de Seguridad n.º 655/2004. 888, 889/2010. INSST.

2. Rojo: Para señales de prohibición, de peligro, alarma y para equipos de lucha contra incendios.

Amarillo: Para señales de advertencia.

Azul: Para señales de obligación.

Verde: Para señales de salvamento o de auxilio y para situaciones de seguridad.

— Anexo III RDSSST.

Véase: Señalización de Seguridad. Forma de las señales de seguridad. Señal de prohibición. Señal de advertencia. Señal de obligación. Señalización de emergencia. Señalización de salvamento. Señal indicativa. Señal en forma de panel. Señal acústica. Señal adicional. Señal gestual. Señal luminosa. Señal óptica. Señales visuales de seguridad.

COMBUSTIBLES FÓSILES

1. Los combustibles fósiles son cuatro: petróleo, carbón, gas natural y gas licuado del petróleo. Se han formado a partir de la acumulación de grandes cantidades de restos orgánicos provenientes de plantas y de animales.

2. Los trabajadores ocupados en las actividades económicas, y expuestos a los agentes o sustancias que a continuación se indican, pueden contraer una Enfermedad Profesional (E.P.), causada por agentes químicos:

• Fabricación de aditivos combustibles, donde se utilice bromo. (Código 1C0103).

• La combustión de combustibles fósiles, madera y el calentamiento de aceites produce acroleína, donde se utilicen aldehídos. (Código 1G0113).

• Fabricación de resinas sintéticas, celuloide e hidronaftalenos (tetralin, decalin) que se usan como disolventes, en lubricantes y en combustibles, donde se utilice naftaleno. (Código 1K0205).

Por ello, debe realizarse reconocimientos médicos previos y periódicos a dichos trabajadores, con la prohibición de no contratar a los calificados como no aptos para desempeñar los puestos de trabajo de que se trate.

— Artículo 243 LGSS, en relación con RDEP (Anexo I).

Véase: Petróleo. Carbón. Gas natural. Gases licuados. Combustión. Sustancias combustibles. Carburantes. Sustancias carburantes. Sustancias peligrosas. Carburantes. Combustibles nucleares.

COMBUSTIBLES NUCLEARES

1. Materiales que se emplean para producir energía en forma de calor mediante reacciones nucleares.

2. Los trabajadores ocupados en las actividades económicas, y expuestos a los agentes o sustancias que a continuación se indican, pueden contraer una Enfermedad Profesional (E.P.), causada por agentes cancerígenos:

• Fábrica de enriquecimiento de combustibles nucleares, que pueden provocar la E.P. de síndrome linfo y mieloproliferativos. (Código 6N0111).

• Fábrica de enriquecimiento de combustibles nucleares, que puede provocar la E.P. de carcinoma epidermoide de piel. (Código 6N0211).

Por ello, debe realizarse reconocimientos médicos previos y periódicos a dichos trabajadores, con la prohibición de no contratar a los calificados como no aptos para desempeñar los puestos de trabajo de que se trate.

— Artículo 243 LGSS, en relación con RDEP (Anexo I).

Véase: Carburantes. Sustancias carburantes. Sustancias combustibles. Combustión. Combustibles fósiles. Sustancias peligrosas.

COMBUSTIÓN

1. Acción y efecto de arder o quemar. Reacción química entre el oxígeno y un material oxidable, acompañada de desprendimiento de energía y que habitualmente se manifiesta por incandescencia o llama.

2. Los trabajadores ocupados en las actividades económicas, y expuestos a los agentes o sustancias que a continuación se indican, pueden contraer una Enfermedad Profesional (E.P.):

a) Causada por agentes químicos:

• Procesos en que interviene la combustión de carbones ricos en azufre, donde se utilice anhídrido sulfuroso. (Código 1D0203).

• Emisiones gaseosas en los altos hornos, hornos de coque o combustión de espumas de poliuretano, donde se utilice ácido cianhídrico. (Código 1D0413).

• La combustión de combustibles fósiles, madera y el calentamiento de aceites produce acroleína, donde se utilicen aldehídos. (Código 1G0113).

• Utilización de medios de calefacción o combustión libre, por la exposición a los óxidos de carbono. (Código 1T0112).

b) Causada por agentes cancerígenos:

• Emisiones gaseosas en los altos hornos, hornos de coque o combustión de espumas de poliuretano, donde se utilice ácido cianhídrico, que puede provocar una E.P. cancerígena. (Código 6Q0113).

Por ello, debe realizarse reconocimientos médicos previos y periódicos a dichos trabajadores, con la prohibición de no contratar a los calificados como no aptos para desempeñar los puestos de trabajo de que se trate.

— Artículo 243 LGSS, en relación con RDEP (Anexo I).

Véase: Sustancias combustibles. Combustibles fósiles. Gases combustibles. Gas inflamable. Gas oxidante. Carburantes. Sustancias carburantes. Combustión. Sustancias peligrosas.

COMEDORES

Véase: Locales de comedores.

COMERCIALIZACIÓN DE MÁQUINAS

1. Primera puesta a disposición en la Comunidad Europea, mediante pago o de manera gratuita, de una máquina o de una cuasi máquina, con vistas a su distribución o utilización.

— Artículo 2.2.h RDM.

2. Comercialización: suministrar remunerada o gratuitamente un vehículo, sistema, componente, unidad técnica independiente, pieza o equipo para su distribución o utilización en el mercado en el transcurso de una actividad comercial.

— Artículo 3.47 Reglamento (UE) n.º 167/2013.

Véase: Máquinas. Cuasi máquinas. Equipos de trabajo. Herramientas portátiles. Fabricantes. Importadores. Distribuidores. Vigilancia del mercado.

COMERCIO DE ANIMALES

1. Comercio de seres orgánicos que viven, sientes y se mueven por propio impulso.

2. Los trabajadores ocupados en las actividades económicas, y expuestos a los agentes o sustancias que a continuación se indican, pueden contraer una Enfermedad Profesional (E.P.), causada por agentes biológicos:

• Tiendas de animales, que pueden contraer una E.P. infecciosa transmitida por animales (o por sus productos y cadáveres), por la exposición a agentes biológicos durante el trabajo. (Código 3B0118).

Por ello, debe realizarse reconocimientos médicos previos y periódicos a dichos trabajadores, con la prohibición de no contratar a los calificados como no aptos para desempeñar los puestos de trabajo de que se trate.

— Artículo 243 LGSS, en relación con RDEP (Anexo I).

Véase: Trabajos con animales. Avicultores. Ganaderos. Granjas. Granjeros. Granjas de ganado vacuno. Pastores. Veterinarios. Transporte de animales.

COMISIÓN NACIONAL DE SEGURIDAD Y SALUD EN EL TRABAJO

1. Es un órgano colegiado de asesoramiento y participación en la formulación de la política en materia de prevención de riesgos laborales.

— Artículo 13 LPRL.

2. La Comisión Nacional de Seguridad y Salud en el Trabajo, como órgano colegiado asesor de las Administraciones públicas en la formulación de las políticas de prevención y órgano de participación institucional en materia de seguridad y salud en el trabajo, estará integrada por representantes de la Administración General del Estado, de las Administraciones de las Comunidades Autónomas y por representantes de las organizaciones empresariales y sindicales más representativas.

— Artículo 1 RDCNSST.

Véase: INSST. Derecho de participación. Fundación de SST

COMITÉ DE SEGURIDAD Y SALUD

1. El Comité de Seguridad y Salud es el órgano paritario y colegiado de participación destinado a la consulta regular y periódica de las actuaciones de la empresa en materia de prevención de riesgos.

2. Se constituirá un Comité de Seguridad y Salud en todas las empresas o centros de trabajo que cuenten con 50 o más trabajadores. El Comité estará formado por los Delegados de Prevención, de una parte, y por el empresario y/o sus representantes en número igual al de los Delegados de Prevención, de la otra. En las reuniones del Comité de Seguridad y Salud participarán, con voz pero sin voto, los Delegados Sindicales y los responsables técnicos de la prevención en la empresa que no estén incluidos en la composición a la que se refiere el párrafo anterior. En las mismas condiciones podrán participar trabajadores de la empresa que cuenten con una especial cualificación o información respecto de concretas cuestiones que se debatan en este órgano y técnicos en prevención ajenos a la empresa, siempre que así lo solicite alguna de las representaciones en el Comité.

3. El Comité de Seguridad y Salud se reunirá trimestralmente y siempre que lo solicite alguna de las representaciones en el mismo. El Comité adoptará sus propias normas de funcionamiento.

Las empresas que cuenten con varios centros de trabajo dotados de Comité de Seguridad y Salud podrán acordar con sus trabajadores la creación de un Comité Intercentros, con las funciones que el acuerdo le atribuya.

— Artículo 38 LPRL.

4. El Comité de Seguridad y Salud tendrá las siguientes competencias:

• Participar en la elaboración, puesta en práctica y evaluación de los planes y programas de prevención de riesgos de la empresa. A tal efecto, en su seno se debatirán, antes de su puesta en práctica y en lo referente a su incidencia en la prevención de riesgos, la elección de la modalidad organizativa de la empresa y, en su caso, la gestión realizada por las entidades especializadas con las que la empresa hubiera concertado la realización de actividades preventivas; los proyectos en materia de planificación, organización del trabajo e introducción de nuevas tecnologías, organización y desarrollo de las actividades de protección y prevención a que se refiere el artículo 16 de esta Ley y proyecto y organización de la formación en materia preventiva.

b) Promover iniciativas sobre métodos y procedimientos para la efectiva prevención de los riesgos, proponiendo a la empresa la mejora de las condiciones o la corrección de las deficiencias existentes.

— Artículo 39 LPRL.

5. En el ejercicio de sus competencias, el Comité de Seguridad y Salud estará facultado para:

• Conocer directamente la situación relativa a la prevención de riesgos en el centro de trabajo, realizando a tal efecto las visitas que estime oportunas.

• Conocer cuántos documentos e informes relativos a las condiciones de trabajo sean necesarios para el cumplimiento de sus funciones, así como los procedentes de la actividad del servicio de prevención, en su caso.

• Conocer y analizar los daños producidos en la salud o en la integridad física de los trabajadores, al objeto de valorar sus causas y proponer las medidas preventivas oportunas.

• Conocer e informar la memoria y programación anual de servicios de prevención.

— Artículo 39 LPRL.

6. A fin de dar cumplimiento a lo dispuesto en esta Ley respecto de la colaboración entre empresas en los supuestos de desarrollo simultáneo de actividades en un mismo centro de trabajo, se podrá acordar la realización de reuniones conjuntas de los **Comités de Seguridad y Salud** o, en su defecto, de los **Delegados de Prevención** y empresarios de las empresas que carezcan de dichos Comités, u otras medidas de actuación coordinada.

— Artículo 39 LPRL.

7. Al tratarse de un órgano técnico (no de negociación) esta exceptuado del principio de proporcionalidad, no existiendo lesión del derecho a la libertad sindical, por el hecho de que se utilice el crédito de la mayoría.

— STS 14.6.99. 30.4.01. 14.3.06.

— STSJ Sevilla 3.4.08.

8. La denegación reiterada del permiso para acudir a las reuniones del Comité de Seguridad y Salud a uno de sus miembros puede constituir una lesión del derecho a la libertad sindical.

— STSJ Cantabria 29.7.05.

9. Comité de Seguridad y Salud en la Administración General del Estado.

— Artículo 6 y Disposición Adicional **Décima RDPAGE.**

10. Comité de Seguridad y Salud en los centros militares.

— Artículos 7, 8, 9 RDSSCEM.

Véase: Derecho de participación. Participación de los trabajadores. Delegados de Prevención. Garantías de los Delegados de Prevención. Sigilo profesional.

COMPETITIVIDAD

Competitividad significa capacidad de obtener constantemente la posición de mayor ventaja ante los rápidos cambios en el mercado. El principal determinante de tal capacidad no son los costes salariales. Cada vez más la competitividad se basa en la calidad, la velocidad de respuesta, la superioridad tecnológica, la diferenciación de servicios y productos, las especiales condiciones de dignidad en que éstos han sido realizados, y la reputación alcanzada.

Productividad no es sinónimo de competitividad, aunque esta última requiere normalmente de la primera. Puede ser que circunstancialmente no aumente la productividad y sí lo haga la competitividad al estar mejorando ciertos activos intangibles de valor estratégico, de resultados no inmediatos.

La competitividad está fundamentalmente relacionada con la habilidad organizacional para crear constantemente valor añadido para el cliente y los trabajadores. Esto depende a su vez de la creatividad de las personas y el soporte que la organización del trabajo puede dar para interactuar y aprender. Cuando la creatividad es el principal determinante de la competitividad, la relación entre capital intelectual (humano, organizacional y relacional) y la productividad suele ser auto explicable.

— Notas Técnicas de Prevención n.º 911, 912/2011. INSST.

Véase: Productividad. Coste-beneficio de la prevención.

COMPONENTE DE SEGURIDAD

Componente que sirva para desempeñar una función de seguridad, que se comercialice por separado, cuyo fallo y/o funcionamiento defectuoso ponga en peligro la seguridad de las personas, y que no sea necesario para el funcionamiento de la máquina o que, para el funcionamiento de la máquina, pueda ser reemplazado por componentes normales.

En el anexo V de este Real Decreto figura una lista indicativa de componentes de seguridad que podrá actualizarse con arreglo a las decisiones que adopte la Comisión Europea según lo estipulado en el artículo 8, apartado 1, letra a) de la Directiva 2006/42/CE.

— Artículo 2.2.c RDM.

Véase: Máquinas. Cuasi máquinas. Mando a dos manos. Dispositivos de bloqueo.

COMPOST

Enmienda orgánica obtenida a partir del tratamiento biológico aerobio y termófilo de residuos biodegradables recogidos separadamente. No se considerará compost el material orgánico obtenido de las plantas de tratamiento mecánico biológico de residuos mezclados, que se denominará material bioestabilizado.

— Artículo 3.y LRSC.

— Nota Técnica de Prevención n.º 1054/2015. INSST.

Véase: Abonos. Agricultura.

COMUNICACIÓN DE APERTURA

1. El empresario dentro de los 30 días siguientes al hecho que lo motiva debe comunicar a la Autoridad Laboral la apertura de un centro de trabajo o de reanudación de la actividad después de efectuar alteraciones, ampliaciones o transformaciones de importancia.

— Artículos 1 y 2 Orden TIN/1071/2010, de 27 de abril.

2. La comunicación de apertura del centro de trabajo (obras de construcción) a la Autoridad Laboral competente deberá ser previa al comienzo de los trabajos y se presentará únicamente por los empresarios que tengan la consideración de contratistas de acuerdo con lo dispuesto en este real decreto. La comunicación de apertura incluirá el Plan de Seguridad y Salud.

— Artículo 19.1 RDSSTOC.

3. No comunicar a la Autoridad Laboral competente la apertura del centro de trabajo o la reanudación o continuación de los trabajos después de efectuar alteraciones o ampliaciones de importancia, o consignar con inexactitud los datos que debe declarar o cumplimentar, siempre que se trate de industria calificada por la normativa vigente como peligrosa, insalubre o nociva por los elementos, procesos o sustancias que se manipulen, constituye una infracción grave en materia de prevención de riesgos laborales que lleva aparejada una sanción económica de 2.046 a 40.985 euros.

— Artículos 12.5 y 40.2. LISOS.

Véase: Centro de trabajo. Plan de Seguridad y Salud. Lugares de trabajo.

COMUNICACIÓN DE LAS ENFERMEDADES PROFESIONALES

1. La comunicación inicial del parte habrá de llevarse a cabo dentro de los diez días hábiles siguientes a la fecha en que se haya producido el diagnóstico de la enfermedad profesional. En cualquier caso, la totalidad de los datos contemplados en el anexo de esta orden se deberá transmitir en el plazo máximo de los cinco días hábiles siguientes a la comunicación inicial, a cuyo fin la empresa deberá remitir la información que le sea solicitada por la entidad gestora o por la mutua para que ésta pueda dar cumplimiento a los plazos anteriores.

— Artículo 6 Orden TAS/1/2007.

2. No dar cuenta en tiempo y forma a la autoridad laboral, conforme a las disposiciones vigentes, de los accidentes de trabajo ocurridos y de las enfermedades profesionales declaradas cuando tengan la calificación de graves, muy graves o mortales, o no llevar a cabo una investigación en caso de producirse daños a la salud de los trabajadores o de tener indicios de que las medidas preventivas son insuficientes, constituye una infracción grave en materia de prevención de riesgos laborales que lleva aparejada una sanción económica de 2.046 euros a 40.985 euros.

— Artículos 12.3 y 40.2.b LISOS.

Véase: E.P: Enfermedades Profesionales. Parte de Enfermedad Profesional.

COMUNICACIÓN DE LOS ACCIDENTES DE TRABAJO

1. El parte del accidente será remitido por el empresario o trabajador por cuenta propia, según proceda, a la Entidad gestora o colaboradora que tenga a su cargo la protección por accidente de trabajo, en el plazo máximo de cinco días hábiles, contados desde la fecha en que se produjo el accidente o desde la fecha de la baja médica.

— Artículo 3.a Orden de 16 de diciembre de 1987.

2. En aquellos accidentes ocurridos en el centro de trabajo o por desplazamiento en jornada de trabajo que provoquen el fallecimiento del trabajador, que sean considerados como graves o muy graves o que el accidente ocurrido en un centro de trabajo afecte a más de cuatro trabajadores, pertenezcan o no en su totalidad a la plantilla de la empresa, el empresario, además de cumplimentar el correspondiente modelo, comunicará, en el plazo máximo de veinticuatro horas, este hecho por telegrama u otro medio de comunicación análogo a la Autoridad Laboral.

— Artículo 6 Orden de 16 de diciembre de 1987.

3. No dar cuenta en tiempo y forma a la autoridad laboral, conforme a las disposiciones vigentes, de los accidentes de trabajo ocurridos y de las enfermedades profesionales declaradas cuando tengan la calificación de graves, muy graves o mortales, o no llevar a cabo una investigación en caso de producirse daños a la salud de los trabajadores o de tener indicios de que las medidas preventivas son insuficientes, constituye una infracción grave en materia de prevención de riesgos laborales que lleva aparejada una sanción económica entre 2.046 euros y 40.985 euros.

— Artículos 12.3 y 40.2.b LISOS.

Véase: Accidentes de trabajo. Parte de accidente de trabajo. Notificación de los accidentes de trabajo.

COMUNICACIÓN VERBAL

1. Un mensaje verbal predeterminado, en el que se utiliza voz humana o sintética.

— Artículo 2.m RDSSST.

2. Programación neurolingüística: Aplicaciones a la mejora de las comunicaciones en materia de prevención de riesgos laborales en la empresa.

— Notas Técnicas de Prevención n.º 423, 424/1996. INSST.

3. Comunicación de situaciones de riesgo en la empresa.

— Nota Técnica de Prevención n.º 101/1984. INSST.

Véase: Señal acústica. Señal gestual.

CONDENSADORES

1. Aparato para reducir los gases a menor volumen. Recipiente que tienen algunas máquinas de vapor para que este se licue en él por la acción del agua fría. Condensador eléctrico: Sistema de dos conductores, separados por una lámina dieléctrica, que sirve para almacenar cargas eléctricas.

2. Los trabajadores ocupados en las actividades económicas, y expuestos a los agentes o sustancias que a continuación se indican, pueden contraer una Enfermedad Profesional (E.P.), causada por agentes químicos:

• Fabricación de transformadores, condensadores, aislamiento de cables y de hilos eléctricos, donde se utilicen derivados halogenados de hidrocarburos aromáticos. (Código 1K0506).

• Fabricación de condensadores electrolíticos, donde se utilicen glicoles. (Código 1P0107).

• Utilización de policlorobifenilos (PCBs) (organoclorados) como constituyente de fluidos dieléctricos en condensadores y transformadores, fluidos hidráulicos, aceites lubricantes, plaguicidas o aditivos en plastificantes y pinturas, etc. (Código 1S0201).

Por ello, debe realizarse reconocimientos médicos previos y periódicos a dichos trabajadores, con la prohibición de no contratar a los calificados como no aptos para desempeñar los puestos de trabajo de que se trate.

— Artículo 243 LGSS, en relación con RDEP (Anexo I).

Véase: Baterías. Gas.

CONDICIÓN DE TRABAJO

1. Cualquier característica del mismo que pueda tener una influencia significativa en la generación de riesgos para la seguridad y la salud del trabajador. Quedan específicamente incluidas en esta definición:

• Las características generales de los locales, instalaciones, equipos, productos y demás útiles existentes en el centro de trabajo.

• La naturaleza de los agentes físicos, químicos, biológicos y cancerígenos presentes en el ambiente de trabajo y sus correspondientes intensidades, concentraciones o niveles de presencia.

• Los procedimientos para la utilización de los agentes citados anteriormente que influyan en la generación de los riesgos mencionados.

• Todas aquellas otras características del trabajo, incluidas las relativas a su organización y ordenación, que influyan en la magnitud de los riesgos a que esté expuesto el trabajador.

— Artículo 4.7 LPRL.

2. Desde el punto vista prevencionista, las condiciones de trabajo son el conjunto de factores o variables, relativos tanto al contenido de la tarea como a la organización del trabajo, que están presentes en una situación laboral y que pueden afectar a la salud del trabajador.

— Nota Técnica de Prevención n.º 175/1986. INSST.

3. Para la evaluación de las condiciones de trabajo existen varios métodos que son, entre otros: Método LEST, Método los perfiles de puestos (RENAULT), Método FAGOR, Método Ergonomic Workplace Analysis y Método.

— Notas Técnicas de Prevención n.º 451/1997. 626, 627/2003. INSST.

Véase: Evaluación de riesgos. Controles periódicos. Salud laboral. Salud mental.

CONDUCCIÓN EN EQUIPO

La situación en la que, durante cualquier período de conducción entre cualesquiera dos períodos consecutivos de descanso diario, o entre un período de descanso diario y un período de descanso semanal, haya al menos dos conductores en el vehículo que participen en la conducción. Durante la primera hora de conducción en equipo, la presencia de otro conductor o conductores es optativa, pero durante el período restante es obligatoria.

— Artículo 4.º Reglamento (CE) n.º 561/2006, de 15 de marzo de 2006.

Véase: Automóviles. Conducción. Conductor. Vehículos. Vehículos eléctricos híbridos. Conductores de automóviles. Transporte por carretera. Transporte de mercancías. Transporte de mercancías peligrosas. Transporte de materias radiactivas. Transporte de animales. Tractores. Remolques.

CONDUCCIÓN

1. Acción o efecto de conducir, de transportar a alguien o algo de una parte a otra.

2. Los trabajadores ocupados en las actividades económicas, y expuestos a los agentes o sustancias que a continuación se indican, pueden contraer una Enfermedad Profesional (E.P.):

a) Causada por agentes químicos:

• Conducción de máquinas a motor con exposición al óxido de carbono. (Código 1T0109).

b) Causada por agentes cancerígenos:

• Conductores de vehículos automóviles, que contengan hidrocarburos aromáticos, que pueden provocar la E.P. de lesiones premalignas de piel. (Código 6J0116).

Por ello, debe realizarse reconocimientos médicos previos y periódicos a dichos trabajadores, con la prohibición de no contratar a los calificados como no aptos para desempeñar los puestos de trabajo de que se trate.

— Artículo 243 LGSS, en relación con RDEP (Anexo I).

Véase: Automóviles. Conducción en equipo. Conductor. Vehículos. Vehículos eléctricos híbridos. Conductores de automóviles. Transporte por carretera. Transporte de mercancías. Transporte de mercancías peligrosas. Transporte de materias radiactivas. Transporte de animales. Tractores. Remolques. Vehículos y maquinaria para movimientos de tierras. Trabajos de movimiento de tierras. Trabajos con palas mecánicas. Trabajos con excavadoras. Bulldozers. Trabajos con bulldozers. Plan de seguridad laboral vial.

CONDUCTOR
Toda persona que conduzca el vehículo, incluso durante un corto período, o que esté a bordo de un vehículo como parte de sus obligaciones para conducirlo en caso de necesidad.

— Artículo 4.c Reglamento (UE) 561/2006, de 15 de marzo de 2006.

Véase: Automóviles. Conducción. Conducción en equipo. Vehículos. Vehículos eléctricos híbridos. Conductores de automóviles. Transporte por carretera. Transporte de mercancías. Transporte de mercancías peligrosas. Transporte de materias radiactivas. Transporte de animales. Tractores. Remolques. Trabajadores del servicio del hogar familiar. Vehículos y maquinaria para movimientos de tierras. Trabajos de movimiento de tierras. Trabajos con palas mecánicas. Trabajos con excavadoras. Bulldozers. Trabajos con bulldozers. Plan de seguridad laboral vial.

CONDUCTORES DE AUTOMÓVILES
1. Conductores de vehículos que pueden ser guiados para marchar por una vía ordinaria sin necesidad de carriles y llevan un motor, generalmente de combustión interna o eléctrico, que los propulsa.

2. Los trabajadores ocupados en las actividades económicas, y expuestos a los agentes o sustancias que a continuación se indican, pueden contraer una Enfermedad Profesional (E.P.):

a) Causada por agentes químicos:

• Empleo de bromuro de metilo (derivado halogenado) para el tratamiento de vegetales en bodegas, cámaras de fumigación, contenedores, calas de barcos, camiones cubiertos, entre otros, que puede provocar una E.P. causada por agentes químicos. (Código 1H0212).

b) Causada por agentes físicos:

• Trabajos en los que se produzca un apoyo prolongado y repetido de forma directa o indirecta sobre las correderas anatómicas que provocan lesiones nerviosas por compresión. Movimientos extremos de hiperflexión y de hiperextensión.

Trabajos que entrañen contracción repetida del músculo supinador largo, como conductores de automóviles, presión crónica por uso de tijera, que pueden contraer enfermedades por posturas forzadas y movimientos repetitivos, como parálisis del nervio radial. (Código 2F0601).

c) Causada por agentes cancerígenos:

• Conductores de vehículos automóviles, que contengan hidrocarburos aromáticos, que pueden provocar la E.P. de lesiones premalignas de piel (Código 6J0116), y/o E.P. de carcinoma de células escamosas (Código 6J0216).

Por ello, debe realizarse reconocimientos médicos previos y periódicos a dichos trabajadores, con la prohibición de no contratar a los calificados como no aptos para desempeñar los puestos de trabajo de que se trate.

— Artículo 243 LGSS, en relación con RDEP (Anexo I).

Véase: Automóviles. Conducción. Conducción en equipo. Conductor. Vehículos. Vehículos eléctricos híbridos. Transporte por carretera. Transporte de mercancías. Transporte de mercancías peligrosas. Transporte de materias radiactivas. Transporte de animales. Tractores. Remolques. Plan de seguridad laboral vial.

CONEXIÓN EQUIPOTENCIAL

Conexión eléctrica que pone al mismo potencial, o a potenciales prácticamente iguales, a las partes conductoras accesibles y elementos conductores.

— ITC-BT-01 del REBT.

Véase: Corriente eléctrica.

CONFLICTO DE ROL

El conflicto de rol se produce cuando hay demandas, exigencias en el trabajo que son entre sí incongruentes o incompatibles para realizar el trabajo.

Se ha demostrado que el conflicto de rol está relacionado con la insatisfacción, disminución de la implicación con el trabajo y deterioro del rendimiento. Entre los trabajadores industriales sometidos a algún conflicto de roles se ha encontrado una mayor tensión a causa del trabajo, menor satisfacción con él y menor confianza en la organización.

— Nota Técnica de Prevención n.º 388/1995. INSST.

Véase: Rol. Ambigüedad de rol.

CONSERVANTES

1. Sustancia que añadida a ciertos alimentos sirve para conservarlos.

2. Los trabajadores ocupados en las actividades económicas, y expuestos a los agentes o sustancias que a continuación se indican, pueden contraer una Enfermedad Profesional (E.P.), causada por agentes químicos:

• Uso del naftaleno en fungicidas, bronceadores sintéticos, conservantes, textiles, químicos, materia prima y producto intermedio en industria del plástico y en la fabricación de lacas y barnices. (Código 1K0207).

Por ello, debe realizarse reconocimientos médicos previos y periódicos a dichos trabajadores, con la prohibición de no contratar a los calificados como no aptos para desempeñar los puestos de trabajo de que se trate.

— Artículo 243 LGSS, en relación con RDEP (Anexo I).

Véase: Alimentación. Ácido propiónico.

CONSTRUCCIÓN

1. Acción o efecto de construir, edificar o arreglar algo.

2. Recogida de escombros y su evacuación desde plantas de pisos.

— Nota Técnica de Prevención n.º 95/1984. INSST.

3. Los trabajadores ocupados en el sector de la construcción, y expuestos a los agentes o sustancias que a continuación se indican, pueden contraer una Enfermedad Profesional (E.P.):

a) Causada por agentes químicos:

• Industria de la construcción, donde se utilice plomo y sus compuestos. (Código 1A0918).

b) Causada por agentes físicos:

• Trabajos de obras públicas (rutas, construcciones, etc.) efectuados con máquinas ruidosas como las bulldozers, excavadoras, palas mecánicas, etc., donde el trabajador este expuesto a ruidos continuos y diarios de un nivel sonoro igual o superior a 80 decibelios A, que puede contraer la E.P. de hipoacusia. (Código 2A0110).

• Trabajos que requieran el empleo de vibradores en la construcción, donde el trabajador este expuesto a ruidos continuos y diarios de un nivel sonoro igual o superior a 80 decibelios A, que puede contraer la E.P. de hipoacusia. (Código 2A0114).

• Trabajos que requieran habitualmente de una posición de rodillas mantenidas como son trabajos en minas, en la construcción, servicio doméstico, colocadores de parquet y baldosas, jardineros, talladores y pulidores de piedras, trabajadores agrícolas y similares, que pueden producir la E.P. de bursitis. (Código 2C0101).

• Trabajos que requieran movimientos de impacto o sacudidas, supinación o pronación repetidas del brazo contra resistencia, así como movimientos de flexoextensión forzada de la muñeca, como pueden ser: carniceros, pescaderos, curtidores, deportistas, mecánicos, chapistas, caldereros, albañiles, que pueden provocar la E.P. de epicondilitis y/o epitrocleitis. (Código 2D0201).

c) Causada por la inhalación de sustancias y agentes no comprendidos en otros apartados:

• Trabajos en minas, túneles, canteras, galerías, obras públicas, que pueden provocar la E.P. de silicosis, por la inhalación de polvo de sílice libre. (Código 4A0101).

• Trabajos de aislamiento térmico en construcción naval y de edificios y su destrucción, que pueden provocar las E.P. de asbestosis (Código 4C0105) y/o afecciones fibrosantes de la pleura y pericardio (Código 4C0205), provocadas por la inhalación de polvo de amianto (asbesto).

• Construcción, donde los trabajadores estén expuestos a sustancias de alto peso molecular (de origen vegetal o animal), que pueden provocar alguna de las siguientes E.P: rinoconjuntivitis (Código 4H0130), asma (Código 4H0230), alveolitis alérgica extrínseca (Código 4H0330), síndrome de disfunción reactivo de la vía aérea (Código 4H0430), fibrosis intersticial difusa (Código 4H0530), bisinosis, cannabiosis, linnosis, bagazosis, estipatosis, suberosis (Código 4H0630), neumopatía intersticial difusa (Código 4H0730) y E.P. de la piel, causada por sustancias de alto peso molecular (Código 5B0130).

d) E.P. de la piel, causadas por sustancias y agentes no comprendidos en alguno de los otros apartados:

• Construcción, donde los trabajadores estén expuestos a sustancias de alto peso molecular (de origen vegetal o animal), que pueden provocar una E.P. de la piel, causada por sustancias de alto peso molecular. (Código 5B0130).

e) Causadas por agentes cancerígenos:

• Industrias en las que se utiliza amianto (asbesto) (por ejemplo, minas de rocas amiantíferas, industria de producción de amianto, trabajos de aislamientos, trabajos de construcción, construcción naval, trabajos en garajes, etc.), que pueden provocar alguna de las siguientes E.P (cánceres): neoplasia maligna de bronquio y pulmón (Código 6A0101), mesotelioma (Código 6A0201), mesotelioma de pleura (Código 6A0301), mesotelioma de peritoneo (Código 6A0401), mesotelioma de otras localizaciones (Código 6A0501) y cáncer de laringe (Código 6A0601).

• Fabricación de pigmentos, deshollinado de chimeneas, pavimentación de carreteras, aislamientos, donde se utilicen hidrocarburos aromáticos, que pueden provocar la E.P. de lesiones premalignas de piel (Códigos 6J0101, 6J0112, 6J0113), y/o E.P. de carcinoma de células escamosas (Códigos 6J0201, 6J0212, 6J0213).

Por ello, debe realizarse reconocimientos médicos previos y periódicos a dichos trabajadores, con la prohibición de no contratar a los calificados como no aptos para desempeñar los puestos de trabajo de que se trate.

— Artículo 243 LGSS, en relación con RDEP (Anexo I).

Véase: Albañiles. Obra de construcción. Obras públicas. Trabajos en la construcción. Trabajos en obras públicas. Dumper. Bulldozers. Trabajos con buldozers. Excavadoras. Excavaciones. Trabajos con excavadoras. Palas cargadoras. Trabajos con palas mecánicas. Ruido. Vibraciones. Demoliciones. Inclemencias atmosféricas.

CONTAMINACIÓN DEL AIRE

La expresión contaminación del aire comprende el aire contaminado por sustancias que, cualquiera que sea su estado físico, sean nocivas para la salud o entrañen cualquier otro tipo de peligro.

— Artículo 3.a Convenio OIT n.º 148, de 20 de junio de 1977.

Véase: Contaminación. Peligro. Sustancias nocivas. Sustancias peligrosas.

CONTAMINACIÓN

La introducción directa o indirecta, mediante la actividad humana, de sustancias, vibraciones, calor o ruido en la atmósfera, el agua o el suelo, que puedan tener efectos perjudiciales para la salud humana o la calidad del medio ambiente, o que puedan causar daños a los bienes materiales o deteriorar o perjudicar el disfrute u otras utilizaciones legítimas del medio ambiente.

— Artículo 3.6 LPCC.

Véase: Contaminación del aire. Ruido. Vibraciones.

CONTENEDORES

1. Embalaje metálico grande y recuperable, de tipos y dimensiones normalizados internacionalmente y con dispositivos para facilitar su manejo. Recipiente amplio para depositar residuos diversos.

2. Los trabajadores ocupados en las actividades económicas, y expuestos a los agentes o sustancias que a continuación se indican, pueden contraer una Enfermedad Profesional (E.P.), causada por agentes químicos:

• Empleo de bromuro de metilo (derivado halogenado) para el tratamiento de vegetales en bodegas, cámaras de fumigación, contenedores, calas de barcos, camiones cubiertos, entre otros. (Código 1H0212).

Por ello, debe realizarse reconocimientos médicos previos y periódicos a dichos trabajadores, con la prohibición de no contratar a los calificados como no aptos para desempeñar los puestos de trabajo de que se trate.

— Artículo 243 LGSS, en relación con RDEP (Anexo I).

Véase: Bodegas. Navíos. Depósitos.

CONTROL BIOLÓGICO

Es la medida y valoración de los agentes del lugar de trabajo, o de sus metabolitos, bien en tejidos, secreciones, productos de excreción, aire espirado o cualquier combinación de ellos para evaluar la exposición y el riesgo para la salud comparado con una referencia adecuada.

— Notas Técnicas de Prevención n.º 660/2004. INSST.

Véase: Agentes biológicos. Productos biológicos. Riesgos biológicos. Control de efectos biológicos. Indicadores de efecto biológico. Indicadores de exposición biológica. Indicadores de susceptibilidad biológica. Valor límite biológico. Epi contra agentes biológicos. Ropa de protección contra riesgos biológicos.

CONTROL DE EFECTOS BIOLÓGICOS

Es la medida y valoración de los efectos biológicos precoces cuya relación con las alteraciones de salud no ha sido aún establecida, realizadas en trabajadores para evaluar la exposición y el riesgo para la salud, comparado con una referencia adecuada.

— Notas Técnicas de Prevención n.º 660/2004. INSST.

Véase: Agentes biológicos. Productos biológicos. Riesgos biológicos. Control biológico. Indicadores de efecto biológico. Indicadores de exposición biológica. Indicadores de susceptibilidad biológica. Valor límite biológico. Epi contra agentes biológicos. Ropa de protección contra riesgos biológicos.

CONTROLES PERIÓDICOS

1. Cuando el resultado de la Evaluación de riesgos lo hiciera necesario, el empresario realizará controles periódicos de las condiciones de trabajo y de la actividad de los trabajadores en la prestación de sus servicios, para detectar situaciones potencialmente peligrosas.

Las actividades de prevención deberán ser modificadas cuando se aprecie por el empresario, como consecuencia de los controles periódicos, su inadecuación a los fines de protección requeridos.

— Artículo 16.2 LPRL.

2. En el sector de la construcción:

• Cuando, como resultado de la vigilancia, se observe un deficiente cumplimiento de las actividades preventivas, las personas a las que se asigne la presencia deberán dar las instrucciones necesarias para el correcto e inmediato cumplimiento de las actividades preventivas y poner tales circunstancias en conocimiento del empresario para que éste adopte las medidas necesarias para corregir las deficiencias observadas, si éstas no hubieran sido aún subsanadas.

• Cuando, como resultado de la vigilancia, se observe ausencia, insuficiencia o falta de adecuación de las medidas preventivas, las personas a las que se asigne esta función deberán poner tales circunstancias en conocimiento del empresario, que procederá de manera inmediata a la adopción de las medidas necesarias para corregir las deficiencias y a la modificación del Plan de Seguridad y Salud en los términos previstos en el artículo 7.4 de este real decreto.

— Disposición Adicional Única RDSSTOC.

3. No llevar a cabo las evaluaciones de riesgos y, en su caso, sus actualizaciones y revisiones, así como los controles periódicos de las condiciones de trabajo y de la actividad de los trabajadores que procedan, o no realizar aquellas actividades de prevención que hicieran necesarias los resultados de las evaluaciones, con el alcance y contenido establecidos en la normativa sobre prevención de riesgos laborales, constituye una infracción grave en materia de prevención de riesgos laborales que lleva aparejada una sanción económica de 2.046 euros y 40.985 euros.

— Artículos 12.1.b y 40.2.b LISOS.

4. No registrar y archivar los datos obtenidos en las evaluaciones, controles, reconocimientos, investigaciones o informes a que se refieren los artículos 16, 22 y 23 de la LPRL, constituye una infracción grave en materia de prevención de riesgos laborales que lleva aparejada una sanción económica de 2.046 euros y 40.985 euros.

— Artículos 12.4 y 40.2.b LISOS.

Véase: Control biológico. Ataguías. Plan de Prevención. Evaluaciones de Riesgos. Planificación de la actividad preventiva.

CONTUSIONES

Son lesiones producidas por un golpe o impacto sobre la piel, sin llegar a romperla, por lo que no produce herida. Las contusiones se clasifican (médicamente) en distintos grados, pero es más sencillo para el socorrista clasificarlas en leves o graves, atendiendo a la profundidad del tejido que esté afectado.

Contusiones leves son aquellas en que la afectación es superficial y se reconocen por el enrojecimiento de la zona contusionada o por la aparición del típico «cardenal» (rotura de pequeños vasos sanguíneos).

Contusiones graves se reconocen por la aparición del hematoma o colección líquida de sangre (en forma de relieve), producida por la rotura de vasos sanguíneos de mayor calibre que el capilar.

En las contusiones graves la afectación del tejido subyacente puede afectar a músculos, nervios, huesos, etc.

— Notas Técnicas de Prevención n.º 568/2000. INSST.

Véase: Primeros auxilios. Heridas. Botiquín.

CONVENIOS DE LA OIT

Los Convenios aprobados por la OIT tienen que someterse obligatoriamente a la Autoridad competente de cada Estado miembro para su ratificación (en España, las Cortes), aunque sus delegados hayan votado en contra.

Si la ratificación se concede el Convenio se publica en el diario oficial del Estado miembro (en España, BOE) y es directamente aplicable en el Estado que lo ratifico.

— Artículo 19.5 Constitución de la Organización Internacional del Trabajo (OIT), de 1919.

Véase: Reglamentos de la U.E. Directivas de la U.E. Decisiones de la U.E. Recomendaciones de la U.E. Dictámenes de la U.E.

COOPERACIÓN

Véase: Deber de coordinación de actividades empresariales.

COORDINACIÓN

Véase: Deber de coordinación de actividades empresariales.

COORDINADOR DE SEGURIDAD Y SALUD DURANTE LA EJECUCIÓN DE LA OBRA

1. El técnico competente integrado en la dirección facultativa, designado por el promotor para llevar a cabo las tareas establecidas para este coordinador en la reglamentación de seguridad y salud en las obras de construcción.

— Artículo 3.d LSC.

2. El técnico competente integrado en la dirección facultativa, designado por el promotor cuando en la ejecución de la obra intervengan más de una empresa o autónomos para:

• Coordinar la aplicación de los principios de la acción preventiva.
• Aprobar el Plan de Seguridad y Salud.
• Vigilar que contratistas y subcontratistas cumplan con la normativa en materia de prevención de riesgos laborales.

— Artículos 2.1.f. 3.2. 7.2. 9 RDSSTOC.

3. Las titulaciones académicas y profesionales habilitantes para desempeñar la función de coordinador de seguridad y salud en obras de edificación, durante la elaboración del proyecto y la ejecución de la obra, serán las de arquitecto, arquitecto técnico, ingeniero o ingeniero técnico, de acuerdo con sus competencias y especialidades.

— Disposición Adicional Cuarta LOE.

4. Obligaciones del Coordinador en materia de seguridad y de salud durante la ejecución de la obra.

• Coordinar la aplicación de los principios generales de prevención y de seguridad:

• Al tomar las decisiones técnicas y de organización con el fin de planificar los distintos trabajos o fases de trabajo que vayan a desarrollarse simultánea o sucesivamente.

• Al estimar la duración requerida para la ejecución de estos distintos trabajos o fases de trabajo.

• Coordinar las actividades de la obra para garantizar que los contratistas y, en su caso, los subcontratistas y los trabajadores autónomos apliquen de manera coherente y responsable los principios de la acción preventiva que se recogen en el artículo 15 de la Ley de Prevención de Riesgos Laborales durante la ejecución de la obra y, en particular, en las tareas o actividades a que se refiere el artículo 10 de este Real Decreto.

• Aprobar el Plan de Seguridad y Salud elaborado por el contratista y, en su caso, las modificaciones introducidas en el mismo. Conforme a lo dispuesto en el último párrafo del apartado 2 del artículo 7, la dirección facultativa asumirá esta función cuando no fuera necesaria la designación de coordinador.

• Organizar la coordinación de actividades empresariales prevista en el artículo 24 de la Ley de Prevención de Riesgos Laborales.

• Coordinar las acciones y funciones de control de la aplicación correcta de los métodos de trabajo.

• Adoptar las medidas necesarias para que sólo las personas autorizadas puedan acceder a la obra. La dirección facultativa asumirá esta función cuando no fuera necesaria la designación de coordinador.

— Artículo 9 RDSSTOC.

Véase: Libro de incidencias. Deber de Coordinación de actividades preventivas. Empresario concurrente. Coordinador en materia de Seguridad y Salud. Coordinador durante proyecto de obra. Medios de coordinación. Recurso preventivo. Dirección facultativa de la obra. Empresa externa.

COORDINADOR DE SEGURIDAD Y SALUD DURANTE LA ELABORACIÓN DEL PROYECTO DE OBRA

1. El técnico competente designado por el promotor, cuando en la elaboración del proyecto de obra intervienen varios proyectistas, para coordinar, durante la fase del proyecto de obra, la aplicación de los principios de la acción preventiva y tener en cuenta los previsibles trabajos posteriores, así como elaborar o hacer que se elabore bajo su responsabilidad el Estudio de Seguridad y Salud de la obra.

— Artículos 2.1.e, 3.1, 5.1 RDSSTOC.

2. Las titulaciones académicas y profesionales habilitantes para desempeñar la función de coordinador de seguridad y salud en obras de edificación, durante la elaboración del proyecto y la ejecución de la obra, serán las de arquitecto, arquitecto técnico, ingeniero o ingeniero técnico, de acuerdo con sus competencias y especialidades.

— Disposición Adicional Cuarta LOE.

— STSJ Andalucía 14.10.04.

Véase: Deber de Coordinación de actividades preventivas. Empresario concurrente. Coordinador en materia de Seguridad y Salud. Coordinador durante eje-

cución obra. Medios de coordinación. Recurso preventivo. Dirección facultativa de la obra. Empresa externa.

COORDINADOR EN MATERIA DE SEGURIDAD Y SALUD

1. En las obras incluidas en el ámbito de aplicación del presente Real Decreto, cuando en la elaboración del proyecto de obra intervengan varios proyectistas, el promotor designará un coordinador en materia de seguridad y de salud durante la elaboración del proyecto de obra.

2. Cuando en la ejecución de la obra intervenga más de una empresa, o una empresa y trabajadores autónomos o diversos trabajadores autónomos, el promotor, antes del inicio de los trabajos o tan pronto como se constate dicha circunstancia, designará un coordinador en materia de seguridad y salud durante la ejecución de la obra.

3. La designación de los coordinadores en materia de seguridad y salud durante la elaboración del proyecto de obra y durante la ejecución de la obra podrá recaer en la misma persona.

4. La designación de los coordinadores no eximirá al promotor de sus responsabilidades.

— Artículo 3 RDSSTOC.

> *Véase: Libro de incidencias. Deber de Coordinación de actividades preventivas. Empresario concurrente. Coordinador durante proyecto de obra. Coordinador durante ejecución obra. Medios de coordinación. Recurso preventivo. Dirección facultativa de la obra. Empresa externa.*

CORCHO

1. Tejido vegetal constituido por células en las que la celulosa de su membrana ha sufrido una transformación química y ha quedado convertida en suberina. Se encuentra en la zona periférica del tronco, de las ramas y de las raíces, generalmente en forma de láminas delgadas, pero puede alcanzar un desarrollo extraordinario, hasta formar capas de varios centímetros de espesor, como en la corteza del alcornoque.

2. Los trabajadores ocupados en las actividades económicas, y expuestos a los agentes o sustancias que a continuación se indican, pueden contraer una Enfermedad Profesional (E.P.), causada por inhalación de sustancias y agentes no comprendidos en otros apartados:

• Trabajos en los que se manipula cáñamo, bagazo de caña de azúcar, yute, lino, esparto, sisal y corcho, donde los trabajadores estén expuestos a sustancias de alto peso molecular (de origen vegetal o animal), que pueden provocar alguna de las siguientes E.P: rinoconjuntivitis (Código 4H0129), asma (Código 4H0229), alveolitis alérgica extrínseca (Código 4H0329), síndrome de disfunción reactivo de la vía aérea (Código 4H0429), fibrosis intersticial difusa (Código 4H0529), bisinosis, cannabiosis, linnosis, bagazosis, estipatosis, suberosis (Código 4H0629) y neumopatía intersticial difusa (Código 4H0729).

Por ello, debe realizarse reconocimientos médicos previos y periódicos a dichos trabajadores, con la prohibición de no contratar a los calificados como no aptos para desempeñar los puestos de trabajo de que se trate.

— Artículo 243 LGSS, en relación con RDEP (Anexo I).

Véase: Celulosa. Colodión. Caña de azúcar. Yute. Esparto.

CORRIENTE ALTERNA

Es aquella corriente eléctrica que invierte periódicamente el sentido de su movimiento.

Véase: Corriente eléctrica. Rectificadores. Transformadores.

CORRIENTE CONTINUA

Es aquella corriente eléctrica que fluye siempre en el mismo sentido.

Véase: Corriente eléctrica. Rectificadores.

CORRIENTE DE CONTACTO

1. Corriente que pasa a través de cuerpo humano o de un animal cuando está sometido a una tensión eléctrica.

— ITC-BT-01 del REBT.

2. Se ha considerado infracción en materia de prevención de riesgos laborales:

• Cuando el accidente ocurre por contacto eléctrico al estar realizando una instalación de una iluminaria exterior y que provocó una derivación o un arco eléctrico que salto de la línea eléctrica de alta tensión hacia la iluminaria que estaba sujeta por dos operarios.

— STSJ Cataluña 6.11.06.

Véase: Arco eléctrico. Choque eléctrico. Circuito eléctrico. Corriente eléctrica. Cortocircuito fusible. Electricistas. Industria eléctrica. Instalación eléctrica. Instalaciones de distribución de energía. Instalaciones de puesta a tierra. Interruptor automático. Riesgo eléctrico. Soldadura exotérmica. Zona de trabajos en tensión. Rayo: Tensión de paso.

CORRIENTE DE DEFECTO

Corriente que circula debido a un defecto de aislamiento.

— ITC-BT-01 del REBT.

Véase: Arco eléctrico. Choque eléctrico. Circuito eléctrico. Cortocircuito fusible. Electricistas. Industria eléctrica. Instalación eléctrica. Instalaciones de distribución de energía. Instalaciones de puesta a tierra. Interruptor automático. Riesgo eléctrico. Soldadura exotérmica. Zona de trabajos en tensión.

CORRIENTE DE PUESTA A TIERRA

1. Corriente total que se deriva a tierra a través de la puesta a tierra. La corriente de puesta a tierra es la parte de la corriente de defecto que provoca la elevación de potencial de una instalación de puesta a tierra.

— ITC-BT-01 del REBT.

2. Toma de tierra: Electrodo, o conjunto de electrodos, en contacto con el suelo y que asegura la conexión eléctrica con el mismo.

— ITC-BT-01 del REBT.

Véase: Borne. Arco eléctrico. Choque eléctrico. Circuito eléctrico. Cortocircuito fusible. Electricistas. Industria eléctrica. Instalación eléctrica. Instalaciones de distribución de energía. Instalaciones de puesta a tierra. Interruptor automático. Riesgo eléctrico. Soldadura exotérmica. Zona de trabajos en tensión.

ELECTRICIDAD. ALTA TENSIÓN

1. Se denomina sistemas de «alta tensión» aquellos que emplean energía eléctrica con una tensión eficaz nominal superior a 1000 voltios para la corriente alterna 1500 voltios para la corriente continua.

En baja tensión, el principal riesgo para humanos y animales es de choque eléctrico por contacto directo con un conductor energizado sin aislante. Cuanto mayor la tensión, mayor es el riesgo de arco eléctrico sin necesidad de contacto directo. Por eso en las líneas de alta tensión aéreas los conductores se mantienen a una distancia considerable entre ellos.

Como una aproximación: debajo de 1000 voltios para que exista un arco eléctrico sostenido, se necesita que previamente haya existido contacto directo entre conductores. Incluso a tensiones menores, accionar interruptores crea arcos eléctricos pequeños y transitorios que pueden iniciar una explosión si hay una fuga de gas combustible.

— Nota Técnica de Prevención n.º 222/1988. INSST.

2. Distancias a líneas eléctricas de baja tensión y alta tensión.

— Nota Técnica de Prevención n.º 73/1983. INSST.

> *Véase: Arco eléctrico. Choque eléctrico. Circuito eléctrico. Cortocircuito fusible. Electricistas. Industria eléctrica. Instalación eléctrica. Instalaciones de distribución de energía. Instalaciones de puesta a tierra. Interruptor automático. Riesgo eléctrico. Soldadura exotérmica. Zona de trabajos en tensión.*

ELECTRICIDAD. CONTACTO DIRECTO

1. Contacto de personas o animales con partes activas de los materiales y equipos.

— Instrucción Técnica Complementaria ITC-BT-01.

2. Medidas de protección o prevención que deben adoptarse cuando se van a realizar trabajos en presencia de líneas eléctricas aéreas.

— Nota Técnica de Prevención n.º 72/1983. INSST.

> *Véase: Arco eléctrico. Choque eléctrico. Circuito eléctrico. Cortocircuito fusible. Electricistas. Industria eléctrica. Instalación eléctrica. Instalaciones de distribución de energía. Instalaciones de puesta a tierra. Interruptor automático. Riesgo eléctrico. Soldadura exotérmica. Zona de trabajos en tensión.*

ELECTRICIDAD: CONTACTO INDIRECTO

1. Contacto de personas o animales domésticos con partes que se han puesto bajo tensión como resultado de un fallo de aislamiento.

— Instrucción Técnica Complementaria ITC-BT-01.

2. Cuando una instalación eléctrica es alimentada mediante un grupo electrógeno la protección que se adopte contra contactos eléctricos indirectos deberá abarcar además de los receptores, equipos y masas de la instalación, a las masas del grupo y de sus equipos auxiliares, también susceptibles de adquirir tensiones peligrosas respecto a tierra.

— Nota Técnica de Prevención n.º 142/1985. INSST.

3. Sistemas de protección contra contactos eléctricos indirectos.

— Nota Técnica de Prevención n.º 71/1983. INSST.

Véase: Arco eléctrico. Choque eléctrico. Circuito eléctrico. Cortocircuito fusible. Electricistas. Industria eléctrica. Instalación eléctrica. Instalaciones de distribución de energía. Instalaciones de puesta a tierra. Interruptor automático. Riesgo eléctrico. Soldadura exotérmica. Zona de trabajos en tensión.

ELECTRICIDAD ESTÁTICA

1. Forma de energía que produce efectos luminosos, mecánicos, caloríficos, químicos, etc., y que se debe a la separación o movimiento de los electrones que forman los átomos. Electricidad que aparece en un cuerpo cuando existen en él cargas eléctricas en reposo.

El riesgo más importante que puede producir es de incendio o explosión el atmosferas de aire con vapores, nieblas, gases o polvos combustibles.

— Notas Técnicas de Prevención n.º 374, 375/1995. 567/2000. 827, 828/2009. INSST.

2. Electricidad estática en el trasvase de líquidos inflamables.

— Nota Técnica de Prevención n.º 225/1988. INSST.

Véase: Arco eléctrico. Choque eléctrico. Circuito eléctrico. Cortocircuito fusible. Electricistas. Industria eléctrica. Instalación eléctrica. Instalaciones de distribución de energía. Instalaciones de puesta a tierra. Interruptor automático. Riesgo eléctrico. Soldadura exotérmica. Zona de trabajos en tensión.

CORRIENTE ELÉCTRICA: TRABAJADOR AUTORIZADO

Trabajador que ha sido autorizado por el empresario para realizar determinados trabajos con riesgo eléctrico, en base a su capacidad para hacerlos de forma correcta, según los procedimientos establecidos en este Real Decreto.

— Anexo I.13 RDSSTRE.

Véase: Corriente eléctrica: Trabajador cualificado. Corriente eléctrica.

CORRIENTE ELÉCTRICA: TRABAJADOR CUALIFICADO

Trabajador autorizado que posee conocimientos especializados en materia de instalaciones eléctricas, debido a su formación acreditada, profesional o universitaria, o a su experiencia certificada de dos o más años.

— Anexo I.14 RDSSTRE.

Véase: Corriente eléctrica: Trabajador autorizado. Corriente eléctrica.

CORRIENTE ELÉCTRICA

1. Flujo de electrones, provocado por una diferencia de potencial, que se desplaza a lo largo de un conductor.

2. Se entiende por corriente eléctrica el movimiento ordenado de cargas eléctricas en un medio conductor.

— Notas Técnicas de Prevención n.º 267, 271/1991. 588/2001. INSST.

— Guía técnica para la evaluación y prevención de los riesgos relacionados con la protección frente al riesgo eléctrico. 2014. INSSBT.

3. Electricidad producida por grupos electrógenos.

— Nota Técnica de Prevención n.º 142/1985. INSST.

4. Los efectos de la corriente eléctrica pueden ser, entre otros:

• Choque eléctrico por contacto con elementos en tensión (contacto eléctrico directo), o con masas puestas accidentalmente en tensión (contacto eléctrico indirecto).

• Quemaduras por choque eléctrico o por arco eléctrico.

• Caídas o golpes como consecuencia de choque o arco eléctrico.

• Incendios o explosiones originados por la electricidad.

— Notas Técnicas de Prevención n.º 400/1995. 437/1997. INSST.

Véase: Arco eléctrico. Choque eléctrico. Circuito eléctrico. Aparamenta. Cortocircuito fusible. Rectificadores. Hilos conductores. Hilos eléctricos. Catenaria. Electricistas. Instalación eléctrica. Instalaciones de distribución de energía. Instalaciones de puesta a tierra. Interruptor automático. Riesgo eléctrico. Soldadura exotérmica. Zona de trabajos en tensión. Quemaduras. Energía: Producción.

CORTACIRCUITO FUSIBLE

Aparato cuyo cometido es el de interrumpir el circuito en el que está intercalado, por fusión de uno de sus elementos, cuando la intensidad que recorre el elemento sobrepasa, durante un tiempo determinado, un cierto valor.

— ITC-BT-01 del REBT.

Véase: Arco eléctrico. Choque eléctrico. Circuito eléctrico. Corriente de contacto. Corriente de defecto. Corriente de puesta a tierra. Corriente eléctrica. Electricistas. Industria eléctrica. Instalación eléctrica. Instalaciones de distribución de energía. Instalaciones de puesta a tierra. Interruptor automático. Riesgo eléctrico. Soldadura exotérmica. Zona de trabajos en tensión.

CORTADORES DE TEJIDOS

1. En las industrias de la confección, sastrerías, zapaterías, talleres de costura y otros semejantes, los encargados de cortar los trajes o las piezas de cada objeto que en ellos se fabrican.

2. Los trabajadores ocupados en las actividades económicas, y expuestos a los agentes o sustancias que a continuación se indican, pueden contraer una Enfermedad Profesional (E.P.), causada por agentes físicos:

• Trabajos en los que se produzca un apoyo prolongado y repetido de forma directa o indirecta sobre las correderas anatómicas que provocan lesiones nerviosas por compresión. Movimientos extremos de hiperflexión y de hiperextensión. Trabajos que requieran movimientos repetidos o mantenidos de hiperextensión e hiperflexión de la muñeca, de aprehensión de la mano como lavanderos, cortadores de tejidos y material plástico y similares, trabajos de montaje (electrónica, mecánica), industria textil, mataderos (carniceros, matarifes), hostelería (camareros, cocineros), soldadores, carpinteros, pulidores, pintores, que pueden provocar la E.P. de síndrome del túnel carpiano. (Código 2F0201).

Por ello, debe realizarse reconocimientos médicos previos y periódicos a dichos trabajadores, con la prohibición de no contratar a los calificados como no aptos para desempeñar los puestos de trabajo de que se trate.

— Artículo 243 LGSS, en relación con RDEP (Anexo I).

Véase: Movimientos repetitivos. E.P. síndrome del túnel carpiano.

COSMÉTICA

1. Producto que se utiliza para la higiene o belleza del cuerpo, especialmente del rostro.

2. Producto cosmético: Toda sustancia o mezcla destinada a ser puesta en contacto con las partes superficiales del cuerpo humano (epidermis, sistema piloso y capilar, uñas; labios y órganos genitales externos) o con los dientes y las mucosas bucales, con el fin exclusivo o principal de limpiarlos, perfumarlos, modificar su aspecto, protegerlos, mantenerlos en buen estado o corregir los olores corporales. No se considerará cosmético una sustancia o mezcla destinada a ser ingerida, inhalada, inyectada o implantada en el cuerpo humano.

— Nota Técnica de Prevención n.º 1074/2016. INSST.

3. Los trabajadores ocupados en las actividades económicas, y expuestos a los agentes o sustancias que a continuación se indican, pueden contraer una Enfermedad Profesional (E.P.):

a) Causada por agentes químicos:

• Utilización de ácidos orgánicos en la industria farmacéutica y cosmética. (Código 1E0105).

• Industria de cosméticos, perfumes, jabones y detergentes, donde se utilice alcohol. (Código 1F0107).

• Empleo en la industria química, textil y farmacéutica, cosmética, alimenticia, donde se utilicen aldehídos. (Código 1G0102).

• Industria farmacéutica y cosmética, donde se utilicen nitroderivados de los hidrocarburos aromáticos. (Código 1K0604).

• Industria de perfumería y de los cosméticos, donde se utilicem cetonas. (Código 1L0107).

• Imprenta, reproducción, plásticos, curtidos, textiles, resinas, protésicos dentales sellantes, cosméticos, etc., donde se utilicen ésteres orgánicos. (Código 1N0118).

• La industria de cosméticos, fabricación y utilización de anticongelantes, de líquidos de sistemas hidráulicos y de líquidos de frenos, donde se utilicen glicoles. (Código 1P0104).

• Fabricación de productos farmacéuticos y cosméticos, donde se utilice sulfuro de carbono. (Código 1U0106).

b) Causada por inhalación de sustancias y agentes no comprendidos en otros apartados:

• Industria farmacéutica y cosmética, donde se utilicen polvos de talco o de caolín, que pueden producir las E.P. de talcosis (Código 4D0102), silicocaolinosis (Código 4D0202) o caolinosis y otras silicatosis (Código 4D0302), provocadas por la inhalación de polvos de talco o de caolín.

• Industria cosmética y farmacéutica, donde los trabajadores estén expuestos a sustancias de bajo peso molecular (metales, sustancias químicas, etc.), que pueden provocar alguna de las siguientes E.P: rinoconjuntivitis (Código 4I0104), urticaria (Código 4I0204), angiodemas (Código 4I0204), asma (Código 4I0304), alveolitis alérgica extrínseca (Código 4I0404), síndrome de disfunción de la vía reactiva

(Código 4I0504), fibrosis intersticial difusa (Código 4I0604), fiebre de los metales (Código 4I0704) y neumopatía intersticial difusa (Código 4I0804).

c) E.P. de la piel, causada por sustancias y agentes no comprendidos en alguno de los otros apartados:

• Industria cosmética y farmacéutica, donde los trabajadores estén expuestos a sustancias de bajo peso molecular (metales, sustancias químicas, etc.), que pueden provocar una E.P. de la piel, causada por sustancias de bajo peso molecular. (Código 5A0104).

d) Causada por agentes cancerígenos:

• Industria farmacéutica y cosmética, donde se utilice nitrobenceno, que puede provocar la E.P. de linfoma. (Código 6P0104).

Por ello, debe realizarse reconocimientos médicos previos y periódicos a dichos trabajadores, con la prohibición de no contratar a los calificados como no aptos para desempeñar los puestos de trabajo de que se trate.

— Artículo 243 LGSS, en relación con RDEP (Anexo I).

Véase: Perfumes. Jabones. Desodorantes. Protésicos dentales.

COSTE-BENEFICIO DE LA PREVENCIÓN

Como en cualquier tipo de inversión, para determinar la rentabilidad de la prevención en la empresa se hace necesario el análisis de las dos partidas básicas presentes en todo estudio económico: los ingresos que aporta y los gastos que genera. Se trataría por tanto de analizar los ingresos que generan las medidas preventivas, tanto tangibles como intangibles, «descontando» los gastos que requiere su implantación y mantenimiento, para comprobar finalmente que el beneficio económico que se deriva, que constituye el fin último de las empresas, es positivo.

— Notas Técnicas de Prevención n.º 273/1991. 472/1998. 540/1999. 593, 594/2001. 640/2003. 751/2007. 982, 983/2013. 1092, 1093/2017. INSST.

Véase: Competitividad. Productividad.

CRACKING (AGRIETAMIENTO)

1. La desintegración o cracking del petróleo consiste en la ruptura o descomposición de hidrocarburos de elevado peso molecular, como los contenidos en las fracciones de alto punto de ebullición en el petróleo crudo, en compuestos de menor peso molecular, de punto de ebullición más bajo.

2. Los trabajadores ocupados en las actividades económicas, y expuestos a los agentes o sustancias que a continuación se indican, pueden contraer una Enfermedad Profesional (E.P.), causada por agentes químicos:

• El «cracking» y el «reforming», procedimientos destinados esencialmente a modificar la estructura de los hidrocarburos, donde se utilicen hidrocarburos alifáticos. (Código 1H0102).

Por ello, debe realizarse reconocimientos médicos previos y periódicos a dichos trabajadores, con la prohibición de no contratar a los calificados como no aptos para desempeñar los puestos de trabajo de que se trate.

— Artículo 243 LGSS, en relación con RDEP (Anexo I).

Véase: Reforming. Hidrocarburos alifáticos. Sustancias de alto peso molecular. Sustancias de bajo peso molecular. Trabajos off-shore.

CRISTALES

1. Vidrio, especialmente el de alta calidad. Pieza de vidrio u otra sustancia semejante que cubre un hueco en una ventana, en una vitrina, etc.

2. Los trabajadores ocupados en las actividades económicas, y expuestos a los agentes o sustancias que a continuación se indican, pueden contraer una Enfermedad Profesional (E.P.):

a) Causada por agentes químicos:

• Fabricación de cristales, cerámicas, porcelanas y productos altamente refractarios, donde se utilice berilio (Código 1A0204).

• Fabricación de pinturas, barnices, cristal, cerámica (pentóxido de antimonio), donde se utilice antimonio. (Código 1B0106).

• Empleo de ácido fluorhídrico en los procesos químicos como agente de ataque (industria del vidrio, decapado de metales, limpieza del grafito, de los metales, de los cristales, etc.) y como catalizador. (Código 1C0306).

• Industrias de fabricación de cristales de seguridad, donde se utilicen ésteres. (Código 1N0109).

b) Causada por agentes físicos:

• Trabajos con cristal incandescente, masas y superficies incandescentes, en fundiciones, acererías, etc., así como en fábricas de carburos, que pueden producir E.P. provocadas por la energía radiante. (Código 2K0101).

c) Causada por inhalación se sustancias y agentes no comprendidos en otros apartados:

• Fabricación de pinturas, barnices, cristal, cerámica (pentóxido de antimonio), donde se utilice antimonio. (Código 4J0106).

• Fabricación de cristales, cerámicas, porcelanas y productos altamente refractarios, donde se utilice berilio. (Código 4K0104).

• Fabricación de pinturas, barnices, cristal, cerámica (pentóxido de antimonio), donde se utilice antimonio. (Código 4J0106).

d) Causada por agentes cancerígenos:

• Fabricación de cristales, cerámicas, porcelanas y productos altamente refractarios, donde se utilice berilio, que pueden provocar una E.P. neoplasia maligna de bronquio y pulmón. (Código 6E0104).

Por ello, debe realizarse reconocimientos médicos previos y periódicos a dichos trabajadores, con la prohibición de no contratar a los calificados como no aptos para desempeñar los puestos de trabajo de que se trate.

— Artículo 243 LGSS, en relación con RDEP (Anexo I).

Véase: Azogado de espejos. Espejos. Industria del vidrio. Pulidores. Abrasivos.

CROMO

1. Elemento químico metálico de color blanco plateado, brillante, duro y quebradizo, escaso en la corteza terrestre, donde se encuentra generalmente en forma de óxido, que se emplea como protector de otros metales por su resistencia a la corrosión, y cuyas sales, de variados colores, se usan como mordientes.

2. El cromo es un metal que, en la naturaleza, siempre se encuentra en forma combinada

El cromo es un nutriente esencial y el ser humano lo consigue a través del aire, el agua y la alimentación.

La importancia e interés de las acciones preventivas en los trabajadores expuestos a compuestos de cromo está determinada, fundamentalmente, por dos razones:

• Por la amplia y variada utilización en la industria.

• Porque se ha demostrado, tanto en la experimentación animal como por medio de los estudios epidemiológicos, que algunos compuestos de cromo tienen capacidad cancerígena para el ser humano.

— Nota Técnica de Prevención n.º 280/1991. INSST.

3. Cromo: Protocolo de vigilancia médica.

— Nota Técnica de Prevención n.º 230/1989. INSST.

4. Los trabajadores expuestos al cromo trivalente (Código 1A) o al cromo VI (Código 6I), y sus compuestos, por su preparación, empleo y manipulación, pueden contraer alguna de las siguientes Enfermedades Profesionales: E.P. causada por agentes químicos (Códigos 1A04, 1A0805), E.P. de neumoconiosis (Código 4E0101), E.P. de siderosis (Código 4E0201), E.P. de rinoconjuntivitis (Código 4I0125), E.P. de urticaria (Código 4I0225), E.P. de angiodemas (Código 4I0225), E.P. de asma (Código 4I0325), E.P. de alveolitis alérgica extrínseca (Código 4I0425), E.P. de síndrome de disfunción de la vía reactiva (Código 4I0525), E.P. de fibrosis intersticial difusa (Código 4I0625), E.P. de fiebre de los metales (Código 4I0725), neumopatía intersticial difusa (Código 4I0825), E.P. de la piel, causada por sustancias de bajo peso molecular (Código 5A0124). E.P. de neoplasia maligna de cavidad nasal (Código 6I01), o E.P. de neoplasia maligna de bronquio y pulmón (Código 6I02), en las actividades o trabajos que a continuación se relacionan:

• Fabricación de catalizadores, productos químicos para la curtición, y productos de tratamiento de la madera que contengan compuestos de cromo. (Códigos 1A0401, 6I0101, 6I0201).

• Fabricación y empleo de pigmentos, colorantes y pinturas a base de compuestos de cromo. (Códigos 1A0402, 6I0102, 6I0202).

• Aserrado y mecanizado de madera tratada con compuestos de cromo. (Códigos 1A0403, 6I0103, 6I0203).

• Aplicación por proyección de pinturas y barnices que contengan cromo. (Códigos 1A0404, 6I0104, 6I0204).

• Curtido al cromo de pieles. (Códigos 1A0405, 6I0105, 6I0205).

• Preparación de clichés de fotograbado por coloides bicromados. (Códigos 1A0406, 6I0106, 6I0206).

• Fabricación de cerillas o fósforos. (Códigos 1A0407, 6I0107, 6I0207).

• Galvanoplastia y tratamiento de superficies de metales con cromo. (Códigos 1A0408, 6I0108, 6I0208).

• Decapado y limpieza de metales y vidrios (ácido sulfocrómico o ácido crómico). (Códigos 1A0409, 6I0109, 6I0209).

• Fabricación de cromatos alcalinos. (Códigos 1A0410, 6I0110, 6I0210).

- Litograbados. (Códigos 1A0411, 6I0111, 6I0211).
- Fabricación de aceros inoxidables. (Códigos 1A0412, 6I0112, 6I0212).
- Trabajos que implican soldadura y oxicorte de aceros inoxidables. (Códigos 1A0413, 6I0113, 6I0213).
- Fabricación de cemento y sus derivados. (Códigos 1A0414, 6I0114, 6I0214).
- Procesado de residuos que contengan cromo. (Código 1A0415, 6I0115, 6I0215).
- Fabricación de aleaciones con níquel (cobre, manganeso, zinc, cromo, hierro, molibdeno). (Código 1A0805).
- Cromolitografía efectuada con polvos plumbíferos. (Código 1A0914).
- Trabajos en los que exista la posibilidad de inhalación de metales sinterizados, compuestos de carburos metálicos de alto punto de fusión y metales de ligazón de bajo punto de fusión (Los carburos metálicos más utilizados son los de titanio, vanadio, cromo, molibdeno, tungsteno y wolframio; como metales de ligazón se utilizan hierro, níquel y cobalto), que pueden provocar la E.P. de neumoconiosis. (Código 4E0101).
- Trabajos en los que exista la posibilidad de inhalación de metales sinterizados, compuestos de carburos metálicos de alto punto de fusión y metales de ligazón de bajo punto de fusión (Los carburos metálicos más utilizados son los de titanio, vanadio, cromo, molibdeno, tungsteno y wolframio; como metales de ligazón se utilizan hierro, níquel y cobalto), que pueden provocar siderosis. (Código 4E0201).
- Galvanizado, plateado, niquelado y cromado de metales, donde los trabajadores estén expuestos a sustancias de bajo peso molecular (metales, polvos de maderas, sustancias químicas, etc.), que pueden provocar alguna de las siguientes E.P.: rinoconjuntivitis (Código 4I0125), urticaria (Código 4I0225), angiodemas (Código 4I0225), asma (Código 4I0325), alveolitis alérgica extrínseca (Código 4I0425), síndrome de disfunción de la vía reactiva (Código 4I0525), fibrosis intersticial difusa (Código 4I0625), fiebre de los metales (Código 4I0725), neumopatía intersticial difusa (Código 4I0825) o E.P. de la piel, causada por sustancias de bajo peso molecular (Código 5A0124).
- Fabricación de aleaciones con níquel (cobre, manganeso, zinc, cromo, hierro, molibdeno), que puede provocar la E.P. de neoplasia de bronquio y pulmón. (Código 6K0305).

Por ello, debe realizarse reconocimientos médicos previos y periódicos a dichos trabajadores, con la prohibición de no contratar a los calificados como no aptos para desempeñar los puestos de trabajo de que se trate.

— Artículo 243 LGSS, en relación con RDEP (Anexo I).

Véase: Industria metalúrgica. Acero. Pinturas. Curtidos. Industria del cuero. Industrias de pieles. Catalizadores. Cemento.

CUASI MÁQUINAS

Conjunto que constituye casi una máquina, pero que no puede realizar por sí solo una aplicación determinada. Un sistema de accionamiento es una cuasi máquina. La cuasi máquina está destinada únicamente a ser incorporada a, o ensamblada con, otras máquinas, u otras cuasi máquinas o equipos, para formar una máquina a la que se aplique este real decreto.

— Artículo 2.2.g RDM.

Véase: Máquinas. Componente de seguridad. Máquinas: Comercialización. Equipos de trabajo. Herramientas portátiles. Equipo intercambiable. Dispositivo amovible de transmisión mecánica.

CUCHILLOS

Los cuchillos son herramientas de mano que sirven para cortar. Constan de un mango y de una hoja afilada por uno de sus lados.

— Nota Técnica de Prevención n.º 391/1995. INSST.

Véase: Herramientas portátiles manuales. Alicates. Cinceles. Destornilladores. Limas. Llaves. Martillos. Picos. Punzones. Sierras. Tijeras.

CUEVAS

1. Cavidad subterránea más o menos extensa, ya natural, ya construida artificialmente.

2. Los trabajadores ocupados en las actividades económicas, y expuestos a los agentes o sustancias que a continuación se indican, pueden contraer una Enfermedad Profesional (E.P.), causada por agentes biológicos:

• Trabajos en cuevas de fermentación, que pueden provocar una E.P. infecciosa (micosis, legionella y helmintiasis). (Código 3D0101).

• Trabajos subterráneos: minas, túneles, galerías, cuevas, que pueden provocar una E.P. infecciosa (micosis, legionella y helmintiasis). (Código 3D0106).

Por ello, debe realizarse reconocimientos médicos previos y periódicos a dichos trabajadores, con la prohibición de no contratar a los calificados como no aptos para desempeñar los puestos de trabajo de que se trate.

— Artículo 243 LGSS, en relación con RDEP (Anexo I).

Véase: Espacios cerrados. Túneles. Minería. Trabajos en túneles. Trabajos en minas. Trabajos subterráneos. Trabajos en espacios confinados. Trabajos en aislamiento. Cuevas de fermentación.

CUIDADO DE PERSONAS

1. Trabajo consistente en asistir las necesidades de las personas atendidas.

2. Los trabajadores ocupados en las actividades económicas, y expuestos a los agentes o sustancias que a continuación se indican, pueden contraer una Enfermedad Profesional (E.P.):

a) Causada por inhalación de sustancias y agentes no comprendidos en otros apartados:

• Trabajadores que se dedican al cuidado de personas y asimilados, donde los trabajadores estén expuestos a sustancias de bajo peso molecular (metales, polvos de maderas, sustancias químicas, etc.), que pueden provocar alguna de las siguientes E.P: rinoconjuntivitis (Código 4I0132), urticaria (Código 4I0232), angiodemas (Código 4I0232), asma (Código 4I0332), alveolitis alérgica extrínseca (Código 4I0432), síndrome de disfunción de la vía reactiva (Código 4I0532), fibrosis intersticial difusa (Código 4I0632), fiebre de los metales (Código 4I0732), y neumopatía intersticial difusa (Código 4I0832).

b) E.P. de la piel, causada por sustancias y agentes no comprendidos en alguno de los otros apartados:

Personal no sanitario, trabajadores de centros asistenciales o de cuidados de enfermos, tanto a nivel ambulatorio, de instituciones cerradas o domicilio, expuesto a agentes infecciosos, que puede contraer una E.P. de la piel causada por dichos agentes. (Código 5D0102).

Por ello, debe realizarse reconocimientos médicos previos y periódicos a dichos trabajadores, con la prohibición de no contratar a los calificados como no aptos para desempeñar los puestos de trabajo de que se trate.

— Artículo 243 LGSS, en relación RDEP (Anexo I).

Véase: Trabajadores del servicio del hogar familiar. Residencias de mayores. Trabajadores sociales. Trabajos feminizados. Trabajos de voluntariado. E.P. infeccionas transmitidas por personas.

«CULPA IN ELIGENDO»

Culpa en la elección del trabajador, que supone que una empresa o un empresario o empleador particular es responsable de los actos que realiza un empleado en el ámbito de su labor, salvo que prueben que emplearon toda la diligencia de un buen padre de familia para prevenir el daño.

El motivo que se alude es que es el empleador quien eligió al empleado y que, por tanto, debe asumir la responsabilidad civil de sus actos (haberlo elegido a él y no a otro con mayor capacidad).

— Artículo 1903 Código Civil.

— STS 17.9.08.

Véase: Deber de protección. Deber de vigilancia. Deber de vigilancia de la salud. Deber de información. Deber de formación. Culpa in vigilando.

«CULPA IN VIGILANDO»

1. Culpa en la vigilancia y por ello son responsables civilmente de los daños causados, los dueños o directores de un establecimiento o empresa respecto de los perjuicios causados por sus dependientes en el servicio de los ramos en que los tuvieran empleados, o con ocasión de sus funciones, salvo que prueben que emplearon toda la diligencia de un buen padre de familia para prevenir el daño.

— Artículo 1903 Código Civil.

2. Esta *culpa in vigilando* supone admitir que una persona es responsable de los actos que realiza otra sobre la que tiene un especial deber de vigilancia.

— STS 11.6.08.

Véase: Deber de protección. Deber de vigilancia. Deber de vigilancia de la salud. Deber de información. Deber de formación. Culpa in eligendo.

CULTIVO CELULAR

El resultado del crecimiento «in vitro» de células obtenidas de organismos multicelulares.

— Artículo 2.c RDPTAB.

Véase: Laboratorios de investigación. Industria farmacéutica.

CULTURA PREVENTIVA

1. La expresión cultura nacional de prevención en materia de seguridad y salud se refiere a una cultura en la que el derecho a un medio ambiente de trabajo seguro y saludable se respeta en todos los niveles, en la que el gobierno, los empleadores y los trabajadores participan activamente en iniciativas destinadas a asegurar un medio ambiente de trabajo seguro y saludable mediante un sistema de derechos, responsabilidades y deberes bien definidos, y en la que se concede la máxima prioridad al principio de prevención.

— Artículo 1 Convenio OIT 187, de 31 de mayo de 2006.

2. Evaluación de la cultura preventiva.

— Nota Técnica de Prevención n.º 580/2001. INSST.

3. Implantación de una cultura preventiva en la empresa.

— Notas Técnicas de Prevención n.º 492, 493/1998. 504, 505/1999. INSST.

Véase: Deber de consulta. Factor humano.

CURTIDORES

1. Personas dedicadas al oficio de curtir pieles.

2. Los trabajadores ocupados en las actividades económicas, y expuestos a los agentes o sustancias que a continuación se indican, pueden contraer una Enfermedad Profesional (E.P.):

a) Causada por agentes físicos:

• Trabajos que requieran movimientos de impacto o sacudidas, supinación o pronación repetidas del brazo contra resistencia, así como movimientos de flexoextensión forzada de la muñeca, como pueden ser: carniceros, pescaderos, curtidores, deportistas, mecánicos, chapistas, caldereros, albañiles, que pueden provocar la E.P. de epicondilitis y/o epitrocleitis. (Código 2D0201).

b) Causada por agentes biológicos:

• Curtidores, que pueden contraer una E.P. infecciosa transmitida por animales (o por sus productos y cadáveres), por la exposición a agentes biológicos durante el trabajo. (Código 3B0105).

Por ello, debe realizarse reconocimientos médicos previos y periódicos a dichos trabajadores, con la prohibición de no contratar a los calificados como no aptos para desempeñar los puestos de trabajo de que se trate.

— Artículo 243 LGSS, en relación con RDEP (Anexo I).

Véase: Curtidos. Peleteros. Despojos de animales. Avicultores. Ganaderos. Granjas. Granjeros. Granjas de ganado vacuno. Carniceros. Matarifes. Mataderos. Pastores. Pescaderos. Trabajos con animales. Veterinarios. Entomólogos. Zoonosis. Zoológicos. Transporte de animales. Industria del cuero. Industrias de pieles.

CURTIDOS

1. Tratar y preparar la piel obtenida de un animal muerto para su uso.

2. Los trabajadores ocupados en las actividades económicas, y expuestos a los agentes o sustancias que a continuación se indican, pueden contraer una Enfermedad Profesional (E.P.):

a) Causada por agentes químicos:

• Fabricación de catalizadores, productos químicos para la curtición, y productos de tratamiento de la madera que contengan compuestos de cromo. (Código 1A0401).

• Curtido al cromo de pieles. (Código 1A0405).

• Curtido de pieles, donde se utilice manganeso y sus compuestos. (Código 1A0616).

• Trabajos en fosas de putrefacción de mataderos o instalaciones de curtidos, donde se utilice ácido sulfhídrico. (Código 1D0301).

• Imprenta, reproducción, plásticos, curtidos, textiles, resinas, protésicos dentales sellantes, cosméticos, etc., donde se utilicen ésteres orgánicos. (Código 1N0118).

b) Causada por agentes biológicos:

• Curtidores, expuestos a agentes biológicos, que pueden provocar enfermedades infecciosas o parasitarias transmitidas por animales o por sus productos y cadáveres. (Código 3B0105).

c) Causada por agentes cancerígenos:

• Fabricación de catalizadores, productos químicos para la curtición, y productos de tratamiento de la madera, que contengan compuestos de cromo, que puede provocar la E.P. de neoplasia maligna de cavidad nasal. (Código 6I0101).

• Fabricación de catalizadores, productos químicos para la curtición, y productos de tratamiento de la madera que contengan compuestos de cromo, que puede provocar la E.P. de neoplasia de bronquio y pulmón. (Código 6I0201).

• Curtido al cromo de pieles, que puede provocar la E.P. de neoplasia de bronquio y pulmón. (Código 6I0205).

Por ello, debe realizarse reconocimientos médicos previos y periódicos a dichos trabajadores, con la prohibición de no contratar a los calificados como no aptos para desempeñar los puestos de trabajo de que se trate.

— Artículo 243 LGSS, en relación con RDEP (Anexo I).

Véase: Curtidores. Peleteros. Despojos de animales. Avicultores. Ganaderos. Granjas. Granjeros. Granjas de ganado vacuno. Carniceros. Matarifes. Mataderos. Pastores. Trabajos con animales. Veterinarios. Entomólogos. Zoonosis. Zoológicos. Transporte de animales. Industria del cuero. Industrias de pieles.

D

DAÑOS DERIVADOS DEL TRABAJO

Las enfermedades, patologías o lesiones sufridas con motivo u ocasión del trabajo.

— Artículo 4.3 LPRL.

Véase: Accidentes de trabajo. Enfermedades profesionales.

DEBER DE CONFIDENCIALIDAD

1. Las medidas de vigilancia y control de la salud de los trabajadores se llevarán a cabo respetando siempre el derecho a la intimidad y a la dignidad de la persona del trabajador y la confidencialidad de toda la información relacionada con su estado de salud.

Los resultados de la vigilancia a que se refiere el apartado anterior serán comunicados a los trabajadores afectados.

Los datos relativos a la vigilancia de la salud de los trabajadores no podrán ser usados con fines discriminatorios ni en perjuicio del trabajador.

El acceso a la información médica de carácter personal se limitará al personal médico y a las autoridades sanitarias que lleven a cabo la vigilancia de la salud de los trabajadores, sin que pueda facilitarse al empresario o a otras personas sin consentimiento expreso del trabajador.

No obstante lo anterior, el empresario y las personas u órganos con responsabilidades en materia de prevención serán informados de las conclusiones que se deriven de los reconocimientos efectuados en relación con la aptitud del trabajador para el desempeño del puesto de trabajo o con la necesidad de introducir o mejorar las medidas de protección y prevención, a fin de que puedan desarrollar correctamente sus funciones en materia preventiva.

— Artículo 22 LPRL.

2. Incumplir el deber de confidencialidad en el uso de los datos relativos a la vigilancia de la salud de los trabajadores, constituye una infracción muy grave en materia de prevención de riesgos laborales que lleva aparejada una sanción económica de 40.986 euros a 819.780 euros y la publicación de infracción.

— Artículos 13.5 y 40.2.c LISOS.

Véase: Deber de vigilancia de la salud.

DEBER DE CONSULTA

1. El empresario deberá consultar a los trabajadores, con la debida antelación, la adopción de las decisiones relativas a:

• La planificación y la organización del trabajo en la empresa y la introducción de nuevas tecnologías, en todo lo relacionado con las consecuencias que éstas pudieran tener para la seguridad y la salud de los trabajadores, derivadas de la elección de los equipos, la determinación y la adecuación de las condiciones de trabajo y el impacto de los factores ambientales en el trabajo.

• La organización y desarrollo de las actividades de protección de la salud y prevención de los riesgos profesionales en la empresa, incluida la designación de los trabajadores encargados de dichas actividades o el recurso a un servicio de prevención externo.

• La designación de los trabajadores encargados de las medidas de emergencia.

225

• Los procedimientos de información y documentación a que se refieren los artículos 18.1 y 23.1 de la presente Ley.

• El proyecto y la organización de la formación en materia preventiva.

• Cualquier otra acción que pueda tener efectos sustanciales sobre la seguridad y la salud de los trabajadores.

En las empresas que cuenten con representantes de los trabajadores, estas consultas se llevarán a cabo con dichos representantes.

— Artículo 33 LPRL.

2. Consulta a los trabajadores en centros militares.

— Artículo 3 RDSSCEM.

3. El incumplimiento de los derechos de información, consulta y participación de los trabajadores reconocidos en la normativa sobre prevención de riesgos laborales, constituye una infracción grave en materia de prevención de riesgos laborales que lleva aparejada una sanción económica de 2.046 euros a 40.985 euros.

— Artículos 12.11 y 40.2.b LISOS.

Véase: Cultura preventiva.

DEBER DE COORDINACIÓN DE ACTIVIDADES EMPRESARIALES

1. Cuando en un mismo centro de trabajo desarrollan actividades trabajadores de dos o más empresas, estas deben coordinarse para la aplicación de las medidas preventivas.

— Artículo 24.1 LPRL.

2. En este ámbito cabe distinguir cuatro supuestos:

a) Cuando trabajan dos o más empresas (o autónomos), en un mismo centro de trabajo.

El empresario titular del centro de trabajo está obligado a facilitar a los otros empresarios (para que le den traslado a sus trabajadores), información y las instrucciones adecuadas, sobre los riesgos existentes en el centro de trabajo, sobre las medidas de protección y prevención que se adoptan en la empresa y sobre las medidas de emergencia.

— Artículo 24.2 LPRL.

b) Cuando trabajan dos o más empresas (o autónomos), en un mismo centro de trabajo, y las empresas se dedican a la misma actividad (propia actividad). El empresario titular (o principal) del centro de trabajo está obligado además de cumplir con los deberes anteriores, a vigilar que los contratistas y subcontratistas cumplen con la normativa de prevención de riesgos laborales.

— Artículo 24.3 LPRL.

En estos casos existe una responsabilidad solidaria de la empresa principal (o titular del centro de trabajo), por los incumplimientos del contratista y del subcontratista:

• En materia de prevención de riesgos laborales.

— Artículo 42.3 LISOS.

• En materia salarial.

— Artículo 42.2 LET.

— Artículo 42.1 LISOS.

• En materia de Seguridad Social.

— Artículo 42.2 LET.

— Artículo 42.1 LISOS.

c) Cuando en un mismo centro de trabajo existen trabajadores procedentes de ETT. La Empresa Usuaria, responde:

• De facilitar la información en materia de prevención de riesgos laborales a los trabajadores procedentes de ETT. Además, debe facilitar información, sobre puestos de trabajo vacantes.

— Artículo 28.5 LPRL.

— Artículos 16.1, 17.3 LETT.

• De las condiciones de prevención de riesgos laborales.

— Artículo 28.5 LPRL.

— Artículo 42.3 LISOS.

• Del recargo en las prestaciones

— Artículo 16.2 LETT.

— Artículo 42.3 LISOS.

• Subsidiariamente, de las obligaciones salariales y de Seguridad Social, o solidariamente, si el trabajador fue contratado, fuera de los supuestos previstos en el artículo 15 del ET, o para trabajos prohibidos. Ejemplo: Trabajos peligrosos.

— Artículo 16.3 LETT.

• La ETT, responde:

• También debe facilitar información en materia de prevención de riesgos laborales a todos los trabajadores que ceda para trabajar en empresas usuarias.

— Artículo 28.2 LPRL.

• Facilitar la formación en materia de prevención de riesgos laborales.

— Artículo 28.5 LPRL.

• De garantizar la vigilancia de la salud o practicar los reconocimientos médicos a los trabajadores.

— Artículo 28.5 LPRL.

• De las obligaciones salariales.

— Artículo 12.1 LETT.

• De cursar el alta y cotización a la Seguridad Social de los trabajadores.

— Artículo 12.1 LETT.

d) Cuando los trabajos se realizan en el centro de trabajo de la empresa contratista o subcontratista, pero con maquinaria, materias primas o productos suministrados por la empresa principal.

El empresario principal está obligado a facilitar a los contratistas o subcontratistas, la información necesaria en materia de prevención de riesgos laborales, para que la utilización de la maquinaria, materias primas o productos, se produzca sin riesgos para los trabajadores. Y estos contratistas y subcontratistas puedan informar a sus trabajadores.

— Artículo 24.4 LPRL.

— Nota Técnica de Prevención n.º 564/2000. INSST.

3. No adoptar los empresarios y los trabajadores por cuenta propia que desarrollen actividades en un mismo centro de trabajo, o los empresarios a que se refiere el artículo 24.4 de la LPRL, las medidas de cooperación y coordinación necesarias para la protección y prevención de riesgos laborales, constituye una infracción grave en materia de prevención de riesgos laborales que lleva aparejada una sanción económica de 2.046 euros a 40.985 euros.

— Artículos 12.13 y 40.2.b LISOS.

4. Coordinación de actividades en la Administración General del Estado.

— Artículo 9 RDPAGE.

Véase: Empresario concurrente. Coordinador en materia de Seguridad y Salud. Coordinador durante proyecto de obra. Coordinador durante ejecución obra. Medios de coordinación. Recurso preventivo. Dirección facultativa de la obra. Empresa externa.

DEBER DE DIRECCIÓN

1. Es la contrapartida del poder de dirección que le otorga el ordenamiento jurídico laboral al empresario para modificar, de forma unilateral, los límites de la prestación laboral, siempre que no supongan modificaciones sustanciales de las condiciones de trabajo.

2. El trabajador estará obligado a realizar el trabajo convenido bajo la dirección del empresario o persona en quien este delegue.

En el cumplimiento de la obligación de trabajar asumida en el contrato, el trabajador debe al empresario la diligencia y la colaboración en el trabajo que marquen las disposiciones legales, los convenios colectivos y las órdenes o instrucciones adoptadas por aquel en el ejercicio regular de sus facultades de dirección y, en su defecto, por los usos y costumbres. En cualquier caso, el trabajador y el empresario se someterán en sus prestaciones recíprocas a las exigencias de la buena fe.

El empresario podrá adoptar las medidas que estime más oportunas de vigilancia y control para verificar el cumplimiento por el trabajador de sus obligaciones y deberes laborales, guardando en su adopción y aplicación la consideración debida a su dignidad y teniendo en cuenta, en su caso, la capacidad real de los trabajadores con discapacidad.

— Artículo 20 LET.

3. El empresario está obligado a dar las debidas instrucciones a los trabajadores, teniendo en consideración las capacidades profesionales de los trabajadores en materia de seguridad y de salud en el momento de encomendarles las tareas.

— Artículo 15 LPRL.

Véase: Deber de protección.

DEBER DE FORMACIÓN

1. En cumplimiento del deber de protección, el empresario deberá garantizar que cada trabajador reciba una formación teórica y práctica, suficiente y adecuada, en materia preventiva, tanto en el momento de su contratación, cualquiera que sea la modalidad o duración de ésta, como cuando se produzcan cambios en las funciones que desempeñe o se introduzcan nuevas tecnologías o cambios en los equipos de trabajo. La formación deberá estar centrada específicamente en el puesto de trabajo o función de cada trabajador, adaptarse a la evolución de los riesgos y a la aparición de otros nuevos y repetirse periódicamente, si fuera necesario.

La formación a que se refiere el apartado anterior deberá impartirse, siempre que sea posible, dentro de la jornada de trabajo o, en su defecto, en otras horas pero con el descuento en aquélla del tiempo invertido en la misma. La formación se podrá impartir por la empresa mediante medios propios o concertándola con servicios ajenos, y su coste no recaerá en ningún caso sobre los trabajadores.

— Artículo 19 LPRL.

— Notas Técnicas de Prevención n.º 559/2000. 845/2009. INSST.

2. La formación ha de impartirse en el momento de la contratación, cualquiera que sea su modalidad o duración.

— STSJ Navarra 25.9.03.

— STSJ Cantabria 1.2.06.

3. La obligación de formación vuelve a surgir cada vez que se produzcan cambios en las funciones que desempeñe o se introduzcan nuevas tecnologías o cambios en los equipos de trabajo, por ejemplo, por uso de maquinaria para cuyo uso no fue inicialmente contratado el trabajador.

— STSJ Cataluña 14.12.05.

4. Procede la imposición del recargo en las prestaciones económicas de la Seguridad Social:

• Cuando existe un nexo causal entre la falta de información en materia de prevención de riesgos laborales y el accidente de trabajo. De haber recibido dicha información y formación no se hubiera producido el accidente.

— STSJ Castilla La Mancha 29.1.10.

— STSJ Galicia 18.3.10.

— STSJ Madrid 19.9.02.

• Por permitir la empresa que un trabajador sin la instrucción necesaria maneje el equipo de trabajo.

— STSJ Valladolid 3.1.01.

— STSJ Valencia 3.6.08.

• Por no proporcionar información ni formación al trabajador accidentado sobre los riesgos a los que estaba expuesto.

— STSJ Burgos 24.7.02.

• Por la falta de formación e información adecuada sobre los riesgos derivados de la manipulación de cargas, sin que sea óbice la antigüedad del trabajador en la empresa.

— STSJ Málaga 19.5.04.

5. No procede la imposición de recargo en las prestaciones económicas de la Seguridad Social:

• El trabajador pudo haber utilizado la rampa (y no saltando), pues la ausencia del Plan de Prevención no influyo en el accidente, al no existir nexo causal que una el daño con la omisión, máxime cuando el trabajador había recibido una formación de 30 horas en materia de prevención de riesgos laborales en ese puesto de trabajo.

— STSJ Murcia 28.2.18.

6. El incumplimiento de las obligaciones en materia de formación e información suficiente y adecuada a los trabajadores acerca de los riesgos del puesto de trabajo susceptibles de provocar daños para la seguridad y salud y sobre las medidas preventivas aplicables, salvo que se trate de infracción muy grave conforme al artículo siguiente, constituye una infracción grave en materia de prevención de riesgos laborales que lleva aparejada una sanción económica de 2.046 euros a 40.985 euros.

— Artículos 12.8 y 40.2.b LISOS.

7. Constituye infracción grave en materia de prevención de riesgos laborales:

• El incumplimiento de las obligaciones de información y formación. No se le entregaron las fichas de seguridad de su puesto de trabajo, no constaba en la evaluación de riesgos las medidas a adoptar en la realización de las tareas de mantenimiento o de limpieza del equipo de trabajo causante de accidente y que el manual de instrucciones de la máquina fue facilitado con posterioridad al accidente.

— STSJ La Rioja 30.3.10.

• La pegatina existente en el tractor sobre la posición de la pala en caso de realizar maniobras no es suficiente para afirmar que el trabajador fue debidamente informado y formado en materia de prevención de riesgos laborales.

— STSJ Extremadura 13.5.10.

8. Incumplir las obligaciones derivadas de actividades correspondientes a entidades acreditadas para desarrollar y certificar la formación en materia de prevención de riesgos laborales, de acuerdo con la normativa aplicable, constituye una infracción grave en materia de prevención de riesgos laborales que lleva aparejada una sanción económica de 2.046 euros a 40.985 euros.

— Artículos 12.26, 40.2 LISOS.

9. Ejercer sus actividades las entidades especializadas que actúen como Servicios de Prevención ajenos a las empresas, las personas o entidades que desarrollen la actividad de auditoría del sistema de prevención de las empresas o las que desarrollen y certifiquen la formación en materia de prevención de riesgos laborales, sin contar con la preceptiva acreditación o autorización, cuando ésta hubiera sido suspendida o extinguida, cuando hubiera caducado la autorización provisional, así como cuando se excedan en su actuación del alcance de la misma constituye una infracción muy grave en materia de prevención de riesgos laborales que lleva aparejada una sanción económica de 40.986 euros a 819.780 euros y la publicación de infracción.

— Artículos 13.11, 40.2 LISOS.

10. Procede la responsabilidad civil contractual del empresario a indemnizar al trabajador por los daños y perjuicios producidos, cuando se acredita:

• Que la empresa ha incumplido sus obligaciones de información y formación y se produce un accidente realizando trabajos de tala en las proximidades de una línea de alta tensión.

— STSJ Galicia 23.12.09.

Véase: Fabricantes. Importadores. Fichas de datos de seguridad. Tarjeta profesional de la construcción. Formación en materia de PRL. Deber de protección. Manejo de máquinas y equipos. Deber de vigilancia. Deber de vigilancia de la salud. Deber de información. Culpa in vigilando. Culpa in eligendo. Factor humano.

DEBER DE INFORMACIÓN

1. A fin de dar cumplimiento al deber de protección establecido en la presente Ley, el empresario adoptará las medidas adecuadas para que los trabajadores reciban todas las informaciones necesarias en relación con:

• Los riesgos para la seguridad y la salud de los trabajadores en el trabajo, tanto aquellos que afecten a la empresa en su conjunto como a cada tipo de puesto de trabajo o función.

• Las medidas y actividades de protección y prevención aplicables a los riesgos señalados en el apartado anterior.

• Las medidas de emergencia adoptadas por la empresa.

En las empresas que cuenten con representantes de los trabajadores, la información a que se refiere el presente apartado se facilitará por el empresario a los trabajadores a través de dichos representantes; no obstante, deberá informarse directamente a cada trabajador de los riesgos específicos que afecten a su puesto de trabajo o función y de las medidas de protección y prevención aplicables a dichos riesgos.

— Artículo 18.1 LPRL.

— Nota técnica de Prevención n.º 559/2000. INSST.

2. Los trabajadores del contratista o subcontratista deberán ser informados por escrito por su empresario de la identidad de la empresa principal para la cual estén prestando servicios en cada momento. Dicha información deberá facilitarse antes del inicio de la respectiva prestación de servicios e incluirá el nombre o razón social del empresario principal, su domicilio social y su número de identificación fiscal.

— Artículo 42.3 LET.

3. Procede la imposición del recargo en las prestaciones económicas de la Seguridad Social cuando:

• Cuando existe un nexo causal entre la falta de información en materia de prevención de riesgos laborales y el accidente de trabajo. De haber recibido dicha información y formación no se hubiera producido el accidente.

— STSJ Castilla La Mancha 29.1.10.

— STSJ Galicia 18.3.10.

• Por no proporcionar información ni formación al trabajador accidentado sobre los riesgos a los que estaba expuesto.

— STSJ Burgos 24.7.02.

• Por la falta de formación e información adecuada sobre los riesgos derivados de la manipulación de cargas, sin que sea óbice la antigüedad del trabajador en la empresa.

— STSJ Málaga 19.5.04.

4. Procede la responsabilidad civil contractual del empresario a indemnizar al trabajador por los daños y perjuicios producidos cuando se acredita:

• La relación de causalidad entre la Enfermedad Profesional declarada y los incumplimientos del empresario de no dotar al trabajador de medios de protección contra los movimientos vibratorios, por no informar sobre los riesgos del puesto de trabajo, y por no realizar reconocimientos específicos para descubrir patologías derivadas de las vibraciones.

— STSJ Cataluña 7.11.05.

• b) Que la empresa ha incumplido sus obligaciones de información y formación y se produce un accidente realizando trabajos de tala en las proximidades de una línea de alta tensión.

— STSJ Galicia 23.12.09.

5. Responsabilidad penal. No resulta de recibo achacar a la propia víctima, un joven de dieciocho años y sin experiencia, el que no hubiera adoptado unas medidas de precaución que no le habían sido informadas, cuando tampoco estaba impuesto en el riesgo que corría al realizar el trabajo encomendado.

— STS Penal 19.10.00.

6. Se aprecia infracción a la normativa de prevención de riesgos laborales y por ello se sanciona.

• Por caerse un montacargas por exceso de peso, habiendo quedado probado la ausencia de señalización y de prohibición de subir personas en las operaciones de pruebas de cargas, ni haber sido informados los trabajadores de los riesgos de utilizarlo.

— STSJ Cataluña 15.6.04.

7. El incumplimiento de las obligaciones en materia de formación e información suficiente y adecuada a los trabajadores acerca de los riesgos del puesto de trabajo susceptibles de provocar daños para la seguridad y salud y sobre las medidas preventivas aplicables, salvo que se trate de infracción muy grave conforme al artículo siguiente, constituye una infracción grave en materia de prevención de riesgos laborales que lleva aparejada una sanción económica de 2.046 euros a 40.985 euros.

— Artículos 12.8 y 40.2.b LISOS.

Véase: Fabricantes. Importadores. Fichas de datos de seguridad. Deber de protección. Deber de vigilancia. Deber de vigilancia de la salud. Deber de formación.

Formación en materia de PRL. Culpa in vigilando. Culpa in eligendo. Factor humano.

DEBER DE ORGANIZAR UN SISTEMA DE PREVENCIÓN
Véase: Sistemas de Prevención.

DEBER DE PROTECCIÓN

1. Los trabajadores tienen derecho a una protección eficaz en materia de seguridad y salud en el trabajo.

El citado derecho supone la existencia de un correlativo deber del empresario de protección de los trabajadores frente a los riesgos laborales. Este deber de protección constituye, igualmente, un deber de las Administraciones públicas respecto del personal a su servicio.

Los derechos de información, consulta y participación, formación en materia preventiva, paralización de la actividad en caso de riesgo grave e inminente y vigilancia de su estado de salud, en los términos previstos en la presente Ley, forman parte del derecho de los trabajadores a una protección eficaz en materia de seguridad y salud en el trabajo.

— Artículo 14.1 LPRL.

2. En cumplimiento del deber de protección, el empresario deberá garantizar la seguridad y la salud de los trabajadores a su servicio en todos los aspectos relacionados con el trabajo. A estos efectos, en el marco de sus responsabilidades, el empresario realizará la prevención de los riesgos laborales mediante la integración de la actividad preventiva en la empresa y la adopción de cuantas medidas sean necesarias para la protección de la seguridad y la salud de los trabajadores, con las especialidades que se recogen en los artículos siguientes en materia de plan de prevención de riesgos laborales, evaluación de riesgos, información, consulta y participación y formación de los trabajadores, actuación en casos de emergencia y de riesgo grave e inminente, vigilancia de la salud, y mediante la constitución de una organización y de los medios necesarios en los términos establecidos en el capítulo IV de esta ley.

El empresario desarrollará una acción permanente de seguimiento de la actividad preventiva con el fin de perfeccionar de manera continua las actividades de identificación, evaluación y control de los riesgos que no se hayan podido evitar y los niveles de protección existentes y dispondrá lo necesario para la adaptación de las medidas de prevención señaladas en el párrafo anterior a las modificaciones que puedan experimentar las circunstancias que incidan en la realización del trabajo.

— Artículo 14.2 LPRL

3. El cumplimiento del deber de protección no se agota con que el empresario cumpla con toda la normativa en materia de prevención de riesgos laborales, sino que debe garantizar que a sus trabajadores no sufran ningún daño.

El deber de protección del empresario es incondicionado y, prácticamente, ilimitado.

— STS 8.10.01. 20.9.07.

— STSJ Cantabria 13.9.07.

4. Procede la imposición del recargo en las prestaciones económicas de la Seguridad Social:

• No basta con el aviso al trabajador, sino que el jefe de equipo o encargado de la empresa tenía que haber ordenado y no permitir que permaneciera en el espacio vallado, para evitar así posibles impactos en caso de caída del elemento suspendido.

— STSJ Galicia 27.6.08.

5. Se comete delito contra los derechos de los trabajadores:

• Se hace responsable como autores en un concurso ideal de delitos (delito contra los derechos de los trabajadores y delito de homicidio por imprudencia) al administrador-gerente y al arquitecto técnico director de obra, por un accidente de trabajo con fallecimiento de un trabajador. Al administrador, por no facilitar las medidas de prevención, y al arquitecto técnico por no estar al pie de la obra y de esta manera evitar la omisión del administrador, produciéndose una cooperación necesaria con el administrador en la comisión de los dos delitos.

— STS Penal 26.9.01.

6. El deber de protección se fundamenta en:

• Poder de elección del empresario. El empresario elige la actividad, los equipos de trabajo, las sustancias y a los trabajadores.

• Poder de dirección del empresario. El trabajador estará obligado a realizar el trabajo convenido bajo la dirección del empresario o persona en quien este delegue.

— Artículo 20.1 LET.

• c) Poder disciplinario del empresario.

— Artículo 58 LET.

• d) Deber de obediencia del trabajador.

— Artículo 29 LPRL.

Véase: Deber de dirección. Extinción de la relación laboral. Deber de vigilancia. Deber de vigilancia de la salud. Deber de información. Deber de formación. Culpa in vigilando. Culpa in eligendo.

DEBER DE VIGILANCIA DE LA SALUD

1. Tres son los objetivos individuales de la vigilancia de la salud: la detección precoz de las repercusiones de las condiciones de trabajo sobre la salud; la identificación de los trabajadores especialmente sensibles a ciertos riesgos y finalmente la adaptación de la tarea al individuo.

— Notas Técnicas de Prevención n.º 83/1983. 471/1998. 958/2012. INSST.

2. El empresario garantizará a los trabajadores a su servicio la vigilancia periódica de su estado de salud en función de los riesgos inherentes al trabajo. Esta vigilancia sólo podrá llevarse a cabo cuando el trabajador preste su consentimiento. De este carácter voluntario sólo se exceptuarán, previo informe de los representantes de los trabajadores, los supuestos en los que la realización de los reconocimientos sea imprescindible para evaluar los efectos de las condiciones de trabajo sobre la salud de los trabajadores o para verificar si el estado de salud del trabajador puede constituir un peligro para el mismo, para los demás trabajadores o para otras personas relacionadas con la empresa o cuando así esté establecido en una disposición legal en relación con la protección de riesgos específicos y actividades de especial peligrosidad. En todo caso se deberá optar por la realización de aquellos reconocimientos o pruebas que causen las menores molestias al trabajador y que sean proporcionales al riesgo.

En los supuestos en que la naturaleza de los riesgos inherentes al trabajo lo haga necesario, el derecho de los trabajadores a la vigilancia periódica de su estado de salud deberá ser prolongado más allá de la finalización de la relación laboral, en los términos que reglamentariamente se determinen.

Las medidas de vigilancia y control de la salud de los trabajadores se llevarán a cabo por personal sanitario con competencia técnica, formación y capacidad acreditada.

— Artículo 22 LPRL.

3. En las relaciones de trabajo a través de empresas de trabajo temporal, la empresa de trabajo temporal será responsable del cumplimiento de las obligaciones en materia de formación y vigilancia de la salud. A tal fin, y sin perjuicio de lo dispuesto en el párrafo anterior, la empresa usuaria deberá informar a la empresa de trabajo temporal, y ésta a los trabajadores afectados, antes de la adscripción de los mismos, acerca de las características propias de los puestos de trabajo a desempeñar y de las cualificaciones requeridas.

— Artículo 28.5 LPRL.

4. Excepciones al carácter voluntario de realizar los reconocimientos médicos periódicos.

• El informe de los representantes de los trabajadores es preceptivo pero no vinculante para el empresario.

— STSJ Aragón 27.2.08.

— STSJ Tenerife 26.1.09.

• El hecho de que falte el citado informe no desvirtúa el posible despido disciplinario, si el afectado en el propio Delegado de Prevención, pues se considera informado.

— STSJ Sevilla 12.5.08.

• La salvaguarda de la seguridad y salud de los usuarios no puede sacrificarse en aras del respeto a la intimidad del empleado.

— STSJ Baleares 12.5.06.

5. La historia médica laboral atiende a la descripción de los puestos de trabajo desempeñados por el trabajador y su posible relación con la existencia de riesgos de patología profesional. La historia médica laboral detecta, pues, el posible riesgo de Enfermedades Profesionales.

— Nota Técnica de Prevención n.º 85/1983. INSST.

6. Cromo: Protocolo de vigilancia médica.

— Nota Técnica de Prevención n.º 230/1989. INSST.

7. Bisinosis: Vigilancia médica.

— Nota Técnica de Prevención n.º 231/1989. INSST.

8. El INSST recomienda la realización de reconocimientos médicos periódicos a los trabajadores que manejen plaguicidas:

a) Al mes de comenzar el trabajo: Para grupos de alto riesgo (GAR), para los que manejen sustancias muy tóxicas (MT) y/o tóxicas (T). Se consideran grupos de alto riesgo, los trabajadores:

• Que manejan directamente plaguicidas, diariamente o con mucha frecuencia. 2) De plantas de fabricación o formulación. 3) Aplicadores agrícolas: manuales, pilotos, maquinaria, señalizadores, cargadores y mezcladores. 4) Aplicadores de edificaciones urbanas, silos, industrias, etc. 5) Transportistas, almacenistas y vendedores de plaguicidas. 6) Técnicos agrarios de plagas.

b) Cada 3 meses: Para GAR, para MT y para T.

c) Cada 6 meses: Para GAR, para MT, para T, y para grupos de moderado riesgo (GMR).

d) Cada 12 meses: Para GAR, para MT, para T, para GMR y para grupos de bajo riesgo.

e) Al finalizar período de aplicación de los plaguicidas: Para GAR, para MT y para T.

— Nota Técnica de Prevención n.º 199/1988. INSST.

9. Estos reconocimientos médicos periódicos no pueden confundirse con los reconocimientos médicos previos, recogidos en los artículos 243 y 244 LGSS.

10. Procede la imposición del recargo en las prestaciones económicas de la Seguridad Social:

• Por la falta de reconocimientos médicos (inicial y semestral) obligatorios.

— STSJ Valladolid 12.9.07.

11. No procede la imposición de recargo en las prestaciones económicas de la Seguridad Social:

• El recargo exige el incumplimiento de una norma completa, por ello, cuando la empresa ha cumplido con sus obligaciones, pues al detectarse algún síntoma de la enfermedad el trabajador fue enviado al especialista para que determinara su aptitud al trabajo, siendo retirado de su puesto.

— STSJ Valencia 20.9.07.

12. No realizar los reconocimientos médicos y pruebas de vigilancia periódica del estado de salud de los trabajadores que procedan conforme a la normativa sobre prevención de riesgos laborales, o no comunicar su resultado a los trabajadores afectados, constituye una infracción grave en materia de prevención de riesgos laborales que lleva aparejada una sanción económica de 2.046 euros a 40.985 euros.

— Artículos 12.2 y 40.2.b LISOS.

13. No registrar y archivar los datos obtenidos en las evaluaciones, controles, reconocimientos, investigaciones o informes a que se refieren los artículos 16, 22 y 23 de la LPRL, constituye una infracción grave en materia de prevención de riesgos laborales que lleva aparejada una sanción económica de 2.046 euros y 40.985 euros.

— Artículos 12.4 y 40.2.b LISOS.

14. Incumplir el deber de confidencialidad en el uso de los datos relativos a la vigilancia de la salud de los trabajadores, en los términos previstos en el apartado 4 del artículo 22 de la Ley de Prevención de Riesgos Laborales constituye una infracción muy grave en materia de prevención de riesgos laborales que lleva aparejada una sanción económica de 40.986 euros a 819.780 euros y la publicación de infracción.

— Artículos 13.5, 40.2 LISOS.

15. Procede la responsabilidad civil contractual del empresario a indemnizar al trabajador por los daños y perjuicios producidos cuando se acredita:

• La relación de causalidad entre la Enfermedad Profesional declarada y los incumplimientos del empresario de no dotar al trabajador de medios de protección contra los movimientos vibratorios, por no informar sobre los riesgos del puesto de trabajo, y por no realizar reconocimientos específicos para descubrir patologías derivadas de las vibraciones.

— STSJ Cataluña 7.11.05.

Véase: Deber de confidencialidad. Deber de protección. Deber de vigilancia. Deber de información. Deber de formación. Culpa in vigilando. Culpa in eligendo.

DEBER DE VIGILANCIA

1. El empresario podrá adoptar las medidas que estime más oportunas de vigilancia y control para verificar el cumplimiento por el trabajador de sus obligaciones y deberes laborales, guardando en su adopción y aplicación la consideración debida a su dignidad y teniendo en cuenta, en su caso, la capacidad real de los trabajadores con discapacidad.

— Artículo 30.3 LET.

2. No deberá utilizarse ningún dispositivo cuantitativo o cualitativo de control, en los ordenadores, sin que los trabajadores hayan sido informados y previa consulta con sus representantes.

— Artículo 3 a. b RDSSPV.

Véase: Deber de protección. Deber de vigilancia de la salud. Deber de información. Deber de formación. Culpa in vigilando. Culpa in eligendo.

DECAPADO

1. Procedimiento de quitar por métodos fisicoquímicos la capa de óxido, pintura, etc., que cubre un objeto.

2. Los trabajadores ocupados en las actividades económicas, y expuestos a los agentes o sustancias que a continuación se indican, pueden contraer una Enfermedad Profesional (E.P.):

• Decapado de metales, donde se utilice arsénico y sus compuestos. (Código 1A0114).

• Decapado y limpieza de metales y vidrios (ácido sulfocrómico o ácido crómico), donde se utilice cromo. (Código 1A0409).

• Empleo de ácido fluorhídrico en los procesos químicos como agente de ataque (industria del vidrio, decapado de metales, limpieza del grafito, de los metales, de los cristales, etc.) y como catalizador. (Código 1C0306).

• Decapado, fijación, mordentado, afinado damasquinado, revestimiento electrolítico de metales, donde se utilice ácido nítrico. (Código 1D0103).

• Fabricación y utilización de pinturas, disolventes, decapantes, barnices, látex, etc., donde se utilicen derivados halogenados. (Código 1H0206).

• Utilización del amoniaco como decapante en pintura. (Código 1J0105).

• Empleo del benceno y sus homólogos como decapantes, como diluente, como disolvente para la extracción de aceites, grasas, alcaloides, resinas, desengrasado de pieles, tejidos, huesos, piezas metálicas, caucho, etc. (Código 1K0103).

• Utilización de decapantes, que contengan ésteres orgánicos. (Código 1N0116).

• Fabricación y utilización de disolventes y decapantes para las pinturas y barnices, donde se utilicen éteres. (Código 1O0117).

a) Causada por agentes cancerígenos:

• Decapado de metales y limpieza de metales donde se utilice arsénico, que puede provocar alguna de las siguientes E.P. (cánceres): neoplasia de maligna de bronquio y pulmón (Código 6C0102), carcinoma epidermoide de piel (Código 6C0202), disqueratosis lenticular en disco (Código 6C0302) y angiosarcoma del hígado (Código 6C040).

• Empleo del benceno como decapante, como diluente, como disolvente, que puede provocar la E.P. de síndrome linfo y mieloproliferativos. (Código 6D0103).

• Decapado y limpieza de metales y vidrios (ácido sulfocrómico o ácido crómico), donde se utilice cromo, que puede provocar la E.P. de neoplasia de bronquio y pulmón. (Código 6I0209).

Por ello, debe realizarse reconocimientos médicos previos y periódicos a dichos trabajadores, con la prohibición de no contratar a los calificados como no aptos para desempeñar los puestos de trabajo de que se trate.

— Artículo 243 LGSS, en relación con RDEP (Anexo I).

Véase: Productos de limpieza. Limpieza. Trabajadores de limpieza. Limpieza de los lugares de trabajo.

DECISIONES DE LA UNIÓN EUROPEA

Las decisiones son vinculantes para aquellos a quienes se dirigen (un país de la UE o una empresa concreta) y son directamente aplicables.

— Artículos 288 y sig. Tratado de funcionamiento de la Unión Europea, de 1957 (Texto consolidado DOUE. 30.3.10).

Véase: Reglamentos de la U.E. Directivas de la U.E. Recomendaciones de la U.E. Dictámenes de la U.E. Convenios de la OIT.

DEFLAGRACIÓN

Propagación de una onda de presión a una velocidad inferior que la del sonido en el medio de reacción.

— Anexo. Punto 2.17 RAPQ.

Véase: Detonación. Detonadores. Explosión. Fulminantes. Industrias de explosivos. Pirotecnia. Incendios. Fulminato.

DELEGADOS DE PREVENCIÓN

1. Son los representantes especializados de los trabajadores en materia de prevención de riesgos laborales. Son designados por y entre los representantes legales, salvo que el convenio colectivo disponga otra cosa, en virtud de la escala prevista en el artículo 35 LPRL.

2. Los Delegados de Prevención tienen derecho, entre otros, a:

• Vigilar y controlar las condiciones de prevención de riesgos laborales en la empresa, mediante visitas a los lugares de trabajo y entrevistas con trabajadores.

— Artículo 36.2.e LPRL.

• Acompañar y formular observaciones a la Inspección de Trabajo y a los Técnicos de Prevención.

— Artículo 36.2.a LPRL.

• Acordar la paralización de trabajos por existencia de riesgo grave e inminente, cuando no sea posible reunir urgentemente a los representantes legales.

— Artículo 21.3 LPRL.

• Acceso a la información y documentación en materia de prevención de riesgos laborales, incluyendo el derecho a que se les entregue una copia de la evaluación de riesgos, no basta su examen en las oficinas de la empresa.

— Artículo 36.2.b LPRL.

— STSJ Cantabria 1.6.05.

— STSJ Cataluña 20.12.05.

• Quedan exceptuados aquellos documentos de carácter confidencial de la empresa sometidos a la propiedad intelectual o seguridad patrimonial de la empresa. Estas excepciones deben ser motivadas.

— CTIT 43/2005.

• Que se les consulte en materia de prevención de riesgos laborales.

— Artículo 36.1.c LPRL.

• Conocer las conclusiones de los reconocimientos médicos. Para conocer los resultados se precisa consentimiento expreso.

— Artículos 22.4, 36.2.b LPRL.

— STS 22.7.05.

• A presentarse en el centro de trabajo, fuera de la jornada de trabajo, para conocer hechos que hayan producido daños a los trabajadores.

— Artículo 36.2.c LPRL.

• A que se les facilite por la empresa, los medios necesarios para realizar sus competencias en materia de prevención de riesgos laborales. El empresario está obligado a abonar a los Delegados de Prevención los gastos de desplazamiento relacionados con su cometido.

— Artículo 37.2 LPRL.

— STSJ Cantabria 14.7.08.

• A que se les facilite por la empresa una formación específica en materia de prevención de riesgos laborales, repitiéndose si fuera necesario.

— Artículo 37.2 LPRL.

• A ser informados por la Inspección de Trabajo sobre los Requerimientos, y sobre los resultados, de sus actuaciones en la empresa, esto es, si se ha practicado alguna acta de infracción, si se ha procedido a la paralización de trabajos, o por el contrario, que no se observaron irregularidades en materia de prevención de riesgos laborales.

— Artículos 40.3, 43.2 LPRL.

• No disponen de un crédito horario adicional al que tienen derecho por ser delegados de personal, pero se considera tiempo de trabajo: 1. Reuniones del Comité de Seguridad y Salud. 2. Reuniones convocadas por el empresario en materia de prevención de riesgos laborales. 3. Acompañar a la Inspección de Trabajo y Técnicos de prevención, que visiten la empresa. 4. Visitas que realice al centro de trabajo fuera de la jornada, por hechos que hayan producido daño a los trabajadores. 5. La formación específica en materia de prevención de riesgos laborales.

— Artículos 2, 37 LPRL.

• Mismas garantías que los representantes legales.

— Artículo 37.1 LPRL.

• Guardar sigilo profesional.

— Artículo 37.3 LPRL.

• Solo responden ante los Representantes Legales, que pueden revocarlos, no ante el empresario (por analogía del Art. 67.3 LET).

3. Delegados de prevención en la Administración General del Estado.

— Artículo 5 RDPAGE.

4. Delegados de prevención en los centros militares.

— Artículos 4, 5, 6 RDSSCEM.

5. No proporcionar la formación o los medios adecuados para el desarrollo de sus funciones a los trabajadores designados para las actividades de prevención y a los Delegados de Prevención, constituye una infracción grave en materia de prevención de riesgos laborales que lleva aparejada una sanción económica de 2.046 euros a 40.985 euros.

— Artículos 12.12 y 40.2.b LISOS.

Véase: Derecho de participación. Participación de los trabajadores. Garantías de los Delegados de Prevención. Comité de Seguridad y Salud. Sigilo profesional. Representantes legales. Delegados sindicales.

DELEGADOS SINDICALES

Son los representantes de los trabajadores de una empresa afiliados a un mismo sindicato. Este tipo de representación se da en empresas o centros de trabajo de más de 250 trabajadores.

En materia de prevención de riesgos laborales tienen derecho a:

• Tener acceso a la información y documentación en materia de prevención de riesgos laborales.

— Artículo 10.3.1.º LOLS.

• Asistir a las reuniones del Comité de Seguridad y Salud, con voz pero sin voto.

— Artículo 10.3.2.º LOLS.

— Artículo 38.2 LPRL.

• Ser consultados en materia de prevención de riesgos laborales.

— Artículo 10.3.3.º LOLS, en relación con el Art. 33 LPRL.

• Las mismas garantías que los Representantes Legales.

• Guardar el sigilo profesional.

Véase: Derecho de participación. Delegados de Prevención. Representantes Legales. Garantías de los Delegados de Prevención. Sigilo profesional.

DEMOLICIONES

1. En el exterior de las obras de construcción. Los trabajos de derribo o demolición que puedan suponer un peligro para los trabajadores deberán estudiarse, planificarse y emprenderse bajo la supervisión de una persona competente y deberán realizarse adoptando las precauciones, métodos y procedimientos apropiados.

— Anexo IV. Parte C.12 RDSSTOC.

— Artículo 202 CCGC.

2. Antes de proceder a una demolición se han de llevar a cabo una serie de actuaciones:

• Recabar la posible documentación existente, a Organismos, Propiedad, Colegios Profesionales, etc.

• Investigar y situar la ubicación de tuberías de agua, colectores, gas, electricidad, etc.

• Estudiar la cimentación del edificio y colindante. d) Realizar un proyecto técnico de demolición.

— Nota Técnica de Prevención n.º 258/1989. INSST.

3. Los trabajadores ocupados en las actividades económicas, y expuestos a los agentes o sustancias que a continuación se indican, pueden contraer una Enfermedad Profesional (E.P.):

a) Causada por inhalación de sustancias y agentes no comprendidos en otros apartados:

• Trabajos de aislamiento térmico en construcción naval y de edificios y su destrucción, que pueden provocar la E.P. de asbestosis, por la exposición a la inhalación de polvo de amianto (asbesto). (Código 4C0105).

• Desmontaje y demolición de instalaciones que contengan amianto, que pueden provocar las E.P. de asbestosis (Código 4C0107) y/o afecciones fibrosantes de la pleura y pericardio (Código 4C0207), provocadas por la inhalación de polvo de amianto (asbesto).

• Trabajos de aislamiento térmico en construcción naval y de edificios y su destrucción, con exposición a la inhalación de polvos de amianto (asbesto), que pueden provocar afecciones fibrosantes de la pleura y pericardio. (Código 4C0205).

• Preparación de polvos de aluminio, especialmente el polvo fino (operaciones, demolido, cribado y mezclas), que pueden provocar neumoconiosis por polvo de aluminio. (Código 4G0102).

b) Causada por agentes cancerígenos:

• Desmontaje y demolición de instalaciones que contengan amianto, que puede provocar alguna de las siguientes E.P (cánceres): neoplasia maligna de bronquio y pulmón (Código 6A0108), mesotelioma (Código 6A0208), mesotelioma de pleura (Código 6A0308), mesotelioma de peritoneo (Código 6A0408), mesotelioma de otras localizaciones (Código 6A0508) y cáncer de laringe (Código 6A0608).

• Trabajos de eliminación de suelos asfaltados, que contengan hidrocarburos aromáticos, que pueden provocar la E.P. de lesiones premalignas de piel (Código 6J0113), y/o E.P. de carcinoma de células escamosas (Código 6J0213).

Por ello, debe realizarse reconocimientos médicos previos y periódicos a dichos trabajadores, con la prohibición de no contratar a los calificados como no aptos para desempeñar los puestos de trabajo de que se trate.

— Artículo 243 LGSS, en relación con RDEP (Anexo I).

Véase: Desguaces. Construcción. Recurso preventivo.

DENTISTAS

1. Profesionales especialistas en odontología.

2. Los trabajadores ocupados en las actividades económicas, y expuestos a los agentes o sustancias que a continuación se indican, pueden contraer una Enfermedad Profesional (E.P.):

a) Causada por inhalación de sustancias y agentes no comprendidos en otros apartados:

• Dentistas, donde los trabajadores estén expuestos a sustancias de bajo peso molecular (metales, polvos de maderas, sustancias químicas, etc.), que pueden provocar alguna de las siguientes E.P: rinoconjuntivitis (Código 4I0121), urticaria (Código 4I0221), angiodemas (Código 4I0221), asma (Código 4I0321), alveolitis alérgica extrínseca (Código 4I0421), síndrome de disfunción de la vía reactiva (Código 4I0521), fibrosis intersticial difusa (Código 4I0621), fiebre de los metales (Código 4I0721), y neumopatía intersticial difusa (Código 4I0821).

b) E.P. de la piel, causada por sustancias y agentes no comprendidos en alguno de los otros apartados:

• Dentistas, donde los trabajadores estén expuestos a sustancias de bajo peso molecular (metales, polvos de maderas, sustancias químicas, etc.), que pueden provocar una E.P. de la piel, causada por sustancias de bajo peso molecular. (Código 5A0120).

Por ello, debe realizarse reconocimientos médicos previos y periódicos a dichos trabajadores, con la prohibición de no contratar a los calificados como no aptos para desempeñar los puestos de trabajo de que se trate.

— Artículo 243 LGSS, en relación con RDEP (Anexo I).

Véase: Protésicos dentales. Higienistas dentales. Amalgamas dentales. Odontólogos. Odontología. Sustancias infecciosas. Mercurio.

DEPORTISTAS

1. Personas que practican algún deporte, por afición o profesionalmente.

2. Los trabajadores ocupados en las actividades económicas, y expuestos a los agentes o sustancias que a continuación se indican, pueden contraer una Enfermedad Profesional (E.P.), causada por agentes físicos:

• Trabajos que requieran movimientos de impacto o sacudidas, supinación o pronación repetidas del brazo contra resistencia, así como movimientos de flexoextensión forzada de la muñeca, como pueden ser: carniceros, pescaderos, curtidores, deportistas, mecánicos, chapistas, caldereros, albañiles, que pueden provocar la E.P. de epicondilitis y/o epitrocleitis. (Código 2D0201).

• Trabajos en los que se produzca un apoyo prolongado y repetido de forma directa o indirecta sobre las correderas anatómicas que provocan lesiones nerviosas por compresión. Movimientos extremos de hiperflexión y de hiperextensión. Trabajos que entrañen compresión prolongada en la muñeca o de una presión mantenida o repetida sobre el talón de la mano, como ordeño de vacas, grabado, talla y pulido de vidrio, burilado, trabajo de zapatería, leñadores, herreros, peleteros, lanzadores de martillo, disco y jabalina, que pueden producir enfermedades por posturas forzadas y movimientos repetitivos, como el síndrome del canal de Guyon. (Código 2F0301).

Por ello, debe realizarse reconocimientos médicos previos y periódicos a dichos trabajadores, con la prohibición de no contratar a los calificados como no aptos para desempeñar los puestos de trabajo de que se trate.

— Artículo 243 LGSS, en relación con RDEP (Anexo I).

Véase: Movimientos repetitivos. Trabajos con movimientos repetitivos. Posturas forzadas. Trabajos con posturas forzadas.

DEPÓSITOS

1. Contenedores donde se almacenan sustancias o productos.

2. Los trabajadores ocupados en las actividades económicas, y expuestos a los agentes o sustancias que a continuación se indican, pueden contraer una Enfermedad Profesional (E.P.), causada por agentes químicos:

• Trabajos en garajes, depósitos y talleres de reparación, donde se utilice óxido de carbono. (Código 1T0108).

Por ello, debe realizarse reconocimientos médicos previos y periódicos a dichos trabajadores, con la prohibición de no contratar a los calificados como no aptos para desempeñar los puestos de trabajo de que se trate.

— Artículo 243 LGSS, en relación con RDEP (Anexo I).

Véase: Contenedores. Bodegas. Cisternas. Estanques. Tanques.

DEPURACIÓN

1. Acción o efecto de depurar: limpiar, purificar.

2. Bajo la denominación de estaciones depuradoras de aguas residuales urbanas, se agrupan las instalaciones en las que las aguas procedentes de las redes de alcantarillado de las poblaciones o núcleos habitados se someten a tratamiento, a fin de reducir sus niveles de contaminación hasta cotas aceptables. Normalmente, tras su depuración las aguas son vertidas a cauces públicos o al mar.

— Nota Técnica de Prevención n.º 128/1985. INSST.

3. Los equipos de tratamiento del agua en las piscinas públicas, están destinados a garantizar que los vasos de las piscinas dispongan en todo momento de agua de una calidad que no represente ningún riesgo de tipo bacteriológico ni químico a los usuarios de las mismas.

Para su tratamiento se utilizan distintos productos químicos de unas características de peligrosidad determinadas (ver la NTP 690). Algunas comunidades autónomas incluyen en su reglamentación una lista de productos químicos autorizados.

Por otra parte, la piscina debe disponer de un sistema de recogida continua que permita la recirculación uniforme de la totalidad de la lámina superficial del agua, así como de un sistema de control de aportación de agua nueva y de agua recirculada.

— Notas Técnicas de Prevención n.º 689, 690/2005. INSST.

4. Los trabajadores ocupados en la depuración de sustancias y expuestos a los agentes o sustancias que a continuación se indican, pueden contraer una Enfermedad Profesional (E.P.), causada por agentes químicos:

- Utilización del vinilbenceno (estireno y divinilbenceno) como resina cambiadora de iones en la depuración de agua. (Código 1K0407).
- Producción, depuración y almacenamiento de gas, donde se utilice óxido de carbono. (Código 1T0101).

Por ello, debe realizarse reconocimientos médicos previos y periódicos a dichos trabajadores, con la prohibición de no contratar a los calificados como no aptos para desempeñar los puestos de trabajo de que se trate.

— Artículo 243 LGSS, en relación con RDEP (Anexo I).

Véase: Agua: Tratamiento. Aguas contaminadas. Aguas residuales. Endotoxinas. Piscinas.

DERECHO A AUSENTARSE

1. Por el tiempo indispensable para la realización de exámenes prenatales y técnicas de preparación al parto y, en los casos de adopción, guarda con fines de adopción o acogimiento, para la asistencia a las preceptivas sesiones de información y preparación y para la realización de los preceptivos informes psicológicos y sociales previos a la declaración de idoneidad, siempre, en todos los casos, que deban tener lugar dentro de la jornada de trabajo.

— Artículo 37.3.f LET.

2. En los supuestos de nacimiento, adopción, guarda con fines de adopción o acogimiento, de acuerdo con el artículo 45.1.d), las personas trabajadoras tendrán derecho a una hora de ausencia del trabajo, que podrán dividir en dos fracciones, para el cuidado del lactante hasta que este cumpla nueve meses. La duración del permiso se incrementará proporcionalmente en los casos de nacimiento, adopción, guarda con fines de adopción o acogimiento múltiples.

Quien ejerza este derecho, por su voluntad, podrá sustituirlo por una reducción de su jornada en media hora con la misma finalidad o acumularlo en jornadas completas en los términos previstos en la negociación colectiva o en el acuerdo a que llegue con la empresa respetando, en su caso, lo establecido en aquella.

— Artículo 37.4 LET.

3. Las personas trabajadoras tendrán derecho a ausentarse del trabajo durante una hora en el caso de nacimiento prematuro de hijo o hija, o que, por cualquier causa, deban permanecer hospitalizados a continuación del parto. Asimismo, tendrán derecho a reducir su jornada de trabajo hasta un máximo de dos horas, con la disminución proporcional del salario.

— Artículo 37.5 LET.

Véase: Tiempo de trabajo. Período de descanso. Pausas de trabajo obligatorias.

DERECHO A LA DIGNIDAD

1. La dignidad de la persona, los derechos inviolables que le son inherentes, el libre desarrollo de la personalidad, el respeto a la ley y a los derechos de los demás son fundamento del orden político y de la paz social.

— Artículo 10.1 CE.

2. Los trabajadores tienen derecho al respeto de su intimidad y a la consideración debida a su dignidad, comprendida la protección frente al acoso por razón de origen racial o étnico, religión o convicciones, discapacidad, edad u orientación sexual, y frente al acoso sexual y al acoso por razón de sexo.

— Artículo 4.2.e LET.

3. Solo podrán realizarse registros sobre la persona del trabajador, en sus taquillas y efectos particulares, cuando sean necesarios para la protección del patrimonio empresarial y del de los demás trabajadores de la empresa, dentro del centro de trabajo y en horas de trabajo. En su realización se respetará al máximo la dignidad e intimidad del trabajador y se contará con la asistencia de un representante legal de los trabajadores o, en su ausencia del centro de trabajo, de otro trabajador de la empresa, siempre que ello fuera posible.

— Artículo 18 LET.

Véase: Derecho a la intimidad.

DERECHO A LA INTIMIDAD

1. Se garantiza el derecho al honor, a la intimidad personal y familiar y a la propia imagen.

— Artículo 18.1 CE.

2. Los trabajadores tienen derecho al respeto de su intimidad y a la consideración debida a su dignidad, comprendida la protección frente al acoso por razón de origen racial o étnico, religión o convicciones, discapacidad, edad u orientación sexual, y frente al acoso sexual y al acoso por razón de sexo.

— Artículo 4.2.e LET.

3. Solo podrán realizarse registros sobre la persona del trabajador, en sus taquillas y efectos particulares, cuando sean necesarios para la protección del patrimonio empresarial y del de los demás trabajadores de la empresa, dentro del centro de trabajo y en horas de trabajo. En su realización se respetará al máximo la dignidad e intimidad del trabajador y se contará con la asistencia de un representante legal de los trabajadores o, en su ausencia del centro de trabajo, de otro trabajador de la empresa, siempre que ello fuera posible.

— Artículo 18 LET.

4. Los trabajadores tienen derecho a la intimidad en el uso de los dispositivos digitales puestos a su disposición por el empleador, a la desconexión digital y a la intimidad frente al uso de dispositivos de videovigilancia y geolocalización en los términos establecidos en la legislación vigente en materia de protección de datos personales y garantía de los derechos digitales.

— Artículo 20bis LET.

Véase: Derecho a la dignidad.

DERECHO DE PARTICIPACIÓN

1. Los trabajadores tienen derecho a participar, dentro de la empresa, en las cuestiones relacionadas con la prevención de riesgos laborales a través de:

- Los Representantes Legales. b) Los Delegados Sindicales.
- Los Delegados de Prevención.
- Los Comités de Seguridad y Salud.

2. Los agentes sociales participan en la ejecución de la política de prevención de riesgos laborales a través de la Fundación para la mejora de las condiciones de Seguridad y Salud en el Trabajo y de la Comisión Nacional de Seguridad y Salud.

3. El incumplimiento de los derechos de información, consulta y participación de los trabajadores reconocidos en la normativa sobre prevención de riesgos laborales, constituye una infracción grave en materia de prevención de riesgos laborales que lleva aparejada una sanción económica de 2.046 euros a 40.985 euros.

— Artículos 12.11 y 40.2.b LISOS.

Véase: Representantes legales de los trabajadores. Delegados sindicales. Delegados de Prevención. Comité de Seguridad y salud. Fundación de SST. Comisión Nacional de Seguridad y Salud.

DERECHO NECESARIO

1. Los trabajadores no podrán disponer válidamente, antes o después de su adquisición, de los derechos que tengan reconocidos por disposiciones legales de derecho necesario. Tampoco podrán disponer válidamente de los derechos reconocidos como indisponibles por convenio colectivo.

— Artículo 3.5 LET.

2. Los derechos reconocidos en los convenios colectivos tienen la consideración de derechos indisponibles, dado que es posible pactar cláusulas de renuncia de derechos.

— STSJ Asturias 22.5.09.

Véase: Negociación colectiva.

DERIVADOS HALOGENADOS DE HIDROCARBUROS AROMÁTICOS

1. Son hidrocarburos que contienen algún hidrógeno de la molécula sustituido por algún átomo del grupo de los halógenos (flúor, cloro, bromo o yodo).

2. Los trabajadores expuestos a los derivados halogenados de hidrocarburos aromáticos (Código 1K05), pueden contraer una Enfermedad Profesional (E.P.), causada por agentes químicos, en las actividades o trabajos que a continuación se relacionan:

- Empleo como disolventes, pesticidas, herbicidas, insecticidas y fungicidas. (Código 1K0501).
- Empleo en las industrias de materias colorantes, perfumería y fotografía. (Código 1K0502).
- Fabricación de productos de limpieza y lubrificantes. (Código 1K0503).
- Utilización como aditivo en lubrificantes de alta presión. (Código 1K0504).

• Fabricación de caucho sintético, productos ignífugos, papel autocopiativo sin carbono, plastificantes, etc. (Código 1K0505).

• Fabricación de transformadores, condensadores, aislamiento de cables y de hilos eléctricos. (Código 1K0506).

Por ello, debe realizarse reconocimientos médicos previos y periódicos a dichos trabajadores, con la prohibición de no contratar a los calificados como no aptos para desempeñar los puestos de trabajo de que se trate.

— Artículo 243 LGSS, en relación con RDEP (Anexo I).

Véase: Derivados halogenados de los hidrocarburos alifáticos. Hidrocarburos aromáticos. Nitroderivados.

DERIVADOS HALOGENADOS DE LOS HIDROCARBUROS ALIFÁTICOS

1. Son hidrocarburos que contienen algún hidrógeno de la molécula sustituido por algún átomo del grupo de los halógenos (flúor, cloro, bromo o yodo).

2. Los trabajadores expuestos a los derivados halogenados de los hidrocarburos alifáticos, saturados o no, cíclicos o no. Bromuro de metilo, cloruro de vinilo monómero, por su preparación, manipulación y empleo de los hidrocarburos clorados y bromados de la serie alifática y de los productos que lo contengan (Código 1H02), pueden contraer una Enfermedad Profesional (E.P.), causada por agentes químicos, en las actividades o trabajos que a continuación se relacionan:

• Empleo como agentes de extracción y como disolventes. (Código 1H0201).

• Desengrasado y limpieza de piezas metálicas, como productos de limpieza y desengrasado en tintorerías. (Código 1H0202).

• Fabricación y reparación de aparatos e instalaciones frigoríficas. (Código 1H0203).

• Utilización de pesticidas. (Código 1H0204).

• Fabricación de ciertos desinfectantes, anestésicos, antisépticos y otros productos de la industria farmacéutica y química. (Código 1H0205).

• Fabricación y utilización de pinturas, disolventes, decapantes, barnices, látex, etc. (Código 1H0206).

• Reparación y relleno de aparatos extintores de incendio. (Código 1H0207).

• Preparación y empleo de lociones de peluquería. (Código 1H0208).

• Fabricación de polímeros de síntesis. (Código 1H0209).

• Refino de aceites minerales. (Código 1H0210).

• Uso en anestesia quirúrgica. (Código 1H0211).

• Empleo de bromuro de metilo para el tratamiento de vegetales en bodegas, cámaras de fumigación, contenedores, calas de barcos, camiones cubiertos, entre otros. (Código 1H0212).

• Uso del bromuro de metilo en la agricultura para el tratamiento de parásitos del suelo. (Código 1H0213).

• Uso del bromuro de metilo con fines sanitarios de desinsectación y desratización de edificios. (Código 1H0214).

• Trabajos de síntesis de policloruro de vinilo (PVC) que exponen al monómero. (Código 1H0215).

Por ello, debe realizarse reconocimientos médicos previos y periódicos a dichos trabajadores, con la prohibición de no contratar a los calificados como no aptos para desempeñar los puestos de trabajo de que se trate.

— Artículo 243 LGSS, en relación con RDEP (Anexo I).

> *Véase: Bromuro de metilo. Derivados halogenados de los hidrocarburos aromáticos. Hidrocarburos alifáticos. Cloruro de vinilo.*

DERIVADOS NITRADOS DE LOS FENOLES

1. Se presentan en polvo cristalino y se utilizan para preparar explosivos, colorantes al azufre, productos farmacéuticos, etc.

2. Los trabajadores expuestos a los derivados nitrados de los fenoles y homólogos: dinitrofenol, dinitro-ortocresol, dinoseb (2-sec-butil-4, 6-dinitrofenol), ioxinil, bromoxinil (Código 1K07), pueden contraer una Enfermedad Profesional (E.P.), causada por agentes químicos, en las actividades o trabajos que a continuación se relacionan:

- Utilización como herbicidas e insecticidas. (Código 1K0701).
- Fabricación de derivados, particularmente los explosivos (derivados nitrados), donde se utilicen fenoles. (Código 1F0201).

Por ello, debe realizarse reconocimientos médicos previos y periódicos a dichos trabajadores, con la prohibición de no contratar a los calificados como no aptos para desempeñar los puestos de trabajo de que se trate.

— Artículo 243 LGSS, en relación con RDEP (Anexo I).

> *Véase: Fenoles. Herbicidas. Insecticidas.*

DERMATOSIS

Término general con el que se designan las afecciones de la piel. Dermatitis: Término empleado para designar procesos que cursan con reacción inflamatoria de la piel.

— Nota Técnica de Prevención n.º 166/1986. INSST.

> *Véase: Enfermedades de la piel. Piel: Protección. E.P. de la piel.*

DESBROZADORAS

> *Véase: Trabajos con desbrozadoras.*

DESGUACES

1. Lugar en que se desguazan vehículos, navíos, etc. y frecuentemente se ponen a la venta sus piezas útiles.

2. Los trabajadores ocupados en las actividades económicas, y expuestos a los agentes o sustancias que a continuación se indican, pueden contraer una Enfermedad Profesional (E.P.):

a) Causada por inhalación de sustancias y agentes no comprendidos en otros apartados:

- Trabajos de aislamiento térmico en construcción naval y de edificios y su destrucción, que pueden provocar la E.P. de asbestosis, por la exposición a la inhalación de polvo de amianto (asbesto). (Código 4C0105).
- Desmontaje y demolición de instalaciones que contengan amianto, que pueden provocar las E.P. de asbestosis (Código 4C0107) y/o afecciones fibrosantes de

la pleura y pericardio (Código 4C0207), provocadas por la inhalación de polvo de amianto (asbesto).

b) Causada por agentes cancerígenos:

• Desmontaje y demolición de instalaciones que contengan amianto, que pueden provocar alguna de las siguientes E.P (cánceres): neoplasia maligna de bronquio y pulmón (Código 6A0108), mesotelioma (Código 6A0208), mesotelioma de pleura (Código 6A0308), mesotelioma de peritoneo (Código 6A0408), mesotelioma de otras localizaciones (Código 6A0508) y cáncer de laringe (Código 6A0608).

Por ello, debe realizarse reconocimientos médicos previos y periódicos a dichos trabajadores, con la prohibición de no contratar a los calificados como no aptos para desempeñar los puestos de trabajo de que se trate.

— Artículo 243 LGSS, en relación con RDEP (Anexo I).

Véase: Trabajos de destrucción. Demoliciones. Amianto.

DESHIDRATACIÓN

1. Perdida del agua que contiene un cuerpo o un organismo.

2. La exposición prolongada al calor implica una pérdida de agua y electrolitos a través de la sudoración.

La sed no es un buen indicador de la deshidratación. Un fallo en la rehidratación del cuerpo y en los niveles de electrolitos se traduce en problemas gastrointestinales y calambres musculares.

— Notas Técnicas de Prevención n.º 279/1991. 922/2011. INSST.

Véase: Aislamiento térmico. Calor. Estrés térmico. Agotamiento por calor. Síncope por calor. Golpe de calor.

DESIGNACIÓN DE TRABAJADORES

1. En cumplimiento del deber de prevención de riesgos profesionales, el empresario designará uno o varios trabajadores para ocuparse de dicha actividad, constituirá un servicio de prevención o concertará dicho servicio con una entidad especializada ajena a la empresa.

Los trabajadores designados deberán tener la capacidad necesaria, disponer del tiempo y de los medios precisos y ser suficientes en número, teniendo en cuenta el tamaño de la empresa, así como los riesgos a que están expuestos los trabajadores y su distribución en la misma, con el alcance que se determine en las disposiciones a que se refiere la letra e) del apartado 1 del artículo 6 de la presente LPRL.

Los trabajadores a que se refiere el párrafo anterior colaborarán entre sí y, en su caso, con los Servicios de Prevención.

Para la realización de la actividad de prevención, el empresario deberá facilitar a los trabajadores designados el acceso a la información y documentación a que se refieren los artículos 18 y 23 de la presente LPRL.

Los trabajadores designados no podrán sufrir ningún perjuicio derivado de sus actividades de protección y prevención de los riesgos profesionales en la empresa. En ejercicio de esta función, dichos trabajadores gozarán, en particular, de las garantías que para los representantes de los trabajadores establecen las letras a), b) y c) del artículo 68 y el apartado 4 del artículo 56 de la LET.

Esta garantía alcanzará también a los trabajadores integrantes del Servicio de Prevención propio, cuando la empresa decida constituirlo. Los trabajadores a que se refieren los párrafos anteriores deberán guardar sigilo profesional sobre la información relativa a la empresa a la que tuvieran acceso como consecuencia del desempeño de sus funciones.

— Artículo 30 LPRL.

— Artículo 12 RSP.

2. No designar a uno o varios trabajadores para ocuparse de las actividades de protección y prevención en la empresa o no organizar o concertar un servicio de prevención cuando ello sea preceptivo, o no dotar a los recursos preventivos de los medios que sean necesarios para el desarrollo de las actividades preventivas, constituye una infracción grave en materia de prevención de riesgos laborales que lleva aparejada una sanción económica de 2.046 euros a 40.985 euros.

— Artículo 12.15 y 40.2.b LISOS.

3. No proporcionar la formación o los medios adecuados para el desarrollo de sus funciones a los trabajadores designados para las actividades de prevención y a los delegados de prevención, constituye una infracción grave en materia de prevención de riesgos laborales que lleva aparejada una sanción económica de 2.046 euros a 40.985 euros.

— Artículos 12.12 y 40.2.b LISOS.

4. El incumplimiento del deber de información a los trabajadores designados para ocuparse de las actividades de prevención o, en su caso, al servicio de prevención de la incorporación a la empresa de trabajadores con relaciones de trabajo temporales, de duración determinada o proporcionados por empresas de trabajo temporal, constituye una infracción grave en materia de prevención de riesgos laborales que lleva aparejada una sanción económica de 2.046 euros a 40.985 euros.

— Artículos 12.18 y 40.2.b LISOS.

5. No facilitar a los trabajadores designados o al servicio de prevención el acceso a la información y documentación señaladas en el apartado 1 del artículo 18 y en el apartado 1 del artículo 23 de la LPRL, constituye una infracción grave en materia de prevención de riesgos laborales que lleva aparejada una sanción económica de 2.046 euros a 40.985 euros.

— Artículos 12.19 y 40.2.b LISOS.

Véase: Sistemas de Prevención. Asunción de la prevención por el empresario. Servicios de Prevención ajenos. Servicios de prevención propios. Servicios de Prevención mancomunados. Auditorias de prevención.

DESINFECCIÓN DE EDIFICIOS Y LOCALES

1. Desinfectar consiste en quitar a algo la infección o la propiedad de causarla, destruyendo los gérmenes nocivos o evitando su desarrollo.

2. Los trabajadores ocupados en las actividades económicas, y expuestos a los agentes o sustancias que a continuación se indican, pueden contraer una Enfermedad Profesional (E.P.), causada por agentes químicos:

- Uso sanitario de los productos plaguicidas que contienen organofosforados y carbamatos inhibidores de la colinesterasa para desinsectación de edificios, bodegas, calas de barcos, control de vectores de enfermedades transmisibles. (Código 1S0105).

Por ello, debe realizarse reconocimientos médicos previos y periódicos a dichos trabajadores, con la prohibición de no contratar a los calificados como no aptos para desempeñar los puestos de trabajo de que se trate.

— Artículo 243 LGSS, en relación con RDEP (Anexo I).

Véase: Desinfectantes. Desratización. Ozono.

DESINFECCIÓN DEL AGUA

1. Desinfectar consiste en quitar a algo la infección o la propiedad de causarla, destruyendo los gérmenes nocivos o evitando su desarrollo.

2. Los trabajadores ocupados en las actividades económicas, y expuestos a los agentes o sustancias que a continuación se indican, pueden contraer una Enfermedad Profesional (E.P.), causada por agentes químicos:

- Desinfección del agua, donde se utilice bromo. (Código 1C0107).
- Utilización de cloro en tratamiento de aguas. (Código 1C0206).

Por ello, debe realizarse reconocimientos médicos previos y periódicos a dichos trabajadores, con la prohibición de no contratar a los calificados como no aptos para desempeñar los puestos de trabajo de que se trate.

— Artículo 243 LGSS, en relación con RDEP (Anexo I).

Véase: Desinfectantes. Agua.

DESINFECTANTES

1. Desinfectar consiste en quitar a algo la infección o la propiedad de causarla, destruyendo los gérmenes nocivos o evitando su desarrollo.

2. Los trabajadores ocupados en las actividades económicas, y expuestos a los agentes o sustancias que a continuación se indican, pueden contraer una Enfermedad Profesional (E.P.), causada por agentes químicos:

- Utilización de ácidos orgánicos como desinfectantes y herbicidas. (Código 1E0115).
- Fabricación de desinfectantes, tintes, productos farmacéuticos, perfumes, explosivos, potenciadores del sabor, resinas, antioxidantes, barnices, levaduras, productos fotográficos, caucho, plásticos, polímeros de alto peso molecular, plaguicidas, etc., donde se utilicen aldehídos. (Código 1G0104).
- Utilización de aldehídos como desinfectantes. (Código 1G0107).
- Utilización del formaldehído en esterilización y desinfección. (Código 1G0108).
- Utilización del formol como agente desinfectante, desodorante, bactericida, etc, donde se utilicen aldehídos. (Código 1G0109).
- Fabricación de ciertos desinfectantes, anestésicos, antisépticos y otros productos de la industria farmacéutica y química, donde se utilicen derivados halogenados. (Código 1H0205).
- Uso del bromuro de metilo (derivado halogenado) con fines sanitarios de desinsectación y desratización de edificios. (Código 1H0214).

● Utilización de glicoles en la industria farmacéutica como vehículo de ciertos medicamentos, desodorantes, desinfectantes y bactericidas. (Código 1P0103).

● Uso sanitario de los productos plaguicidas que contienen órgano fosforados y carbamatos inhibidores de la colinesterasa para desinsectación de edificios, bodegas, calas de barcos, control de vectores de enfermedades transmisibles. (Código 1S0105).

Por ello, debe realizarse reconocimientos médicos previos y periódicos a dichos trabajadores, con la prohibición de no contratar a los calificados como no aptos para desempeñar los puestos de trabajo de que se trate.

— Artículo 243 LGSS, en relación con RDEP (Anexo I).

Véase: Fungicidas. Aldehídos. Bacterias. Sustancias bactericidas. Agentes biológicos. Productos biológicos. Bodegas. Desinfección de edificios. Esterilización. Glutaraldehído. Hilo de sutura. Etileno. Industria sanitaria. Ozono. Permanganato.

DESNIVELES

1. Las aberturas o desniveles que supongan un riesgo de caída de personas se protegerán mediante barandillas u otros sistemas de protección de seguridad equivalente, que podrán tener partes móviles cuando sea necesario disponer de acceso a la abertura.

— Anexo I. Parte A.3 RDSSLT.

2. Obras de construcción. En los puestos de trabajo en las obras en el exterior de los locales, y siempre que lo exijan las características de la obra o de la actividad; las circunstancias o cualquier riesgo, las plataformas, andamios y pasarelas, así como los desniveles, huecos y aberturas existentes en los pisos de las obras, que supongan para los trabajadores un riesgo de caída de altura superior a dos metros, se protegerán mediante barandillas u otro sistema de protección colectiva de seguridad equivalente. Las barandillas serán resistentes, tendrán una altura mínima de noventa centímetros y dispondrán de un reborde de protección, un pasamanos y una protección intermedia que impidan el paso o deslizamiento de los trabajadores.

— Anexo IV. Parte C.3 RDSSTOC.

Véase: Aberturas en los suelos. Plataformas de trabajo. Barandillas. Andamios. Plataformas suspendidas. Góndolas. Pasarelas. Torres de acceso. Torres de trabajo móviles. Muelles de carga y descarga. Caída de objetos. Caída de personas. Redes de seguridad. Trabajos en altura.

DESODORANTES

1. Sustancia que se aplica al cuerpo, especialmente en las axilas y los pies, para reducir el olor de la transpiración. El olor es causado por una bacteria que prospera en entornos calientes y húmedos. Inhiben el crecimiento de la bacteria que genera el olor. Esto se consigue con componentes químicos antibacterianos.

2. Los trabajadores ocupados en las actividades económicas, y expuestos a los agentes o sustancias que a continuación se indican, pueden contraer una Enfermedad Profesional (E.P.), causada por agentes químicos:

● a)Utilización del formol como agente desinfectante, desodorante, bactericida, etc, donde se utilicen aldehídos. (Código 1G0109).

● b) Utilización de glicoles en la industria farmacéutica como vehículo de ciertos medicamentos, desodorantes, desinfectantes y bactericidas. (Código 1P0103).

Por ello, debe realizarse reconocimientos médicos previos y periódicos a dichos trabajadores, con la prohibición de no contratar a los calificados como no aptos para desempeñar los puestos de trabajo de que se trate.

— Artículo 243 LGSS, en relación con RDEP (Anexo I).

Véase: Cosmética. Perfumes. Jabones.

DESPOJOS DE ANIMALES

1. Vientre, asadura, cabeza y manos de las reses muertas, a alones, molleja, patas, pescuezo y cabeza de las aves muertas.

2. Los trabajadores ocupados en las actividades económicas, y expuestos a los agentes o sustancias que a continuación se indican, pueden contraer una Enfermedad Profesional (E.P.), causada por agentes biológicos:

• Trabajos de manipulación, carga, descarga, transporte y empleo de los despojos de animales, que pueden provocar una E.P. infecciosa transmitida por animales (o por sus productos y cadáveres). (Código 3B0108).

Por ello, debe realizarse reconocimientos médicos previos y periódicos a dichos trabajadores, con la prohibición de no contratar a los calificados como no aptos para desempeñar los puestos de trabajo de que se trate.

— Artículo 243 LGSS, en relación con RDEP (Anexo I).

Véase: Mataderos. Matarifes. Avicultores. Ganaderos. Granjas. Granjeros. Granjas de ganado vacuno. Curtidores. Curtidos. Carniceros. Pastores. Trabajos con animales. Veterinarios. Entomólogos. Zoonosis. Zoológicos. Transporte de animales. Guardas de caza.

DESRATIZACIÓN

1. Exterminar las ratas y ratones en barcos, almacenes, viviendas, etc.

2. Los trabajadores ocupados en las actividades económicas, y expuestos a los agentes o sustancias que a continuación se indican, pueden contraer una Enfermedad Profesional (E.P.), causada por agentes químicos:

• Uso del bromuro de metilo (derivado halogenado) con fines sanitarios de desinsectación y desratización de edificios. (Código 1H0214).

Por ello, debe realizarse reconocimientos médicos previos y periódicos a dichos trabajadores, con la prohibición de no contratar a los calificados como no aptos para desempeñar los puestos de trabajo de que se trate.

— Artículo 243 LGSS, en relación con RDEP (Anexo I).

Véase: Desinfectantes. Desinfección de edificios. Rodenticida. Pesticidas.

DESTILACIÓN

1. Calentar un cuerpo hasta evaporar su sustancia volátil que, enfriada después, recupera su estado líquido.

2. Los trabajadores ocupados en las actividades económicas, y expuestos a los agentes o sustancias que a continuación se indican, pueden contraer una Enfermedad Profesional (E.P.):

a) Causada por agentes químicos:

• Destilación y refinado del petróleo, donde se utilicen hidrocarburos alifáticos. (Código 1H0101).

• Utilización de los productos de destilación como disolventes, carburantes, combustibles y desengrasantes, que contengan hidrocarburos alifáticos. (Código 1H0103).

• Extracción del naftaleno, durante la destilación del alquitrán de hulla. (Código 1K0201).

b) Causada por agentes cancerígenos:

• Operaciones de destilación en la industria del petróleo, donde se utilicen hidrocarburos aromáticos, que pueden provocar la E.P. de lesiones premalignas de piel (Cáncer) (Código 6J0111), y/o E.P. de carcinoma de células escamosas (Cáncer) (Código 6J0211).

Por ello, debe realizarse reconocimientos médicos previos y periódicos a dichos trabajadores, con la prohibición de no contratar a los calificados como no aptos para desempeñar los puestos de trabajo de que se trate.

— Artículo 243 LGSS, en relación con RDEP (Anexo I).

Véase: Aceites. Aceites industriales. Asfalto. Refinado de aceites minerales. Refinado de aceites vegetales. Refinado de metales. Refinado de minerales. Hidrocarburos alifáticos. Hidrocarburos aromáticos.

DESTORNILLADORES

Los destornilladores son herramientas de mano diseñados para apretar o aflojar los tornillos ranurados de fijación sobre materiales de madera, metálicos, plásticos, etc.

— Nota Técnica de Prevención n.º 391/1995. INSST.

Véase: Herramientas portátiles manuales. Herramientas portátiles eléctricas. Alicates. Cinceles. Cuchillos. Limas. Llaves. Martillos. Picos. Punzones. Sierras. Tijeras.

DETECTORES DE HUMOS

Los detectores son unos dispositivos que captan un determinado fenómeno (en este caso humo) y cuando el valor de ese fenómeno sobrepasa un umbral prefijado se genera una señal de alarma que es transmitida a la central de control y señalización de una forma muy simple, generalmente como cambio de consumo o tensión en la línea de detección.

— Nota Técnica de Prevención n.º 215/1988. INSST.

Véase: Incendios. Extinción de incendios. Dispositivos de lucha contra incendios. Detectores de incendios. Sistemas de alarma. Fuego clase: A, B, C, D, E. Radiaciones térmicas. Carga de fuego ponderada. Extintores. Equipos contra incendios.

Véase:

DETECTORES DE INCENDIOS

1. Los detectores son unos dispositivos que captan un determinado fenómeno (en este caso fuego) y cuando el valor de ese fenómeno sobrepasa un umbral prefijado se genera una señal de alarma que es transmitida a la central de control y señalización de una forma muy simple, generalmente como cambio de consumo o tensión en la línea de detección.

— Notas Técnicas de Prevención n.º 40/1983. 185/1996. 215/1988. INSST.

2. Obras de construcción. En los lugares de trabajo de las obras de construcción, y siempre que lo exijan las características de la obra o de la actividad; las circunstancias o cualquier riesgo, deberá existir detectores de incendios y sistemas de alarma y estar debidamente señalizados.

— Anexo IV. Parte A.5 RDSSTOC.

Véase: Incendios. Extinción de incendios. Dispositivos de lucha contra incendios. Sistemas de alarma. Detectores de humos. Fuego clase: A, B, C, D, E. Radiaciones térmicas. Carga de fuego ponderada. Extintores. Equipos contra incendios.

DETERGENTES

1. Sustancias o productos que limpian químicamente.

2. Los trabajadores ocupados en las **actividades económicas,** y expuestos a los agentes o sustancias que a continuación se indican, **pueden contraer** una Enfermedad Profesional (E.P.):

a) Causada por agentes químicos:

• Industria de cosméticos, perfumes, jabones y detergentes, donde se utilice alcohol. (Código 1F0107).

• Fabricación de detergentes, colorantes, aditivos para aceites, etc., donde se utilicen fenoles. (Código 1F0206).

• Industria química: fabricación de ácido benzoico, benzoaldehidos, benceno, fenol, caprolactama, linóleo, toluendiisocianato (resinas poliuretano), sulfonatos de tolueno (detergentes), cuero artificial, revestimiento de tejidos y papeles, explosivos, tintes y otros compuestos orgánicos, donde se utilice xileno y tolueno. (Código 1K0301).

b) Causada por inhalación de sustancias y agentes no comprendidos en otros apartados:

• Fabricación y manutención de abrasivos y de polvos detergentes, que pueden provocar la E.P. de silicosis, por la exposición a la inhalación de polvo de sílice libre. (Código 4A0105).

Por ello, debe realizarse reconocimientos médicos previos y periódicos a dichos trabajadores, con la prohibición de no contratar a los calificados como no aptos para desempeñar los puestos de trabajo de que se trate.

— Artículo 243 LGSS, en relación con RDEP (Anexo I).

Véase: Tensioactivo. Productos de limpieza.

DETONACIÓN

Propagación de una zona de reacción a una velocidad igual o superior que la del sonido en el medio de reacción.

— Anexo. Punto 2.19 RAPQ.

Véase: Detonadores. Explosión. Deflagración. Fulminantes. Industria de explosivos. Pirotecnia. Fulminatos. Incendios.

DETONADORES

1. Artificios con fulminante que sirven para hacer estallar una carga explosiva.

2. Los trabajadores ocupados en las actividades económicas, y expuestos a los agentes o sustancias que a continuación se indican, pueden contraer una Enfermedad Profesional (E.P.), causada por agentes químicos:

- Fabricación de explosivos y detonadores, donde se utilice fósforo y sus compuestos. (Código 1A0509).
- Industria química como agente oxidante, preparación de oxígeno, cloro, fabricación de aditivos alimentarios; utilización como agente antidetonante, donde se utilice manganeso. (Código 1A0614).
- Compuesto antidetonante de la gasolina, donde se utilice bromo. (Código 1C0108).

Por ello, debe realizarse reconocimientos médicos previos y periódicos a dichos trabajadores, con la prohibición de no contratar a los calificados como no aptos para desempeñar los puestos de trabajo de que se trate.

— Artículo 243 LGSS, en relación con RDEP (Anexo I).

Véase: Detonación. Explosión. Deflagración. Fulminantes. Industria de explosivos. Pirotecnia. Fulminatos. Incendios.

DICTÁMENES DE LA UNIÓN EUROPEA

Los dictámenes son instrumentos que permiten a las instituciones hacer declaraciones de manera no vinculante, es decir, sin imponer obligaciones legales a quienes se dirigen.

— Artículos 288 y sig. Tratado de funcionamiento de la Unión Europea, de 1957 (Texto consolidado DOUE. 30.3.10).

Véase: Reglamentos de la U.E. Directivas de la U.E. Decisiones de la U.E. Recomendaciones de la U.E. Convenios de la OIT.

DIMETILFORMAMIDA

La N, N-dimetilformamida (DMF) es un disolvente orgánico que presenta un uso industrial muy extendido a escala mundial debido, en gran medida, a su excelente miscibilidad con agua y los compuestos orgánicos, a excepción de los hidrocarburos alifáticos. Se utiliza en la industria química como disolvente, compuesto intermedio y aditivo. Alrededor del 65-75% de la producción mundial de DMF, estimada en 250000 toneladas por año, se emplea para la elaboración de materiales sintéticos como fibras acrílicas, plásticos y cuero. Otras aplicaciones industriales de esta sustancia química son la fabricación de productos farmacéuticos, adhesivos, películas, tintas de imprenta y como decapante en la industria de pinturas para eliminar revestimientos y barnices. También se usa para la absorción selectiva de gases y la extracción de disolventes en las industrias textil, de la madera, del cuero, del papel y de los plásticos. La N, N-dimetilformamida es un líquido incoloro a temperatura ambiente, muy soluble en agua y de olor desagradable, similar al amoniaco. Es generalmente estable, pero cuando entra en contacto con oxidantes fuertes, halógenos, alquilaluminio o hidrocarburos halogenados (especialmente en combinación con metales), puede reaccionar violentamente y provocar explosiones. Algunas de sus propiedades fisicoquímicas se describen en la tabla 1.

— Nota Técnica de Prevención n.º 579/2001. INSST.

Véase: Sustancias disolventes. Sustancias diluyentes.

DIÓXIDO DE AZUFRE

1. Se encuentra en la utilización de combustibles conteniendo azufre (carbón, madera, gas-oil e, incluso, gases licuados).

Es un gas irritante de las mucosas. Penetra en el organismo por fijación en los líquidos que recubren las membranas del aparato respiratorio, formando ácido sulfuroso y posteriormente ácido sulfúrico. Como acciones tóxicas generales se citan alteraciones del metabolismo proteico y de los carbohidratos, con déficit de las vitaminas B y C y acción sobre el líquido hemático, con formación de metahemoglobina. Aun por debajo de 2 ppm puede desarrollar enfermedades pulmonares e hiperreactividad bronquial en individuos susceptibles. Se le considera un promotor de carcinogénesis.

— Nota Técnica de Prevención n.º 315/1993. INSST.

2. Los trabajadores expuestos al dióxido de azufre (Ácidos inorgánicos) (Código 1D02), pueden contraer una Enfermedad Profesional (E.P.), causada por agentes químicos, en las actividades o trabajos que a continuación se relacionan:

• Combustión del azufre (carburantes fósiles) y refinerías de minerales metálicos. (Código 1D0211).

• Usos como refrigerante, vulcanización de caucho, agente de blanqueo y para la producción de ácido sulfúrico. (Código 1D0212).

Por ello, debe realizarse reconocimientos médicos previos y periódicos a dichos trabajadores, con la prohibición de no contratar a los calificados como no aptos para desempeñar los puestos de trabajo de que se trate.

— Artículo 243 LGSS, en relación con RDEP (Anexo I).

Véase: Azufre. Anhídrido sulfuroso. Sustancias combustibles.

DIÓXIDO DE CARBONO

1. Gas incoloro e inodoro emitido por vehículos de todo tipo y centrales térmicas, al quemar combustibles fósiles (petróleo, carbón, gas, etc.).

El dióxido de carbono (CO_2) se encuentra ampliamente en la naturaleza. Se utiliza como agente extintor eliminando el oxígeno encontrado en ese espacio, e impidiendo que se genere una combustión. En la industria alimentaria, se utiliza en bebidas carbonatadas para darles efervescencia.

2. El dióxido de carbono es un gas incoloro e inodoro que se forma en todos aquellos procesos en que tiene lugar la combustión de sustancias que contienen carbono.

En ambientes interiores no industriales sus principales focos son la respiración humana y el fumar; aunque los niveles de dióxido de carbono también pueden incrementarse por la existencia de otras combustiones (cocinas y calefacción) o por la proximidad de vías de tráfico, garajes o determinadas industrias.

— Nota Técnica de Prevención n.º 549/2000. INSST.

3. Es uno de los máximos responsables de la reacción del efecto invernadero, causante del cambio climático.

4. Los trabajadores ocupados en las actividades económicas, y expuestos a los agentes o sustancias que a continuación se indican, pueden contraer una Enfermedad Profesional (E.P.), causada por agentes químicos:

• Utilización del dióxido de nitrógeno como gas protector en los locales exiguos o mal ventilados. (Código 1T0306).

Por ello, debe realizarse reconocimientos médicos previos y periódicos a dichos trabajadores, con la prohibición de no contratar a los calificados como no aptos para desempeñar los puestos de trabajo de que se trate.

— Artículo 243 LGSS, en relación con RDEP (Anexo I).

Véase: Monóxido de carbono. Carbono. Gas. Ventilación.

DIÓXIDO DE COBRE

Véase: Anhídrido Sulfuroso.

DIÓXIDO DE NITRÓGENO

1. Es un gas irritante del tracto respiratorio superior. A bajas concentraciones puede desarrollar enfermedades pulmonares e hiperreactividad bronquial en individuos susceptibles y en niños de corta edad.

Se encuentra en la combustión producida en la utilización de cocinas, estufas, secadoras y quemadores de gas- oil, etc., y en el humo del tabaco. Su generación aumenta con la temperatura de la combustión.

— Notas Técnicas de Prevención n.º 171/1996. 315/1993. INSST.

2. Recogida de muestras de dióxido y monóxido de nitrógeno.

— Nota Técnica de Prevención n.º 171/1986. INSST.

Véase: Gas. Sustancias irritantes.

DIRECCIÓN FACULTATIVA DE LA OBRA

1. El técnico o técnicos competentes designados por el Promotor, encargados de la dirección y del control de la ejecución de la obra.

— Artículo 3.c LSC.

2. El técnico o técnicos competentes designados por el Promotor para:

• Encargarse de la dirección y del control de la ejecución de la obra.

• Aprobar el Plan de Seguridad y Salud, del contratista, cuando en la ejecución de la obra intervenga una sola empresa, y por ello no sea obligatorio el designar un Coordinador.

• Facilitar y custodiar el Libro de Incidencias de la obra, cuando no sea obligatorio el designar un Coordinador.

— Artículos 2.1.g, 7, 13 RDSSTOC.

2. El director de la ejecución de la obra es el agente que, formando parte de la dirección facultativa, asume la función técnica de dirigir la ejecución material de la obra y de controlar cualitativa y cuantitativamente la construcción y la calidad de lo edificado.

— Artículo 13.1 LOE.

Véase: Deber de Coordinación de actividades preventivas. Empresario concurrente. Coordinador en materia de Seguridad y Salud. Coordinador durante pro-

yecto de obra. Coordinador durante ejecución obra. Medios de coordinación. Recurso preventivo. Empresa externa.

DIRECTIVAS DE LA UNIÓN EUROPEA

Las Directivas de la UE en materia de prevención de riesgos laborales, son adoptadas por el Consejo por mayoría (no unanimidad). Esta circunstancia da lugar a que existan un elevado número de Directivas en esta materia, en contraposición a otras materias sociales.

La Directiva obliga a los Estados miembros (no a los particulares) en lo referente al resultado, dejando libertad a los Estados en cuanto a la forma y los medios para hacerla efectiva. Al no ser directamente aplicables, necesitan de una norma nacional (en España, Ley o Real Decreto) para incorporar su contenido al derecho interno.

—Artículos 288 y sig. Tratado de funcionamiento de la Unión Europea, de 1957 (Texto consolidado DOUE. 30.3.10).

Véase: Reglamentos de la U.E. Decisiones de la U.E. Recomendaciones de la U.E. Dictámenes de la U.E. Convenios de la OIT.

DISCAPACITADOS

Véase: Personas con discapacidad.

DISCOTECAS

1. Local público donde sirven bebidas y se baila al son de música de discos.

2. Los trabajadores ocupados en las actividades económicas, y expuestos a los agentes o sustancias que a continuación se indican, pueden contraer una Enfermedad Profesional (E.P.), causada por agentes físicos:

• Salas de recreación (discotecas, etc.) donde los trabajadores estén expuestos a ruidos continuos y diarios de un nivel sonoro igual o superior a 80 decibelios A, que pueden contraerla E.P. de hipoacusia. (Código 2A0109).

Por ello, debe realizarse reconocimientos médicos previos y periódicos a dichos trabajadores, con la prohibición de no contratar a los calificados como no aptos para desempeñar los puestos de trabajo de que se trate.

— Artículo 243 LGSS, en relación con RDEP (Anexo I).

Véase: Ruido. Camareros. Trabajos en discotecas.

DISCRIMINACIÓN DIRECTA

Cuando una persona sea tratada de manera menos favorable que otra en situación análoga por razón de origen racial o étnico, religión o convicciones, discapacidad, edad u orientación sexual.

Cualquier orden de discriminar a las personas por razón de origen racial o étnico, religión o convicciones, discapacidad, edad u orientación sexual se considerará en todo caso discriminación.

— Artículo 28 LMFAOS.

Véase: Principio de igualdad de trato. Discriminación indirecta. Personas con discapacidad. Trabajadores con discapacidad. Trabajadores especialmente sensibles. Acoso. Acoso sexual. Acoso psicológico.

DISCRIMINACIÓN INDIRECTA

Cuando una disposición legal o reglamentaria, una cláusula convencional o contractual, un pacto individual o una decisión unilateral, aparentemente neutros, puedan ocasionar una desventaja particular a una persona respecto de otras por razón de origen racial o étnico, religión o convicciones, discapacidad, edad u orientación sexual, siempre que objetivamente no respondan a una finalidad legítima y que los medios para la consecución de esta finalidad no sean adecuados y necesarios.

Cualquier orden de discriminar a las personas por razón de origen racial o étnico, religión o convicciones, discapacidad, edad u orientación sexual se considerará en todo caso discriminación.

— Artículo 28 LMFAOS.

Véase: Discriminación directa. Principio de igualdad de trato. Personas con discapacidad. Trabajadores con discapacidad. Trabajadores especialmente sensibles. Acoso. Acoso sexual. Acoso psicológico.

DISPOSITIVO AMOVIBLE DE TRANSMISIÓN MECÁNICA

Componente amovible destinado a la transmisión de potencia entre una máquina automotora o un tractor y una máquina receptora uniéndolos al primer soporte fijo. Cuando se comercialice con el resguardo se debe considerar como un solo producto.

— Artículo 2.2.f RDM.

Véase: Máquinas. Cuasi máquinas.

DISPOSITIVOS DE ANCLAJE

Es un conjunto de elementos o serie de elementos o componentes que incorporan uno o varios puntos de anclaje. La norma recoge seis clases, A1, A2, B, C, D y E.

— Norma UNE-EN 795:1997.

— Norma Técnica de Seguridad n.º 809/2008. INSST.

Véase: Andamios. Plataformas suspendidas. Góndolas. Escaleras manuales.

DISPOSITIVOS DE BLOQUEO

Un dispositivo de bloqueo de una máquina es un mecanismo o aparato que permite el empleo de llaves o combinaciones de cierre (comúnmente candados) que retienen la palanca de un interruptor o una válvula en la posición de cero (sin tensión, fuera de servicio).

El uso de estos dispositivos de bloqueo precisa de un procedimiento de cierre (o bloqueo). El procedimiento de cierre reúne las diversas medidas que deben ser tomadas conjuntamente por la empresa y el trabajador para asegurar el uso adecuado de los dispositivos de enclavamiento.

Los dispositivos de bloqueo deben accionarse siempre antes de realizar operaciones de reparación, ajuste o limpieza de la máquina

— Nota Técnica de Prevención n.º 52/1983. INSST.

Véase: Máquinas. Componente de seguridad. Mando a dos manos. Máquinas: Órganos de accionamiento.

DISPOSITIVOS DE LUCHA CONTRA INCENDIOS

1. Según las dimensiones y el uso de los edificios, los equipos, las características físicas y químicas de las sustancias existentes, así como el número máximo de personas que puedan estar presentes, los lugares de trabajo deberán estar equipados con dispositivos adecuados para combatir los incendios y, si fuere necesario, con detectores contra incendios y sistemas de alarma.

Los dispositivos no automáticos de lucha contra los incendios deberán ser de fácil acceso y manipulación. Dichos dispositivos deberán señalizarse conforme a lo dispuesto en el Real Decreto 485/1997, de 14 de abril, sobre disposiciones mínimas de señalización de seguridad y salud en el trabajo. Dicha señalización deberá fijarse en los lugares adecuados y ser duradera.

— Anexo I. Parte A.11 RDSSLT.

2. Obras de construcción. En los lugares de trabajo de las obras de construcción, y siempre que lo exijan las características de la obra o de la actividad; las circunstancias o cualquier riesgo, deberán existir un número suficiente de dispositivos apropiados de lucha contra incendios y estar debidamente señalizados.

— Anexo IV. Parte A.5 RDSSTOC.

> *Véase: Incendios. Extinción de incendios. Detectores de incendios. Sistemas de alarma. Detectores de humos. Fuego clase: A, B, C, D, E. Radiaciones térmicas. Carga de fuego ponderada. Extintores. Equipos contra incendios.*

DISTRIBUIDORES

1. Toda persona física o jurídica de la cadena de suministro, distinta del fabricante o el importador, que comercializa un vehículo, un sistema, un componente, una unidad técnica independiente, una pieza o un equipo.

— Artículo 3.42 Reglamento (UE) n.º 167/2013.

2. Obligaciones de los distribuidores de vehículos:

• Cuando los distribuidores comercialicen un vehículo, sistema, componente, unidad técnica independiente, pieza o equipo, actuarán con la diligencia debida respecto a los requisitos aplicables del presente Reglamento.

• Antes de comercializar, matricular o poner en servicio un vehículo, sistema, componente o unidad técnica independiente, los distribuidores comprobarán que el vehículo, sistema, componente o unidad técnica independiente lleva el marcado reglamentario o la marca de homologación requerida, que va acompañado de los documentos exigidos y de las instrucciones y la información relativa a la seguridad en la lengua o lenguas oficiales del Estado miembro en el que el vehículo, sistema, componente o unidad técnica independiente se vaya a comercializar, y que el importador y el fabricante han respetado los requisitos establecidos en el artículo 11, apartados 2 y 4, y en el artículo 34, apartados 1 y 2.

• Mientras sean responsables de un vehículo, sistema, componente o unidad técnica independiente, los distribuidores se asegurarán de que las condiciones de almacenamiento o transporte no comprometan el cumplimiento de los requisitos establecidos en el presente Reglamento.

— Artículo 13 Reglamento (UE) n.º 167/2013.

Véase: Fabricantes. Importadores. Representante autorizado. Máquinas: Comercialización. Requisitos esenciales de seguridad y salud. Vigilancia del mercado. Usuario intermedio.

DOCUMENTACIÓN EN MATERIA PREVENTIVA

1. La documentación mínima en materia preventiva que cualquier empresa u organización sea cual sea su actividad, debe elaborar, conservar y mantener a disposición de la Autoridad laboral, estará compuesta por:

- Plan de Seguridad y Salud.
- La Evaluación de riesgos.
- La Planificación de la actividad preventiva.
- Las medidas y material de protección y prevención a adoptar.
- Los resultados de los controles periódicos de las condiciones de trabajo y de la actividad de los trabajadores.
- La relación de accidentes de trabajo y enfermedades profesionales con incapacidad laboral superior a un día.
- Los partes de accidentes de trabajo y enfermedades profesionales.
- La investigación de accidentes.
- El plan de emergencia.
- La auditoría del sistema de prevención.
- La información y la formación en materia de prevención de riesgos laborales facilitada a los trabajadores, que justifique que ha sido recibida por los mismos.
- La práctica de los reconocimientos médicos previos y periódicos.
- ll) Manuales de instrucciones de máquinas y equipos de trabajo.
- Fichas de datos de seguridad de sustancias y preparados peligrosos a disposición de los trabajadores.
- La información facilitada a las contratas que puedan verse afectadas sobre los riesgos existentes en la empresa principal, medidas preventivas a adoptar y medidas de emergencia a aplicar.
- Plan de Seguridad y Salud.

— Artículo 23 LPRL.

— Notas Técnicas de Prevención n.º 484, 485/1998. 591/2001. INSST.

Véase: Obligaciones de documentación e información. Inspección de Trabajo.

DORMITORIOS

Véase: Locales de alojamiento.

DOSÍMETROS DE RADIACIÓN

1. Son medidores de radiación diseñados para medir dosis de radiación acumulada durante un período de tiempo y normalmente se utilizan para medir la dosis a que está expuesto el personal que trabaja, o que permanece en zonas en las que existe riesgo de irradiación.

De acuerdo con el principio de funcionamiento pueden ser: de cámara de ionización, de película fotográfica o de termoluminiscencia. Estos últimos son los más utilizados, ya que permiten leer la dosis recibida y acumulada en un período largo de tiempo, normalmente de un mes.

— Nota Técnica de Prevención n.º 614/2003. INSST.

Véase: Aparatos medidores. Radiaciones. Exposición radiante. Radiaciones ópticas. Radiaciones microondas. Radiaciones infrarrojas. Radiaciones visibles. Radiaciones ultravioleta. Energía radiante. Radancia. Irradancia. Radiaciones ionizantes. Rayos X. Trabajos con exposición a rayos X. Rayos gamma. Rayos cósmicos. Radioactividad. Radiaciones laser. Radiación incoherente. Radiaciones térmicas. Instalaciones nucleares. Instalaciones radioactivas. E.P. por energía radiante. E.P. por radiaciones ionizantes.

DRAGAR

1. Ahondar y limpiar con draga los puertos, los ríos, etc. Draga: Máquina que se emplea para ahondar y limpiar los puertos, ríos, canales, etc., extrayendo de ellos fango, piedras, arena, etc. Aparato que se emplea para recoger productos marinos, arrastrándolo por el fondo del mar.

2. Los trabajadores ocupados en las actividades económicas, y expuestos a los agentes o sustancias que a continuación se indican, pueden contraer una Enfermedad Profesional (E.P.), causada por agentes físicos:

• Motores diésel, en particular en las dragas y los vehículos de transportes de ruta, ferroviarios y marítimos, donde el trabajador este expuesto a ruidos continuos y diarios de un nivel sonoro igual o superior a 80 decibelios A, que puede contraer la E.P. de hipoacusia, causada por agentes físicos. (Código 2A0111).

Por ello, debe realizarse reconocimientos médicos previos y periódicos a dichos trabajadores, con la prohibición de no contratar a los calificados como no aptos para desempeñar los puestos de trabajo de que se trate.

— Artículo 243 LGSS, en relación con RDEP (Anexo I).

Véase: Obras públicas. Construcción. Limpieza.

DUCHAS

1. Los lugares de trabajo dispondrán de duchas de agua corriente, caliente y fría, cuando se realicen habitualmente trabajos sucios, contaminantes o que originen elevada sudoración. En tales casos, se suministrarán a los trabajadores los medios especiales de limpieza que sean necesarios.

— Anexo V. Parte A.2 RDSSLT.

2. Duchas en las obras de construcción: Cuando el tipo de actividad o la salubridad lo requieran, se deberán poner a disposición de los trabajadores duchas apropiadas y en número suficiente. Las duchas deberán tener dimensiones suficientes para permitir que cualquier trabajador se asee sin obstáculos y en adecuadas condiciones de higiene. Las duchas deberán disponer de agua corriente, caliente y fría.

Cuando, con arreglo al párrafo primero de este apartado, no sean necesarias duchas, deberá haber lavabos suficientes y apropiados con agua corriente, caliente si fuere necesario, cerca de los puestos de trabajo y de los vestuarios.

Si las duchas o los lavabos y los vestuarios estuvieren separados, la comunicación entre unos y otros deberá ser fácil.

Los vestuarios, duchas, lavabos y retretes estarán separados para hombres y mujeres, o deberá preverse una utilización por separado de los mismos.

— Anexo IV. Parte A.15 RDSSTOC.

3. Los lugares de trabajo en las obras de construcción, deberán estar acondicionados teniendo en cuenta, en su caso, a los trabajadores discapacitados. Esta disposición se aplicará, en particular, a las puertas, vías de circulación, escaleras, duchas, lavabos, retretes y lugares de trabajo utilizados u ocupados directamente por trabajadores discapacitados.

— Anexo IV. Parte A.18 RDSSTOC.

Véase: Agua potable. Lavabos. Retretes. Locales de aseo. Locales de vestuarios.

DUMPER

1. Dumper o motovolquete es una máquina autopropulsada sobre ruedas o cadenas, con una caja abierta que transporta, vuelca o extiende materiales, utilizado, principalmente, en el interior y aledaños de las obras de construcción.

— Notas Técnicas de Prevención n.º 76/1983. 981/2013. INSST.

2. La exigencia de cualificación para el manejo de camiones, tractores grúas y demás maquinaria no es de aplicación a los dumper o motovolquetes, para los que solo se exige la categoría de peón especializado.

— STSJ Galicia 14.4.99.

3. Procede la imposición del recargo en las prestaciones económicas de la Seguridad Social:

• Por falta de dispositivo sonoro de marcha atrás, que produjo el atropello del trabajador.

— STSJ Murcia 5.10.98.

— STSJ Burgos 7.6.99.

4. No procede la imposición del recargo en las prestaciones económicas de la Seguridad Social:

• Cuando una carretilla que circulaba de espaldas y gran velocidad, conducida por un compañero de trabajo, colisiona contra la transpaleta conducida por el trabajador accidentado, porque ello solo es imputable al conductor.

— STSJ Granada 27.5.03.

Véase: Carretillas elevadoras automotoras. Palas cargadoras. Trabajos con palas mecánicas. Construcción. Obras públicas. Excavadoras. Excavaciones.

E

E.P. ENFERMEDADES PROFESIONALES DE AUTÓNOMOS

Se entenderá, por enfermedad profesional la contraída a consecuencia del trabajo ejecutado por cuenta propia, que esté provocada por la acción de los elementos y sustancias y en las actividades que se especifican en la lista de enfermedades profesionales con las relaciones de las principales actividades capaces de producirlas, anexa al Real Decreto 1299/2006, de 10 de noviembre, por el que se aprueba el cuadro de enfermedades profesionales en el sistema de la Seguridad Social y se establecen criterios para su notificación y registro.

— Artículo 316.2 LGSS.

— Artículo 26.1 LETA

> Véase: E.P: Enfermedades Profesionales.

ENFERMEDADES PROFESIONALES: COMUNICACIÓN

> Véase: Comunicación de la Enfermedades Profesionales.

E.P. ENFERMEDADES PROFESIONALES

1. Se entenderá por enfermedad profesional la contraída a consecuencia del trabajo ejecutado por cuenta ajena (o cuenta propia, en virtud artículo 26.1 LETA), en las actividades que se especifiquen en el cuadro de enfermedades profesionales, aprobado por el RDEP, y que esté provocada por la acción de los elementos y sustancias que en dicho cuadro se indican para cada enfermedad profesional.

— Artículo 157 LGSS.

2. Cuando se dan los tres elementos (actividad, agente causante y enfermedad), la jurisprudencia reconoce una presunción «*iuris et de iure*» para calificar la enfermedad como profesional.

— STS 25.11.92, 14.2.06.

— STSJ Andalucía/Málaga 27.12.94.

— STSJ Asturias 11.5.01.

— STSJ Cataluña 27.9.06.

3. La Jurisprudencia entiende que la redacción del RDEP, permite entender los conceptos de «actividades», de «agentes causantes», e incluso, de Enfermedades Profesionales, como conceptos flexibles y abiertos:

- Actividad (profesión, categoría profesional):
  — STSJ País Vasco 27.2.01.

  — STSJ Madrid 17.5.04.

  — STSJ Castilla-León/Valladolid 10.10.05.

- Agente causante:
  — STSJ Galicia 30.6.93.

  — STSJ País Vasco 19.3.96.

  — STSJ Cantabria 7.7.99.

- Enfermedad Profesional: En la mayoría de los casos no se describe la E.P, salvo grupos 4, 5 y 6.

4. En virtud de la Disposición Final Primera del RDEP, el Ministerio de Trabajo elaborará una guía de los síntomas y patologías relacionados con el agente causante de la E.P., que sirva como fuente de información y ayuda para su diagnóstico.

— STS 26.6.08.

— STSJ Canarias/Las Palmas 9.3.93.

— STSJ Aragón 21.4.03.

— En sentido contrario STSJ Murcia 18.5.93. STSJ País Vasco 13.10.94.

Véase: E.P: Enfermedades Profesionales de autónomos. Parte de Enfermedad Profesional. Comunicación de las Enfermedades Profesionales.

E.P. AFECCIONES FIBROSANTES DE LA PLEURA Y PERICARDIO

1. Los trabajadores expuestos a la inhalación de polvos de amianto (asbesto) (Código 4C02), pueden contraer la Enfermedad Profesional (E.P.) de afecciones fibrosantes de la pleura y pericardio, en las actividades o trabajos que a continuación se relacionan:

- Trabajos de extracción, manipulación y tratamiento de minerales o rocas amiantíferas. (Código 4C0201).
- Fabricación de tejidos, cartones y papeles de amianto. (Código 4C0202).
- Tratamiento preparatorio de fibras de amianto (cardado, hilado, tramado, etc.). (Código 4C0203).
- Aplicación de amianto a pistola (chimeneas, fondos de automóviles y vagones). (Código 4C0204).
- Trabajos de aislamiento térmico en construcción naval y de edificios y su destrucción. (Código 4C0205).
- Fabricación de guarniciones para frenos y embragues, de productos de fibrocemento, de equipos contra incendios, de filtros y cartón de amianto, de juntas de amianto y caucho. (Código 4C0206).
- Desmontaje y demolición de instalaciones que contengan amianto. (Código 4C0207).
- Carga, descarga o transporte de mercancías que pudieran contener fibras de amianto. (Código 4C0208).

Por ello, debe realizarse reconocimientos médicos previos y periódicos a dichos trabajadores, con la prohibición de no contratar a los calificados como no aptos para desempeñar los puestos de trabajo de que se trate.

— Artículo 243 LGSS, en relación con RDEP (Anexo I).

Véase: E.P. asbestosis. Amianto.

E.P. ALVEOLITIS ALÉRGICA EXTRÍNSECA (O NEUMONITIS DE HIPERSENSIBILIDAD)

1. La alveolitis alérgica extrínseca, también llamada neumonitis por hipersensibilidad, son un conjunto de enfermedades pulmonares difusas en las que la reacción inmunitaria y la respuesta de los tejidos, ocurren en el bronquiolo terminal, alvéolo o intersticio pulmonar, respetando las vías aéreas de mayor calibre.

2. La neumonitis por hipersensibilidad, también conocidas como alveolitis alérgica extrínseca puede definirse como una enfermedad pulmonar de base inmunológica producida por una amplia gama de antígenos que llegan al pulmón por vía inhalatoria, vehiculizados por polvos orgánicos e inorgánicos de procedencia diversa, generalmente de origen ocupacional, y que dan lugar a enfermedades cuyos nombres suelen hacer referencia a la actividad laboral que desarrollan las personas expuestas.

— Nota Técnica de Prevención n.º 802/2008. INSST.

3. Los trabajadores expuestos a sustancias de alto peso molecular (sustancias de origen vegetal, animal, microorganismos, y sustancias enzimáticas de origen vegetal, animal y/o de microorganismos) (Código 4H03), y a sustancias de bajo peso molecular (metales y sus sales, polvos de maderas, productos farmacéuticos, sustancias químico plásticas, aditivos, etc.) (Código 4I04), pueden contraer la Enfermedad Profesional (E.P.) de alveolitis alérgica extrínseca o neumonitis de hipersensibilidad, en las actividades o trabajos que a continuación se relacionan:

- Industria alimenticia, panadería, industria de la cerveza. (Código 4H0301).
- Industria del té, industria del café, industria del aceite. (Código 4H0302).
- Industria del lino. (Código 4H0303).
- Industria de la malta. (Código 4H0304).
- Procesamiento de canela. (Código 4H0305).
- Procesamiento de la soja. (Código 4H0306).
- Elaboración de especias. (Código 4H0307).
- Molienda de semillas. (Código 4H0308).
- Lavadores de queso. (Código 4H0309).
- Manipuladores de enzimas. (Código 4H0310).
- Trabajadores de silos y molinos. (Código 4H0311).
- Trabajos de agricultura. (Código 4H0312).
- Granjeros, ganaderos, veterinarios y procesadores de carne. (Código 4H0313).
- Trabajos en avicultura. (Código 4H0314).
- Trabajos en piscicultura. (Código 4H0315).
- Industria química. (Código 4H0316).
- Industria del plástico, industria del látex. (Código 4H0317).
- Industria farmacéutica. (Código 4H0318).
- Industria textil. (Código 4H0319).
- Industria del papel. (Código 4H0320).
- Industria del cuero. (Código 4H0321).
- Industria de la madera: aserraderos, carpintería, acabados de madera. (Código 4H0322).
- Personal sanitario, higienistas dentales. (Código 4H0323).
- Personal de laboratorios médicos y farmacéuticos. (Código 4H0324).
- Trabajos con harinas de pescado y piensos compuestos. (Código 4H0325).
- Personal de zoológicos, entomólogos. (Código 4H0326).
- Encuadernadores. (Código 4H0327).
- Personal de limpieza. (Código 4H0328).
- Trabajos en los que se manipula cáñamo, bagazo de caña de azúcar, yute, lino, esparto, sisal y corcho. (Código 4H0329).
- Construcción. (Código 4H0330).
- Aplicación de pinturas, pigmentos etc., mediante aerografía. (Código 4H0331).
- Industria del cuero. (Código 4I0401).
- Industria química. (Código 4I0402).

- Industria textil. (Código 410403).
- Industria cosmética y farmacéutica. (Código 410404).
- Trabajos de peluquería. (Código 410405).
- Fabricación de resinas y endurecedores. (Código 410406).
- Trabajos en fundiciones. (Código 410407).
- Fijado y revelado de fotografía. (Código 410408).
- Fabricación y aplicación de lacas, pinturas, colorantes, adhesivos, barnices, esmaltes. (Código 410409).
- Industria electrónica. (Código 410410).
- Industria aeronáutica. (Código 410411).
- Industria del plástico. (Código 410412).
- Industria del caucho. (Código 410413).
- Industria del papel. (Código 410414).
- Industria de la madera: Aserraderos, acabados de madera, carpintería, ebanistería, fabricación y utilización de conglomerados de madera. (Código 410415).
- Fabricación de espumas de poliuretano y su aplicación en estado líquido. (Código 410416).
- Fabricación de látex. (Código 410417).
- Trabajos de aislamiento y revestimiento. (Código 410418).
- Trabajos de laboratorio. (Código 410419).
- Trabajos en fotocopiadoras. (Código 410420).
- Dentistas. (Código 410421).
- Personal sanitario: enfermería, anatomía patológica, laboratorio. (Código 410422).
- Flebología, granjeros, fumigadores. (Código 410423).
- Refinería de platino. (Código 410424).
- Galvanizado, plateado, niquelado y cromado de metales. (Código 410425).
- Soldadores. (Código 410426).
- Industria del aluminio. (Código 410427).
- Trabajos de joyería. (Código 410428).
- Trabajos con acero inoxidable. (Código 410429).
- Personal de limpieza. (Código 410430).
- Trabajadores sociales. (Código 410431).
- Trabajadores que se dedican al cuidado de personas y asimilados. (Código 410432).
- Aplicación de pinturas, pigmentos, etc., mediante aerografía. (Código 410433).

Por ello, debe realizarse reconocimientos médicos previos y periódicos a dichos trabajadores, con la prohibición de no contratar a los calificados como no aptos para desempeñar los puestos de trabajo de que se trate.

— Artículo 243 LGSS, en relación con RDEP (Anexo I).

Véase: E.P. rinoconjuntivitis. E.P. asma. E.P. fibrosis intersticial difusa. E.P. neumopatía intersticial difusa. E.P. síndrome de difusión reactivo de la vía aérea. E.P. bisinosis. E.P. cannabiosis. E.P. linnosis. E.P. bagazosis. E.P. estipatosis. E.P. suberosis. E.P. urticaria. E.P. angioedemas. E.P. síndrome de disfunción de la vía reactiva. E.P. fiebre de los metales.

E.P. AMEBIASIS

1. Enfermedad del hombre y de los animales producida por protozoos del tipo de las amebas.

2. Los trabajadores ocupados en las actividades económicas, y expuestos a los agentes o sustancias que a continuación se indican, pueden contraer la Enfermedad Profesional (E.P.) de amebiasis, causada por agentes biológicos:

> • Trabajos desarrollados en zonas endémicas, con exposición a agentes biológicos, que pueden provocar E.P. infecciosas como, paludismo, amebiasis, tripanosomiasis, dengue, fiebre amarilla, fiebre papataci, fiebre recurrente, peste, lesishmaniosis, pian, tifus exantemático, borrelias y otras ricketsiosis. (Código 3C0101).

Por ello, debe realizarse reconocimientos médicos previos y periódicos a dichos trabajadores, con la prohibición de no contratar a los calificados como no aptos para desempeñar los puestos de trabajo de que se trate.

— Artículo 243 LGSS, en relación con RDEP (Anexo I).

Véase: Enfermedades infecciosas. E.P. infecciosas.

E.P. ANGIOEDEMAS

1. Hinchazón blanda de una parte del cuerpo, que cede a la presión y es ocasionada por la serosidad infiltrada en el tejido celular. Se caracterizan por la rápida tumefacción (edema) de la piel, las mucosas y los tejidos submucosos. Existe una forma hereditaria, debida a la deficiencia de la proteína sanguínea inhibidor C1. Esta forma se denomina angioedema hereditario, la cual se debe a una deficiencia del inhibidor de la esterasa C1.

2. Los trabajadores expuestos a la inhalación de sustancias de bajo peso molecular (metales y sus sales, polvos de maderas, productos farmacéuticos, sustancias químico plásticas, aditivos, etc.) (Código 4102), pueden contraer la Enfermedad Profesional (E.P.) de angioedema, en las actividades o trabajos que a continuación se relacionan:

- • Industria del cuero. (Código 410201).
- • Industria química. (Código 410202).
- • Industria textil. (Código 410203).
- • Industria cosmética y farmacéutica. (Código 410204).
- • Trabajos de peluquería. (Código 410205).
- • Fabricación de resinas y endurecedores. (Código 410206).
- • Trabajos en fundiciones. (Código 410207).
- • Fijado y revelado de fotografía. (Código 410208).
- • Fabricación y aplicación de lacas, pinturas, colorantes, adhesivos, barnices, esmaltes. (Código 410209).
- • Industria electrónica. (Código 410210).
- • Industria aeronáutica. (Código 410211).
- • Industria del plástico. (Código 410212).
- • Industria del caucho. (Código 410213).
- • Industria del papel. (Código 410214).
- • Industria de la madera: Aserraderos, acabados de madera, carpintería, ebanistería, fabricación y utilización de conglomerados de madera. (Código 410215).
- • Fabricación de espumas de poliuretano y su aplicación en estado líquido. (Código 410216).

- Fabricación de látex. (Código 4I0217).
- Trabajos de aislamiento y revestimiento. (Código 4I0218).
- Trabajos de laboratorio. (Código 4I0219).
- Trabajos en fotocopiadoras. (Código 4I0220).
- Dentistas. (Código 4I0221).
- Personal sanitario: enfermería, anatomía patológica, laboratorio. (Código 4I0222).
  - Flebología, granjeros, fumigadores. (Código 4I0223).
  - Refinería de platino. (Código 4I0224).
  - Galvanizado, plateado, niquelado y cromado de metales. (Código 4I0225).
  - Soldadores. (Código 4I0226).
  - Industria del aluminio. (Código 4I0227).
  - Trabajos de joyería. (Código 4I0228).
  - Trabajos con acero inoxidable. (Código 4I0229).
  - Personal de limpieza. (Código 4I0230).
  - Trabajadores sociales. (Código 4I0231).
  - Trabajadores que se dedican al cuidado de personas y asimilados. (Código 4I0232).
  - Aplicación de pinturas, pigmentos, etc., mediante aerografía. (Código 4I0233).

Por ello, debe realizarse reconocimientos médicos previos y periódicos a dichos trabajadores, con la prohibición de no contratar a los calificados como no aptos para desempeñar los puestos de trabajo de que se trate.

— Artículo 243 LGSS, en relación con RDEP (Anexo I).

> Véase: E.P. rinoconjuntivitis. E.P. asma. E.P. alveolitis alérgica extrínseca. E.P. fibrosis intersticial difusa. E.P. neumopatía intersticial difusa. E.P. síndrome de difusión reactivo de la vía aérea. E.P. bisinosis. E.P. cannabiosis. E.P. linnosis. E.P. bagazosis. E.P. estipatosis. E.P. suberosis. E.P. urticaria. E.P. síndrome de disfunción de la vía reactiva. E.P. fiebre de los metales.

E.P. ANGIOSARCOMA DE HÍGADO

1. El angiosarcoma es un tipo de cáncer que se origina en la capa más interna de los vasos sanguíneos, o vasos linfáticos, de cualquier tejido del organismo. Aparece con más frecuencia en áreas de la cabeza, cuello, mama, huesos, hígado y bazo.

2. Los trabajadores expuestos al arsénico (Código 6C) y al cloruro de vinilo monómero (Código 6H), pueden contraer la Enfermedad Profesional (E.P.) de angiosarcoma de hígado (Código 6C04, 6H02), en las actividades o trabajos que a continuación se relacionan:

a) Donde se utilice arsénico.

- Minería del arsénico, fundición de cobre, producción de cobre. (Código 6C0401).
  - Decapado de metales y limpieza de metales, donde. (Código 6C0402).
  - Revestimiento electrolítico de metales. (Código 6C0403).
  - 4.Calcinación, fundición y refino de minerales arseníferos. (Código 6C0404).
  - Producción y uso de pesticidas arsenicales, herbicidas e insecticidas. (Código 6C0405).

• Fabricación y empleo de colorantes y pinturas que contengan compuestos de arsénico. (Código 6C0406).

• Industria de colorantes arsenicales. (Código 6C0407).

• Aleación de arsénico con otros metales (Pb). (Código 6C0408).

• Refino de Cu, Pb, Zn, Co (presente como impureza). (Código 6C0409).

• Tratamiento de cueros y maderas con agentes de conservación a base de compuestos arsenicales. (Código 6C0410).

• Conservación de pieles. (Código 6C0411).

• Taxidermia. (Código 6C0412).

• Pirotecnia. (Código 6C0413).

• Fabricación de municiones y baterías de polarización. (Código 6C0414).

• Industria farmacéutica. (Código 6C0415).

• Preparación del ácido sulfúrico partiendo de piritas arseníferas. (Código 6C0416).

• Empleo del anhídrido arsenioso en la fabricación del vidrio. (Código 6C0417).

• Fabricación de acero al silicio. (Código 6C0418).

• Desincrustado de calderas. (Código 6C0419).

• Industria de caucho. (Código 6C0420).

• Fabricación de vidrio: preparación y mezcla de la pasta, fusión y colada, manipulación de aditivos. (Código 6C0421).

• Restauradores de arte. (Código 6C0422).

• Utilización de compuestos arsenicales en electrónica. (Código 6C0423).

b) Donde se utilice cloruro de vinilo:
• Producción y polimerización de cloruro de vinilo. (Código 6H0201)

Por ello, debe realizarse reconocimientos médicos previos y periódicos a dichos trabajadores, con la prohibición de no contratar a los calificados como no aptos para desempeñar los puestos de trabajo de que se trate.

— Artículo 243 LGSS, en relación con RDEP (Anexo I).

Véase: Arsénico. Cloruro de vinilo.

E.P. APÓFISIS ESPINOSA

1. Las apófisis espinosas son prominencias óseas o proyecciones que surgen de la parte posterior de las láminas de las vértebras. Protegen por delante al canal medular que alberga la médula espinal y a ambos lados se insertan potentes músculos del tronco.

2. Los trabajadores expuestos a posturas forzadas y movimientos repetitivos en el trabajo, pueden contraer la Enfermedad Profesional (E.P.) de apófisis espinosa por fatiga, causada por agentes físicos, en las actividades o trabajos que a continuación se relacionan:

• Trabajos de apaleo o de manipulación de cargas pesadas. (Código 2E0101).

Por ello, debe realizarse reconocimientos médicos previos y periódicos a dichos trabajadores, con la prohibición de no contratar a los calificados como no aptos para desempeñar los puestos de trabajo de que se trate.

— Artículo 243 LGSS, en relación con RDEP (Anexo I).

Véase: Fatiga. Transporte manual de cargas.

E.P. ASBESTOSIS

1. La asbestosis es una enfermedad crónica del pulmón causada por la inhalación de fibras de amianto.

2. Los trabajadores expuestos a la inhalación de polvos de amianto (asbesto), pueden contraer la Enfermedad Profesional (E.P.) de asbestosis, en las actividades o trabajos que a continuación se relacionan:

• Trabajos de extracción, manipulación y tratamiento de minerales o rocas amiantíferas. (Código 4C0101).

• Fabricación de tejidos, cartones y papeles de amianto. (Código 4C0102).

• Tratamiento preparatorio de fibras de amianto (cardado, hilado, tramado, etc.). (Código 4C0103).

• Aplicación de amianto a pistola (chimeneas, fondos de automóviles y vagones). (Código 4C0104).

• Trabajos de aislamiento térmico en construcción naval y de edificios y su destrucción. (Código 4C0105).

• Fabricación de guarniciones para frenos y embragues, de productos de fibrocemento, de equipos contra incendios, de filtros y cartón de amianto, de juntas de amianto y caucho. (Código 4C0106).

• Desmontaje y demolición de instalaciones que contengan amianto. (Código 4C0107).

• Carga, descarga o transporte de mercancías que pudieran contener fibras de amianto. (Código 4C0108).

Por ello, debe realizarse reconocimientos médicos previos y periódicos a dichos trabajadores, con la prohibición de no contratar a los calificados como no aptos para desempeñar los puestos de trabajo de que se trate.

— Artículo 243 LGSS, en relación con RDEP (Anexo I).

Véase: Amianto.

E.P. ASMA

1. Enfermedad inflamatoria que afecta a los bronquios, caracterizada por accesos ordinariamente nocturnos e infebriles, con respiración difícil y anhelante, tos, expectoración escasa y espumosa, y silbidos respiratorios.

2. Los trabajadores expuestos a la inhalación de sustancias de alto peso molecular (sustancias de origen vegetal, animal, microorganismos, y sustancias enzimáticas de origen vegetal, animal y/o de microorganismos) (Código 4H02), y a sustancias de bajo peso molecular (metales y sus sales, polvos de maderas, productos farmacéuticos, sustancias químico plásticas, aditivos, etc.) (Código 4I03), pueden contraer la Enfermedad Profesional (E.P.) de asma, en las actividades o trabajos que a continuación se relacionan:

• Industria alimenticia, panadería, industria de la cerveza. (Código 4H0201).

- Industria del té, industria del café, industria del aceite. (Código 4H0202).
- Industria del lino. (Código 4H0203).
- Industria de la malta. (Código 4H0204).
- Procesamiento de canela. (Código 4H0205).
- Procesamiento de la soja. (Código 4H0206).
- Elaboración de especias. (Código 4H0207).
- Molienda de semillas. (Código 4H0208).
- Lavadores de queso. (Código 4H0209).
- Manipuladores de enzimas. (Código 4H0210).
- Trabajadores de silos y molinos. (Código 4H0211).
- Trabajos de agricultura. (Código 4H0212).
- Granjeros, ganaderos, veterinarios y procesadores de carne. (Código 4H0213).
- Trabajos en avicultura. (Código 4H0214).
- Trabajos en piscicultura. (Código 4H0215).
- Industria química. (Código 4H0216).
- Industria del plástico, industria del látex. (Código 4H0217).
- Industria farmacéutica. (Código 4H0218).
- Industria textil. (Código 4H0219).
- Industria del papel. (Código 4H0220).
- Industria del cuero. (Código 4H0221).
- Industria de la madera: aserraderos, carpintería, acabados de madera. (Código 4H0222).
- Personal sanitario, higienistas dentales. (Código 4H0223).
- Personal de laboratorios médicos y farmacéuticos. (Código 4H0224).
- Trabajos con harinas de pescado y piensos compuestos. (Código 4H0225).
- Personal de zoológicos, entomólogos. (Código 4H0226).
- Encuadernadores. (Código 4H0227).
- Personal de limpieza. (Código 4H0228).
- Trabajos en los que se manipula cáñamo, bagazo de caña de azúcar, yute, lino, esparto, sisal y corcho. (Código 4H0229).
- Construcción. (Código 4H0230).
- Aplicación de pinturas, pigmentos etc., mediante aerografía. (Código 4H0231).
- Industria del cuero. (Código 4I0301).
- Industria química. (Código 4I0302).
- Industria textil. (Código 4I0303).
- Industria cosmética y farmacéutica. (Código 4I0304).
- Trabajos de peluquería. (Código 4I0305).
- Fabricación de resinas y endurecedores. (Código 4I0306).
- Trabajos en fundiciones. (Código 4I0307).
- Fijado y revelado de fotografía. (Código 4I0308).
- Fabricación y aplicación de lacas, pinturas, colorantes, adhesivos, barnices, esmaltes. (Código 4I0309).
- Industria electrónica. (Código 4I0310).
- Industria aeronáutica. (Código 4I0311).
- Industria del plástico. (Código 4I0312).
- Industria del caucho. (Código 4I0313).
- Industria del papel. (Código 4I0314).

• Industria de la madera: Aserraderos, acabados de madera, carpintería, ebanistería, fabricación y utilización de conglomerados de madera. (Código 4I0315).

• Fabricación de espumas de poliuretano y su aplicación en estado líquido. (Código 4I0316).

• Fabricación de látex. (Código 4I0317).

• Trabajos de aislamiento y revestimiento. (Código 4I0318).

• Trabajos de laboratorio. (Código 4I0319).

• Trabajos en fotocopiadoras. (Código 4I0320).

• Dentistas. (Código 4I0321).

• Personal sanitario: enfermería, anatomía patológica, laboratorio. (Código 4I0322).

• Flebología, granjeros, fumigadores. (Código 4I0323).

• Refinería de platino. (Código 4I0324).

• Galvanizado, plateado, niquelado y cromado de metales. (Código 4I0325).

• Soldadores. (Código 4I0326).

• Industria del aluminio. (Código 4I0327).

• Trabajos de joyería. (Código 4I0328).

• Trabajos con acero inoxidable. (Código 4I0329).

• Personal de limpieza. (Código 4I0330).

• Trabajadores sociales. (Código 4I0331).

• Trabajadores que se dedican al cuidado de personas y asimilados. (Código 4I0332).

• Aplicación de pinturas, pigmentos, etc., mediante aerografía. (Código 4I0333).

Por ello, debe realizarse reconocimientos médicos previos y periódicos a dichos trabajadores, con la prohibición de no contratar a los calificados como no aptos para desempeñar los puestos de trabajo de que se trate.

— Artículo 243 LGSS, en relación con RDEP (Anexo I).

Véase: E.P. rinoconjuntivitis. E.P. alveolitis alérgica extrínseca. E.P. fibrosis intersticial difusa. E.P. neumopatía intersticial difusa. E.P. síndrome de difusión reactivo de la vía aérea. E.P. bisinosis. E.P. cannabiosis. E.P. linnosis. E.P. bagazosis. E.P. estipatosis. E.P. suberosis. E.P. urticaria. E.P. angioedemas. E.P. síndrome de disfunción de la vía reactiva. E.P. fiebre de los metales. Ácaros.

E.P. BAGAZOSIS

1. Enfermedad pulmonar producida por la inhalación del polvo de la fibra de la caña de azúcar seca (bagazo) enmohecido.

2. Los trabajadores expuestos a sustancias de alto peso molecular (sustancias de origen vegetal, animal, microorganismos, y sustancias enzimáticas de origen vegetal, animal y/o de microorganismos) (Código 4H06), pueden contraer la Enfermedad Profesional (E.P.) de bagazosis, en las actividades o trabajos que a continuación se relacionan:

• Industria alimenticia, panadería, industria de la cerveza. (Código 4H0601).

• Industria del té, industria del café, industria del aceite. (Código 4H0602).

• Industria del lino. (Código 4H0603).

• Industria de la malta. (Código 4H0604).

• Procesamiento de canela. (Código 4H0605).

• Procesamiento de la soja. (Código 4H0606).

- Elaboración de especias. (Código 4H0607).
- Molienda de semillas. (Código 4H0608).
- Lavadores de queso. (Código 4H0609).
- Manipuladores de enzimas. (Código 4H0610).
- Trabajadores de silos y molinos. (Código 4H0611).
- Trabajos de agricultura. (Código 4H0612).
- Granjeros, ganaderos, veterinarios y procesadores de carne. (Código 4H0613).
- Trabajos en avicultura. (Código 4H0614).
- Trabajos en piscicultura. (Código 4H0615).
- Industria química. (Código 4H0616).
- Industria del plástico, industria del látex. (Código 4H0617).
- Industria farmacéutica. (Código 4H0618).
- Industria textil. (Código 4H0619).
- Industria del papel. (Código 4H0620).
- Industria del cuero. (Código 4H0621).
- Industria de la madera: aserraderos, carpintería, acabados de madera. (Código 4H0622).
- Personal sanitario, higienistas dentales. (Código 4H0623).
- Personal de laboratorios médicos y farmacéuticos. (Código 4H0624).
- Trabajos con harinas de pescado y piensos compuestos. (Código 4H0625).
- Personal de zoológicos, entomólogos. (Código 4H0626).
- Encuadernadores. (Código 4H0627).
- Personal de limpieza. (Código 4H0628).
- Trabajos en los que se manipula cáñamo, bagazo de caña de azúcar, yute, lino, esparto, sisal y corcho. (Código 4H0629).
- Construcción. (Código 4H0630).
- Aplicación de pinturas, pigmentos etc., mediante aerografía. (Código 4H0631).

Por ello, debe realizarse reconocimientos médicos previos y periódicos a dichos trabajadores, con la prohibición de no contratar a los calificados como no aptos para desempeñar los puestos de trabajo de que se trate.

— Artículo 243 LGSS, en relación con RDEP (Anexo I).

Véase: E.P. rinoconjuntivitis. E.P. asma. E.P. alveolitis alérgica extrínseca. E.P. fibrosis intersticial difusa. E.P. neumopatía intersticial difusa. E.P. síndrome de difusión reactivo de la vía aérea. E.P. bisinosis. E.P. cannabiosis. E.P. linnosis. E.P. estipatosis. E.P. suberosis. E.P. urticaria. E.P. angioedemas. E.P. síndrome de disfunción de la vía reactiva. E.P. fiebre de los metales.

E.P. BISINOSIS

1. Afección pulmonar producida por la inhalación del polvo del algodón.

2. Los trabajadores expuestos a la inhalación de sustancias de alto peso molecular (sustancias de origen vegetal, animal, microorganismos, y sustancias enzimáticas de origen vegetal, animal y/o de microorganismos), pueden contraer la Enfermedad Profesional (E.P.) de bisinosis, en las actividades o trabajos que a continuación se relacionan:

- Industria alimenticia, panadería, industria de la cerveza. (Código 4H0601).
- Industria del té, industria del café, industria del aceite. (Código 4H0602).
- Industria del lino. (Código 4H0603).

- Industria de la malta. (Código 4H0604).
- Procesamiento de canela. (Código 4H0605).
- Procesamiento de la soja. (Código 4H0606).
- Elaboración de especias. (Código 4H0607).
- Molienda de semillas. (Código 4H0608).
- Lavadores de queso. (Código 4H0609).
- Manipuladores de enzimas. (Código 4H0610).
- Trabajadores de silos y molinos. (Código 4H0611).
- Trabajos de agricultura. (Código 4H0612).
- Granjeros, ganaderos, veterinarios y procesadores de carne. (Código 4H0613).
- Trabajos en avicultura. (Código 4H0614).
- Trabajos en piscicultura. (Código 4H0615).
- Industria química. (Código 4H0616).
- Industria del plástico, industria del látex. (Código 4H0617).
- Industria farmacéutica. (Código 4H0618).
- Industria textil. (Código 4H0619).
- Industria del papel. (Código 4H0620).
- Industria del cuero. (Código 4H0621).
- Industria de la madera: aserraderos, carpintería, acabados de madera. (Código 4H0622).
- Personal sanitario, higienistas dentales. (Código 4H0623).
- Personal de laboratorios médicos y farmacéuticos. (Código 4H0624).
- Trabajos con harinas de pescado y piensos compuestos. (Código 4H0625).
- Personal de zoológicos, entomólogos. (Código 4H0626).
- Encuadernadores. (Código 4H0627).
- Personal de limpieza. (Código 4H0628).
- Trabajos en los que se manipula cáñamo, bagazo de caña de azúcar, yute, lino, esparto, sisal y corcho. (Código 4H0629).
- Construcción. (Código 4H0630).
- Aplicación de pinturas, pigmentos etc., mediante aerografía. (Código 4H0631).

Por ello, debe realizarse reconocimientos médicos previos y periódicos a dichos trabajadores, con la prohibición de no contratar a los calificados como no aptos para desempeñar los puestos de trabajo de que se trate.

— Artículo 243 LGSS, en relación con RDEP (Anexo I).

> Véase: E.P. rinoconjuntivitis. E.P. asma. E.P. alveolitis alérgica extrínseca. E.P. fibrosis intersticial difusa. E.P. neumopatía intersticial difusa. E.P. síndrome de difusión reactivo de la vía aérea. E.P. cannabiosis. E.P. linnosis. E.P. bagazosis. E.P. estipatosis. E.P. suberosis. E.P. urticaria. E.P. angioedemas. E.P. síndrome de disfunción de la vía reactiva. E.P. fiebre de los metales.

E.P. BORRELIAS

1. Enfermedad provocada por bacterias transmitidas por piojos y por garrapatas.

2. Los trabajadores ocupados en las actividades económicas, y expuestos a los agentes o sustancias que a continuación se indican, pueden contraer una Enfermedad Profesional (E.P.), causada por agentes biológicos:

• Trabajos desarrollados en zonas endémicas, con exposición a agentes biológicos, que pueden provocar E.P. infecciosas como, paludismo, amebiasis, tripanosomiasis, dengue, fiebre amarilla, fiebre papataci, fiebre recurrente, peste, lesishmaniosis, pian, tifus exantemático, borrelias y otras ricketsiosis. (Código 3C0101).

Por ello, debe realizarse reconocimientos médicos previos y periódicos a dichos trabajadores, con la prohibición de no contratar a los calificados como no aptos para desempeñar los puestos de trabajo de que se trate.

— Artículo 243 LGSS, en relación con RDEP (Anexo I).

Véase: Bacterias. Zonas endémicas.

E.P. BURSITIS

1. Inflamación de las bolsas sinoviales de las articulaciones. Enfermedades Profesionales provocadas por posturas forzadas y movimientos repetitivos en el trabajo; enfermedades de las bolsas serosas debida a la presión, celulitis subcutáneas (Código 2C):

• Bursitis crónica de las sinoviales ó de los tejidos subcutáneos de las zonas de apoyo de las rodillas. (Código 2C01).

• Bursitis glútea, retrocalcánea, y de la apófisis espinosa de C7 y subacromiodeltoideas. (Código 2C02)

• Bursitis de la fascia anterior del muslo. (Código 2C03)

• Bursitis maleolar externa. (Código 2C04)

• Bursitis preesternal. (Código 2C05)

• Higroma crónico del codo. (Código 2C06)

2. Los trabajadores que realicen trabajos con posturas forzadas y/o movimientos repetitivos (Código 2C), pueden contraer la Enfermedad Profesional (E.P.) de bursitis, en las actividades o trabajos que a continuación se relacionan, causada por agentes físicos:

• Trabajos que requieran habitualmente de una posición de rodillas mantenidas como son trabajos en minas, en la construcción, servicio doméstico, colocadores de parquet y baldosas, jardineros, talladores y pulidores de piedras, trabajadores agrícolas y similares. (Código 2C0101).

• Trabajos en la minería y aquellos que requieran presión mantenida en las zonas anatómicas referidas. (Código 2C0201).

• Zapateros y trabajos que requieran presión mantenida en cara anterior del muslo. (Código 2C0301).

• Sastrería y trabajos que requieran presión mantenida en región maleolar externa. (Código 2C0401).

• Carpintero y trabajos que requieran presión mantenida en región preesternal. (Código 2C0501).

Por ello, debe realizarse reconocimientos médicos previos y periódicos a dichos trabajadores, con la prohibición de no contratar a los calificados como no aptos para desempeñar los puestos de trabajo de que se trate.

— Artículo 243 LGSS, en relación con RDEP (Anexo I).

Véase: Colocadores de parquet. Soladores. Trabajos con posturas forzadas. Trabajos en cuclillas.

E.P. CÁNCER DE LARINGE

1. Es una enfermedad por la que se forman células malignas (cancerosas) en los tejidos de la laringe.

2. Los trabajadores expuestos al amianto (Código 6A06), pueden contraer la Enfermedad Profesional (E.P.) de cáncer de laringe, en las actividades o trabajos que a continuación se relacionan:

• Industrias en las que se utiliza amianto (por ejemplo, minas de rocas amiantíferas, industria de producción de amianto, trabajos de aislamientos, trabajos de construcción, construcción naval, trabajos en garajes, etc.). (Código 6A0601).

• Trabajos de extracción, manipulación y tratamiento de minerales o rocas amiantíferas. (Código 6A0602).

• Fabricación de tejidos, cartones y papeles de amianto. (Código 6A0603).

• Tratamiento preparatorio de fibras de amianto (cardado, hilado, tramado, etc.). (Código 6A0604).

• Aplicación de amianto a pistola (chimeneas, fondos de automóviles y vagones). (Código 6A0605).

• Trabajos de aislamiento térmico en construcción naval y de edificios. (Código 6A0606).

• Fabricación de guarniciones para frenos y embragues, de productos de fibrocemento, de equipos contra incendios, de filtros y cartón de amianto, de juntas de amianto y caucho. (Código 6A0607).

• Desmontaje y demolición de instalaciones que contengan amianto. (Código 6A0608).

• Limpieza, mantenimiento y reparación de acumuladores de calor u otras máquinas que tengan componentes de amianto. (Código 6A0609).

• Trabajos de reparación de vehículos automóviles. (Código 6A0610).

• Aserrado de fibrocemento. (Código 6A0611).

• Trabajos que impliquen la eliminación de materiales con amianto. (Código 6A0612).

Por ello, debe realizarse reconocimientos médicos previos y periódicos a dichos trabajadores, con la prohibición de no contratar a los calificados como no aptos para desempeñar los puestos de trabajo de que se trate.

— Artículo 243 LGSS, en relación con RDEP (Anexo I).

3. Se ha declarado Enfermedad Profesional:

• El cáncer de laringe producido por la prolongada exposición a la inhalación de polvo de amianto.

— STS 13.11.06. 26.6.08.

— STSJ Cataluña 10.11.09.

Véase: Amianto.

E.P. CÁNCER PRIMITIVO DEL ETMOIDES Y DE LOS SENOS DE LA CARA

1. Es una enfermedad por la que se forman células malignas (cancerosas) en los tejidos de los senos paranasales y la cavidad nasal.

2. Los trabajadores expuestos al níquel, pueden contraer la Enfermedad Profesional (E.P.) de cáncer primitivo del etmoides y de los senos (Código 6K02), en las actividades o trabajos que a continuación se relacionan:

• Fundición y refino de níquel, producción de acero inoxidable, fabricación de baterías. (Código 6K0201).

• Producción de níquel por el proceso Mond. (Código 6K0202).

• Niquelado electrolítico de los metales. (Código 6K0203).

• Trabajos de bisutería, donde se utilice níquel. (Código 6K0204).

• Fabricación de aleaciones con níquel (cobre, manganeso, zinc, cromo, hierro, molibdeno). (Código 6K0205).

• Fabricación de aceros especiales al níquel (ferroníquel). Fabricación de acumuladores al níquel cadmio. (Código 6K0206).

• Empleo de níquel como catalizador en la industria química. (Código 6K0207).

• Trabajos que implican soldadura y oxicorte de acero inoxidable, donde se utilice níquel. (Código 6K0208).

• Trabajos en horno de fundición de hierro y de acero inoxidable, donde se utilice níquel. (Código 6K0209).

• Desbarbado y limpieza de piezas de fundición, donde se utilice níquel. (Código 6K0210).

• Industria de cerámica y vidrio, donde se utilice níquel. (Código 6K0211).

• Aplicación por proyección de pinturas y barnices que contengan níquel. (Código 6K0212).

• Procesado de residuos que contengan níquel. (Código 6K0213).

Por ello, debe realizarse reconocimientos médicos previos y periódicos a dichos trabajadores, con la prohibición de no contratar a los calificados como no aptos para desempeñar los puestos de trabajo de que se trate.

— Artículo 243 LGSS, en relación con RDEP (Anexo I).

Véase: Níquel.

E.P. CÁNCER VERSICAL

1. El cáncer versical o cáncer de vejiga, es una proliferación no regulada y excesiva de las células que invaden o se propagan en el tejido de la vejiga.

2. Los trabajadores expuestos a las aminas (Códigos 1I, 6O) y a las hidracinas (Códigos 1I, 6O), pueden contraer la Enfermedad Profesional (E.P.) de cáncer versical (Código 6O01), en las actividades y trabajos que a continuación se relacionan:

• Fabricación de estas sustancias y su utilización como productos intermediarios en la industria de colorantes sintéticos y en numerosas síntesis orgánicas, en la industria química, en la industria de insecticidas, en la industria farmacéutica, etc., donde se utilicen aminas. (Código 6O0101).

• Fabricación y utilización de derivados de aminas, utilizados como aceleradores y como antioxidantes en la industria del caucho. (Código 6O0102).

• Fabricación de ciertos explosivos, donde se utilicen aminas. (Código 6O0103).

• Utilización de aminas como colorantes en la industria del cuero, de pieles del calzado, de productos capilares, etc., así como en papelería y en productos de peluquería. (Código 6O0104).

• Utilización de reveladores (para-aminofenoles) en la industria fotográfica, donde se utilicen aminas. (Código 6O0105).

Por ello, debe realizarse reconocimientos médicos previos y periódicos a dichos trabajadores, con la prohibición de no contratar a los calificados como no aptos para desempeñar los puestos de trabajo de que se trate.

— Artículo 243 LGSS, en relación con RDEP (Anexo I).

Véase: Aminas. IIidracinas.

E.P. CANNABIOSIS

1. Enfermedad pulmonar producida por la inhalación de polvo de cáñamo. También se le conoce con el nombre de cannabosis.

2. Los trabajadores expuestos a la inhalación de sustancias de alto peso molecular (sustancias de origen vegetal, animal, microorganismos, y sustancias enzimáticas de origen vegetal, animal y/o de microorganismos) (Código 4H06), pueden contraer la Enfermedad Profesional (E.P.) de cannabiosis, en las actividades o trabajos que a continuación se relacionan:

• Industria alimenticia, panadería, industria de la cerveza. (Código 4H0601).
• Industria del té, industria del café, industria del aceite. (Código 4H0602).
• Industria del lino. (Código 4H0603).
• Industria de la malta. (Código 4H0604).
• Procesamiento de canela. (Código 4H0605).
• Procesamiento de la soja. (Código 4H0606).
• Elaboración de especias. (Código 4H0607).
• Molienda de semillas. (Código 4H0608).
• Lavadores de queso. (Código 4H0609).
• Manipuladores de enzimas. (Código 4H0610).
• Trabajadores de silos y molinos. (Código 4H0611).
• Trabajos de agricultura. (Código 4H0612).
• Granjeros, ganaderos, veterinarios y procesadores de carne. (Código 4H0613).
• Trabajos en avicultura. (Código 4H0614).
• Trabajos en piscicultura. (Código 4H0615).
• Industria química. (Código 4H0616).
• Industria del plástico, industria del látex. (Código 4H0617).
• Industria farmacéutica. (Código 4H0618).
• Industria textil. (Código 4H0619).
• Industria del papel. (Código 4H0620).
• Industria del cuero. (Código 4H0621).
• Industria de la madera: aserraderos, carpintería, acabados de madera. (Código 4H0622).
• Personal sanitario, higienistas dentales. (Código 4H0623).
• Personal de laboratorios médicos y farmacéuticos. (Código 4H0624).
• Trabajos con harinas de pescado y piensos compuestos. (Código 4H0625).
• Personal de zoológicos, entomólogos. (Código 4H0626).
• Encuadernadores. (Código 4H0627).
• Personal de limpieza. (Código 4H0628).

• Trabajos en los que se manipula cáñamo, bagazo de caña de azúcar, yute, lino, esparto, sisal y corcho. (Código 4H0629).
  • Construcción. (Código 4H0630).
  • Aplicación de pinturas, pigmentos etc., mediante aerografía. (Código 4H0631).

Por ello, debe realizarse reconocimientos médicos previos y periódicos a dichos trabajadores, con la prohibición de no contratar a los calificados como no aptos para desempeñar los puestos de trabajo de que se trate.

— Artículo 243 LGSS, en relación con RDEP (Anexo I).

Véase: E.P. rinoconjuntivitis. E.P. asma. E.P. alveolitis alérgica extrínseca. E.P. fibrosis intersticial difusa. E.P. neumopatía intersticial difusa. E.P. síndrome de difusión reactivo de la vía aérea. E.P. bisinosis. E.P. linnosis. E.P. bagazosis. E.P. estipatosis. E.P. suberosis. E.P. urticaria. E.P. angioedemas. E.P. síndrome de disfunción de la vía reactiva. E.P. fiebre de los metales.

E.P. CAOLINOSIS

1. Enfermedad pulmonar causada por la inhalación de caolín. Caolín: Arcilla blanca muy pura que se emplea en la fabricación de porcelanas, aprestos y medicamentos.

2. Los trabajadores expuestos a la inhalación de polvos minerales (caolín), pueden contraer la Enfermedad Profesional (E.P.) de caolinosis y otras silicatosis, en las actividades o trabajos que a continuación se relacionan:

• Extracción y tratamiento de minerales que liberen polvo de silicatos. (Código 4D0301).
  • Industria farmacéutica y cosmética. (Código 4D0302).
  • Industria cerámica y de la porcelana. (Código 4D0303).
  • Fabricación de materiales refractarios. (Código 4D0304).
  • Industria textil. (Código 4D0305).
  • Industria de la alimentación. (Código 4D0306).
  • Industria del papel del linóleo, cartón y de ciertas especies de fibrocemento. (Código 4D0307).
  • Industria del caucho. (Código 4D0308).
  • Fabricación de tintes y pinturas. (Código 4D0309).
  • Industrias de pieles. (Código 4D0310).
  • Industria de perfumes y productos de belleza, fábricas de jabones y en joyería. (Código 4D0311).
  • Industria química. (Código 4D0312).
  • Industria metalúrgica. (Código 4D0313).
  • Trabajos de explotación de minas de hierro cuyo contenido en sílice sea prácticamente nulo. (Código 4D0314).
  • Trabajos expuestos a la inhalación de talco cuando esta combinado con tremolita, serpentina o antofilita. (Código 4D0315).
  • Operaciones de molido y ensacado de la barita. (Código 4D0316).

Por ello, debe realizarse reconocimientos médicos previos y periódicos a dichos trabajadores, con la prohibición de no contratar a los calificados como no aptos para desempeñar los puestos de trabajo de que se trate.

— Artículo 243 LGSS, en relación con RDEP (Anexo I).

Véase: E.P. talcosis. E.P. silicocaolinosis.

E.P. CARCINOMA DE CÉLULAS ESCAMOSAS

1. Tienen la apariencia de persistentes parches rugosos, escamosos, gruesos que pueden llegar a sangrar si se rascan, arañan o reciben un golpe. Parecen verrugas o llagas abiertas con bordes en relieve y una superficie costrosa.

2. Los trabajadores expuestos a hidrocarburos aromáticos policiclicos (Código 6J), productos de destilación del carbón: hollín, alquitrán, betún, brea, antraceno, aceites minerales, parafina bruta y a los compuestos, productos, residuos de estas sustancias y a otros factores carcinógenos, destilación de la hulla, pueden contraer la Enfermedad Profesional (E.P.) de carcinoma de células escamosas (Cáncer) (Código 6J02), en las actividades o trabajos que a continuación se relacionan:

• Fabricación de pigmentos, deshollinado de chimeneas, pavimentación de carreteras, aislamientos, donde se utilicen hidrocarburos aromáticos. (Código 6J0201).

• Preparación de aditivos para papel autocopiativo, donde se utilicen hidrocarburos aromáticos. (Código 6J0202).

• Operaciones de laminado en metalurgia, donde se utilicen hidrocarburos aromáticos. (Código 6J0203).

• Fabricación de cables eléctricos, donde se utilicen hidrocarburos aromáticos. (Código 6J0204).

• Fabricación de tela asfáltica, donde se utilicen hidrocarburos aromáticos. (Código 6J0205).

• Trabajos en hornos de carbón o coque, donde se utilicen hidrocarburos aromáticos. (Código 6J0206).

• Procesos de fabricación en los que se utilice polvo de carbón. (Código 6J0207).

• Producción de aluminio, donde se utilicen hidrocarburos aromáticos. (Código 6J0208).

• Fabricación de electrodos, donde se utilicen hidrocarburos aromáticos. (Código 6J0209).

• Producción, transporte y almacenamiento de productos de asfalto, donde se utilicen hidrocarburos aromáticos. (Código 6J0210).

• Operaciones de destilación en la industria del petróleo, donde se utilicen hidrocarburos aromáticos. (Código 6J0211).

• Trabajos de pavimentación, donde se utilicen hidrocarburos aromáticos. (Código 6J0212).

• Trabajos de eliminación de suelos asfaltados, donde se utilicen hidrocarburos aromáticos. (Código 6J0213).

• Aplicación de pinturas con base de alquitrán, donde se utilicen hidrocarburos aromáticos. (Código 6J0214).

• Tratamiento antióxido de vehículos, donde se utilicen hidrocarburos aromáticos. (Código 6J0215).

• Conductores de vehículos automóviles, que contengan hidrocarburos aromáticos. (Código 6J0216).

• Montadores de motores, donde se utilicen hidrocarburos aromáticos. (Código 6J0217).

• Mecánicos (trabajos de reparación de vehículos), que contengan hidrocarburos aromáticos. (Código 6J0218).

- Trabajadores de aparcamientos, que contengan hidrocarburos aromáticos. (Código 6J0219).
- Trabajos en unidades de combustión (calderas), donde se utilicen hidrocarburos aromáticos. (Código 6J0220).
- Producción de gas ciudad, donde se utilicen hidrocarburos aromáticos. (Código 6J0221).
- Mantenimiento de redes eléctricas subterráneas, que contengan hidrocarburos aromáticos. (Código 6J0222).
- Producción de ladrillos refractarios y cerámicos, donde se utilicen hidrocarburos aromáticos. (Código 6J0223).
- Producción de carburo de silíceo, donde se utilicen hidrocarburos aromáticos. (Código 6J0224).
- Fabricación de neumáticos, donde se utilicen hidrocarburos aromáticos. (Código 6J0225).
- Trabajos de impresión en artes gráficas, donde se utilicen hidrocarburos aromáticos. (Código 6J0226).

Por ello, debe realizarse reconocimientos médicos previos y periódicos a dichos trabajadores, con la prohibición de no contratar a los calificados como no aptos para desempeñar los puestos de trabajo de que se trate.

— Artículo 243 LGSS, en relación con RDEP (Anexo I).

E.P. CARCINOMA EPIDERMOIDE DE PIEL

1. El carcinoma epidermoide es un cáncer del tejido epitelial; forma la piel, recubre los órganos internos y delimita sus estructuras. Es la forma más común de cáncer de piel.

2. Los trabajadores expuestos al arsénico (Código 6C), o a radiaciones ionizantes (Código 6N), pueden contraer la Enfermedad Profesional (E.P.) de carcinoma epidermoide de piel (Códigos 6C02, 6N02), en las actividades o trabajos que a continuación se relacionan:

a) Donde se utilice arsénico:

- Minería del arsénico, fundición de cobre, producción de cobre. (Código 6C0201).
- Decapado de metales y limpieza de metales. (Código 6C0202).
- Revestimiento electrolítico de metales. (Código 6C0203).
- Calcinación, fundición y refino de minerales arseníferos. (Código 6C0204).
- Producción y uso de pesticidas arsenicales, herbicidas e insecticidas. (Código 6C0205).
- Fabricación y empleo de colorantes y pinturas que contengan compuestos de arsénico. (Código 6C0206).
- Industria de colorantes arsenicales. (Código 6C0207).
- Aleación con otros metales (Pb). (Código 6C0208).
- Refino de Cu, Pb, Zn, Co (presente como impureza). (Código 6C0209).
- Tratamiento de cueros y maderas con agentes de conservación a base de compuestos arsenicales. (Código 6C0210).

• Conservación de pieles. (Código 6C0211).

• Taxidermia. (Código 6C0212).

• Pirotecnia. (Código 6C0213).

• Fabricación de municiones y baterías de polarización. (Código 6C0214).

• Industria farmacéutica. (Código 6C0215).

• Preparación del ácido sulfúrico partiendo de piritas arseníferas. (Código 6C0216).

• Empleo del anhídrido arsenioso en la fabricación del vidrio. (Código 6C0217).

• Fabricación de acero al silicio. (Código 6C0218).

• Desincrustado de calderas. (Código 6C0219).

• Industria de caucho. (Código 6C0220).

• Fabricación de vidrio: preparación y mezcla de la pasta, fusión y colada, manipulación de aditivos. (Código 6C0221).

• Restauradores de arte. (Código 6C0222).

• Utilización de compuestos arsenicales en electrónica. (Código 6C0223).

b) Donde estén expuestos radiaciones ionizantes:

• Todos los trabajos expuestos a la acción de los rayos X o de las sustancias radiactivas naturales o artificiales o a cualquier fuente de emisión corpuscular. (Código 6N02).

• Trabajos de extracción y tratamiento de minerales radiactivos. (Código 6N0201).

• Fabricación de aparatos de rayos X y de radioterapia. (Código 6N0202).

• Fabricación de productos químicos y farmacéuticos radiactivos. (Código 6N0203).

• Empleo de sustancias radiactivas y rayos X en los laboratorios de investigación. (Código 6N0204).

• Fabricación y aplicación de productos luminosos con sustancias radiactivas en pinturas de esferas de relojería. (Código 6N0205).

• Trabajos industriales en que se utilicen rayos X y materiales radiactivos, medidas de espesor y de desgaste. (Código 6N0206).

• Trabajos en las consultas de radiodiagnóstico, de radio y radioterapia y de aplicación de isótopos radiactivos, en consultas, clínicas, sanatorios, residencias y hospitales. (Código 6N0207).

• Conservación de alimentos por radiaciones ionizantes. (Código 6N0208).

• Reactores de investigación y centrales nucleares. (Código 6N0209).

• Instalaciones de producción y tratamiento de radioelementos o isótopos radiactivos. (Código 6N0210).

• Fábrica de enriquecimiento de combustibles nucleares. (Código 6N0211).

• Instalaciones de tratamiento y almacenamiento de residuos radiactivos. (Código 6N0212).

• Transporte de materias radiactivas. (Código 6N0213).

• Aceleradores de partículas, fuentes de gammagrafía, bombas de cobalto, etc. (Código 6N0214).

Por ello, debe realizarse reconocimientos médicos previos y periódicos a dichos trabajadores, con la prohibición de no contratar a los calificados como no aptos para desempeñar los puestos de trabajo de que se trate.

— Artículo 243 LGSS, en relación con RDEP (Anexo I).

Véase: Arsénico. Rayos X. Radiaciones ionizantes.

E.P. DE LA PIEL, CAUSADAS POR AGENTES FOTOSENSIBLES EXÓGENOS

1. La fotosensibilidad es una respuesta exagerada a la luz, generalmente luz solar, que se manifiesta minutos, horas o días después de la exposición y puede persistir durante un tiempo variable. Las reacciones de fotosensibilidad pueden ser causadas por agentes endógenos o exógenos:

• Agentes endógenos: moléculas del organismo, habituales en la piel, o bien que se acumulen en ella como consecuencia de una alteración metabólica, como ocurre en el caso de las porfirias, trastornos que cursan con un acúmulo de porfirinas, agentes endógenos fototóxicos.

• Agentes exógenos: medicamentos y otros productos químicos que pueden acceder a la piel por vía tópica o sistémica.

2. Los trabajadores expuestos a sustancias fotosensibles exógenas (Código 5C01), pueden contraer la Enfermedad Profesional (E.P.) de la piel, causada por dichas sustancias, en las actividades o trabajos que a continuación se relacionan:

• Toda industria o trabajo en los que se entre en contacto con sustancias fotosensibilizantes y conlleve una dosis de exposición lumínica. (Código 5C0101).

Por ello, debe realizarse reconocimientos médicos previos y periódicos a dichos trabajadores, con la prohibición de no contratar a los calificados como no aptos para desempeñar los puestos de trabajo de que se trate.

— Artículo 243 LGSS, en relación con RDEP (Anexo I).

Véase: E.P. de la piel. Sustancias fotosensibilizantes. Radiaciones infrarrojas. Colodión.

E.P. DE LA PIEL, CAUSADAS POR AGENTES INFECCIOSOS

1. Los trabajadores expuestos a agentes infecciosos (Código 5D01), pueden contraer una Enfermedad Profesional (E.P.) de la piel causada por dichos agentes, en las actividades o trabajos que a continuación se relacionan:

• Personal sanitario. (Código 5D0101).

• Personal no sanitario, trabajadores de centros asistenciales o de cuidados de enfermos, tanto a nivel ambulatorio, de instituciones cerradas o domicilio. (Código 5D0102).

• Trabajadores de laboratorios de investigación o análisis clínicos. (Código 5D0103).

• Trabajos de toma, manipulación o empleo de sangre humana o sus derivados. (Código 5D0104).

- Odontólogos. (Código 5D0105).
- Personal de auxilio. (Código 5D0106).
- Personal del orden público. (Código 5D0107).
- Trabajadores de centros penitenciarios. (Código 5D0108).
- Ganaderos. (Código 5D0109).
- Veterinarios. (Código 5D0110).
- Matarifes. (Código 5D0111).
- Agricultores. (Código 5D0112).
- Industria alimentaria. (Código 5D0113).
- Carniceros. (Código 5D0114).

Por ello, debe realizarse reconocimientos médicos previos y periódicos a dichos trabajadores, con la prohibición de no contratar a los calificados como no aptos para desempeñar los puestos de trabajo de que se trate.

— Artículo 243 LGSS, en relación con RDEP (Anexo I).

Véase: E.P. de la piel. Sustancias infecciosas. Zoonosis. Rodenticida. Pesticidas. Trabajos de alcantarillado.

E.P. DE LA PIEL, CAUSADAS POR AGENTES Y SUSTANCIAS DE ALTO PESO MOLECULAR

1. Sustancias que contienen más de 1.000 daltons. El peso molecular de una sustancia es la suma de los pesos atómicos de todos los átomos en una molécula de la sustancia y se expresa en unidades de masa atómica.

2. Los trabajadores expuestos a agentes y sustancias de alto peso molecular, por encima de los 1.000 daltons (sustancias de origen vegetal, animal, microorganismos y sustancias enzimáticas de origen vegetal, animal y/o de microorganismos) (Código 5B01), pueden contraer la Enfermedad Profesional (E.P.) de la piel causada por sustancias de alto peso molecular, en las actividades o trabajos que a continuación se relacionan:

- En cualquier tipo de actividad en la que se entre en contacto con sustancias de alto peso molecular. (Código 5B01).
  - Industria alimenticia, panadería, industria de la cerveza. (Código 5B0101).
  - Industria del té, industria del café, industria del aceite. (Código 5B0102).
  - Industria del lino. (Código 5B0103).
  - Industria de la malta. (Código 5B0104).
  - Procesamiento de canela. (Código 5B0105).
  - Procesamiento de la soja. (Código 5B0106).
  - Elaboración de especias. (Código 5B0107).
  - Molienda de semillas. (Código 5B0108).
  - Lavadores de queso. (Código 5B0109).
  - Manipuladores de enzimas. (Código 5B0110).
  - Trabajadores de silos y molinos. (Código 5B0111).
  - Trabajos de agricultura. (Código 5B0112).
  - Granjeros, ganaderos, veterinarios y procesadores de carne. (Código 5B0113).
  - Trabajos en avicultura. (Código 5B0114).
  - Trabajos en piscicultura. (Código 5B0115).
  - Industria química. (Código 5B0116).
  - Industria del plástico, Industria del látex. (Código 5B0117).

- Industria farmacéutica. (Código 5B0118).
- Industria textil. (Código 5B0119).
- Industria del papel. (Código 5B0120).
- Industria del cuero. (Código 5B0121).
- Industria de la madera: aserraderos, carpintería, acabados de madera. (Código 5B0122).
  - Personal sanitario, higienistas dentales. (Código 5B0123).
  - Personal de laboratorios médicos y farmacéuticos. (Código 5B0124).
  - Trabajos con harinas de pescado y piensos compuestos. (Código 5B0125).
  - Personal de zoológicos, entomólogos. (Código 5B0126).
  - Encuadernadores. (Código 5B0127).
  - Personal de limpieza. (Código 5B0128).
  - Trabajos en los que se manipula cáñamo, bagazo de caña de azúcar, yute, lino, esparto, sisal. (Código 5B0129).
  - Construcción. (Código 5B0130).

Por ello, debe realizarse reconocimientos médicos previos y periódicos a dichos trabajadores, con la prohibición de no contratar a los calificados como no aptos para desempeñar los puestos de trabajo de que se trate.

— Artículo 243 LGSS, en relación con RDEP (Anexo I).

Véase: E.P. de la piel. E.P. de la piel causada por agentes y sustancias de bajo peso molecular.

E.P. DE LA PIEL, CAUSADAS POR SUSTANCIAS DE BAJO PESO MOLECULAR

1. Sustancias que contienen menos de 1.000 daltons. El peso molecular de una sustancia es la suma de los pesos atómicos de todos los átomos en una molécula de la sustancia y se expresa en unidades de masa atómica.

2. Los trabajadores expuestos a sustancias de bajo peso molecular por debajo de los 1.000 daltons (metales y sus sales, polvos de maderas, productos farmacéuticos, sustancias químico plásticas, aditivos, disolventes, conservantes, catalizadores, perfumes, adhesivos, acrilatos, resinas de bajo peso molecular, formaldehído y derivados, etc.) (Código 5A01), pueden contraer la Enfermedad Profesional (E.P.) de la piel causada por sustancias de bajo peso molecular, en las actividades o trabajos que a continuación se relacionan:

- En cualquier tipo de actividad en la que se entre en contacto con sustancias de bajo peso molecular. (Código 5A01).
  - Industria del cuero. (Código 5A0101).
  - Industria textil. (Código 5A0102).
  - Industria química. (Código 5A0103).
  - Industria cosmética y farmacéutica. (Código 5A0104).
  - Trabajos de peluquería. (Código 5A0105).
  - Fabricación de resinas y endurecedores. (Código 5A0106).
  - Trabajos en fundiciones. (Código 5A0107).
  - Fijado y revelado de fotografía. (Código 5A0108).
  - Fabricación y aplicación de lacas, pinturas, colorantes, adhesivos, barnices, esmaltes. (Código 5A0109).
  - Industria electrónica. (Código 5A0110).
  - Industria aeronáutica. (Código 5A0111).

• Industria del plástico. (Código 5A0112).

• Industria del caucho. (Código 5A0113).

• Industria del papel. (Código 5A0114).

• Industria de la madera: Aserraderos, acabados de madera, carpintería, ebanistería, fabricación y utilización de conglomerados de madera. (Código 5A0115).

• Fabricación de espumas de poliuretano y su aplicación en estado líquido. (Código 5A0116).

• Fabricación de látex. (Código 5A0117).

• Trabajos de aislamiento y revestimiento. (Código 5A0118).

• Trabajos de laboratorio. (Código 5A0119).

• Dentistas. (Código 5A0120).

• Trabajos en fotocopiadoras. (Código 5A0121).

• Personal sanitario: enfermería, anatomía patológica, laboratorio. (Código 5A0122).

• Granjeros, fumigadores. (Código 5A0123).

• Galvanizado, plateado, niquelado y cromado de metales. (Código 5A0124).

• Soldadores. (Código 5A0125).

• Industria del aluminio. (Código 5A0126).

• Trabajos de joyería. (Código 5A0127).

• Trabajos con acero inoxidable. (Código 5A0128).

• Personal de limpieza. (Código 5A0129).

• Trabajadores sociales. (Código 5A0130).

• Trabajadores que se dedican al cuidado de personas y asimilados. (Código 5A0131).

• Aplicación de pinturas, pigmentos etc., mediante aerografía. (Código 5A0132).

Por ello, debe realizarse reconocimientos médicos previos y periódicos a dichos trabajadores, con la prohibición de no contratar a los calificados como no aptos para desempeñar los puestos de trabajo de que se trate.

— Artículo 243 LGSS, en relación con RDEP (Anexo I).

Véase: E.P. de la piel. E.P. de la piel, causada por agentes y sustancias de alto peso molecular.

E.P. DE LA PIEL

1. Enfermedades Profesionales de la piel, causadas por sustancias y agentes no comprendidos en otros apartados. Dentro de este tipo de enfermedades se puede distinguir:

• Enfermedades Profesionales causadas por sustancias de bajo peso molecular por debajo de los 1.000 daltons (metales y sus sales, polvos de maderas, productos farmacéuticos, sustancias químico plásticas, aditivos, disolventes, conservantes, catalizadores, perfumes, adhesivos, acrilatos, resinas de bajo peso molecular, formaldehído y derivados, etc.). En cualquier tipo de actividad en la que se entre en contacto con sustancias de bajo peso molecular (Código 5A01).

• Enfermedades Profesionales causadas por agentes y sustancias de alto peso molecular, por encima de los 1.000 daltons (sustancias de origen vegetal, animal, microorganismos y sustancias enzimáticas de origen vegetal, animal y/o de microorganismos). En cualquier tipo de actividad en la que se entre en contacto con sustancias de alto peso molecular (Código 5B01).

• Enfermedades Profesionales causadas por sustancias fotosensibles exógenas (Código 5C01).

• Enfermedades Profesionales causadas por agentes infecciosos (Código 5D01).

Véase: E.P. lesiones premalignas de piel. Sustancias fotosensibilizantes. Radiaciones infrarrojas. Sustancias infecciosas.

E.P. DENGUE

1. Enfermedad febril, epidémica y contagiosa, que se manifiesta por dolores de los miembros y un exantema semejante al de la escarlatina.

2. Los trabajadores ocupados en las actividades económicas, y expuestos a los agentes o sustancias que a continuación se indican, pueden contraer una Enfermedad Profesional (E.P.), causada por agentes biológicos:

• Trabajos desarrollados en zonas endémicas, con exposición a agentes biológicos, que pueden provocar E.P. infecciosas como, paludismo, amebiasis, tripanosomiasis, dengue, fiebre amarilla, fiebre papataci, fiebre recurrente, peste, lesishmaniosis, pian, tifus exantemático, borrelias y otras ricketsiosis. **(Código 3C0101).**

Por ello, debe realizarse reconocimientos médicos previos y periódicos a dichos trabajadores, con la prohibición de no contratar a los calificados como no aptos para desempeñar los puestos de trabajo de que se trate.

— Artículo 243 LGSS, en relación con RDEP (Anexo I).

Véase: Enfermedades infecciosas. E.P. infecciosas (otras). E.P. infecciosas transmitidas por animales. E.P infecciosas transmitidas por personas. Sustancias infecciosas. Zonas endémicas.

E.P. DISQUERATOSIS LENTICULAR EN DISCO

1. La disqueratosis lenticular en disco o enfermedad de Bowen es la forma más temprana de cáncer escamocelular. Este tipo de cáncer no se propaga a tejidos cercanos porque aún se encuentra en la capa externa de la piel.

2. Los trabajadores expuestos al arsénico (Código 6C0301), pueden contraer la Enfermedad Profesional (E.P.) de disqueratosis lenticular en disco, en las actividades o trabajos que a continuación se relacionan:

• Minería del arsénico, fundición de cobre, producción de cobre. (Código 6C0301).

• Decapado de metales y limpieza de metales. (Código 6C0302).

• Revestimiento electrolítico de metales. (Código 6C0303).

• Calcinación, fundición y refino de minerales arseníferos. (Código 6C0304).

• Producción y uso de pesticidas arsenicales, herbicidas e insecticidas. (Código 6C0305).

• Fabricación y empleo de colorantes y pinturas que contengan compuestos de arsénico. (Código 6C0306).

• Industria de colorantes arsenicales. (Código 6C0307).

• Aleación con otros metales (Pb). (Código 6C0308).

• Refino de Cu, Pb, Zn, Co (presente como impureza). (Código 6C0309).

• Tratamiento de cueros y maderas con agentes de conservación a base de compuestos arsenicales. (Código 6C0310).

- Conservación de pieles. (Código 6C0311).
- Taxidermia. (Código 6C0312).
- Pirotecnia. (Código 6C0313).
- Fabricación de municiones y baterías de polarización. (Código 6C0314).
- Industria farmacéutica. (Código 6C0315).
- Preparación del ácido sulfúrico partiendo de piritas arseníferas. (Código 6C0316).
- Empleo del anhídrido arsenioso en la fabricación del vidrio. (Código 6C0317).
- Fabricación de acero al silicio. (Código 6C0318).
- Desincrustado de calderas. (Código 6C0319).
- Industria de caucho. (Código 6C0320).
- Fabricación de vidrio: preparación y mezcla de la pasta, fusión y colada, manipulación de aditivos. (Código 6C0321).
- Restauradores de arte. (Código 6C0322).
- Utilización de compuestos arsenicales en electrónica. (Código 6C0323).

Por ello, debe realizarse reconocimientos médicos previos y periódicos a dichos trabajadores, con la prohibición de no contratar a los calificados como no aptos para desempeñar los puestos de trabajo de que se trate.

— Artículo 243 LGSS, en relación con RDEP (Anexo I).

Véase: Arsénico. E.P. carcinoma epidemoide de piel. E.P. de la piel.

E.P. ENFERMEDAD DE BOWEN
Véase: Disqueratosis lenticular.

E.P. EPICONDILITIS Y EPITROCLEITIS
1. La epicondilitis, conocida también como codo del tenista, es una lesión caracterizada por dolor en la cara externa del codo, en la región del epicóndilo, eminencia ósea que se encuentra en la parte lateral y externa de la epífisis inferior del húmero.

La epitrocleitis, también llamada codo de golfista o epicondilitis medial, es la denominación que se le da a una enfermedad del codo en la cual se produce una tendinitis en la inserción de los músculos epitrocleares.

2. Los trabajadores expuestos a posturas forzadas y movimientos repetitivos en el trabajo; enfermedades por fatiga e inflamación de las vainas tendinosas, de tejidos peritendinosos e inserciones musculares y tendinosas (Código 1D02), pueden contraer la Enfermedad Profesional (E.P.) de epicondilitis y epitrocleitis (codo y antebrazo), en las actividades o trabajos que a continuación se relacionan:

- Trabajos que requieran movimientos de impacto o sacudidas, supinación o pronación repetidas del brazo contra resistencia, así como movimientos de flexoextensión forzada de la muñeca, como pueden ser: carniceros, pescaderos, curtidores, deportistas, mecánicos, chapistas, caldereros, albañiles. (Código 2D0201).

Por ello, debe realizarse reconocimientos médicos previos y periódicos a dichos trabajadores, con la prohibición de no contratar a los calificados como no aptos para desempeñar los puestos de trabajo de que se trate.

— Artículo 243 LGSS, en relación con RDEP (Anexo I).

Véase: Trabajos con movimientos repetitivos. Trabajos con posturas forzadas. Fatiga.

E.P. ESCORIAS DE THOMAS

1. Enfermedad broncopulmonar causada por el polvo de escorias Thomas.

2. Los trabajadores expuestos a la inhalación de escorias de Thomas (Código 4F01), pueden contraer la Enfermedad Profesional (E.P.) de escorias de Thomas, en las actividades o trabajos que a continuación se relacionan:

- Fabricación y utilización de escorias de Thomas como abono. (Código 4F0101).

Por ello, debe realizarse reconocimientos médicos previos y periódicos a dichos trabajadores, con la prohibición de no contratar a los calificados como no aptos para desempeñar los puestos de trabajo de que se trate.

— Artículo 243 LGSS, en relación con RDEP (Anexo I).

Véase: Escorias de Thomas. Abonos. Agricultura.

E.P. ESTIPATOSIS

1. Enfermedad pulmonar producida por la inhalación de polvo de esparto.

2. Los trabajadores expuestos a la inhalación de sustancias de alto peso molecular (sustancias de origen vegetal, animal, microorganismos, y sustancias enzimáticas de origen vegetal, animal y/o de microorganismos) (Código 4H06), pueden contraer la Enfermedad Profesional (E.P.) de estipatosis, en las actividades o trabajos que a continuación se relacionan:

- Industria alimenticia, panadería, industria de la cerveza. (Código 4H0601).
- Industria del té, industria del café, industria del aceite. (Código 4H0602).
- Industria del lino. (Código 4H0603).
- Industria de la malta. (Código 4H0604).
- Procesamiento de canela. (Código 4H0605).
- Procesamiento de la soja. (Código 4H0606).
- Elaboración de especias. (Código 4H0607).
- Molienda de semillas. (Código 4H0608).
- Lavadores de queso. (Código 4H0609).
- Manipuladores de enzimas. (Código 4H0610).
- Trabajadores de silos y molinos. (Código 4H0611).
- Trabajos de agricultura. (Código 4H0612).
- Granjeros, ganaderos, veterinarios y procesadores de carne. (Código 4H0613).
- Trabajos en avicultura. (Código 4H0614).
- Trabajos en piscicultura. (Código 4H0615).
- Industria química. (Código 4H0616).
- Industria del plástico, industria del látex. (Código 4H0617).
- Industria farmacéutica. (Código 4H0618).
- Industria textil. (Código 4H0619).
- Industria del papel. (Código 4H0620).
- Industria del cuero. (Código 4H0621).
- Industria de la madera: aserraderos, carpintería, acabados de madera. (Código 4H0622).
- Personal sanitario, higienistas dentales. (Código 4H0623).

- Personal de laboratorios médicos y farmacéuticos. (Código 4H0624).
- Trabajos con harinas de pescado y piensos compuestos. (Código 4H0625).
- Personal de zoológicos, entomólogos. (Código 4H0626).
- Encuadernadores. (Código 4H0627).
- Personal de limpieza. (Código 4H0628).
- Trabajos en los que se manipula cáñamo, bagazo de caña de azúcar, yute, lino, esparto, sisal y corcho. (Código 4H0629).
  - Construcción. (Código 4H0630).
  - Aplicación de pinturas, pigmentos etc., mediante aerografía. (Código 4H0631).

Por ello, debe realizarse reconocimientos médicos previos y periódicos a dichos trabajadores, con la prohibición de no contratar a los calificados como no aptos para desempeñar los puestos de trabajo de que se trate.

— Artículo 243 LGSS, en relación con RDEP (Anexo I).

Véase: E.P. rinoconjuntivitis. E.P. asma. E.P. alveolitis alérgica extrínseca. E.P. fibrosis intersticial difusa. E.P. neumopatía intersticial difusa. E.P. síndrome de difusión reactivo de la vía aérea. E.P. bisinosis. E.P. cannabiosis. E.P. linnosis. E.P. bagazosis. E.P. suberosis. E.P. urticaria. E.P. angioedemas. E.P. síndrome de disfunción de la vía reactiva. E.P. fiebre de los metales.

E.P. FIBROSIS INTERSTICIAL DIFUSA

1. Consiste en un extenso grupo de enfermedades pulmonares que afectan el intersticio, que es el tejido conectivo que forma la estructura de soporte de los alvéolos (sacos de aire) de los pulmones.

2. Los trabajadores expuestos a la inhalación de sustancias de alto peso molecular (sustancias de origen vegetal, animal, microorganismos, y sustancias enzimáticas de origen vegetal, animal y/o de microorganismos) (Código 4H05), y a sustancias de bajo peso molecular (metales y sus sales, polvos de maderas, productos farmacéuticos, sustancias químico plásticas, aditivos, etc.) (Código 4I06), pueden contraer la Enfermedad Profesional (E.P.) de fibrosis intersticial difusa, en las actividades o trabajos que a continuación se relacionan:

- Industria alimenticia, panadería, industria de la cerveza. (Código 4H0501).
- Industria del té, industria del café, industria del aceite. (Código 4H0502).
- Industria del lino. (Código 4H0503).
- Industria de la malta. (Código 4H0504).
- Procesamiento de canela. (Código 4H0505).
- Procesamiento de la soja. (Código 4H0506).
- Elaboración de especias. (Código 4H0507).
- Molienda de semillas. (Código 4H0508).
- Lavadores de queso. (Código 4H0509).
- Manipuladores de enzimas. (Código 4H0510).
- Trabajadores de silos y molinos. (Código 4H0511).
- Trabajos de agricultura. (Código 4H0512).
- Granjeros, ganaderos, veterinarios y procesadores de carne. (Código 4H0513).
- Trabajos en avicultura. (Código 4H0514).
- Trabajos en piscicultura. (Código 4H0515).
- Industria química. (Código 4H0516).

- Industria del plástico, industria del látex. (Código 4H0517).
- Industria farmacéutica. (Código 4H0518).
- Industria textil. (Código 4H0519).
- Industria del papel. (Código 4H0520).
- Industria del cuero. (Código 4H0521).
- Industria de la madera: aserraderos, carpintería, acabados de madera. (Código 4H0522).
  - Personal sanitario, higienistas dentales. (Código 4H0523).
  - Personal de laboratorios médicos y farmacéuticos. (Código 4H0524).
  - Trabajos con harinas de pescado y piensos compuestos. (Código 4H0525).
  - Personal de zoológicos, entomólogos. (Código 4H0526).
  - Encuadernadores. (Código 4H0527).
  - Personal de limpieza. (Código 4H0528).
  - Trabajos en los que se manipula cáñamo, bagazo de caña de azúcar, yute, lino, esparto, sisal y corcho. (Código 4H0529).
  - Construcción. (Código 4H0530).
  - Aplicación de pinturas, pigmentos etc., mediante aerografía. (Código 4H0531).
- Industria del cuero. (Código 4I0601).
- Industria química. (Código 4I0602).
- Industria textil. (Código 4I0603).
- Industria cosmética y farmacéutica. (Código 4I0604).
- Trabajos de peluquería. (Código 4I0605).
- Fabricación de resinas y endurecedores. (Código 4I0606).
- Trabajos en fundiciones. (Código 4I0607).
- Fijado y revelado de fotografía. (Código 4I0608).
- Fabricación y aplicación de lacas, pinturas, colorantes, adhesivos, barnices, esmaltes. (Código 4I0609).
  - Industria electrónica. (Código 4I0610).
  - Industria aeronáutica. (Código 4I0611).
  - Industria del plástico. (Código 4I0612).
  - Industria del caucho. (Código 4I0613).
  - Industria del papel. (Código 4I0614).
  - Industria de la madera: Aserraderos, acabados de madera, carpintería, ebanistería, fabricación y utilización de conglomerados de madera. (Código 4I0615).
  - Fabricación de espumas de poliuretano y su aplicación en estado líquido. (Código 4I0616).
  - Fabricación de látex. (Código 4I0617).
  - Trabajos de aislamiento y revestimiento. (Código 4I0618).
  - Trabajos de laboratorio. (Código 4I0619).
  - Trabajos en fotocopiadoras. (Código 4I0620).
  - Dentistas. (Código 4I0621).
  - Personal sanitario: enfermería, anatomía patológica, laboratorio. (Código 4I0622).
  - Flebología, granjeros, fumigadores. (Código 4I0623).
  - Refinería de platino. (Código 4I0624).
  - Galvanizado, plateado, niquelado y cromado de metales. (Código 4I0625).
  - Soldadores. (Código 4I0626).

- Industria del aluminio. (Código 4l0627).
- Trabajos de joyería. (Código 4l0628).
- Trabajos con acero inoxidable. (Código 4l0629).
- Personal de limpieza. (Código 4l0630).
- Trabajadores sociales. (Código 4l0631).
- Trabajadores que se dedican al cuidado de personas y asimilados. (Código 4l0632).
- Aplicación de pinturas, pigmentos, etc., mediante aerografía. (Código 4l0633).

Por ello, debe realizarse reconocimientos médicos previos y periódicos a dichos trabajadores, con la prohibición de no contratar a los calificados como no aptos para desempeñar los puestos de trabajo de que se trate.

— Artículo 243 LGSS, en relación con RDEP (Anexo I).

Véase: E.P. rinoconjuntivitis. E.P. asma. E.P. alveolitis alérgica extrínseca. E.P. neumopatía intersticial difusa. E.P. síndrome de difusión reactivo de la vía aérea. E.P. bisinosis. E.P. cannabiosis. E.P. linnosis. E.P. bagazosis. E.P. estipatosis. E.P. suberosis. E.P. urticaria. E.P. angioedemas. E.P. síndrome de disfunción de la vía reactiva. E.P. fiebre de los metales.

E.P. FIEBRE AMARILLA

1. Enfermedad endémica. Es provocada por un virus que se transmite por la picadura de ciertos mosquitos.

2. Los trabajadores ocupados en las actividades económicas, y expuestos a los agentes o sustancias que a continuación se indican, pueden contraer una Enfermedad Profesional (E.P.), causada por agentes biológicos:

- Trabajos desarrollados en zonas endémicas, con exposición a agentes biológicos, que pueden provocar E.P. infecciosas como, paludismo, amebiasis, tripanosomiasis, dengue, fiebre amarilla, fiebre papataci, fiebre recurrente, peste, lesishmaniosis, pian, tifus exantemático, borrelias y otras ricketsiosis. (Código 3C0101).

Por ello, debe realizarse reconocimientos médicos previos y periódicos a dichos trabajadores, con la prohibición de no contratar a los calificados como no aptos para desempeñar los puestos de trabajo de que se trate.

— Artículo 243 LGSS, en relación con RDEP (Anexo I).

Véase: Enfermedades infecciosas. Sustancias infecciosas. E.P. infecciosas (otras). E.P. transmitidas por animales. Zonas endémicas.

E.P. FIEBRE DE LOS METALES

1. Fiebres inhalatorias debidas a la exposición al humo de ciertos tóxicos inhalados. En la mayoría de los casos por inhalación de cinc.

2. Los trabajadores expuestos a la inhalación de sustancias de bajo peso molecular (metales y sus sales, polvos de maderas, productos farmacéuticos, sustancias químico plásticas, aditivos, etc.) (Código 4l07), pueden contraer la Enfermedad Profesional (E.P.) de fiebre de los metales, en las actividades o trabajos que a continuación se relacionan:

- Industria del cuero. (Código 4l0701).
- Industria química. (Código 4l0702).
- Industria textil. (Código 4l0703).

- Industria cosmética y farmacéutica. (Código 410704).
- Trabajos de peluquería. (Código 410705).
- Fabricación de resinas y endurecedores. (Código 410706).
- Trabajos en fundiciones. (Código 410707).
- Fijado y revelado de fotografía. (Código 410708).
- Fabricación y aplicación de lacas, pinturas, colorantes, adhesivos, barnices, esmaltes. (Código 410709).
- Industria electrónica. (Código 410710).
- Industria aeronáutica. (Código 410711).
- Industria del plástico. (Código 410712).
- Industria del caucho. (Código 410713).
- Industria del papel. (Código 410714).
- Industria de la madera: Aserraderos, acabados de madera, carpintería, ebanistería, fabricación y utilización de conglomerados de madera. (Código 410715).
- Fabricación de espumas de poliuretano y su aplicación en estado líquido. (Código 410716).
- Fabricación de látex. (Código 410717).
- Trabajos de aislamiento y revestimiento. (Código 410718).
- Trabajos de laboratorio. (Código 410719).
- Trabajos en fotocopiadoras. (Código 410720).
- Dentistas. (Código 410721).
- Personal sanitario: enfermería, anatomía patológica, laboratorio. (Código 410722).
- Flebología, granjeros, fumigadores. (Código 410723).
- Refinería de platino. (Código 410724).
- Galvanizado, plateado, niquelado y cromado de metales. (Código 410725).
- Soldadores. (Código 410726).
- Industria del aluminio. (Código 410727).
- Trabajos de joyería. (Código 410728).
- Trabajos con acero inoxidable. (Código 410729).
- Personal de limpieza. (Código 410730).
- Trabajadores sociales. (Código 410731).
- Trabajadores que se dedican al cuidado de personas y asimilados. (Código 410732).
- Aplicación de pinturas, pigmentos, etc., mediante aerografía. (Código 410733).

Por ello, debe realizarse reconocimientos médicos previos y periódicos a dichos trabajadores, con la prohibición de no contratar a los calificados como no aptos para desempeñar los puestos de trabajo de que se trate.

— Artículo 243 LGSS, en relación con RDEP (Anexo I).

Véase: E.P. rinoconjuntivitis. E.P. asma. E.P. alveolitis alérgica extrínseca. E.P. fibrosis intersticial difusa. E.P. neumopatía intersticial difusa. E.P. síndrome de difusión reactivo de la vía aérea. E.P. bisinosis. E.P. cannabiosis. E.P. linnosis. E.P. bagazosis. E.P. estipatosis. E.P. suberosis. E.P. urticaria. E.P. angioedemas. E.P. síndrome de disfunción de la vía reactiva.

E.P. FIEBRE RECURRENTE

1. Fiebre que reaparece después de intermisiones. Infección transmitida por piojos o garrapatas, que se caracteriza por episodios repetitivos de fiebre.

2. Los trabajadores ocupados en las actividades económicas, y expuestos a los agentes o sustancias que a continuación se indican, pueden contraer una Enfermedad Profesional (E.P.), causada por agentes biológicos:

• Trabajos desarrollados en zonas endémicas, con exposición a agentes biológicos, que pueden provocar E.P. infecciosas como, paludismo, amebiasis, tripanosomiasis, dengue, fiebre amarilla, fiebre papataci, fiebre recurrente, peste, lesishmaniosis, pian, tifus exantemático, borrelias y otras ricketsiosis. (Código 3C0101).

Por ello, debe realizarse reconocimientos médicos previos y periódicos a dichos trabajadores, con la prohibición de no contratar a los calificados como no aptos para desempeñar los puestos de trabajo de que se trate.

— Artículo 243 LGSS, en relación con RDEP (Anexo I).

Véase: Enfermedades infecciosas. E.P. infecciosas (otras). E.P. transmitidas por animales. Zonas endémicas.

E.P. HELMINTIASIS

1. Enfermedad producida por gusanos parásitos que viven alojados en los tejidos o en el intestino de un vertebrado.

2. Los trabajadores ocupados en las actividades económicas, y expuestos a los agentes o sustancias que a continuación se indican, pueden contraer una Enfermedad Profesional (E.P.), causada por agentes biológicos:

• Trabajos en cuevas de fermentación. (Código 3D0101).
• Plantas de procesamiento de las patatas. (Código 3D0102).
• Museos y bibliotecas. (Código 3D0103).
• Trabajos en contacto con humedad. (Código 3D0104).
• Trabajadores dedicados a la limpieza y mantenimiento de instalaciones que sean susceptibles de transmitir la legionella. (Código 3D0105).
• Trabajos subterráneos: minas, túneles, galerías, cuevas. (Código 3D0106).
• Trabajos en zonas húmedas y/o pantanosas: pantanos, arrozales, salinas, huertas. (Código 3D0107).
• Agricultores (centeno). (Código 3D0108).
• Trabajos de fermentación del vinagre. (Código 3D0109).

Por ello, debe realizarse reconocimientos médicos previos y periódicos a dichos trabajadores, con la prohibición de no contratar a los calificados como no aptos para desempeñar los puestos de trabajo de que se trate.

— Artículo 243 LGSS, en relación con RDEP (Anexo I).

Véase: Parasitos.

E.P. HIGROMA

1. Distensión, generalmente de origen traumático, de la vaina sinovial de un tendón.

2. Los trabajadores que realicen trabajos con posturas forzadas y/o movimientos repetitivos (Código 2C), pueden contraer la Enfermedad Profesional (E.P.) de higroma crónico del codo, en las actividades o trabajos que a continuación se relacionan:

• Trabajos que requieren de un apoyo prolongado sobre la cara posterior del codo. (Código 2C0601).

Por ello, debe realizarse reconocimientos médicos previos y periódicos a dichos trabajadores, con la prohibición de no contratar a los calificados como no aptos para desempeñar los puestos de trabajo de que se trate.

— Artículo 243 LGSS, en relación con RDEP (Anexo I).

Véase: Trabajos con movimientos repetitivos. Trabajos con posturas forzadas.

E.P. HIPOACUSIA

1. Sordera provocada por el ruido. Sordera profesional causada por agentes físicos, de tipo neurosensorial, frecuencias de 3 a 6 KHz, bilateral simétrica e irreversible. Adquirida en trabajos que exponen a ruidos continuos cuyo nivel sonoro diario equivalente (según legislación vigente) sea igual o superior a 80 decibelios A.

2. Cualquier persona expuesta a ruido de forma repetida, puede desarrollar una hipoacusia progresiva, al cabo de los años.

La pérdida auditiva empieza en la zona extraconversacional y, por tanto, no es percibida por el paciente. Este cuadro no tiene tratamiento. Por tanto, la medida más correcta es impedir la aparición o su evolución en el peor de los casos, por ello, a los trabajadores sometidos a ruido de cualquier origen, durante su trabajo, se les debe controlar su audición.

— Notas Técnicas de Prevención n.º 193/1988. 284, 285, 287/1991. INSST.

3. Los trabajadores expuestos al ruido diario igual o superior a 80 decibelios A, pueden contraer la Enfermedad Profesional (E.P.) de hipoacusia, causada por agentes físicos, de tipo neurosensorial, frecuencias de 3 a 6 KHz, bilateral simétrica e irreversible, en las actividades o trabajos que a continuación se relacionan:

• Trabajos de calderería. (Código 2A0101).

• Trabajos de estampado, embutido, remachado y martillado de metales. (Código 2A0102).

• Trabajos en telares de lanzadera batiente. (Código 2A0103).

• Trabajos de control y puesta a punto de motores de aviación, reactores o de pistón. (Código 2A0104).

• Trabajos con martillos y perforadores neumáticos en minas, túneles y galerías subterráneas. (Código 2A0105).

• Trabajos en salas de máquinas de navíos. (Código 2A0106).

• Tráfico aéreo (personal de tierra, mecánicos y personal de navegación, de aviones a reacción, etc.). (Código 2A0107).

• Talado y corte de árboles con sierras portátiles. (Código 2A0108).

• Salas de recreación (discotecas, etc.). (Código 2A0109).

• Trabajos de obras públicas (rutas, construcciones, etc.) efectuados con máquinas ruidosas como las bulldozers, excavadoras, palas mecánicas, etc. (Código 2A0110).

• Motores diesel, en particular en las dragas y los vehículos de transportes de ruta, ferroviarios y marítimos. (Código 2A0111).

• Recolección de basura doméstica. (Código 2A0112).

• Instalación y pruebas de equipos de amplificación de sonido. (Código 2A0113).

• Empleo de vibradores en la construcción. (Código 2A0114).

• Trabajo en imprenta rotativa en la industria gráfica. (Código 2A0115).

• Molienda de caucho, de plástico y la inyección de esos materiales para moldeo--Manejo de maquinaria de transformación de la madera, sierras circulares, de cinta, cepilladoras, tupies, fresas. (Código 2A0116).

• Molienda de piedras y minerales. (Código 2A0117).

• Expolio y destrucción de municiones y explosivos. (Código 2A0118).

Por ello, debe realizarse reconocimientos médicos previos y periódicos a dichos trabajadores, con la prohibición de no contratar a los calificados como no aptos para desempeñar los puestos de trabajo de que se trate.

— Artículo 243 LGSS, en relación con RDEP (Anexo I).

Véase: Ruido. Ambiente de trabajo. Sonómetro. Audiometría. Epi contra el ruido. Protectores auditivos.

E.P. INFECCIOSAS (OTRAS)

1. Enfermedades infecciosas y parasitarias no contempladas en otros apartados como:

• Paludismo, amebiasis, tripanosomiasis, dengue, fiebre amarilla, fiebre papataci, fiebre recurrente, peste, lesishmaniosis, pian, tifus exantemático, borrelias y otras ricketsiosis, en trabajos desarrollados en zonas endémicas (Código 3C01).

• Micosis, legionella y helmintiasis (3D01).

2. Los trabajadores expuestos a parásitos patógenos que originan y desarrollan una enfermedad (Códigos 3C01 y 3D01), pueden contraer una Enfermedad Profesional (E.P.) de las relacionadas anteriormente, causada por agentes biológicos, en las actividades o trabajos que a continuación se relacionan:

• Trabajos desarrollados en zonas endémicas. (Código 3C0101).

• Trabajos en cuevas de fermentación. (Código 3D0101).

• Plantas de procesamiento de las patatas. (Código 3D0102).

• Museos y bibliotecas. (Código 3D0103).

• Trabajos en contacto con humedad. (Código 3D0104).

• Trabajadores dedicados a la limpieza y mantenimiento de instalaciones que sean susceptibles de transmitir la legionella. (Código 3D0105).

• Trabajos subterráneos: minas, túneles, galerías, cuevas. (Código 3D0106).

• Trabajos en zonas húmedas y/o pantanosas: pantanos, arrozales, salinas, huertas. (Código 3D0107).

• Agricultores (centeno). (Código 3D0108).

• Trabajos de fermentación del vinagre. (Código 3D0109).

Por ello, debe realizarse reconocimientos médicos previos y periódicos a dichos trabajadores, con la prohibición de no contratar a los calificados como no aptos para desempeñar los puestos de trabajo de que se trate.

— Artículo 243 LGSS, en relación con RDEP (Anexo I).

Véase: Bacterias. Virus. Enfermedades infecciosas. Zonas endémicas. E.P. infecciosas transmitidas por personas. E.P. transmitidas por animales.

E.P. INFECCIOSAS TRANSMITIDAS POR ANIMALES

1. Enfermedades infecciosas o parasitarias transmitidas al hombre por los animales o por sus productos y cadáveres

2. Los trabajadores expuestos a parásitos patógenos que originan y desarrollan una enfermedad (Código 3B01), pueden contraer una Enfermedad Profesional (E.P.) infecciosa transmitida por animales, causada por agentes biológicos, en las actividades o trabajos que a continuación se relacionan:

- Agricultores. (Código 3B0101).
- Ganaderos. (Código 3B0102).
- Matarifes. (Código 3B0103).
- Peleteros. (Código 3B0104).
- Curtidores. (Código 3B0105).
- Veterinarios. (Código 3B0106).
- Diseñadores de prendas de piel. (Código 3B0107).
- Trabajos de manipulación, carga, descarga, transporte y empleo de los despojos de animales. (Código 3B0108).
- Pastores. (Código 3B0109).
- Personal sanitario. (Código 3B0110).
- Personal de laboratorios. (Código 3B0111).
- Personal de mataderos. (Código 3B0112).
- Personal de cuidado, recogida, cría y transporte de animales. (Código 3B0113).
- Obreros rurales. (Código 3B0114).
- Carniceros. (Código 3B0115).
- Veterinarios. (Código 3B0116).
- Avicultores. (Código 3B0117).
- Tiendas de animales. (Código 3B0118).
- Trabajos con riesgos de herida en ambiente potencialmente peligroso. (Código 3B0119).
- Trabajos de manipulación de excretas humanas o de animales. (Código 3B0120).
- Granjeros. (Código 3B0121).
- Guardas de caza. (Código 3B0122).
- Trabajos forestales. (Código 3B0123).
- Trabajadores del campo. (Código 3B0124).
- Segadores de arrozales. (Código 3B0125).
- Porquerizos. (Código 3B0126).
- Trabajos de alcantarillado (ratas). (Código 3B0127).
- Vaqueros. (Código 3B0128).
- Profesiones en contacto con ganado equino. (Código 3B0129).
- Personal de conservación de la naturaleza. (Código 3B0130).
- Personal de orden público. (Código 3B0131).
- Trabajos que impliquen la manipulación o exposición de excretas de animales: ganaderos, veterinarios, trabajadores de animalarios. (Código 3B0132).

Por ello, debe realizarse reconocimientos médicos previos y periódicos a dichos trabajadores, con la prohibición de no contratar a los calificados como no aptos para desempeñar los puestos de trabajo de que se trate.

— Artículo 243 LGSS, en relación con RDEP (Anexo I).

Véase: Enfermedades infecciosas. E.P. infecciosas. E.P. infecciosas transmitidas por personas.

E.P. INFECCIOSAS TRANSMITIDAS POR PERSONAS

1. Enfermedades infecciosas, provocadas por agentes biológicos, causadas por el trabajo de las personas que se ocupan de la prevención, asistencia médica y actividades en las que se ha probado un riesgo de infección (excluidos aquellos microorganismos incluidos en el grupo 1 del R.D. 664/1997, de 12 de mayo regulador de la protección de los trabajadores contra los riesgos relacionados con la exposición a agentes biológicos durante el trabajo).

2. Los trabajadores expuestos a la prevención, asistencia médica (Código 3A01), pueden contraer la Enfermedad Profesional (E.P.) infecciosa transmitida por personas, causada por agentes biológicos, en las actividades o trabajos que a continuación se relacionan:

- Actividades en las que se ha probado un riesgo de infección. (Código 3A01).
- Personal sanitario. (Código 3A0101).
- Personal sanitario y auxiliar de instituciones cerradas. (Código 3A0102).
- Personal de laboratorio. (Código 3A0103).
- Personal no sanitario, trabajadores de centros asistenciales o de cuidados de enfermos, tanto en ambulatorios como en instituciones cerradas o a domicilio. (Código 3A0104).
- Trabajadores de laboratorios de investigación o análisis clínicos. (Código 3A0105).
- Trabajos de toma, manipulación o empleo de sangre humana o sus derivados. (Código 3A0106).
- Odontólogos. (Código 3A0107).
- Personal de auxilio. (Código 3A0108).
- Trabajadores de centros penitenciarios. (Código 3A0109).
- Personal de orden público. (Código 3A0110).

Por ello, debe realizarse reconocimientos médicos previos y periódicos a dichos trabajadores, con la prohibición de no contratar a los calificados como no aptos para desempeñar los puestos de trabajo de que se trate.

— Artículo 243 LGSS, en relación con RDEP (Anexo I).

Véase: Cuidado de personas. Trabajadores del servicio del hogar familiar. Enfermedades infecciosas. Enfermeros. Hospitales. Trabajo en hospitales. Trabajadores sanitarios. E.P. infecciosas. E.P. infecciosas transmitidas por animales.

E.P. LEGIONELLA

1. Bacteria causante de la legionelosis. Legionelosis: Enfermedad causada por bacterias del género legionella, que se difunde especialmente por el agua y por el uso de nebulizadores.

2. Los trabajadores ocupados en las actividades económicas, y expuestos a los agentes o sustancias que a continuación se indican, pueden contraer una Enfermedad Profesional (E.P.), causada por agentes biológicos:

- Trabajos en cuevas de fermentación. (Código 3D0101).
- Plantas de procesamiento de las patatas. (Código 3D0102).
- Museos y bibliotecas. (Código 3D0103).
- Trabajos en contacto con humedad. (Código 3D0104).

• Trabajadores dedicados a la limpieza y mantenimiento de instalaciones que sean susceptibles de transmitir la legionella. (Código 3D0105).

• Trabajos subterráneos: minas, túneles, galerías, cuevas. (Código 3D0106).

• Trabajos en zonas húmedas y/o pantanosas: pantanos, arrozales, salinas, huertas. (Código 3D0107).

• Agricultores (centeno). (Código 3D0108).

• Trabajos de fermentación del vinagre. (Código 3D0109).

Por ello, debe realizarse reconocimientos médicos previos y periódicos a dichos trabajadores, con la prohibición de no contratar a los calificados como no aptos para desempeñar los puestos de trabajo de que se trate.

— Artículo 243 LGSS, en relación con RDEP (Anexo I).

Véase: Bacterias. Agua: Tratamiento.

E.P. LESIONES DEL MENISCO

1. Lesiones de menisco por mecanismos de arrancamiento y compresión asociados, dando lugar a fisuras o roturas completas.

2. Los trabajadores expuestos a posturas forzadas y movimientos repetitivos en el trabajo (Código 2G01), pueden contraer la Enfermedad Profesional (E.P.) de lesiones del menisco, por mecanismos de arrancamiento y compresión asociadas, dando lugar a fisuras o roturas completas, en las actividades o trabajos que a continuación se relacionan:

• Trabajos que requieran posturas en hiperflexión de la rodilla en posición mantenida en cuclillas de manera prolongada como son: Trabajos en minas subterráneas, electricistas, soladores, instaladores de suelos de madera, fontaneros. (Código 2G0101).

Por ello, debe realizarse reconocimientos médicos previos y periódicos a dichos trabajadores, con la prohibición de no contratar a los calificados como no aptos para desempeñar los puestos de trabajo de que se trate.

— Artículo 243 LGSS, en relación con RDEP (Anexo I).

Véase: Trabajos con posturas forzadas. Trabajos con movimientos repetitivos.

E.P. LESIONES PREMALIGNAS DE PIEL

1. Son aquellas lesiones cutáneas que tienen potencial para evolucionar a un cáncer cutáneo.

2. Los trabajadores expuestos a hidrocarburos aromáticos policiclicos (Código 6J), productos de destilación del carbón: hollín, alquitrán, betún, brea, antraceno, aceites minerales, parafina bruta y a los compuestos, productos, residuos de estas sustancias y a otros factores carcinógenos, destilación de la hulla, pueden contraer la Enfermedad Profesional (E.P.) de lesiones premalignas de piel (Código 6J01), en las actividades o trabajos que a continuación se relacionan:

• Fabricación de pigmentos, deshollinado de chimeneas, pavimentación de carreteras, aislamientos, donde se utilicen hidrocarburos aromáticos. (Código 6J0101).

• Preparación de aditivos para papel autocopiativo, donde se utilicen hidrocarburos aromáticos. (Código 6J0102).

• Operaciones de laminado en metalurgia, donde se utilicen hidrocarburos aromáticos. (Código 6J0103).

• Fabricación de cables eléctricos, donde se utilicen hidrocarburos aromáticos. (Código 6J0104).

• Fabricación de tela asfáltica, donde se utilicen hidrocarburos aromáticos. (Código 6J0105).

• Trabajos en hornos de carbón o coque, donde se utilicen hidrocarburos aromáticos. (Código 6J0106).

• Procesos de fabricación en los que se utilice polvo de carbón. (Código 6J0107).

• Producción de aluminio, donde se utilicen hidrocarburos aromáticos. (Código 6J0108).

• Fabricación de electrodos, donde se utilicen hidrocarburos aromáticos. (Código 6J0109).

• Producción, transporte y almacenamiento de productos de asfalto, que contengan hidrocarburos aromáticos. (Código 6J0110).

• Operaciones de destilación en la industria del petróleo, donde se utilicen hidrocarburos aromáticos. (Código 6J0111).

• Trabajos de pavimentación, donde se utilicen hidrocarburos aromáticos. (Código 6J0112).

• Trabajos de eliminación de suelos asfaltados, que contengan hidrocarburos aromáticos. (Código 6J0113).

• Aplicación de pinturas con base de alquitrán, que contengan hidrocarburos aromáticos. (Código 6J0114).

• Tratamiento antióxido de vehículos, donde se utilicen hidrocarburos aromáticos. (Código 6J0115).

• Conductores de vehículos automóviles, que contengan hidrocarburos aromáticos. (Código 6J0116).

• Montadores de motores, donde se utilicen hidrocarburos aromáticos. (Código 6J0117).

• Mecánicos (trabajos de reparación de vehículos), donde se utilicen hidrocarburos aromáticos. (Código 6J0118).

• Trabajadores de aparcamientos, que contengan hidrocarburos aromáticos. (Código 6J0119).

• Trabajos en unidades de combustión (calderas), donde se utilicen hidrocarburos aromáticos. (Código 6J0120).

• Producción de gas ciudad, donde se utilicen hidrocarburos aromáticos. (Código 6J0121).

• Mantenimiento de redes eléctricas subterráneas, que contengan hidrocarburos aromáticos. (Código 6J0122).

• Producción de ladrillos refractarios y cerámicos, donde se utilicen hidrocarburos aromáticos. (Código 6J0123).

• Producción de carburo de silíceo, donde se utilicen hidrocarburos aromáticos. (Código 6J0124).

• Fabricación de neumáticos, donde se utilicen hidrocarburos aromáticos. (Código 6J0125).

• Trabajos de impresión en artes gráficas, donde se utilicen hidrocarburos aromáticos. (Código 6J0126).

Por ello, debe realizarse reconocimientos médicos previos y periódicos a dichos trabajadores, con la prohibición de no contratar a los calificados como no aptos para desempeñar los puestos de trabajo de que se trate.

— Artículo 243 LGSS, en relación con RDEP (Anexo I).

Véase: E.P. de la piel.

E.P. LINFOMA

1. Un linfoma es una proliferación maligna de linfocitos (células defensivas del sistema inmunitario), generalmente dentro de los nódulos o ganglios linfáticos, pero que a veces afecta también a otros tejidos como el hígado o el bazo.

2. Los trabajadores expuestos al nitrobenceno (Código 6P), pueden contraer la Enfermedad Profesional (E.P.) de linfoma (Cáncer) (Código 6P01), en las actividades o trabajos que a continuación se relacionan:

- Utilización del nitrobenceno como disolvente. (Código 6P0101).
- Producción de colorantes, pigmentos, tintes, donde se utilice nitrobenceno. (Código 6P0102).
- Fabricación de explosivos, donde se utilice nitrobenceno. (Código 6P0103).
- Industria farmacéutica y cosmética, donde se utilice nitrobenceno. (Código 6P0104).
- Industria del plástico, donde se utilice nitrobenceno. (Código 6P0105).
- Utilización de nitrobenceno como pesticidas. (Código 6P0106).
- Utilización de nitrobenceno en la industria textil, química, del papel. (Código 6P0107).
- Utilización de nitrobenceno en laboratorios. (Código 6P0108).
- Utilización de nitrobenceno como enmascarador de olores. (Código 6P0109).
- Utilización de dinitrobenceno en la producción de celuloide, etc. (Código 6P0110).

Por ello, debe realizarse reconocimientos médicos previos y periódicos a dichos trabajadores, con la prohibición de no contratar a los calificados como no aptos para desempeñar los puestos de trabajo de que se trate.

— Artículo 243 LGSS, en relación con RDEP (Anexo I).

Véase: Nitrobenceno. Benceno.

E.P. LINNOSIS

1. Enfermedad pulmonar producida por la inhalación de polvo de lino.

2. Los trabajadores expuestos a la inhalación de sustancias de alto peso molecular (sustancias de origen vegetal, animal, microorganismos, y sustancias enzimáticas de origen vegetal, animal y/o de microorganismos) (Código 4H06), pueden contraer la Enfermedad Profesional (E.P.) de linnosis, en las actividades o trabajos que a continuación se relacionan:

- Industria alimenticia, panadería, industria de la cerveza. (Código 4H0601).
- Industria del té, industria del café, industria del aceite. (Código 4H0602).
- Industria del lino. (Código 4H0603).
- Industria de la malta. (Código 4H0604).
- Procesamiento de canela. (Código 4H0605).

- Procesamiento de la soja. (Código 4H0606).
- Elaboración de especias. (Código 4H0607).
- Molienda de semillas. (Código 4H0608).
- Lavadores de queso. (Código 4H0609).
- Manipuladores de enzimas. (Código 4H0610).
- Trabajadores de silos y molinos. (Código 4H0611).
- Trabajos de agricultura. (Código 4H0612).
- Granjeros, ganaderos, veterinarios y procesadores de carne. (Código 4H0613).
- Trabajos en avicultura. (Código 4H0614).
- Trabajos en piscicultura. (Código 4H0615).
- Industria química. (Código 4H0616).
- Industria del plástico, industria del látex. (Código 4H0617).
- Industria farmacéutica. (Código 4H0618).
- Industria textil. (Código 4H0619).
- Industria del papel. (Código 4H0620).
- Industria del cuero. (Código 4H0621).
- Industria de la madera: aserraderos, carpintería, acabados de madera. (Código 4H0622).
- Personal sanitario, higienistas dentales. (Código 4H0623).
- Personal de laboratorios médicos y farmacéuticos. (Código 4H0624).
- Trabajos con harinas de pescado y piensos compuestos. (Código 4H0625).
- Personal de zoológicos, entomólogos. (Código 4H0626).
- Encuadernadores. (Código 4H0627).
- Personal de limpieza. (Código 4H0628).
- Trabajos en los que se manipula cáñamo, bagazo de caña de azúcar, yute, lino, esparto, sisal y corcho. (Código 4H0629).
- Construcción. (Código 4H0630).
- Aplicación de pinturas, pigmentos etc., mediante aerografía. (Código 4H0631).

Por ello, debe realizarse reconocimientos médicos previos y periódicos a dichos trabajadores, con la prohibición de no contratar a los calificados como no aptos para desempeñar los puestos de trabajo de que se trate.

— Artículo 243 LGSS, en relación con RDEP (Anexo I).

Véase: E.P. rinoconjuntivitis. E.P. asma. E.P. alveolitis alérgica extrínseca. E.P. fibrosis intersticial difusa. E.P. neumopatía intersticial difusa. E.P. síndrome de difusión reactivo de la vía aérea. E.P. bisinosis. E.P. cannabiosis. E.P. bagazosis. E.P. estipatosis. E.P. suberosis. E.P. urticaria. E.P. angioedemas. E.P. síndrome de disfunción de la vía reactiva. E.P. fiebre de los metales.

E.P. MESOTELIOMA DE OTRAS LOCALIZACIONES

1. Es una forma rara de cáncer que se desarrolla a partir de células transformadas originarias del mesotelio, el revestimiento protector que cubre muchos de los órganos internos del cuerpo.

2. Los trabajadores expuestos al amianto (Código 6A05), pueden contraer la Enfermedad Profesional (E.P.) de mesotelioma de otras localizaciones, en las actividades o trabajos que a continuación se relacionan:

• Industrias en las que se utiliza amianto (por ejemplo, minas de rocas amiantíferas, industria de producción de amianto, trabajos de aislamientos, trabajos de construcción, construcción naval, trabajos en garajes, etc.). (Código 6A0501).

• Trabajos de extracción, manipulación y tratamiento de minerales o rocas amiantíferas. (Código 6A0502).

• Fabricación de tejidos, cartones y papeles de amianto. (Código 6A0503).

• Tratamiento preparatorio de fibras de amianto (cardado, hilado, tramado, etc.). (Código 6A0504).

• Aplicación de amianto a pistola (chimeneas, fondos de automóviles y vagones). (Código 6A0505).

• Trabajos de aislamiento térmico en construcción naval y de edificios. (Código 6A0506).

• Fabricación de guarniciones para frenos y embragues, de productos de fibrocemento, de equipos contra incendios, de filtros y cartón de amianto, de juntas de amianto y caucho. (Código 6A0507).

• Desmontaje y demolición de instalaciones que contengan amianto. (Código 6A0508).

• Limpieza, mantenimiento y reparación de acumuladores de calor u otras máquinas que tengan componentes de amianto. (Código 6A0509).

• Trabajos de reparación de vehículos automóviles. (Código 6A0510).

• Aserrado de fibrocemento. (Código 6A0511).

• Trabajos que impliquen la eliminación de materiales con amianto. (Código 6A0512).

Por ello, debe realizarse reconocimientos médicos previos y periódicos a dichos trabajadores, con la prohibición de no contratar a los calificados como no aptos para desempeñar los puestos de trabajo de que se trate.

— Artículo 243 LGSS, en relación con RDEP (Anexo I).

Véase: Amianto. Asbesto.

E.P. MESOTELIOMA DE PERITONEO

1. Es un tumor canceroso poco común. Afecta principalmente el revestimiento del abdomen (peritoneo).

2. Los trabajadores expuestos al amianto (Código 6A04), pueden contraer la Enfermedad Profesional (E.P.) de mesotelioma de peritoneo, en las actividades o trabajos que a continuación se relacionan:

• Industrias en las que se utiliza amianto (por ejemplo, minas de rocas amiantíferas, industria de producción de amianto, trabajos de aislamientos, trabajos de construcción, construcción naval, trabajos en garajes, etc.). (Código 6A0401).

• Trabajos de extracción, manipulación y tratamiento de minerales o rocas amiantíferas. (Código 6A0402).

• Fabricación de tejidos, cartones y papeles de amianto. (Código 6A0403).

• Tratamiento preparatorio de fibras de amianto (cardado, hilado, tramado, etc.). (Código 6A0404).

• Aplicación de amianto a pistola (chimeneas, fondos de automóviles y vagones). (Código 6A0405).

• Trabajos de aislamiento térmico en construcción naval y de edificios. (Código 6A0406).

• Fabricación de guarniciones para frenos y embragues, de productos de fibrocemento, de equipos contra incendios, de filtros y cartón de amianto, de juntas de amianto y caucho. (Código 6A0407).

• Desmontaje y demolición de instalaciones que contengan amianto. (Código 6A0408).

• Limpieza, mantenimiento y reparación de acumuladores de calor u otras máquinas que tengan componentes de amianto. (Código 6A0409).

• Trabajos de reparación de vehículos automóviles. (Código 6A0410).

• Aserrado de fibrocemento. (Código 6A0411).

• Trabajos que impliquen la eliminación de materiales con amianto. (Código 6A0412).

Por ello, debe realizarse reconocimientos médicos previos y periódicos a dichos trabajadores, con la prohibición de no contratar a los calificados como no aptos para desempeñar los puestos de trabajo de que se trate.

— Artículo 243 LGSS, en relación con RDEP (Anexo I).

Véase: Amianto. Asbesto.

E.P. MESOTELIOMA DE PLEURA

1. Es un tumor canceroso poco común. Afecta principalmente el revestimiento del pulmón y de la cavidad torácica (pleura).

2. Los trabajadores expuestos al amianto (Código 6A03), pueden contraer la Enfermedad Profesional (E.P.) de mesotelioma de pleura, en las actividades o trabajos que a continuación se relacionan:

• Industrias en las que se utiliza amianto (por ejemplo, minas de rocas amiantíferas, industria de producción de amianto, trabajos de aislamientos, trabajos de construcción, construcción naval, trabajos en garajes, etc.). (Código 6A0301).

• Trabajos de extracción, manipulación y tratamiento de minerales o rocas amiantíferas. (Código 6A0302).

• Fabricación de tejidos, cartones y papeles de amianto. (Código 6A0303).

• Tratamiento preparatorio de fibras de amianto (cardado, hilado, tramado, etc.). (Código 6A0304).

• Aplicación de amianto a pistola (chimeneas, fondos de automóviles y vagones). (Código 6A0305).

• Trabajos de aislamiento térmico en construcción naval y de edificios. (Código 6A0306).

• Fabricación de guarniciones para frenos y embragues, de productos de fibrocemento, de equipos contra incendios, de filtros y cartón de amianto, de juntas de amianto y caucho. (Código 6A0307).

• Desmontaje y demolición de instalaciones que contengan amianto. (Código 6A0308).

• Limpieza, mantenimiento y reparación de acumuladores de calor u otras máquinas que tengan componentes de amianto. (Código 6A0309).

• Trabajos de reparación de vehículos automóviles. (Código 6A0310).

• Aserrado de fibrocemento. (Código 6A0311).

• Trabajos que impliquen la eliminación de materiales con amianto. (Código 6A0312).

Por ello, debe realizarse reconocimientos médicos previos y periódicos a dichos trabajadores, con la prohibición de no contratar a los calificados como no aptos para desempeñar los puestos de trabajo de que se trate.

— Artículo 243 LGSS, en relación con RDEP (Anexo I).

Véase: Amianto. Benceno.

E.P. MESOTELIOMA

1. Es una forma rara de cáncer que se desarrolla a partir de células transformadas originarias del mesotelio, el revestimiento protector que cubre muchos de los órganos internos del cuerpo.

2. Los trabajadores expuestos al amianto (Código 6A02), pueden contraer la Enfermedad Profesional (E.P.) de mesotelioma, en las actividades o trabajos que a continuación se relacionan:

• Industrias en las que se utiliza amianto (por ejemplo, minas de rocas amiantíferas, industria de producción de amianto, trabajos de aislamientos, trabajos de construcción, construcción naval, trabajos en garajes, etc.). (Código 6A0201).

• Trabajos de extracción, manipulación y tratamiento de minerales o rocas amiantíferas. (Código 6A0202).

• Fabricación de tejidos, cartones y papeles de amianto. (Código 6A0203).

• Tratamiento preparatorio de fibras de amianto (cardado, hilado, tramado, etc.). (Código 6A0204).

• Aplicación de amianto a pistola (chimeneas, fondos de automóviles y vagones). (Código 6A0205).

• Trabajos de aislamiento térmico en construcción naval y de edificios. (Código 6A0206).

• Fabricación de guarniciones para frenos y embragues, de productos de fibrocemento, de equipos contra incendios, de filtros y cartón de amianto, de juntas de amianto y caucho. (Código 6A0207).

• Desmontaje y demolición de instalaciones que contengan amianto. (Código 6A0208).

• Limpieza, mantenimiento y reparación de acumuladores de calor u otras máquinas que tengan componentes de amianto. (Código 6A0209).

• Trabajos de reparación de vehículos automóviles. (Código 6A0210).

• Aserrado de fibrocemento. (Código 6A0211).

• Trabajos que impliquen la eliminación de materiales con amianto. (Código 6A0212).

Por ello, debe realizarse reconocimientos médicos previos y periódicos a dichos trabajadores, con la prohibición de no contratar a los calificados como no aptos para desempeñar los puestos de trabajo de que se trate.

— Artículo 243 LGSS, en relación con RDEP (Anexo I).

Véase: Amianto. Asbesto.

E.P. MICOSIS

1. Infección producida por ciertos hongos en alguna parte del organismo.

2. Los trabajadores ocupados en las actividades económicas, y expuestos a los agentes o sustancias que a continuación se indican, pueden contraer una Enfermedad Profesional (E.P.):

- Trabajos en cuevas de fermentación. (Código 3D0101).
- Plantas de procesamiento de las patatas. (Código 3D0102).
- Museos y bibliotecas. (Código 3D0103).
- Trabajos en contacto con humedad. (Código 3D0104).
- Trabajadores dedicados a la limpieza y mantenimiento de instalaciones que sean susceptibles de transmitir la legionella. (Código 3D0105).
- Trabajos subterráneos: minas, túneles, galerías, cuevas. (Código 3D0106).
- Trabajos en zonas húmedas y/o pantanosas: pantanos, arrozales, salinas, huertas. (Código 3D0107).
- Agricultores (centeno). (Código 3D0108).
- Trabajos de fermentación del vinagre. (Código 3D0109).

Por ello, debe realizarse reconocimientos médicos previos y periódicos a dichos trabajadores, con la prohibición de no contratar a los calificados como no aptos para desempeñar los puestos de trabajo de que se trate.

— Artículo 243 LGSS, en relación con RDEP (Anexo I).

Véase: Hongos. Agentes biológicos.

E.P. NEOPLASIA MALIGNA DE BRONQUIO Y PULMÓN

1. Neoplasia maligna y cáncer son dos expresiones con el mismo significado, en el lenguaje médico habitual es frecuente emplear el término neoplasia maligna como sustituto de la palabra cáncer. El término neoplasia se utiliza en medicina para designar una masa anormal de tejido. Se produce porque las células que lo constituyen se multiplican a un ritmo superior a lo normal.

2. Los trabajadores expuestos al amianto (Código 6A), al arsénico (Código 6C), al berilio (Código 6E), al bis (cloruro-metil) éter (Código 6F), al cromo (Código 6I), al níquel (Código 6K) o al radón (Código 6M), pueden contraer la Enfermedad Profesional (E.P.) de neoplasia maligna de bronquio y pulmón (Códigos 6A01, 6C01, 6E01, 6F01, 6I01, 6K03, 6M01), en las actividades o trabajos que a continuación se relacionan:

- Industrias en las que se utiliza amianto (por ejemplo, minas de rocas amiantíferas, industria de producción de amianto, trabajos de aislamientos, trabajos de construcción, construcción naval, trabajos en garajes, etc.). (Código 6A0101).
- Trabajos de extracción, manipulación y tratamiento de minerales o rocas amiantíferas. (Código 6A0102).
- Fabricación de tejidos, cartones y papeles de amianto. (Código 6A0103).
- Tratamiento preparatorio de fibras de amianto (cardado, hilado, tramado, etc.). (Código 6A0104).
- Aplicación de amianto a pistola (chimeneas, fondos de automóviles y vagones). (Código 6A0105).
- Trabajos de aislamiento térmico en construcción naval y de edificios, donde se utilice amianto. (Código 6A0106).

• Fabricación de guarniciones para frenos y embragues, de productos de fibrocemento, de equipos contra incendios, de filtros y cartón de amianto, de juntas de amianto y caucho. (Código 6A0107).

• Desmontaje y demolición de instalaciones que contengan amianto. (Código 6A0108).

• Limpieza, mantenimiento y reparación de acumuladores de calor u otras máquinas que tengan componentes de amianto. (Código 6A0109).

• Trabajos de reparación de vehículos automóviles, que contengan amianto. (Código 6A0110).

• Aserrado de fibrocemento, que contenga amianto. (Código 6A0111).

• Trabajos que impliquen la eliminación de materiales con amianto. (Código 6A0112).

• Minería del arsénico, fundición de cobre, producción de cobre. (Código 6C0101).

• Decapado de metales y limpieza de metales, donde se utilice arsénico. (Código 6C0102).

• Revestimiento electrolítico de metales, donde se utilice arsénico. (Código 6C0103).

• Calcinación, fundición y refino de minerales arseníferos. (Código 6C0104).

• Producción y uso de pesticidas arsenicales, herbicidas e insecticidas. (Código 6C0105).

• Fabricación y empleo de colorantes y pinturas que contengan compuestos de arsénico. (Código 6C0106).

• Industria de colorantes arsenicales. (Código 6C0107).

• Aleación con otros metales (Pb), donde se utilice arsénico. (Código 6C0108).

• Refino de Cu, Pb, Zn, Co (presente como impureza), donde se utilice arsénico. (Código 6C0109).

• Tratamiento de cueros y maderas con agentes de conservación a base de compuestos arsenicales. (Código 6C0110).

• Conservación de pieles, donde se utilice arsénico. (Código 6C0111).

• Taxidermia, donde se utilice arsénico. (Código 6C0112).

• Pirotecnia, donde se utilice arsénico. (Código 6C0113).

• Fabricación de municiones y baterías de polarización, donde se utilice arsénico. (Código 6C0114).

• Industria farmacéutica, donde se utilice arsénico. (Código 6C0115).

• Preparación del ácido sulfúrico partiendo de piritas arseníferas. (Código 6C0116).

• Empleo del anhídrido arsenioso en la fabricación del vidrio. (Código 6C0117).

• Fabricación de acero al silicio, donde se utilice arsénico. (Código 6C0118).

• Desincrustado de calderas, donde se utilice arsénico. (Código 6C0119).

• Industria de caucho, donde se utilice arsénico. (Código 6C0120).

• Fabricación de vidrio: preparación y mezcla de la pasta, fusión y colada, manipulación de aditivos, donde se utilice arsénico. (Código 6C0121).

• Restauradores de arte, donde se utilice arsénico. (Código 6C0122).

• Utilización de compuestos arsenicales en electrónica. (Código 6C0123).

• Extracción y metalurgia de berilio, industria aeroespacial, industria nuclear. (Código 6E0101).

- Extracción del berilio de los minerales. (Código 6E0102).
- Preparación de aleaciones y compuestos de berilio. (Código 6E0103).
- Fabricación de cristales, cerámicas, porcelanas y productos altamente refractarios, donde se utilice berilio. (Código 6E0104).
- Fabricación de barras de control de reactores nucleares, donde se utilice berilio. (Código 6E0105).
- Síntesis de plásticos, donde se utilice bis (cloruro-metil) éter. (Código 6F0101).
- Síntesis de resinas de intercambio iónico, donde se utilice bis (cloruro-metil) éter. (Código 6F0102).
- Tratamientos de caucho vulcanizado, donde se utilice bis (cloruro-metil) éter. (Código 6F0103).
- Fabricación de catalizadores, productos químicos para la curtición, y productos de tratamiento de la madera que contengan compuestos de cromo. (Código 6I0201).
- Fabricación y empleo de pigmentos, colorantes y pinturas a base de compuestos de cromo. (Código 6I0202).
- Aserrado y mecanizado de madera tratada con compuestos de cromo. (Código 6I0203).
- Aplicación por proyección de pinturas y barnices que contengan cromo o níquel. (Códigos 6I0204, 6K0312).
- Curtido al cromo de pieles, donde se utilice cromo. (Código 6I0205).
- Preparación de clichés de fotograbado por coloides bicromados. (Código 6I0206).
- Fabricación de cerillas o fósforos, donde se utilice cromo. (Código 6I0207).
- Galvanoplastia y tratamiento de superficies de metales con cromo. (Código 6I0208).
- Decapado y limpieza de metales y vidrios (ácido sulfocrómico o ácido crómico), donde se utilice cromo. (Código 6I0209).
- Fabricación de cromatos alcalinos. (Código 6I0210).
- Litograbados, donde se utilice cromo. (Código 6I0211).
- Fabricación de aceros inoxidables, que contengan cromo. (Código 6I0212).
- Trabajos que implican soldadura y oxicorte de aceros inoxidables, donde se utilice cromo o níquel. (Códigos 6I0213, 6K0308).
- Fabricación de cemento y sus derivados, donde se utilice cromo. (Código 6I0214).
- Procesado de residuos que contengan cromo o níquel. (Códigos 6I0215, 6K0313).
- Fundición y refino de níquel, producción de acero inoxidable, fabricación de baterías, donde se utilice níquel. (Código 6K0301).
- Producción de níquel por el proceso Mond. (Código 6K0302).
- Niquelado electrolítico de los metales. (Código 6K0303).
- Trabajos de bisutería, donde se utilice níquel. (Código 6K0304).
- Fabricación de aleaciones con níquel (cobre, manganeso, zinc, cromo, hierro, molibdeno). (Código 6K0305).
- Fabricación de aceros especiales al níquel (ferroníquel). Fabricación de acumuladores al níquel cadmio, donde se utilice níquel. (Código 6K0306).
- Empleo del níquel como catalizador en la industria química. (Código 6K0307).

• Trabajos en horno de fundición de hierro y de acero inoxidable, donde se utilice níquel. (Código 6K0309).

• Desbarbado y limpieza de piezas de fundición, que contengan níquel. (Código 6K0310).

• Industria de cerámica y vidrio, donde se utilice níquel. (Código 6K0311).

• Minería subterránea, procesos con productos de la cadena radiactiva de origen natural del Uranio-238 precursores del Radón-222. (Código 6M0101).

Por ello, debe realizarse reconocimientos médicos previos y periódicos a dichos trabajadores, con la prohibición de no contratar a los calificados como no aptos para desempeñar los puestos de trabajo de que se trate.

— Artículo 243 LGSS, en relación con el RDEP (Anexo I).

Véase: Amianto. Asbesto. Arsénico. Berilio. Cromo. Níquel.

E.P. NEOPLASIA MALIGNA DE BRONQUIO, PULMÓN Y PRÓSTATA

1. Neoplasia maligna y cáncer son dos expresiones con el mismo significado, en el lenguaje médico habitual es frecuente emplear el término neoplasia maligna como sustituto de la palabra cáncer. El término neoplasia se utiliza en medicina para designar una masa anormal de tejido. Se produce porque las células que lo constituyen se multiplican a un ritmo superior a lo normal.

2. Los trabajadores expuestos al cadmio (Código 6G) por su preparación y empleo, pueden contraer la Enfermedad Profesional (E.P.) de neoplasia maligna de bronquio, pulmón y próstata (Código 6G01), en las actividades o trabajos que a continuación se relacionan:

• Preparación del cadmio por procesado del cinc, cobre o plomo. (Código 6G0101).

• Fabricación de acumuladores de níquel-cadmio. (Código 6G0102).

• Fabricación de pigmentos cadmíferos para pinturas, esmaltes, materias plásticas, papel, caucho, pirotecnia. (Código 6G0103).

• Fabricación de lámparas fluorescentes, que contengan cadmio. (Código 6G0104).

• Cadmiado electrolítico. (Código 6G0105).

• Soldadura y oxicorte de piezas con cadmio. (Código 6G0106).

• Procesado de residuos que contengan cadmio. (Código 6G0107).

• Fabricación de barras de control de reactores nucleares, que contengan cadmio. (Código 6G0108).

• Fabricación de células fotoeléctricas, que contengan cadmio. (Código 6G0109).

• Fabricación de varillas de soldadura, que contengan cadmio. (Código 6G0110).

• Trabajos en horno de fundición de hierro o acero, que contengan cadmio. (Código 6G0111).

• Fusión y colada de vidrio, que contenga cadmio. (Código 6G0112).

• Aplicación por proyección de pinturas y barnices, que contengan cadmio. (Código 6G0113).

• Barnizado y esmaltado de cerámica, que contengan cadmio. (Código 6G0114).

• Tratamiento de residuos peligrosos en actividades de saneamiento público, que contengan cadmio. (Código 6G0115).

• Fabricación de pesticidas, que contengan cadmio. (Código 6G0116).

• Fabricación de amalgamas dentales, que contengan cadmio. (Código 6G0117).
• Fabricación de joyas, que contengan cadmio. (Código 6G0118).

Por ello, debe realizarse reconocimientos médicos previos y periódicos a dichos trabajadores, con la prohibición de no contratar a los calificados como no aptos para desempeñar los puestos de trabajo de que se trate.

— Artículo 243 LGSS, en relación con RDEP (Anexo I).

Véase: Cadmio.

E.P. NEOPLASIA MALIGNA DE CAVIDAD NASAL

1. El cáncer de cavidad nasal es una enfermedad por la que se forman células malignas (cancerosas) en los tejidos de la cavidad nasal.

2. Los trabajadores expuestos al cromo VI (Código 6I) o al níquel (Código 6K), por su preparación, empleo y manipulación, pueden contraer la Enfermedad Profesional (E.P.) de neoplasia maligna de cavidad nasal (Códigos 6I01, 6K01), en las actividades o trabajos que a continuación se relacionan:

• Fabricación de catalizadores, productos químicos para la curtición, y productos de tratamiento de la madera que contengan compuestos de cromo. (Código 6I0101).
• Fabricación y empleo de pigmentos, colorantes y pinturas a base de compuestos de cromo. (Código 6I0102).
• Aserrado y mecanizado de madera tratada con compuestos de cromo. (Código 6I0103).
• Aplicación por proyección de pinturas y barnices que contengan cromo o níquel. (Códigos 6I0104, 6K0112).
• Curtido al cromo de pieles. (Código 6I0105).
• Preparación de clichés de fotograbado por coloides bicromados. (Código 6I0106).
• Fabricación de cerillas o fósforos, donde se utilice cromo. (Código 6I0107).
• Galvanoplastia y tratamiento de superficies de metales con cromo. (Código 6I0108).
• Decapado y limpieza de metales y vidrios (ácido sulfocrómico o ácido crómico). (Código 6I0109).
• Fabricación de cromatos alcalinos. (Código 6I0110).
• Litograbados, donde se utilice cromo. (Código 6I0111).
• Fabricación de aceros inoxidables, donde se utilice cromo. (Código 6I0112).
• Trabajos que implican soldadura y oxicorte de aceros inoxidables, donde se utilice cromo o niquel. (Códigos 6I0113, 6K0108).
• Fabricación de cemento y sus derivados, donde se utilice cromo. (Código 6I0114).
• Procesado de residuos que contengan cromo o níquel. (Códigos 6I0115, 6K0113).
• Fundición y refino de níquel, producción de acero inoxidable, fabricación de baterías, donde se utilice níquel. (Código 6K0101).
• Producción de níquel por el proceso Mond. (Código 6K0102).
• Niquelado electrolítico de los metales. (Código 6K0103).
• Trabajos de bisutería, donde se utilice níquel. (Código 6K0104).

• Fabricación de aleaciones con níquel (cobre, manganeso, zinc, cromo, hierro, molibdeno). (Código 6K0105).

• Fabricación de aceros especiales al níquel (ferroníquel). Fabricación de acumuladores al níquel cadmio. (Código 6K0106).

• Empleo de níquel como catalizador en la industria química. (Código 6K0107).

• Trabajos en horno de fundición de hierro y de acero inoxidable, donde se utilice níquel. (Código 6K0109).

• Desbarbado y limpieza de piezas de fundición, donde se utilice níquel. (Código 6K0110).

• Industria de cerámica y vidrio, donde se utilice níquel. (Código 6K0111).

• Fabricación de muebles, donde se produzca polvo de madera dura. (Código 6L0101).

• Trabajos de tala de árboles, donde se produzca polvo de madera dura. (Código 6L0102).

• Trabajos en aserraderos, donde se produzca polvo de madera dura. (Código 6L0103).

• Triturado de la madera en la industria del papel, donde se produzca polvo de madera dura. (Código 6L0104).

• Modelistas de madera, donde se produzca polvo de madera dura. (Código 6L0105).

• Prensado de madera, donde se produzca polvo de madera dura. (Código 6L0106).

• Mecanizado y montaje de piezas de madera, donde se produzca polvo de madera dura. (Código 6L0107).

• Trabajos de acabado de productos de madera, contrachapado y aglomerado donde se produzca polvo de madera dura. (Código 6L0108).

• Lijado de parqué, tarima, etc., donde se produzca polvo de madera dura. (Código 6L0109).

Por ello, debe realizarse reconocimientos médicos previos y periódicos a dichos trabajadores, con la prohibición de no contratar a los calificados como no aptos para desempeñar los puestos de trabajo de que se trate.

— Artículo 243 LGSS, en relación con RDEP (Anexo I).

Véase: Cromo. Níquel. Polvo de madera dura.

E.P. NEOPLASIA MALIGNA DE HÍGADO Y CONDUCTOS BILIARES INTRAHEPÁTICOS

1. Neoplasia maligna y cáncer son dos expresiones con el mismo significado, en el lenguaje médico habitual es frecuente emplear el término neoplasia maligna como sustituto de la palabra cáncer. El término neoplasia se utiliza en medicina para designar una masa anormal de tejido. Se produce porque las células que lo constituyen se multiplican a un ritmo superior a lo normal.

2. Los trabajadores expuestos al cloruro de vinilo monómero (Código 6H), pueden contraer la Enfermedad Profesional (E.P.) de neoplasia maligna de hígado y conductos biliares intrahepáticos (Código 6H01), en las actividades o trabajos que a continuación se relacionan:

• Producción y polimerización de cloruro de vinilo. (Código 6H0101).

Por ello, debe realizarse reconocimientos médicos previos y periódicos a dichos trabajadores, con la prohibición de no contratar a los calificados como no aptos para desempeñar los puestos de trabajo de que se trate.

— Artículo 243 LGSS, en relación con RDEP (Anexo I).

Véase: Cloruro de vinilo.

E.P. NEOPLASIA MALIGNA DE VEJIGA

1. Neoplasia maligna y cáncer son dos expresiones con el mismo significado, en el lenguaje médico habitual es frecuente emplear el término neoplasia maligna como sustituto de la palabra cáncer. El término neoplasia se utiliza en medicina para designar una masa anormal de tejido. Se produce porque las células que lo constituyen se multiplican a un ritmo superior a lo normal.

1. Los trabajadores expuestos a las aminas aromáticas (fabricación y empleo) (Código 6B01), pueden contraer la Enfermedad Profesional (E.P.) de neoplasia maligna de vejiga (cáncer), en las actividades o trabajos que a continuación se relacionan:

- Trabajadores del caucho. (Código 6B0101).
- Trabajos en los que se emplee tintes, alfa-naftilamina y beta-naftilamina, bencidina, colorantes con base de bencidina, aminodifenilo, nitrodifenilo, auramina, magenta y sus sales. (Código 6B0102).

Por ello, debe realizarse reconocimientos médicos previos y periódicos a dichos trabajadores, con la prohibición de no contratar a los calificados como no aptos para desempeñar los puestos de trabajo de que se trate.

— Artículo 243 LGSS, en relación con RDEP (Anexo I).

Véase: Aminas. Hidracinas.

E.P. NEUMOCONIOSIS

1. La neumoconiosis es un conjunto de enfermedades pulmonares producidas por la inhalación de polvo y la consecuente deposición de residuos sólidos inorgánicos o (con menos frecuencia), partículas orgánicas en los bronquios, los ganglios linfáticos y o el parénquima pulmonar, con o sin disfunción respiratoria asociada.

2. Los trabajadores expuestos a la inhalación del polvo del carbón (Código 4B02) o al polvo de metal duro o acero de Widia (Código 4E01), o al polvo de aluminio (Código 4G01), pueden contraer la Enfermedad Profesional (E.P.) de neumoconiosis, en las actividades o trabajos que a continuación se relacionan:

- Trabajos que impliquen exposición a polvo de carbón. (Código 4B0101).
- Trabajos en los que exista la posibilidad de inhalación de metales sinterizados, compuestos de carburos metálicos de alto punto de fusión y metales de ligazón de bajo punto de fusión (Los carburos metálicos más utilizados son los de titanio, vanadio, cromo, molibdeno, tungsteno y wolframio; como metales de ligazón se utilizan hierro, níquel y cobalto). (Código 4E0101).
- Trabajos de mezclado, tamizado, moldeado y rectificado de carburos de tungsteno, titanio, tantalio, vanadio y molibdeno aglutinados con cobalto, hierro y níquel. (Código 4E0102).
- Pulidores de metales. (Código 4E0103).

• Extracción de aluminio a partir de sus minerales, en particular la separación por fusión electrolítica del oxido de aluminio, de la bauxita (fabricación de corindón artificial). (Código 4G0101).

• Preparación de polvos de aluminio, especialmente el polvo fino (operaciones, demolido, cribado y mezclas). (Código 4G0102).

• Preparación de aleaciones de aluminio. (Código 4G0103).

• Preparación de tintas de imprimir a partir del pigmento extraído de los residuos de los baños de fusión de la bauxita. (Código 4G0104).

• Fabricación y manipulación de abrasivos de aluminio. (Código 4G0105).

• Fabricación de artefactos pirotécnicos con granos de aluminio. (Código 4G0106).

• Utilización del hidrato de aluminio en la industria papelera (preparación del sulfato de aluminio), en el tratamiento de aguas, en la industria textil (capa impermeabilizante), en las refinerías de petróleo (preparación y utilización de ciertos catalizadores) y en numerosas industrias donde el aluminio y sus compuestos entran en la composición de numerosas aleaciones. (Código 4G0107).

Por ello, debe realizarse reconocimientos médicos previos y periódicos a dichos trabajadores, con la prohibición de no contratar a los calificados como no aptos para desempeñar los puestos de trabajo de que se trate.

— Artículo 243 LGSS, en relación con RDEP (Anexo I).

Véase: Carbón. Acero. Aluminio.

E.P. NEUMONITIS DE HIPERSENSIBILIDAD
Véase: Alveolitis alérgica extrínseca.

E.P. NEUMOPATÍA INTERSTICIAL DIFUSA
1. Grupo de enfermedades pulmonares que causan inflamación o cicatrización de los pulmones. Esto hace que sea difícil obtener suficiente oxígeno. La cicatrización se denomina fibrosis pulmonar.

2. Los trabajadores expuestos a la inhalación de sustancias de alto peso molecular (sustancias de origen vegetal, animal, microorganismos, y sustancias enzimáticas de origen vegetal, animal y/o de microorganismos) (Código **4H07**), y a sustancias de bajo peso molecular (metales y sus sales, polvos de maderas, productos farmacéuticos, sustancias químico plásticas, aditivos, etc.) (Código 4I08), pueden contraer la Enfermedad Profesional (E.P.) de neumopatía intersticial difusa alveolitis, en las actividades o trabajos que a continuación se relacionan:

• Industria alimenticia, panadería, industria de la cerveza. (Código 4H0701).
• Industria del té, industria del café, industria del aceite. (Código 4H0702).
• Industria del lino. (Código 4H0703).
• Industria de la malta. (Código 4H0704).
• Procesamiento de canela. (Código 4H0705).
• Procesamiento de la soja. (Código 4H0706).
• Elaboración de especias. (Código 4H0707).
• Molienda de semillas. (Código 4H0708).
• Lavadores de queso. (Código 4H0709).
• Manipuladores de enzimas. (Código 4H0710).
• Trabajadores de silos y molinos. (Código 4H0711).

- Trabajos de agricultura. (Código 4H0712).
- Granjeros, ganaderos, veterinarios y procesadores de carne. (Código 4H0713).
- Trabajos en avicultura. (Código 4H0714).
- Trabajos en piscicultura. (Código 4H0715).
- Industria química. (Código 4H0716).
- Industria del plástico, industria del látex. (Código 4H0717).
- Industria farmacéutica. (Código 4H0718).
- Industria textil. (Código 4H0719).
- Industria del papel. (Código 4H0720).
- Industria del cuero. (Código 4H0721).
- Industria de la madera: aserraderos, carpintería, acabados de madera. (Código 4H0722).
- Personal sanitario, higienistas dentales. (Código 4H0723).
- Personal de laboratorios médicos y farmacéuticos. (Código 4H0724).
- Trabajos con harinas de pescado y piensos compuestos. (Código 4H0725).
- Personal de zoológicos, entomólogos. (Código 4H0726).
- Encuadernadores. (Código 4H0727).
- Personal de limpieza. (Código 4H0728).
- Trabajos en los que se manipula cáñamo, bagazo de caña de azúcar, yute, lino, esparto, sisal y corcho. (Código 4H0729).
- Construcción. (Código 4H0730).
- Aplicación de pinturas, pigmentos etc., mediante aerografía. (Código 4H0731).
- Industria del cuero. (Código 4I0801).
- Industria química. (Código 4I0802).
- Industria textil. (Código 4I0803).
- Industria cosmética y farmacéutica. (Código 4I0804).
- Trabajos de peluquería. (Código 4I0805).
- Fabricación de resinas y endurecedores. (Código 4I0806).
- Trabajos en fundiciones. (Código 4I0807).
- Fijado y revelado de fotografía. (Código 4I0808).
- Fabricación y aplicación de lacas, pinturas, colorantes, adhesivos, barnices, esmaltes. (Código 4I0809).
- Industria electrónica. (Código 4I0810).
- Industria aeronáutica. (Código 4I0811).
- Industria del plástico. (Código 4I0812).
- Industria del caucho. (Código 4I0813).
- Industria del papel. (Código 4I0814).
- Industria de la madera: Aserraderos, acabados de madera, carpintería, ebanistería, fabricación y utilización de conglomerados de madera. (Código 4I0815).
- Fabricación de espumas de poliuretano y su aplicación en estado líquido. (Código 4I0816).
- Fabricación de látex. (Código 4I0817).
- Trabajos de aislamiento y revestimiento. (Código 4I0818).
- Trabajos de laboratorio. (Código 4I0819).
- Trabajos en fotocopiadoras. (Código 4I0820).
- Dentistas. (Código 4I0821).

- Personal sanitario: enfermería, anatomía patológica, laboratorio. (Código 4l0822).
  - Flebología, granjeros, fumigadores. (Código 4l0823).
  - Refinería de platino. (Código 4l0824).
  - Galvanizado, plateado, niquelado y cromado de metales. (Código 4l0825).
  - Soldadores. (Código 4l0826).
  - Industria del aluminio. (Código 4l0827).
  - Trabajos de joyería. (Código 4l0828).
  - Trabajos con acero inoxidable. (Código 4l0829).
  - Personal de limpieza. (Código 4l0830).
  - Trabajadores sociales. (Código 4l0831).
  - Trabajadores que se dedican al cuidado de personas y asimilados. (Código 4l0832).
    - Aplicación de pinturas, pigmentos, etc., mediante aerografía. (Código 4l0833).

Por ello, debe realizarse reconocimientos médicos previos y periódicos a dichos trabajadores, con la prohibición de no contratar a los calificados como no aptos para desempeñar los puestos de trabajo de que se trate.

— Artículo 243 LGSS, en relación con RDEP (Anexo I).

Véase: E.P. rinoconjuntivitis. E.P. asma. E.P. alveolitis alérgica extrínseca. E.P. fibrosis intersticial difusa. E.P. síndrome de difusión reactivo de la vía aérea. E.P. bisinosis. E.P. cannabiosis. E.P. linnosis. E.P. bagazosis. E.P. estipatosis. E.P. suberosis. E.P. urticaria. E.P. angioedemas. E.P. síndrome de disfunción de la vía reactiva. E.P. fiebre de los metales.

E.P. NISTAGMUS

1. Se define al nistagmus como un movimiento involuntario, rápido y repetitivo de los ojos. Nistagmo: Oscilación espasmódica del globo ocular alrededor de su eje horizontal o de su eje vertical, producida por determinados movimientos de la cabeza o del cuerpo y reveladora de ciertas alteraciones patológicas del sistema nervioso o del oído interno.

Se considera EP de los mineros por la iluminación insuficiente de las minas.

2. Los trabajadores ocupados en las actividades económicas, y expuestos a los agentes o sustancias que a continuación se indican, pueden contraer una Enfermedad Profesional (E.P.), causada por agentes físicos:

- Trabajadores de la minería subterránea. (Código 2M0101).

Por ello, debe realizarse reconocimientos médicos previos y periódicos a dichos trabajadores, con la prohibición de no contratar a los calificados como no aptos para desempeñar los puestos de trabajo de que se trate.

— Artículo 243 LGSS, en relación con RDEP (Anexo I).

Véase: Minería. Trabajos subterráneos. Trabajos en túneles.

E.P. NÓDULOS DE LAS CUERDAS VOCALES

1. A causa de los esfuerzos sostenidos de la voz por motivos profesionales.

2. Los trabajadores expuestos a esfuerzos sostenidos de la voz por motivos profesionales (Código 1L01), pueden contraer la Enfermedad Profesional (E.P.) de nódulos de las cuerdas vocales, causada por agentes físicos, en las actividades o trabajos que a continuación se relacionan:

• Actividades en las que se precise uso mantenido y continuo de la voz, como son profesores, cantantes, actores, teleoperadores, locutores. (Código 2L0102).

Por ello, debe realizarse reconocimientos médicos previos y periódicos a dichos trabajadores, con la prohibición de no contratar a los calificados como no aptos para desempeñar los puestos de trabajo de que se trate.

— Artículo 243 LGSS, en relación con RDEP (Anexo I).

Véase: Actores. Profesores.

E.P. OFTALMOLÓGICAS

1. A consecuencia de exposiciones a radiaciones ultravioletas, en trabajos con exposición a radiaciones no ionizantes con longitud de onda entre los 100 y 400 nm.

Las enfermedades oftalmológicas más frecuentes son: fotoqueratitis, fotoconjuntivitis, cataratas, eritema y elastosis.

2. Los trabajadores expuestos a radiaciones no ionizantes (radiaciones ultravioleta), con longitud de onda entre los 100 y 400 nm (Código 2J01), pueden contraer una Enfermedad Profesional (E.P.) oftalmológica, causada por agentes químicos, en las actividades o trabajos que a continuación se relacionan:

• Trabajos que precisan lámparas germicidas, antorchas de plomo, soldadura de arco o xenón, irradiación solar en grandes altitudes, láser industrial, colada de metales en fusión, vidrieros, empleados en estudios de cine, actores, personal de teatros, laboratorios bacteriológicos y similares. (Código 1J0101).

Por ello, debe realizarse reconocimientos médicos previos y periódicos a dichos trabajadores, con la prohibición de no contratar a los calificados como no aptos para desempeñar los puestos de trabajo de que se trate.

— Artículo 243 LGSS, en relación con RDEP (Anexo I).

Véase: Radiaciones no ionizantes. Radiaciones ultravioleta.

E.P. PALUDISMO

1. Enfermedad febril producida por un protozoo, y transmitida al hombre por la picadura de mosquitos anofeles.

2. Los trabajadores ocupados en las actividades económicas, y expuestos a los agentes o sustancias que a continuación se indican, pueden contraer una Enfermedad Profesional (E.P.), causada por agentes biológicos:

• Trabajos desarrollados en zonas endémicas, con exposición a agentes biológicos, que pueden provocar E.P. infecciosas como, paludismo, amebiasis, tripanosomiasis, dengue, fiebre amarilla, fiebre papataci, fiebre recurrente, peste, lesishmaniosis, pian, tifus exantemático, borrelias y otras ricketsiosis. (Código 3C0101).

Por ello, debe realizarse reconocimientos médicos previos y periódicos a dichos trabajadores, con la prohibición de no contratar a los calificados como no aptos para desempeñar los puestos de trabajo de que se trate.

— Artículo 243 LGSS, en relación con RDEP (Anexo I).

Véase: Protozoos. E.P. transmitidas por animales.

E.P. PARÁLISIS DE LOS NERVIOS DEL SERRATO MAYOR, ANGULAR, ROMBOIDES, CIRCUNFLEJO

El nervio torácico largo inerva al músculo serrato mayor, por lo que su lesión provoca escápula alada por la atrofia del músculo y dificultad para la elevación del brazo. El nervio torácico largo es un nervio motor puro, dependiente de las raíces.

2. Los trabajadores expuestos a posturas forzadas y movimientos repetitivos en el trabajo (parálisis de los nervios debidos a la presión) (Código 2F05), pueden contraer la Enfermedad Profesional (E.P.) de parálisis de los nervios del serrato mayor, angular, romboides, circunflejo, en las actividades o trabajos que a continuación se relacionan:

• Trabajos en los que se produzca un apoyo prolongado y repetido de forma directa o indirecta sobre las correderas anatómicas que provocan lesiones nerviosas por compresión. Movimientos extremos de hiperflexión y de hiperextensión. Trabajos que requieran carga repetida sobre la espalda de objetos pesados y rígidos, como mozos de mudanzas, empleados de carga y descarga y similares. (Código 2F0501).

Por ello, debe realizarse reconocimientos médicos previos y periódicos a dichos trabajadores, con la prohibición de no contratar a los calificados como no aptos para desempeñar los puestos de trabajo de que se trate.

— Artículo 243 LGSS, en relación con RDEP (Anexo I).

Véase: Trabajos con posturas forzadas. Trabajos con movimientos repetitivos.

E.P. PARÁLISIS DEL NERVIO RADIAL, POR COMPRENSIÓN DEL MISMO

1. El nervio radial es un nervio en el cuerpo humano que suple terminaciones nerviosas a músculos del brazo, antebrazo, muñeca, y mano, así como la sensación cutánea del dorso de la mano.

2. Los trabajadores expuestos a posturas forzadas y movimientos repetitivos en el trabajo (parálisis de los nervios debidos a la presión) (Código 2F06), pueden contraer la Enfermedad Profesional (E.P.) de parálisis del nervio radial, por comprensión del mismo, causada por agentes físicos, en las actividades o trabajos que a continuación se relacionan:

• Trabajos en los que se produzca un apoyo prolongado y repetido de forma directa o indirecta sobre las correderas anatómicas que provocan lesiones nerviosas por compresión. Movimientos extremos de hiperflexión y de hiperextensión. Trabajos que entrañen contracción repetida del músculo supinador largo, como conductores de automóviles, presión crónica por uso de tijera. (Código 2F0601).

Por ello, debe realizarse reconocimientos médicos previos y periódicos a dichos trabajadores, con la prohibición de no contratar a los calificados como no aptos para desempeñar los puestos de trabajo de que se trate.

— Artículo 243 LGSS, en relación con RDEP (Anexo I).

Véase: Trabajos con posturas forzadas. Trabajos con movimientos repetitivos.

E.P. PESTE

1. Enfermedad infecciosa epidémica y febril, caracterizada por bubones en diferentes partes del cuerpo, que produce con frecuencia la muerte.

2. Los trabajadores ocupados en las actividades económicas, y expuestos a los agentes o sustancias que a continuación se indican, pueden contraer una Enfermedad Profesional (E.P.), causada por agentes biológicos:

• Trabajos desarrollados en zonas endémicas, con exposición a agentes biológicos, que pueden provocar E.P. infecciosas como, paludismo, amebiasis, tripanosomiasis, dengue, fiebre amarilla, fiebre papataci, fiebre recurrente, peste, lesishmaniosis, pian, tifus exantemático, borrelias y otras ricketsiosis. (Código 3C0101).

Por ello, debe realizarse reconocimientos médicos previos y periódicos a dichos trabajadores, con la prohibición de no contratar a los calificados como no aptos para desempeñar los puestos de trabajo de que se trate.

— Artículo 243 LGSS, en relación con RDEP (Anexo I).

Véase: Enfermedades infecciosas. Enfermedades transmitidas por animales. Zonas endémicas.

E.P. PIÁN

1. Enfermedad contagiosa, propia de países cálidos, caracterizada por la erupción en la cara, manos, pies y regiones genitales de unas excrecencias fungosas semejantes a frambuesas, blancas o rojas, susceptibles de ulcerarse.

2. Los trabajadores ocupados en las actividades económicas, y expuestos a los agentes o sustancias que a continuación se indican, pueden contraer una Enfermedad Profesional (E.P.):

• Trabajos desarrollados en zonas endémicas, con exposición a agentes biológicos, que pueden provocar E.P. infecciosas como, paludismo, amebiasis, tripanosomiasis, dengue, fiebre amarilla, fiebre papataci, fiebre recurrente, peste, lesishmaniosis, pian, tifus exantemático, borrelias y otras ricketsiosis. (Código 3C0101).

Por ello, debe realizarse reconocimientos médicos previos y periódicos a dichos trabajadores, con la prohibición de no contratar a los calificados como no aptos para desempeñar los puestos de trabajo de que se trate.

— Artículo 243 LGSS, en relación con RDEP (Anexo I).

Véase: Enfermedades infecciosas. E.P. transmitida por animales.

E.P. PROVOCADAS POR COMPRESIÓN O DESCOMPRESIÓN ATMOSFÉRICA

Los trabajadores expuestos a compresión o descompresión atmosférica (Código 2H01), pueden contraer una Enfermedad Profesional (E.P.), causada por dichas causas, en las actividades o trabajos que a continuación se relacionan:

• Trabajos subacuáticos en operadores de cámaras submarinas hiperbáricas con escafandra o provistos de equipos de buceo autónomo. (Código 2H0101).

• Todo trabajo efectuado en un medio hiperbárico. (Código 2H0102).

• Deficiencia mantenida de los sistemas de presurización durante vuelos de gran altitud. (Código 2H0103).

Por ello, debe realizarse reconocimientos médicos previos y periódicos a dichos trabajadores, con la prohibición de no contratar a los calificados como no aptos para desempeñar los puestos de trabajo de que se trate.

— Artículo 243 LGSS, en relación con RDEP (Anexo I).

Véase: Trabajos en cajones de aire comprimido. Ambiente hiperbárico. Cámaras hiperbáricas. Buceo. Buzos.

E.P. POR ENERGÍA RADIANTE

1. Energía radiante es la energía existente en un medio físico, causada por ondas electromagnéticas, mediante las cuales se propaga directamente sin desplazamiento de la materia. Energía causada por una corriente de partículas, como electrones, protones, etc.

2. Los trabajadores expuestos a la energía radiante, pueden contraer una Enfermedad Profesional (E.P.), causada por agentes físicos, en las actividades o trabajos que a continuación se relacionan:

• Trabajos con cristal incandescente, masas y superficies incandescentes, en fundiciones, acererías, etc., así como en fábricas de carburos. (Código 2K0101).

Por ello, debe realizarse reconocimientos médicos previos y periódicos a dichos trabajadores, con la prohibición de no contratar a los calificados como no aptos para desempeñar los puestos de trabajo de que se trate.

— Artículo 243 LGSS, en relación con RDEP (Anexo I).

Véase: Radiaciones. Radiaciones ópticas. Radiaciones microondas. Radiaciones infrarrojas. Radiaciones visibles. Radiaciones ultravioleta. Energía radiante. Radancia. Irradancia. Radiaciones ionizantes. Rayos X. Trabajos con exposición a rayos X. Rayos gamma. Rayos cósmicos. Radioactividad. Radiaciones laser. Radiación incoherente. Radiaciones térmicas. Dosímetros de radiación. Instalaciones nucleares. Instalaciones radioactivas. E.P. por radiaciones ionizantes.

E.P. POR RADIACIONES IONIZANTES

1. Las radiaciones ionizantes son las radiaciones electromagnéticas capaces de producir directa o indirectamente iones a su paso a través de la materia. Flujo de partículas o fotones con suficiente energía para producir ionizaciones en las moléculas que atraviesa. Son las más energéticas de todas las radiaciones electromagnéticas. Pueden producir graves alteraciones en la salud como leucemia. Dentro de las radiaciones ionizantes se pueden distinguir los rayos X, los rayos gamma y los rayos cósmicos.

— Notas Técnicas de Prevención n.º 304/1993. 614/2003. 728/2006. INSST.

2. Los trabajadores expuestos a la acción de los rayos X o de las sustancias radiactivas naturales o artificiales o a cualquier fuente de emisión corpuscular (Código 2I01), pueden contraer una Enfermedad Profesional (E.P.), causada por agentes físicos, en las actividades o trabajos que a continuación se relacionan:

• Trabajos de extracción y tratamiento de minerales radiactivos. (Código 2I0101).
• Fabricación de aparatos de rayos X y de radioterapia. (Código 2I0102).
• Fabricación de productos químicos y farmacéuticos radiactivos. (Código 2I0103).
• Empleo de sustancias radiactivas y rayos X en los laboratorios de investigación. (Código 2I0104).
• Fabricación y aplicación de productos luminosos con sustancias radiactivas en pinturas de esferas de relojería. (Código 2I0105).
• Trabajos industriales en que se utilicen rayos X y materiales radiactivos, medidas de espesor y de desgaste. (Código 2I0106).

- Trabajos en las consultas de radiodiagnóstico, de radio y radioterapia y de aplicación de isótopos radiactivos, en consultas, clínicas, sanatorios, residencias y hospitales. (Código 2I0107).
  - Conservación de alimentos. (Código 2I0108).
  - Reactores de investigación y de producción de energía. (Código 2I0109).
  - Instalación de producción y tratamiento de radioelementos. (Código 2I0110).
  - Fábrica de enriquecimiento de combustibles. (Código 2I0111).
  - Instalaciones de tratamiento y almacenamiento de residuos radiactivos. (Código 2I0112).
  - Transporte de materias radiactivas. (Código 2I0113).

Por ello, debe realizarse reconocimientos médicos previos y periódicos a dichos trabajadores, con la prohibición de no contratar a los calificados como no aptos para desempeñar los puestos de trabajo de que se trate.

— Artículo 243 LGSS, en relación con RDEP (Anexo I).

Véase: Radiaciones. Radiaciones ópticas. Radiaciones microondas. Radiaciones infrarrojas. Radiaciones visibles. Radiaciones ultravioleta. Energía radiante. Radancia. Irradancia. Radiaciones ionizantes. Rayos X. Trabajos con exposición a rayos X. Rayos gamma. Rayos cósmicos. Radioactividad. Radiaciones laser. Radiación incoherente. Radiaciones térmicas. Dosímetros de radiación. Instalaciones nucleares. Instalaciones radioactivas. E.P. por energía radiante.

E.P. RICKETTSIOSIS

1. Enfermedad provocada un género de bacterias parásitas de vertebrados y artrópodos, que producen fiebre y erupciones cutáneas.

2. Los trabajadores ocupados en las actividades económicas, y expuestos a los agentes o sustancias que a continuación se indican, pueden contraer una Enfermedad Profesional (E.P.), causada por agentes biológicos:

- Trabajos desarrollados en zonas endémicas, con exposición a agentes biológicos, que pueden provocar E.P. infecciosas como, paludismo, amebiasis, tripanosomiasis, dengue, fiebre amarilla, fiebre papataci, fiebre recurrente, peste, lesishmaniosis, pian, tifus exantemático, borrelias y otras ricketsiosis. (Código 3C0101).

Por ello, debe realizarse reconocimientos médicos previos y periódicos a dichos trabajadores, con la prohibición de no contratar a los calificados como no aptos para desempeñar los puestos de trabajo de que se trate.

— Artículo 243 LGSS, en relación con RDEP (Anexo I).

Véase: Bacterias. Parásitos. E.P. transmitidas por animales.

E.P. RINOCONJUNTIVITIS

1. La rinoconjuntivitis alérgica consiste en una inflamación de la mucosa nasal caracterizada por síntomas nasales como rinorrea, estornudos, congestión nasal y/o picor nasal, asociada síntomas oculares como picor, congestión y lagrimeo. Los agentes más frecuentes responsables de la rinoconjuntivitis alérgica son los ácaros del polvo, pólenes, mohos y epitelios de perro y gato.

2. Los trabajadores expuestos a sustancias de alto peso molecular (sustancias de origen vegetal, animal, microorganismos, y sustancias enzimáticas de origen vegetal, animal y/o de microorganismos) (Código 4H01), y a sustancias de bajo peso molecular (metales y sus sales, polvos de maderas, productos farmacéuticos, sustancias químico plásticas, aditivos, etc.) (Código 4I01), pueden contraer la Enfermedad Profesional (E.P.) de rinoconjuntivitis, en las actividades o trabajos que a continuación se relacionan:

- Industria alimenticia, panadería, industria de la cerveza. (Código 4H0101).
- Industria del té, industria del café, industria del aceite. (Código 4H0102).
- Industria del lino. (Código 4H0103).
- Industria de la malta. (Código 4H0104).
- Procesamiento de canela. (Código 4H0105).
- Procesamiento de la soja. (Código 4H0106).
- Elaboración de especias. (Código 4H0107).
- Molienda de semillas. (Código 4H0108).
- Lavadores de queso. (Código 4H0109).
- Manipuladores de enzimas. (Código 4H0110).
- Trabajadores de silos y molinos. (Código 4H0111).
- Trabajos de agricultura. (Código 4H0112).
- Granjeros, ganaderos, veterinarios y procesadores de carne. (Código 4H0113).
- Trabajos en avicultura. (Código 4H0114).
- Trabajos en piscicultura. (Código 4H0115).
- Industria química. (Código 4H0116).
- Industria del plástico, industria del látex. (Código 4H0117).
- Industria farmacéutica. (Código 4H0118).
- Industria textil. (Código 4H0119).
- Industria del papel. (Código 4H0120).
- Industria del cuero. (Código 4H0121).
- Industria de la madera: aserraderos, carpintería, acabados de madera. (Código 4H0122).
- Personal sanitario, higienistas dentales. (Código 4H0123).
- Personal de laboratorios médicos y farmacéuticos. (Código 4H0124).
- Trabajos con harinas de pescado y piensos compuestos. (Código 4H0125).
- Personal de zoológicos, entomólogos. (Código 4H0126).
- Encuadernadores. (Código 4H0127).
- Personal de limpieza. (Código 4H0128).
- Trabajos en los que se manipula cáñamo, bagazo de caña de azúcar, yute, lino, esparto, sisal y corcho. (Código 4H0129).
- Construcción. (Código 4H0130).
- Aplicación de pinturas, pigmentos etc., mediante aerografía. (Código 4H0131).
- Industria del cuero. (Código 4I0101).
- Industria química. (Código 4I0102).
- Industria textil. (Código 4I0103).
- Industria cosmética y farmacéutica. (Código 4I0104).
- Trabajos de peluquería. (Código 4I0105).
- Fabricación de resinas y endurecedores. (Código 4I0106).
- Trabajos en fundiciones. (Código 4I0107).
- Fijado y revelado de fotografía. (Código 4I0108).
- Fabricación y aplicación de lacas, pinturas, colorantes, adhesivos, barnices, esmaltes. (Código 4I0109).

- Industria electrónica. (Código 4I0110).
- Industria aeronáutica. (Código 4I0111).
- Industria del plástico. (Código 4I0112).
- Industria del caucho. (Código 4I0113).
- Industria del papel. (Código 4I0114).
- Industria de la madera: Aserraderos, acabados de madera, carpintería, ebanistería, fabricación y utilización de conglomerados de madera. (Código 4I0115).
- Fabricación de espumas de poliuretano y su aplicación en estado líquido. (Código 4I0116).
- Fabricación de látex. (Código 4I0117).
- Trabajos de aislamiento y revestimiento. (Código 4I0118).
- Trabajos de laboratorio. (Código 4I0119).
- Trabajos en fotocopiadoras. (Código 4I0120).
- Dentistas. (Código 4I0121).
- Personal sanitario: enfermería, anatomía patológica, laboratorio. (Código 4I0122).
- Flebología, granjeros, fumigadores. (Código 4I0123).
- Refinería de platino. (Código 4I0124).
- Galvanizado, plateado, niquelado y cromado de metales. (Código 4I0125).
- Soldadores. (Código 4I0126).
- Industria del aluminio. (Código 4I0127).
- Trabajos de joyería. (Código 4I0128).
- Trabajos con acero inoxidable. (Código 4I0129).
- Personal de limpieza. (Código 4I0130).
- Trabajadores sociales. (Código 4I0131).
- Trabajadores que se dedican al cuidado de personas y asimilados. (Código 4I0132).
- Aplicación de pinturas, pigmentos, etc., mediante aerografía. (Código 4I0133).

Por ello, debe realizarse reconocimientos médicos previos y periódicos a dichos trabajadores, con la prohibición de no contratar a los calificados como no aptos para desempeñar los puestos de trabajo de que se trate.

— Artículo 243 LGSS, en relación con RDEP (Anexo I).

Véase: E.P. asma. E.P. alveolitis alérgica extrínseca. E.P. fibrosis intersticial difusa. E.P. neumopatía intersticial difusa. E.P. síndrome de difusión reactivo de la vía aérea. E.P. bisinosis. E.P. cannabiosis. E.P. linnosis. E.P. bagazosis. E.P. estipatosis. E.P. suberosis. E.P. urticaria. E.P. angioedemas. E.P. síndrome de disfunción de la vía reactiva. E.P. fiebre de los metales.

E.P. SIDEROSIS

1. Neumoconiosis producida por el polvo de los minerales de hierro.

2. Los trabajadores expuestos a la inhalación de metales sinterizados, compuestos de carburos metálicos de alto punto de fusión y metales de ligazón de bajo punto de fusión (código 4E02), pueden contraer la Enfermedad Profesional (E.P.) de siderosis, en las actividades o trabajos que a continuación se relacionan:

- Trabajos en los que exista la posibilidad de inhalación de metales sinterizados, compuestos de carburos metálicos de alto punto de fusión y metales de ligazón de bajo punto de fusión (Los carburos metálicos más utilizados son los de titanio, vanadio, cromo, molibdeno, tungsteno y wolframio; como metales de ligazón se utilizan hierro, níquel y cobalto). (Código 4E0201).

• Trabajos de mezclado, tamizado, moldeado y rectificado de carburos de tungsteno, titanio, tantalio, vanadio y molibdeno aglutinados con cobalto, hierro y níquel. (Código 4E0202).

• Pulidores de metales. (Código 4E0203).

Por ello, debe realizarse reconocimientos médicos previos y periódicos a dichos trabajadores, con la prohibición de no contratar a los calificados como no aptos para desempeñar los puestos de trabajo de que se trate.

— Artículo 243 LGSS, en relación con RDEP (Anexo I).

Véase: E.P. neumoconiosis.

E.P. SILICOCAOLINOSIS

1. Enfermedad pulmonar causada por la inhalación de caolín. Caolín: Arcilla blanca muy pura que se emplea en la fabricación de porcelanas, aprestos y medicamentos.

2. Los trabajadores expuestos a la inhalación de polvos minerales (caolín) (Código 4D02), pueden contraer la Enfermedad Profesional (E.P.) de silicocaolinosis, en las actividades o trabajos que a continuación se relacionan:

• Extracción y tratamiento de minerales que liberen polvo de silicatos. (Código 4D0201).

• Industria farmacéutica y cosmética. (Código 4D0202).

• Industria cerámica y de la porcelana. (Código 4D0203).

• Fabricación de materiales refractarios. (Código 4D0204).

• Industria textil. (Código 4D0205).

• Industria de la alimentación. (Código 4D0206).

• Industria del papel del linóleo, cartón y de ciertas especies de fibrocemento. (Código 4D0207).

• Industria del caucho. (Código 4D0208).

• Fabricación de tintes y pinturas. (Código 4D0209).

• Industrias de pieles. (Código 4D0210).

• Industria de perfumes y productos de belleza, fábricas de jabones y en joyería. (Código 4D0211).

• Industria química. (Código 4D0212).

• Industria metalúrgica. (Código 4D0213).

• Trabajos de explotación de minas de hierro cuyo contenido en sílice sea prácticamente nulo. (Código 4D0214).

• Trabajos expuestos a la inhalación de talco cuando esta combinado con tremolita, serpentina o antofilita. (Código 4D0215).

• Operaciones de molido y ensacado de la barita. (Código 4D0216).

Por ello, debe realizarse reconocimientos médicos previos y periódicos a dichos trabajadores, con la prohibición de no contratar a los calificados como no aptos para desempeñar los puestos de trabajo de que se trate.

— Artículo 243 LGSS, en relación con RDEP (Anexo I).

Véase: E.P. talcosis. E.P. caolinosis.

E.P. SILICOSIS

1. Enfermedad crónica del aparato respiratorio, producida por el polvo de sílice, frecuente entre los mineros, canteros, etc.

2. Los trabajadores expuestos a la inhalación de polvo de sílice libre (Código 4A01), pueden contraer la Enfermedad Profesional (E.P.) de silicosis, en las actividades o trabajos que a continuación se relacionan:

- Trabajos en minas, túneles, canteras, galerías, obras públicas. (Código 4A0101).
- Tallado y pulido de rocas silíceas, trabajos de canterías. (Código 4A0102).
- Trabajos en seco, de trituración, tamizado y manipulación de minerales o rocas. (Código 4A0103).
- Fabricación de carborundo, vidrio, porcelana, loza y otros productos cerámicos, fabricación y conservación de los ladrillos refractarios a base de sílice. (Código 4A0104).
- Fabricación y manutención de abrasivos y de polvos detergentes. (Código 4A0105).
- Trabajos de desmoldeo, desbardado y desarenado en las fundiciones. (Código 4A0106).
- Trabajos con muelas (pulido, afinado) que contengan sílice libre. (Código 4A0107).
- Trabajos en chorro de arena y esmeril. (Código 4A0108).
- Industria cerámica. (Código 4A0109).
- Industria siderometalúrgica. (Código 4A0110).
- Fabricación de refractarios. (Código 4A0111).
- Fabricación de abrasivos. (Código 4A0112).
- Industria del papel. (Código 4A0113).
- Fabricación de pinturas, plásticos y gomas. (Código 4A0114).

Por ello, debe realizarse reconocimientos médicos previos y periódicos a dichos trabajadores, con la prohibición de no contratar a los calificados como no aptos para desempeñar los puestos de trabajo de que se trate.

— Artículo 243 LGSS, en relación con RDEP (Anexo I).

Véase: Mineria.

E.P. SÍNDROME DE COMPRESIÓN DEL CIÁTICO, POPLITEO EXTERNO POR COMPRESIÓN DEL MISMO A NIVEL DEL CUELLO DEL PERONÉ

1. Los trabajadores expuestos a posturas forzadas y movimientos repetitivos en el trabajo (parálisis de los nervios debidos a la presión) (Código 2F04), pueden contraer la Enfermedad Profesional (E.P.) de síndrome de compresión del ciático, popliteo externo por compresión del mismo a nivel del cuello del peroné, en las actividades o trabajos que a continuación se relacionan:

- Trabajos en los que se produzca un apoyo prolongado y repetido de forma directa o indirecta sobre las correderas anatómicas que provocan lesiones nerviosas por compresión. Movimientos extremos de hiperflexión y de hiperextensión. Trabajos que requieran posición prolongada en cuclillas, como empedradores, soladores, colocadores de parqué, jardineros y similares. (Código 2F0401).

Por ello, debe realizarse reconocimientos médicos previos y periódicos a dichos trabajadores, con la prohibición de no contratar a los calificados como no aptos para desempeñar los puestos de trabajo de que se trate.

— Artículo 243 LGSS, en relación con RDEP (Anexo I).

Véase: Trabajos con posturas forzadas. Trabajos con movimientos repetitivos.

E.P. SÍNDROME DE DISFUNCIÓN DE LA VÍA REACTIVA

1. Patología consistente en la aparición de asma bronquial a partir de una inhalación tóxica masiva de un irritante.

2. Los trabajadores expuestos a la inhalación de sustancias de bajo peso molecular (metales y sus sales, polvos de maderas, productos farmacéuticos, sustancias químico plásticas, aditivos, etc.) (Código 4I05), pueden contraer la Enfermedad Profesional (E.P.) de síndrome de disfunción de la vía reactiva, en las actividades o trabajos que a continuación se relacionan:

- Industria del cuero. (Código 4I0501).
- Industria química. (Código 4I0502).
- Industria textil. (Código 4I0503).
- Industria cosmética y farmacéutica. (Código 4I0504).
- Trabajos de peluquería. (Código 4I0505).
- Fabricación de resinas y endurecedores. (Código 4I0506).
- Trabajos en fundiciones. (Código 4I0507).
- Fijado y revelado de fotografía. (Código 4I0508).
- Fabricación y aplicación de lacas, pinturas, colorantes, adhesivos, barnices, esmaltes. (Código 4I0509).
- Industria electrónica. (Código 4I0510).
- Industria aeronáutica. (Código 4I0511).
- Industria del plástico. (Código 4I0512).
- Industria del caucho. (Código 4I0513).
- Industria del papel. (Código 4I0514).
- Industria de la madera: Aserraderos, acabados de madera, carpintería, ebanistería, fabricación y utilización de conglomerados de madera. (Código 4I0515).
- Fabricación de espumas de poliuretano y su aplicación en estado líquido. (Código 4I0516).
- Fabricación de látex. (Código 4I0517).
- Trabajos de aislamiento y revestimiento. (Código 4I0518).
- Trabajos de laboratorio. (Código 4I0519).
- Trabajos en fotocopiadoras. (Código 4I0520).
- Dentistas. (Código 4I0521).
- Personal sanitario: enfermería, anatomía patológica, laboratorio. (Código 4I0522).
- Flebología, granjeros, fumigadores. (Código 4I0523).
- Refinería de platino. (Código 4I0524).
- Galvanizado, plateado, niquelado y cromado de metales. (Código 4I0525).
- Soldadores. (Código 4I0526).
- Industria del aluminio. (Código 4I0527).
- Trabajos de joyería. (Código 4I0528).

- Trabajos con acero inoxidable. (Código 4I0529).
- Personal de limpieza. (Código 4I0530).
- Trabajadores sociales. (Código 4I0531).
- Trabajadores que se dedican al cuidado de personas y asimilados. (Código 4I0532).
- Aplicación de pinturas, pigmentos, etc., mediante aerografía. (Código 4I0533).

Por ello, debe realizarse reconocimientos médicos previos y periódicos a dichos trabajadores, con la prohibición de no contratar a los calificados como no aptos para desempeñar los puestos de trabajo de que se trate.

— Artículo 243 LGSS, en relación con RDEP (Anexo I).

Véase: E.P. rinoconjuntivitis. E.P. asma. E.P. alveolitis alérgica extrínseca. E.P. fibrosis intersticial difusa. E.P. neumopatía intersticial difusa. E.P. síndrome de difusión reactivo de la vía aérea. E.P. bisinosis. E.P. cannabiosis. E.P. linnosis. E.P. bagazosis. E.P. estipatosis. E.P. suberosis. E.P. urticaria. E.P. angioedemas. E.P. fiebre de los metales.

E.P. SÍNDROME DE DISFUNCIÓN REACTIVO DE LA VÍA AÉREA

1. Patología consistente en la aparición de asma bronquial a partir de una inhalación tóxica masiva.

2. Los trabajadores expuestos a la inhalación de sustancias de alto peso molecular (sustancias de origen vegetal, animal, microorganismos, y sustancias enzimáticas de origen vegetal, animal y/o de microorganismos) (Código 4H04), pueden contraer la Enfermedad Profesional (E.P.) de síndrome de disfunción reactivo de la vía aérea, en las actividades o trabajos que a continuación se relacionan:

- Industria alimenticia, panadería, industria de la cerveza. (Código 4H0401).
- Industria del té, industria del café, industria del aceite. (Código 4H0402).
- Industria del lino. (Código 4H0403).
- Industria de la malta. (Código 4H0404).
- Procesamiento de canela. (Código 4H0405).
- Procesamiento de la soja. (Código 4H0406).
- Elaboración de especias. (Código 4H0407).
- Molienda de semillas. (Código 4H0408).
- Lavadores de queso. (Código 4H0409).
- Manipuladores de enzimas. (Código 4H0410).
- Trabajadores de silos y molinos. (Código 4H0411).
- Trabajos de agricultura. (Código 4H0412).
- Granjeros, ganaderos, veterinarios y procesadores de carne. (Código 4H0413).
- Trabajos en avicultura. (Código 4H0414).
- Trabajos en piscicultura. (Código 4H0415).
- Industria química. (Código 4H0416).
- Industria del plástico, industria del látex. (Código 4H0417).
- Industria farmacéutica. (Código 4H0418).
- Industria textil. (Código 4H0419).
- Industria del papel. (Código 4H0420).
- Industria del cuero. (Código 4H0421).

- Industria de la madera: aserraderos, carpintería, acabados de madera. (Código 4H0422).
  - Personal sanitario, higienistas dentales. (Código 4H0423).
  - Personal de laboratorios médicos y farmacéuticos. (Código 4H0424).
- Trabajos con harinas de pescado y piensos compuestos. (Código 4H0425).
- Personal de zoológicos, entomólogos. (Código 4H0426).
- Encuadernadores. (Código 4H0427).
- Personal de limpieza. (Código 4H0428).
- Trabajos en los que se manipula cáñamo, bagazo de caña de azúcar, yute, lino, esparto, sisal y corcho. (Código 4H0429).
  - Construcción. (Código 4H0430).
  - Aplicación de pinturas, pigmentos etc., mediante aerografía. (Código 4H0431).

Por ello, debe realizarse reconocimientos médicos previos y periódicos a dichos trabajadores, con la prohibición de no contratar a los calificados como no aptos para desempeñar los puestos de trabajo de que se trate.

— Artículo 243 LGSS, en relación con RDEP (Anexo I).

Véase: E.P. rinoconjuntivitis. E.P. asma. E.P. alveolitis alérgica extrínseca. E.P. fibrosis intersticial difusa. E.P. neumopatía intersticial difusa. E.P. bisinosis. E.P. cannabiosis. E.P. linnosis. E.P. bagazosis. E.P. estipatosis. E.P. suberosis. E.P. urticaria. E.P. angioedemas. E.P. síndrome de disfunción de la vía reactiva. E.P. fiebre de los metales.

E.P. SÍNDROME DEL CANAL DE GUYON, POR COMPRESIÓN DEL NERVIO CUBITAL EN LA MUÑECA

1. Los trabajadores expuestos a posturas forzadas y movimientos repetitivos en el trabajo (parálisis de los nervios debidos a la presión) (Código 2F03), pueden contraer la Enfermedad Profesional (E.P.) de síndrome del canal de Guyon, por compresión del nervio cubital de la muñeca, en las actividades o trabajos que a continuación se relacionan:

- Trabajos en los que se produzca un apoyo prolongado y repetido de forma directa o indirecta sobre las correderas anatómicas que provocan lesiones nerviosas por compresión. Movimientos extremos de hiperflexión y de hiperextensión. Trabajos que entrañen compresión prolongada en la muñeca o de una presión mantenida o repetida sobre el talón de la mano, como ordeño de vacas, grabado, talla y pulido de vidrio, burilado, trabajo de zapatería, leñadores, herreros, peleteros, lanzadores de martillo, disco y jabalina. (Código 2F0301).

Por ello, debe realizarse reconocimientos médicos previos y periódicos a dichos trabajadores, con la prohibición de no contratar a los calificados como no aptos para desempeñar los puestos de trabajo de que se trate.

— Artículo 243 LGSS, en relación con RDEP (Anexo I).

Véase: Trabajos con movimientos repetitivos. Trabajos con posturas forzadas.

E.P. SÍNDROME DEL CANAL EPITROCLEO-OLECRANIANO, POR COMPRESIÓN DEL NERVIO CUBITAL EN EL CODO

1. Los trabajadores expuestos a posturas forzadas y movimientos repetitivos en el trabajo (parálisis de los nervios debidos a la presión) (Código 1F01), pueden contraer la

Enfermedad Profesional (E.P.) de síndrome del canal epitrocleo-olecraniano, por compresión del nervio cubital en el codo, en las actividades o trabajos que a continuación se relacionan:

- Trabajos en los que se produzca un apoyo prolongado y repetido de forma directa o indirecta sobre las correderas anatómicas que provocan lesiones nerviosas por compresión. Movimientos extremos de hiperflexión y de hiperextensión. Trabajos que requieran apoyo prolongado en el codo. (Código 2F0101).

Por ello, debe realizarse reconocimientos médicos previos y periódicos a dichos trabajadores, con la prohibición de no contratar a los calificados como no aptos para desempeñar los puestos de trabajo de que se trate.

— Artículo 243 LGSS, en relación con RDEP (Anexo I).

Véase: Trabajos con movimientos repetitivos. Trabajos con posturas forzadas.

E.P. SÍNDROME DEL TÚNEL CARPIANO, POR COMPRESIÓN DEL NERVIO MEDIANO EN LA MUÑECA

Los trabajadores expuestos a posturas forzadas y movimientos repetitivos en el trabajo (parálisis de los nervios debidos a la presión) (Código 1F02), pueden contraer la Enfermedad Profesional (E.P.) de síndrome del túnel carpiano, por compresión del nervio mediano en la muñeca, en las actividades o trabajos que a continuación se relacionan:

- Trabajos en los que se produzca un apoyo prolongado y repetido de forma directa o indirecta sobre las correderas anatómicas que provocan lesiones nerviosas por compresión. Movimientos extremos de hiperflexión y de hiperextensión. Trabajos que requieran movimientos repetidos o mantenidos de hiperextensión e hiperflexión de la muñeca, de aprehensión de la mano como lavanderos, cortadores de tejidos y material plástico y similares, trabajos de montaje (electrónica, mecánica), industria textil, mataderos (carniceros, matarifes), hostelería (camareros, cocineros), soldadores, carpinteros, pulidores, pintores. (Código 2F0201).

Por ello, debe realizarse reconocimientos médicos previos y periódicos a dichos trabajadores, con la prohibición de no contratar a los calificados como no aptos para desempeñar los puestos de trabajo de que se trate.

— Artículo 243 LGSS, en relación con RDEP (Anexo I).

Véase: Trabajos con movimientos repetitivos. Trabajos con posturas forzadas.

E.P. SÍNDROME LINFO Y MIELOPROLIFERATIVOS

1. Los trabajadores expuestos al benceno (fabricación, extracción, rectificación, empleo y manipulación) (Código 6D), o a las radiaciones ionizantes (Código 6N), pueden contraer la Enfermedad Profesional (E.P.) de síndrome linfo y mieloproliferativos (Cáncer) (Códigos 6D01, 6N01), en las actividades o trabajos que a continuación se relacionan:

- Ocupaciones con exposición a benceno, por ejemplo, hornos de coque, uso de disolventes que contienen benceno. (Código 6D0101).
- Empleo del benceno para la preparación de sus derivados. (Código 6D0102).
- Empleo del benceno como decapante, como diluente, como disolvente. (Código 6D0103).
- Preparación, distribución y limpieza de tanques de carburantes que contengan benceno. (Código 6D0104).

- Trabajos de laboratorio en los que se emplee benceno. (Código 6D0105).
- Trabajos de extracción y tratamiento de minerales radiactivos. (Código 6N0101).
- Fabricación de aparatos de rayos X y de radioterapia. (Código 6N0102).
- Fabricación de productos químicos y farmacéuticos radiactivos. (Código 6N0103).
- Empleo de sustancias radiactivas y rayos X en los laboratorios de investigación. (Código 6N0104).
- Fabricación y aplicación de productos luminosos con sustancias radiactivas en pinturas de esferas de relojería. (Código 6N0105).
- Trabajos industriales en que se utilicen rayos X y materiales radiactivos, medidas de espesor y de desgaste. (Código 6N0106).
- Trabajos en las consultas de radiodiagnóstico, de radio y radioterapia y de aplicación de isótopos radiactivos, en consultas, clínicas, sanatorios, residencias y hospitales. (Código 6N0107).
- Conservación de alimentos por radiaciones ionizantes. (Código 6N0108).
- Reactores de investigación y centrales nucleares. (Código 6N0109).
- Instalaciones de producción y tratamiento de radioelementos o isótopos radiactivos. (Código 6N0110).
- Fábrica de enriquecimiento de combustibles nucleares. (Código 6N0111).
- Instalaciones de tratamiento y almacenamiento de residuos radiactivos. (Código 6N0112).
- Transporte de materias radiactivas. (Código 6N0113).
- Aceleradores de partículas, fuentes de gammagrafía, bombas de cobalto, etc. (Código 6N0114).

Por ello, debe realizarse reconocimientos médicos previos y periódicos a dichos trabajadores, con la prohibición de no contratar a los calificados como no aptos para desempeñar los puestos de trabajo de que se trate.

— Artículo 243 LGSS, en relación con RDEP (Anexo I).

Véase: Benceno. Radiaciones ionizantes.

E.P. SUBEROSIS

1. Enfermedad pulmonar producida por la inhalación de polvo de corcho enmohecido.

2. Los trabajadores expuestos a la inhalación de sustancias de alto peso molecular (sustancias de origen vegetal, animal, microorganismos, y sustancias enzimáticas de origen vegetal, animal y/o de microorganismos) (Código 4H06), pueden contraer la Enfermedad Profesional (E.P.) de suberosis, en las actividades o trabajos que a continuación se relacionan:

- Industria alimenticia, panadería, industria de la cerveza. (Código 4H0601).
- Industria del té, industria del café, industria del aceite. (Código 4H0602).
- Industria del lino. (Código 4H0603).
- Industria de la malta. (Código 4H0604).
- Procesamiento de canela. (Código 4H0605).
- Procesamiento de la soja. (Código 4H0606).
- Elaboración de especias. (Código 4H0607).
- Molienda de semillas. (Código 4H0608).

- Lavadores de queso. (Código 4H0609).
- Manipuladores de enzimas. (Código 4H0610).
- Trabajadores de silos y molinos. (Código 4H0611).
- Trabajos de agricultura. (Código 4H0612).
- Granjeros, ganaderos, veterinarios y procesadores de carne. (Código 4H0613).
- Trabajos en avicultura. (Código 4H0614).
- Trabajos en piscicultura. (Código 4H0615).
- Industria química. (Código 4H0616).
- Industria del plástico, industria del látex. (Código 4H0617).
- Industria farmacéutica. (Código 4H0618).
- Industria textil. (Código 4H0619).
- Industria del papel. (Código 4H0620).
- Industria del cuero. (Código 4H0621).
- Industria de la madera: aserraderos, carpintería, acabados de madera. (Código 4H0622).
- Personal sanitario, higienistas dentales. (Código 4H0623).
- Personal de laboratorios médicos y farmacéuticos. (Código 4H0624).
- Trabajos con harinas de pescado y piensos compuestos. (Código 4H0625).
- Personal de zoológicos, entomólogos. (Código 4H0626).
- Encuadernadores. (Código 4H0627).
- Personal de limpieza. (Código 4H0628).
- Trabajos en los que se manipula cáñamo, bagazo de caña de azúcar, yute, lino, esparto, sisal y corcho. (Código 4H0629).
- Construcción. (Código 4H0630).
- Aplicación de pinturas, pigmentos etc., mediante aerografía. (Código 4H0631).

Por ello, debe realizarse reconocimientos médicos previos y periódicos a dichos trabajadores, con la prohibición de no contratar a los calificados como no aptos para desempeñar los puestos de trabajo de que se trate.

— Artículo 243 LGSS, en relación con RDEP (Anexo I).

Véase: E.P. rinoconjuntivitis. E.P. asma. E.P. alveolitis alérgica extrínseca. E.P. fibrosis intersticial difusa. E.P. neumopatía intersticial difusa. E.P. síndrome de difusión reactivo de la vía aérea. E.P. bisinosis. E.P. cannabiosis. E.P. linnosis. E.P. bagazosis. E.P. estipatosis. E.P. urticaria. E.P. angioedemas. E.P. síndrome de disfunción de la vía reactiva. E.P. fiebre de los metales.

E.P. TALCOSIS

1. Enfermedad pulmonar causada por la inhalación de talco (polvo mineral).

2. Los trabajadores expuestos a la inhalación de polvos minerales (talco) (Código 4D01), pueden contraer la Enfermedad Profesional (E.P.) de talcosis, en las actividades o trabajos que a continuación se relacionan:

- Extracción y tratamiento de minerales que liberen polvo de silicatos. (Código 4D0101).
- Industria farmacéutica y cosmética. (Código 4D0102).
- Industria cerámica y de la porcelana. (Código 4D0103).
- Fabricación de materiales refractarios. (Código 4D0104).
- Industria textil. (Código 4D0105).

• Industria de la alimentación. (Código 4D0106).

• Industria del papel del linóleo, cartón y de ciertas especies de fibrocemento. (Código 4D0107).

    • Industria del caucho. (Código 4D0108).

    • Fabricación de tintes y pinturas. (Código 4D0109).

    • Industrias de pieles. (Código 4D0110).

• Industria de perfumes y productos de belleza, fábricas de jabones y en joyería. (Código 4D011).

    • Industria química. (Código 4D0112).

    • Industria metalúrgica. (Código 4D0113).

• Trabajos de explotación de minas de hierro cuyo contenido en sílice sea prácticamente nulo. (Código 4D0114).

• Trabajos expuestos a la inhalación de talco cuando esta combinado con tremolita, serpentina o antofilita. (Código 4D0115).

    • Operaciones de molido y ensacado de la barita. (Código 4D0116).

Por ello, debe realizarse reconocimientos médicos previos y periódicos a dichos trabajadores, con la prohibición de no contratar a los calificados como no aptos para desempeñar los puestos de trabajo de que se trate.

— Artículo 243 LGSS, en relación con RDEP (Anexo I).

Véase: E.P. silicocaolinosis. E.P. caolinosis.

E.P. TENDIDOSA CRÓNICA, DE MANGUITO DE LOS ROTADORES (HOMBRO)

1. Los trabajadores expuestos a posturas forzadas y movimientos repetitivos en el trabajo; enfermedades por fatiga e inflamación de las vainas tendinosas, de tejidos peritendinosos e inserciones musculares y tendinosas (Código 1D01), pueden contraer la Enfermedad Profesional (E.P.), causada por agentes físicos, en las actividades o trabajos que a continuación se relacionan:

• Trabajos que se realicen con los codos en posición elevada o que tensen los tendones o bolsa subacromial, asociándose a acciones de levantar y alcanzar; uso continuado del brazo en abducción o flexión, como son pintores, escayolistas, montadores de estructuras. (Código 2D0101).

Por ello, debe realizarse reconocimientos médicos previos y periódicos a dichos trabajadores, con la prohibición de no contratar a los calificados como no aptos para desempeñar los puestos de trabajo de que se trate.

— Artículo 243 LGSS, en relación con RDEP (Anexo I).

Véase: Pintores. Escayolistas. Montadores de estructuras. Trabajos con posturas forzadas. Trabajos con movimientos repetitivos.

E.P. TENDINITIS Y TENOSINOVITIS

1. Los trabajadores expuestos a posturas forzadas y movimientos repetitivos en el trabajo; enfermedades por fatiga e inflamación de las vainas tendinosas, de tejidos peritendinosos e inserciones musculares y tendinosas (Código 1D03), pueden contraer la Enfermedad Profesional (E.P.) de tendinitis del abductor largo y extensor corto del pulgar (T. de Quervain) y/o tenosinovitis estenosante digital (dedo en resorte) y tenosinovitis del extensor largo del primer dedo (muñeca y mano), en las actividades o trabajos que a continuación se relacionan:

• Trabajos que exijan aprehensión fuerte con giros o desviaciones cubitales y radiales repetidas de la mano, así como movimientos repetidos o mantenidos de extensión de la muñeca. (Código 2D0301).

Por ello, debe realizarse reconocimientos médicos previos y periódicos a dichos trabajadores, con la prohibición de no contratar a los calificados como no aptos para desempeñar los puestos de trabajo de que se trate.

— Artículo 243 LGSS, en relación con RDEP (Anexo I).

Véase: Trabajos con movimientos repetitivos. Trabajos con posturas forzadas.

E.P. TIFUS EXANTEMÁTICO

1. Infección tífica, epidémica, transmitida generalmente por el piojo, caracterizada por las manchas punteadas en la piel.

2. Los trabajadores ocupados en las actividades económicas, y expuestos a los agentes o sustancias que a continuación se indican, pueden contraer una Enfermedad Profesional (E.P.):

• Trabajos desarrollados en zonas endémicas, con exposición a agentes biológicos, que pueden provocar E.P. infecciosas como, paludismo, amebiasis, tripanosomiasis, dengue, fiebre amarilla, fiebre papataci, fiebre recurrente, peste, lesishmaniosis, pian, tifus exantemático, borrelias y otras ricketsiosis. (Código 3C0101).

Por ello, debe realizarse reconocimientos médicos previos y periódicos a dichos trabajadores, con la prohibición de no contratar a los calificados como no aptos para desempeñar los puestos de trabajo de que se trate.

— Artículo 243 LGSS, en relación con RDEP (Anexo I).

Véase: E.P. transmitidas por animales. Zonas endémicas.

E.P. TRIPANOSOMIASIS

1. Enfermedad producida por tripanosomas. Tripanosoma: Género de flagelados parásitos, con una membrana ondulante, que engloba al flagelo adosado al borde del cuerpo. Provocan enfermedades infecciosas, en general graves, como la enfermedad del sueño, transmitidas casi siempre por artrópodos.

2. Los trabajadores ocupados en las actividades económicas, y expuestos a los agentes o sustancias que a continuación se indican, pueden contraer una Enfermedad Profesional (E.P.):

• Trabajos desarrollados en zonas endémicas, con exposición a agentes biológicos, que pueden provocar E.P. infecciosas como, paludismo, amebiasis, tripanosomiasis, dengue, fiebre amarilla, fiebre papataci, fiebre recurrente, peste, lesishmaniosis, pian, tifus exantemático, borrelias y otras ricketsiosis. (Código 3C0101).

Por ello, debe realizarse reconocimientos médicos previos y periódicos a dichos trabajadores, con la prohibición de no contratar a los calificados como no aptos para desempeñar los puestos de trabajo de que se trate.

— Artículo 243 LGSS, en relación con RDEP (Anexo I).

Véase: E.P. transmitidas por animales. Zonas endémicas.

E.P. URTICARIA

1. Enfermedad eruptiva de la piel, cuyo síntoma más notable es una comezón parecida a la que producen las picaduras de la ortiga.

2. Los trabajadores expuestos a la inhalación de sustancias de bajo peso molecular (metales y sus sales, polvos de maderas, productos farmacéuticos, sustancias químico plásticas, aditivos, etc.) (Código 4102), pueden contraer la Enfermedad Profesional (E.P.) de urticaria, en las actividades o trabajos que a continuación se relacionan:

- Industria del cuero. (Código 410201).
- Industria química. (Código 410202).
- Industria textil. (Código 410203).
- Industria cosmética y farmacéutica. (Código 410204).
- Trabajos de peluquería. (Código 410205).
- Fabricación de resinas y endurecedores. (Código 410206).
- Trabajos en fundiciones. (Código 410207).
- Fijado y revelado de fotografía. (Código 410208).
- Fabricación y aplicación de lacas, pinturas, colorantes, adhesivos, barnices, esmaltes. (Código 410209).
- Industria electrónica. (Código 410210).
- Industria aeronáutica. (Código 410211).
- Industria del plástico. (Código 410212).
- Industria del caucho. (Código 410213).
- Industria del papel. (Código 410214).
- Industria de la madera: Aserraderos, acabados de madera, carpintería, ebanistería, fabricación y utilización de conglomerados de madera. (Código 410215).
- Fabricación de espumas de poliuretano y su aplicación en estado líquido. (Código 410216).
- Fabricación de látex. (Código 410217).
- Trabajos de aislamiento y revestimiento. (Código 410218).
- Trabajos de laboratorio. (Código 410219).
- Trabajos en fotocopiadoras. (Código 410220).
- Dentistas. (Código 410221).
- Personal sanitario: enfermería, anatomía patológica, laboratorio. (Código 410222).
- Flebología, granjeros, fumigadores. (Código 410223).
- Refinería de platino. (Código 410224).
- Galvanizado, plateado, niquelado y cromado de metales. (Código 410225).
- Soldadores. (Código 410226).
- Industria del aluminio. (Código 410227).
- Trabajos de joyería. (Código 410228).
- Trabajos con acero inoxidable. (Código 410229).
- Personal de limpieza. (Código 410230).
- Trabajadores sociales. (Código 410231).
- Trabajadores que se dedican al cuidado de personas y asimilados. (Código 410232).
- Aplicación de pinturas, pigmentos, etc., mediante aerografía. (Código 410233).

Por ello, debe realizarse reconocimientos médicos previos y periódicos a dichos trabajadores, con la prohibición de no contratar a los calificados como no aptos para desempeñar los puestos de trabajo de que se trate.

— Artículo 243 LGSS, en relación con RDEP (Anexo I).

Véase: E.P. rinoconjuntivitis. E.P. asma. E.P. alveolitis alérgica extrínseca. E.P. fibrosis intersticial difusa. E.P. neumopatía intersticial difusa. E.P. síndrome de difusión reactivo de la vía aérea. E.P. bisinosis. E.P. cannabiosis. E.P. linnosis. E.P. bagazosis. E.P. estipatosis. E.P. suberosis. E.P. angioedemas. E.P. síndrome de disfunción de la vía reactiva. E.P. fiebre de los metales.

E.P. YUTEROSIS

1. Enfermedad pulmonar producida por la inhalación de polvo de yute.

2. Los trabajadores expuestos a la inhalación de sustancias de alto peso molecular (sustancias de origen vegetal, animal, microorganismos, y sustancias enzimáticas de origen vegetal, animal y/o de microorganismos) (Código 4H06), pueden contraer la Enfermedad Profesional (E.P.) de yuterosis, en las actividades o trabajos que a continuación se relacionan:

- Industria alimenticia, panadería, industria de la cerveza. (Código 4H0601).
- Industria del té, industria del café, industria del aceite. (Código 4H0602).
- Industria del lino. (Código 4H0603).
- Industria de la malta. (Código 4H0604).
- Procesamiento de canela. (Código 4H0605).
- Procesamiento de la soja. (Código 4H0606).
- Elaboración de especias. (Código 4H0607).
- Molienda de semillas. (Código 4H0608).
- Lavadores de queso. (Código 4H0609).
- Manipuladores de enzimas. (Código 4H0610).
- Trabajadores de silos y molinos. (Código 4H0611).
- Trabajos de agricultura. (Código 4H0612).
- Granjeros, ganaderos, veterinarios y procesadores de carne. (Código 4H0613).
- Trabajos en avicultura. (Código 4H0614).
- Trabajos en piscicultura. (Código 4H0615).
- Industria química. (Código 4H0616).
- Industria del plástico, industria del látex. (Código 4H0617).
- Industria farmacéutica. (Código 4H0618).
- Industria textil. (Código 4H0619).
- Industria del papel. (Código 4H0620).
- Industria del cuero. (Código 4H0621).
- Industria de la madera: aserraderos, carpintería, acabados de madera. (Código 4H0622).
- Personal sanitario, higienistas dentales. (Código 4H0623).
- Personal de laboratorios médicos y farmacéuticos. (Código 4H0624).
- Trabajos con harinas de pescado y piensos compuestos. (Código 4H0625).
- Personal de zoológicos, entomólogos. (Código 4H0626).
- Encuadernadores. (Código 4H0627).
- Personal de limpieza. (Código 4H0628).

• Trabajos en los que se manipula cáñamo, bagazo de caña de azúcar, yute, lino, esparto, sisal y corcho. (Código 4H0629).

• Construcción. (Código 4H0630).

• Aplicación de pinturas, pigmentos etc., mediante aerografía. (Código 4H0631).

Por ello, debe realizarse reconocimientos médicos previos y periódicos a dichos trabajadores, con la prohibición de no contratar a los calificados como no aptos para desempeñar los puestos de trabajo de que se trate.

— Artículo 243 LGSS, en relación con RDEP (Anexo I).

Véase: E.P. Alveolitis alérgica extrínseca. E.P. Bisinosis. E.P. Cannabiosis. E.P. linnosis. E.P. bagazosis. E.P. estipetosis. E.P. suberosis.

EBANISTERÍA

1. Lugar donde se trabaja el ébano y otras maderas finas.

2. Los trabajadores ocupados en las **actividades** económicas, y expuestos a los agentes o sustancias que a **continuación** se indican, **pueden** contraer una **Enfermedad Profesional** (E.P.):

a) Causada por la inhalación de sustancias y agentes no comprendidos en otros apartados:

• Industria de la madera: Aserraderos, acabados de madera, carpintería, ebanistería, fabricación y utilización de conglomerados de madera, donde los trabajadores estén expuestos a sustancias de alto peso molecular (de origen vegetal o animal), que pueden provocar la E.P. de rinoconjuntivitis. (Código 4H0122).

• Industria de la madera: Aserraderos, acabados de madera, carpintería, ebanistería, fabricación y utilización de conglomerados de madera, donde los trabajadores estén expuestos a sustancias de bajo peso molecular (metales, sustancias químicas, etc.), que pueden provocar alguna de las siguientes E.P: rinoconjuntivitis (Código 4I0115), urticaria (Código 4I0215), angiodemas (Código 4I0215), asma (Código 4I0315), alveolitis alérgica extrínseca (Código 4I0415), síndrome de disfunción de la vía reactiva (Código 4I0515), fibrosis intersticial difusa (Código 4I0615), fiebre de los metales (Código 4I0715), y neumopatía intersticial difusa (Código 4I0815).

b) E.P. de la piel, causada por sustancias y agentes no comprendidos en alguno de los otros apartados:

• Industria de la madera: Aserraderos, acabados de madera, carpintería, ebanistería, fabricación y utilización de conglomerados de madera, donde los trabajadores estén expuestos a sustancias de bajo peso molecular (metales, sustancias químicas, etc.), que pueden provocar una E.P. de la piel, causada por sustancias de bajo peso molecular (Código 5A0115).

Por ello, debe realizarse reconocimientos médicos previos y periódicos a dichos trabajadores, con la prohibición de no contratar a los calificados como no aptos para desempeñar los puestos de trabajo de que se trate.

— Artículo 243 LGSS, en relación con RDEP (Anexo I).

Véase: Carpinteros. Carpinterías. Industria de la madera. Aserrado de la madera. Parquet.

EFECTO DOMINÓ

La concatenación de efectos que multiplica las consecuencias de un accidente, debido a que los fenómenos peligrosos puedan afectar, además de los elementos vulnerables exteriores, a otros recipientes, tuberías o equipos del mismo establecimiento o de otros establecimientos próximos, de tal manera que se produzca una nueva fuga, incendio, explosión o estallido en los mismos, que genere a su vez nuevos fenómenos peligrosos.

— Artículo 3 RDAG.

Véase: Causas de los accidentes e incidentes.

ELECTRICISTAS

1. Persona especializada en instalaciones eléctricas.

2. Los trabajadores ocupados en las actividades económicas, y expuestos a los agentes o sustancias que a continuación se indican, pueden contraer una Enfermedad Profesional (E.P.), causada por agentes físicos:

• Trabajos que requieran posturas en hiperflexión de la rodilla en posición mantenida en cuclillas de manera prolongada como son: Trabajos en minas subterráneas, electricistas, soladores, instaladores de suelos de madera, fontaneros, que pueden provocar la E.P. de lesiones del menisco por la exposición a posturas forzadas y/o movimientos repetitivos. (Código 2G0101).

Por ello, debe realizarse reconocimientos médicos previos y periódicos a dichos trabajadores, con la prohibición de no contratar a los calificados como no aptos para desempeñar los puestos de trabajo de que se trate.

— Artículo 243 LGSS, en relación con RDEP (Anexo I).

Véase: Arco eléctrico. Choque eléctrico. Circuito eléctrico. Corriente de contacto. Corriente de defecto. Corriente de puesta a tierra. Corriente eléctrica. Cortocircuito fusible. Industria eléctrica. Instalación eléctrica. Instalaciones de distribución de energía. Instalaciones de puesta a tierra. Interruptor automático. Riesgo eléctrico. Soldadura exotérmica. Zona de trabajos en tensión.

ELECTRODEPOSICIÓN

1. Tratamiento electroquímico donde se apegan los cationes metálicos contenidos en una solución acuosa para ser sedimentados sobre un objeto conductor creando una capa. El tratamiento utiliza una corriente eléctrica para reducir sobre la extensión del cátodo los cationes contenidos en la solución acuosa. Al ser reducidos los cationes precipitan sobre la extensión creando una película fina. Se emplea principalmente para adjudicar una capa con una propiedad ansiada (por ejemplo, resistencia a la abrasión y al desgaste, protección frente a la corrosión, la necesidad de lubricación, cualidades estéticas, etc.) a una superficie que de otro modo escasea de esa propiedad. Otra aplicación de la electrodeposición es recrecer el espesor de las piezas desgastadas, por ejemplo, mediante el cromo duro.

2. Los trabajadores ocupados en las actividades económicas, y expuestos a los agentes o sustancias que a continuación se indican, pueden contraer una Enfermedad Profesional (E.P.), causada por agentes químicos:

• Utilización del acetato de etilo en la electrodeposición de metales, donde se utilicen ésteres orgánicos. (Código 1N0119).

Por ello, debe realizarse reconocimientos médicos previos y periódicos a dichos trabajadores, con la prohibición de no contratar a los calificados como no aptos para desempeñar los puestos de trabajo de que se trate.

— Artículo 243 LGSS, en relación con RDEP (Anexo I).

Véase: Metales. Electrólisis. Galvanoplastia. Anodizado. Tratamientos electrolíticos.

ELECTRODOS

1. Extremo de un conductor en contacto con un medio, al que transmite o del que recibe una corriente eléctrica.

2. Los trabajadores ocupados en las actividades económicas, y expuestos a los agentes o sustancias que a continuación se indican, pueden contraer una Enfermedad Profesional (E.P.), causada por agentes cancerígenos:

• <u>Fabricación de electrodos, donde se utilicen hidrocarburos aromáticos, que pueden provocar la E.P. de lesiones premalignas de piel (Código 6J0109), y/o E.P. de carcinoma de células escamosas (Cáncer) (Código 6J0209).</u>

Por ello, debe realizarse reconocimientos médicos previos y periódicos a dichos trabajadores, con la prohibición de no contratar a los calificados como no aptos para desempeñar los puestos de trabajo de que se trate.

— Artículo 243 LGSS, en relación con RDEP (Anexo I).

Véase: Corriente eléctrica. Contacto directo.

ELECTRÓLISIS

1. Proceso químico por medio del cual una sustancia o un cuerpo inmersos en una disolución se descomponen por la acción de la una corriente eléctrica continua.

2. Los trabajadores ocupados en las actividades económicas, y expuestos a los agentes o sustancias que a continuación se indican, pueden contraer una Enfermedad Profesional (E.P.):

a) Causadas por agentes químicos:

• <u>Revestimiento electrolítico de metales, donde se utilice arsénico y sus compuestos.</u> (Código 1A0116).

• <u>Cadmiado electrolítico, donde se utilice cadmio y sus compuestos.</u> (Código 1A0305).

• <u>Electrólisis con mercurio.</u> (Código 1A0704).

• <u>Producción electrolítica de clorina, donde se utilice mercurio y sus compuestos.</u> (Código 1A0705).

• <u>Niquelado electrolítico de los metales.</u> (Código 1A0803).

• <u>Proceso electrolítico de producción de cloro.</u> (Código 1C0201).

• <u>Decapado, fijación, mordentado, afinado damasquinado, revestimiento electrolítico de metales.</u> (Código 1D0103).

• <u>Usos (del ácido sulfúrico) como ácido para acumulador en la electrolisis, en la industria química (producción de abonos) y laboratorios.</u> (Código 1D0210).

• Fabricación de condensadores electrolíticos, donde se utilicen glicoles. (Código 1P0107).

b) Causadas por la inhalación de sustancias y agentes no comprendidos en otros apartados:

• Extracción de aluminio a partir de sus minerales, en particular la separación por fusión electrolítica del oxido de aluminio, de la bauxita (fabricación de corindón artificial), que puede provocar neumoconiosis por polvo de aluminio. (Código 4G0101).

c) Causadas por agentes cancerígenos:

• Revestimiento electrolítico de metales donde, se utilice arsénico, que puede provocar alguna de las siguientes E.P: neoplasia de maligna de bronquio y pulmón (Código 6C0103), carcinoma epidermoide de piel (Código 6C0203), disqueratosis lenticular en disco (Código 6C0303) y angiosarcoma del hígado (Código 6C0403).

• Cadmiado electrolítico, que puede provocar la E.P. de neoplasia maligna de bronquio, pulmón y próstata. (Código 6G0105).

• Niquelado electrolítico de los metales, que puede provocar alguna de las siguientes E.P: E.P. neoplasia maligna de cavidad nasal (Código 6K0103), E.P. cáncer primitivo del etmoides y de los senos de la cara (Código 6K0203), o E.P. neoplasia maligna de bronquio y pulmón (Código 6K0303).

Por ello, debe realizarse reconocimientos médicos previos y periódicos a dichos trabajadores, con la prohibición de no contratar a los calificados como no aptos para desempeñar los puestos de trabajo de que se trate.

— Artículo 243 LGSS, en relación con el RDEP (Anexo I).

Véase: Metales. Galvanoplastia. Electrodeposición. Tratamientos electrolíticos. Anodizado.

ELECTRÓNICA

1. Estudio y aplicación del comportamiento de los electrones en diversos medios, como el vacío, los gases y los semiconductores, sometidos a la acción de campos eléctricos y magnéticos.

2. Los trabajadores ocupados en las actividades económicas, y expuestos a los agentes o sustancias que a continuación se indican, pueden contraer una Enfermedad Profesional (E.P.):

a) Causada por agentes químicos:

• Utilización de compuestos arsenicales en electrónica, que pueden provocar una E.P. causada por agentes químicos. (Código 1A0126).

• Fabricación de semiconductores en la industria microelectrónica, donde se utilicen éteres, que pueden provocar una E.P. causada por agentes químicos. (Código 1O0102).

b) Causada por inhalación de sustancias y agentes no comprendidos en otros apartados:

• Industria electrónica, donde los trabajadores estén expuestos a sustancias de bajo peso molecular (metales, polvos de maderas, sustancias químicas, etc.), que pueden provocar alguna de las siguientes E.P: rinoconjuntivitis (Código 4I0110), urticaria (Código 4I0210), angiodemas (Código 4I0210), asma (Código 4I0310), alveolitis alérgica extrínseca (Código 4I0410), síndrome de disfunción de la vía reactiva (Código 4I0510), fibrosis intersticial difusa (Código 4I0610), fiebre de los metales (Código 4I0710), y neumopatía intersticial difusa (Código 4I0810).

c) E.P. causada por sustancias y agentes no comprendidos en alguno de los otros apartados:

  • Industria electrónica, donde los trabajadores estén expuestos a sustancias de bajo peso molecular (metales, polvos de maderas, sustancias químicas, etc.), que pueden provocar una E.P. de la piel, causada por sustancias de bajo peso molecular. (Código 5A0110).

d) Causada por agentes cancerígenos:

  • Utilización de compuestos arsenicales en electrónica, donde se utilice arsénico, que puede provocar alguna de las siguientes E.P.: neoplasia de maligna de bronquio y pulmón (Código 6C0105), carcinoma epidemoide de piel (Código 6C0205), disqueratosis lenticular en disco (Código 6C0305) y angiosarcoma del hígado (Códigos 6C0405, 6C0423).

Por ello, debe realizarse reconocimientos médicos previos y periódicos a dichos trabajadores, con la prohibición de no contratar a los calificados como no aptos para desempeñar los puestos de trabajo de que se trate.

— Artículo 243 LGSS, en relación con RDEP (Anexo I).

  Véase: Corriente eléctrica. Platino.

ELECTROPLATEADO
  Véase: Galvanoplastia.

ELEVACIÓN. ACCESORIOS
Los accesorios de elevación son los componentes o equipo que no es parte integrante de la máquina de elevación, que permita la prensión de la carga, situado entre la máquina y la carga, o sobre la propia carga, o que se haya previsto para ser parte integrante de la carga y se comercialice por separado. También se considerarán accesorios de elevación las eslingas y sus componentes.

— Artículo 2.2.d RDM.

  Véase: Eslingas. Cadenas, cables y cinchas. Aparatos elevadores. Grúas móviles.

ELEVADORES DE VEHÍCULOS
Los elevadores de vehículos son equipos de elevación provistos de soportes de carga guiados mediante una estructura portante para la elevación de todo tipo de vehículos, diseñados para trabajar sobre o bajo la carga y que permiten realizar trabajos de mantenimiento, reparación y verificación.

Existen elevadores de una, dos o cuatro columnas, de tijera, de cilindros, etc., ser de accionamiento manual o mecánico y cargar del chasis o de las ruedas.

— Nota Técnica de Prevención n.º 1082/2017. INSST.

— Norma UNE EN 1493: 2011. Aenor.

  Véase: Aparatos elevadores. Grúas pórtico. Grúas puente. Grúas torre.

EMBALAJE DE SUSTANCIAS INFECCIOSAS

Como norma general, los embalajes destinados a las sustancias infecciosas y las muestras de diagnóstico constan de tres capas:

• Un recipiente primario estanco en el que se coloca la muestra.

• Un recipiente secundario estanco que contiene material absorbente en cantidad suficiente para absorber todo el líquido de la muestra en caso de fuga.

• Una envoltura exterior para proteger el recipiente secundario de las influencias exteriores (deterioro físico y agua) durante el transporte.

— Nota Técnica de Prevención n.º 628/2003. INSST.

Véase: Preparados. Sustancias. Sustancias infecciosas. Productos antisépticos. Sustancias peligrosas. Envasado de sustancias peligrosas. Productos químicos: Envasado.

EMBRAGUES

1. Dispositivos que permiten acoplar o desacoplar dos ejes de una máquina, especialmente cuando está funcionando.

2. Los trabajadores ocupados en las actividades económicas, y expuestos a los agentes o sustancias que a continuación se indican, pueden contraer una Enfermedad Profesional (E.P.):

a) Causada por inhalación de sustancias y agentes no comprendidos en otros apartados:

• Fabricación de guarniciones para frenos y embragues, de productos de fibrocemento, de equipos contra incendios, de filtros y cartón de amianto, de juntas de amianto y caucho, que pueden provocar las E.P. de asbestosis (Código 4C0106) y/o afecciones fibrosantes de la pleura y pericardio (Código 4C0206), provocadas por la inhalación de polvo de amianto (asbesto).

b) Causada por agentes cancerígenos:

• Fabricación de guarniciones para frenos y embragues, de productos de fibrocemento, de equipos contra incendios, de filtros y cartón de amianto, de juntas de amianto y caucho, donde exista exposición a la inhalación de polvos de amianto (asbesto), que puede provocar alguna de las siguientes E.P.: neoplasia maligna de bronquio y pulmón (Código 6A0107), mesotelioma (Código 6A0207), mesotelioma de pleura (Código 6A0307), mesotelioma de peritoneo (Código 6A0407), mesotelioma de otras localizaciones (Código 6A0507) y cáncer de laringe (Código 6A0607).

Por ello, debe realizarse reconocimientos médicos previos y periódicos a dichos trabajadores, con la prohibición de no contratar a los calificados como no aptos para desempeñar los puestos de trabajo de que se trate.

— Artículo 243 LGSS, en relación con RDEP (Anexo I).

Véase: Frenos. Máquinas.

EMBUTIDO DE METALES

1. Es una operación de formado de láminas metálicas que se usa para hacer piezas en forma de copa y otras formas huecas más complejas. Se realiza colocando una lámina de metal sobre la cavidad y empujando el metal hacia la cavidad con un punzón.

2. Los trabajadores ocupados en las actividades económicas, y expuestos a los agentes o sustancias que a continuación se indican, pueden contraer una Enfermedad Profesional (E.P.), causada por agentes físicos:

• Trabajos de estampado, embutido, remachado y martillado de metales, donde el trabajador este expuesto a ruidos continuos y diarios de un nivel sonoro igual o superior a 80 decibelios A, que puede contraer la E.P. de hipoacusia. (Código 2A0102).

Por ello, debe realizarse reconocimientos médicos previos y periódicos a dichos trabajadores, con la prohibición de no contratar a los calificados como no aptos para desempeñar los puestos de trabajo de que se trate.

— Artículo 243 LGSS, en relación con RDEP (Anexo I).

Véase: Metales. Remachado de metales. Martillado de metales.

EMERGENCIA

1. Una urgencia es aquella situación que requiere una asistencia sanitaria pero cuyo retraso hasta las 6 horas no pone en peligro la vida del herido; mientras que una emergencia es un suceso o accidente que requiere una actuación inmediata pues existe un riesgo cierto para la vida. Una parada cardiorrespiratoria, es una emergencia.

— Notas Técnicas de Prevención n.º 818/2008. 1060/2015. INSST.

2. La conducta humana ante situaciones de emergencia: Análisis de proceso en la conducta individual.

— Nota Técnica de Prevención n.º 390/1995. INSST.

3. La conducta humana ante situaciones de emergencia: La conducta colectiva.

— Nota Técnica de Prevención n.º 395/1995. INSST.

Véase: Primeros auxilios. Botiquín. Locales de primeros auxilios. Plan de emergencia.

EMPRENDEDORES

Se consideran emprendedores aquellas personas, independientemente de su condición de persona física o jurídica, que desarrollen una actividad económica empresarial o profesional.

— Artículo 3 LAE.

Véase: Trabajador autónomo. Empresario.

EMPRESA EXTERNA

Cualquier persona física o jurídica, distinta del titular de la instalación, que haya de efectuar una instalación de cualquier tipo en una zona controlada de una instalación nuclear o radiactiva.

— Artículo 2.d RDPTERI

Véase: Deber de Coordinación de actividades preventivas. Empresario concurrente. Coordinador en materia de Seguridad y Salud. Coordinador durante proyecto de obra. Coordinador durante ejecución obra. Medios de coordinación. Recurso preventivo. Dirección facultativa de la obra.

EMPRESARIO CONCURRENTE

1. Cuando en un mismo centro de trabajo desarrollen actividades dos o más empresarios, con sus trabajadores.

— Artículo 4.1 RDCAE.

2. Las obligaciones de los empresarios concurrentes (y trabajadores autónomos concurrentes) en materia de Coordinación de actividades, entre otras, son:

• Informarse recíprocamente sobre los riesgos específicos de las actividades que desarrollen en el centro de trabajo que puedan afectar a los trabajadores de las otras empresas concurrentes en el centro, en particular sobre aquellos que puedan verse agravados o modificados por circunstancias derivadas de la concurrencia de actividades. La información deberá ser suficiente y habrá de proporcionarse antes del inicio de las actividades, cuando se produzca un cambio en las actividades concurrentes que sea relevante a efectos preventivos y cuando se haya producido una situación de emergencia. La información se facilitará por escrito cuando alguna de las empresas genere riesgos calificados como graves o muy graves. Cuando, como consecuencia de los riesgos de las actividades concurrentes, se produzca un accidente de trabajo, el empresario deberá informar de aquél a los demás empresarios presentes en el centro de trabajo.

— Artículo 4.2 RDCAE

• Se incumple esta obligación cuando los empresarios concurrentes no fueron informados de la presencia de una radial que proyectaba partículas incandescentes alrededor de su entorno, generándose un incendio de los materiales acumulados por aquellos.

— STSJ Murcia 29.2.08.

• En cumplimiento del deber de cooperación, los empresarios concurrentes en el centro de trabajo establecerán los medios de coordinación para la prevención de riesgos laborales que consideren necesarios y pertinentes. Al establecer los medios de coordinación se tendrán en cuenta el grado de peligrosidad de las actividades que se desarrollen en el centro de trabajo, el número de trabajadores de las empresas presentes en el centro de trabajo y la duración de la concurrencia de las actividades desarrolladas por tales empresas.

— Artículo 5 RDCAE.

• Tener en cuenta la información recibida del empresario titular del centro de trabajo, para realizar la evaluación de los riesgos y en la planificación de su actividad preventiva.

— Artículo 9.1 RDCAE.

• Cumplir con las instrucciones recibidas del empresario titular del centro de trabajo.

— Artículo 9.2 RDCAE.

• Comunicar a sus trabajadores la información y las instrucciones recibidas del empresario titular del centro de trabajo.

— Artículo 9.3 RDCAE.

Véase: Deber de Coordinación de actividades preventivas. Coordinador en materia de Seguridad y Salud. Coordinador durante proyecto de obra. Coordinador durante ejecución obra. Medios de coordinación. Recurso preventivo. Dirección facultativa de la obra. Empresa externa.

EMPRESARIO CONTRATISTA

1. El que contrata con el empresario titular del centro de trabajo (en construcción, promotor), parte de la obra, por no existir empresario principal, y/o el que contrata con el empresario principal, parte de la obra, convirtiéndose, en este caso en empresario subcontratista.

2. Las empresas que pretendan ser contratadas o subcontratadas para trabajos en una obra de construcción deberán estar inscritas, con carácter previo, en el Registro de Empresas Acreditadas.

— Artículo 3 RDSC.

3. Las obligaciones del empresario contratista en materia de coordinación de actividades, entre otras, son:

• Vigilar el cumplimiento de la normativa en materia de prevención de riesgos laborales por parte de las empresas subcontratistas y autónomos.

— Artículo 10.1 RDCAE.

— Artículo 8.4 LETA.

• Exigir a las empresas subcontratistas que acrediten que han realizado la evaluación de riesgos y la planificación de la actividad preventiva.

— Artículo 10.2 RDCAE.

• Exigir a los subcontratistas que acrediten por escrito que han cumplido con su deber de información y formación en materia de prevención con sus trabajadores.

— Artículo 10.2 RDCAE.

• Recurso preventivo. La obligación legal del nombramiento y asignación de la presencia de recursos preventivos corresponde a cada empresario contratista y no a los empresarios subcontratistas.

— Dirección General Trabajo: Consulta 27.2.09.

4. En el sector de la construcción. Empresario contratista es la persona física o jurídica, que asume contractualmente ante el promotor (empresario titular), con medios humanos y materiales, propios o ajenos, el compromiso de ejecutar la totalidad (en este caso sería empresario principal) o parte de las obras (empresario contratista) con sujeción al proyecto y al contrato.

Cuando el promotor (empresario titular) realice directamente con medios humanos y materiales propios la totalidad (se convierte en empresario principal) o determinadas partes de la obra (empresario contratista), tendrá también la consideración de contratista a los efectos de la presente Ley; asimismo, cuando la contrata se haga con una Unión Temporal de Empresas, que no ejecute directamente la obra, cada una de sus empresas miembro tendrá la consideración de empresa contratista en la parte de obra que ejecute.

— Artículo 3.e LSC.

— Artículo 2.1.h RDSSTOC.

5. En el sector de la construcción. Obligaciones del empresario contratista (el que contrata con el empresario titular-promotor, parte de la obra, por no existir empresario principal, y/o el que contrata con el empresario principal, parte de la obra), <u>en materia de prevención de riesgos laborales</u>, entre otras, son:

• Elaborar un Plan de Seguridad y Salud en el que se analicen, estudien, desarrollen y complementen las previsiones contenidas en el Estudio o estudio básico, en función de su propio sistema de ejecución de la obra.

— Artículo 7.1 RDSSTOC.

• Presentar ante la Autoridad laboral la comunicación de apertura, incluyendo el Plan de Seguridad y Salud.

• En este supuesto la presentación de la comunicación de apertura debe realizarse antes del comienzo de los trabajos.

— Artículo 19.1 RDSSTOC.

• Aplicar los principios de la acción preventiva.

— Artículo 11.1.a RDSSTOC.

• Cumplir con lo establecido en el Plan de Seguridad y Salud, con respecto a sus trabajadores y a los contratistas y autónomos por el contratados.

— Artículos 11.1.b, 11.2 RDSSTOC.

• Es responsable solidario del recargo de prestaciones por los accidentes de los trabajadores de los contratistas o subcontratistas por el contratados, aunque haya contratado toda la ejecución de la obra, que él contrato, a otra empresa.

— STS 10.12.07.

— STSJ Madrid 6.2.09.

• Cumplir con las instrucciones del Coordinador.

— Artículo 11.1.e RDSSTOC.

• Cumplir con las obligaciones en materia de Coordinación de actividades, previstas en el Real Decreto 171/2004, para el empresario principal.

• Llevar un Libro de Subcontratación por cada obra.

— Artículo 8.1 LSC.

— Artículo 13 y siguientes RDSC.

• A la finalización de la obra tiene que entregar una copia del libro al Director de la Obra, para que la incorpore al Libro del Edificio y tiene que conservarlo durante los 5 años siguientes a la finalización de la obra.

— Artículos 16.3 y 16.1 RDSC.

• Comunicar inmediatamente las distintas subcontrataciones anotadas en el Libro de Subcontratación, al Coordinador de la Obra y a los representantes de los trabajadores del resto de empresas incluidas en el Libro de Subcontratación.

— Artículo 16.2 RDSC.

• Designar a uno o varios trabajadores de su empresa como «recurso preventivo», que debe permanecer en la obra durante el tiempo en que se mantengan las situaciones de riesgo. Los trabajadores designados como «recurso preventivo» tienen que tener y acreditar como mínimo una formación básica en materia de prevención de riesgos laborales.

— Artículo 32 bis LPRL.

— Artículo 22 bis RSP.

— Disposición Adicional Única RDSSTOC.

• El Coordinador de la obra puede ser también el «recurso preventivo» del promotor (si tiene trabajadores en la obra), en virtud del artículo 13.4 RDCAE, *a sensu contrario.*

• Recurso preventivo. La obligación legal del nombramiento y asignación de la presencia de recursos preventivos corresponde a cada empresario contratista y no a los empresarios subcontratistas.

— Dirección General Trabajo: Consulta 27.2.09.

• Cumplir con las obligaciones que tienen los subcontratistas.

6. La empresa principal responderá solidariamente con los contratistas y subcontratistas a que se refiere el apartado 3 del artículo 24 de la LPRL del cumplimiento, durante el período de la contrata, de las obligaciones impuestas por dicha Ley en relación con los trabajadores que aquéllos ocupen en los centros de trabajo de la empresa principal, siempre que la infracción se haya producido en el centro de trabajo de dicho empresario principal.

— Artículo 42.3 LISOS.

7. Constituyen infracciones graves en materia de PRL del contratista en el sector de la construcción, que llevan aparejada una sanción económica de 2.046 euros a 40.985 euros.

• No llevar en orden y al día el Libro de Subcontratación exigido, o no hacerlo en los términos establecidos reglamentariamente.

• Permitir que, en el ámbito de ejecución de su contrato, intervengan empresas subcontratistas o trabajadores autónomos superando los niveles de subcontratación permitidos legalmente, sin disponer de la expresa aprobación de la dirección facultativa, y sin que concurran las circunstancias previstas en la letra c) del apartado 15 del artículo siguiente, salvo que proceda su calificación como infracción muy grave, de acuerdo con el mismo artículo siguiente.

• El incumplimiento del deber de acreditar, en la forma establecida legal o reglamentariamente, que dispone de recursos humanos, tanto en su nivel directivo como productivo, que cuentan con la formación necesaria en prevención de riesgos laborales, y que dispone de una organización preventiva adecuada, y la inscripción en el registro correspondiente, o del deber de verificar dicha acreditación y registro por los subcontratistas con los que contrate, y salvo que proceda su calificación como infracción muy grave, de acuerdo con el artículo siguiente.

• La vulneración de los derechos de información de los representantes de los trabajadores sobre las contrataciones y subcontrataciones que se realicen en la obra, y de acceso al Libro de Subcontratación, en los términos establecidos en la Ley Reguladora de la subcontratación en el sector de la construcción.

— Artículos 12.28 y 40.2.b LISOS.

Véase: Libro de subcontratación. Empresario. Empresario titular del centro de trabajo. Promotor. Empresario principal. Empresario subcontratista. Nivel de subcontratación. Trabajador autónomo. Trabajador autónomo económicamente dependiente. Propia actividad. Deber de Coordinación de actividades empresariales.

EMPRESARIO PRINCIPAL

1. La persona física o jurídica, que asume contractualmente ante el promotor, con medios humanos y materiales, propios o ajenos, el compromiso de ejecutar la totalidad o parte de las obras con sujeción al proyecto y al contrato.

Cuando el promotor realice directamente con medios humanos y materiales propios la totalidad o determinadas partes de la obra, tendrá también la consideración de contratista a los efectos de la presente Ley; asimismo, cuando la contrata se haga con una Unión Temporal de Empresas, que no ejecute directamente la obra, cada una de sus empresas miembro tendrá la consideración de empresa contratista en la parte de obra que ejecute.

— Artículo 3.e LSC.

2. Contratista es la persona física o jurídica que asume contractualmente ante el promotor, con medios humanos y materiales, propios o ajenos, el compromiso de ejecutar la totalidad o parte de las obras con sujeción al proyecto y al contrato.

— Artículo 2.1.h RDSSTOC.

3. El contratista y el subcontratista a los que se refiere el presente Real Decreto tendrán la consideración de empresario a los efectos previstos en la normativa sobre prevención de riesgos laborales

— Artículo 2.2 RDSSTOC.

4. A los efectos de lo establecido en este Real Decreto, empresario principal es el empresario que contrata o subcontrata con otros la realización de obras o servicios correspondientes a la propia actividad de aquél y que se desarrollan en su propio centro de trabajo. El que contrata con el empresario titular (en construcción, promotor), la totalidad de la obra.

— Artículo 2.c RDCAE.

5. El concepto de empresario titular y empresario principal del centro de trabajo, no son incompatibles, sino que en muchos supuestos pueden coincidir, en cuyo caso se acumulan las obligaciones exigidas a ambos en un mismo sujeto.

6. Las empresas que pretendan ser contratadas o subcontratadas para trabajos en una obra de construcción deberán estar inscritas, con carácter previo, en el Registro de Empresas Acreditadas.

— Artículo 3 RDSC.

7. Cuando el empresario principal, contratista o subcontratista compartan de forma continuada un mismo centro de trabajo, la primera deberá disponer de un Libro Registro en el que se refleje la información anterior respecto de todas las empresas citadas. Dicho libro estará a disposición de los representantes legales de los trabajadores.

— Artículo 42.4 LET.

8. Las obligaciones del empresario principal <u>en materia de coordinación de actividades</u>, entre otras, son:

- Cumplir con el deber de cooperación de las actividades empresariales.

— Artículo 4 RDCAE.

- Informar a los otros empresarios concurrentes sobre los riesgos propios del centro de trabajo que puedan afectar a las actividades por ellos desarrolladas, las medidas referidas a la prevención de tales riesgos y las medidas de emergencia que se deben aplicar.

— Artículo 7.1 RDCAE.

- Impartir al resto de empresarios concurrentes instrucciones para la prevención de los riesgos existentes en el centro de trabajo que puedan afectar a los trabajadores de las empresas concurrentes y sobre las medidas que deben aplicarse cuando se produzca una situación de emergencia.

— Artículo 8.1 RDCAE.

- Tomar la iniciativa para el establecimiento de los medios de coordinación corresponderá al empresario titular del centro de trabajo cuyos trabajadores desarrollen actividades en éste o, en su defecto, al empresario principal.

— Artículo 12.1 RDCAE.

- Vigilar el cumplimiento de la normativa en materia de prevención de riesgos laborales por parte de las empresas contratistas, subcontratistas y autónomos

— Artículo 10.1 RDCAE.

— Artículo 8.4 LETA.

— STSJ Murcia 18.4.08.

— STSJ Madrid 6.2.09.

- Exigir a las empresas contratistas y subcontratistas que acrediten que han realizado la evaluación de riesgos y la planificación de la actividad preventiva.

— Artículo 10.2 RDCAE.

- Exigir a los contratistas y subcontratistas que acrediten por escrito que han cumplido con su deber de información y formación en materia de prevención con sus trabajadores.

— Artículo 10.2 RDCAE.

- Comprobar que las empresas contratistas y subcontratistas concurrentes han establecido los medios de coordinación entre ellas.

— Artículo 10.3 RDCAE.

- La empresa principal responderá solidariamente con los contratistas y subcontratistas (y autónomos) a que se refiere el apartado 3 del artículo 24 de la Ley de Prevención de Riesgos Laborales del cumplimiento, durante el período de la contrata, de las obligaciones impuestas por dicha Ley en relación con los trabajadores que aquéllos ocupen en los centros de trabajo de la empresa principal, siempre que la infracción se haya producido en el centro de trabajo de dicho empresario principal.

• Los pactos que tengan por objeto la elusión, en fraude de ley, de las responsabilidades establecidas en este apartado son nulos y no producirán efecto alguno. La responsabilidad es en cascada cuando existan varias subcontrataciones.

— Artículo 42.3 LISOS.

• La suscripción de estos pactos constituye una infracción muy grave en materia de prevención de riesgos laborales que lleva aparejada una sanción económica de 40.986 euros a 819.780 euros.

— Artículos 13, 40.2 LISOS

9. En el sector de la construcción. Las obligaciones del empresario principal (el que contrata con el promotor la totalidad de la obra), <u>en materia de prevención de riesgos laborales</u>, entre otras, son:

• Elaborar un Plan de Seguridad y Salud en el que se analicen, estudien, desarrollen y complementen las previsiones contenidas en el Estudio o Estudio Básico, en función de su propio sistema de ejecución de la obra.

— Artículo 7.1 RDSSTOC.

• Presentar ante la Autoridad laboral la comunicación de apertura, incluyendo el Plan de Seguridad y Salud.

• En este supuesto la presentación de la comunicación de apertura debe realizarse antes del comienzo de los trabajos.

— Artículo 19.1 RDSSTOC.

• Aplicar los principios de la acción preventiva.

— Artículo 11.1.a RDSSTOC.

• Cumplir con lo establecido en el Plan de Seguridad y Salud, con respecto a sus trabajadores y a los contratistas y autónomos por el contratados.

— Artículos 11.1.b, 11.2 RDSSTOC.

• Es responsable solidario del recargo de prestaciones por los accidentes de los trabajadores de los contratistas o subcontratistas por el contratados, aunque haya contratado toda la ejecución de la obra a otra empresa.

— STS 10.12.07.

— STSJ Madrid 6.2.09.

• Cumplir con las instrucciones del Coordinador.

— Artículo 11.1.e RDSSTOC.

• d) Cumplir con las obligaciones en materia de coordinación de actividades, previstas en el Real Decreto 171/2004, para el empresario principal.

10. La empresa principal responderá solidariamente con los contratistas y subcontratistas a que se refiere el apartado 3 del artículo 24 de la LPRL del cumplimiento, durante el período de la contrata, de las obligaciones impuestas por dicha Ley en relación con los trabajadores que aquéllos ocupen en los centros de trabajo de la empresa principal, siempre que la infracción se haya producido en el centro de trabajo de dicho empresario principal.

— Artículo 42.3 LISOS.

11. La suscripción de pactos que tengan por objeto la elusión, en fraude de ley, de las responsabilidades establecidas en el apartado 3 del artículo 42 de esta ley, constituye una infracción muy grave en materia de prevención de riesgos laborales que lleva aparejada una sanción económica de 40.986 euros a 819.780 euros y la publicación de infracción.

— Artículos 13.14 y 40.2.c LISOS.

> *Véase: Libro de subcontratación. Empresario. Empresario titular del centro de trabajo. Promotor. Empresario contratista. Empresario subcontratista. Nivel de subcontratación. Trabajador autónomo. Trabajador autónomo económicamente dependiente. Propia actividad. Deber de Coordinación de actividades empresariales. Centro de trabajo.*

EMPRESARIO SUBCONTRATISTA

1. La persona física o jurídica que asume contractualmente ante el contratista u otro subcontratista comitente el compromiso de realizar determinadas partes o unidades de obra, con sujeción al proyecto por el que se rige su ejecución. Las variantes de esta figura pueden ser las del primer subcontratista (subcontratista cuyo comitente es el contratista), segundo subcontratista (subcontratista cuyo comitente es el primer subcontratista), y así sucesivamente. Esto es, el que contrata con el empresario principal parte de la obra o con el empresario contratista parte de su obra o con otro subcontratista parte de la obra.

El empresario subcontratista sólo podrá volver a subcontratar en los supuestos y términos previstos en el artículo 5 de la LSC.

— Artículos 3.f, 5 LSC.

2. El subcontratista cuando realice una subcontratación tiene que comunicarlo a quien le contrató (contratista o subcontratista). Si quien le contrató fue un subcontratista, este tiene que comunicarlo al contratista.

— Artículo 3.f y 7.1 LSC.

3. Las empresas que pretendan ser contratadas o subcontratadas para trabajos en una obra de construcción deberán estar inscritas, con carácter previo, en el Registro de Empresas Acreditadas.

— Artículo 3 RDSC.

4. La persona física o jurídica que asume contractualmente ante el empresario contratista, el compromiso de realizar determinadas partes o instalaciones de la obra, con sujeción al proyecto por el que se rige su ejecución. El contratista y el subcontratista a los que se refiere el presente Real Decreto tendrán la consideración de empresario a los efectos previstos en la normativa sobre prevención de riesgos laborales.

— Artículos 2.1.i, 2.2 RDSSTOC.

5. Las obligaciones del empresario subcontratista en <u>materia de prevención de riesgos laborales</u>, entre otras, son:

a) Realizar la evaluación de riesgos y la planificación de la actividad preventiva y presentarla al empresario contratista.

— Artículo 10.2 RDCAE.

b) Informar y formar a sus trabajadores en materia de prevención de riesgos laborales y comunicarlo por escrito al contratista.

— Artículo 10.2 RDCAE.

c) Vigilar el cumplimiento de la normativa en materia de prevención de riesgos laborales por parte de los trabajadores autónomos por el contratados.

— Artículo 8.4 LETA.

d) Establecer los medios de coordinación junto con el resto de empresarios concurrentes en el centro de trabajo.

— Artículo 10.3 RDCAE.

e) Cumplir con las medidas de prevención de riesgos laborales establecidas en el Plan de Seguridad y Salud y hacerlas cumplir a sus propios trabajadores y autónomos por él contratados.

— Artículos 11.1.b, d y 11.2 RDSSTOC.

— Artículo 4.1.b LSC.

f) Cumplir las instrucciones del Coordinador en materia de prevención de riesgos laborales, durante la ejecución de la obra.

— Artículo 11.1.e RDSSTOC.

g) Responder de una manera directa de sus propios incumplimientos en materia de prevención de riesgos laborales y de los incumplimientos de sus propios trabajadores y de los autónomos por él contratados.

— Artículo 11.2 RDSSTOC.

— Artículo 4.1.b LSC.

h) Vigilar que el subcontratista o subcontratistas por él contratados, cumplan las medidas de prevención de riesgos laborales en general, y en particular, vigilar de que cumplen con las medidas establecidas en el Plan de Seguridad y Salud, y verificar que estén inscritos en el Registro de Empresas Acreditadas.

— Artículo 24.3 LPRL.

— Artículos 4.1.b y 7.1 LSC.

Para ello, antes de contratar debe exigirse a los subcontratistas que demuestren documentalmente que han realizado:

• La evaluación de riesgos y la planificación de su actividad preventiva.

• La información y formación en materia de prevención de riesgos laborales a los trabajadores que vayan a utilizar en la obra.

• Si ha realizado los reconocimientos médicos a los trabajadores.

— STSJ C. Valenciana 1.3.02.

i) El subcontratista (y el contratista) tiene que estar inscrito en el Registro de Empresas Acreditadas, antes de formalizar el contrato o, en su caso, antes de iniciar los trabajos.

— Artículo 4.2.b LSC.

— Artículo 3.1 RDSC.

La inscripción en el Registro permite trabajar en todo el territorio nacional y tiene una validez de 3 años, teniéndose que renovar dentro de los 6 meses anteriores a su vencimiento.

— Artículos 6.1 y 8 RDSC.

j) Tener personal directivo y personal de producción que posea una formación en materia de prevención de riesgos laborales.

k) Este requisito hay que acreditarlo mediante una declaración firmada por el representante legal de la empresa ante el Registro de Empresas Acreditadas.

— Artículos 4.2.a y 4.3 LSC.

l) Tener un número mínimo de trabajadores fijos, del 30%.

— Artículo 4.4 LSC.

— Artículo 11 RDSC.

m) Aplicar los principios de la acción preventiva.

— Artículo 11.1.a RDSSTOC.

n) Cumplir con lo establecido en el Plan de Seguridad y Salud, con respecto a sus trabajadores y a los contratistas y autónomos por el contratados.

— Artículos 11.1.b y 11.2 RDSSTOC.

o) Cumplir con las instrucciones del Coordinador.

— Artículo 11.1.e RDSSTOC

p) Responderán solidariamente de las consecuencias que se deriven del incumplimiento de las medidas previstas en el Plan, frente a los empresarios subcontratistas que ellos hayan subcontratado.

— Artículo 11 RDSSTOC.

6. La obligación legal del nombramiento y asignación de la presencia de recursos preventivos corresponde a cada empresario contratista y no a los empresarios subcontratistas.

— Dirección General Trabajo: Consulta 27.2.09.

7. La empresa principal responderá solidariamente con los contratistas y subcontratistas a que se refiere el apartado 3 del artículo 24 de la LPRL del cumplimiento, durante el período de la contrata, de las obligaciones impuestas por dicha Ley en relación con los trabajadores que aquéllos ocupen en los centros de trabajo de la empresa principal, siempre que la infracción se haya producido en el centro de trabajo de dicho empresario principal.

— Artículo 42.3 LISOS.

8. Constituyen infracciones graves en materia de PRL del subcontratista en el sector de la construcción, que llevan aparejada una sanción económica de 2.046 euros a 40.985 euros.

• El incumplimiento del deber de acreditar, en la forma establecida legal o reglamentariamente, que dispone de recursos humanos, tanto en su nivel directivo como productivo, que cuentan con la formación necesaria en prevención de riesgos laborales, y que dispone de una organización preventiva adecuada, y la inscripción en el registro correspondiente, o del deber de verificar dicha acreditación y registro por los subcontratistas con los que contrate, salvo que proceda su calificación como infracción muy grave, de acuerdo con el artículo siguiente.

• No comunicar los datos que permitan al contratista llevar en orden y al día el Libro de Subcontratación exigido en la Ley Reguladora de la subcontratación en el sector de la construcción.

• Proceder a subcontratar con otro u otros subcontratistas o trabajadores autónomos superando los niveles de subcontratación permitidos legalmente, sin disponer de la expresa aprobación de la dirección facultativa, o permitir que en el ámbito de ejecución de su subcontrato otros subcontratistas o trabajadores autónomos incurran en el supuesto anterior y sin que concurran en este caso las circunstancias previstas en la letra c) del apartado 15 del artículo siguiente, salvo que proceda su calificación como infracción muy grave, de acuerdo con el mismo artículo siguiente.

— Artículos 12.27 y 40.2.b LISOS.

Véase: Empresario. Empresario titular del centro de trabajo. Promotor. Empresario principal. Empresario contratista. Nivel de subcontratación. Libro de subcontratación. Trabajador autónomo. Trabajador autónomo económicamente dependiente. Propia actividad. Deber de Coordinación de actividades empresariales.

EMPRESARIO TITULAR DEL CENTRO DE TRABAJO

1. A los efectos de lo establecido en este Real Decreto, de coordinación de actividades. el empresario titular del centro de trabajo es la persona que tiene la capacidad de poner a disposición y gestionar el centro de trabajo. En el sector de la construcción se le denomina promotor.

— Artículo 2.b RDCAE.

2. El concepto de empresario titular y empresario principal del centro de trabajo, no son incompatibles, sino que en muchos supuestos pueden coincidir, en cuyo caso se acumulan las obligaciones exigidas a ambos en un mismo sujeto.

3. Las obligaciones del empresario titular del centro de trabajo, en materia de coordinación de actividades, entre otras, son:

• Cumplir con el deber de cooperación de las actividades empresariales.

— Artículo 4 RDCAE.

• Informar a los otros empresarios concurrentes sobre los riesgos propios del centro de trabajo que puedan afectar a las actividades por ellos desarrolladas, las medidas referidas a la prevención de tales riesgos y las medidas de emergencia que se deben aplicar.

— Artículo 7.1 RDCAE.

• Impartir al resto de empresarios concurrentes instrucciones para la prevención de los riesgos existentes en el centro de trabajo que puedan afectar a los trabajadores de las empresas concurrentes y sobre las medidas que deben aplicarse cuando se produzca una situación de emergencia.

— Artículo 8.1 RDCAE.

• Tomar la iniciativa para el establecimiento de los medios de coordinación corresponderá al empresario titular del centro de trabajo cuyos trabajadores desarrollen actividades en éste o, en su defecto, al empresario principal.

— Artículo 12.1 RDCAE

4. No adoptar el empresario titular del centro de trabajo las medidas necesarias para garantizar que aquellos otros que desarrollen actividades en el mismo reciban la información y las instrucciones adecuadas sobre los riesgos existentes y las medidas de protección, prevención y emergencia, en la forma y con el contenido establecidos en la normativa de prevención de riesgos laborales, constituye una infracción grave en materia de prevención de riesgos laborales que lleva aparejada una sanción económica de 2.046 euros a 40.985 euros.

— Artículos 12.14 y 40.2.b LISOS.

5. En el sector de la construcción. Las obligaciones del promotor (empresario titular del centro de trabajo), <u>en materia de prevención de riesgos laborales</u>, entre otras, son:

• Designar un Coordinador en materia de seguridad y salud para la fase de proyecto de obra, si en la elaboración del proyecto de obra intervienen varias personas.

— Artículo 3.1 RDSSTOC.

• Cuando en la ejecución de la obra intervenga más de una empresa, o una empresa y trabajadores autónomos o diversos trabajadores autónomos, el promotor, antes del inicio de los trabajos o tan pronto como se constate dicha circunstancia, designará un Coordinador en materia de seguridad y salud durante la ejecución de la obra.

• La designación de estos dos coordinadores no eximirá al promotor de sus responsabilidades.

— Artículo 3.2, 3.4 RDSSTOC.

• Los pactos que trasladan la designación y pago de honorarios al contratista son nulos.

— STSJ Cantabria 21.3.00.

• Elaborar un Estudio de Seguridad y Salud (o Estudio básico) por el técnico competente designado por el promotor, que normalmente será el Coordinador.

— Artículos 4.1, 5.1 RDSSTOC.

• Cuando contrate directamente a trabajadores autónomos asumirá frente a ellos, las obligaciones del contratista.

— Artículo 3.2 RDSSTOC.

6. El incumplimiento de estas obligaciones constituye una infracción grave en materia de prevención de riesgos laborales que lleva aparejada una sanción económica de 2.046 euros a 40.985 euros.

— Artículos 12.23, 24, 40.2 LISOS.

7. No procede la imposición de recargo en las prestaciones económicas de la Seguridad Social cuando:

• El promotor, por no tener a ningún trabajador en la obra, al no realizar funciones de construcción.

— STSL Cataluña 20.1.09.

— STSJ Valencia 16.2.10.

Véase: Libro de subcontratación. Empresario. Promotor. Empresario principal. Empresario contratista. Empresario subcontratista. Nivel de subcontratación. Tra-

bajador autónomo. Trabajador autónomo económicamente dependiente. Propia actividad. Deber de Coordinación de actividades empresariales.

EMPRESARIO

1. Cualquier persona física o jurídica sea titular de la relación laboral con el trabajador y tenga la responsabilidad de la empresa y/o establecimiento.

— Artículo 3.b Directiva 89/391/CEE, de 12 junio de 1989.

2. El Real Decreto 171/2004, de 30 enero, por el que se desarrolla el artículo 24 de la Ley 31/1995, de 8 noviembre, de Prevención de Riesgos Laborales, en materia de Coordinación de actividades empresariales, distingue las siguientes figuras empresariales:

- Empresario titular o promotor en las obras de construcción.
- Empresario principal, el que contrata con el empresario titular la totalidad de la obra.
- Empresario contratista, el que contrata con el empresario titular, parte de la obra, por no existir empresario principal.
- Empresario subcontratista, el que contrata con el empresario principal parte de la obra o con el empresario contratista parte de su obra o con otro subcontratista parte de la obra.

Véase: Armador. Emprendedores. Empresario titular del centro de trabajo. Promotor. Empresario principal. Empresario contratista. Empresario subcontratista. Trabajador autónomo. Trabajador autónomo económicamente dependiente. Propia actividad. Deber de Coordinación de actividades empresariales.

EMPRESAS DE TRABAJO TEMPORAL

1. En materia de prevención de riesgos laborales las ETT están obligadas a:

- Informar a los trabajadores sobre los riesgos y medidas de protección del puesto de trabajo de la empresa usuaria.

— Artículo 28.5 LPRL.

— Artículo 3.2 RDSSETT.
- Formar a los trabajadores en materia de prevención de riesgos laborales.

— Artículo 28.5 LPRL.

— Artículo 3.3 RDSSETT.
- Practicar los reconocimientos médicos periódicos.

— Artículo 28.5 LPRL.

— Artículo 3.4 RDSSETT.
- Informar documentalmente a la empresa usuaria que el trabajador ha recibido información y formación en materia de prevención de riesgos laborales, y que cuenta con un estado de salud compatible con el puesto de trabajo a desempeñar.

— Artículo 28.5 LPRL.

— Artículo 3.5 RDSSETT.

2. Constituye una infracción muy grave, que lleva aparejada una sanción económica, de 40.986 euros a 819.780 euros.

• Formalizar contratos de puesta a disposición para la realización de trabajos u ocupaciones de especial peligrosidad para la seguridad o la salud en el trabajo o formalizarlos sin haber cumplido los requisitos previstos para ello conforme a lo establecido legal o convencionalmente.

— Artículos 18.3.b y 40.2.c LISOS

• Suscribir contrato de puesta a disposición para mozo de almacén en una obra de construcción que, por sus mismas características, es de suyo especialmente peligroso.

— STSJ Cont.-Adm. Cataluña 15.9.08.

— STSJ Cont.-Adm. País Vasco 22.1.10.

Véase: Actividades peligrosas. Actividades potencialmente peligrosas. Trabajos con riesgo especial.

EMPRESAS USUARIAS

Las empresas usuarias en materia de prevención de riesgos laborales están obligadas frente a los trabajadores procedentes de una ETT, a:

• Garantizarles el mismo nivel de protección que al resto de trabajadores.

— Artículo 28.1 LPRL.

• Facilitarles información en materia de prevención de riesgos laborales con carácter previo al inicio de la prestación de servicios, sobre los riesgos derivados de su puesto de trabajo así como las medidas de protección y prevención contra los mismos.

— Artículo 28.5 LPRL.

— Artículo 16.1 LETT.

• Vigilar y controlar la actividad laboral en su centro de trabajo.

— Artículo 15.1 LETT.

• Responder del recargo de prestaciones de Seguridad Social en caso de accidente de trabajo o enfermedad profesional que tenga lugar en su centro de trabajo durante la vigencia del contrato de puesta a disposición y traigan su causa de falta de medidas de seguridad e higiene.

— Artículo 16.2 LETT.

• La falta de información al trabajador temporal en los términos previstos en el artículo 16.1 de la Ley por la que se regulan las empresas de trabajo temporal, y en la normativa de prevención de riesgos laborales, constituye una infracción grave que lleva aparejada una sanción económica de 626 euros a 6.250 euros.

— Artículos 19.2.d y 40.1.b LISOS.

• Formalizar contratos de puesta a disposición para supuestos distintos de los previstos en el apartado 2 del artículo 6 de la LETT, o para la cobertura de puestos de trabajo respecto de los que no se haya realizado previamente la preceptiva evaluación de riesgos, constituye una infracción grave que lleva aparejada una sanción económica de 626 euros a 6.250 euros.

— Artículos 19.2.b y 40.1.b LISOS.

• Permitir el inicio de la prestación de servicios de los trabajadores puestos a disposición sin tener constancia documental de que han recibido las informaciones relativas a los riesgos y medidas preventivas, poseen la formación específica necesaria y cuentan con un estado de salud compatible con el puesto de trabajo a desempeñar, constituye una infracción grave que lleva aparejada una sanción económica de 626 euros a 6.250 euros.

— Artículos 19.2.f y 40.1.b LISOS.

Véase: Actividades peligrosas. Empresas de trabajo temporal.

EMPRESAS: MEDIANAS

1. Aquellas empresas de 51 a 250 trabajadores y con un volumen anual de ventas inferior a 50 millones de euros.

— Recomendación (UE), de 6 de mayo de 2003.

2. Es obligatorio constituir un servicio de prevención propio en:

• Empresas de más de 500 trabajadores.

• Empresas entre 250 y 500 trabajadores cuando desarrollen alguna actividad peligrosa.

• Cuando lo decida la Autoridad Laboral, en función de la frecuencia o gravedad de los accidentes de trabajo y enfermedades profesionales.

— Artículo 30.1 LPRL.

— Artículo 14 RSP.

Véase: Servicio de prevención propio.

EMPRESAS: MICRO

1. Aquellas empresas de hasta 10 trabajadores y con un volumen anual de ventas inferior a 2 millones de euros.

— Recomendación (UE), de 6 de mayo de 2003.

2. El empresario podrá desarrollar personalmente la actividad de prevención, con excepción de las actividades relativas a la vigilancia de la salud de los trabajadores, cuando se trate de empresa de hasta diez trabajadores; o que, tratándose de empresa que ocupe hasta veinticinco trabajadores, disponga de un único centro de trabajo.

— Artículo 30.5 LPRL.

— Artículo 11 RSP.

Véase: Asunción de la prevención por el empresario.

EMPRESAS: PEQUEÑAS

1. Aquellas empresas de 11 a 50 trabajadores y con un volumen anual de ventas inferior a 10 millones de euros.

— Recomendación (UE), de 6 de mayo de 2003.

2. Las empresas de hasta 50 trabajadores que no desarrollen actividades del anexo I podrán reflejar en un único documento el Plan de prevención de riesgos laborales, la Evaluación de riesgos y la Planificación de la actividad preventiva.

Este documento será de extensión reducida y fácil comprensión, deberá estar plenamente adaptado a la actividad y tamaño de la empresa y establecerá las medidas operativas pertinentes para realizar la integración de la prevención en la actividad de la empresa, los puestos de trabajo con riesgo y las medidas concretas para evitarlos o reducirlos, jerarquizadas en función del nivel de riesgos, así como el plazo para su ejecución.

— Artículo 2.4 RSP.

3. El empresario podrá desarrollar personalmente la actividad de prevención, con excepción de las actividades relativas a la vigilancia de la salud de los trabajadores, cuando se trate de empresa de hasta diez trabajadores; o que, tratándose de empresa que ocupe hasta veinticinco trabajadores, disponga de un único centro de trabajo.

— Artículo 30.5 LPRL.

— Artículo 11 RSP.

Véase: Actividades peligrosas. Asunción de la prevención por el empresario.

EMULSIÓN

1. Dispersión de un líquido en otro no miscible con él.

2. Los trabajadores ocupados en las actividades económicas, y expuestos a los agentes o sustancias que a continuación se indican, pueden contraer una Enfermedad Profesional (E.P.), causada por agentes químicos:

• Utilización de éteres como estabilizadores de emulsiones. (Código 1O0108).

Por ello, debe realizarse reconocimientos médicos previos y periódicos a dichos trabajadores, con la prohibición de no contratar a los calificados como no aptos para desempeñar los puestos de trabajo de que se trate.

— Artículo 243 LGSS, en relación con RDEP (Anexo I).

Véase: Estabilizantes.

ENCOFRADOS

En el exterior de las obras de construcción:

• Las estructuras metálicas o de hormigón y sus elementos, los encofrados, las piezas prefabricadas pesadas o los soportes temporales y los apuntalamientos sólo se podrán montar o desmontar bajo vigilancia, control y dirección de una persona competente.

• Los encofrados, los soportes temporales y los apuntalamientos deberán proyectarse, calcularse, montarse y mantenerse de manera que puedan soportar sin riesgo las cargas a que sean sometidos.

• Deberán adoptarse las medidas necesarias para proteger a los trabajadores contra los peligros derivados de la fragilidad o inestabilidad temporal de la obra.

— Anexo IV. Parte C.11 RDSSTOC.

— Notas Técnicas de Prevención n.º 719/2006. 803, 804, 816/2008. 834, 835, 836, 837/2009. INSST.

Véase: Cimbras. Estructuras de hormigón. Estructuras provisionales de apuntalamiento.

ENCUADERNADORES

1. Personas que tienen por oficio juntar, unir, coser varios pliegos o cuadernos y ponerles cubiertas.

2. Los trabajadores ocupados en las actividades económicas, y expuestos a los agentes o sustancias que a continuación se indican, pueden contraer una Enfermedad Profesional (E.P.):

a) Causada por inhalación de sustancias y agentes no comprendidos en otros apartados:

• Encuadernadores, donde los trabajadores estén expuestos a sustancias de alto peso molecular (de origen vegetal o animal), que pueden provocar alguna de las siguientes E.P: rinoconjuntivitis (Código 4H0127), asma (Código 4H0227), alveolitis alérgica extrínseca (Código 4H0327), síndrome de disfunción reactivo de la vía aérea (Código 4H0427), fibrosis intersticial difusa (Código 4H0526), bisinosis, cannabiosis, linnosis, bagazosis, estipatosis, suberosis (Código 4H0627), neumopatía intersticial difusa (Código 4H0727).

b) Causada por sustancias y agentes no comprendidos en alguno de los otros apartados:

• Encuadernadores, donde los trabajadores estén expuestos a sustancias de alto peso molecular (de origen vegetal o animal), que pueden provocar una E.P. de la piel, causada por sustancias de alto peso molecular. (Código 5B0127).

Por ello, debe realizarse reconocimientos médicos previos y periódicos a dichos trabajadores, con la prohibición de no contratar a los calificados como no aptos para desempeñar los puestos de trabajo de que se trate.

— Artículo 243 LGSS, en relación con RDEP (Anexo I).

Véase: Sustancias de alto peso molecular.

ENCUESTAS A LOS TRABAJADORES

Las encuestas a los trabajadores sobre prevención de riesgos laborales tienen por objetivo conocer que valoración hacen los trabajadores de sus condiciones de trabajo.

— Nota Técnica de Prevención n.º 283/1991. INSST.

Véase: Entrevistas a los trabajadores.

ENDOTOXINAS

1. Sustancias que forman parte estructural de la pared celular de las bacterias Gram negativas. La sustancia se libera con la división celular. Sus propiedades tóxicas se mantienen incluso tras la muerte de la bacteria. La inhalación de esta sustancia puede causar la activación de los macrófagos y de otras células pulmonares provocando la inflamación de los tejidos. Otros síntomas relacionados son: fiebre, tos y otros síntomas respiratorios. Han sido reconocidas como un importante factor etiológico de las enfermedades profesionales del aparato respiratorio, incluidas el asma no alérgico.

Estudios experimentales muestran efectos asociados a la inhalación de endotoxinas tales como: fiebre; escalofríos; malestar (síntomas pseudo gripales); leucocitosis; inflamación de las vías aéreas; síntomas del asma (tos seca, disnea, opresión torácica, etc.); obstrucción bronquial; así como, una disminución de la función pulmonar dependiente de la dosis y disminución de la capacidad de difusión pulmonar.

En numerosos estudios realizados en diferentes sectores de actividad se ha revelado una asociación positiva entre la exposición a endotoxina y los efectos mencionados.

Entre los sectores de actividad en los que se ha descrito exposición a endotoxinas se pueden destacar: la industria del algodón y, en general, de la fibra vegetal; la cría de ganado, en particular, pollos y cerdos; mataderos, manejo de residuos, fabricación de compost; procesamiento de patatas, etc.

— Notas Técnicas de Prevención n.º 802, 807/2008. INSST.

2. Las endotoxinas son un componente de la membrana exterior de las bacterias Gram negativas. Se trata de agregados macromoleculares de alrededor de 1 millón de daltons (endotoxina libre). Las bacterias Gram negativas se presentan en el medio ambiente, principalmente contaminando los vegetales, y se detectan muy a menudo en las plantas de algodón. Estas bacterias se multiplican rápidamente en el agua estancada ya que requieren muy pocos nutrientes.

Las endotoxinas están implicadas en las enfermedades asociadas a los aparatos de aire acondicionado y humidificadores, así como también a la bisinosis; por otro lado, afectan también a los trabajadores de las plantas de depuración de aguas para el consumo, de plantas de tratamiento de residuos sólidos urbanos y al personal de criaderos industriales de aves y a los agricultores.

— Nota Técnica de Prevención n.º 422/1996. INSST.

Véase: Agentes biológicos. Hongos. Bacterias. Peptidoglicanos. Glucanos. Micotoxinas. Alérgenos. Enfermedades respiratorias. Asma laboral. Rinitis. E.P. neumonitis por hipersensibilidad. Síndrome toxico. Agua. Depuración. Residuos urbanos. Criaderos de aves. Agricultura.

ENERGÍA RADIANTE

1. Es la energía existente en un medio físico, causada por ondas electromagnéticas, mediante las cuales se propaga directamente sin desplazamiento de la materia. Energía causada por una corriente de partículas, como electrones, protones, etc.

2. Los trabajadores ocupados en las actividades económicas, y expuestos a los agentes o sustancias que a continuación se indican, pueden contraer una Enfermedad Profesional (E.P.), causada por agentes físicos:

• Trabajos con cristal incandescente, masas y superficies incandescentes, en fundiciones, acererías, etc., así como en fábricas de carburos, que pueden producir E.P. provocadas por la energía radiante. (Código 2K0101).

Por ello, debe realizarse reconocimientos médicos previos y periódicos a dichos trabajadores, con la prohibición de no contratar a los calificados como no aptos para desempeñar los puestos de trabajo de que se trate.

— Artículo 243 LGSS, en relación con RDEP (Anexo I).

Véase: Radiaciones. Exposición radiante. Radiaciones ópticas. Radiaciones microondas. Radiaciones infrarrojas. Radiaciones visibles. Radiaciones ultravioleta. Radancia. Irradancia. Radiaciones ionizantes. Rayos X. Trabajos con exposición a rayos X. Rayos gamma. Rayos cósmicos. Radioactividad. Radiaciones laser. Radiación incoherente. Radiaciones térmicas. Dosímetros de radiación. Instalaciones nucleares. Instalaciones radioactivas. E.P. por energía radiante. E.P. por radiaciones ionizantes.

ENERGÍA: PRODUCCIÓN

1. La energía se produce por varias fuentes: hidráulica, eólica, solar, nuclear, térmica, geotérmica o con combustibles como el carbón, el gas o el petróleo.

2. La vigilancia y control en materia de prevención de riesgos laborales, en los trabajos donde se utilice energía nuclear, corresponde a los inspectores del Consejo de Seguridad Nuclear.

— Artículo 7 LPRL.

3. Los trabajadores ocupados en las actividades económicas, y expuestos a los agentes o sustancias que a continuación se indican, pueden contraer una Enfermedad Profesional (E.P.), causada por agentes físicos:

• Reactores de investigación y de producción de energía, donde se utilicen sustancias radiactivas. (Código 2I0109).

Por ello, debe realizarse reconocimientos médicos previos y periódicos a dichos trabajadores, con la prohibición de no contratar a los calificados como no aptos para desempeñar los puestos de trabajo de que se trate.

— Artículo 243 LGSS, en relación con RDEP (Anexo I).

Véase: Radiaciones. Sustancias radiactivas. Instalaciones nucleares. Instalaciones de distribución de energía.

ENFERMEDAD COMÚN

Se considerará que constituyen enfermedad común las alteraciones de la salud que no tengan la condición de accidentes de trabajo ni de enfermedades profesionales.

— Artículo 158.2 LGSS.

Véase: Accidente de trabajo. Enfermedad profesional.

ENFERMEDADES CONTAGIOSAS

Aquellas que se transmiten por contacto inmediato o mediato, de una enfermedad infecciosa específica.

— Nota Técnica de Prevención n.º 249/1989. INSST.

Véase: Agentes transmisibles. Enfermedades infecciosas. Agentes transmisibles. Brucelosis.

ENFERMEDADES DE LA PIEL

Dermatosis: Es el término genérico que designa cualquier alteración de la piel, que comprende desde un simple enrojecimiento a procesos más severos. Dichos procesos pueden estar causados por una amplia variedad de agentes contaminantes, para los que, en ocasiones, resulta complicado establecer una relación clara con lesiones específicas. Existen varios tipos, como:

• Dermatitis de contacto o alérgica.
• Urticaria de contacto.
• Infecciones: dérmicas, bacterianas, fungicidas (micosis), etc.

— Nota Técnica de Prevención n.º 822/2009. INSST.

Véase: Dermatosis. Piel: Protección. E.P. de la piel.

ENFERMEDADES DE TRABAJO

1. Tienen la consideración y cobertura de los accidentes de trabajo, las enfermedades comunes que tienen su causa en el trabajo por cuenta ajena y no pueden ser consideradas E.P. por no estar incluidas en el cuadro de enfermedades profesionales, aprobado por el Real Decreto 1299/2006, de 10 noviembre.

Se requiere, que el trabajador pruebe que la enfermedad tiene su causa exclusiva en el trabajo por cuenta ajena. Ejemplos: la pulmonía de trabajador en cámaras frigoríficas, o el infarto de miocardio.

— Artículo 156.2.e LGSS.

2. Se ha considerado enfermedades de trabajo y por ello, con la cobertura de los accidentes de trabajo:

• **Dermatitis alérgica**, producida por sustancias alergógenas existentes en el centro de trabajo.

— STSJ Madrid 9.4.91.

• **Hipoacusia**, adquirida a consecuencia de **explosiones en el** centro de trabajo.

— STCT 10.5.89.

Véase: Enfermedad común.

ENFERMEDADES INFECCIOSAS

Para que una infección tenga lugar, los microorganismos **deben** llegar a un huésped susceptible.

Los portales de entrada y de salida de los microorganismos son: el tracto respiratorio, los tractos gastrointestinal y urinario y las lesiones de la piel. Las características de un microorganismo condicionarán la facilidad de su transmisión; al respecto, los microorganismos más resistentes a las condiciones ambientales son los que, con mayor probabilidad. Serán transmitidos; los que presenten períodos de incubación largos tendrán más oportunidades de ser diseminados, así como un número de microorganismos viables elevado incrementará la contaminación ambiental y en consecuencia potenciará la posibilidad de transmisión.

— Nota Técnica de Prevención n.º 700/2005. INSST.

Véase: Enfermedades contagiosas. Enfermedades transmisibles. Agentes transmisibles. Bodegas. Zonas endémicas. Zonas pantanosas. Trabajos en pantanos. Bacterias. Virus. E.P. infecciosas. E.P. transmitidas por animales. E.P. transmitidas por personas.

ENFERMEDADES INTERCURRENTES

Son aquellas enfermedades derivadas del proceso curativo a que ha sido sometido el trabajador accidentado.

Las consecuencias del accidente que resulten modificadas en su naturaleza, duración, gravedad o terminación, por enfermedades intercurrentes, que constituyan complicaciones derivadas del proceso patológico determinado por el accidente mismo o tengan su origen en afecciones adquiridas en el nuevo medio en que se haya situado el paciente para su curación

— Artículo 156.2.g LGSS.

Véase: Enfermedades preexistentes.

ENFERMEDADES PREEXISTENTES

Aquellas enfermedades que el accidente de trabajo saca de su estado latente o agrava.

Las enfermedades o defectos, padecidos con anterioridad por el trabajador, que se agraven como consecuencia de la lesión constitutiva del accidente.

— Artículo 156.2.f LGSS.

Véase: Enfermedades concurrentes.

ENFERMEDADES RESPIRATORIAS

Son alteraciones más o menos graves de las vías respiratorias. En general, los síntomas respiratorios de origen laboral son consecuencia de la inflamación de las vías respiratorias causada por exposiciones específicas a toxinas, alérgenos o a otros agentes o que favorecen el proceso inflamatorio. A la vista de los mecanismos inflamatorios y de los subsiguientes síntomas, se puede efectuar una distinción entre enfermedades respiratorias alérgicas y enfermedades respiratorias no alérgicas. Los síntomas respiratorios no alérgicos reflejan una inflamación específica no inmune de las vías aéreas; mientras que los síntomas respiratorios alérgicos son consecuencia de una inflamación específica inmune en la que varios anticuerpos (inmunoglobulinas IgE e IgG) juegan un papel fundamental en la respuesta inflamatoria.

— Nota Técnica de Prevención n.º 802/2008. INSST.

Véase: Agentes biológicos. Hongos. Bacterias. Endotoxinas. Peptidoglicanos. Glucanos. Micotoxinas. Alérgenos. Asma laboral. Rinitis. E.P. neumonitis por hipersensibilidad. Síndrome toxico.

ENFERMEDADES TRANSMISIBLES

1. Aquellas enfermedades susceptibles de ser transmitidas a otras personas.

2. Los trabajadores ocupados en las actividades económicas, y expuestos a los agentes o sustancias que a continuación se indican, pueden contraer una Enfermedad Profesional (E.P.), causada por agentes químicos:

• Uso sanitario de los productos plaguicidas que contienen organofosforados y carbamatos inhibidores de la colinesterasa para desinsectación de edificios, bodegas, calas de barcos, control de vectores de enfermedades transmisibles. (Código 1S0105).

Por ello, debe realizarse reconocimientos médicos previos y periódicos a dichos trabajadores, con la prohibición de no contratar a los calificados como no aptos para desempeñar los puestos de trabajo de que se trate.

— Artículo 243 LGSS, en relación con RDEP (Anexo I).

Véase: Enfermedades contagiosas. Enfermedades infecciosas. Agentes transmisibles.

ENFERMEDADES VASCULARES

1. Las enfermedades vasculares las enfermedades osteoarticulares, son aquella enfermedades provocadas por las vibraciones mecánicas, que afectan a los vasos sanguíneos y aquellas otras que afectan a los huesos, cartílagos, tendones y/o articulaciones.

La enfermedad vascular periférica consiste en un daño u obstrucción en los vasos sanguíneos más alejados del corazón: las arterias y venas periféricas. Las arterias y venas periféricas transportan sangre hacia y desde los músculos de los brazos y las piernas y los órganos del abdomen.

Las enfermedades vasculares más frecuentes son: Hipertensión arterial. Cardiopatía coronaria. Enfermedad cerebrovascular. Insuficiencia cardiaca. Cardiopatía reumática. Cardiopatía congénita. Miocardiopatías.

2. Los trabajadores ocupados en las actividades económicas, y expuestos a los agentes o sustancias que a continuación se indican, pueden contraer una Enfermedad Profesional (E.P.), causada por agentes físicos:

• Trabajos en los que se produzcan: vibraciones transmitidas a la mano y al brazo por gran número de máquinas o por objetos mantenidos sobre una superficie vibrante (gama de frecuencia de 25 a 250 Hz), como son aquellos en los que se manejan maquinarias que transmitan vibraciones, como martillos neumáticos, punzones, taladros, taladros a percusión, perforadoras, pulidoras, esmeriles, sierras mecánicas, desbrozadoras. (Códigos 2B0101, 2B0201).

• Utilización de remachadoras y pistolas de sellado. (Códigos 2B0102, 2B0202).

• Trabajos que exponen al apoyo del talón de la mano de forma reiterativa, percutiendo sobre un plano fijo y rígido, así como los choques transmitidos a la eminencia hipotenar por una herramienta percutante. (Códigos 2B0103, 2B0203).

Por ello, debe realizarse reconocimientos médicos previos y periódicos a dichos trabajadores, con la prohibición de no contratar a los calificados como no aptos para desempeñar los puestos de trabajo de que se trate.

— Artículo 243 LGSS, en relación con RDEP (Anexo I).

Véase: Martillos neumáticos. Trabajos con martillos neumáticos. Martillos eléctricos. Vibraciones. Punzones. Esmeriles. Trabajos con desbrozadoras. Pistolas de sellado. Remachadoras.

ENFERMEROS

1. Personas tituladas dedicadas a la asistencia de los enfermos.

2. Los trabajadores ocupados en las actividades económicas, y expuestos a los agentes o sustancias que a continuación se indican, pueden contraer una Enfermedad Profesional (E.P.):

a) Causada por inhalación de sustancias y agentes no comprendidos en otros apartados:

• Personal sanitario: enfermería, anatomía patológica, laboratorio, donde los trabajadores estén expuestos a sustancias de bajo peso molecular (metales, polvos de maderas, sustancias químicas, etc.), que pueden provocar alguna de las siguientes E.P: rinoconjuntivitis (Código 4I0122), urticaria (Código 4I0222), angiodemas (Código 4I0222), asma (Código 4I0322), alveolitis alérgica extrínseca (Código 4I0422), síndrome de disfunción de la vía reactiva (Código 4I0522), fibrosis intersticial difusa (Código 4I0622), fiebre de los metales (Código 4I0722, y neumopatía intersticial difusa (Código 4I0822).

b) E.P. causada por sustancias y agentes no comprendidos en alguno de los otros apartados:

- Personal sanitario: enfermería, anatomía patológica, laboratorio, donde los trabajadores estén expuestos a sustancias de bajo peso molecular (metales, polvos de maderas, sustancias químicas, etc.), que pueden provocar una E.P. de la piel, causada por sustancias de bajo peso molecular. (Código 5A0122).

Por ello, debe realizarse reconocimientos médicos previos y periódicos a dichos trabajadores, con la prohibición de no contratar a los calificados como no aptos para desempeñar los puestos de trabajo de que se trate.

— Artículo 243 LGSS, en relación con RDEP (Anexo I).

Véase: Trabajadores sanitarios. Trabajo en hospitales. Radioterapia. Clínicas de radioterapia. Hospitales. Sanatorios. Trabajos con exposición a rayos X. E.P. infecciosas transmitidas por personas.

ENSEÑANZA

Véase: Trabajo en centros de enseñanza.

ENTOMÓLOGOS

1. Especialistas en entomología, en la rama de la zoología que estudia los insectos.

2. Los trabajadores ocupados en las actividades económicas, y expuestos a los agentes o sustancias que a continuación se indican, pueden contraer una Enfermedad Profesional (E.P.):

a) Causada por inhalación de sustancias y agentes no comprendidos en otros apartados:

- Personal de zoológicos, entomólogos, donde los trabajadores estén expuestos a sustancias de alto peso molecular (de origen vegetal o animal), que pueden provocar alguna de las siguientes E.P: rinoconjuntivitis (Código 4H0126), asma (Código 4H0226), alveolitis alérgica extrínseca (Código 4H0326), síndrome de disfunción reactivo de la vía aérea (Código 4H0426), fibrosis intersticial difusa (Código 4H0526), bisinosis, cannabiosis, linnosis, bagazosis, estipatosis, suberosis (Código 4H0626), y neumopatía intersticial difusa (Código 4H0726).

b) E.P. de la piel, causada por sustancias y agentes no comprendidos en alguno de los otros apartados:

- Personal de zoológicos, entomólogos, donde los trabajadores estén expuestos a sustancias de alto peso molecular (de origen vegetal o animal), que pueden provocar una E.P. de la piel, causada por sustancias de alto peso molecular (Código 5B0126).

Por ello, debe realizarse reconocimientos médicos previos y periódicos a dichos trabajadores, con la prohibición de no contratar a los calificados como no aptos para desempeñar los puestos de trabajo de que se trate.

— Artículo 243 LGSS, en relación con RDEP (Anexo I).

Véase: Avicultores. Ganaderos. Granjas. Granjeros. Granjas de ganado vacuno. Curtidores. Curtidos. Carniceros. Matarifes. Mataderos. Pastores. Trabajos con animales. Veterinarios. Zoonosis. Zoológicos. Transporte de animales. Flebología.

ENTREVISTAS A LOS TRABAJADORES

Véase: Encuestas a los trabajadores.

ENVASADO DE SUSTANCIAS PELIGROSAS

1. Todo envase deberá ostentar de manera legible e indeleble, bien en la etiqueta o impreso en el propio envase, las siguientes indicaciones:

• Denominación o nombre comercial del preparado.

• Nombre, dirección completa y teléfono del responsable de la comercialización (fabricante, importador o distribuidor).

• Nombre químico de las sustancias presentes en el preparado Sólo deberán considerarse aquellas sustancias presentes en el preparado que, según la clasificación de éste, los símbolos (T +, T, Xn y C) y frases asignadas (R42, R43 o R42/43), tengan el mismo símbolo o frase que aquél y estén en una concentración igual o superior al límite más bajo fijado (Xn o Xi). Cuando al preparado se le asigna una frase tipo R39, R40, R42, R43, R42/43, R45, R46, R47 y/o R48 deberá mencionarse el nombre de la(s) sustancia(s). Generalmente un máximo de cuatro nombres químicos será suficiente para la identificación de aquellas sustancias responsables de los peligros más graves para la salud. El nombre químico de la sustancia deberá figurar bajo una de las denominaciones enumeradas en la Directiva de sustancias o bajo la nomenclatura internacionalmente reconocida si la sustancia no figura entre ellas.

• Símbolos e indicaciones de peligro.

— Notas Técnicas de Prevención n.º 314/1993. 332/1994. INSST.

2. Envases plásticos: Condiciones generales de seguridad.

— Notas Técnicas de Prevención n.º 381, 382/1995. INSST.

Véase: Preparados. Sustancias. Productos potencialmente peligrosos. Embalaje de sustancias peligrosas. Etiquetado de sustancias peligrosas. Productos químicos: Etiquetado. Productos químicos: Envasado.

ENZIMAS

1. Proteínas que catalizas específicamente una reacción bioquímica del metabolismo.

2. Los trabajadores ocupados en las actividades económicas, y expuestos a los agentes o sustancias que a continuación se indican, pueden contraer una Enfermedad Profesional (E.P.):

a) Causada por inhalación de sustancias y agentes no comprendidos en otros apartados:

• Manipuladores de enzimas, donde los trabajadores estén expuestos a sustancias de alto peso molecular (de origen vegetal o animal), que pueden provocar alguna de las siguientes E.P: rinoconjuntivitis (Código 4H0110), asma (Código 4H0210), alveolitis alérgica extrínseca (Código 4H0310), síndrome de disfunción reactivo de la vía aérea (Código 4H0410), fibrosis intersticial difusa (Código 4H0510), bisinosis, cannabiosis, linnosis, bagazosis, estipatosis, suberosis (Códigos 4H0610), y neumopatía intersticial difusa (Código 4H0710).

b) E.P. de la piel, causada por sustancias y agentes no comprendidos en alguno de los otros apartados:

• Manipuladores de enzimas, donde los trabajadores estén expuestos a sustancias de alto peso molecular (de origen vegetal o animal), que pueden provocar una E.P. de la piel. (Código 5B0110).

Por ello, debe realizarse reconocimientos médicos previos y periódicos a dichos trabajadores, con la prohibición de no contratar a los calificados como no aptos para desempeñar los puestos de trabajo de que se trate.

— Artículo 243 LGSS, en relación con RDEP (Anexo I).

Véase: Alérgenos. Sustancias de alto peso molecular.

EPI ANTICAÍDAS

1. Un sistema anticaídas tiene como objetivo conseguir la parada segura del trabajador que cae. En primer lugar, debe conseguirse que la distancia vertical recorrida por el cuerpo a consecuencia de la caída sea la mínima posible, que a continuación debe producirse el frenado de la caída en las condiciones menos perjudiciales para el trabajador y que, finalmente, debe garantizarse su mantenimiento en suspensión y sin daño hasta la llegada del auxilio.

Existen una amplia gama de sistemas anticaída.

— Notas Técnicas de Prevención n.º 300/1993. 774/2007. INSST.

2. Procede la imposición del recargo en las prestaciones económicas de la Seguridad Social:

• Aunque se había entregado el arnés de seguridad, no había vigilado que fuera anclado.

— STSJ Galicia 6.4.10.

Véase: Redes de seguridad.

EPI. CALZADO DE SEGURIDAD

1. El calzado de seguridad permite protegerse frente a los riesgos de choques, golpes, caídas y proyección de objetos, aplastamiento, agentes químicos, partículas incandescentes. Asimismo pueden disponer de punteras de seguridad metálicas y de antideslizantes en la suela.

— Notas Técnicas de Prevención n.º 227/1989. 773/2007. 813/2008. INSST.

2. Se ha apreciado infracción por el accidente ocurrido al resbalarse el trabajador por no haberle proporcionado calzado antideslizante en trabajos sobre suelos sucios.

— STSJ Murcia Cont.-Adm. 30.4.01.

Véase: Calzado de seguridad. Calzado de trabajo.

EPI CONTRA AGENTES BIOLÓGICOS

1. Microorganismos, con inclusión de los genéticamente modificados, cultivos celulares y endoparásitos humanos, susceptibles de originar cualquier tipo de infección, alergia o toxicidad.

— Artículo 2.a RDPTAB.

2. Si la evaluación de riesgos en el lugar de trabajo, muestra que el trabajador está expuesto a un riesgo potencial y que no puede ser eliminado o reducido a niveles tolerables mediante controles técnicos y/u organizativos, el empresario deberá asegurar que los trabajadores lleven la protección adecuada.

Los equipos que se utilicen serán conformes al Real Decreto 1407/1992 sobre comercialización y libre circulación de equipos de protección individual y al Real Decreto 1591/2009, de productos sanitarios.

— Artículo 3 RDEPI.

3. Los guantes de protección contra productos químicos y contra microorganismos, como bacterias, hongos o virus, deben cumplir con las prescripciones de las normas UNE-EN 374 – (1 a 3): 2004.

— Normas Técnicas de Prevención n.º 571 2000. 938 2012. INSST.

— Norma UNE EN 455 (1 y 2).

4. Los EPI destinados a la protección respiratoria para evitar la inhalación de aerosoles e impedir que los agentes penetren en el organismo a través de esta vía. Técnicamente se pueden clasificar en equipos dependientes e independientes del medio ambiente. Es habitual que frente al riesgo biológico se utilicen EPI de las vías respiratorias asignados a agentes químicos.

— Norma Técnica de Prevención n.º 571/2000. INSST.

5. Los EPI destinados a la protección ocular se utilizarán cuando se prevea la posibilidad de salpicaduras a la mucosa ocular. Las gafas de protección, para ser eficaces, requieren combinar unos oculares de resistencia adecuada con un diseño de montura o unos elementos adicionales adaptables a ella, a fin de proteger el ojo en cualquier dirección.

Cuando la protección ocular deba extenderse a la cara se utilizaran pantallas o viseras faciales. Estas protecciones se fabrican en material transparente y recubren la cara, protegiéndola en su totalidad. Es evidente que, en el caso que se pretenda una protección frente a salpicaduras de las mucosas de los ojos, boca y nariz, tiene más sentido la utilización de una pantalla facial que el empleo de gafas para los ojos y mascarilla quirúrgica para nariz y boca.

— Nota Técnica de Protección n.º 571/2000. INSST.

6. Toda elección de EPI ira encaminada a garantizar una protección lo más eficaz posible frente a la exposición a agentes biológicos, por ello se elegirán los EPI específicos existentes en el mercado, y en ausencia de estos, se elegirán los generales.

— Notas Técnicas de Prevención n.º 571, 572/2000. INSST.

7. Existe una marcada tendencia a confundir los equipos destinados a evitar la contaminación de material estéril (protección del producto) con los destinados a la protección del trabajador. En consecuencia, cuando exista riesgo biológico deberá establecerse un protocolo de utilización de EPI que responda a una protección efectiva frente al mismo, combinado, en su caso, con el correspondiente a mantener la asepsia del material o muestra. En cuanto a la protección dérmica, «se cree que los guantes que resisten la penetración»... (cuando se ensayan según el procedimiento establecido para la medida de la permeabilidad frente a un agente químico)...» constituyen una barrera efectiva contra los riesgos microbiológicos».

En consecuencia, los guantes impermeables (existen 6 clases de índices de protección en cuanto a permeabilidad) lo serán también a los microorganismos; asimismo, también se realizan ensayos de comprobación de impermeabilidad de guantes frente a sangre sintética. Cuando exista riesgo de salpicaduras deberán usarse pantallas faciales.

— Nota Técnica de Prevención n.º 517

1999. INSST.

— Norma UNE EN 374:1995. Aenor.

8. En cuanto a la protección respiratoria frente a la inhalación de bioaerosoles implicaría la utilización de equipos de protección respiratoria con filtros HEPA (High Efficiency Particulate Airborne) capaces de retener los microrganismos y que, en consecuencia, esterilizan el aire inhalado a través de ellos. Al no existir en la UE equipos notificados de estas características, se pueden recomendar filtros tipo P3.

Debe disponerse de protocolos de desinfección para casos de contaminación. Debe procederse con especial cuidado al utilizar los desinfectantes por ser, en general, productos peligrosos

— Nota Técnica de Prevención n.º 517/1999. INSST.

— Norma UNE EN 374:1995. Aenor.

> *Véase: Agentes biológicos. Productos biológicos. Riesgos biológicos. Control biológico. Control de efectos biológicos. Indicadores de efecto biológico. Indicadores de exposición biológica. Indicadores de susceptibilidad biológica. Valor límite biológico. Ropa de protección contra riesgos biológicos.*

EPI CONTRA EL FRÍO

1. Un ambiente frío se podría definir como «condiciones que causan pérdidas de calor corporal más grandes de lo normal». Es decir, condiciones ante las cuales, las respuestas fisiológicas del organismo no son suficientes para combatir la pérdida de calor. Estas condiciones son fundamentalmente las condiciones ambientales como, la temperatura del aire, la velocidad del aire, la humedad ambiental, etc.

2. Existen trabajos con riesgo de exposición aun ambiente frío, como son:

• Trabajos en cámaras frigoríficas: Entre ellas están las que conservan alimentos frescos entre 2°C y 8°C y las que conservan alimentos congelados que están a temperaturas por debajo de -25°C. En estos lugares, existen factores que pueden controlarse para limitar el riesgo, como la humedad, velocidad del aire, tarea a realizar, etc.

• Trabajos al aire libre: Cuando se llevan a cabo en lugares con climas fríos y/o lluviosos (agricultura, mantenimiento de carreteras, personal de pista de aeropuertos, etc.), en horario nocturno (pescadores, personal de seguridad, etc.) o a una altura considerable (trabajos verticales, etc.).

• Trabajos en interiores sin calefacción: Especialmente si son trabajos sedentarios, por ejemplo el personal de seguridad que vigila el interior de una fábrica, trabajos sentados, etc.

• Trabajos con contacto con agua fría o manipulación de objetos mojados y/o fríos, tales como el de pescadores, trabajos en plataformas petrolíferas, manipulación de alimentos congelados, ensamblaje de componentes metálicos, etc.

— Nota Técnica de Prevención n.º 940/2012. INSST.

3. Si la evaluación de riesgos en el lugar de trabajo, obligada por la Ley 31/1995, muestra que el trabajador está expuesto a un riesgo potencial y que no puede ser eliminado o reducido a niveles tolerables mediante controles técnicos y/u organizativos, el empresario deberá asegurar que los trabajadores lleven la protección adecuada (Art. 3, Real Decreto 773/1997). Los equipos que se utilicen serán conformes al Real Decreto

1407/1992 sobre comercialización y libre circulación de equipos de protección indivi-dual.

4. Ropa de protección: Existen dos normas armonizadas, que definen los requisitos y las características que deben cumplir estos tipos de ropa de protección:

— La norma UNE-EN 14058:2004 «Ropa de protección. Prendas para protección contra ambientes fríos», define las prendas de protección para su uso en ambientes no excesivamente fríos con temperaturas de hasta -5°C.

— La norma UNE-EN 342:2004 «Ropas de protección. Conjuntos y prendas de protección contra el frío», define a los conjuntos y prendas de protección a usar en ambientes «realmente fríos» con temperaturas inferiores a -5°C.

La preceptiva y obligatoria evaluación de riesgos, determinará en función del riesgo y el uso previsto, el tipo de ropa de protección que se requiere así como la necesidad o no del uso adicional de otros EPI.

— Nota Técnica de Prevención n.º 940/2012. INSST.

5. Guantes de protección: Los guantes de protección contra el frío están diseñados para proteger las manos o parte de ellas del frío. Esta exposición al frío, puede estar asociada tanto a condiciones climáticas como a una actividad industrial.

— Norma UNE-EN 511:2006 «Guantes de protección contra el frío», específica los requisitos y métodos de ensayo para los guantes que protegen contra el frío convectivo y conductivo (o de contacto), hasta los -50°C.

— Nota Técnica de Prevención n.º 940/2012. INSST.

Véase: Ropa de protección.

EPI CONTRA EL RUIDO

La reducción de ruido que se puede conseguir, con el uso de un determinado protector auditivo, en función del tipo de ruido al que se le enfrenta.

Los protectores auditivos deben utilizarse durante la totalidad de la exposición, ya que su eficacia disminuye de forma exponencial al disminuir el tiempo de uso del protector.

— Notas Técnicas de Prevención n.º 17/1982. 156/1986. 638/2003. INSST.

— Norma UNE EN ISO 4869-2/1996.

Véase: Ruido. Protectores auditivos. Sonómetro. Audiometría. E.P. hipoacusia.

EPI CONTRA PRODUCTOS QUÍMICOS

Véase: Ropa de protección contra riesgos químicos.

EPI DE PROTECCIÓN DE LA CABEZA

Los equipos destinados a la protección de la cabeza permiten protegerse frente a los riesgos de choques, golpes, caídas y proyección de objetos, etc.

— Nota Técnica de Prevención n.º 228/1989. INSST.

Véase: Epi de protección de cara y los ojos.

EPI DE PROTECCIÓN DE LA CARA Y LOS OJOS

1. Los equipos destinados a la protección de la cara y los ojos permiten protegerse frente a los riesgos causados por proyecciones de partículas sólidas, proyecciones de líquidos (corrosivos, irritantes) y exposición a radiaciones ópticas (infrarrojo, ultravioleta, láser). Se pueden clasificar en dos grandes grupos: pantallas y gafas.

• Las pantallas, cubren la cara del usuario, no solamente los ojos. Aunque existen, en orden a sus características intrínsecas, dos tipos de pantallas, faciales y de soldadores, en los laboratorios normalmente sólo son necesarias las pantallas faciales, que pueden ser con visores de plástico, con tejidos aluminizantes o reflectantes o de malla metálica. Si su uso está destinado a la protección frente a algún tipo de radiaciones deben están equipadas con visores filtrantes a las mismas.

• Las gafas tienen el objetivo de proteger los ojos del trabajador. Para que resulten eficaces, requieren combinar junto con unos oculares de resistencia adecuada, un diseño o montura o bien unos elementos adicionales adaptables a ella, con el fin de proteger el ojo en cualquier dirección. Se utilizan oculares filtrantes en todas aquellas operaciones en las que haya riesgo de exposición a radiaciones ópticas como ultravioleta, infrarrojo o láser.

— Nota Técnica de Prevención n.º 517/1999. INSST.

2. Protectores visuales contra impactos y/o salpicaduras: Guías para la elección, uso y mantenimiento.

— Nota Técnica de Prevención n.º 262/1991. INSST.

3. Los EPI destinados a la protección ocular se utilizarán cuando se prevea la posibilidad de salpicaduras a la mucosa ocular. Las gafas de protección, para ser eficaces, requieren combinar unos oculares de resistencia adecuada con un diseño de montura o unos elementos adicionales adaptables a ella, a fin de proteger el ojo en cualquier dirección.

Cuando la protección ocular deba extenderse a la cara se utilizaran pantallas o viseras faciales. Estas protecciones se fabrican en material transparente y recubren la cara, protegiéndola en su totalidad. Es evidente que, en el caso que se pretenda una protección frente a salpicaduras de las mucosas de los ojos, boca y nariz, tiene más sentido la utilización de una pantalla facial que el empleo de gafas para los ojos y mascarilla quirúrgica para nariz y boca.

— Nota Técnica de Protección n.º 571/2000. INSST.

4. Procede la imposición de recargo en las prestaciones económicas de la Seguridad Social:

• Poco importa que la careta utilizada se encuentre homologada, lo decisivo es que no consta que lo esté para el trabajo que se estaba realizando y que el hecho de que permitiera atravesar e incrustarse en el ojo del trabajador el objeto que saltó mientras trabajaba con la desbrozadora, evidencia que tal careta no era adecuada.

— STSJ Asturias 31.5.02.

Véase: Epi de protección de la cabeza.

EPI DE PROTECCIÓN RESPIRATORIA

1. Los equipos de protección individual de las vías respiratorias son aquellos que tratan de impedir que el contaminante penetre en el organismo a través de esta vía. Técnicamente se pueden clasificar en mascarillas autofiltrantes, equipos dependientes del medio ambiente y equipos independientes del medio ambiente.

— Nota Técnica de Prevención n.º 517/1999. INSST.

2. Mascarillas autofiltrantes. Es un tipo especial de protector respiratorio que reúne en un solo cuerpo inseparable el adaptador facial y el filtro. No son adecuadas para la protección de gases o vapores. Debido a su bajo peso y poca pérdida de carga las hace más cómodas que las mascarillas convencionales.

— Nota Técnica de Prevención n.º 517/1999. INSST.

3. Los equipos dependientes del medio ambiente, utilizan el aire del ambiente y lo purifican, es decir retienen o transforman los contaminantes presentes en él para que sea respirable. Estos equipos no pueden utilizarse cuando el aire es deficiente en oxígeno, cuando las concentraciones de contaminante son muy elevadas o se trata de sustancias altamente tóxicas o cuando existe el peligro de no detectar su mal funcionamiento (por ejemplo, un gas sin olor como el monóxido de carbono).

Existen de tres tipos:

• Máscara. Cubre la boca, la nariz y los ojos. Debe utilizarse cuando el contaminante es un irritante, para evitar su efecto sobre la mucosa ocular o en cualquier caso cuando pueda penetrar a través de ella.

• Mascarilla. Cubre la nariz y la boca exclusivamente.

• Boquilla. Ofrece una conexión entre la boca y el filtro y dispone de un sistema que impide la entrada de aire no filtrado por la nariz (pinza). Su utilización se limita exclusivamente a situaciones de emergencia.

— Nota Técnica de Prevención n.º 517/1999. INSST.

4. Estos equipos sólo se deben emplear en ambientes que contengan, como mínimo, un 17% en volumen de oxígeno y en ambientes contaminados con concentraciones tales que el equipo pueda reducir, en la zona de inhalación del usuario, la concentración de los contaminantes a valores por debajo de los niveles de exposición recomendados. Se clasifican en tres grandes grupos: Contra partículas y aerosoles, contra gases y vapores y contra partículas, gases y vapores.

— Notas Técnicas de Prevención n.º 787, 799, 800/2008. INSST.

5. Los equipos independientes del medio ambiente se caracterizan porque el aire que respira el usuario no es el del ambiente de trabajo. Se clasifican en:

• Equipos semiautónomos. Utilizan el aire de otro ambiente diferente al de trabajo, no contaminado y transportado a través de una canalización (manguera) o proveniente de recipientes a presión no portátiles. Disponen de un adaptador facial, generalmente tipo máscara, y una manguera. El aire puede ser aspirado a voluntad a través de la manguera o suministrado a presión mediante un compresor o botellas de aire comprimido. Estos equipos se utilizan en trabajos con muy altas concentraciones de contaminante o pobres en oxígeno.

• Equipos autónomos. Son aquellos en los que el sistema de aporte de aire es transportado por el usuario. Su utilización está indicada en los casos en que el aire es irrespirable y se requiere autonomía y libertad de movimientos.

— Nota Técnica de Prevención n.º 517/1999. INSST.

6. Los EPI destinados a la protección respiratoria para evitar la inhalación de aerosoles e impedir que los agentes penetren en el organismo a través de esta vía. Técnicamente se pueden clasificar en equipos dependientes e independientes del medio ambiente. Es habitual que frente al riesgo biológico se utilicen EPI de las vías respiratorias asignados a agentes químicos.

— Nota Técnica de Prevención n.º 571/2000. INSST.

Véase: Epi de uso dual. Epi contra productos químicos. Epi contra agentes biológicos.

EPI DE USO DUAL

Cuando un equipo está destinado a usarse como EPI y como Producto Sanitario, se denomina producto de uso dual.

Ejemplo, los guantes de protección contra agentes biológicos, que deben cumplir con los requisitos del Real Decreto 1407/1992, de 20 noviembre, por el que se regulan las condiciones para la comercialización y libre circulación intracomunitaria de los equipos de protección individual, y con los requisitos del Real Decreto 1591/2009, de productos sanitarios. Esta dualidad se da con frecuencia en el ámbito sanitario y hospitalario, como guantes que se usan para proteger al paciente durante el examen pero que también pueden tener como fin en algún caso proteger al personal sanitario de un riesgo biológico derivado de su actividad laboral y deben por tanto ser EPI.

— Nota Técnica de Prevención n.º 938/2012. INSST.

Véase: Epi. Ropa de trabajo.

EPI. GUANTES DE PROTECCIÓN

1. Existen en el mercado guantes de protección contra distintos tipos de riesgos mecánicos.

Los guantes contemplados en esta NTP son aquellos que protegen las manos contra riesgos de abrasión, corte por cuchilla, rasgado y perforación, pudiendo ofrecer distintos niveles de prestaciones frente a cada uno de estos riesgos. Los guantes que protegen contra otros riesgos como los que se generan en los trabajos con cuchillos manuales (cortes o pinchazos), por ejemplo en Industrias Cárnicas, no se contemplan en esta NTP. Tampoco se abordan los guantes que protegen contra cortes por motosierras.

— Notas Técnicas de Prevención n.º 180/1986. 747, 748/2006. 882/2010. INSST.

— Norma UNE EN 388:2004.

2. Existen en el mercado distintos guantes de protección contra el riesgo químico. Estos guantes de seguridad se fabrican en diferentes materiales (PVC, PVA, nitrilo, látex, neopreno, etc.) en función del riesgo que se pretende proteger.

El objetivo de estos equipos es impedir el contacto y penetración de sustancias tóxicas, corrosivas o irritantes a través de la piel, especialmente a través de las manos que es la parte del cuerpo que más probablemente puede entrar en contacto con los productos químicos.

— Nota Técnica de Prevención n.º 517/1999. INSSBT.

3. Los guantes de protección contra productos químicos y contra microorganismos, como bacterias, hongos o virus, deben cumplir con las prescripciones de las normas UNE-EN 374 – (1 a 3): 2004.

— Normas Técnicas de Prevención n.º 571/2000. 938/2012. INSST.

— Norma UNE EN 455 (1 y 2).

4. Guantes de protección contra riesgos mecánicos: Guías para la elección, uso y mantenimiento.

— Nota Técnica de Prevención n.º 263/1991. INSSBT.

5. Procede la imposición del recargo en las prestaciones económicas de la Seguridad Social:

• Por no proporcionar al trabajador guantes de trabajo y guante armado de acero, como preveía el propio manual de la máquina.

— STSJ Madrid 21.1.08.

6. No procede la imposición del recargo en las prestaciones económicas de la Seguridad Social:

• Entregados los guantes y gafas protectoras, no se puede exigir al empresario una vigilancia específica sobre cada trabajador, supuesto absurdo que haría imposible el desarrollo de todo trabajo, bastando con que este advertido seriamente de la obligatoriedad de su uso.

— STSJ Extremadura 6.4.10.

Véase: Epi contra agentes biológicos. Epi contra el frio. Epi contra productos químicos. Epi de uso dual.

EQUIPOS DE PROTECCIÓN INDIVIDUAL

1. Cualquier equipo destinado a ser llevado o sujetado por el trabajador para que le proteja de uno o varios riesgos que puedan amenazar su seguridad o su salud en el trabajo, así como cualquier complemento o accesorio destinado a tal fin.

— LPRL. Artículo 4.8.

2. Cualquier equipo destinado a ser llevado o sujetado por el trabajador para que le proteja de uno o varios riesgos que puedan amenazar su seguridad o su salud, así como cualquier complemento o accesorio destinado a tal fin.

Se excluyen:

• La ropa de trabajo corriente y los uniformes que no estén específicamente destinados a proteger la salud o la integridad física del trabajador.

• Los equipos de los servicios de socorro y salvamento.

• Los equipos de protección individual de los militares, de los policías y de las personas de los servicios de mantenimiento del orden.

• Los equipos de protección individual de los medios de transporte por carretera.

• El material de deporte.

• El material de autodefensa o de disuasión.

• Los aparatos portátiles para la detección y señalización de los riesgos y de los factores de molestia.

— Artículo 2.1 RDEPI.

3. Cualquier dispositivo o medio quo vaya a llevar o del que vaya a disponer una persona, con el objetivo de que la proteja contra uno o varios riesgos que puedan amenazar su salud y su seguridad. También se considerarán como EPI:

- El conjunto formado por varios dispositivos o medios que el fabricante haya asociado de forma solidaria para proteger a una persona contra uno o varios riesgos que pueda correr simultáneamente.

- Un dispositivo o medio protector solidario, de forma disociable, o no derogable, de un equipo individual no protector, que lleve o del que disponga una persona con el objetivo de realizar una actividad.

- Los componentes intercambiables de un EPI que sean indispensables para su funcionamiento correcto y se utilicen exclusivamente para dicho EPI.

Se considerará como parte integrante de un EPI, cualquier sistema de conexión comercializado junto con el EPI para unirlo a un dispositivo exterior complementario, incluso cuando este sistema de conexión no vaya a llevarlo o a tenerlo a su disposición permanentemente el usuario durante el tiempo que dure la exposición al riesgo o riesgos.

— Artículo 2 RDCEPI.

4. Clasificación y tipos de elementos de protección personal especificados en las normas técnicas reglamentarias.

— Nota Técnica de Prevención n.º 102/1984. INSST.

— Guía técnica para la evaluación y prevención de los riesgos para la utilización por los trabajadores en el trabajo de equipos de protección individual. 2012. INSST.

— Guía sobre la transición de los Equipos de Protección Individual de la Directiva 89/686/CEE (RD 1407/1992) al Reglamento (UE) 2016/425. 2017. INSST.

5. El empresario adoptará las medidas necesarias con el fin de que los equipos de trabajo sean adecuados para el trabajo que deba realizarse y convenientemente adaptados a tal efecto, de forma que garanticen la seguridad y la salud de los trabajadores al utilizarlos.

Cuando la utilización de un equipo de trabajo pueda presentar un riesgo específico para la seguridad y la salud de los trabajadores, el empresario adoptará las medidas necesarias con el fin de que:

- La utilización del equipo de trabajo quede reservada a los encargados de dicha utilización.

- Los trabajos de reparación, transformación, mantenimiento o conservación sean realizados por los trabajadores específicamente capacitados para ello.

El empresario deberá proporcionar a sus trabajadores equipos de protección individual adecuados para el desempeño de sus funciones y velar por el uso efectivo de los mismos cuando, por la naturaleza de los trabajos realizados, sean necesarios.

Los equipos de protección individual deberán utilizarse cuando los riesgos no se puedan evitar o no puedan limitarse suficientemente por medios técnicos de protección colectiva o mediante medidas, métodos o procedimientos de organización del trabajo.

— Artículo 17 LPRL.

6. El empresario está obligado al mantenimiento y conservación, lo que incluye la limpieza de los epis, por ello cuando la ropa de trabajo entregada a los trabajadores no es un mero uniforme sino un epi, por ser ignifuga debe ser limpiada a cargo de la empresa.

— STS Sevilla 16.10.08.

7. Los incumplimiento de la normativa de prevención de riesgos laborales, referente a las medidas de protección individual, siempre que dicho incumplimiento cree un riesgo grave para la integridad física o la salud de los trabajadores afectados, constituye una infracción grave en materia de prevención de riesgos laborales que lleva aparejada una sanción económica de 2.046 euros a 40.985 euros.

— Artículos 12.16.f. y 40.2 LISOS.

8. Procede la <u>responsabilidad civil</u> contractual del empresario a indemnizar al trabajador por los daños y perjuicios producidos cuando se acredita:

• La relación de causalidad entre la Enfermedad Profesional declarada y los incumplimientos del empresario de no dotar al trabajador de medios de protección contra los movimientos vibratorios, por no informar sobre los riesgos del puesto de trabajo, y por no realizar reconocimientos específicos para descubrir patologías derivadas de las vibraciones.

— STSJ Cataluña 7.11.05.

Véase: Ropa de protección. Calzado de seguridad. Calzado de trabajo.

EPÓXIDOS

1. Un epóxido es un éter cíclico formado por un átomo de oxígeno unido a dos átomos de carbono, que a su vez están unidos entre sí mediante un solo enlace covalente. Los epóxidos son generalmente líquidos, incoloros, solubles en alcohol, éter y benceno.

2. Los trabajadores expuestos a epóxidos, óxido de etileno, tetrahidrofurano, furfural, epiclorhidrina, guayacol, alcohol furfurílico y óxido de propileno, pueden contraer una Enfermedad Profesional (E.P.), causada por agentes químicos, en las actividades o trabajos que a continuación se relacionan:

• <u>Utilización como reactivos en la fabricación de disolventes, plastificantes, cementos, adhesivos y resinas sintéticas.</u> (Código 1M0101).

• <u>Utilización como recubrimientos para la madera y el metal.</u> (Código 1M0102).

• <u>Fabricación de agentes tensoactivos.</u> (Código 1M0103).

• <u>Utilización como disolventes.</u> (Código 1M0104).

• <u>El óxido de propileno se utiliza, además, como esterilizante de alimentos envasados y otros materiales.</u> (Código 1M0105).

• <u>La epiclorhidrina se utiliza además, como insecticida, fumigante y disolvente de pinturas, barnices, esmaltes y lacas. Producción de resinas de alta resistencia a la humedad en la industria papelera.</u> (Código 1M0106).

• <u>El óxido de etileno se utiliza, además, en la industria sanitaria y alimentaria como agente esterilizante, como fumigante de alimentos y tejidos, intermediario en síntesis química y en la síntesis de películas y fibras de poliéster.</u> (Código 1M0107).

• <u>El guayacol se utiliza, además, como anestésico local, antioxidante, expectorante y aromatizante de bebidas.</u> (Código 1M0108).

• <u>El furfural se utiliza, además, en la preparación y uso de moldes para fundición, en la vulcanización del caucho, refinado de aceites de petróleo y como agente humectante.</u> (Código 1M0109).

• <u>El tetrahidrofurano se utiliza, además, en histología, y en la fabricación de artículos para el envasado, transporte y conservación de alimentos.</u> (Código 1M0110).

• Fabricación de baquelita poliepóxido y policarbonatos, donde se utilicen fenoles. (Código 1F0202).

Por ello, debe realizarse reconocimientos médicos previos y periódicos a dichos trabajadores, con la prohibición de no contratar a los calificados como no aptos para desempeñar los puestos de trabajo de que se trate.

— Artículo 243 LGSS, en relación con RDEP (Anexo I).

Véase: Éteres. Benceno.

EQUIPO INTERCAMBIABLE

1. Dispositivo que, tras la puesta en servicio de una máquina o de un tractor, sea acoplado por el propio operador a dicha máquina o tractor para modificar su función o aportar una función nueva, siempre que este equipo no sea una herramienta.

— Artículo 2.2.b RDM.

2. Equipos intercambiables remolcados: todo vehículo utilizado con fines agrícolas o forestales que esté diseñado para ser remolcado por un tractor y que modifique la función de este o le añada una función nueva, que cuente permanentemente con un apero o esté diseñado para el tratamiento de materias, y que puede incluir una plataforma de carga diseñada y fabricada tanto para albergar los aperos y dispositivos necesarios a dicho efecto, como para almacenar temporalmente las materias producidas o necesarias durante el trabajo, y en el que la relación entre la masa total en carga técnicamente admisible y la masa en vacío de dicho vehículo sea inferior a 3,0.

— Artículo 3.10 Reglamento (UE) n.º 167/2013.

Véase: Equipos de trabajo. Máquinas. Cuasi máquinas. Herramientas portátiles. Tractores.

EQUIPOS A PRESIÓN: VÁLVULAS DE SEGURIDAD

Es un dispositivo empleado para evacuar el caudal de fluido necesario de tal forma que no se sobrepase la presión de timbre del elemento protegido.

Las válvulas de seguridad de alivio de presión están diseñadas para abrir y aliviar un aumento de la presión interna del fluido, por exposición a condiciones anormales de operación o a emergencias

— Notas Técnicas de Prevención n.º 342, 346/1994. 446, 456, 457/1997. 509, 510/1999. INSST.

Véase: Equipos a presión.

EQUIPOS A PRESIÓN

Los recipientes, tuberías, accesorios de seguridad y accesorios a presión. En su caso, se considerará que forman parte de los equipos a presión los elementos fijados a las partes sometidas a presión, como bridas, tubuladuras, acoplamientos, abrazaderas, soportes, orejetas para izar, etc.

— Artículos 2.1 RDCEP.

— Notas Técnicas de Prevención n.º 760, 761, 762/2008. INSST.

Véase: Equipos a presión: Válvulas de seguridad.

EQUIPOS CONTRA INCENDIOS

1. Conjunto de utensilios, instrumentos y aparatos especiales para apagar incendios.

2. Los trabajadores ocupados en las actividades económicas, y expuestos a los agentes o sustancias que a continuación se indican, pueden contraer una Enfermedad Profesional (E.P.):

a) Causada por inhalación de sustancias y agentes no comprendidos en otros apartados:

• Fabricación de guarniciones para frenos y embragues, de productos de fibrocemento, de equipos contra incendios, de filtros y cartón de amianto, de juntas de amianto y caucho, que pueden provocar las E.P. de asbestosis (Código 4C0106) y/o afecciones fibrosantes de la pleura y pericardio (Código 4C0206), provocadas por la inhalación de polvo de amianto (asbesto).

b) Causada por agentes cancerígenos:

• Fabricación de guarniciones para frenos y embragues, de productos de fibrocemento, de equipos contra incendios, de filtros y cartón de amianto, de juntas de amianto y caucho, donde exista exposición a la inhalación de polvos de amianto (asbesto), que pueden provocar alguna de las siguientes E.P (cánceres): neoplasia maligna de bronquio y pulmón (Código 6A0107), mesotelioma (Código 6A0207), mesotelioma de pleura (Código 6A0307), mesotelioma de peritoneo (Código 6A0407), mesotelioma de otras localizaciones (Código 6A0507) y cáncer de laringe (Código 6A0607).

Por ello, debe realizarse reconocimientos médicos previos y periódicos a dichos trabajadores, con la prohibición de no contratar a los calificados como no aptos para desempeñar los puestos de trabajo de que se trate.

— Artículo 243 LGSS, en relación con RDEP (Anexo I).

Véase: Incendios. Dispositivos de lucha contra incendios. Detectores de incendios. Sistemas de alarma. Detectores de humos. Fuego clase: A, B, C, D, E. Radiaciones térmicas. Carga de fuego ponderada. Extintores.

EQUIPOS DE ELEVACIÓN DE CARGAS

La utilización de cualquier tipo de equipo de trabajo y, en particular, de los equipos para la elevación de cargas, tales como carretillas elevadoras, grúas móviles autopropulsadas, grúas torre, grúas montadas sobre camión, máquinas multifunción que presentan la posibilidad de elevación de cargas, etc., está regulada por el Real Decreto 1215/1997, de 18 julio, por el que se establecen las disposiciones mínimas de seguridad y salud para la utilización por los trabajadores de los equipos de trabajo.

— Notas Técnicas de Prevención n.º 955, 956/2012. INSST.

Véase: Aparatos elevadores. Carretillas elevadoras automotoras. Grúas móviles. Grúas torre.

EQUIPOS DE ELEVACIÓN DE PERSONAS

Excepcionalmente los equipos de elevación de cargas pueden ser utilizados para la elevación de personas. Para ello, se necesita la autorización previa de la Autoridad laboral para establecer el uso excepcional del equipo de elevación de cargas, para elevar a personas. En ningún caso es el fabricante de los equipos de trabajo, el que está facultado para ello.

— Disposición Final Segunda RDSSET.

— Notas Técnicas de Prevención n.º 955, 956/2012. INSST.

> Véase: Ascensores. Aparatos elevadores. Grúas: Aparatos para elevación de personas. Grúas: Cestas para la elevación de personas.

EQUIPOS DE TRABAJO: MANTENIMIENTO

1. El empresario adoptará las medidas necesarias para que, mediante un mantenimiento adecuado, los equipos de trabajo se conserven durante todo el tiempo de utilización en unas condiciones óptimas. Dicho mantenimiento se realizará teniendo en cuenta las instrucciones del fabricante o, en su defecto, las características de estos equipos, sus condiciones de utilización y cualquier otra circunstancia normal o excepcional que puedan influir en su deterioro o desajuste.

— Artículo 3.5 RDSSET.

2. Los fabricantes, importadores y suministradores de elementos para la protección de los trabajadores están obligados a asegurar la efectividad de los mismos, siempre que sean instalados y usados en las condiciones y de la forma recomendada por ellos. A tal efecto, deberán suministrar la información que indique el tipo de riesgo al que van dirigidos, el nivel de protección frente al mismo y la forma correcta de su uso y mantenimiento.

— Artículo 41 LPRL.

3. Con independencia de las instrucciones del fabricante que, como es obvio están redactadas y dirigidas con carácter general a todos los usuarios; éstos deberán concretar las necesidades de mantenimiento a las distintas situaciones de trabajo a las que el equipo se vea sometida (turnos de trabajo, ambientes agresivos de trabajo, trabajo en ambientes con riesgo de incendio o explosión, etc.), es decir, deberán realizar un mantenimiento que se ajuste a las exigencias del artículo 3.5 de que en el tipo de mantenimiento se tenga en cuenta «sus condiciones de utilización y cualquier otra circunstancia normal o excepcional que puedan influir en su deterioro o desajuste». Así pues, garantizar un correcto mantenimiento del equipo exigirá disponer y aplicar las instrucciones del fabricante del mismo y ajustarlas a las condiciones reales de uso del equipo.

Las operaciones de mantenimiento de todo el equipo deberían quedar reflejadas en un diario de mantenimiento. Si bien el RDSSET no lo exige de manera explícita.

— Artículo 3.5 RDSSET.

— Notas Técnicas de Prevención n.º 418/1996. 577/2001. 956/2012. INSST.

4. Procede la imposición del recargo en las prestaciones económicas de la Seguridad Social:

> • No cumplir con las medidas de seguridad, en las labores de mantenimiento y reparación de los equipos de trabajo.

— STSJ Burgos 28.7.00.

— STSJ Cantabria 9.2.06.

> Véase: Equipos de trabajo. Fabricantes. Importadores. Revisiones periódicas de seguridad.

EQUIPOS DE TRABAJO: UTILIZACIÓN

Cualquier actividad referida a un equipo de trabajo, tal como la puesta en marcha o la detención, el empleo, el transporte, la reparación, la transformación, el mantenimiento y la conservación, incluida, en particular, la limpieza.

— Artículo 2.b RDSSET.

Véase: Equipos de trabajo. Equipos de trabajo: Operador. Máquinas. Cuasi máquinas. Herramientas portátiles.

EQUIPOS DE TRABAJO: OPERADOR

El trabajador encargado de la utilización de un equipo de trabajo.

— Artículo 2.e RDSSET.

Véase: Equipos de trabajo. Equipos de trabajo: Mantenimiento. Equipos de trabajo: Utilización.

EQUIPOS DE TRABAJO

1. Cualquier máquina, aparato, instrumento o instalación utilizada en el trabajo.

Cuando la utilización de un equipo de trabajo pueda presentar un riesgo específico para la seguridad y la salud de los trabajadores, el empresario adoptará las medidas necesarias con el fin de que:

• La utilización del equipo de trabajo quede reservada a los encargados de dicha utilización.

• Los trabajos de reparación, transformación, mantenimiento o conservación sean realizados por los trabajadores específicamente capacitados para ello.

— Artículo 4.6 y 17.1 LPRL.

2. Cualquier máquina, aparato, instrumento o instalación utilizado en el trabajo.

— Artículo 2.a RDSSET.

— Guía técnica para la evaluación y prevención de los riesgos relativos a la utilización de los equipos de trabajo. 2011. INSST.

3. En los lugares de trabajo sólo podrán utilizarse equipos eléctricos para los que el sistema o modo de protección previstos por su fabricante sea compatible con el tipo de instalación eléctrica existente y los factores de riesgo existentes.

— Artículo 3.2 RDSSTRE.

4. Instalaciones en el exterior de las obras de construcción:

• Las instalaciones, máquinas y equipos utilizados en las obras deberán ajustarse a lo dispuesto en su normativa específica. En todo caso, y a salvo de disposiciones específicas de la normativa citada, las instalaciones, máquinas y equipos deberán satisfacer las condiciones que se señalan en los siguientes puntos de este apartado.

• Las instalaciones, máquinas y equipos, incluidas las herramientas manuales o sin motor, deberán: 1.º Estar bien proyectados y construidos, teniendo en cuenta, en la medida de lo posible, los principios de la ergonomía. 2.º Mantenerse en buen estado de funcionamiento. 3.º Utilizarse exclusivamente para los trabajos que hayan sido diseñados. 4.º Ser manejados por trabajadores que hayan recibido una formación adecuada.

• Las instalaciones y los aparatos a presión deberán ajustarse a lo dispuesto en su normativa específica.

— Anexo IV. Parte C.8 RDSSTOC.

5. El incumplimiento de la normativa de PRL en materia de equipos de trabajo, que cree un riesgo grave para la integridad física o la salud de los trabajadores afectados, constituye una infracción grave en materia de prevención de riesgos laborales que lleva aparejada una sanción económica de 2.046 euros a 40.985 euros.

— Artículos 12.16.b y 40.2.b LISOS.

Véase: Equipos de trabajo: Mantenimiento. Equipos de trabajo: Utilización. Fabricantes. Importadores. Máquinas. Cuasi máquinas. Herramientas portátiles. Equipo intercambiable.

EQUIPOS POTENCIALMENTE PELIGROSOS

Aquellos que, en ausencia de medidas preventivas específicas, originen riesgos para la seguridad y la salud de los trabajadores que los desarrollan o utilizan.

— Artículo 4.5 LPRL.

Véase: Equipos de trabajo.

ERGONOMÍA

1. La función principal de la ergonomía es la adaptación de las máquinas y puestos de trabajo al hombre, al trabajador.

— Notas Técnicas de Prevención n.º 241, 242/1989. INSST.

2. El empresario está obligado a adaptar el trabajo a la persona, en particular en lo que respecta a la concepción de los puestos de trabajo, así como a la elección de los equipos y los métodos de trabajo y de producción, con miras, en particular, a atenuar el trabajo monótono y repetitivo y a reducir los efectos del mismo en la salud.

— Artículo 15.1.d LPRL.

3. Las posturas de trabajo son causa de carga estática en el sistema musculoesquelético de la persona. Durante el trabajo estático la circulación de la sangre y el metabolismo de los músculos disminuye, con lo que la eficacia del trabajo muscular es baja. La continua o repetida carga estática de posturas penosas en el trabajo, genera una constricción local muscular y la consecuente fatiga, en casos de larga duración puede llegar a provocar trastornos o patologías relacionados con el trabajo.

— Notas Técnicas de Prevención n.º 452/1997. 674/2004. INSST.

4. Ergonomía del asiento del puesto de trabajo.

— Nota Técnica de Prevención n.º 134/1985. INSST.

5. Evaluación de las condiciones de trabajo: Método del análisis ergonómico del puesto de trabajo.

La base del análisis ergonómico del puesto de trabajo consiste en una descripción sistemática y cuidadosa de la tarea o puesto de trabajo, para lo que se utilizan observaciones y entrevistas, a fin de obtener la información necesaria.

En algunos casos, se necesitan instrumentos simples de medición, como puede ser un luxómetro para la iluminación, un sonómetro para el ruido, un termómetro para el ambiente térmico, etc.

— Nota Técnica de Prevención n.º 387/1995. INSST.

Véase: Puesto de trabajo. Espacio de trabajo. Trabajos con posturas forzadas. Trabajos con movimientos repetitivos. Postura de trabajo estática.

ERROR HUMANO

1. Concepto equivocado o juicio falso, que en materia de prevención de riesgos laborales debe prevenirse.

— Notas Técnicas de Prevención n.º 619, 620, 621/2003. INSST.

2. La fiabilidad humana de entenderse como el grado de conocimientos que se refieren a la predicción, análisis y reducción del error humano, enfocándose sobre el papel de la persona en las operaciones de diseño, de mantenimiento, uso y gestión de un sistema sociotécnico.

— Nota Técnica de Prevención n.º 360/1994. INSST.

3. Métodos de análisis de fiabilidad humana.

— Nota Técnica de Prevención n.º 377/1995. INSST.

Véase: Investigación de los accidentes de trabajo. Observación del trabajo. Imprudencia profesional.

ESCALAS

La anchura mínima de las escalas fijas será de 40 centímetros y la distancia máxima entre peldaños de 30 centímetros. En las escalas fijas la distancia entre el frente de los escalones y las paredes más próximas al lado del ascenso será, por lo menos, de 75 centímetros. La distancia mínima entre la parte posterior de los escalones y el objeto fijo más próximo será de 16 centímetros. Habrá un espacio libre de 40 centímetros a ambos lados del eje de la escala si no está provista de jaulas u otros dispositivos equivalentes. Cuando el paso desde el tramo final de una escala fija hasta la superficie a la que se desea acceder suponga un riesgo de caída por falta de apoyos, la barandilla o lateral de la escala se prolongará al menos 1 metro por encima del último peldaño o se tomarán medidas alternativas que proporcionen una seguridad equivalente.

Las escalas fijas que tengan una altura superior a 4 metros dispondrán, al menos a partir de dicha altura, de una protección circundante. Esta medida no será necesaria en conductos, pozos angostos y otras instalaciones que, por su configuración, ya proporcionen dicha protección. Si se emplean escalas fijas para alturas mayores de 9 metros se instalarán plataformas de descanso cada 9 metros o fracción.

— Anexo I. Parte A.8 RDSSLT.

Véase: Escaleras fijas. Escaleras mecánicas. Escaleras manuales. Rampas.

ESCALERAS FIJAS

1. Es un medio de acceso a los pisos de trabajo, que permite a las personas ascender y descender de frente sirviendo para comunicar entre sí los diferentes niveles de un edificio. Consta de planos horizontales sucesivos llamados peldaños que están formados por huellas y contrahuellas y de rellanos.

— Nota Técnica de Prevención n.º 404/1996. INSST.

2. Deberán protegerse con barandillas los lados abiertos de las escaleras y rampas de más de 60 centímetros de altura. Los lados cerrados tendrán un pasamanos, a una altura mínima de 90 centímetros, si la anchura de la escalera es mayor de 1,2 metros; si es menor, pero ambos lados son cerrados, al menos uno de los dos llevará pasamanos. Las escaleras tendrán una anchura mínima de 1 metro, excepto en las de servicio, que será de 55 centímetros. Los peldaños de una escalera tendrán las mismas dimensiones. Se prohíben las escaleras de caracol excepto si son de servicio.

— Anexo I. Parte A.3, 7 RDSSLT.

3. Si no pueden instalarse barandillas tendrán que usarse cinturones de seguridad debidamente anclados a puntos fijos.

— STSJ Sevilla Const.—Adm. 4.3.08.

4. En las escaleras o plataformas con pavimentos perforados la abertura máxima de los intersticios será de 8 milímetros.

Las escaleras tendrán una anchura mínima de 1 metro, excepto en las de servicio, que será de 55 centímetros. Los peldaños de una escalera tendrán las mismas dimensiones. Se prohíben las escaleras de caracol excepto si son de servicio. Los escalones de las escaleras que no sean de servicio tendrán una huella comprendida entre 23 y 36 centímetros, y una contrahuella entre 13 y 20 centímetros. Los escalones de las escaleras de servicio tendrán una huella mínima de 15 centímetros y una contrahuella máxima de 25 centímetros. La altura máxima entre los descansos de las escaleras será de 3,7 metros. La profundidad de los descansos intermedios, medida en dirección a la escalera, no será menor que la mitad de la anchura de ésta, ni de 1 metro. El espacio libre vertical desde los peldaños no será inferior a 2,2 metros.

— Anexo I. Parte A.7 RDSSLT.

Véase: Escaleras mecánicas. Escaleras manuales. Escalas. Rampas.

ESCALERAS MANUALES

1. La escalera manual es un aparato portátil que consiste en dos piezas paralelas o ligeramente convergentes unidas a intervalos por travesaños y que sirve para subir o bajar una persona de un nivel a otro. Las escaleras pueden ser de varios tipos: simples, de un tramo o varios, o de tijera.

— Nota Técnica de Prevención n.º 239/1989. INSST.

2. Las escaleras de mano se colocarán de forma que su estabilidad durante su utilización esté asegurada. Los puntos de apoyo de las escaleras de mano deberán asentarse sólidamente sobre un soporte de dimensiones adecuadas y estable, resistente e inmóvil, de forma que los travesaños queden en posición horizontal. Las escaleras suspendidas se fijarán de forma segura y, excepto las de cuerda, de manera que no puedan desplazarse y se eviten los movimientos de balanceo.

Se impedirá el deslizamiento de los pies de las escaleras de mano durante su utilización ya sea mediante la fijación de la parte superior o inferior de los largueros, ya sea mediante cualquier dispositivo antideslizante o cualquier otra solución de eficacia equivalente. Las escaleras de mano para fines de acceso deberán tener la longitud necesaria para sobresalir al menos un metro del plano de trabajo al que se accede. Las escaleras compuestas de varios elementos adaptables o extensibles deberán utilizarse de forma que la inmovilización recíproca de los distintos elementos esté asegurada. Las escaleras con ruedas deberán haberse inmovilizado antes de acceder a ellas. Las escaleras de mano simples se colocarán, en la medida de lo posible, formando un ángulo aproximado de 75 grados con la horizontal.

El ascenso, el descenso y los trabajos desde escaleras se efectuarán de frente a éstas. Las escaleras de mano deberán utilizarse de forma que los trabajadores puedan tener en todo momento un punto de apoyo y de sujeción seguros. Los trabajos a más de 3,5 metros de altura, desde el punto de operación al suelo, que requieran movimientos o esfuerzos peligrosos para la estabilidad del trabajador, sólo se efectuarán si se utiliza un equipo de protección individual anticaídas o se adoptan otras medidas de protección alternativas. El transporte a mano de una carga por una escalera de mano se hará de modo que ello no impida una sujeción segura. Se prohíbe el transporte y manipulación de cargas por o desde escaleras de mano cuando por su peso o dimensiones puedan comprometer la seguridad del trabajador. Las escaleras de mano no se utilizarán por dos o más personas simultáneamente.

No se emplearán escaleras de mano y, en particular, escaleras de más de cinco metros de longitud, sobre cuya resistencia no se tengan garantías. Queda prohibido el uso de escaleras de mano de construcción improvisada. Las escaleras de mano se revisarán periódicamente. Se prohíbe la utilización de escaleras de madera pintadas, por la dificultad que ello supone para la detección de sus posibles defectos.

— Anexo II.2 RDSSET.

3. En el exterior de las obras de construcción. Las escaleras de mano de los lugares de trabajo deberán ajustarse a lo establecido en su normativa específica.

— Anexo IV. Parte C.5 RDSSTOC.

— Artículo 185 CCGC.

4. Procede la responsabilidad civil contractual del empresario a indemnizar al trabajador por los daños y perjuicios cuando se acredita que:

• La inexistencia de medidas de seguridad en escalera de mano, utilizada por un trabajador no habituado a su uso y que sube con las manos ocupadas portando el equipo de soldar y el arnés.

— STSJ Valencia 10.1.08.

5. Procede la imposición del <u>recargo de las prestaciones</u> económicas de la Seguridad Social:

• Por no existir elementos de anclaje o sujeción de la escalera de mano y no existir una adecuada formación que hubiera evitado el imprudente movimiento del trabajador.

— STS 22.7.10.

• Por la caída de un trabajador de una escalera de mano que sobrepasaba solo 55 centímetros de la planta a la que iba a acceder. Se modera la graduación de la falta por el hecho de que el trabajador portaba un cubo con tornillos cuyo peso era inferior a 25 kilos.

— STSJ Murcia 30.9.97.

• Escalera de mano que no contaba con elemento que impidiera su apertura.

— STSJ Murcia 24.5.17.

6. No procede la imposición del recargo de las prestaciones económicas de la Seguridad Social:

• Caída del trabajador desde una altura de 3 metros, cuando realizaba el trabajo desde una escalera de mano, porque el trabajador no hizo uso de su equipo de protección individual y, muy especialmente, no llevaba colocado el arnés de seguridad anticaídas, que tenía a su disposición.

— STSJ Cataluña 27.10.09.

Véase: Dispositivos de anclaje. Escaleras fijas. Escaleras mecánicas. Escalas.

ESCALERAS MECÁNICAS

1. Las escaleras mecánicas y cintas rodantes deberán tener las condiciones de funcionamiento y dispositivos necesarios para garantizar la seguridad de los trabajadores que las utilicen. Sus dispositivos de parada de emergencia serán fácilmente identificables y accesibles.

— Anexo I. Parte A.7 RDSSLT.

2. En el interior de las obras de construcción: Las escaleras mecánicas y las cintas rodantes deberán funcionar de manera segura y disponer de todos los dispositivos de seguridad necesarios. En particular deberán poseer dispositivos de parada de emergencia fácilmente identificables y de fácil acceso.

— Anexo IV. Parte B.9 RDSSTOC.

Véase: Cintas rodantes. Máquinas: Parada de emergencia. Escaleras fijas.

ESCAYOLISTAS

1. Personas que hacen obras de escayola. Escayola: Yeso fino calcinado, utilizado en construcción para fabricar placas y elementos ornamentales y, en medicina, para endurecer vendajes.

2. Los trabajadores ocupados en las actividades económicas, y expuestos a los agentes o sustancias que a continuación se indican, pueden contraer una Enfermedad Profesional (E.P.), causada por agentes físicos:

• Trabajos ejecutados con posturas forzadas y movimientos repetitivos, que se realicen con los codos en posición elevada o que tensen los tendones o bolsa subacromial, asociándose a acciones de levantar y alcanzar; uso continuado del brazo en abducción o flexión, como son pintores, escayolistas, montadores de estructuras, que pueden provocar la E.P. de tendidosa crónica. (Código 2D0101).

Por ello, debe realizarse reconocimientos médicos previos y periódicos a dichos trabajadores, con la prohibición de no contratar a los calificados como no aptos para desempeñar los puestos de trabajo de que se trate.

— Artículo 243 LGSS, en relación con RDEP (Anexo I).

Véase: Trabajos con posturas forzadas. Trabajos repetitivos. Pintores. Montadores de estructuras. E.P. Tendidosa crónica.

ESCORIAS DE THOMAS

1. Abono fosfórico con reacción basificante, mezcla de cal, fosfatos y silicatos de cal, que procede de los altos hornos en la obtención del acero, como impurezas de los minerales de hierro.

2. Los trabajadores expuestos a la inhalación de escorias de Thomas (Códigos 4F01, 1A0611), pueden contraer la Enfermedad Profesional (E.P.), en las actividades o trabajos que a continuación se relacionan:

a) Causada por agentes químicos:

• Manipulación y transporte de escorias Thomas, que contengan manganeso, que puede provocar una E.P. causada por agentes químicos. (Código 1A0611).

b) Causada por inhalación de sustancias y agentes no comprendidos en otros apartados:

• Fabricación y utilización de escorias de Thomas como abono. (Código 4F0101).

Por ello, debe realizarse reconocimientos médicos previos y periódicos a dichos trabajadores, con la prohibición de no contratar a los calificados como no aptos para desempeñar los puestos de trabajo de que se trate.

— Artículo 243 LGSS, en relación con RDEP (Anexo I).

Véase: Escorias. Abonos. Agricultura. E.P. escorias de Thomas.

ESCORIAS

1. Residuo esponjoso que queda tras la combustión del carbón. Sustancia vítrea, formada por las impurezas, que flota en el crisol de los hornos metalúrgicos.

2. Los trabajadores ocupados en las actividades económicas, y expuestos a los agentes o sustancias que a continuación se indican, pueden contraer una Enfermedad Profesional (E.P.), causada por agentes químicos:

• Manipulación y transporte de las escorias Thomas residuales de la utilización de manganeso y sus compuestos. (Código 1A0611).

Por ello, debe realizarse reconocimientos médicos previos y periódicos a dichos trabajadores, con la prohibición de no contratar a los calificados como no aptos para desempeñar los puestos de trabajo de que se trate.

— Artículo 243 LGSS, en relación con RDEP (Anexo I).

Véase: Escorias de Thomas. Abonos. E.P. escorias de Thomas.

ESLINGA

1. Una eslinga de cadena es un conjunto constituido por cadena o cadenas unidas a unos accesorios adecuados en los extremos superior o inferior capaces, de acuerdo a los requerimientos de la norma UNE EN 818-1, para amarrar cargas del gancho de una grúa o de otro aparato de elevación.

— Notas Técnicas de Prevención n.º 155/1986. 221/1988. 824/2009. 861, 866/2010. INSST.

2. Eslingado: Operación que consiste en utilizar un elemento de unión entre una carga y un equipo de elevación.

— Notas Técnicas de Prevención n.º 841, 842/2009. INSST.

Véase: Elevación: Accesorios. Cadenas, cables y cinchas. Aparatos elevadores. Grúas móviles.

ESMALTES

1. Barniz vítreo que por medio de la fusión se adhiere a la porcelana, loza, metales y otras sustancias elaboradas.

2. Los trabajadores ocupados en las actividades económicas, y expuestos a los agentes o sustancias que a continuación se indican, pueden contraer una Enfermedad Profesional (E.P.):

a) Causada por agentes químicos:

• Fabricación de pigmentos cadmíferos para pinturas, esmaltes, materias plásticas, papel, caucho, pirotecnia, donde se utilice cadmio y sus compuestos, que puede provocar una E.P. causada por agentes químicos. (Código 1A0303).

• Barnizado y esmaltado de cerámica, que contengan cadmio, que puede provocar una E.P. causada por agentes químicos. (Código 1A0314).

• Preparación de esmaltes, que contengan manganeso, que puede provocar una E.P. causada por agentes químicos. (Código 1A0607).

• Operaciones de disolución de resinas naturales o sintéticas para la preparación de colas, adhesivos, lacas, barnices, esmaltes, masillas, tintas, diluyentes de pinturas y productos de limpieza, donde se utilice xileno o tolueno, que pueden provocar una E.P. causada por agentes químicos. (Código 1K0303).

• Empleo de barnices, pinturas, esmaltes, adhesivos, lacas y masillas, que contengan cetonas, que pueden provocar una E.P. causada por agentes químicos. (Código 1L0111).

• La epiclorhidrina (Epóxido) se utiliza además, como insecticida, fumigante y disolvente de pinturas, barnices, esmaltes y lacas. Producción de resinas de alta resistencia a la humedad en la industria papelera, que puede provocar una E.P. causada por agentes químicos. (Código 1M0106).

• Disolventes y codisolventes de lacas, resinas, pigmentos, tintes, esmaltes, barnices, perfumes, aceites, acetato de celulosa y nitrato de celulosa, que contengan éteres, que pueden provocar una E.P. causada por agentes químicos. (Código 1O0101).

b) Causada por inhalación de sustancias y agentes no comprendidos en otros apartados:

• Fabricación y aplicación de lacas, pinturas, colorantes, adhesivos, barnices, esmaltes, donde los trabajadores estén expuestos a sustancias de bajo peso molecular (metales, polvos de maderas, sustancias químicas, etc.), que pueden provocar alguna de las siguientes E.P: rinoconjuntivitis (Código 4I0109), urticaria (Código 4I0209), angiodemas (Código 4I0209), asma (Código 4I0309), alveolitis alérgica extrínseca (Código 4I0409), síndrome de disfunción de la vía reactiva (Código 4I0509), fibrosis intersticial difusa (Código 4I0609), fiebre de los metales (Código 4I0709), y neumopatía intersticial difusa. (Código 4I0809).

c) Causada por agentes cancerígenos:

• Fabricación de pigmentos cadmíferos para pinturas, esmaltes, materias plásticas, papel, caucho, pirotecnia, que puede provocar la E.P. de neoplasia maligna de bronquio, pulmón y próstata. (Código 6G0103).

Por ello, debe realizarse reconocimientos médicos previos y periódicos a dichos trabajadores, con la prohibición de no contratar a los calificados como no aptos para desempeñar los puestos de trabajo de que se trate.

— Artículo 243 LGSS, en relación con RDEP (Anexo I).

Véase: Fabricación de pinturas. Barnices. Lacas. Pintores. Aerografía.

ESMERILES

1. Mineral negruzco, formado esencialmente por corindón, que, por su dureza, sirve para deslustrar vidrio y pulimentar metales. Herramienta portátil que utiliza un motor eléctrico para afilar instrumentos metálicos y pulir o desgastar otras cosas, mediante una piedra artificial o lija.

2. Los trabajadores ocupados en las actividades económicas, y expuestos a los agentes o sustancias que a continuación se indican, pueden contraer una Enfermedad Profesional (E.P.), causada por agentes físicos:

- Trabajos en los que se produzcan: vibraciones transmitidas a la mano y al brazo por gran número de máquinas o por objetos mantenidos sobre una superficie vibrante (gama de frecuencia de 25 a 250 Hz), como son aquellos en los que se manejan maquinarias que transmitan vibraciones, como martillos neumáticos, punzones, taladros, taladros a percusión, perforadoras, pulidoras, esmeriles, sierras mecánicas, desbrozadoras, que pueden producir una E.P. de carácter vascular. (Código 2B0101).

Por ello, debe realizarse reconocimientos médicos previos y periódicos a dichos trabajadores, con la prohibición de no contratar a los calificados como no aptos para desempeñar los puestos de trabajo de que se trate.

— Artículo 243 LGSS, en relación con RDEP (Anexo I).

Véase: Trabajos con esmeriles. Burilado. Grabadores. Enfermedades vasculares. Trabajos con aparatos vibradores. Vibraciones. Vibraciones transmitidas al sistema mano-brazo. Martillos neumáticos. Taladradoras. Punzones. Pulidoras. Pulidores.

ESPACIO DE TRABAJO

1. Las dimensiones de los locales de trabajo deberán permitir que los trabajadores realicen su trabajo sin riesgos para su seguridad y salud y en condiciones ergonómicas aceptables. Sus dimensiones mínimas serán las siguientes:

- 3 metros de altura desde el piso hasta el techo. No obstante, en locales comerciales, de servicios, oficinas y despachos, la altura podrá reducirse a 2,5 metros.
- 2 metros cuadrados de superficie libre por trabajador.
- 10 metros cúbicos, no ocupados, por trabajador.

— Anexo I.2 RDSSLT.

2. Espacio de trabajo en las obras de construcción: Las dimensiones del puesto de trabajo deberán calcularse de tal manera que los trabajadores dispongan de la suficiente libertad de movimientos para sus actividades, teniendo en cuenta la presencia de todo el equipo y material necesario.

— Anexo IV. Parte A.13 RDSSTOC.

Véase: Puesto de trabajo. Lugares de trabajo. Ergonomía. Espacios al aire libre.

ESPACIOS AL AIRE LIBRE

A efectos de esta Ley, en el ámbito de la hostelería, se entiende por espacio al aire libre todo espacio no cubierto o todo espacio que estando cubierto esté rodeado lateralmente por un máximo de dos paredes, muros o paramentos.

— Artículo 2.2 LMST.

Véase: Espacio de trabajo. Espacios cerrados. Espacios de uso público.

ESPACIOS CERRADOS

Los trabajadores ocupados en las actividades económicas, y expuestos a los agentes o sustancias que a continuación se indican, pueden contraer una Enfermedad Profesional (E.P.), causada por agentes químicos:

• Incendios y explosiones (sobre todo en espacios cerrados, en los túneles y en las minas), por la exposición a los óxidos de carbono. (Código 1T0110).

Por ello, debe realizarse reconocimientos médicos previos y periódicos a dichos trabajadores, con la prohibición de no contratar a los calificados como no aptos para desempeñar los puestos de trabajo de que se trate.

— Artículo 243 LGSS, en relación con RDEP (Anexo I).

Véase: Espacio de trabajo. Túneles. Minas. Cuevas. Trabajos en túneles. Trabajos en minas. Trabajos subterráneos. Trabajos en espacios confinados. Trabajos en aislamiento.

ESPACIOS DE USO PÚBLICO

Lugares accesibles al público en general o lugares de uso colectivo, con independencia de su titularidad pública o privada. En cualquier caso, se consideran espacios de uso público los vehículos de transporte público o colectivo.

— Artículo 2.e LMST.

Véase: Espacios al aire libre.

ESPARTO

1. Hojas del esparto, empleadas en la industria para hacer sogas, esteras, tripe, pasta para fabricar papel, etc.

2. Los trabajadores ocupados en las actividades económicas, y expuestos a los agentes o sustancias que a continuación se indican, pueden contraer una Enfermedad Profesional (E.P.):

a) Causada por inhalación de sustancias y agentes no comprendidos en otros apartados:

• Trabajos en los que se manipula cáñamo, bagazo de caña de azúcar, yute, lino, esparto, sisal y corcho, donde los trabajadores estén expuestos a sustancias de alto peso molecular (de origen vegetal o animal), que pueden provocar alguna de las siguientes E.P: rinoconjuntivitis (Código 4H0129), asma (Código 4H0229), alveolitis alérgica extrínseca (Código 4H0329), síndrome de disfunción reactivo de la vía aérea (Código 4H0429), fibrosis intersticial difusa (Código 4H0529), bisinosis, cannabiosis, linnosis, bagazosis, estipatosis, suberosis (Código 4H0629), y neumopatía intersticial difusa (Código 4H0729).

b) E.P. de la piel, causada por sustancias y agentes no comprendidos en alguno de los otros apartados:

• Trabajos en los que se manipula cáñamo, bagazo de caña de azúcar, yute, lino, esparto, sisal y corcho, donde los trabajadores estén expuestos a sustancias de alto peso molecular (de origen vegetal o animal). (Código 5B0129).

Por ello, debe realizarse reconocimientos médicos previos y periódicos a dichos trabajadores, con la prohibición de no contratar a los calificados como no aptos para desempeñar los puestos de trabajo de que se trate.

— Artículo 243 LGSS, en relación con RDEP (Anexo I).

Véase: Cáñamo. Caña de azúcar. Corcho. Sisal. Yute.

ESPECIAS

1. Sustancias vegetales aromáticas que sirven de condimento.

2. Los trabajadores ocupados en las actividades económicas, y expuestos a los agentes o sustancias que a continuación se indican, pueden contraer una Enfermedad Profesional (E.P.):

a) Causada por inhalación de sustancias y agentes no comprendidos en otros apartados:

• Elaboración de especias, donde los trabajadores estén expuestos a sustancias de alto peso molecular (de origen vegetal o animal), que pueden provocar alguna de las siguientes E.P: rinoconjuntivitis (Código 4H0107), asma (Código 4H0207), alveolitis alérgica extrínseca (Código 4H0307), síndrome de disfunción reactivo de la vía aérea (Código 4H0407), fibrosis intersticial difusa (Código 4H0507), bisinosis, cannabiosis, linnosis, bagazosis, estipatosis, suberosis (Códigos 4H0607), y neumopatía intersticial difusa (Código 4H0707).

b) E.P. de la piel, causada por sustancias y agentes no comprendidos en alguno de los otros apartados:

• Elaboración de especias, donde los trabajadores estén expuestos a sustancias de alto peso molecular (de origen vegetal o animal), que pueden provocar una E.P. de la piel, causada por sustancias de alto peso molecular. (Código 5B0107).

Por ello, debe realizarse reconocimientos médicos previos y periódicos a dichos trabajadores, con la prohibición de no contratar a los calificados como no aptos para desempeñar los puestos de trabajo de que se trate.

— Artículo 243 LGSS, en relación con RDEP (Anexo I).

Véase: Canela.

ESPEJOS

Los espejos son cristales que contienen detrás una capa de aluminio, principalmente, o de otro material, y reflejan el contenido expresado frente a él.

Véase: Azogado de espejos. Cristales. Industria del vidrio. Pulidores. Abrasivos. Aluminio. Arsénico. Mercurio.

ESPIRÓMETRO

Instrumento con el que se mide el volumen de aire respirado.

— Notas Técnicas de Prevención n.º 217, 218/1988. INSST.

Véase: Aparatos medidores.

ESPUMA

1. Masa de burbujas que se forman en la superficie de los líquidos, y se adhieren entre sí con más o menos consistencia.

2. Los trabajadores ocupados en las actividades económicas, y expuestos a los agentes o sustancias que a continuación se indican, pueden contraer una Enfermedad Profesional (E.P.):

a) Causada por agentes químicos:

• Emisiones gaseosas en los altos hornos, hornos de coque o combustión de espumas de poliuretano, donde se utilice ácido cianhídrico. (Código 1D0413).

• Fabricación de espumas de poliuretano y su aplicación en estado líquido, donde se utilicen isocianatos. (Código 1Q0106).

b) Causada por agentes cancerígenos:

• Emisiones gaseosas en los altos hornos, hornos de coque o combustión de espumas de poliuretano, donde se utilice ácido cianhídrico, que puede provocar una E.P. cancerígena. (Código 6Q0113).

Por ello, debe realizarse reconocimientos médicos previos y periódicos a dichos trabajadores, con la prohibición de no contratar a los calificados como no aptos para desempeñar los puestos de trabajo de que se trate.

— Artículo 243 LGSS, en relación con RDEP (Anexo I).

Véase: Fundiciones. Hornos de fundición.

ESTABILIZANTES

1. Sustancias que añadidas a ciertos preparados sirve para evitar su degradación.

2. Los trabajadores ocupados en las actividades económicas, y expuestos a los agentes o sustancias que a continuación se indican, pueden contraer una Enfermedad Profesional (E.P.), causada por agentes químicos:

• Industria hulera, papel, extractiva, alimenticia, peletera y farmacéutica (como estabilizador), donde se utilice amoníaco. (Código 1J0111).
• Utilización de éteres como estabilizadores de emulsiones. (Código 1O0108).

Por ello, debe realizarse reconocimientos médicos previos y periódicos a dichos trabajadores, con la prohibición de no contratar a los calificados como no aptos para desempeñar los puestos de trabajo de que se trate.

— Artículo 243 LGSS, en relación con RDEP (Anexo I).

Véase: Emulsión.

ESTABLECIMIENTO DE NIVEL INFERIOR

Un establecimiento en el que haya presentes sustancias peligrosas en cantidades iguales o superiores a las especificadas en la columna 2 de la parte 1 o de la parte 2 del anexo I, pero inferiores a las cantidades especificadas en la columna 3 de la parte 1 o de la parte

2 del anexo I. Todo ello empleando, cuando sea aplicable, la regla de la suma de la nota 4 del anexo I.

— Artículo 3 RDAG.

Véase: Sustancias peligrosas. Establecimiento de nivel superior.

ESTABLECIMIENTO DE NIVEL SUPERIOR

Un establecimiento en el que haya presentes sustancias peligrosas en cantidades iguales o superiores a las especificadas en la columna 3 de la parte 1 o de la parte 2 del anexo I. Todo ello empleando, cuando sea aplicable, la regla de la suma de la nota 4 del anexo I.

— Artículo 3 RDAG.

Véase: Sustancia peligrosas. Establecimiento de nivel inferior.

ESTABLECIMIENTO VECINO

Un establecimiento cuya cercanía a otro establecimiento aumenta el riesgo o las consecuencias de un accidente grave.

— Artículo 3.9 RDAG.

Véase: Accidentes graves. Accidente mayor.

ESTABLECIMIENTO

La totalidad del emplazamiento bajo el control de un industrial en el que se encuentren sustancias peligrosas en una o varias instalaciones, incluidas las infraestructuras o actividades comunes o conexas; los establecimientos serán de nivel inferior o de nivel superior.

— Artículo 3 RDAG.

Véase: Instalación. Sustancias peligrosas. Accidentes graves. Accidente mayor.

ESTABLECIMIENTOS MILITARES

Véase: Centros militares.

ESTABLECIMIENTOS PENITENCIARIOS

Véase: Centros penitenciarios.

ESTAMPADO DE METALES

1. Es proceso de fabricación por el cual se somete un metal a una carga de compresión entre dos moldes. La carga puede ser una presión aplicada progresivamente o una percusión, para lo cual se utilizan prensas y martinetes. Los moldes, son estampas o matrices de acero, una de ellas deslizante a través de una guía (martillo o estampa superior) y la otra fija (yunque o estampa inferior).

2. Los trabajadores ocupados en las actividades económicas, y expuestos a los agentes o sustancias que a continuación se indican, pueden contraer una Enfermedad Profesional (E.P.), causada por agentes físicos:

- Trabajos de estampado, embutido, remachado y martillado de metales, donde el trabajador este expuesto a ruidos continuos y diarios de un nivel sonoro igual o superior a 80 decibelios A. (Código 2A0102).

Por ello, debe realizarse reconocimientos médicos previos y periódicos a dichos trabajadores, con la prohibición de no contratar a los calificados como no aptos para desempeñar los puestos de trabajo de que se trate.

— Artículo 243 LGSS, en relación con RDEP (Anexo I).

Véase: Metales. Embutido de metales. Remachado de metales. Martillado de metales.

ESTANQUE

1. Balsa construida para recoger el agua o cualquier otro líquido, con fines utilitarios, como proveer al riego, criar peces, almacenamiento, etc.

2. Los trabajadores ocupados en las actividades económicas, y expuestos a los agentes o sustancias que a continuación se indican, pueden contraer una Enfermedad Profesional (E.P.), causada por agentes químicos:

- Preparación de combustibles y las operaciones de mezclado, trasvasado, limpiado de estanques y cisternas, donde se utilice xileno o tolueno. (Código 1K0302).

Por ello, debe realizarse reconocimientos médicos previos y periódicos a dichos trabajadores, con la prohibición de no contratar a los calificados como no aptos para desempeñar los puestos de trabajo de que se trate.

— Artículo 243 LGSS, en relación con RDEP (Anexo I).

Véase: Cisternas. Depósitos. Estanque. Tanques.

ESTAÑO

1. Elemento químico metálico, de color y brillo plateados, que se emplea para recubrir otros metales, en el envasado de alimentos y en soldaduras, y que, aleado con el cobre, forma el bronce.

2. Los trabajadores ocupados en las actividades económicas, y expuestos a los agentes o sustancias que a continuación se indican, pueden contraer una Enfermedad Profesional (E.P.), causada por agentes químicos:

- Estañado con ayuda de aleaciones de plomo. (Código 1A0903).

Por ello, debe realizarse reconocimientos médicos previos y periódicos a dichos trabajadores, con la prohibición de no contratar a los calificados como no aptos para desempeñar los puestos de trabajo de que se trate.

— Artículo 243 LGSS, en relación con RDEP (Anexo I).

Véase: Amalgamas dentales. Soldadura y oxicorte. Cobre.

ÉSTERES

1. Compuestos orgánicos que resultan de sustituir un átomo de hidrógeno de un ácido, por un radical alcohólico. Las grasas son ésteres de la glicerina con ácidos grasos.

2. Los trabajadores expuestos a los ésteres orgánicos y sus derivados halogenados (Código 1N01), pueden contraer una Enfermedad Profesional (E.P.), causada por agentes químicos, en las actividades o trabajos que a continuación se relacionan:

- Fabricación de ésteres orgánicos. (Código 1N0101).
- Síntesis de resinas sintéticas. (Código 1N0102).

• Productos intermedios en numerosos procesos de síntesis orgánica. (Código 1N0103).

   • Industria de los papeles pintados. (Código 1N0104).

   • Fabricación de adhesivos. (Código 1N0105).

   • Industria de plásticos. Fabricación de revestimientos plásticos. (Código 1N0106).

   • Fabricación de pinturas, barnices, tintes. (Código 1N0107).

   • Fabricación de lacas de uñas y perfumes, esencias de frutas. (Código 1N0108).

   • Industrias de fabricación de cristales de seguridad. (Código 1N0109).

   • Industria farmacéutica. (Código 1N0110).

   • Imprentas. (Código 1N0111).

• Utilización como aditivos de carburantes y de aceites de motor. (Código 1N0112).

   • Aplicación de pinturas. (Código 1N0113).

   • Utilización de adhesivos. (Código 1N0114).

   • Utilización como disolventes. (Código 1N0115).

   • Utilización de decapantes. (Código 1N0116).

   • Utilización en productos de limpieza, lavandería y tintorería. (Código 1N0117).

• Imprenta, reproducción, plásticos, curtidos, textiles, resinas, protésicos dentales sellantes, cosméticos, etc. (Código 1N0118).

• Utilización del acetato de etilo en la electrodeposición de metales. (Código 1N0119).

• Utilización del acetato de isobutilo en la fabricación de periféricos de ordenadores. (Código 1N0120).

— El etil acriato se utiliza, además en:

   • Fabricación de alfombras. (Código 1N0121).

   • Industria de semiconductores. (Código 1N0122).

— El vinil acetato se utiliza, además en:

   • Industria del papel. (Código 1N0123).

   • Fabricación de plásticos de uso alimentario. (Código 1N0124).

Por ello, debe realizarse reconocimientos médicos previos y periódicos a dichos trabajadores, con la prohibición de no contratar a los calificados como no aptos para desempeñar los puestos de trabajo de que se trate.

— Artículo 243 LGSS, en relación con RDEP (Anexo I).

   Véase: Grasas. Industria del plástico. Fabricación de pinturas. Poliuretano.

ESTERILIZACIÓN

1. Hacer infecundo y estéril lo que antes no lo era. Destruir los gérmenes patógenos.

2. Los trabajadores ocupados en las actividades económicas, y expuestos a los agentes o sustancias que a continuación se indican, pueden contraer una Enfermedad Profesional (E.P.), causada por agentes químicos:

   • Utilización del formaldehído en esterilización y desinfección. (Código 1G0108).

   • Esterilización del hilo de sutura quirúrgica catgut, donde se utilice xileno o tolueno. (Código 1K0310).

• El óxido de propileno (Epóxido) se utiliza, además, como esterilizante de alimentos envasados y otros materiales. (Código 1M0105).

• El óxido de etileno (Epóxido) se utiliza, además, en la industria sanitaria y alimentaria como agente esterilizante, como fumigante de alimentos y tejidos, intermediario en síntesis química y en la síntesis de películas y fibras de poliéster. (Código 1M0107).

• Utilización de éteres como agentes de esterilización y como anestésicos. (Código 1O0113).

Por ello, debe realizarse reconocimientos médicos previos y periódicos a dichos trabajadores, con la prohibición de no contratar a los calificados como no aptos para desempeñar los puestos de trabajo de que se trate.

— Artículo 243 LGSS, en relación con RDEP (Anexo I).

Véase: Sustancias bactericidas. Desinfectantes. Glutaraldehído. Hilo de sutura. Etileno.

ESTIRENO

El estireno es un hidrocarburo aromático, un anillo de benceno con un sustituyente etileno, manufacturado por la industria química. Este compuesto molecular se conoce también como vinilbenceno, etenilbenceno, cinameno o feniletileno. Es un líquido incoloro de aroma dulce que se evapora fácilmente. A menudo contiene otros productos químicos que le dan un aroma penetrante y desagradable.

El estireno es apolar, y por tanto se disuelve en algunos líquidos orgánicos, pero no se disuelve muy fácilmente en agua.

Se producen millones de toneladas al año para fabricar productos tales como caucho, plásticos, material aislante, cañerías, partes de automóviles, envases de alimentos y revestimiento de alfombras.

Véase: Vinilbenceno.

ESTRÉS LABORAL

1. Tensión provocada por situaciones agobiantes que originan reacciones psicosomáticas o trastornos psicológicos a veces graves.

2. Desequilibrio entre la demanda y la capacidad de respuesta del trabajador, bajo circunstancias en las que el fracaso ante esa demanda posee importantes consecuencias negativas.

— Notas Técnicas de Prevención n.º 318/1993. 349, 355/1994. 438/1997. 856/2010. INSST.

3. El estrés en el trabajo es un conjunto de reacciones emocionales, cognitivas, fisiológicas y del comportamiento a ciertos aspectos adversos o nocivos del contenido, la organización o el entorno de trabajo. Es un estado que se caracteriza por altos niveles de excitación y de angustia, con la frecuente sensación de no poder hacer frente a la situación. (Comisión Europea 2000).

— Nota Técnica de Prevención n.º 703/2005. INSST.

4. La forma de interaccionar con los demás puede convertirse en una fuente considerable de estrés en la vida.

El entrenamiento asertivo permite reducir ese estrés, enseñando a defender los legítimos derechos de cada uno sin agredir ni ser agredido.

Se define asertividad como la habilidad personal que nos permite expresar sentimientos, opiniones y pensamientos, en el momento oportuno, de la forma adecuada y sin negar ni desconsiderar los derechos de los demás. Es decir, nos referimos a una forma para interactuar efectivamente en cualquier situación que permite a la persona ser directa, honesta y expresiva.

— Nota Técnica de Prevención n.º 667/2004. INSST.

5. El estrés puede influir en el embarazo.

— Nota Técnica de Prevención n.º 413/1996. INSST.

6. El estrés en el colectivo docente.

— Nota Técnica de Prevención n.º 574/2000. INSST.

7. El apoyo social como medida preventiva frente al estrés.

— Nota Técnica de Prevención n.º 439/1997. INSST.

8. El empresario está obligado a cambiar de puesto de trabajo, a un trabajador que desempeña funciones de atención al público y que sufre estrés laboral, porque padece una discapacidad auditiva que le dificulta la comprensión de la comunicación oral del puesto que desempeña.

— STSJ Cantabria 27.7.06.

9. El empresario está obligado a prevenir la aparición de posibles conductas de estrés o, una vez aparecidas, adecuar el puesto de trabajo a dichas condiciones personales del trabajador.

— STSJ Cantabria 2.11.07.

Véase: *Carga física de trabajo. Burnout. Tecnoestrés. Carga mental de trabajo. Fatiga. Rotación del puesto de trabajo. Trabajador de edad avanzada.*

ESTRÉS POR FRIO

Es la carga térmica negativa (pérdida de calor excesiva) a la que están expuestos los trabajadores y que resulta del efecto combinado de factores físicos y climáticos que afectan al intercambio de calor (condiciones ambientales, actividad física y ropa de trabajo).

Por otro lado, la sobrecarga fisiológica es la respuesta del cuerpo humano a la potencia de refrigeración ejercida por factores físicos y climáticos, que provocan una serie de mecanismos de ajuste necesarios para aumentar la generación interna de calor y disminuir su pérdida (mantenimiento temperatura interna).

— Notas Técnicas de Prevención n.º 462/1997

1036, 1037/2015. INSST.

Véase: *Aislamiento térmico. Instalaciones frigoríficas. Trabajos en cámaras frigoríficas.*

ESTRÉS TÉRMICO

El estrés térmico corresponde a la carga neta de calor a la que los trabajadores están expuestos y que resulta de la contribución combinada de las condiciones ambientales del lugar donde trabajan, la actividad física que realizan y las características de la ropa que llevan.

La sobrecarga térmica es la respuesta fisiológica del cuerpo humano al estrés térmico y corresponde al coste que le supone al cuerpo humano el ajuste necesario para mantener la temperatura interna en el rango adecuado.

— Notas Técnicas de Prevención n.º 18/1982. 322/1993. 350/1994. 922/2011. INSST.

— Norma UNE EN 27243:1995.

— Normas UNE EN ISO 7726:2002, 7933:2005, 8996:2005, 11079:2009.

Véase: Aislamiento térmico. Calor. Sobrecarga térmica. Deshidratación. Ago tamiento por calor. Síncope por calor. Golpe de calor.

ESTRUCTURAS DE HORMIGÓN

En el exterior de las obras de construcción:

• Las estructuras metálicas o de hormigón y sus elementos, los encofrados, las piezas prefabricadas pesadas o los soportes temporales y los apuntalamientos sólo se podrán montar o desmontar bajo vigilancia, control y dirección de una persona competente.

• Los encofrados, los soportes temporales y los apuntalamientos deberán proyectarse, calcularse, montarse y mantenerse de manera que puedan soportar sin riesgo las cargas a que sean sometidos.

• Deberán adoptarse las medidas necesarias para proteger a los trabajadores contra los peligros derivados de la fragilidad o inestabilidad temporal de la obra.

— Anexo IX. Parte C.11 RDSSTOC.

Véase: Encofrados. Cimbras.

ESTRUCTURAS METÁLICAS

1. En el exterior de las obras de construcción.

• Las estructuras metálicas o de hormigón y sus elementos, los encofrados, las piezas prefabricadas pesadas o los soportes temporales y los apuntalamientos sólo se podrán montar o desmontar bajo vigilancia, control y dirección de una persona competente.

• Los encofrados, los soportes temporales y los apuntalamientos deberán proyectarse, calcularse, montarse y mantenerse de manera que puedan soportar sin riesgo las cargas a que sean sometidos.

• Deberán adoptarse las medidas necesarias para proteger a los trabajadores contra los peligros derivados de la fragilidad o inestabilidad temporal de la obra:

— Anexo IV. Parte C.11 RDSSTOC.

2. Estructuras metálicas: comportamiento frente al fuego.

— Notas Técnicas de Prevención n.º 200, 201/1988. INSST.

Véase: Estructuras de hormigón.

ESTRUCTURAS PROVISIONALES DE APUNTALAMIENTO

Véase: Cimbras.

ESTUDIO BÁSICO DE SEGURIDAD Y SALUD

1. El promotor estará obligado a que en la fase de redacción del proyecto se elabore un estudio de seguridad y salud en los proyectos de obras en que se den alguno de los supuestos siguientes:

• Que el presupuesto de ejecución por contrata incluido en el proyecto sea igual o superior a 75 millones de pesetas.

• Que la duración estimada sea superior a 30 días laborables, empleándose en algún momento a más de 20 trabajadores simultáneamente.

• Que el volumen de mano de obra estimada, entendiendo por tal la suma de los días de trabajo del total de los trabajadores en la obra, sea superior a 500.

• Las obras de túneles, galerías, conducciones subterráneas y presas.

• En los proyectos de obras no incluidos en ninguno de los supuestos previstos en el apartado anterior, el promotor estará obligado a que en la fase de redacción del proyecto se elabore un estudio básico de seguridad y salud.

— Artículo 4 RDSSTOC.

2. Contenido del Estudio básico de seguridad y salud.

— Artículo 6 RDSSTOC.

Véase: Estudio de Seguridad y Salud.

ESTUDIO DE SEGURIDAD Y SALUD

1. El promotor estará obligado a que en la fase de redacción del proyecto se elabore un estudio de seguridad y salud en los proyectos de obras en que se den alguno de los supuestos siguientes:

• Que el presupuesto de ejecución por contrata incluido en el proyecto sea igual o superior a 75 millones de pesetas.

• Que la duración estimada sea superior a 30 días laborables, empleándose en algún momento a más de 20 trabajadores simultáneamente.

• Que el volumen de mano de obra estimada, entendiendo por tal la suma de los días de trabajo del total de los trabajadores en la obra, sea superior a 500.

• Las obras de túneles, galerías, conducciones subterráneas y presas.

En los proyectos de obras no incluidos en ninguno de los supuestos previstos en el apartado anterior, el promotor estará obligado a que en la fase de redacción del proyecto se elabore un estudio básico de seguridad y salud.

— Artículo 4 RDSSTOC.

2. Contenido del Estudio de seguridad y salud.

— Artículo 5 RDSSTOC.

3. En el Real Decreto 1627/1997, de 24 de octubre, por el que se establecen las disposiciones mínimas de seguridad y salud en las obras de construcción, se define proyecto como el conjunto de documentos mediante los cuales se definen y determinan las exigencias técnicas de las obras de construcción, de acuerdo con las especificaciones requeridas por la normativa técnica aplicable a cada obra. Sin embargo, no para todas las obras de construcción es legalmente exigible un proyecto. De hecho, conforme a la Guía Técnica para la evaluación y la prevención de los riesgos relativos a las obras de construcción, cabe diferenciar dos tipos de obras de construcción que se pueden ejecutar sin proyecto previo: obras en las que el proyecto no es exigible para su tramitación administrativa y obras de emergencia. A modo de orientación, en la Guía Técnica se muestran ejemplos de obras de construcción que no requieren proyecto.

El estudio de seguridad y salud (ESS) o estudio básico de seguridad y salud (EBSS), según corresponda, forma parte del proyecto de obra. Por lo tanto, en las obras que carecen de proyecto no se dispondrá de estos documentos. Asimismo, en estas obras tampoco existe obligación de elaborar un plan de seguridad y salud en el trabajo (PSST) en los términos que establece el artículo 7 del Real Decreto 1627/1997, al ser éste el documento en el que el contratista analiza, estudia, desarrolla y complementa las previsiones contenidas en el ESS/ EBSS.

— Nota Técnica de Prevención n.º 1071/2016. INSST.

Véase: Estudio básico de Seguridad y Salud.

ÉTERES

1. Líquido transparente, inflamable y volátil, de olor penetrante y sabor dulzón, obtenido al calentar a elevada temperatura una mezcla de alcohol etílico y ácido sulfúrico, y empleado en medicina como antiespasmódico y anestésico.

2. Los trabajadores expuestos a los éteres (Éteres de glicol: metil cellosolve o metoxi--etanol, etil cellosolve, etoxietanol, etc., otros éteres no comprendidos en el apartado anterior: Éter metílico, etílico, isopropílico, vinílico, dicloro-isopropílico, etc.) (Código 1O01), pueden contraer una Enfermedad Profesional (E.P.), causada por agentes químicos, en las actividades o trabajos que a continuación se relacionan:

• Disolventes y codisolventes de lacas, resinas, pigmentos, tintes, esmaltes, barnices, perfumes, aceites, acetato de celulosa y nitrato de celulosa. (Código 1O0101).

• Fabricación de semiconductores en la industria microelectrónica. (Código 1O0102).

• Constituyentes de fluidos hidráulicos, fabricación de filmes radiográficos y de celofán. (Código 1O0103).

• Utilización en la limpieza en seco. (Código 1O0104).

• Constituyentes de algunos insecticidas. (Código 1O0105).

• Utilización como aditivos de combustibles. (Código 1O0106).

• Utilización de tintes y pigmentos. (Código 1O0107).

• Utilización como estabilizadores de emulsiones. (Código 1O0108).

• Utilización en el acabado del cuero. (Código 1O0109).

• Producción de éteres y de sus derivados halogenados. (Código 1O0110).

• Utilización en la industria química como disolventes de ceras, grasas, etc., y en la fabricación de colodium para la extracción de nicotina. (Código 1O0111).

• Industria farmacéutica. (Código 1O0112).

• Utilización como agentes de esterilización y como anestésicos. (Código 1O0113).

• Industria de fibras textiles artificiales. (Código 1O0114).

• Industria del calzado. (Código 1O0115).

• Industria de la perfumería, caucho, fotografía y materias plásticas. (Código 1O0116).

• Fabricación y utilización de disolventes y decapantes para las pinturas y barnices. (Código 1O0117).

Por ello, debe realizarse reconocimientos médicos previos y periódicos a dichos trabajadores, con la prohibición de no contratar a los calificados como no aptos para desempeñar los puestos de trabajo de que se trate.

— Artículo 243 LGSS, en relación con RDEP (Anexo I).

Véase: Anestésico. Productos anestésicos. Gases. Cera. Epóxidos. Nicotina.

ETILENO

El óxido de etileno es un gas a temperatura y presión normales, es soluble en el agua y fácilmente licuable a temperatura ambiente. Se utiliza como producto de síntesis y como agente de esterilización.

El óxido de etileno es un irritante cutáneo y de las mucosas, y el contacto directo con el producto puede producir quemaduras químicas y reacciones alérgicas.

— Notas Técnicas de Prevención n.º 157/1986. 206/1988. 287/1991. INSST.

Véase: Sustancias irritantes. Esterilización.

ETILÓMETRO

1. Aparato que mide la cantidad de alcohol en la sangre.

2. Invalidez de la prueba de alcoholemia practicada con etilómetro del que no consta en qué fecha fue objeto de la última revisión.

— SAP Cuenca 20.3.98.

Véase: Aparatos medidores. Alcoholes.

ETIQUETADO DE SUSTANCIAS PELIGROSAS

1. La etiqueta debe estar escrita al menos en la lengua española oficial del Estado y contener las indicaciones siguientes:

• Denominación o nombre comercial del preparado.

• Nombre, dirección completa y teléfono de la persona establecida en la UE responsable de la comercialización del preparado (fabricante, importador o distribuidor).

• Denominación química de la sustancia o sustancias presentes en el preparado según las condiciones indicadas en el RCEEPP. Un máximo de cuatro nombres suele ser suficiente para identificar las sustancias principalmente responsables para los peligros más graves para la salud. La confidencialidad de los nombres químicos, debe ajustarse a lo indicado en el citado Real Decreto.

• Símbolos e indicaciones de peligro. Deberán ajustarse a lo indicado en el RCEEPP. Los símbolos irán impresos en negro sobre fondo anaranjado. d) Frases de riesgo (frases R). El texto de las mismas debe ser el indicado en el RCEEPP. Normalmente un máximo de seis frases R, considerando sus combinaciones como una frase única, será suficiente. No obstante en determinados casos pueden ser necesarias más de seis frases. No será necesario incluir las frases R12 (extremadamente inflamable) y R11 (fácilmente inflamable) cuando sean una repetición de las indicaciones de peligro (F + y F).

• Consejos de prudencia (frases S). El texto debe ajustarse a lo indicado en el RCEEPP. Por regla general, un máximo de seis frases, considerando sus combinaciones, será suficiente para indicar los consejos de prudencia más apropiados, aunque en determinados casos pueden ser necesarias más de seis frases S. Las frases S se asignarán según los criterios indicados en el anexo VI del RCEEPP. En los casos en que resulte materialmente imposible incluir las frases S en la etiqueta o en el propio envase, deberán incluirse de alguna otra manera los consejos de prudencia relativos al uso del preparado.

• Cantidad nominal. En el caso de preparados vendidos u ofrecidos al público en general, debe indicarse la masa o volumen nominal del contenido.

— Notas Técnicas de Prevención n.º 137/1985. 332/1994. 649, 650, 651/2004. INSST.

2. Etiquetado sustancias infecciosas. Deberán llevar la etiqueta correspondiente al peligro de clase 6.2: Materias infecciosas.

El número de identificación de peligro es el 606: materia infecciosa. La mitad inferior de la etiqueta puede llevar las indicaciones: «Materias infecciosas» y «En caso de desperfecto o fuga, avisar inmediatamente a las autoridades sanitarias».

— Nota Técnica de Prevención n.º 628/2003. INSST.

Véase: Preparados. Sustancias. Envasado de sustancias peligrosas. Embalaje de sustancias infecciosas. Productos químicos: Etiquetado. Productos químicos: Envasado.

EVALUACIÓN DE RIESGOS

1. Es el proceso dirigido a estimar la magnitud de aquellos riesgos que no hayan podido evitarse, obteniendo la información necesaria para que el empresario esté en condiciones de tomar una decisión apropiada sobre la necesidad de adoptar medidas preventivas y, en tal caso, sobre el tipo de medidas que deben adoptarse.

— Artículo 16 LPRL.

— Artículo 3.1 RSP.

2. El empresario deberá realizar una evaluación inicial de los riesgos para la seguridad y salud de los trabajadores, teniendo en cuenta, con carácter general, la naturaleza de la actividad, las características de los puestos de trabajo existentes y de los trabajadores que deban desempeñarlos. Igual evaluación deberá hacerse con ocasión de la elección de los equipos de trabajo, de las sustancias o preparados químicos y del acondicionamiento de los lugares de trabajo. La evaluación inicial tendrá en cuenta aquellas otras actuaciones que deban desarrollarse de conformidad con lo dispuesto en la normativa sobre protección de riesgos específicos y actividades de especial peligrosidad. La evaluación será actualizada cuando cambien las condiciones de trabajo y, en todo caso, se someterá a consideración y se revisará, si fuera necesario, con ocasión de los daños para la salud que se hayan producido.

Cuando el resultado de la evaluación lo hiciera necesario, el empresario realizará controles periódicos de las condiciones de trabajo y de la actividad de los trabajadores en la prestación de sus servicios, para detectar situaciones potencialmente peligrosas.

— Artículo 16.2.a LPRL.

3. Si los resultados de la Evaluación de Riesgos pusieran de manifiesto situaciones de riesgo, el empresario realizará aquellas actividades preventivas necesarias para eliminar o reducir y controlar tales riesgos. Dichas actividades serán objeto de Planificación por el empresario, incluyendo para cada actividad preventiva el plazo para llevarla a cabo, la designación de responsables y los recursos humanos y materiales necesarios para su ejecución.

El Plan de Prevención, la Evaluación de Riesgos y la Planificación, puede realizarse de forma simplificada en atención al número de trabajadores y a la naturaleza y peligrosidad de las actividades desempeñadas.

— Artículo 16.2.b LPRL.

— Artículo 3.1 RSP.

— Notas Técnicas de Prevención n.º 449, 450, 451/1997. INSST.

4. Debe realizarse una nueva Evaluación de Riesgos cuando:

• Cambien las condiciones de trabajo, esto es, cuando cambien los equipos de trabajo, sustancias o preparados químicos, la introducción de nuevas tecnologías o la modificación en el acondicionamiento de los lugares de trabajo.

— Artículo 16.2.a LPRL.

— Artículo 4.2 RSP.

• Se hayan producido daños para los trabajadores.

— Artículo 16.2.a LPRL.

• Por la incorporación de un trabajador cuyas características personales o estado biológico conocido lo hagan especialmente sensible a las condiciones del puesto.

— Artículo 25 LPRL.

— Artículo 4.2.c RSP.

5. Evaluación de riesgos por agentes químicos.

— Notas Técnicas de Prevención n.º 548/2000. 749, 750/2006. INSST.

6. Evaluación de las condiciones de trabajo.

— Notas Técnicas de Prevención n.º 176, 182/1986. 210/1988. 451/1997. 626, 627/2003. INSST.

7. Evaluación de la gestión de calidad.

— Notas Técnicas de Prevención n.º 496, 497, 298/1998. INSST.

8. Sistema simplificado de evaluación de riesgos de accidente.

— Nota Técnica de Prevención n.º 330/1993. INSST.

9. Discrepancias en la valoración de un riesgo, si puede ser considerado leve, grave o muy grave.

— Notas Técnicas de Prevención n.º 410/1996. 578/2001. INSST.

10. Evaluación de análisis de riesgos. Análisis probabilístico de riesgos: Metodología del «Árbol de fallos y errores».

— Nota Técnica de Prevención n.º 333/1994. INSST.

11. Evaluación del riesgo de incendio. Método de Gustav Purt.

— Nota Técnica de Prevención n.º 100/1984. INSST.

12. No llevar a cabo las evaluaciones de riesgos y, en su caso, sus actualizaciones y revisiones, así como los controles periódicos de las condiciones de trabajo y de la actividad de los trabajadores que procedan, o no realizar aquellas actividades de prevención que hicieran necesarias los resultados de las evaluaciones, con el alcance y contenido establecidos en la normativa sobre prevención de riesgos laborales, constituye una infracción grave en materia de prevención de riesgos laborales que lleva aparejada una sanción económica de 2.046 euros y 40.985 euros.

— Artículos 12.1.b y 40.2.b LISOS.

13. No registrar y archivar los datos obtenidos en las evaluaciones, controles, reconocimientos, investigaciones o informes a que se refieren los artículos 16, 22 y 23 de la LPRL, constituye una infracción grave en materia de prevención de riesgos laborales que lleva aparejada una sanción económica de 2.046 euros y 40.985 euros.

— Artículos 12.4 y 40.2.b LISOS.

14. Procede la imposición del recargo en las prestaciones económicas de la Seguridad Social:

• Por la falta de la adecuada evaluación de riesgos, previa a la estiba del buque, de las circunstancias específicas que concurrían en los cometidos a realizar, que correspondía a la empresa estibadora, y no al capitán del buque.

— STSJ Valencia 24.4.09.

• Falta de evaluación de riesgos como desencadenante del accidente a pesar de tener el manual de gestión de seguridad y contaminación a bordo del barco pesquero.

— STSJ Galicia 27.12.04.

Véase: Niveles de cualificación. Métodos para realizar mediciones. Recogida de muestras. Fabricantes. Importadores. Fichas de datos de seguridad. Instalaciones: Mantenimiento. Plan de Prevención. Planificación de la actividad preventiva. Plan de Seguridad y Salud. Gestión de la prevención.

EXÁMENES PRENATALES Y TÉCNICAS DE PREPARACIÓN AL PARTO

La trabajadora, previo aviso y justificación, podrá ausentarse del trabajo, con derecho a remuneración, por el tiempo indispensable para la realización de exámenes prenatales y técnicas de preparación al parto y, en los casos de adopción, guarda con fines de adopción o acogimiento, para la asistencia a las preceptivas sesiones de información y preparación y para la realización de los preceptivos informes psicológicos y sociales previos a la declaración de idoneidad, siempre, en todos los casos, que deban tener lugar dentro de la jornada de trabajo.

— Artículo 37.3.f LET.

— Artículo 26.5 LPRL.

Véase: Agentes teratógenos. Mujeres embarazadas. Riesgo durante el embarazo. Tóxicos para la reproducción. Trabajadora embarazada. Trabajadora y fertilidad. Sustancias tóxicas para la reproducción.

EXCAVACIONES

1. Hacer en el terreno hoyos, zanjas, desmontes, pozos o galerías subterráneas.

2. Los trabajadores ocupados en las actividades económicas, y expuestos a los agentes o sustancias que a continuación se indican, pueden contraer una Enfermedad Profesional (E.P.), causada por agentes químicos:

• Excavaciones, donde se utilice ácido sulfhídrico. (Código 1D0305).

Por ello, debe realizarse reconocimientos médicos previos y periódicos a dichos trabajadores, con la prohibición de no contratar a los calificados como no aptos para desempeñar los puestos de trabajo de que se trate.

— Artículo 243 LGSS, en relación con RDEP (Anexo I).

Véase: Excavadoras. Retroexcavadora. Carretillas elevadoras automotoras. Dumper. Palas cargadoras. Trabajos con palas mecánicas. Sepultamiento. Construcción. Obras públicas.

EXCAVADORAS

1. Máquinas para excavar, para hacer en el terreno hoyos, zanjas, desmontes, pozos o galerías subterráneas.

2. Los trabajadores ocupados en las actividades económicas, y expuestos a los agentes o sustancias que a continuación se indican, pueden contraer una Enfermedad Profesional (E.P.), causada por agentes físicos:

• Trabajos de obras públicas (rutas, construcciones, etc.) efectuados con máquinas ruidosas como las bulldozers, excavadoras, palas mecánicas, etc., donde el trabajador este expuesto a ruidos continuos y diarios de un nivel sonoro igual o superior a 80 decibelios A. (Código 2A0110).

Por ello, debe realizarse reconocimientos médicos previos y periódicos a dichos trabajadores, con la prohibición de no contratar a los calificados como no aptos para desempeñar los puestos de trabajo de que se trate.

— Artículo 243 LGSS, en relación con RDEP (Anexo I).

Véase: Excavaciones. Retroexcavadora. Ruido. Carretillas elevadoras automotoras. Dumper. Palas cargadoras. Trabajos con palas mecánicas. Construcción. Obras públicas.

EXHUMACIÓN DE CADÁVERES

1. Desenterrar un cadáver o restos humanos.

2. Los trabajadores ocupados en las actividades económicas, y expuestos a los agentes o sustancias que a continuación se indican, pueden contraer una Enfermedad Profesional (E.P.), causada por agentes químicos:

• Trabajos de exhumación de cadáveres, donde se utilice ácido sulfhídrico. (Código 1D0302).

Por ello, debe realizarse reconocimientos médicos previos y periódicos a dichos trabajadores, con la prohibición de no contratar a los calificados como no aptos para desempeñar los puestos de trabajo de que se trate.

— Artículo 243 LGSS, en relación con RDEP (Anexo I).

Véase: Curtidos. Ácido sulfhídrico.

EXPLOSIÓN

1. Liberación súbita de energía en forma de onda de presión bien por la pérdida de contención de un recipiente y/o por la rápida generación de gases debido a una reacción química.

— Anexo. Punto 2.21 RAPQ.

2. Los trabajadores ocupados en las actividades económicas, y expuestos a los agentes o sustancias que a continuación se indican, pueden contraer una Enfermedad Profesional (E.P.), causada por agentes químicos:

- Incendios y explosiones (sobre todo en espacios cerrados, en los túneles y en las minas), por la exposición a los óxidos de carbono. (Código 1T0110).

Por ello, debe realizarse reconocimientos médicos previos y periódicos a dichos trabajadores, con la prohibición de no contratar a los calificados como no aptos para desempeñar los puestos de trabajo de que se trate.

— Artículo 243 LGSS, en relación con RDEP (Anexo I).

Véase: Detonación. Detonadores. Deflagración. Fulminantes. Industrias de explosivos. Fulminatos. Incendios.

EXPLOTACIÓN FORESTAL

La explotación forestal es una de las actividades del sector agrario, que comprende el conjunto de operaciones dirigidas principalmente a la producción de madera con diversas finalidades, como la fabricación de muebles, pasta o papel, así como a la obtención de productos no madereros, como pienso, látex o corcho.

— Nota Técnica de Prevención n.º 1020/2014. INSST.

Véase: Agricultura. Silvicultura. Jardinería.

EXPOSICIÓN A UN AGENTE QUÍMICO

Presencia de un agente químico en el lugar de trabajo que implica el contacto de éste con el trabajador, normalmente por inhalación o por vía dérmica.

— Artículo 2.2 RDSSAQ.

Véase: Productos químicos. Preparados. Agentes químicos. Agentes químicos peligrosos. Riesgos químicos. Sustancias químicas. Industria química. Productos químicos: Etiquetado. Productos químicos: Envasado. Sustancias peligrosas. Presencia de sustancias peligrosas. Fichas de datos de seguridad. Ropa de trabajo contra riesgos químicos.

EXPOSICIÓN AGUDA

Es aquella exposición de corta duración, pudiendo oscilar entre unos minutos y varias horas, sin sobrepasar habitualmente una jornada laboral y se considera que siempre es inferior a las 24 horas. En general, se trata de exposiciones a concentraciones relativamente elevadas o muy elevadas. La cantidad total de agente que entra en contacto con el organismo en el período de exposición es la llamada dosis externa, y cuanto mayor es más fácil resulta el paso de una cantidad importante del mismo a través de las barreras estructurales y fisiológicas que separan el organismo del medio externo que le rodea, para ser distribuida por todos los tejidos y órganos.

— Notas Técnicas de Prevención n.º 721, 722, 723, 724, 725/2006. INSST.

Véase: Exposición crónica.

EXPOSICIÓN CRÓNICA

Es aquella exposición de larga duración que va desde los tres meses a varios años, o incluso toda la vida.

— Notas Técnicas de Prevención n.º 721, 722, 723, 724, 725/2006. INSST.

Véase: Exposición aguda.

EXPOSICIÓN RADIANTE

La irradiancia integrada con respecto al tiempo, expresada en julios por metro cuadrado (J/m^2).

— Artículo 2.g RDSSLT.

EXTINCIÓN DE INCENDIOS

En la organización de un plan de prevención y protección contra incendios en un centro de trabajo se debe tener en cuenta que es tan importante la elección de los equipos de protección más adecuados, como un buen programa de mantenimiento con las revisiones necesarias, además obviamente, de la adecuada formación teórico-práctica del personal.

— Notas Técnicas de Prevención n.º 368/1995. 680/2004. INSST.

Véase: Incendios. Dispositivos de lucha contra incendios. Detectores de incendios. Detectores de humos. Sistemas de alarma.

EXTINCIÓN DE LA RELACIÓN LABORAL

1. El contrato de trabajo podrá extinguirse por voluntad del trabajador, con derecho al percibo de las indemnizaciones señaladas para el despido improcedente, por la modificación sustancial en las condiciones de trabajo de no garantizar su seguridad y salud, derecho reconocido en el artículo 14.2 de la LPRL.

— Artículos 49.1.j y 50 LET.

2. Se ha considerado causa justa para solicitar la extinción del contrato de trabajo:

• El acoso sexual sufrido por una trabajadora por parte del director-gerente, que le causó un trastorno depresivo. Adicionalmente se fija una indemnización por daños y perjuicios de 6.000 euros.

— STSJ Madrid 13.6.07.

Véase: Deber de protección.

EXTINTORES

1. El extintor de incendio es un equipo que contiene un agente extintor, que puede proyectarse y dirigirse sobre un fuego, por la acción de una presión interna. Esta presión puede producirse por una compresión previa permanente o mediante la liberación de un gas auxiliar. En función de la carga, los extintores se clasifican de la siguiente forma:

• Extintor portátil: Diseñado para que puedan ser llevados y utilizados a mano, teniendo en condiciones de funcionamiento una masa igual o inferior a 20 kg.

• Extintor móvil: Diseñado para ser transportado y accionado a mano, está montado sobre ruedas y tiene una masa total de más de 20 kg.

— Anexo I. Sección 1ª.4.1 RIPI.

2. El emplazamiento de los extintores permitirá que sean fácilmente visibles y accesibles, estarán situados próximos a los puntos donde se estime mayor probabilidad de iniciarse el incendio, a ser posible, próximos a las salidas de evacuación y, preferentemente, sobre soportes fijados a paramentos verticales, de modo que la parte superior del extintor quede situada entre 80 cm y 120 cm sobre el suelo. Su distribución será tal que el recorrido máximo horizontal, desde cualquier punto del sector de incendio, que deba ser considerado origen de evacuación, hasta el extintor, no supere 15 m.

— Anexo I. Sección 1ª. 4.4 RIPI.

3. Los dispositivos no automáticos de lucha contra los incendios deberán ser de fácil acceso y manipulación. Dichos dispositivos deberán señalizarse conforme a lo dispuesto en el Real Decreto 485/1997, de 14 de abril, sobre disposiciones mínimas de señalización de seguridad y salud en el trabajo. Dicha señalización deberá fijarse en los lugares adecuados y ser duradera.

— Anexo I. Parte A.11 RDSSLT.

4. El tipo de extintor de incendios más usual es el extintor de presión permanente, que a su vez se presenta en tres modalidades.

La primera corresponde a aquellos en que el agente extintor proporciona su propia presión de impulsión, tal como los de anhídrido carbónico. La segunda está formada por aquellos en que el agente extintor se encuentra en fase líquida y gaseosa, tal como los hidrocarburos halogenados, y cuya presión de impulsión se consigue mediante su propia tensión de vapor con ayuda de otro gas propelente, tal como nitrógeno, añadido en el recipiente durante la fabricación o recarga del extintor. La última modalidad es la de aquellos en que el agente extintor es líquido o sólido pulverulento, cuya presión de impulsión se consigue con ayuda de un gas propelente, inerte, tal como el nitrógeno o el anhídrido carbónico, añadido en el recipiente durante la fabricación o recarga del extintor. Debe seleccionarse el agente extintor (agua, polvo, espuma) en virtud de la clase de fuego a extinguir (sólidos, líquidos, gases).

— Notas Técnicas de Prevención n.º 28/1982. 536/1999. INSST.

5. Mantenimiento de los extintores. Operaciones a realizar por el personal especializado del fabricante o por el personal de la empresa mantenedora:

• Cada año: Realizar las operaciones de mantenimiento según lo establecido en el «Programa de Mantenimiento Anual» de la norma UNE 23120. En extintores móviles, se comprobará, adicionalmente, el buen estado del sistema de traslado.

• Cada cinco años: Realizar una prueba de nivel C (timbrado), de acuerdo a lo establecido en el anexo III, del Reglamento de Equipos a Presión, aprobado por Real Decreto 2060/2008, de 12 de diciembre,

A partir de la fecha de timbrado del extintor (y por tres veces) se procederá al retimbrado del mismo de acuerdo a lo establecido en el anexo III del Reglamento de Equipos a Presión.

—Anexo II. Sección 1ª. Tabla II RIPI.

6. Los trabajadores ocupados en las actividades económicas, y expuestos a los agentes o sustancias que a continuación se indican, pueden contraer una Enfermedad Profesional (E.P.), causada por agentes químicos:

• <u>Reparación y relleno de aparatos extintores de incendio. donde se utilicen derivados halogenados.</u> (Código 1H0207).

Por ello, debe realizarse reconocimientos médicos previos y periódicos a dichos trabajadores, con la prohibición de no contratar a los calificados como no aptos para desempeñar los puestos de trabajo de que se trate.

— Artículo 243 LGSS, en relación con RDEP (Anexo I).

Véase: Incendios. Dispositivos de lucha contra incendios. Detectores de incendios. Sistemas de alarma. Detectores de humos. Fuego clase: A, B, C, D, E. Radiaciones térmicas. Carga de fuego ponderada. Equipos contra incendios. Sustancias combustibles. Presión. Gas.

F

FABRICACIÓN DE ADHESIVOS

1. Sustancia que, interpuesta entre dos cuerpos o fragmentos, sirve para pegarlos.

2. Los trabajadores ocupados en las actividades económicas, y expuestos a los agentes o sustancias que a continuación se indican, pueden contraer una Enfermedad Profesional (E.P.), causada por agentes químicos:

- Fabricación y utilización de adhesivos y resinas, donde se utilicen ácidos orgánicos. (Código 1E0112).

Por ello, debe realizarse reconocimientos médicos previos y periódicos a dichos trabajadores, con la prohibición de no contratar a los calificados como no aptos para desempeñar los puestos de trabajo de que se trate.

— Artículo 243 LGSS, en relación con RDEP (Anexo I).

Véase: Adhesivos. Isocianatos. Colas. Sustancias adhesivas. Pegamento. Colas. Gomas. Gutapercha. Colofonía.

FABRICACIÓN DE ALUMINIO

1. Elemento químico metálico, de color similar al de la plata, ligero, resistente y dúctil, que tiene diversas aplicaciones industriales.

2. Los trabajadores ocupados en las actividades económicas, y expuestos a los agentes o sustancias que a continuación se indican, pueden contraer una Enfermedad Profesional (E.P.), causada por agentes químicos:

- Preparación de pentóxidos de vanadio usado, entre otros fines, en la producción de minerales de aluminio. (Código 1A1104).
- Fabricación del aluminio, donde se utilice flúor y sus compuestos. (Código 1C0302).

Por ello, debe realizarse reconocimientos médicos previos y periódicos a dichos trabajadores, con la prohibición de no contratar a los calificados como no aptos para desempeñar los puestos de trabajo de que se trate.

— Artículo 243 LGSS, en relación con RDEP (Anexo I).

Véase: Aluminio.

FABRICACIÓN DE APARATOS DE RADIOTERAPIA

1. Fabricación de aparatos destinados al tratamiento de la enfermedad del cáncer mediante radiaciones.

2. Los trabajadores ocupados en las actividades económicas, y expuestos a los agentes o sustancias que a continuación se indican, pueden contraer una Enfermedad Profesional (E.P.), causada por agentes físicos:

- Fabricación de aparatos de rayos X y de radioterapia, que pueden producir una E.P. provocada por radiaciones ionizantes. (Código 2I0102).

Por ello, debe realizarse reconocimientos médicos previos y periódicos a dichos trabajadores, con la prohibición de no contratar a los calificados como no aptos para desempeñar los puestos de trabajo de que se trate.

— Artículo 243 LGSS, en relación con RDEP (Anexo I).

Véase: Radioterapia. Clínicas de radioterapia. Radiaciones. Radiaciones ionizantes. E.P. por radiaciones ionizantes. Dosímetros de radiación. Trabajos con exposición a rayos X. Fabricación de aparatos de Rayos X.

FABRICACIÓN DE APARATOS DE RAYOS X

1. Los rayos X constituyen una radiación electromagnética ionizante, capaz de atravesar cuerpos opacos y de imprimir las películas fotográficas. La exposición a cantidades altas de rayos X, puede producir daños para la salud como quemaduras, caída del cabello, esterilidad, cataratas, etc.

2. Los trabajadores ocupados en las actividades económicas, y expuestos a los agentes o sustancias que a continuación se indican, pueden contraer una Enfermedad Profesional (E.P.), causada por agentes físicos:

• Fabricación de aparatos de rayos X y de radioterapia, que pueden producir una E.P. provocada por radiaciones ionizantes. (Código 2I0102).

Por ello, debe realizarse reconocimientos médicos previos y periódicos a dichos trabajadores, con la prohibición de no contratar a los calificados como no aptos para desempeñar los puestos de trabajo de que se trate.

— Artículo 243 LGSS, en relación con RDEP (Anexo I).

Véase: Rayos X. Radiaciones. Radiaciones ionizantes. E.P. por radiaciones ionizantes. Dosímetros de radiación. Trabajos con exposición a rayos X. Fabricación de aparatos de radioterapia.

FABRICACIÓN DE HIELO

1. Agua convertida en cuerpo sólido y cristalino por un descenso suficiente de temperatura.

2. Los trabajadores ocupados en las actividades económicas, y expuestos a los agentes o sustancias que a continuación se indican, pueden contraer una Enfermedad Profesional (E.P.), causada por agentes químicos:

• Fabricación de hielo artificial, utilizando amoniaco como refrigerante. (Código 1J0103).

Por ello, debe realizarse reconocimientos médicos previos y periódicos a dichos trabajadores, con la prohibición de no contratar a los calificados como no aptos para desempeñar los puestos de trabajo de que se trate.

— Artículo 243 LGSS, en relación con RDEP (Anexo I).

Véase: Agua potable. Agua: Tratamiento. Amoniaco.

FABRICACIÓN DE JOYAS

1. Adorno de oro, plata o platino, con perlas o piedras preciosas o sin ellas.

2. Los trabajadores ocupados en las actividades económicas, y expuestos a los agentes o sustancias que a continuación se indican, pueden contraer una Enfermedad Profesional (E.P.):

a) Causada por agentes químicos:

• Fabricación de joyas, donde se utilice cadmio y sus compuestos. (Código 1A0318).

• Talla de diamantes donde se usen «gotas» de plomo. (Código 1A0915).

• Fabricación de joyas, industria farmacéutica y ciertos procedimientos de impresión, donde se utilice ácido nítrico. (Código 1D0107).

• Fabricación de joyas, donde se utilice ácido cianhídrico. (Código 1D0404).

• Fabricación de joyas, industria farmacéutica y ciertos procedimientos de impresión, donde se utilice ácido nítrico. (Código 1D0915).

b) Causada por inhalación de sustancias y agentes no comprendidos en otros apartados:

• Industria de perfumes y productos de belleza, fábricas de jabones y en joyería, donde se utilicen polvos de talco o de caolín, que pueden producir las E.P. de talcosis (Código 4D0111), silicocaolinosis (Código 4D0211) o caolinosis y otras silicatosis (Código 4D0311), provocadas por la inhalación de polvos de talco o de caolín.

• Trabajos de joyería, donde los trabajadores estén expuestos a sustancias de bajo peso molecular (metales, polvos de maderas, sustancias químicas, etc.), que pueden provocar alguna de las siguientes E.P: rinoconjuntivitis (Código 4I0128), urticaria (Código 4I0228), angiodemas (Código 4I0228), asma (Código 4I0328), alveolitis alérgica extrínseca (Código 4I0428), síndrome de disfunción de la vía reactiva (Código 4I0528), fibrosis intersticial difusa (Código 4I0628), fiebre de los metales (Código 4I0728), y neumopatía intersticial difusa (Código 4I0828).

c) E.P. de la piel, causada por sustancias y agentes no comprendidos en alguno de los otros apartados:

• Trabajos de joyería, donde los trabajadores estén expuestos a sustancias de bajo peso molecular (metales, polvos de maderas, sustancias químicas, etc.), que pueden provocar una E.P. de la piel, causada por sustancias de bajo peso molecular. (Código 5A0127).

d) Causada por agentes cancerígenos:

• Fabricación de joyas, que contengan cadmio, que puede provocar la E.P. de neoplasia maligna de bronquio, pulmón y próstata. (Código 6G0118).

• Fabricación de joyas, donde se utilice ácido cianhídrico, que puede provocar una E.P. cancerígena. (Código 6Q0104).

Por ello, debe realizarse reconocimientos médicos previos y periódicos a dichos trabajadores, con la prohibición de no contratar a los calificados como no aptos para desempeñar los puestos de trabajo de que se trate.

— Artículo 243 LGSS, en relación con RDEP (Anexo I).

Véase: Platino. Cadmio. Ácido cianhídrico.

FABRICACIÓN DE PIGMENTOS

1. Materia colorante que se usa en la pintura. Sustancia colorante que, disuelta o en forma de gránulos, se encuentra en el citoplasma de muchas células vegetales y animales.

2. Los trabajadores ocupados en las actividades económicas, y expuestos a los agentes o sustancias que a continuación se indican, pueden contraer una Enfermedad Profesional (E.P.):

a) Causada por agentes químicos:

• Fabricación de pigmentos cadmíferos para pinturas, esmaltes, materias plásticas, papel, caucho, pirotecnia, donde se utilice cadmio y sus compuestos. (Código 1A0303).

• Fabricación y empleo de pigmentos, colorantes y pinturas a base de compuestos de cromo. (Código 1A0402).

• Fabricación y empleo de pigmentos y pinturas anticorrosivas a base de cinabrio (mercurio). (Código 1A0713).

• Utilización del talio y sus compuestos en la industria farmacéutica, industria del vidrio, en la fabricación de colorantes y pigmentos y en la pirotecnia. (Código 1A1004).

• Fabricación de explosivos y de pigmentos para la industria del caucho (trisulfuro de antimonio), donde se utilice antimonio. (Código 1B0107).

• Fabricación de colorantes, pigmentos plásticos y fibras sintéticas, donde se utilice ácido cianhídrico. (Código 1D0412).

• Fabricación de pigmentos, donde se utilicen fenoles. (Código 1F0211).

• Producción de colorantes, pigmentos, tintes, donde se utilice nitroderivados de los hidrocarburos aromáticos. (Código 1K0602).

• Disolventes y codisolventes de lacas, resinas, pigmentos, tintes, esmaltes, barnices, perfumes, aceites, acetato de celulosa y nitrato de celulosa, que contengan éteres. (Código 1O0101).

• Utilización de éteres en tintes y pigmentos. (Código 1O0107).

• Utilización de glicoles en la industria química como productos intermedios en numerosas síntesis orgánicas, como disolventes de lacas, resinas, barnices celulósicos de secado rápido, de ciertas pinturas, pigmentos, nitrocelulosa y acetatos de celulosa, tintes y plásticos. (Código 1P0102).

b) Causada por inhalación de sustancias y agentes no comprendidos en otros apartados:

• Aplicación de pinturas, pigmentos etc., mediante aerografía, donde los trabajadores estén expuestos a sustancias de alto peso molecular (de origen vegetal o animal), que pueden provocar alguna de las siguientes E.P: rinoconjuntivitis (Código 4H0131), asma (Código 4H0231), alveolitis alérgica extrínseca (Código 4H0331), síndrome de disfunción reactivo de la vía aérea (Código 4H0431), fibrosis intersticial difusa (Código 4H0531), bisinosis, cannabiosis, linnosis, bagazosis, estipatosis, suberosis (Código 4H0631) y neumopatía intersticial difusa (Código 4H0731).

• Aplicación de pinturas, pigmentos etc., mediante aerografía, donde los trabajadores estén expuestos a sustancias de bajo peso molecular (metales, sustancias químicas, etc.), que pueden provocar alguna de las siguientes E.P: rinoconjuntivitis (Código 4I0133), urticaria (Código 4I0233), angiodemas (Código 4I0233), asma (Código 4I0333), alveolitis alérgica extrínseca (Código 4I0433), síndrome de disfunción de la vía reactiva (Código 4I0533), fibrosis intersticial difusa (Código 4I0633) fiebre de los metales (Código 4I0733), y neumopatía intersticial difusa (Código 4I0833).

• Fabricación de explosivos y de pigmentos para la industria del caucho (trisulfuro de antimonio), donde se utilice antimonio. (Código 4J0107).

c) E.P. de la piel, causada por inhalación de sustancias y agentes no comprendidos en otros apartados:

• Aplicación de pinturas, pigmentos etc., mediante aerografía, donde los trabajadores estén expuestos a sustancias de bajo peso molecular (metales, sustancias químicas, etc.), que pueden provocar una E.P. de la piel, causada por sustancias de bajo peso molecular (Código 5A0132).

d) Causada por agentes cancerígenos:

• Fabricación de pigmentos cadmíferos para pinturas, esmaltes, materias plásticas, papel, caucho, pirotecnia, que puede provocar la E.P. de neoplasia maligna de bronquio, pulmón y próstata. (Código 6G0103).

• Fabricación y empleo de pigmentos, colorantes y pinturas a base de compuestos de cromo, que puede provocar la E.P. de neoplasia maligna de cavidad nasal. (Código 6I0102).

• Fabricación y empleo de pigmentos, colorantes y pinturas a base de compuestos de cromo, que puede provocar la E.P. de neoplasia de bronquio y pulmón. (Código 6I0202).

• Fabricación de pigmentos, deshollinado de chimeneas, pavimentación de carreteras, aislamientos, donde se utilicen hidrocarburos aromáticos, que pueden provocar la E.P. de lesiones premalignas de piel (Código 6J0101), y/o E.P. de carcinoma de células escamosas (Código 6J0201).

• Producción de colorantes, pigmentos, tintes, donde se utilice nitrobenceno, que puede provocar la E.P. de linfoma. (Código 6P0102).

• Fabricación de colorantes, pigmentos plásticos y fibras sintéticas, donde se utilice ácido cianhídrico, que puede provocar una E.P. cancerígena. (Código 6Q0112).

Por ello, debe realizarse reconocimientos médicos previos y periódicos a dichos trabajadores, con la prohibición de no contratar a los calificados como no aptos para desempeñar los puestos de trabajo de que se trate.

— Artículo 243 LGSS, en relación con RDEP (Anexo I).

Véase: Fabricación de pinturas. Colorantes. Barnices. Esmaltes. Lacas. Aerografía.

FABRICACIÓN DE PINTURAS

1. La pintura es un producto fluido que, aplicado sobre una superficie en capas relativamente delgadas, se transforma al cabo de un tiempo en una capa sólida que se adhiere a dicha superficie, de tal forma que recubre, protege y decora el elemento sobre el que se ha aplicado.

2. Los trabajadores ocupados en las actividades económicas, y expuestos a los agentes o sustancias que a continuación se indican, pueden contraer una Enfermedad Profesional (E.P.):

a) Causada por agentes químicos:

• Fabricación y empleo de colorantes y pinturas que contengan compuestos de arsénico. (Código 1A0104).

• Fabricación de pigmentos cadmíferos para pinturas, esmaltes, materias plásticas, papel, caucho, pirotecnia, donde se utilice cadmio y sus compuestos. (Código 1A0303).

• Aplicación por proyección de pinturas y barnices que contengan cadmio. (Código 1A0313).

• Fabricación y empleo de pigmentos, colorantes y pinturas a base de compuestos de cromo. (Código 1A0402).

• Aplicación por proyección de pinturas y barnices que contengan cromo. (Código 1A0404).

• Fabricación y empleo de pigmentos y pinturas anticorrosivas a base de cinabrio (mercurio). (Código 1A0713).

• Aplicación por proyección de pinturas y barnices que contengan níquel. (Código 1A0813).

• Fabricación y aplicación de pinturas, lacas, barnices o tintas a base de compuestos de plomo. (Código 1A0910).

• Fabricación de pinturas, barnices, cristal, cerámica (pentóxido de antimonio), donde se utilice antimonio. (Códigos 1B0106).

• Disolvente de barnices y pinturas, donde se utilice ácido acético. (Código 1E0121).

• Fabricación y utilización de disolventes o diluyentes para los colorantes, pinturas, lacas, barnices, resinas naturales y sintéticos, desengrasantes y quitamanchas, donde se utilice alcohol. (Código 1F0104).

• Fabricación y utilización de pinturas, disolventes, decapantes, barnices, látex, etc., donde se utilicen derivados halogenados. (Código 1H0206).

• Utilización del amoniaco como decapante en pintura. (Código 1J0105).

• Operaciones de disolución de resinas naturales o sintéticas para la preparación de colas, adhesivos, lacas, barnices, esmaltes, masillas, tintas, diluyentes de pinturas y productos de limpieza, donde se utilice xileno o tolueno. (Código 1K0303).

• Empleo de barnices, pinturas, esmaltes, adhesivos, lacas y masillas, que contengan cetonas. (Código 1L0111).

• La epiclorhidrina (Epóxido) se utiliza además, como insecticida, fumigante y disolvente de pinturas, barnices, esmaltes y lacas. Producción de resinas de alta resistencia a la humedad en la industria papelera. (Código 1M0106).

• Fabricación de pinturas, barnices, tintes, donde se utilicen ésteres orgánicos. (Código 1N0107).

• Aplicación de pinturas, donde se utilicen ésteres orgánicos. (Código 1N0113).

• Fabricación y utilización de disolventes y decapantes para las pinturas y barnices, donde se utilicen éteres. (Código 1O0117).

• Utilización de glicoles en la industria química como productos intermedios en numerosas síntesis orgánicas, como disolventes de lacas, resinas, barnices celulósicos de secado rápido, de ciertas pinturas, pigmentos, nitrocelulosa y acetatos de celulosa, tintes y plásticos. (Código 1P0102).

• Elaboración y utilización de adhesivos y pinturas que contienen poliuretano, donde se utilicen isocianatos. (Código 1Q0104).

• Utilización de policlorobifenilos (PCBs) (organoclorados) como constituyente de fluidos dieléctricos en condensadores y transformadores, fluidos hidráulicos, aceites lubricantes, plaguicidas o aditivos en plastificantes y pinturas, etc. (Código 1S0201).

b) Causada por agentes físicos:

• Fabricación y aplicación de productos luminosos con sustancias radiactivas en pinturas de esferas de relojería, que pueden producir una E.P. provocada por radiaciones ionizantes. (Código 2I0105).

c) Causada por inhalación de sustancias y agentes no comprendidos en otros apartados:

• Fabricación de pinturas, plásticos y gomas, donde se utilice polvo de sílice, que puede provocar la E.P. de silicosis. (Código 4A0114).

• Fabricación de tintes y pinturas, donde se utilicen polvos de talco o de caolín, que pueden producir las E.P. de talcosis (Código 4D0109), silicocaolinosis (Código 4D0209) o caolinosis y otras silicatosis (Código 4D0309), provocadas por la inhalación de polvos de talco o de caolín.

• Aplicación de pinturas, pigmentos etc., mediante aerografía, donde los trabajadores estén expuestos a sustancias de alto peso molecular (de origen vegetal o animal), que pueden provocar alguna de las siguientes E.P: rinoconjuntivitis (Código 4H0131), asma (Código 4H0231), alveolitis alérgica extrínseca (Código 4H0331), síndrome de disfunción reactivo de la vía aérea (Código 4H0431), fibrosis intersticial difusa (Código 4H0531), bisinosis, cannabiosis, linnosis, bagazosis, estipatosis, suberosis (Código 4H0631) y neumopatía intersticial difusa (Código 4H0731).

• Fabricación y aplicación de lacas, pinturas, colorantes, adhesivos, barnices, esmaltes, donde los trabajadores estén expuestos a sustancias de bajo peso molecular (metales, polvos de maderas, sustancias químicas, etc.), que pueden provocar alguna de las siguientes E.P: rinoconjuntivitis (Código 4I0109), urticaria (Código 4I0209), angiodemas (Código 4I0209), asma (Código 4I0309), alveolitis alérgica extrínseca (Código 4I0409), síndrome de disfunción de la vía reactiva (Código 4I0509), fibrosis intersticial difusa (Código 4I0609), fiebre de los metales (Código 4I0709), y neumopatía intersticial difusa (Código 4I0809).

• Aplicación de pinturas, pigmentos etc., mediante aerografía, donde los trabajadores estén expuestos a sustancias de bajo peso molecular (metales, sustancias químicas, etc.), que pueden provocar alguna de las siguientes E.P: rinoconjuntivitis (Código 4I0133), urticaria (Código 4I0233), angiodemas (Código 4I0233), asma (Código 4I0333), alveolitis alérgica extrínseca (Código 4I0433), síndrome de disfunción de la vía reactiva (Código 4I0533), fibrosis intersticial difusa (Código

4I0633) fiebre de los metales (Código 4I0733), y neumopatía intersticial difusa (Código 4I0833).

• Fabricación de pinturas, barnices, cristal, cerámica (pentóxido de antimonio), donde se utilice antimonio, que pueden provocar una E.P., causada por la inhalación de polvos, humos y vapores de antimonio. (Código 4J0106).

d) E.P. de la piel, causada por sustancias y agentes no comprendidos en alguno de los otros apartados:

• Fabricación y aplicación de lacas, pinturas, colorantes, adhesivos, barnices, esmaltes, donde los trabajadores estén expuestos a sustancias de bajo peso molecular (metales, polvos de maderas, sustancias químicas, etc.), que pueden provocar una E.P. de la piel, causada por sustancias de bajo peso molecular (Código 5A0109).

• Aplicación de pinturas, pigmentos etc., mediante aerografía, donde los trabajadores estén expuestos a sustancias de bajo peso molecular (metales, sustancias químicas, etc.), que pueden provocar una E.P. de la piel, causada por sustancias de bajo peso molecular (Código 5A0132).

e) Causada por agentes cancerígenos:

• Fabricación de pigmentos cadmíferos para pinturas, esmaltes, materias plásticas, papel, caucho, pirotecnia, que puede provocar la E.P. de neoplasia maligna de bronquio, pulmón y próstata. (Código 6G0103).

• Fabricación y empleo de pigmentos, colorantes y pinturas a base de compuestos de cromo, que puede provocar la E.P. de neoplasia maligna de cavidad nasal. (Código 6I0102).

• Fabricación y empleo de pigmentos, colorantes y pinturas a base de compuestos de cromo, que puede provocar la E.P. de neoplasia de bronquio y pulmón. (Código 6I0202).

• Aplicación por proyección de pinturas y barnices que contengan cromo o níquel, que puede provocar la E.P. de neoplasia de bronquio y pulmón. (Códigos 6I0204, 6K0312).

• Fabricación y aplicación de productos luminosos con sustancias radiactivas en pinturas de esferas de relojería, que pueden provocar la E.P. de síndrome linfo y mieloproliferativo. (Código 6N0105).

• Fabricación y aplicación de productos luminosos con sustancias radiactivas en pinturas de esferas de relojería, que puede provocar la E.P. de carcinoma epidermoide de piel. (Código 6N0205).

Por ello, debe realizarse reconocimientos médicos previos y periódicos a dichos trabajadores, con la prohibición de no contratar a los calificados como no aptos para desempeñar los puestos de trabajo de que se trate.

— Artículo 243 LGSS, en relación con RDEP (Anexo I).

Véase: Isocianatos. Pintores. Aerografía. Barnices. Esmaltes. Fabricación de pigmentos. Lacas. Colorantes. Cromo. Cobalto.

FABRICACIÓN DE RESINAS

1. Sustancia sólida o de consistencia pastosa, insoluble en el agua, soluble en el alcohol y en los aceites esenciales, y capaz de arder en contacto con el aire, obtenida naturalmente como producto que fluye de varias plantas.

2. Los trabajadores ocupados en las actividades económicas, y expuestos a los agentes o sustancias que a continuación se indican, pueden contraer una Enfermedad Profesional (E.P.):

a) Causada por agentes químicos:

• Fabricación y utilización de adhesivos y resinas, donde se utilicen ácidos orgánicos. (Código 1E0112).

• Fabricación y utilización de disolventes o diluyentes para los colorantes, pinturas, lacas, barnices, resinas naturales y sintéticos, desengrasantes y quitamanchas, donde se utilice alcohol. (Código 1F0104).

• Fabricación de desinfectantes, tintes, productos farmacéuticos, perfumes, explosivos, potenciadores del sabor, resinas, antioxidantes, barnices, levaduras, productos fotográficos, caucho, plásticos, polímeros de alto peso molecular, plaguicidas, etc., donde se utilicen aldehídos. (Código 1G0104).

• Empleo del benceno y sus homólogos como decapantes, como diluente, como disolvente para la extracción de aceites, grasas, alcaloides, resinas, desengrasado de pieles, tejidos, huesos, piezas metálicas, caucho, etc. (Código 1K0103).

• Fabricación de resinas sintéticas, celuloide e hidronaftalenos (tetralin, decalin) que se usan como disolventes, en lubricantes y en combustibles, donde se utilice naftaleno. (Código 1K0205).

• Industria química: fabricación de ácido benzoico, benzoaldehidos, benceno, fenol, caprolactama, linóleo, toluendiisocianato (resinas poliuretano), sulfonatos de tolueno (detergentes), cuero artificial, revestimiento de tejidos y papeles, explosivos, tintes y otros compuestos orgánicos, donde se utilice xileno y tolueno. (Código 1K0301).

• Operaciones de disolución de resinas naturales o sintéticas para la preparación de colas, adhesivos, lacas, barnices, esmaltes, masillas, tintas, diluyentes de pinturas y productos de limpieza, donde se utilice xileno o tolueno. (Código 1K0303).

• Síntesis y producción de polímeros (poliestireno), de copolímeros (acrilonitrilo butadieno estireno o ABS) y de resinas poliésteres, donde se utilice vinilbenceno. (Código 1K0401).

• Fabricación de plásticos, goma sintética, resinas, aislantes, donde se utilice vinilbenceno (estireno y divinilbenceno). (Código 1K0406).

• Utilización del vinilbenceno (estireno y divinilbenceno) como resina cambiadora de iones en la depuración de agua. (Código 1K0407).

• Tratamiento de resinas naturales y sintéticas, donde se utilicen cetonas. (Código 1L0110).

• Utilización de epóxidos como reactivos en la fabricación de disolventes, plastificantes, cementos, adhesivos y resinas sintéticas. (Código 1M0101).

• La epiclorhidrina (epóxido) se utiliza además, como insecticida, fumigante y disolvente de pinturas, barnices, esmaltes y lacas. Producción de resinas de alta resistencia a la humedad en la industria papelera. (Código 1M0106).

• Síntesis de resinas sintéticas, donde se utilicen ésteres orgánicos. (Código 1N0102).

• Imprenta, reproducción, plásticos, curtidos, textiles, resinas, protésicos dentales sellantes, cosméticos, etc., donde se utilicen ésteres orgánicos. (Código 1N0118).

• Disolventes y codisolventes de lacas, resinas, pigmentos, tintes, esmaltes, barnices, perfumes, aceites, acetato de celulosa y nitrato de celulosa, que contengan éteres. (Código 1O0101).

• Utilización de glicoles en la industria química como productos intermedios en numerosas síntesis orgánicas, como disolventes de lacas, resinas, barnices celulósicos de secado rápido, de ciertas pinturas, pigmentos, nitrocelulosa y acetatos de celulosa, tintes y plásticos. (Código 1P0102).

• Empleo del sulfuro de carbono como disolvente de grasas, aceites, resinas, ceras, caucho, gutapercha y otras sustancias. (Código 1U0104).

b) Causada por inhalación de sustancias y agentes no comprendidos en otros apartados:

• Fabricación de resinas y endurecedores, donde los trabajadores estén expuestos a sustancias de bajo peso molecular (metales, polvos de maderas, sustancias químicas, etc.), que pueden provocar alguna de las siguientes E.P: rinoconjuntivitis (Código 4I0106), urticaria (Código 4I0206), angiodemas (Código 4I0206), asma (Código 4I0306), alveolitis alérgica extrínseca (Código 4I0406), síndrome de disfunción de la vía reactiva (Código 4I0506), fibrosis intersticial difusa (Código 4I0606), fiebre de los metales (Código 4I0706) y neumopatía intersticial difusa (Código 4I0806).

c) E.P. de la piel, causada por sustancias y agentes no comprendidos en alguno de los otros apartados:

• Fabricación de resinas y endurecedores, donde los trabajadores estén expuestos a sustancias de bajo peso molecular (metales, polvos de maderas, sustancias químicas, etc.), que pueden provocar una E.P. de la piel, causada por sustancias de bajo peso molecular. (Código 5A0106).

d) Causada por sustancias cancerígenas:

• Empleo del benceno y sus homólogos como decapantes, como diluente, como disolvente para la extracción de aceites, grasas, alcaloides, resinas, desengrasado de pieles, tejidos, huesos, piezas metálicas, caucho, etc., que pueden provocar una E.P. síndrome linfo y mieloproliferativos. (Código 6D0103).

• Síntesis de resinas de intercambio iónico, donde se utilice bis (cloruro-metil) éter, que puede provocar la E.P. de neoplasia de bronquio y pulmón. (Código 6F0102).

Por ello, debe realizarse reconocimientos médicos previos y periódicos a dichos trabajadores, con la prohibición de no contratar a los calificados como no aptos para desempeñar los puestos de trabajo de que se trate.

— Artículo 243 LGSS, en relación con RDEP (Anexo I).

Véase: Poliuretano. Colofonía. Baquelita. Barnices. Lacas. Colas. Gomas. Masilla.

FABRICACIÓN DE TINTES

1. Fabricación de sustancias con las cuales se da un color distinto del que tenía.

2. Los trabajadores ocupados en las actividades económicas, y expuestos a los agentes o sustancias que a continuación se indican, pueden contraer una Enfermedad Profesional (E.P.):

a) Causada por agentes químicos:

• Fabricación y aplicación de pinturas, lacas, barnices o tintas a base de compuestos de plomo. (Código 1A0910).

• Empleo de fluoruros como mordiente en el tintado de lana. (Código 1C0307).

• La industria del cuero como neutralizador, para teñir, eliminar el pelo, etc., donde se utilice ácido fórmico. (Código 1E0117).

• Fabricación de desinfectantes, tintes, productos farmacéuticos, perfumes, explosivos, potenciadores del sabor, resinas, antioxidantes, barnices, levaduras, productos fotográficos, caucho, plásticos, polímeros de alto peso molecular, plaguicidas, etc., donde se utilicen aldehídos. (Código 1G0104).

• Fabricación de tintes, donde se utilice naftaleno, que puede. (Código 1K0203).

• Industria química: fabricación de ácido benzoico, benzoaldehidos, benceno, fenol, caprolactama, linóleo, toluendiisocianato (resinas poliuretano), sulfonatos de tolueno (detergentes), cuero artificial, revestimiento de tejidos y papeles, explosivos, tintes y otros compuestos orgánicos, donde se utilice xileno y tolueno. (Código 1K0301).

• Operaciones de disolución de resinas naturales o sintéticas para la preparación de colas, adhesivos, lacas, barnices, esmaltes, masillas, tintas, diluyentes de pinturas y productos de limpieza, donde se utilice xileno o tolueno. (Código 1K0303).

• Producción de colorantes, pigmentos, tintes, donde se utilice nitroderivados de los hidrocarburos aromáticos. (Código 1K0602).

• Fabricación de fibras textiles artificiales, seda y cueros artificiales, limpieza y preparación de tejidos para la tintura, donde se utilicen cetonas. (Código 1L0104).

• Fabricación de pinturas, barnices, tintes, donde se utilicen ésteres orgánicos. (Código 1N0107).

• Disolventes y codisolventes de lacas, resinas, pigmentos, tintes, esmaltes, barnices, perfumes, aceites, acetato de celulosa y nitrato de celulosa, que contengan éteres. (Código 1O0101).

• Utilización de éteres en tintes y pigmentos. (Código 1O0107).

• Utilización de glicoles en la industria química como productos intermedios en numerosas síntesis orgánicas, como disolventes de lacas, resinas, barnices celulósicos de secado rápido, de ciertas pinturas, pigmentos, nitrocelulosa y acetatos de celulosa, tintes y plásticos. (Código 1P0102).

• Utilización de oxicloruro de carbono en la industria química para la fabricación de isocianatos, poliuretano, policarbonatos, tintes, pesticidas y productos farmacéuticos. (Código 1T0207).

• Fabricación de colorantes, lacas y tintes, donde se utilicen óxidos de nitrógeno. (Código 1T0302).

b) Causada por inhalación de sustancias y agentes no comprendidos en otros apartados:

• Fabricación de tintes y pinturas, donde se utilicen polvos de talco o de caolín, que pueden producir las E.P. de talcosis (Código 4D0109), silicocaolinosis (Código 4D0209) o caolinosis y otras silicatosis (Código 4D0309), provocadas por la inhalación de polvos de talco o de caolín.

c) Causada por agentes cancerígenos:

• Trabajos en los que se emplee tintes, alfa-naftilamina y beta-naftilamina, bencidina, colorantes con base de bencidina, aminodifenilo, nitrodifenilo, auramina, magenta y sus sales, donde se utilice aminas, que pueden provocar al E.P. de neoplasia de vejiga (Cáncer). (Código 6B0102).

• Producción de colorantes, pigmentos, tintes, donde se utilice nitrobenceno, que puede provocar la E.P. de linfoma (Cáncer). (Código 6P0102).

Por ello, debe realizarse reconocimientos médicos previos y periódicos a dichos trabajadores, con la prohibición de no contratar a los calificados como no aptos para desempeñar los puestos de trabajo de que se trate.

— Artículo 243 LGSS, en relación con RDEP (Anexo I).

Véase: Fabricación de pinturas. Fabricación de pigmentos. Colorantes. Colofonía.

FABRICANTES

1. La LPRL es de aplicación a los fabricantes, importadores y suministradores, en las obligaciones específicas que puedan derivarse de la misma.

— Artículos 3.1 LPRL.

2. Obligaciones. Los fabricantes, importadores y suministradores de maquinaria, equipos, productos y útiles de trabajo están obligados a asegurar que éstos no constituyan una fuente de peligro para el trabajador, siempre que sean instalados y utilizados en las condiciones, forma y para los fines recomendados por ellos.

Los fabricantes, importadores y suministradores de productos y sustancias químicas de utilización en el trabajo están obligados a envasar y etiquetar los mismos de forma que se permita su conservación y manipulación en condiciones de seguridad y se identifique claramente su contenido y los riesgos para la seguridad o la salud de los trabajadores que su almacenamiento o utilización comporten.

Los sujetos mencionados en los dos párrafos anteriores deberán suministrar la información que indique la forma correcta de utilización por los trabajadores, las medidas preventivas adicionales que deban tomarse y los riesgos laborales que conlleven tanto su uso normal, como su manipulación o empleo inadecuado.

Los fabricantes, importadores y suministradores de elementos para la protección de los trabajadores están obligados a asegurar la efectividad de los mismos, siempre que sean instalados y usados en las condiciones y de la forma recomendada por ellos. A tal efecto, deberán suministrar la información que indique el tipo de riesgo al que van dirigidos, el nivel de protección frente al mismo y la forma correcta de su uso y mantenimiento.

Los fabricantes, importadores y suministradores deberán proporcionar a los empresarios, y éstos recabar de aquéllos, la información necesaria para que la utilización y manipulación de la maquinaria, equipos, productos, materias primas y útiles de trabajo se produzca sin riesgos para la seguridad y la salud de los trabajadores, así como para que los empresarios puedan cumplir con sus obligaciones de información respecto de los trabajadores.

El empresario deberá garantizar que las informaciones a que se refieren los apartados anteriores sean facilitadas a los trabajadores en términos que resulten comprensibles para los mismos.

— Artículo 41 LPRL.

3. Fabricante es toda persona física o jurídica que diseñe y/o fabrique una máquina o una cuasi máquina cubierta por este real decreto y que sea responsable de la conformidad de dicha máquina o cuasi máquina con este real decreto, con vistas a su comercialización, bajo su propio nombre o su propia marca, o para su propio uso. En ausencia de un fabricante en el sentido indicado, se considerará fabricante cualquier persona física o jurídica que comercialice o ponga en servicio una máquina o una cuasi máquina cubierta por este real decreto.

— Artículo 2.2.i RDM.

4. Toda persona física o jurídica responsable ante la autoridad de homologación de todos los aspectos del proceso de homologación de tipo o de autorización, así como de garantizar la conformidad de la producción, y que también es responsable, a efectos de la vigilancia del mercado, de los vehículos, sistemas, componentes y unidades técnicas independientes producidos, tanto si la persona física o jurídica participa directamente en todas las fases del diseño y la fabricación de un vehículo, sistema, componente o unidad técnica independiente sujeta al proceso de homologación como si no.

— Artículo 3.25 Reglamento (UE) n.º 167/2013.

5. Obligaciones de los fabricantes de vehículos:

• Los fabricantes se asegurarán de que, cuando sus vehículos, sistemas, componentes o unidades técnicas independientes sean introducidos en el mercado o puestos en servicio, estén fabricados y homologados con arreglo a los requisitos del presente Reglamento y los actos delegados y de ejecución adoptados en virtud del presente Reglamento.

• En caso de homologación de tipo multifásica, cada fabricante será responsable de la homologación y conformidad de la producción de los sistemas, componentes o unidades técnicas independientes añadidos al vehículo en la fase de acabado realizada por él. El fabricante que modifique componentes o sistemas ya homologados en fases anteriores será responsable de la homologación y conformidad de la producción de los componentes y sistemas modificados.

• El fabricante que modifique un vehículo incompleto de tal manera que se clasifique como una categoría diferente de vehículo, con el resultado de que hayan cambiado los requisitos legales ya evaluados en una fase anterior de la homologación, será también responsable del cumplimiento de los requisitos aplicables a la categoría de vehículos en la que se clasifique el vehículo modificado.

• A los efectos de la homologación de vehículos, sistemas, componentes o unidades técnicas independientes contempladas por el presente Reglamento, los fabricantes establecidos fuera de la Unión deberán designar a un único representante establecido en la Unión que los represente ante la autoridad de homologación.

• Además, los fabricantes establecidos fuera de la Unión nombrarán a un único representante establecido en la Unión para la vigilancia del mercado, que podrá ser el representante mencionado en el apartado 4 u otro representante distinto.

• Los fabricantes serán responsables ante la autoridad de homologación respecto a todos los aspectos relacionados con el procedimiento de homologación y a garantizar la conformidad de la producción, independientemente de que participen o no directamente en todas las fases de fabricación de un vehículo, sistema, componente o unidad técnica independiente.

• De conformidad con el presente Reglamento y los actos delegados y actos de ejecución adoptados en virtud del mismo, los fabricantes se asegurarán de que existen procedimientos para que la producción en serie mantenga su conformidad con el tipo homologado. Se tendrán en cuenta, con arreglo al capítulo VI, los cambios en el diseño o las características de los vehículos, sistemas, componentes o unidades técnicas independientes, así como en los requisitos que se haya declarado que estos cumplen.

• Además del marcado reglamentario y de las marcas de homologación de tipo colocadas en sus vehículos, componentes o unidades técnicas independientes con arreglo al artículo 34, los fabricantes indicarán su nombre, nombre comercial registrado o marca comercial registrada y su dirección de contacto en la Unión en sus vehículos, componentes o unidades técnicas independientes que se comercialicen o, cuando no sea posible, en el embalaje o en un documento que acompañe a los componentes o las unidades técnicas independientes.

• Mientras sean responsables de un vehículo, sistema, componente o unidad técnica independiente, los fabricantes se asegurarán de que las condiciones de almacenamiento o transporte no comprometan el cumplimiento de los requisitos establecidos en el presente Reglamento.

— Artículo 8 del Reglamento (UE) n.º 167/2013.

6. Los fabricantes se aseguraran que los tractores cumplan los requisitos relativos a la seguridad laboral.

— Artículo 18 del Reglamento (UE) n.º 167/2013.

Véase: Importadores. Distribuidores. Representante autorizado. Máquinas: Comercialización. Requisitos esenciales de seguridad y salud. Fichas de datos de seguridad. Vigilancia del mercado. Usuario intermedio.

FACTOR HUMANO

1. La acción humana es determinante para que el sistema técnico de la empresa funcione correctamente. Aunque en una empresa se establezcan unas medidas técnicas adecuadas para prevenir los riesgos laborales, la acción (consciente o inconsciente) de una persona puede dar al traste con los resultados esperados.

Es posible que en una empresa se hayan desarrollado unos procedimientos de prevención correctos desde el punto de vista técnico, pero que, sin embargo, los índices de siniestralidad se mantengan o no disminuyan en la proporción esperada. En estos casos lo más fácil suele ser pensar que los trabajadores no saben, o no entienden cómo hacer uso de aquellos procedimientos seguros. Ante una situación como ésta lo más inmediato será proporcionarles una formación e información adecuadas. Efectivamente, desde el punto de vista de la intervención sobre el llamado «factor humano», la formación y la información son imprescindibles en cualquier plan preventivo.

— Nota Técnica de Prevención n.º 405/1996. INSST.

Véase: Deber de información. Deber de formación. Cultura preventiva.

FATIGA

1. La fatiga global es la resultante del conjunto de fatigas acumuladas en el trabajo y fuera de él, considerando las interrelaciones mutuas existentes.

La fatiga laboral se puede estructurar en tres tipos:

• La física o biomecánica derivada de los esfuerzos musculares, de la posición de trabajo, de los movimientos repetitivos y del manejo manual de cargas.

• La psíquica derivada principalmente de la sobrecarga mental del trabajo, o sea, de la presión en el trabajo y todo lo que comporte estrés, la carga mental propiamente dicha por el procesamiento continuado de información, y finalmente, las tensiones derivadas de la organización del trabajo y las relaciones laborales. La rutina, y falta de autonomía y contenido del trabajo, que también formaría parte de la fatiga psíquica, la hemos denominado, fatiga subjetiva.

• La fatiga derivada de las condiciones ambientales adversas, fundamentalmente por agentes físicos: ruido, vibraciones, radiaciones, calor, frío e iluminación.

Por otra parte, la fatiga extra-laboral tiene componentes similares, aunque se destaca en ella la fatiga biológica acumulada, que también se genera en el trabajo, la psíquica y la motora, propias de la actividad realizada en el tiempo «libre».

La acumulación de tales fatigas, por separado o conjugadas en parte, puede generar fatiga crónica, difícil de recuperar con un descanso convencional.

— Nota Técnica de Prevención n.º 916/2011. INSST.

2. Pantallas de visualización de datos (PVD): Fatiga postural.

— Nota Técnica de Prevención n.º 232/1989. INSST.

3. Los trabajadores ocupados en las actividades económicas, y expuestos a los agentes o sustancias que a continuación se indican, pueden contraer una Enfermedad Profesional (E.P.), causada por agentes físicos:

• Trabajos de apaleo o de manipulación de cargas pesadas, que pueden provocar la E.P. de apófisis espinosa por fatiga. (Código 2E0101).

Por ello, debe realizarse reconocimientos médicos previos y periódicos a dichos trabajadores, con la prohibición de no contratar a los calificados como no aptos para desempeñar los puestos de trabajo de que se trate.

— Artículo 243 LGSS, en relación con RDEP (Anexo I).

Véase: *Período de descanso. Movimientos repetitivos. Carga física de trabajo. Estrés laboral. Burnout. Tecnoestrés. Carga mental de trabajo. Rotación de puesto de trabajo. Riesgos psicosociales.*

FENOLES

1. (Fenoles, homólogos y sus derivados halógenos, pentaclorofenol, hidroxibenzonitrilo). Fenol: Alcohol derivado del benceno, obtenido por destilación de los aceites de alquitrán, que se usa como antiséptico en medicina.

2. Los trabajadores expuestos a la acción de los fenoles, homólogos y sus derivados halógenos, pentaclorofenol, hidroxibenzonitrilo (Código 1F02), pueden contraer una Enfermedad Profesional (E.P.) causada por agentes químicos, en las actividades o trabajos que a continuación se relacionan:

- Fabricación de derivados, particularmente los explosivos (derivados nitrados). (Código 1F0201).
- Fabricación de baquelita poliepóxido y policarbonatos. (Código 1F0202).
- Tratamiento de maderas. (Código 1F0203).
- Industrias de las fibras sintéticas (poliamidas, etc.). (Código 1F0204).
- Refino del petróleo. (Código 1F0205).
- Fabricación de detergentes, colorantes, aditivos para aceites, etc. (Código 1F0206).
- Fabricación y manipulación de pesticidas y productos para el control de malezas. (Código 1F0207).
- Industria farmacéutica. (Código 1F0208).
- Tratamiento de brea de hulla, de gas de alumbrado y para el calentamiento de ciertas materias plásticas. (Código 1F0209).
- Síntesis química de productos. (Código 1F0210).
- Fabricación de pigmentos. (Código 1F0211).
- Industria química: fabricación de ácido benzoico, benzoaldehidos, benceno, fenol, caprolactama, linóleo, toluendiisocianato (resinas poliuretano), sulfonatos de tolueno (detergentes), cuero artificial, revestimiento de tejidos y papeles, explosivos, tintes y otros compuestos orgánicos, donde se utilice xileno y tolueno. (Código 1K0301).

Por ello, debe realizarse reconocimientos médicos previos y periódicos a dichos trabajadores, con la prohibición de no contratar a los calificados como no aptos para desempeñar los puestos de trabajo de que se trate.

— Artículo 243 LGSS, en relación con RDEP (Anexo I).

Véase: *Alquitrán. Brea. Hulla.*

FICHAS DE DATOS DE SEGURIDAD

1. La ficha de datos de seguridad constituye un sistema de información fundamental, que permite, principalmente a los usuarios profesionales, tomar las medidas necesarias para la protección de la salud, la seguridad y el medio ambiente en el lugar de trabajo. La ficha de datos de seguridad (FDS) debe facilitarse obligatoriamente y de forma gratuita por parte del responsable de la comercialización, ya sea el fabricante, importador o distribuidor, de un preparado peligroso al destinatario del mismo que sea usuario profesional.

En el caso de preparados que no estén clasificados como peligrosos, pero que contengan, al menos, una sustancia peligrosa para la salud o el medio ambiente, o una sustancia para la que existan límites de exposición en el lugar de trabajo, el proveedor deberá suministrar al destinatario, previa solicitud de un usuario profesional, una ficha de datos de seguridad. En ambos casos debe entregarse una copia de la FDS a la autoridad competente (M. de Sanidad y Consumo).

— Notas Técnicas de Prevención n.º 371/1995. 635/2003. 649, 650, 651/2004. 686/2005. 726, 727/2006. INSST.

— Artículo 8 Convenio OIT 170, 25 de junio de 1990.

2. Fichas de datos de seguridad para agentes biológicos.

— Nota Técnica de Prevención n.º 636/2003. INSST.

Véase: Evaluación de riesgos. Fabricantes. Importadores. Valores límite. Sustancias. Preparados. Productos químicos. Productos químicos: Envasado. Productos químicos: Etiquetado. Sustancias peligrosas.

FLEBOLOGÍA

1. Especialidad de la medicina que se ocupa de estudiar la anatomía y la fisiología de las venas superficiales y profundas del cuerpo, así como del diagnóstico y tratamiento de las patologías venosas, como las varices y las hemorroides.

2. Los trabajadores ocupados en las actividades económicas, y expuestos a los agentes o sustancias que a continuación se indican, pueden contraer una Enfermedad Profesional (E.P.), causada por inhalación de sustancias y agentes no comprendidos en otros apartados:

• Flebología, granjeros, fumigadores, donde los trabajadores estén expuestos a sustancias de bajo peso molecular (metales, polvos de maderas, sustancias químicas, etc.), que pueden provocar alguna de las siguientes E.P: rinoconjuntivitis (Código 4I0123), urticaria (Código 4I0223), angiodemas (Código 4I0223), asma (Código 4I0323), alveolitis alérgica extrínseca (Código 4I0423), síndrome de disfunción de la vía reactiva (Código 4I0523), fibrosis intersticial difusa (Código 4I0623), fiebre de los metales (Código 4I0723) y neumopatía intersticial difusa (Código 4I0823).

Por ello, debe realizarse reconocimientos médicos previos y periódicos a dichos trabajadores, con la prohibición de no contratar a los calificados como no aptos para desempeñar los puestos de trabajo de que se trate.

— Artículo 243 LGSS, en relación con RDEP (Anexo I).

Véase: Entomólogos.

FLUIDOS DE CORTE

Los fluidos de corte o «aceites de corte», son productos líquidos de composición más o menos compleja, que se adicionan en el sistema pieza-herramienta-viruta de una operación de mecanizado, a fin de lubricar y eliminar el calor producido.

— Nota Técnica de Prevención n.º 317/1993. INSST.

Véase: Metales.

FLÚOR

1. Elemento químico gaseoso, tóxico, de color amarillo verdoso, olor sofocante, muy reactivo, abundante en la corteza terrestre en forma de fluoruros, y usado para obtener otros fluoruros metálicos que se añaden al agua potable y a los productos dentífricos para prevenir la caries dental.

2. Los trabajadores expuestos al arsénico y sus compuestos (Código 1C03) (Halógenos), por su extracción, fabricación, manipulación y empleo, pueden contraer una Enfermedad Profesional (E.P.), causada por agentes químicos, en las actividades o trabajos que a continuación se relacionan:

- Extracción de los compuestos de flúor de los minerales (espato-flúor y criolita). (Código 1C0301).
- Fabricación del aluminio. (Código 1C0302).
- Fabricación de compuestos de flúor orgánicos e inorgánicos. (Código 1C0303).
- Utilización de los compuestos de flúor en la extracción y refinado de metales (del níquel, del cobre, del oro, de la plata). (Código 1C0304).
- Empleo de los fluoruros en las fundiciones y para recubrir las varillas soldadoras. (Código 1C0305).
- Empleo de ácido fluorhídrico en los procesos químicos como agente de ataque (industria del vidrio, decapado de metales, limpieza del grafito, de los metales, de los cristales, etc.) y como catalizador. (Código 1C0306).
- Empleo de fluoruros como mordiente en el tintado de lana. (Código 1C0307).
- Empleo de fluoruros como agente de blanqueo. (Código 1C0308).
- Utilización en la industria alimenticia (conservas de jugos de frutas, azúcares, espirituosos, fermentación de la cerveza, etc.). (Código 1C0309).
- Empleo de compuestos de flúor como insecticida, pesticida, rodenticida y para conservación de la madera. (Código 1C0310).
- Tratamiento de cueros y pieles. (Código 1C0311).

Por ello, debe realizarse reconocimientos médicos previos y periódicos a dichos trabajadores, con la prohibición de no contratar a los calificados como no aptos para desempeñar los puestos de trabajo de que se trate.

— Artículo 243 LGSS, en relación con RDEP (Anexo I).

Véase: Agua potable.

FONTANERÍA

1. Conjunto de conductos por donde se dirige y distribuye el agua o cualquier otra sustancia.

2. Los trabajadores ocupados en las actividades económicas, y expuestos a los agentes o sustancias que a continuación se indican, pueden contraer una Enfermedad Profesional (E.P.), causada por agentes químicos:

- Trabajos de fontanería, donde se utilice plomo y sus compuestos. (Código 1A0912).

Por ello, debe realizarse reconocimientos médicos previos y periódicos a dichos trabajadores, con la prohibición de no contratar a los calificados como no aptos para desempeñar los puestos de trabajo de que se trate.

— Artículo 243 LGSS, en relación con RDEP (Anexo I).

Véase: Fontaneros.

FONTANEROS

1. Personas especializadas en la instalación, mantenimiento y reparación de las conducciones de agua y otros fluidos, así como de otros servicios sanitarios y de calefacción en los edificios.

2. Los trabajadores ocupados en las actividades económicas, y expuestos a los agentes o sustancias que a continuación se indican, pueden contraer una Enfermedad Profesional (E.P.), causada por agentes físicos:

- Trabajos que requieran posturas en hiperflexión de la rodilla en posición mantenida en cuclillas de manera prolongada como son: Trabajos en minas subterráneas, electricistas, soladores, instaladores de suelos de madera, fontaneros, que pueden provocar la E.P. de lesiones del menisco por la exposición a posturas forzadas y/o movimientos repetitivos. (Código 2G0101).

Por ello, debe realizarse reconocimientos médicos previos y periódicos a dichos trabajadores, con la prohibición de no contratar a los calificados como no aptos para desempeñar los puestos de trabajo de que se trate.

— Artículo 243 LGSS, en relación con RDEP (Anexo I).

Véase: Fontaneros.

FORMACIÓN EN MATERIA DE PRL

1. En materia de prevención de riesgos laborales cuando hablamos de formación nos referirnos al conjunto de métodos y técnicas a través de los cuales conseguimos, «eficazmente», que unos determinados conocimientos produzcan un cambio de conducta en el trabajador.

— Nota Técnica de Prevención n.º 240/1989. INSST.

2. Formación en trabajos con amianto.

— Nota Técnica de Prevención n.º 1021/2014. INSST.

Véase: Deber de formación. Deber de información.

FORMALDEHÍDO

1. El formaldehído es un compuesto (gas) de carácter irritante y está clasificado como cancerígeno de categoría 1B y mutágeno de categoría 2 según el Reglamento (UE) 1272/2008, sobre clasificación, etiquetado y envasado de sustancias y mezclas (CLP), y cancerígeno de categoría 1 según la IARC (International Agency for Research on Cancer). Es un gas incoloro de olor sofocante y muy soluble en agua. A bajas concentraciones provoca irritación ocular, del tracto respiratorio y de la piel y también actúa como sensibilizante. En el documento «Límites de Exposición Profesional para Agentes Químicos en España 2016», elaborado por el Instituto Nacional de Seguridad e Higiene en el Trabajo (INSHT) tiene asignado un valor límite ambiental de corta duración (VLA-EC) de 0,3 ppm (0,37 mg/m^3).

El formaldehído es una sustancia muy utilizada tanto en procesos industriales, sobretodo en la fabricación de resinas, colas, barnices. plásticos y tableros de polvo de madera, como en sanidad, como esterilizante y conservante.

— Notas Técnicas de Prevención n.º 170/1986. 248/1989. 315/1993. 466/1997. 873/2010. 1075/2016. INSST.

2. Recogida de muestras de formaldehido.

— Nota Técnica de Prevención n.º 170/1986. INSST.

Véase: Sustancias irritantes.

FORMOL

1. Disolución acuosa al 40% de aldehído fórmico.

2. Los trabajadores ocupados en las actividades económicas, y expuestos a los agentes o sustancias que a continuación se indican, pueden contraer una Enfermedad Profesional (E.P.), causada por agentes químicos:

• Utilización del formol como agente desinfectante, desodorante, bactericida, etc, donde se utilicen aldehídos. (Código 1G0109).

• El uso de adhesivos y colas con polímeros de formol puede implicar exposición a formaldehido. (Código 1G0112).

Por ello, debe realizarse reconocimientos médicos previos y periódicos a dichos trabajadores, con la prohibición de no contratar a los calificados como no aptos para desempeñar los puestos de trabajo de que se trate.

— Artículo 243 LGSS, en relación con RDEP (Anexo I).

Véase: Aldehídos. Desinfectantes.

FÓSFORO

1. Elemento químico de gran importancia biológica como constituyente de huesos, dientes y tejidos vivos, que se usa en pirotecnia y en la fabricación de cerillas, fertilizantes agrícolas y detergentes.

2. Los trabajadores expuestos a fósforo y sus compuestos (Código 1A05) (Metales), por su preparación, empleo y manipulación, pueden contraer una Enfermedad Profesional (E.P.) causada por agentes químicos, en las actividades o trabajos que a continuación se relacionan:

• Fabricación, empleo y manipulación del fósforo blanco. (Código 1A0501).

• Fabricación del fósforo rojo. (Código 1A0502).

• Procesos en que puede producirse fosfina, tales como la generación de acetileno, la limpieza de metales con ácido fosfórico, etc. (Código 1A0503).

• Fabricación de cerillas. (Código 1A0504).

• Fabricación y utilización de insecticidas o rodenticidas. (Código 1A0505).

• Utilización del fósforo, del ácido fosfórico y de compuestos inorgánicos de fósforo en las industrias química, farmacéutica, gráfica y en la producción de productos agrícolas. (Código 1A0506).

• Extracción del fósforo de los minerales que lo contienen y de los huesos. (Código 1A0507).

• Fabricación y utilización de ferrosilicio, manganosiliceo, carburos de calcio y de cianamida cálcica cuando contienen residuos de fósforo y cuando esas operaciones se hacen en presencia de humedad. (Código 1A0508).

• Fabricación de explosivos y detonadores. (Código 1A0509).

Por ello, debe realizarse reconocimientos médicos previos y periódicos a dichos trabajadores, con la prohibición de no contratar a los calificados como no aptos para desempeñar los puestos de trabajo de que se trate.

— Artículo 243 LGSS, en relación con RDEP (Anexo I).

Véase: Cerillas. Pirotecnia.

FOSOS DE INSPECCIÓN DE VEHÍCULOS

Los fosos de inspección de vehículos son unas cavidades practicadas en la superficie del lugar de trabajo, normalmente son rectangulares y alargadas de una anchura adecuada para que permita a los vehículos situarse en su borde longitudinal con seguridad. Tienen una profundidad variable de hasta 2 m y disponen de una o dos escaleras de acceso situadas en uno o en ambos lados menores del foso o por un acceso lateral independiente.

— Nota Técnica de Prevención n.º 1060/2015. INSST.

Véase: Garajes. Talleres. Mecánicos. Chapistas.

FOTOCOPIADORAS

1. Máquinas que reproducen un texto o imagen mediante fotocopias.

2. Sobre medidas de prevención por el uso de fotocopiadoras.

— Nota Técnica de Prevención n.º 1085/2017. INSST.

3. Los trabajadores ocupados en las actividades económicas, y expuestos a los agentes o sustancias que a continuación se indican, pueden contraer una Enfermedad Profesional (E.P.):

a) Causada por inhalación de sustancias y agentes no comprendidos en otros apartados:

• Trabajos en fotocopiadoras, donde los trabajadores estén expuestos a sustancias de bajo peso molecular (metales, polvos de maderas, sustancias químicas, etc.), que pueden provocar alguna de las siguientes E.P: rinoconjuntivitis (Código 4I0120), urticaria (Código 4I0220), angiodemas (Código 4I0220), asma (Código 4I0320), alveolitis alérgica extrínseca (Código 4I0420), síndrome de disfunción de la vía reactiva (Código 4I0520), fibrosis intersticial difusa (Código 4I0620), fiebre de los metales (Código 4I0720), neumopatía intersticial difusa (Código 4I0820).

b) E.P. de la piel, causada por sustancias y agentes no comprendidos en alguno de los otros apartados:

• Trabajos en fotocopiadoras, donde los trabajadores estén expuestos a sustancias de bajo peso molecular (metales, polvos de maderas, sustancias químicas, etc.), que pueden provocar una E.P. de la piel, causada por sustancias de bajo peso molecular (Código 5A0121).

Por ello, debe realizarse reconocimientos médicos previos y periódicos a dichos trabajadores, con la prohibición de no contratar a los calificados como no aptos para desempeñar los puestos de trabajo de que se trate.

— Artículo 243 LGSS, en relación con RDEP (Anexo I).

Véase: Máquinas. Ozono.

FOTOGRABADO

1. Cualquiera de los diversos procesos para producir placas o planchas de impresión por medio de métodos fotográficos.

2. Los trabajadores ocupados en las actividades económicas, y expuestos a los agentes o sustancias que a continuación se indican, pueden contraer una Enfermedad Profesional (E.P.):

a) Causada por agentes químicos:
• Preparación de clichés de fotograbado por coloides bicromados, donde se utilice cromo. (Código 1A0406).

b) Causada por agentes cancerígenos:
• Preparación de clichés de fotograbado por coloides bicromados, que puede provocar la E.P. de neoplasia maligna de cavidad nasal. (Código 6I0106).

• Preparación de clichés de fotograbado por coloides bicromados, donde se utilice cromo, que puede provocar la E.P. de neoplasia de bronquio y pulmón. (Código 6I0206).

Por ello, debe realizarse reconocimientos médicos previos y periódicos a dichos trabajadores, con la prohibición de no contratar a los calificados como no aptos para desempeñar los puestos de trabajo de que se trate.

— Artículo 243 LGSS, en relación con RDEP (Anexo I).

Véase: Laboratorios de fotografía.

FRENOS

1. Mecanismo que sirve en las máquinas y carruajes para moderar o detener el movimiento.

2. Los trabajadores ocupados en las actividades económicas, y expuestos a los agentes o sustancias que a continuación se indican, pueden contraer una Enfermedad Profesional (E.P.):

a) Causada por agentes químicos:
• Fabricación de líquidos anticongelantes, de líquidos de frenos hidráulicos, de lubrificantes sintéticos, etc., donde se utilice alcohol, que pueden provocar una E.P. causada por agentes químicos. (Código 1F0110).

• La industria de cosméticos, fabricación y utilización de anticongelantes, de líquidos de sistemas hidráulicos y de líquidos de frenos, donde se utilicen glicoles, que pueden provocar una E.P. causada por agentes químicos. (Código 1P0104).

b) Causada por inhalación de sustancias y agentes no comprendidos en otros apartados:
• Fabricación de guarniciones para frenos y embragues, de productos de fibrocemento, de equipos contra incendios, de filtros y cartón de amianto, de juntas de amianto y caucho, que pueden provocar las E.P. de asbestosis (Código 4C0106) y/o afecciones fibrosantes de la pleura y pericardio (Código 4C0206), provocadas por la inhalación de polvo de amianto (asbesto).

c) Causada por agentes cancerígenos:
• Fabricación de guarniciones para frenos y embragues, de productos de fibrocemento, de equipos contra incendios, de filtros y cartón de amianto, de juntas de

amianto y caucho, donde exista exposición a la inhalación de polvos de amianto (asbesto), que pueden provocar alguna de las siguientes E.P: neoplasia maligna de bronquio y pulmón (Código 6A0107), mesotelioma (Código 6A0207), mesotelioma de pleura (Código 6A0307), mesotelioma de peritoneo (Código 6A0407), mesotelioma de otras localizaciones (Código 6A0507) y cáncer de laringe (Código 6A0607).

Por ello, debe realizarse reconocimientos médicos previos y periódicos a dichos trabajadores, con la prohibición de no contratar a los calificados como no aptos para desempeñar los puestos de trabajo de que se trate.

— Artículo 243 LGSS, en relación con RDEP (Anexo I).

Véase: Máquinas. Vehículos.

FRESADORAS

1. Máquinas provistas de fresas que sirve para labrar metales.

2. Los trabajadores ocupados en las actividades económicas, y expuestos a los agentes o sustancias que a continuación se indican, pueden contraer una Enfermedad Profesional (E.P.), causada por agentes físicos:

• Trabajos de molienda de caucho, de plástico y la inyección de esos materiales para moldeo-Manejo de maquinaria de transformación de la madera, sierras circulares, de cinta, cepilladoras, tupies, fresas, donde el trabajador este expuesto a ruidos continuos y diarios de un nivel sonoro igual o superior a 80 decibelios A. (Código 2A0116).

Por ello, debe realizarse reconocimientos médicos previos y periódicos a dichos trabajadores, con la prohibición de no contratar a los calificados como no aptos para desempeñar los puestos de trabajo de que se trate.

— Artículo 243 LGSS, en relación con RDEP (Anexo I).

Véase: Trabajos con fresadoras. Ruido.

FUEGO DE CLASE A

Es el fuego producido por materiales sólidos que dejan brasas. Si se utiliza agua para su apagado, deber ser en modo pulverizado o en modo chorro:

• En modo pulverizado es adecuado cuando existe mucho humo, dado que produce un efecto pantalla protector frente al humo, aunque también impide ver con nitidez lo que hay delante.

• En modo chorro sólo debe utilizarse en fuegos de clase «A» y controlando su ángulo de salida, pues afecta no solo a su alcance horizontal, sino también a su golpeo sobre los materiales que pueden salir lanzados.

— Anexo I. Sección 1ª.5 RIPI.

— Nota Técnica de Prevención n.º 1035/2015. INSST.

Véase: Incendios. Dispositivos de lucha contra incendios. Detectores de incendios. Sistemas de alarma. Detectores de humos. Fuego clase: B, C, D, E. Radiaciones térmicas. Carga de fuego ponderada. Extintores. Equipos contra incendios. Bomberos. Quemaduras.

FUEGO DE CLASE B

Es el fuego producido por líquidos combustibles pesados, como el fuel-oil, gas-oil, etc. y sólidos licuados. Si se utiliza agua para su apagado sólo debe utilizarse en modo pulverizado (no, en modo chorro).

— Anexo I. Sección 1ª.5 RIPI.

— Nota Técnica de Prevención n.º 1035/2015. INSST.

> *Véase: Incendios. Dispositivos de lucha contra incendios. Detectores de incendios. Sistemas de alarma. Detectores de humos. Fuego clase: A, C, D, E. Radiaciones térmicas. Carga de fuego ponderada. Extintores. Equipos contra incendios. Sustancias combustibles. Bomberos. Quemaduras.*

FUEGO DE CLASE C

Es el fuego producido por gases.

— Anexo I. Sección 1ª.5 RIPI.

— Nota Técnica de Prevención n.º 1035/2015. INSST.

> *Véase: Incendios. Dispositivos de lucha contra incendios. Detectores de incendios. Sistemas de alarma. Detectores de humos. Fuego clase: A, B, D, E. Radiaciones térmicas. Carga de fuego ponderada. Extintores. Equipos contra incendios. Sustancias combustibles. Bomberos. Quemaduras.*

FUEGO DE CLASE D

Es el fuego producido por metales.

— Anexo I. Sección 1ª.5 RIPI.

— Nota Técnica de Prevención n.º 1035/2015. INSST.

> *Véase: Incendios. Dispositivos de lucha contra incendios. Detectores de incendios. Sistemas de alarma. Detectores de humos. Fuego clase: A, B, C, E. Radiaciones térmicas. Carga de fuego ponderada. Extintores. Equipos contra incendios. Sustancias combustibles. Bomberos. Quemaduras.*

FUEGO DE CLASE E

Fuego derivado de la utilización de ingredientes para cocinar (aceites y grasas vegetales o animales) en los aparatos de cocina.

— Anexo I. Sección 1ª.5 RIPI.

> *Véase: Incendios. Dispositivos de lucha contra incendios. Detectores de incendios. Sistemas de alarma. Detectores de humos. Fuego clase: A, B, C, D. Radiaciones térmicas. Carga de fuego ponderada. Extintores. Equipos contra incendios. Sustancias combustibles. Bomberos. Quemaduras.*

FUEL OIL

1. No debe confundirse con gasóleo. El *fuel oil* es una fracción del petróleo que se obtiene como residuo en la destilación fraccionada. El *fuel oil* se usa como combustible en el calentamiento de hornos y calderas. Además, de él se obtienen aceites lubricantes, el asfalto, etc.

2. Los trabajadores ocupados en las actividades económicas, y expuestos a los agentes o sustancias que a continuación se indican, pueden contraer una Enfermedad Profesional (E.P.), causada por agentes químicos:

• Uso de compuestos órgano mangánicos como aditivos de *fuel oil* y algunas naftas sin plomo, donde se utilice manganeso. (Código 1A0617).

• Limpiezas de calderas y tanques, hornos de fuel-oil, donde se utilice vanadio. (Código 1A1103).

Por ello, debe realizarse reconocimientos médicos previos y periódicos a dichos trabajadores, con la prohibición de no contratar a los calificados como no aptos para desempeñar los puestos de trabajo de que se trate.

— Artículo 243 LGSS, en relación con RDEP (Anexo I).

Véase: Gasóleo. Petróleo. Gasolinas. Naftas. Gasolineras. Sustancias combustibles.

FUERZA MAYOR

1. Se trata de fuerza mayor cuando un hecho no se puede evitar y tampoco se puede prever. Se trata de caso fortuito cuando un hecho no se puede evitar, pero sí prever.

2. Fuera de los casos expresamente mencionados en la ley, y de los en que así lo declare la obligación, nadie responderá de aquellos sucesos que no hubieran podido preverse, o que, previstos, fueran inevitables.

— Artículo 1105 CC.

Véase: Accidentes por fuerza mayor.

FUGAS DE SUSTANCIAS PELIGROSAS

1. Las fugas de sustancias peligrosas constituyen uno de los accidentes más frecuente en las instalaciones químicas de proceso, y que suelen generar daños graves tanto a los propios equipos como a las personas expuestas.

Otro efecto importante es la interrupción del proceso productivo incluyendo en algunos casos el vaciado de la instalación.

Las fugas suelen generarse principalmente en las conducciones. Dentro de éstas los puntos más vulnerables son las uniones entre diferentes tramos y las conexiones a los equipos. Las causas de tales fugas son múltiples pero en su mayoría se deben a fallos de proyecto. Es de resaltar que, en los equipos, las bombas de impulsión de fluidos son generadoras de muchos accidentes de esta forma.

Las fugas pueden ser de varios tipos en función de las características y estado del fluido en cuestión.

• Las fugas en fase líquida son extremadamente peligrosas en el caso de gases licuados, debido a la gran cantidad de masa que se va a producir en un breve plazo de tiempo.

• Las fugas de líquidos corrosivos provocan proyecciones que pueden incidir sobre las personas situadas en áreas próximas, y si no existen medios de control pueden contaminar a través de la red general de desagües al suelo y cauces fluviales.

• Las fugas de sustancias inflamables generarán atmósferas peligrosas capaces de arder dentro del rango de inflamabilidad al encontrar cualquier foco de ignición en el entorno.

• Las fugas de sustancias tóxicas volátiles se difundirán en el medio ambiente pudiendo afectara personas no necesariamente próximas a la instalación.

Todas estas situaciones de graves consecuencias están consideradas como causa de accidente mayor.

— Notas Técnicas de Prevención n.º 362, 363, 364/1994. INSST.

2. Control de fugas en almacenamientos de gases licuados tóxicos.

Notas Técnicas de Prevención n.º 321/1993. 337, 338/1994. INSST.

Véase: Sustancias peligrosas. Sustancias explosivas. Sustancias comburentes. Sustancias inflamables. Sustancias tóxicas. Sustancias nocivas. Sustancias corrosivas. Sustancias irritantes. Sustancias sensibilizantes. Sustancias cancerígenas. Sustancias mutagénicas. Sustancias tóxicas para la reproducción. Sustancias peligrosas para el medio ambiente.

FULMINANTES

1. Composición capaz de hacer estallar cargas explosivas.

2. Los trabajadores ocupados en las actividades económicas, y expuestos a los agentes o sustancias que a continuación se indican, pueden contraer una Enfermedad Profesional (E.P.), causada por agentes químicos:

• Fabricación de cerillas y fulminantes, donde se utilice cloro, que puede provocar una Enfermedad Profesional (E.P.) causada por agentes químicos. (Código 1C0208).

Por ello, debe realizarse reconocimientos médicos previos y periódicos a dichos trabajadores, con la prohibición de no contratar a los calificados como no aptos para desempeñar los puestos de trabajo de que se trate.

— Artículo 243 LGSS, en relación con RDEP (Anexo I).

Véase: Industria de explosivos. Explosión. Detonación. Detonadores. Deflagración. Pirotecnia.

FULMINATOS

1. El fulminato es una sal del ácido fulmínico, que, en combinación con plata, mercurio, cinc o cadmio, es explosiva.

2. Los trabajadores ocupados en las actividades económicas, y expuestos a los agentes o sustancias que a continuación se indican, pueden contraer una Enfermedad Profesional (E.P.), causada por agentes químicos:

• Fabricación y empleo de cebos de fulminatos de mercurio. (Código 1A0716).

Por ello, debe realizarse reconocimientos médicos previos y periódicos a dichos trabajadores, con la prohibición de no contratar a los calificados como no aptos para desempeñar los puestos de trabajo de que se trate.

— Artículo 243 LGSS, en relación con RDEP (Anexo I).

Véase: Mercurio. Cinc. Cadmio. Industria de explosivos. Pirotecnia. Explosión Detonación. Detonadores. Deflagración. Fulminantes.

FUMIGACIÓN

1. Desinfectar algo por medio de humo, gas o vapores adecuados. Aplicar humo, gases, vapores o polvos en suspensión a algo, especialmente a campos o plantas, para combatir las plagas de insectos y otros organismos nocivos.

2. Los trabajadores ocupados en las actividades económicas, y expuestos a los agentes o sustancias que a continuación se indican, pueden contraer una Enfermedad Profesional (E.P.):

a) Causada por agentes químicos:

• Empleo de bromuro de metilo (derivado halogenado) para el tratamiento de vegetales en bodegas, cámaras de fumigación, contenedores, calas de barcos, camiones cubiertos, entre otros. (Código 1H0212).

• La epiclorhidrina (Epóxido) se utiliza además, como insecticida, fumigante y disolvente de pinturas, barnices, esmaltes y lacas. Producción de resinas de alta resistencia a la humedad en la industria papelera. (Código 1M0106).

• El óxido de etileno (Epóxido) se utiliza, además, en la industria sanitaria y alimentaria como agente esterilizante, como fumigante de alimentos y tejidos, intermediario en síntesis química y en la síntesis de películas y fibras de poliéster. (Código 1M0107).

b) Causada por inhalación de sustancias y agentes no comprendidos en otros apartados:

• Flebología, granjeros, fumigadores, donde los trabajadores estén expuestos a sustancias de bajo peso molecular (metales, polvos de maderas, sustancias químicas, etc.), que pueden provocar alguna de las siguientes E.P: rinoconjuntivitis (Código 4I0123), urticaria (Código 4I0223), angiodemas (Código 4I0223), asma (Código 4I0323), alveolitis alérgica extrínseca (Código 4I0423), síndrome de disfunción de la vía reactiva (Código 4I0523), fibrosis intersticial difusa (Código 4I0623), fiebre de los metales (Código 4I0723), neumopatía intersticial difusa (Código 4I0823).

c) E.P. de la piel, causada por sustancias y agentes no comprendidos en alguno de los otros apartados:

• Flebología, granjeros, fumigadores, donde los trabajadores estén expuestos a sustancias de bajo peso molecular (metales, polvos de maderas, sustancias químicas, etc.), que pueden provocar una E.P. de la piel, causada por sustancias de bajo peso molecular. (Código 5A0101).

Por ello, debe realizarse reconocimientos médicos previos y periódicos a dichos trabajadores, con la prohibición de no contratar a los calificados como no aptos para desempeñar los puestos de trabajo de que se trate.

— Artículo 243 LGSS, en relación con RDEP (Anexo I).

Véase: Desinfectantes. Aldehídos. Bacterias. Sustancias bactericidas. Agentes biológicos. Productos biológicos.

FUNDACIÓN PARA LA MEJORA DE LAS CONDICIONES DE SEGURIDAD Y SALUD EN EL TRABAJO

Es un órgano de participación de los agentes sociales en la ejecución de la política de prevención de riesgos laborales. El objetivo primordial de la Fundación es ayudar a la pequeña empresa en el cumplimiento de la normativa en materia de prevención de riesgos laborales, mediante información, formación y asistencia técnica en materia de prevención de riesgos laborales.

En los sectores de actividad en los que existan fundaciones de ámbito sectorial, constituidas por empresarios y trabajadores, que tengan entre sus fines la promoción de actividades destinadas a la mejora de las condiciones de seguridad y salud en el trabajo, el desarrollo de los objetivos y fines de la fundación se llevará a cabo, en todo caso, en coordinación con aquéllas.

— Disposición Adicional Quinta LPRL.

— Orden TAS/3623/2006, de 28 diciembre.

Véase: Derecho de participación. Comisión Nacional de Seguridad y Salud. Tarjeta profesional de la construcción.

FUNDICIONES

1. Fábricas donde se funden los metales. Aleación de hierro y carbono que contiene más del 2% de este. Se usa principalmente para obtener piezas por moldeo del material fundido.

2. El proceso Ashland se emplea corrientemente en fundiciones de bronce, de aluminio, de acero y en algunas fundiciones especiales.

Se basa en la reacción de formación de los poliuretanos-espumas, barnices, y elastómeros, etc. En esta técnica se utilizan dos aglomerantes: uno a base de isocianatos y el otro a base de resinas fenólicas.

— Nota Técnica de Prevención n.º 195/1998. INSST.

3. Los trabajadores ocupados en las actividades económicas, y expuestos a los agentes o sustancias que a continuación se indican, pueden contraer una Enfermedad Profesional (E.P.):

a) Causada por agentes químicos:

• Fundiciones de cobre, donde se utilice arsénico y sus compuestos. (Código 1A0101).

• Calcinación, fundición y refino de minerales arsénicos. (Código 1A0102).

• Fundición y refino de níquel, producción de acero inoxidable, fabricación de baterías, donde se utilice níquel. (Código 1A0801).

• Trabajos en horno de fundición de hierro y de acero inoxidable, donde se utilice níquel. (Código 1A0810).

• Desbarbado y limpieza de piezas de fundición, donde se utilice níquel. (Código 1A0811).

• Extracción, tratamiento, metalurgia, refinado, fundición, laminado y vaciado del plomo, de sus aleaciones y de metales plumbíferos. (Código 1A0901).

• Empleo de los fluoruros en las fundiciones y para recubrir las varillas soldadoras. (Código 1C0305).

• 8. El furfural (epóxido) se utiliza, además, en la preparación y uso de moldes para fundición, en la vulcanización del caucho, refinado de aceites de petróleo y como agente humectante. (Código 1M0109).

• 9. Trabajos en fundición y limpieza de hornos, donde se utilice óxido de carbono. (Código 1T0103).

b) Causada por agentes físicos:

• Trabajos con cristal incandescente, masas y superficies incandescentes, en fundiciones, acererías, etc., así como en fábricas de carburos, que pueden producir E.P. provocadas por la energía radiante. (Código 2K0101).

c) Causada por inhalación de sustancias y agentes no comprendidos en otros apartados:

• Trabajos de desmoldeo, desbardado y desarenado en las fundiciones, donde se utilice sílice, que pueden provocar la E.P. de silicosis. (Código 4A0106).

• Trabajos en fundiciones, donde los trabajadores estén expuestos a sustancias de bajo peso molecular (metales, polvos de maderas, sustancias químicas, etc.), que pueden provocar alguna de las siguientes E.P: rinoconjuntivitis (Código 4I0107), urticaria (Código 4I0207), angiodemas (Código 4I0207), asma (Código 4I0307), alveolitis alérgica extrínseca (Código 4I0407), síndrome de disfunción de la vía reactiva (Código 4I0507), fibrosis intersticial difusa (Código 4I0607), fiebre de los metales (Código 4I0707), y neumopatía intersticial difusa (Código 4I0807).

d) E.P. de la piel, causada por sustancias y agentes no comprendidos en alguno de los otros apartados:

• 12. Trabajos en fundiciones, donde los trabajadores estén expuestos a sustancias de bajo peso molecular (metales, polvos de maderas, sustancias químicas, etc.), que pueden provocar una E.P. de la piel, causada por sustancias de bajo peso molecular (Código 5A0107).

e) Causada por agentes cancerígenos:

• Minería del arsénico, fundición de cobre, producción de cobre, donde se utilice arsénico, que puede provocar alguna de las siguientes E.P. (cánceres): neoplasia de maligna de bronquio y pulmón (Códigos 6C0101, 6C0104), carcinoma epidermoide de piel (Códigos 6C0201, 6C0204), disqueratosis lenticular en disco (Códigos 6C0301, 6C0304) y angiosarcoma del hígado (Códigos 6C0401, 6C0404).

• Trabajos en horno de fundición de hierro o acero, que contengan cadmio, que puede provocar la E.P. de neoplasia maligna de bronquio, pulmón y próstata. (Código 6G0111).

• Fundición y refino de níquel, producción de acero inoxidable, fabricación de baterías, donde se utilice níquel, que puede provocar alguna de las siguientes E.P.: E.P. neoplasia maligna de cavidad nasal (Código 6K0101), E.P. cáncer primitivo del etmoides y de los senos de la cara (Código 6K0201), o E.P. neoplasia maligna de bronquio y pulmón (Código 6K0301).

• Trabajos en horno de fundición de hierro y de acero inoxidable, donde se utilice níquel, que puede provocar alguna de las siguientes E.P. (Cánceres): E.P. neoplasia maligna de cavidad nasal (Código 6K0109), E.P. cáncer primitivo del etmoides y de los senos de la cara (Código 6K0209), o E.P. neoplasia maligna de bronquio y pulmón (Código 6K0309).

• Desbarbado y limpieza de piezas de fundición, que contengan níquel, que puede provocar alguna de las siguientes E.P. (Cánceres): E.P. neoplasia maligna de cavidad nasal (Código 6K0110), E.P. cáncer primitivo del etmoides y de los senos de la cara (Código 6K0210), o E.P. neoplasia maligna de bronquio y pulmón (Código 6K0310).

Por ello, debe realizarse reconocimientos médicos previos y periódicos a dichos trabajadores, con la prohibición de no contratar a los calificados como no aptos para desempeñar los puestos de trabajo de que se trate.

— Artículo 243 LGSS, en relación con RDEP (Anexo I).

Véase: Metales. Hornos de fundición. Industria metalúrgica. Industria siderometalúrgica.

FUNGICIDAS

1. Sustancias o agentes que destruyen los hongos.

2. Los trabajadores ocupados en las actividades económicas, y expuestos a los agentes o sustancias que a continuación se indican, pueden contraer una Enfermedad Profesional (E.P.), causada por agentes químicos:

• Fabricación y utilización de fungicidas, donde se utilice arsénico y sus compuestos. (Código 1A0118).

• Preparación y empleo de fungicidas para la conservación de los granos, donde se utilice mercurio y sus compuestos. (Código 1A0715).

• Utilización como fungicida, donde se utilice ácido propiónico. (Código 1E0122).

• Uso del naftaleno en fungicidas, bronceadores sintéticos, conservantes, textiles, químicos, materia prima y producto intermedio en industria del plástico y en la fabricación de lacas y barnices. (Código 1K0207).

• Empleo como disolventes, pesticidas, herbicidas, insecticidas y fungicidas, donde se utilicen derivados halogenados de hidrocarburos aromáticos. (Código 1K0501).

• Empleo de nitroderivados alifáticos como aditivos de ciertos explosivos, pesticidas, fungicidas, gasolinas y propulsores para proyectiles. (Código 1R0102).

• Utilización de hexaclorobenceno (organoclorados), como fungicida en el tratamiento de semillas y suelos. (Código 1S0203).

Por ello, debe realizarse reconocimientos médicos previos y periódicos a dichos trabajadores, con la prohibición de no contratar a los calificados como no aptos para desempeñar los puestos de trabajo de que se trate.

— Artículo 243 LGSS, en relación con RDEP (Anexo I).

Véase: Hongos. Fungicidas. Desinfectantes. Aldehídos. Bacterias. Sustancias bactericidas. Agentes biológicos. Productos biológicos.

G

GALERÍAS SUBTERRÁNEAS
Véase: Túneles.

GALVANOPLASTIA

1. El electroplateado o galvanoplastia es un procedimiento para dar forma al metal mediante la electricidad. Recubrimiento, por depósito electrolítico, de un cuerpo sólido con una capa metálica. Técnica que consiste en cubrir un objeto o una superficie con capas metálicas consistentes por medio de la electrólisis y que se aplica especialmente a la preparación de moldes y a la reproducción de objetos en relieve.

2. Los trabajadores ocupados en las actividades económicas, y expuestos a los agentes o sustancias que a continuación se indican, pueden contraer una Enfermedad Profesional (E.P.):

a) Causada por agentes químicos:

• Galvanoplastia y tratamiento de superficies de metales con cromo. (Código 1A0408).

• Empleo de cianuro en las operaciones de galvanoplastia (niquelado, cadmiado, cobrizado, etc.). (Código 1D0405).

• Utilización de la acroleína (aldehídos) en las fábricas de jabón, en la galvanoplastia, en la soldadura de piezas metálicas. (Código 1G0111).

• Galvanoplastia, donde se utilice amoníaco. (Código 1J0107).

• Procesos de electroplateado y grabado, donde se utilicen óxidos de nitrógeno. (Código 1T0305).

b) Causada por inhalación de sustancias y agentes no comprendidos en otros apartados:

• Galvanizado, plateado, niquelado y cromado de metales, donde los trabajadores estén expuestos a sustancias de bajo peso molecular (metales, polvos de maderas, sustancias químicas, etc.), que pueden provocar alguna de las siguientes E.P: rinoconjuntivitis (Código 4I0125), urticaria (Código 4I0225), angiodemas (Código 4I0225), asma (Código 4I0325), alveolitis alérgica extrínseca (Código 4I0425), síndrome de disfunción de la vía reactiva (Código 4I0525), fibrosis intersticial difusa (Código 4I0625), fiebre de los metales (Código 4I0725), y neumopatía intersticial difusa (Código 4I0825).

c) E.P. de la piel, causada por sustancias y agentes no comprendidos en alguno de los otros apartados:

• Galvanizado, plateado, niquelado y cromado de metales, donde los trabajadores estén expuestos a sustancias de bajo peso molecular (metales, polvos de maderas, sustancias químicas, etc.), que pueden provocar una E.P. de la piel, causada por sustancias de bajo peso molecular. (Código 5A0124).

d) Causada por agentes cancerígenos:

• Galvanoplastia y tratamiento de superficies de metales con cromo, que puede provocar la E.P. de neoplasia maligna de cavidad nasal. (Código 6I0108).

• Galvanoplastia y tratamiento de superficies de metales con cromo, que puede provocar la E.P. de neoplasia de bronquio y pulmón. (Código 6I0208).

• Empleo de cianuro en las operaciones de galvanoplastia (niquelado, cadmiado, cobrizado, etc.), que puede provocar una E.P. cancerígena. (Código 6Q0105).

Por ello, debe realizarse reconocimientos médicos previos y periódicos a dichos trabajadores, con la prohibición de no contratar a los calificados como no aptos para desempeñar los puestos de trabajo de que se trate.

— Artículo 243 LGSS, en relación con RDEP (Anexo I).

Véase: Electrolisis. Electrodeposición. Anodizado. Tratamientos electrolíticos.

GANADEROS

1. Personas que cuidan el ganado.

2. Los trabajadores ocupados en las actividades económicas, y expuestos a los agentes o sustancias que a continuación se indican, pueden contraer una Enfermedad Profesional (E.P.):

a) Causada por agentes biológicos:
• Ganaderos y vaqueros, que pueden contraer una E.P. infecciosa transmitida por animales (o por sus productos y cadáveres). (Códigos 3B0102, 3B0108).

• Porquerizos, que pueden contraer una E.P. infecciosa transmitida por animales (o por sus productos y cadáveres). (Código 3B0126).

• Profesionales en contacto con ganado equino, que pueden contraer una E.P. infecciosa transmitida por animales (o por sus productos y cadáveres). (Código 3B0129).

• Trabajos que impliquen la manipulación o exposición de excretas de animales (Expeler el excremento. Expulsar los residuos metabólicos, como la orina o el anhídrido carbónico de la respiración): ganaderos, veterinarios, trabajadores de animalarios, que pueden provocar una E.P. infecciosa transmitida por animales (o por sus productos y cadáveres). (Código 3B0132).

b) Causada por inhalación de sustancias y agentes no comprendidos en otros apartados:
• 5. Granjeros, ganaderos, veterinarios y procesadores de carne, donde los trabajadores estén expuestos a sustancias de alto peso molecular (de origen vegetal o animal), que pueden provocar alguna de las siguientes E.P: rinoconjuntivitis (Código 4H0113), asma (Código 4H0213), alveolitis alérgica extrínseca (Código 4H0313), síndrome de disfunción reactivo de la vía aérea (Código 4H0413), fibrosis intersticial difusa (Código 4H0513), bisinosis, cannabiosis, linnosis, bagazosis, estipatosis, suberosis (Códigos 4H0613), y neumopatía intersticial difusa (Código 4H0713).

c) E.P. de la piel, causada por sustancias y agentes no comprendidos en alguno de los otros apartados:
• Granjeros, ganaderos, veterinarios y procesadores de carne, donde los trabajadores estén expuestos a sustancias de alto peso molecular (de origen vegetal o animal), que pueden provocar una E.P. de la piel, causada por sustancias de alto peso molecular. (Código 5B0113).

• Ganaderos, expuestos a agentes infecciosos, que pueden contraer una E.P. de la piel causada por dichos agentes. (Código 5D0109).

Por ello, debe realizarse reconocimientos médicos previos y periódicos a dichos trabajadores, con la prohibición de no contratar a los calificados como no aptos para desempeñar los puestos de trabajo de que se trate.

— Artículo 243 LGSS, en relación con RDEP (Anexo I).

Véase: Avicultores. Granjas. Granjeros. Granjas de ganado vacuno. Curtidores. Curtidos. Carniceros. Matarifes. Mataderos. Pastores. Trabajos con animales. Comercio de animales. Veterinarios. Entomólogos. Zoonosis. Zoológicos. Transporte de animales.

GARAJES

1. Talleres de reparación de vehículos. Locales destinados a guardar automóviles.

2. Los trabajadores ocupados en las actividades económicas, y expuestos a los agentes o sustancias que a continuación se indican, pueden contraer una Enfermedad Profesional (E.P.):

a) Causada por agentes químicos:

• Trabajos en garajes, depósitos y talleres de reparación, donde se utilice óxido de carbono. (Código 1T0108).

b) Causada por agentes cancerígenos:

• Industrias en las que se utiliza amianto (asbesto) (por ejemplo, minas de rocas amiantíferas, industria de producción de amianto, trabajos de aislamientos, trabajos de construcción, construcción naval, trabajos en garajes, etc.), que puede provocar alguna de las siguientes E.P.: neoplasia maligna de bronquio y pulmón (Código 6A0101), mesotelioma (Código 6A0201), mesotelioma de pleura (Código 6A0301), mesotelioma de peritoneo (Código 6A0401), mesotelioma de otras localizaciones (Código 6A0501) y cáncer de laringe (Código 6A0601).

• Trabajos de reparación de vehículos automóviles, donde exista exposición a la inhalación de polvos de amianto (asbesto), que pueden provocar alguna de las siguientes E.P.: neoplasia maligna de bronquio y pulmón (Código 6A0110), mesotelioma (Código 6A0210), mesotelioma de pleura (Código 6A0310), mesotelioma de peritoneo (Código 6A0410), mesotelioma de otras localizaciones (Código 6A0510) y cáncer de laringe (Código 6A0610).

Por ello, debe realizarse reconocimientos médicos previos y periódicos a dichos trabajadores, con la prohibición de no contratar a los calificados como no aptos para desempeñar los puestos de trabajo de que se trate.

— Artículo 243 LGSS, en relación con RDEP (Anexo I).

Véase: Talleres. Mecánicos. Chapistas. Fosos de inspección de vehículos.

GARANTÍAS DE LOS DELEGADOS DE PREVENCIÓN

1. Se trata de la protección o tutela jurídica que tienen los que desempeñan las funciones de representación, para que estas funciones puedan ser ejercitadas de forma efectiva y real. Lo previsto en el artículo 68 del LET en materia de garantías será de aplicación a los Delegados de Prevención en su condición de representantes de los trabajadores.

— Artículo 37.1 LPRL.

2. Los miembros del Comité de Empresa y los Delegados de Personal, como representantes legales de los trabajadores tendrán, a salvo de lo que se disponga en los convenios colectivos, las siguientes garantías:

• Apertura de expediente contradictorio en el supuesto de sanciones por faltas graves o muy graves, en el que serán oídos, aparte del interesado, el Comité de Empresa o restantes Delegados de Personal.

• Prioridad de permanencia en la empresa o centro de trabajo respecto de los demás trabajadores, en los supuestos de suspensión o extinción por causas tecnológicas o económicas.

• No ser despedido ni sancionado durante el ejercicio de sus funciones ni dentro del año siguiente a la expiración de su mandato, salvo en caso de que esta se produzca por revocación o dimisión, siempre que el despido o sanción se base en la acción del trabajador en el ejercicio de su representación, sin perjuicio, por tanto, de lo establecido en el artículo 54 (despido disciplinario). Asimismo no podrá ser discriminado en su promoción económica o profesional en razón, precisamente, del desempeño de su representación.

— Es nulo el despido de un trabajador, miembro suplente del Comité de Seguridad y Salud, tras interponer denuncia ante la Inspección de Trabajo, es despido con el cargo de faltas de puntualidad injustificadas, cuando en realidad llegaba siempre puntual al centro de trabajo, pero tras ir al comedor a tomarse un café, se demoraba entre 20 y 30 minutos para presentarse en su puesto de trabajo, máxime cuando esta conducta venía tolerándose desde más de ocho meses

— STSJ Madrid 22.11.05.

• d) Expresar, colegiadamente si se trata del Comité, con libertad sus opiniones en las materias concernientes a la esfera de su representación, pudiendo publicar y distribuir, sin perturbar el normal desenvolvimiento del trabajo, las publicaciones de interés laboral o social, comunicándolo a la empresa.

• e) Disponer de un crédito de horas mensuales retribuidas cada uno de los miembros del comité o delegado de personal en cada centro de trabajo, para el ejercicio de sus funciones de representación, de acuerdo con la escala prevista en el propio ET.

— Artículo 68 LET.

Véase: Delegados de Prevención. Representantes legales. Sigilo profesional.

GAS COMPRIMIDO

Es cualquier gas o mezcla de gases cuya temperatura crítica es menor o igual a −10°C.

Son aquellos que a la temperatura atmosférica normal se mantienen dentro de su envase, en estado gaseoso, bajo presión. Ejemplos: Metano, Hidrógeno, Monóxido de Carbono, Oxígeno y Nitrógeno, etc.

— Nota Técnica de Prevención n.º 198/1988. INSST.

Véase: Gas. Gas corrosivo. Gas criogénico. Gas inflamable. Gas natural. Gas oxidante. Gas propano. Gas tóxico. Gas: Botellas. Gases combustibles. Gases inertes. Gases licuados.

GAS CORROSIVO

Es aquél que produce una corrosión de más de 6 mm/año en acero A-37 UNE 36077-73, a una temperatura de 55°C.

— Nota Técnica de Prevención n.º 198/1988. INSST.

Véase: Gas. Gas comprimido. Gas criogénico. Gas inflamable. Gas natural. Gas oxidante. Gas propano. Gas tóxico. Gas: Botellas. Gases combustibles. Gases inertes. Gases licuados.

GAS CRIOGÉNICO

Es aquel cuya temperatura de ebullición a la presión atmosférica es inferior a —40°C. Los licuados a temperaturas muy bajas. Son gases que se licúan a temperaturas más bajas que las temperaturas atmosféricas normales.

Tienen el problema de que no pueden mantenerse indefinidamente en el recipiente, pues a través de sus paredes van recibiendo calor de la atmósfera, con lo que la presión, si no se libera fuera del recipiente algo del producto, se iría elevando paulatinamente hasta un nivel que puede hacer estallar el recipiente. Ejemplos: Aire, Gas Natural, Argón, Nitrógeno, CO2, Oxígeno, etc.

— Nota Técnica de Prevención n.º 198/1988. INSST.

Véase: Gas. Gas comprimido. Gas corrosivo. Gas inflamable. Gas natural. Gas oxidante. Gas propano. Gas tóxico. Gas: Botellas. Gases combustibles. Gases inertes. Gases licuados.

GAS INFLAMABLE

Es cualquier gas o mezcla de gases cuyo límite de inflamabilidad inferior en aire sea ≤ 13%, o que tenga un campo de inflamabilidad (límite superior menos límite inferior) > 12%. Butano, Metano, Hidrógeno, Propano, etc.

— Nota Técnica de Prevención n.º 198/1988. INSST.

Véase: Gas. Gas comprimido. Gas corrosivo. Gas criogénico. Gas natural. Gas oxidante. Gas propano. Gas tóxico. Gas: Botellas. Gases combustibles. Gases inertes. Gases licuados.

GAS NATURAL

1. Gas combustible procedente de formaciones geológicas y compuesto principalmente por metano.

2. Es aquel gas que no está sometido a transformaciones químicas, sino que se consume tal cual se obtiene de la naturaleza. Se trata de una mezcla de hidrocarburos en forma gaseosa en la que predomina el metano (mínimo 80%) y en la que también se encuentran en menor proporción etano, propano, pentano y butano. Es un gas volátil menos denso que el aire (densidad relativa 0,7 kg/m^3) que se mezcla con facilidad con el aire y no tiende a formar bolsas. Al ser inodoro, a la mezcla se le añade un agente odorizante, como el THT (Tetrahidrotiofeno).

— Nota Técnica de Prevención n.º 1058/2015. INSST.

Véase: Gas. Gas comprimido. Gas corrosivo. Gas criogénico. Gas inflamable. Gas oxidante. Gas propano. Gas tóxico. Gas: Botellas. Gases combustibles. Gases inertes. Gases licuados.

GAS OXIDANTE

Es aquel capaz de soportar la combustión con un oxipotencial superior al del aire.

— Nota Técnica de Prevención n.º 198/1988. INSST.

Véase: Gas. Gas comprimido. Gas corrosivo. Gas criogénico. Gas inflamable. Gas natural. Gas propano. Gas tóxico. Gas: Botellas. Gases combustibles. Gases inertes. Gases licuados.

GAS PROPANO

El gas propano comercial es una mezcla de hidrocarburos ligeros ricos en propano (con un mínimo del 80%) y butano, que forma parte de los llamados Gases Licuados del Petróleo. Su principal característica es que, a pesar de ser un gas combustible en condiciones normales, se licua a presiones relativamente bajas lo que permite su almacenamiento en forma líquida a temperatura ambiente. Su origen es la destilación del petróleo crudo y/o el secado de pozos de gas natural y en su forma gaseosa es más denso que el aire.

— Nota Técnica de Prevención n.º 1058/2015. INSST.

Véase: Gas. Gas comprimido. Gas corrosivo. Gas criogénico. Gas inflamable. Gas natural. Gas oxidante. Gas tóxico. Gas: Botellas. Gases combustibles. Gases inertes. Gases licuados.

GAS TÓXICO

1. Es aquél cuyo límite de máxima concentración tolerable durante ocho horas/día y cuarenta horas/semana (TLV) es inferior a 50 ppm (partes por millón).

— Nota Técnica de prevención n.º 198/1988. INSST.

2. Los gases penetran fácilmente en el cuerpo por inhalación y suelen absorberse sin dificultad. Su penetración a través de la piel o por ingestión no suele ser frecuente.

— Nota Técnica de Prevención n.º 108/1984. INSST.

Véase: Gas. Gas comprimido. Gas corrosivo. Gas criogénico. Gas inflamable. Gas natural. Gas oxidante. Gas propano. Gas: Botellas. Gases combustibles. Gases inertes. Gases licuados.

GAS. BOTELLAS

La utilización de botellas de gases, entendiendo como tales, aquellas dedicadas a contener gases comprimidos, licuados o disueltos a presión, y cuya capacidad, de acuerdo con lo establecido en el Reglamento de Aparatos a Presión, Instrucción Técnica, del MIE-AP7, es igual o inferior a 150 litros, de realizarse atendiendo a unas medidas preventivas esenciales.

— Nota Técnica de Prevención n.º 397/1995. INSST.

Véase: Gas. Gas comprimido. Gas corrosivo. Gas criogénico. Gas inflamable. Gas natural. Gas oxidante. Gas propano. Gas tóxico. Gases combustibles. Gases inertes. Gases licuados.

GAS

1. Fluido que tiende a expandirse y que se caracteriza por su baja densidad, como el aire.

Gas ciudad: Gas combustible que se obtiene por tratamiento industrial de hulla o nafta y que se distribuye en redes urbanas. Gas de alumbrado: Gas combustible con un 25% de metano, obtenido por destilación seca de la hulla y que se utilizó para iluminar la vía pública. Gas hilarante: Óxido nitroso, usado por tener propiedades anestésicas. Gas mostaza: Gas tóxico de color amarillento, utilizado como arma de guerra. Gas noble: Cada uno de los elementos químicos de un grupo formado por helio, neón, argón, criptón, xenón y radón, que por su estructura atómica son químicamente inactivos. Todos ellos existen en el aire atmosférico. Gas pobre: Mezcla de gases de poder luminoso muy débil, cuyos principales componentes son el hidrógeno y el óxido de carbono. Se produce por la acción del vapor de agua y del aire sobre el carbón candente.

2. Los gases penetran fácilmente en el cuerpo por inhalación y suelen absorberse sin dificultad. Su penetración a través de la piel o por ingestión no suele ser frecuente.

— Nota Técnica de Prevención n.º 108/1984. INSST.

3. Los trabajadores ocupados en las actividades económicas, y expuestos a los agentes o sustancias que a continuación se indican, **pueden** contraer una Enfermedad **Profesional** (E.P.):

a) Causada por **agentes** químicos:

• Fabricación de gases industriales, donde se utilice ácido sulfhídrico. (Código 1D0310).

• Tratamiento de brea de hulla, de gas de alumbrado y para el calentamiento de ciertas materias plásticas, donde se utilicen fenoles. (Código 1F0209).

• Los hornos de coque, fábricas de gas, donde se utilice amoníaco. (Código 1J0104).

• Producción, depuración y almacenamiento de gas, donde se utilice óxido de carbono. (Código 1T0101).

• Reparación de conductos de gas, donde se utilice óxido de carbono. (Código 1T0102).

• Industrias que emplean como combustible cualquier gas industrial. (Código 1T0107).

• Utilización del dióxido de nitrógeno como gas protector en los locales exiguos o mal ventilados. (Código 1T0306).

• Utilización del protóxido de nitrógeno como gas anestésico. (Código 1T0307).

b) Causada por agentes cancerígenos:

• 9. Producción de gas ciudad, donde se utilicen hidrocarburos aromáticos, que pueden provocar la E.P. de lesiones premalignas de piel (Código 6J0121), y/o E.P. de carcinoma de células escamosas (Código 6J0221).

Por ello, debe realizarse reconocimientos médicos previos y periódicos a dichos trabajadores, con la prohibición de no contratar a los calificados como no aptos para desempeñar los puestos de trabajo de que se trate.

— Artículo 243 LGSS, en relación con RDEP (Anexo I).

Véase: Gas comprimido. Gas corrosivo. Gas criogénico. Gas inflamable. Gas natural. Gas oxidante. Gas propano. Gas tóxico. Gas: Botellas. Gases combustibles. Gases inertes. Gases licuados.

GASES ANESTÉSICOS

1. Gases que producen o causan anestesia. Pérdida temporal de las sensaciones de tacto y dolor producidas por un medicamento o sustancia. Anestesia general: Anestesia que afecta a todo el organismo con pérdida del conocimiento. Anestesia local: Anestesia que afecta solo a una parte del cuerpo, sin pérdida del conocimiento.

2. Exposición laboral a gases anestésicos.

— Notas Técnicas de Prevención n.º 606/1991. 932, 933/2012. INSST.

Véase: Anestésico. Productos anestésicos. Quirófanos.

GASES COMBUSTIBLES

1. Los gases combustibles son sustancias químicas que en condiciones atmosféricas están en fase gas, y son capaces de reaccionar con el oxígeno del aire de forma rápida y con desprendimiento de energía térmica. Por esta condición se utilizan como combustibles en domicilios particulares, en instalaciones industriales y en ciertos motores de combustión. Los dos tipos de gases combustibles utilizados con mayor frecuencia son el gas natural y el gas propano.

— Nota Técnica de Prevención n.º 1058/2015. INSST.

2. Fugas en recipientes: Emisión en fase gaseosa

— Nota Técnica de Prevención n.º 385/1995. INSST.

Véase: Gas. Gas comprimido. Gas corrosivo. Gas criogénico. Gas inflamable. Gas natural. Gas oxidante. Gas propano. Gas tóxico. Gas: Botellas. Gases inertes. Gases licuados.

GASES INERTES

Los gases inertes (helio, neón, argón, criptón, xenón, nitrógeno y anhídrido carbónico) son incoloros, inodoros e insípidos, por lo que su efecto asfixiante al desplazar al aire, se produce sin ningún signo fisiológico preliminar que señale su presencia; en este sentido son por tanto mucho más peligrosos que gases tóxicos como el cloro, amoníaco, etc., de los que basta una pequeña concentración ambiental para que su olor característico y penetrante delaten su presencia. La simple inhalación de dos bocanadas de un gas inerte basta para perder la consciencia y en muy pocos minutos producir lesiones cerebrales irreversibles o la muerte por asfixia, si no se produce una reanimación inmediata.

— Nota Técnica de Prevención n.º 340/1994. INSST.

Véase: Gas. Gas comprimido. Gas corrosivo. Gas criogénico. Gas inflamable. Gas natural. Gas oxidante. Gas propano. Gas tóxico. Gas: Botellas. Gases combustibles. Gases licuados.

GASES LICUADOS

1. Es cualquier gas o mezcla de gases cuya temperatura crítica es mayor o igual a -10°C. Son gases a los que mediante el frío, la presión o una combinación de ambos efectos, se les convierte en líquidos y de esta forma se transportan en recipientes a una determinada presión. Si por cualquier causa salen de su envase se convierten nuevamente en gases. Una parte de producto está en estado líquido y, por encima de ésta, hay otra parte en estado gaseoso. Ejemplos: Cloro, Amoníaco, Propano, Butano, etc.

— Nota Técnica de Prevención n.º 198/1988. INSST.

2. Existen once gases básicos que pueden licuarse a temperaturas inferiores a -100.ºC, de los cuales los más comunes son el argón, helio, hidrógeno, nitrógeno, oxígeno y CO2. El helio se obtiene por licuación y fraccionamiento de gases naturales que lo contienen. El hidrogeno se obtiene de procesos químicos y electroquímicos. El oxígeno y nitrógeno por licuación y fraccionamiento del aire. El CO2 a partir de gases residuales en distintos procesos y de combustión.

— Nota Técnica de Prevención n.º 383/1995. INSST.

3. Control de fugas en almacenamientos de gases licuados tóxicos.

— Notas Técnicas de Prevención n.º 337, 338/1994. INSST.

> *Véase: Oxigeno. Gas. Gas comprimido. Gas corrosivo. Gas criogénico. Gas inflamable. Gas natural. Gas oxidante. Gas propano. Gas tóxico. Gas: Botellas. Gases combustibles. Gases inertes.*

GASÓLEO

Fracción destilada del petróleo crudo, que se purifica especialmente para eliminar el azufre y se usa, sobre todo, en los motores diésel y como combustible doméstico.

> *Véase: Fuel oil. Petróleo. Gasolinas. Sustancias combustibles.*

GASOLINAS

1. La gasolina (nafta, bencina), es una composición de hidrocarburos obtenida del petróleo por destilación fraccionada, que se utiliza principalmente como combustible para todo tipo de móviles con motor en motores de combustión interna, estufas, lámparas y para limpieza con disolventes, entre otras aplicaciones.

2. Los trabajadores ocupados en las actividades económicas, y expuestos a los agentes o sustancias que a continuación se indican, pueden contraer una Enfermedad Profesional (E.P.), causada por agentes químicos:

• Uso de compuestos órgano mangánicos como aditivos de *fuel oil* y algunas naftas sin plomo. (Código 1A0617).

• Fabricación y manipulación de derivados alcoilados del plomo (plomo tetrametilo, plomo tetraetilo): preparación y manipulación de las gasolinas que los contengan y limpieza de los tanques. (Código 1A0921).

• Compuesto antidetonante de la gasolina, donde se utilice bromo. (Código 1C0108).

• Aditivo de las gasolinas, donde se utilice xileno o tolueno. (Código 1K0306).

• Empleo de nitroderivados alifáticos como aditivos de ciertos explosivos, pesticidas, fungicidas, gasolinas y propulsores para proyectiles. (Código 1R0102).

Por ello debe realizarse reconocimientos médicos previos y periódicos a dichos trabajadores, con la prohibición de no contratar a los calificados como no aptos para desempeñar los puestos de trabajo de que se trate.

— Artículo 243 LGSS, en relación con RDEP (Anexo I).

> *Véase: Fuel oil. Benceno. Petróleo. Gasolineras. Sustancias combustibles. Plomo.*

GASOLINERAS

El estudio de la exposición laboral de los trabajadores de estaciones de servicio a compuestos orgánicos volátiles se basa principalmente en el control de la exposición a vapores de gasolina, que por sus características y composición son los que están presentes en concentraciones más elevadas en el ambiente, y más concretamente se centra en la determinación de hidrocarburos alifáticos y de benceno, tolueno y xilenos.

Otros compuestos de interés de la gasolina, desde el punto de vista toxicológico, son el metil terbutil éter y el etil ter-butil éter utilizados como aditivos a unos niveles de concentración entre el 2 y 11% con el objetivo de reemplazar el plomo orgánico y el benceno como anti-detonantes y así poder reducir la concentración en hidrocarburos aromáticos.

— Nota Técnica de Prevención n.º 775/2007. INSST.

Véase: Gasolina. Fuel oil. Naftas. Benceno. Sustancias combustibles.

GENTE DE MAR

1. Gente de mar o marino, es toda persona empleada o contratada, cualquiera que sea su cargo, a bordo de un buque de navegación marítima.

— Anexo. Cláusula 2.c RDOTTM.

2. Los términos gente de mar o marino designan a cualquier persona empleada a cualquier título a bordo de un buque dedicado a la navegación marítima.

— Artículo 1 Convenio OIT 164, de 8 de octubre de 1987.

— Artículo 1 Convenio OIT 178, de 22 de octubre de 1996.

Véase: Buque de pesca. Navíos. Trabajos en navíos. Trabajador del mar. Armador. Capitán de buque. Pesca de altura. Pesca de arrastre. Pesca de bajura. Pesca de cerco. Reconocimientos médicos previos: Obligatoriedad expresa.

GESTIÓN DE LA PREVENCIÓN

1. La prevención de riesgos laborales deberá integrarse en el sistema general de gestión de la empresa, tanto en el conjunto de sus actividades como en todos los niveles jerárquicos de ésta, a través de la implantación y aplicación de un Plan de Prevención de riesgos laborales.

2. Afrontar con éxito las obligaciones legales que comporta la LPRL y sus reglamentos derivados, no implica desarrollar necesariamente un modelo o sistema de actuación normalizado.

En dicha reglamentación se establecen una serie de directrices, teniendo el empresario la libertad de implantar el sistema preventivo que responda lo mejor posible a sus peculiaridades e intereses. Ello representa un marco preventivo dotado de bastante flexibilidad, lo que es una indudable ventaja a la hora de encontrar modos de actuar adecuados al tamaño de la empresa, a su actividad, a los tipos de riesgos existentes y también a la cultura empresarial existente.

— Notas Técnicas de Prevención n.º 537/1999. 558, 563/2000. 576/2001. INSST.

— Norma UNE 81900 EX: 1996.

— Norma ISO 9000, de calidad.

— Norma ISO 14000, de medio ambiente.

3. La empresa no solo debe concertar el Servicio de Prevención, con anterioridad a la contratación, sino que también debe velar por el cumplimiento del mismo, efectuando un seguimiento continuo de la actividad concertada.

— STSJ Extremadura 13.5.10.

4. No se sanciona por no tener el concierto en el momento de la inspección, sino desde la fecha en que venía obligada a suscribirlo.

— STSJ Murcia 2.5.08.

5. Evaluación de la gestión de calidad.

— Notas Técnicas de Prevención n.º 419/1996. 496, 497, 498/1998. INSST.

Véase: Integración de la prevención. Plan de Prevención. Sistemas de Prevención. Auditorias de prevención.

GLICOLES

1. Moléculas que poseen grupos alcohólicos unidos a átomos de carbono.

2. Los trabajadores expuestos a los glicoles (Etilenglicol, dietilenglicol, 1-4 butanediol, así como los derivados nitrados de los glicoles y del glicerol) (Código 1P01), pueden contraer una Enfermedad Profesional (E.P.), causada por agentes químicos, en las actividades o trabajos que a continuación se relacionan:

• Fabricación de glicoles y poliglicoles, de sus derivados y de sus acetatos. (Código 1P0101).

• Utilización en la industria química como productos intermedios en numerosas síntesis orgánicas, como disolventes de lacas, resinas, barnices celulósicos de secado rápido, de ciertas pinturas, pigmentos, nitrocelulosa y acetatos de celulosa, tintes y plásticos. (Código 1P0102).

• Utilización en la industria farmacéutica como vehículo de ciertos medicamentos, desodorantes, desinfectantes y bactericidas. (Código 1P0103).

• La industria de cosméticos, fabricación y utilización de anticongelantes, de líquidos de sistemas hidráulicos y de líquidos de frenos. (Código 1P0104).

• Fabricación de ciertas esencias, extractos en la industria alimentaria. (Código 1P0105).

• Industria textil para dar la flexibilidad a los tejidos y preparación para la textura e impresión de tejidos a base de acetatos de celulosa, así como en la preparación y utilización de ciertos almidones sintéticos. (Código 1P0106).

• Fabricación de condensadores electrolíticos. (Código 1P0107).

• Preparación de ciertas películas y placas en la industria fotográfica. (Código 1P0108).

• Industria de explosivos y caucho sintético. (Código 1P0109).

Por ello, debe realizarse reconocimientos médicos previos y periódicos a dichos trabajadores, con la prohibición de no contratar a los calificados como no aptos para desempeñar los puestos de trabajo de que se trate.

— Artículo 243 LGSS, en relación con RDEP (Anexo I).

Véase: Carbono. Alcoholes.

GLUCANOS

Son polímeros de glucosa con diferentes pesos moleculares y grados de ramificación. Estos compuestos son producidos por la mayor parte de los hongos, algunas bacterias y plantas inferiores. Estudios experimentales sugieren que estos agentes influyen en la respuesta inflamatoria provocada por bioaerosoles y en los síntomas respiratorios resultantes. Estudios realizados en animales muestran una acción sinérgica con las endotoxinas causando inflamación de las vías respiratorias. Los sectores de actividad en los que su presencia puede ser importante son aquellos en los que la contaminación por hongos es factible, por ejemplo: manejo de residuos y fabricación de compost, ambientes húmedos, edificios contaminados por hongos, almacenamiento de grano y/o productos perecederos, entre otros.

— Nota Técnica de Prevención n.º 802/2008. INSST.

Véase: Agentes biológicos. Hongos. Bacterias. Endotoxinas. Peptidoglicanos. Micotoxinas. Alérgenos. Enfermedades respiratorias. Asma laboral. Rinitis. E.P. neumonitis por hipersensibilidad. Síndrome toxico.

GLUTARALDEHÍDO

El glutaraldehído se utiliza, solo o en combinación con otros productos, para la limpieza, desinfección y esterilización de material clínico delicado y de superficies en hospitales. Debido a sus excepcionales cualidades bactericidas, fungicidas y virucidas, su uso ha aumentado de manera progresiva, notándose un importante incremento particularmente después de la aparición del VIH (virus de la inmunodeficiencia humana).

El glutaraldehído es un irritante de la piel, ojos, vías respiratorias y sensibilizante, debiéndose restringir su utilización a aquellos casos que sea imprescindible. Por ello es fundamental la aplicación de unas buenas prácticas de manipulación para reducir la exposición a los niveles más bajos posibles.

— Nota Técnica de Prevención n.º 506/1999. INSST.

Véase: Desinfectantes. Esterilización. Hospitales. Hilo de sutura. Industria sanitaria. Bacterias. Virus.

GOLPE DE CALOR

1. Se desarrolla cuando la termorregulación ha sido superada, y el cuerpo ha utilizado la mayoría de sus defensas para combatir la hipertermia (aumento de la temperatura interna por encima de la habitual). Se caracteriza por un incremento elevado de la temperatura interna por encima de 40,5°C, y la piel caliente y seca debido a que no se produce sudoración. En este caso es necesaria la asistencia médica y hospitalización debido a que las consecuencias pueden mantenerse durante algunos días.

— Nota Técnica de Prevención n.º 922/2011. INSST.

2. Ante una situación de golpe de calor, se frotará el cuerpo con una esponja o paño mojado en agua fría a fin de bajar la temperatura corporal interna hasta alcanzar los 39.°C, una vez conseguida esta temperatura dejar que vaya disminuyendo progresivamente hasta los 37,5.°C. Para evitar que el frío provoque una vasoconstricción puede realizarse un masaje suave en tronco y extremidades.

— Nota Técnica de Prevención n.º 279/1991. INSST.

3. Procede la imposición del recargo en las prestaciones de la Seguridad Social por:

• Un golpe de calor precedido de faltas de medidas de prevención.

— STSJ Baleares 26.3.08.

Véase: Calor. Estrés térmico. Deshidratación. Agotamiento por calor. Síncope por calor.

GOMAS

1. Sustancia viscosa e incristalizable que naturalmente, o mediante incisiones, fluye de diversos vegetales, después de seca es soluble en agua e insoluble en el alcohol y el éter, y que disuelta en agua sirve para pegar o adherir cosas.

2. Los trabajadores ocupados en las actividades económicas, y expuestos a los agentes o sustancias que a continuación se indican, pueden contraer una Enfermedad Profesional (E.P.):

a) Causada por agentes químicos:

• Fabricación de plásticos, goma sintética, resinas, aislantes, donde se utilice vinilbenceno (estireno y divinilbenceno). (Código 1K0406).

• Laqueado de papel, tejidos, cuero, gomas, hilos conductores, donde se utilicen isocianatos. (Código 1Q0103).

b) Causada por inhalación de sustancias y agentes no comprendidos en otros apartados:

• Fabricación de pinturas, plásticos y gomas, donde se utilice polvo de sílice, que puede provocar la E.P. de silicosis. (Código 4A0114).

Por ello, debe realizarse reconocimientos médicos previos y periódicos a dichos trabajadores, con la prohibición de no contratar a los calificados como no aptos para desempeñar los puestos de trabajo de que se trate.

— Artículo 243 LGSS, en relación con RDEP (Anexo I).

Véase: Gutapercha. Colas. Adhesivos. Pegamento. Vulcanización. Fabricación de resinas. Sustancias adhesivas.

GÓNDOLAS

Las góndolas son plataformas suspendidas de una estructura, previstas para instalarse de manera permanente sobre un edificio o estructura específica.

La estructura de suspensión es generalmente un aparejo elevador que se desplaza sobre raíles o sobre una superficie apropiada, por ejemplo, una plataforma de hormigón, un monocarril, etc.

Existen otros tipos de góndolas tales como las constituidas por plataformas con el grupo de elevación incorporado que cuelgan de monocarriles o las formadas por pescantes de columna denominados Davit fijados al edificio.

— Nota Técnica de Prevención n.º 999/2014. INSST.

Véase: Aberturas de los suelos. Plataformas de trabajo. Barandillas. Andamios. Dispositivos de anclaje. Plataformas suspendidas. Desniveles. Pasarelas. Torres de acceso. Torres de trabajo móviles. Muelles de carga y descarga. Caída de objetos. Caída de personas. Redes de seguridad. Trabajos en altura.

GRABADORES

1. Consiste en señalar, abrir y labrar en una superficie. Grabado al agua fuerte es el procedimiento en que se emplea la acción del ácido nítrico sobre una lámina cubierta con una capa de barniz, en la cual se abre el dibujo con una aguja hasta dejar descubierta la superficie metálica, y, después que el ácido ha mordido lo bastante, se quita el barniz con un disolvente.

2. Los trabajadores ocupados en la actividad económica de grabado y expuestos a los agentes o sustancias que a continuación se indican, pueden contraer una Enfermedad Profesional (E.P.):

a) Causada por agentes químicos:

• Grabado al agua fuerte, donde se utilice ácido nítrico. (Código 1D0104).

• Procesos de electroplateado y grabado, donde se utilicen óxidos de nitrógeno. (Código 1T0305).

b) Causada por agentes físicos:

• Trabajos en los que se produzca un apoyo prolongado y repetido de forma directa o indirecta sobre las correderas anatómicas que provocan lesiones nerviosas por compresión. Movimientos extremos de hiperflexión y de hiperextensión. Trabajos que entrañen compresión prolongada en la muñeca o de una presión mantenida o repetida sobre el talón de la mano, como ordeño de vacas, grabado, talla y pulido de vidrio, burilado, trabajo de zapatería, leñadores, herreros, peleteros, lanzadores de martillo, disco y jabalina, que pueden contraer enfermedades por posturas forzadas y movimientos repetitivos, como el síndrome del canal de Guyon. (Código 2F0301).

Por ello, debe realizarse reconocimientos médicos previos y periódicos a dichos trabajadores, con la prohibición de no contratar a los calificados como no aptos para desempeñar los puestos de trabajo de que se trate.

— Artículo 243 LGSS, en relación con RDEP (Anexo I).

Véase: Burilado. Esmeriles. Ácido nítrico. Óxidos de nitrógeno. Trabajos con pulidoras.

GRADOS DE INCAPACIDAD PERMANENTE

La incapacidad permanente, cualquiera que sea su causa determinante, se clasificará, en función del porcentaje de reducción de la capacidad de trabajo del interesado, valorado de acuerdo con la lista de enfermedades que se apruebe reglamentariamente en los siguientes grados:

• Incapacidad permanente parcial.
• Incapacidad permanente total.
• Incapacidad permanente absoluta.
• Gran invalidez.

— Artículo 194.1 LGSS.

Véase: Incapacidad permanente. Incapacidad Permanente Parcial. Incapacidad Permanente Total. Incapacidad Permanente Absoluta. Gran invalidez.

GRAN INVALIDEZ

Se entenderá por gran invalidez la situación del trabajador afecto de incapacidad permanente y que, por consecuencia de pérdidas anatómicas o funcionales, necesite la asistencia de otra persona para los actos más esenciales de la vida, tales como vestirse, desplazarse, comer o análogos.

— Artículo 194 LGSS.

— Artículo 12.4 Orden de 15 de abril de 1969.

> *Véase: Incapacidad permanente. Grados de incapacidad permanente. Incapacidad Permanente Parcial. Incapacidad Permanente Total. Incapacidad Permanente Absoluta.*

GRANJAS DE GANADO VACUNO

1. Fincas dedicadas a la cría de vacas y toros.

2. Riesgo de contraer encefalopatías espongiformes transmisibles, de los trabajadores expuestos a tejidos de ganado vacuno infectados. La vía de contagio sería a través de lesiones abiertas de la piel y/o salpicaduras en las membranas mucosas (ojos y boca).

— Nota Técnica de Prevención n.º 613/2003. INSST.

> *Véase: Avicultores. Ganaderos. Granjas. Granjeros. Curtidores. Curtidos. Carniceros. Matarifes. Mataderos. Pastores. Trabajos con animales. Comercio de animales. Veterinarios. Entomólogos. Zoonosis. Zoológicos. Transporte de animales.*

GRANJAS

1. Fincas dedicadas a la cría de animales.

2. Los trabajadores ocupados en las actividades económicas, y expuestos a los agentes o sustancias que a continuación se indican, pueden contraer una Enfermedad Profesional (E.P.), causada por agentes biológicos:

> • Personal de cuidado, recogida, cría y transporte de animales, que pueden contraer una E.P. infecciosa transmitida por animales (o por sus productos y cadáveres). (Código 3B0113).
>
> • Porquerizos, que pueden provocar una E.P. infecciosa transmitida por animales (o por sus productos y cadáveres). (Código 3B0126).

Por ello, debe realizarse reconocimientos médicos previos y periódicos a dichos trabajadores, con la prohibición de no contratar a los calificados como no aptos para desempeñar los puestos de trabajo de que se trate.

— Artículo 243 LGSS, en relación con RDEP (Anexo I).

> *Véase: Avicultores. Ganaderos. Granjeros. Granjas de ganado vacuno. Curtidores. Curtidos. Carniceros. Matarifes. Mataderos. Pastores. Trabajos con animales. Comercio de animales. Veterinarios. Entomólogos. Zoonosis. Zoológicos. Transporte de animales.*

GRANJEROS

1. Personas que trabajan y cuidan de una granja.

2. Los trabajadores ocupados en las actividades económicas, y expuestos a los agentes o sustancias que a continuación se indican, pueden contraer una Enfermedad Profesional (E.P.):

a) Causada por agentes biológicos:

• Granjeros, expuestos a agentes biológicos, que puede contraer una E.P. infecciosa transmitida por animales (o por sus productos y cadáveres). (Código 3B0121).

b) Causada por inhalación de sustancias y agentes no comprendidos en otros apartados:

• Granjeros, ganaderos, veterinarios y procesadores de carne, donde los trabajadores estén expuestos a sustancias de alto peso molecular (de origen vegetal o animal), que pueden provocar alguna de las siguientes E.P.: rinoconjuntivitis (Código 4H0113), asma (Código 4H0213), alveolitis alérgica extrínseca (Código 4H0313), síndrome de disfunción reactivo de la vía aérea (Código 4H0413), fibrosis intersticial difusa (Código 4H0513), bisinosis, cannabiosis, linnosis, bagazosis, estipatosis, suberosis (Códigos 4H0613), y neumopatía intersticial difusa (Código 4H0713).

• Flebología, granjeros, fumigadores, donde los trabajadores estén expuestos a sustancias de bajo peso molecular (metales, polvos de maderas, sustancias químicas, etc.), que pueden provocar alguna de las siguientes E.P.: rinoconjuntivitis (Código 4I0123), urticaria (Código 4I0223), angiodemas (Código 4I0223), asma (Código 4I0323), alveolitis alérgica extrínseca (Código 4I0423), síndrome de disfunción de la vía reactiva (Código 4I0523), fibrosis intersticial difusa (Código 4I0623), fiebre de los metales (Código 4I0723), y neumopatía intersticial difusa (Código 4I0823).

c) E.P. de la piel, causada por sustancias y agentes no comprendidos en alguno de los otros apartados:

• Flebología, granjeros, fumigadores, donde los trabajadores estén expuestos a sustancias de bajo peso molecular (metales, polvos de maderas, sustancias químicas, etc.), que pueden provocar una E.P. de la piel, causada por sustancias de bajo peso molecular. (Código 5A0123).

• Granjeros, ganaderos, veterinarios y procesadores de carne, donde los trabajadores estén expuestos a sustancias de alto peso molecular (de origen vegetal o animal), que pueden provocar una E.P. de la piel, causada por sustancias de alto peso molecular. (Código 5B0113).

Por ello, debe realizarse reconocimientos médicos previos y periódicos a dichos trabajadores, con la prohibición de no contratar a los calificados como no aptos para desempeñar los puestos de trabajo de que se trate.

— Artículo 243 LGSS, en relación con RDEP (Anexo I).

Véase: Avicultores. Ganaderos. Granjas. Granjas de ganado vacuno. Curtidores. Curtidos. Carniceros. Matarifes. Mataderos. Pastores. Trabajos con animales. Comercio de animales. Veterinarios. Entomólogos. Zoonosis. Zoológicos. Transporte de animales.

GRASAS

1. Sustancias mantecosas y que tienen gordura.

2. Los trabajadores ocupados en las actividades económicas, y expuestos a los agentes o sustancias que a continuación se indican, pueden contraer una Enfermedad Profesional (E.P.):

a) Causada por agentes químicos:

• Empleo del benceno y sus homólogos como decapantes, como diluente, como disolvente para la extracción de aceites, grasas, alcaloides, resinas, desengrasado de pieles, tejidos, huesos, piezas metálicas, caucho, etc. (Código 1K0103).

• Utilización de éteres en la industria química como disolventes de ceras, grasas, etc., y en la fabricación de colodium para la extracción de nicotina. (Código 1O0111).

• Empleo del sulfuro de carbono como disolvente de grasas, aceites, resinas, ceras, caucho, gutapercha y otras sustancias. (Código 1U0104).

b) Causada por agentes cancerígenos:

• Empleo del benceno y sus homólogos como decapantes, como diluente, como disolvente para la extracción de aceites, grasas, alcaloides, resinas, desengrasado de pieles, tejidos, huesos, piezas metálicas, caucho, etc., que pueden provocar una E.P. síndrome linfo y mieloproliferativos. (Código 6D0103).

Por ello, debe realizarse reconocimientos médicos previos y periódicos a dichos trabajadores, con la prohibición de no contratar a los calificados como no aptos para desempeñar los puestos de trabajo de que se trate.

— Artículo 243 LGSS, en relación con RDEP (Anexo I).

Véase: Aceites. Aceites industriales.

GRÚAS MÓVILES

1. Grúa móvil autopropulsada: aparato de elevación de funcionamiento discontinuo, destinado a elevar y distribuir en el espacio cargas suspendidas de un gancho o cualquier otro accesorio de aprehensión, dotado de medios de propulsión y conducción propios o que formen parte de un conjunto con dichos medios que posibilitan su desplazamiento por vías públicas o terrenos.

— Notas Técnicas de Prevención n.º 208/1998. 1077/2016. INSST.

2. Una grúa cargadora es una grúa compuesta por una columna que gira sobre una base, y un sistema de brazos sujeto a la parte superior de la columna. Ésta grúa habitualmente está montada sobre un vehículo comercial (incluido trailer) con una capacidad residual de carga significativa.

— Notas Técnicas de Prevención n.º 868, 869/2010. INSST.

— Norma UNE EN 12999:2003/A2:2006. Aenor.

3. Procede la imposición del recargo en las prestaciones económicas de la Seguridad Social:

• En el manual de instrucciones de la grúa, las eslingas con constituían el medio o equipo adecuado para llevar a cabo la elevación de las vigas, pues en el mismo manual se establece la prohibición de utilizar eslingas para elevar barras de hierro.

— STSJ Murcia 7.2.18.

Véase: Equipos de elevación de cargas. Aparatos elevadores. Grúas: Aparatos para elevación de personas. Grúas: cestas de elevación de personas. Grúas pórtico. Grúas puente. Grúas torre. Elevación: Accesorios. Eslingas. Cadenas, cables y cinchas.

GRÚAS PÓRTICO

Grúas cuyo elemento portador se apoya sobre un camino de rodadura por medio de patas de apoyo. Se diferencia de la grúa puente en que los raíles de desplazamiento están en un plano horizontal muy inferior al del carro (normalmente apoyados en el suelo).

Grúa semipórtico: Es aquella grúa cuyo elemento portador se apoya sobre un camino de rodadura, directamente en un lado y por medio de patas de apoyo en el otro. Se diferencia de la grúa puente y de la grúa pórtico en que uno de los raíles de desplazamiento está aproximadamente en el mismo plano horizontal que el carro, y el otro raíl de desplazamiento está en otro plano horizontal muy inferior al del carro (normalmente apoyado en el suelo).

— Notas Técnicas de Prevención n.º 736, 737, 738/2006. INSST.

Véase: Aparatos elevadores. Grúas: Aparatos para elevación de personas. Grúas: cestas de elevación de personas. Grúas móviles. Grúas puente. Grúas torre.

GRÚAS PUENTE

Grúa que consta de un elemento portador formado por una o dos vigas móviles, apoyadas o suspendidas, sobre las que se desplaza el carro con los mecanismos elevadores.

— Notas Técnicas de Prevención n.º 736, 737, 738/2006. INSST.

Véase: Aparatos elevadores. Grúas: Aparatos para elevación de personas. Grúas: cestas de elevación de personas. Grúas móviles. Grúas pórtico. Grúas torre.

GRÚAS TORRE

1. La grúa torre es una máquina empleada para la elevación de cargas, por medio de un gancho suspendido de un cable, y su transporte en un radio de varios metros, a todos los niveles y en todas direcciones. Los modelos más habituales son la grúa torre y la grúa torre autodesplegable. Están constituidas esencialmente por una torre metálica con corona de giro, un brazo giratorio horizontal o abatible y los mecanismos de orientación, elevación y distribución, pudiendo además disponer de mecanismo de traslación, generalmente sobre carriles. La grúa torre puede instalarse empotrada, inmovilizada o desplazable.

— Notas Técnicas de Prevención n.º 125/1985. 197/1988. 782, 783/2007. INSST.

— Artículo 210 CCGC.

2. Procede la imposición del recargo en las prestaciones económicas cuando:

• El accidente se produjo cuando se realizaba una maniobra peligrosa, entre otras infracciones, utilizando señales manuales y no acústicas y niel señalista ni el operario de la grúa tenían visibilidad sobre el fondo de la zanja donde se produjo el accidente.

— STSJ Galicia 2.3.10.

• No basta con el aviso al trabajador, sino que el jefe de equipo o encargado de la empresa tenía que haber ordenado y no permitir que permaneciera en el espacio vallado, para evitar así posibles impactos en caso de caída del elemento suspendido.

— STSJ Galicia 27.6.08.

Véase: Equipos de elevación de cargas. Aparatos elevadores. Grúas: Aparatos para elevación de personas. Grúas: cestas de elevación de personas. Grúas móviles. Grúas pórtico. Grúas puente.

GRÚAS. APARATOS PARA ELEVACIÓN DE PERSONAS

1. La elevación de trabajadores sólo estará permitida mediante equipos de trabajo y accesorios previstos a tal efecto. No obstante, cuando con carácter excepcional hayan de utilizarse para tal fin equipos de trabajo no previstos para ello, deberán tomarse las medidas pertinentes para garantizar la seguridad de los trabajadores y disponer de una vigilancia adecuada. Durante la permanencia de trabajadores en equipos de trabajo destinados a levantar cargas el puesto de mando deberá estar ocupado permanentemente. Los trabajadores elevados deberán disponer de un medio de comunicación seguro y deberá estar prevista su evacuación en caso de peligro.

— Anexo II. Parte 3 RDSSET.

2. Los equipos de trabajo sólo podrán utilizarse de forma o en operaciones o en condiciones no consideradas por el fabricante si previamente se ha realizado una evaluación de riesgos que ello conllevaría y se han tomado las medidas pertinentes para su eliminación o control.

— Anexo II. Parte 1.3 RDSSET.

3. Necesidad de la presencia de recurso preventivo.

— Artículo 22bis.4 RSP.

— UNE-EN 14502-1: 2010. Grúas: Aparatos para elevación de personas.

Véase: Plataformas elevadoras móviles de personal. Ascensores. Aparatos elevadores. Grúas: cestas de elevación de personas. Grúas móviles. Grúas pórtico. Grúas puente. Grúas torre.

GRÚAS. CESTAS DE ELEVACIÓN DE PERSONAS

Las cestas portapersonas son productos diseñados y fabricados para aumentar la seguridad de los estibadores, que acopladas al spreader de las grúas portacontenedores facilitan el acceso a las tacillas o twistlocks que fijan los contenedores y, por consiguiente, mejoran en seguridad y eficiencia las operaciones de carga y descarga de los buques, evitando el uso de métodos alternativos menos seguros y peligrosos. Se utilizan para acceder a los buques para realizar diversos trabajos de mantenimiento, rescate de operarios en caso de emergencia y los trabajos de trincaje y destrincaje de contenedores. Las cestas portapersonas se clasifican en función de la forma de trabajar desde las mismas en relación a los apilamientos de contenedores.

— Nota Técnica de Prevención n.º 1083/2017. INSST.

— Artículo 192 CCGC.

— UNE-EN 14502-1: 2010. Grúas: Aparatos para elevación de personas.

Véase: Plataformas elevadoras móviles de personal. Equipos de elevación de cargas. Aparatos elevadores. Grúas: Aparatos para elevación de personas. Grúas móviles. Grúas pórtico. Grúas puente. Grúas torre.

GUARDAS DE CAZA

1. Personas que tiene a su cargo la conservación de la caza de un coto.

2. Los trabajadores ocupados en las actividades económicas, y expuestos a los agentes o sustancias que a continuación se indican, pueden contraer una Enfermedad Profesional (E.P.), causada por agentes biológicos:

• <u>Guardas de caza, que pueden contraer una E.P. infecciosa transmitida por animales (o por sus productos y cadáveres)</u>. (Código 3B0122).

Por ello, debe realizarse reconocimientos médicos previos y periódicos a dichos trabajadores, con la prohibición de no contratar a los calificados como no aptos para desempeñar los puestos de trabajo de que se trate.

— Artículo 243 LGSS, en relación con RDEP (Anexo I).

Véase: Trabajos con animales. Despojos de animales. Trabajadores forestales.

GUÍAS TÉCNICAS DEL INSST

Guías no vinculantes, elaboradas por el INSST. Guías supletorias de interpretación o precisión técnica en materia de prevención de riesgos laborales.

Se trata de orientaciones prácticas y criterios armonizados de actuación en materia de prevención de riesgos laborales.

— Artículo 5 RSP.

Véase: Normalización. Norma armonizada. Marcado CE. Instrucciones Técnicas Complementarias. Normas UNE. Normas UNE-EN. Normas UNE-EN-ISO.

GUILLOTINAS

Las guillotinas son máquinas destinadas a cortar hojas de papel apiladas. Pueden también servir para cortar materiales blandos presentados en hojas: cartón, materias plásticas, chapa de madera, etc.

— Nota Técnica de Prevención n.º 98/1984. INSST.

Véase: Prensas verticales.

GUTAPERCHA

1. Goma traslúcida, sólida, flexible, insoluble en el agua, que se obtiene haciendo incisiones en el tronco de cierto árbol de la India, de la familia de las sapotáceas. Blanqueada y calentada en agua, se pone bastante blanda, adhesiva y capaz de estirarse en láminas y tomar cualquier forma, que conserva después de seca. Tiene gran aplicación en la industria para fabricar telas impermeables y sobre todo para envolver los conductores de los cables eléctricos, por ser sustancia muy aisladora.

2. Los trabajadores ocupados en las actividades económicas, y expuestos a los agentes o sustancias que a continuación se indican, pueden contraer una Enfermedad Profesional (E.P.), causada por agentes químicos:

• <u>Empleo del sulfuro de carbono como disolvente de grasas, aceites, resinas, ceras, caucho, gutapercha y otras sustancias</u>. (Código 1U0104).

Por ello, debe realizarse reconocimientos médicos previos y periódicos a dichos trabajadores, con la prohibición de no contratar a los calificados como no aptos para desempeñar los puestos de trabajo de que se trate.

— Artículo 243 LGSS, en relación con RDEP (Anexo I).

Véase: Látex. Gomas. Colas. Adhesivos. Fabricación de adhesivos. Pegamento. Vulcanización. Sustancias adhesivas.

H

HALÓGENOS

1. Dicho de un elemento químico: Que pertenece al grupo de la clasificación periódica integrado por el flúor, el cloro, el bromo, el yodo y el elemento radiactivo astato, algunas de cuyas sales son muy comunes en la naturaleza, como el cloruro sódico o sal común. Dicho de una lámpara o de una bombilla que contiene algún elemento halógeno y produce una luz blanca y brillante. Halógenos: Bromo, cloro, flúor, yodo.

2. Los trabajadores expuestos a los halógenos (Código 1C), pueden contraer una Enfermedad Profesional (E.P.), causada por agentes químicos, en las actividades o trabajos que a continuación se relacionan:

· <u>Fabricación de alcohol y sus compuestos halogenados</u>. (Código 1F0102).

Por ello, debe realizarse reconocimientos médicos previos y periódicos a dichos trabajadores, con la prohibición de no contratar a los calificados como no aptos para desempeñar los puestos de trabajo de que se trate.

— Artículo 243 LGSS, en relación con RDEP (Anexo I).

Véase: Alcoholes.

HARINAS

1. Polvo que resulta de la molienda del trigo o de otras semillas.

2. Los trabajadores ocupados en las actividades económicas, y expuestos a los agentes o sustancias que a continuación se indican, pueden contraer una Enfermedad Profesional (E.P.):

a) Causada por inhalación de sustancias y agentes no comprendidos en otros apartados:

· <u>Trabajos con harinas de pescado y piensos compuestos, donde los trabajadores estén expuestos a sustancias de alto peso molecular (de origen vegetal o animal), que pueden provocar alguna de las siguientes E.P: rinoconjuntivitis (Código 4H0125), asma (Código 4H0225), alveolitis alérgica extrínseca (Código 4H0325), síndrome de disfunción reactivo de la vía aérea (Código 4H0425), fibrosis intersticial difusa (Código 4H0525), bisinosis, cannabiosis, linnosis, bagazosis, estipatosis, suberosis (Código 4H0625), y neumopatía intersticial difusa (Código 4H0725)</u>.

b) E.P. de la piel causada por sustancias y agentes no comprendidos en alguno de los apartados:

· <u>Trabajos con harinas de pescado y piensos compuestos, donde los trabajadores estén expuestos a sustancias de alto peso molecular (de origen vegetal o animal), que pueden provocar una E.P. de la piel, causada por sustancias de alto peso molecular</u>. (Código 5B0125).

Por ello, debe realizarse reconocimientos médicos previos y periódicos a dichos trabajadores, con la prohibición de no contratar a los calificados como no aptos para desempeñar los puestos de trabajo de que se trate.

— Artículo 243 LGSS, en relación con RDEP (Anexo I).

Véase: Panaderías. Polvo. Soja. Centeno. Piensos. Piscicultura.

HERBICIDAS

1. Productos químicos que destruyen plantas herbáceas.

2. Los trabajadores ocupados en las actividades económicas, y expuestos a los agentes o sustancias que a continuación se indican, pueden contraer una Enfermedad Profesional (E.P.).

a) Causada por agentes químicos:

• Producción y uso de herbicidas arsenicales y sus compuestos. (Código 1A0101).

• Fabricación y utilización de herbicidas, donde se utilice arsénico. (Código 1A0118).

• Empleo del cloro como herbicida y defoliante. (Código 1C0209).

• Utilización de ácidos orgánicos como desinfectantes y herbicidas. (Código 1E0115).

• Fabricación y manipulación de pesticidas y productos para el control de malezas, donde se utilicen fenoles. (Código 1F0207).

• Utilización de aldehídos como herbicidas y pesticidas. (Código 1G0106).

• Empleo como disolventes, pesticidas, herbicidas, insecticidas y fungicidas, donde se utilicen derivados halogenados de hidrocarburos aromáticos. (Código 1K0501).

• Utilización de los derivados nitrados de los fenoles como herbicidas e insecticidas. (Código 1K0701).

b) Causada por agentes cancerígenos:

• Producción y uso de pesticidas arsenicales, herbicidas e insecticidas, donde se utilice arsénico, que puede provocar alguna de las siguientes E.P.: neoplasia de maligna de bronquio y pulmón (Código 6C0105), carcinoma epidemoide de piel (Código 6C0205), disqueratosis lenticular en disco (Código 6C0305) y angiosarcoma del hígado (Código 6C0405).

Por ello, debe realizarse reconocimientos médicos previos y periódicos a dichos trabajadores, con la prohibición de no contratar a los calificados como no aptos para desempeñar los puestos de trabajo de que se trate.

— Artículo 243 LGSS, en relación con RDEP (Anexo I).

Véase: Productos fitosanitarios. Agricultura. Parásitos. Cloro.

HERIDAS

Se denomina herida a toda discontinuidad de un tejido (generalmente la piel) y debida a un traumatismo. Este, además de lesionar la piel, puede afectar a otras estructuras subyacentes como huesos, vasos sanguíneos, etc. Las heridas pueden dividirse en leves y graves.

— Nota Técnica de Prevención n.º 568/2000. INSST.

Véase: Primeros auxilios. Contusiones. Botiquín.

HERRAMIENTAS PORTÁTILES ELÉCTRICAS

1. Son aquellas que utilizan un motor eléctrico para su funcionamiento.

2. Dentro de este tipo de herramientas, se puede distinguir entre: amoladoras, destornilladores, taladradoras, etc.

Véase: Amoladoras. Destornilladores. Esmeriles. Punzones. Sierras. Taladradoras. Herramientas portátiles neumáticas.

HERRAMIENTAS PORTÁTILES HIDRÁULICAS

Son aquellas que se accionan a través de un fluido hidráulico, normalmente aceites especiales, que se mueve a presiones elevadas, por el circuito hidráulico (compresor).

Véase: Hidráulico. Martillos hidráulicos. Herramientas portátiles neumáticas. Martillos neumáticos.

HERRAMIENTAS PORTÁTILES MANUALES

1. Las herramientas manuales son unos utensilios de trabajo utilizados generalmente de forma individual que únicamente requieren para su accionamiento la fuerza motriz humana; su utilización en una infinidad de actividades laborales les dan una gran importancia. Además los accidentes producidos por las herramientas manuales constituyen una parte importante del número total de accidentes de trabajo y en particular los de carácter leve.

— Notas Técnicas de Prevención n.º 391, 392, 393/1995. INSST.

— Ergonomía fácil: Guía para la selección de herramientas manuales. 2006. INSST.

2. Dentro de este tipo de herramientas, se puede distinguir entre: alicates, cinceles, cuchillos, destornilladores, limas, llaves, martillos, picos, punzones, sierras, tijeras, etc.

3. Se ha declarado Enfermedad Profesional:

• A la necrosis del semilunar del albañil que utilizaba con frecuencia herramientas que producen vibraciones, como sierras radiales y martillos neumáticos.

— STSJ Valencia 5.4.05.

• A la rotura de fibrocartílago triangular de ambas manos de la trabajadora dedicada al lijado o pulido de piezas metálicas (bombas de inyección) con herramientas portátiles (lima y rotalit) y máquinas fijas (maquina grata) que producen vibraciones.

— STSJ Castilla-La Mancha 17.10.02.

Véase: Alicates. Cinceles. Cuchillos. Destornilladores. Limas. Llaves. Martillos. Picos. Punzones. Sierras. Tijeras. Herramientas portátiles eléctricas. Pistolas de sellado.

HERRAMIENTAS PORTÁTILES NEUMÁTICAS

1. Son aquellas herramientas portátiles que se accionan a través de aire comprimido.

2. Dentro de este tipo de herramientas, se puede distinguir entre: clavadoras neumáticas, grapadoras neumáticas, martillos neumáticos, etc.

Véase: Martillos neumáticos. Herramientas portátiles hidráulicas.

HERRAMIENTAS PORTÁTILES

1. Son aquellas herramientas móviles y de fácil transporte. Las herramientas portátiles pueden ser: manuales, eléctricas, neumáticas, hidráulicas.

2. El incumplimiento de la normativa de PRL en materia de herramientas, que cree un riesgo grave para la integridad física o la salud de los trabajadores afectados, constituye una infracción grave en materia de prevención de riesgos laborales que lleva aparejada una sanción económica de 2.046 euros a 40.985 euros.

— Artículos 12.16.b y 40.2.b LISOS.

> Véase: Máquinas. Cuasi máquinas. Equipos de trabajo. Herramientas portátiles manuales. Herramientas portátiles eléctricas. Herramientas portátiles neumáticas. Herramientas portátiles hidráulicas. Pistolas de sellado.

HERREROS

1. Personas que tienen por oficio labrar el hierro.

2. Los trabajadores ocupados en las actividades económicas, y expuestos a los agentes o sustancias que a continuación se indican, pueden contraer una Enfermedad Profesional (E.P.), causada por agentes físicos:

> • Trabajos en los que se produzca un apoyo prolongado y repetido de forma directa o indirecta sobre las correderas anatómicas que provocan lesiones nerviosas por compresión. Movimientos extremos de hiperflexión y de hiperextensión. Trabajos que entrañen compresión prolongada en la muñeca o de una presión mantenida o repetida sobre el talón de la mano, como ordeño de vacas, grabado, talla y pulido de vidrio, burilado, trabajo de zapatería, leñadores, herreros, peleteros, lanzadores de martillo, disco y jabalina, que pueden producir enfermedades por posturas forzadas y movimientos repetitivos, como el síndrome del canal de Guyon. (Código 2F0301).

Por ello, debe realizarse reconocimientos médicos previos y periódicos a dichos trabajadores, con la prohibición de no contratar a los calificados como no aptos para desempeñar los puestos de trabajo de que se trate.

— Artículo 243 LGSS, en relación con RDEP (Anexo I).

> Véase: Hierro. Industria metalúrgica.

HIDRACINAS

1. Compuesto formado por dos átomos de nitrógeno y cuatro de hidrógeno, utilizado en la industria y como combustible de misiles.

2. Los trabajadores expuestos a las hidracinas aromáticas y sus derivados halógenados, fenólicos, nitrosados, nitrados y sulfonados (Códigos 1I, 6O), pueden contraer una Enfermedad Profesional (E.P.), en las actividades o trabajos que a continuación se relacionan:

a) Causada por agentes químicos:

> • Fabricación de estas sustancias y su utilización como productos intermediarios en la industria de colorantes sintéticos y en numerosas síntesis orgánicas, en la industria química, en la industria de insecticidas, en la industria farmacéutica, etc. (Código 1I0101).

> • Fabricación y utilización de derivados utilizados como aceleradores y como antioxidantes en la industria del caucho. (Código 1I0102).

> • Fabricación de ciertos explosivos. (Código 1I0103).

> • Utilización como colorantes en la industria del cuero, de pieles del calzado, de productos capilares, etc., así como en papelería y en productos de peluquería. (Código 1I0104).

• Utilización de reveladores (para-aminofenoles) en la industria fotográfica. (Código 1I0105).

b) Causada por agentes cancerígenos (E.P. cáncer versical):

• Fabricación de estas sustancias y su utilización como productos intermediarios en la industria de colorantes sintéticos y en numerosas síntesis orgánicas, en la industria química, en la industria de insecticidas, en la industria farmacéutica, etc. (Código 6O0101).

• Fabricación y utilización de derivados utilizados como aceleradores y como antioxidantes en la industria del caucho. (Código 6O0102).

• Fabricación de ciertos explosivos. (Código 6O0103).

• Utilización como colorantes en la industria del cuero, de pieles del calzado, de productos capilares, etc., así como en papelería y en productos de peluquería. (Código 6O0104).

• Utilización de reveladores (para-aminofenoles) en la industria fotográfica. (Código 6O0105).

Por ello, debe realizarse reconocimientos médicos previos y periódicos a dichos trabajadores, con la prohibición de no contratar a los calificados como no aptos para desempeñar los puestos de trabajo de que se trate.

— Artículo 243 LGSS, en relación con RDEP (Anexo I).

Véase: Aminas. Cáncer versical.

HIDRÁULICO

1. Que se mueve por medio del agua o de otro fluido. Gato hidráulico: Elevador portátil que funciona mediante líquido a presión. Dicho de una cal o de un cemento, que se endurece en contacto con el agua.

2. Los trabajadores ocupados en las actividades económicas, y expuestos a los agentes o sustancias que a continuación se indican, pueden contraer una Enfermedad Profesional (E.P.), causada por agentes químicos:

• Fabricación de líquidos anticongelantes, de líquidos de frenos hidráulicos, de lubrificantes sintéticos, etc., donde se utilice alcohol. (Código 1F0110).

• Constituyentes de fluidos hidráulicos, fabricación de filmes radiográficos y de celofán, donde se utilicen éteres. (Código 1O0103).

• La industria de cosméticos, fabricación y utilización de anticongelantes, de líquidos de sistemas hidráulicos y de líquidos de frenos, donde se utilicen glicoles. (Código 1P0104).

• Utilización de policlorobifenilos (PCBs) (organoclorados) como constituyente de fluidos dieléctricos en condensadores y transformadores, fluidos hidráulicos, aceites lubricantes, plaguicidas o aditivos en plastificantes y pinturas, etc. (Código 1S0201).

Por ello, debe realizarse reconocimientos médicos previos y periódicos a dichos trabajadores, con la prohibición de no contratar a los calificados como no aptos para desempeñar los puestos de trabajo de que se trate.

— Artículo 243 LGSS, en relación con RDEP (Anexo I).

Véase: Anticongelantes. Lubrificantes. Martillos hidráulicos. Herramientas portátiles hidráulicas.

HIDROCARBUROS ALIFÁTICOS

1. Son compuestos frecuentemente utilizados como disolventes de aceites, grasas, caucho, resinas, etc., en las industrias de obtención y recuperación de aceites, fabricación de pinturas, tintas, colas, adhesivos, así como, materia prima de síntesis orgánica. Por esta razón, resulta de interés disponer de un método ensayado y validado para la determinación de vapores de hidrocarburos alifáticos en aire, con el fin de poder evaluar la exposición laboral a este tipo de compuestos.

2. Los trabajadores expuestos a los hidrocarburos alifáticos saturados o no, cíclicos o no, constituyentes del éter, del petróleo y de la gasolina. Saturados: alcanos, parafinas (Códigos 1H01 y 1H02), pueden contraer una Enfermedad Profesional (E.P.) causada por agentes químicos, en las actividades o trabajos que a continuación se relacionan:

- Destilación y refinado del petróleo. (Código 1H0101).
- El «cracking» y el «reforming», procedimientos destinados esencialmente a modificar la estructura de los hidrocarburos. (Código 1H0102).
- Utilización de los productos de destilación como disolventes, carburantes, combustibles y desengrasantes. (Código 1H0103).
- El n-hexano se utiliza principalmente como disolvente (colas). (Código 1H0104).

Por ello, debe realizarse reconocimientos médicos previos y periódicos a dichos trabajadores, con la prohibición de no contratar a los calificados como no aptos para desempeñar los puestos de trabajo de que se trate.

— Artículo 243 LGSS, en relación con RDEP (Anexo I).

Véase: Derivados halogenados de los hidrocarburos alifáticos. Cetonas. Cracking. Petróleo. Gasolinas.

HIDROCARBUROS AROMÁTICOS

1. Los hidrocarburos aromáticos son aquellos hidrocarburos que poseen las propiedades especiales asociadas con el núcleo o anillo del benceno, en el cual hay seis grupos de carbono-hidrógeno unidos a cada uno de los vértices de un hexágono.

2. Los trabajadores expuestos a los hidrocarburos aromáticos (Código 1K05), o a los hidrocarburos aromáticos policíclicos (PAH), productos de destilación del carbón: hollín, alquitrán, betún, brea, antraceno, aceites minerales, parafina bruta y a los compuestos, productos, residuos de estas sustancias y a otros factores carcinógenos. Destilación de la hulla (Código 6J) y ocupados en las actividades económicas que a continuación se indican, pueden contraer una Enfermedad Profesional (E.P.):

a) Causada por agentes químicos:

- Empleo como disolventes, pesticidas, herbicidas, insecticidas y fungicidas. (Código 1K0501).
- Empleo en las industrias de materias colorantes, perfumería y fotografía. (Código 1K0502).
- Fabricación de productos de limpieza y lubrificantes. (Código 1K0503).
- Utilización como aditivo en lubrificantes de alta presión. (Código 1K0504).
- Fabricación de caucho sintético, productos ignífugos, papel autocopiativo sin carbono, plastificantes, etc. (Código 1K0505).

• Fabricación de transformadores, condensadores, aislamiento de cables y de hilos eléctricos. (Código 1K0506).

b) Causada por agentes cancerígenos (E.P. de lesiones premalignas de piel, Código 6J01, o una E.P. de carcinoma de células escamosas, Código 6J02):

• Fabricación de pigmentos, deshollinado de chimeneas, pavimentación de carreteras, aislamientos. (Códigos 6J0101 y 6J0201).

• Preparación de aditivos para papel autocopiativo. (Códigos 6J0102 y 6J0202).

• Operaciones de laminado en metalurgia. (Códigos 6J0103 y 6J0203).

• Fabricación de cables eléctricos. (Códigos 6J0104 y 6J0204).

• Fabricación de tela asfáltica. (Códigos 6J0105 y 6J0205).

• Trabajos en hornos de carbón o coque. (Códigos 6J0106 y 6J0206).

• Procesos de fabricación en los que se utilice polvo de carbón. (Códigos 6J0107 y 6J0207).

• Producción de aluminio. (Códigos 6J0108 y 6J0208).

• Fabricación de electrodos. (Códigos 6J0109 y 6J0209).

• Producción, transporte y almacenamiento de productos de asfalto. (Códigos 6J0110 y 6J0210).

• Operaciones de destilación en la industria del petróleo. (Códigos 6J0111 y 6J0211).

• Trabajos de pavimentación. (Códigos 6J0112 y 6J0212).

• Trabajos de eliminación de suelos asfaltados. (Códigos 6J0113 y 6J0213).

• Aplicación de pinturas con base de alquitrán. (Códigos 6J0114 y 6J0214).

• Tratamiento antióxido de vehículos. (Códigos 6J0115 y 6J0215).

• Conductores de vehículos automóviles. (Códigos 6J0116 y 6J0216).

• Montadores de motores. (Códigos 6J0117 y 6J0217).

• Mecánicos (trabajos de reparación de vehículos). (Códigos 6J0118 y 6J0218).

• Trabajadores de aparcamientos. (Códigos 6J0119 y 6J0219).

• Trabajos en unidades de combustión (calderas). (Códigos 6J0120 y 6J0220).

• Producción de gas ciudad. (Códigos 6J0121 y 6J0221).

• Mantenimiento de redes eléctricas subterráneas. (Códigos 6J0122 y 6J0222).

• Producción de ladrillos refractarios y cerámicos. (Códigos 6J0123 y 6J0223).

• Producción de carburo de silíceo. (Códigos 6J0124 y 6J0224).

• Fabricación de neumáticos. (Códigos 6J0125 y 6J0225).

• Trabajos de impresión en artes gráficas. (Códigos 6J0126 y 6J0226).

Por ello, debe realizarse reconocimientos médicos previos y periódicos a dichos trabajadores, con la prohibición de no contratar a los calificados como no aptos para desempeñar los puestos de trabajo de que se trate.

— Artículo 243 LGSS, en relación con RDEP (Anexo I).

Véase: Benceno. Carbono. Cetonas. Hidrogeno.

HIDRÓGENO

1. Elemento químico (el más abundante en el universo), que combinado con el oxígeno, forma el agua, y se utiliza como combustible y en la industria química.

2. Almacenamiento de hidrógeno y centros de distribución.

— Nota Técnica de Prevención n.º 50/1983.

Véase: Combustión. Gas. Sustancias combustibles. Organoclorados.

HIELO

1. Agua convertida en cuerpo sólido y cristalino por un descenso suficiente de temperatura.

2. Los trabajadores ocupados en las actividades económicas, y expuestos a los agentes o sustancias que a continuación se indican, pueden contraer una Enfermedad Profesional (E.P.), causada por agentes químicos:

• Fabricación de hielo artificial, utilizando amoniaco como refrigerante. (Código 1J0103).

Por ello, debe realizarse reconocimientos médicos previos y periódicos a dichos trabajadores, con la prohibición de no contratar a los calificados como no aptos para desempeñar los puestos de trabajo de que se trate.

— Artículo 243 LGSS, en relación con RDEP (Anexo I).

Véase: Amoniaco. Instalaciones frigoríficas.

HIERRO

1. Elemento químico metálico, de color negro lustroso o gris azulado, dúctil, maleable, muy tenaz, que entra en la composición de sustancias importantes en los seres vivos y es el metal más empleado en la industria.

2. Los trabajadores ocupados en las actividades económicas, y expuestos a los agentes o sustancias que a continuación se indican, pueden contraer una Enfermedad Profesional (E.P.):

a) Causada por agentes químicos:

• Trabajos en horno de fundición de hierro o acero, donde se utilice cadmio. (Código 1A0311).

• Fabricación de aleaciones ferrosas y no ferrosas con bióxido de manganeso, especialmente ferromanganeso (acero Martin-Siemens). (Código 1A0602).

• Fabricación de aleaciones con níquel (cobre, manganeso, zinc, cromo, hierro, molibdeno), donde se utilice níquel. (Código 1A0805).

• Trabajos en horno de fundición de hierro y de acero inoxidable, donde se utilice níquel. (Código 1A0810).

• Fabricación de ferrovanadio, donde se utice vanadio. (Código 1A1105).

b) Causada por inhalación de sustancias y agentes no comprendidos en otros apartados:

• Trabajos en los que exista la posibilidad de inhalación de metales sinterizados, compuestos de carburos metálicos de alto punto de fusión y metales de ligazón de bajo punto de fusión (Los carburos metálicos más utilizados son los de titanio, vanadio, cromo, molibdeno, tungsteno y wolframio; como metales de ligazón se utilizan hierro, níquel y cobalto), que pueden provocar las E.P. de neumoconiosis o de siderosis. (Códigos 4E0101, 4E0201).

• Trabajos de mezclado, tamizado, moldeado y rectificado de carburos de tungsteno, titanio, tantalio, vanadio y molibdeno aglutinados con cobalto, hierro y níquel, con exposición a la inhalación de metales sintetizados, que pueden provocar la la E.P. de neumoconiosis, por inhalación de metales sintetizados y de metales de ligazón, que pueden provocar las E.P. de neumoconiosis o de siderosis. (Códigos 4E0102, 4E0202).

c) Causada por agentes cancerígenos:

• Fabricación de aleaciones con níquel (cobre, manganeso, zinc, cromo, hierro, molibdeno), que puede provocar la E.P. de neoplasia de bronquio y pulmón. (Código 6K0305).

• Trabajos en horno de fundición de hierro y de acero inoxidable, donde se utilice níquel, que puede provocar la E.P. de neoplasia de bronquio y pulmón. (Código 6K0309).

• Trabajos en horno de fundición de hierro o acero, que contengan cadmio, que puede provocar la E.P. de neoplasia maligna de bronquio, pulmón y próstata. (Código 6G0111).

Por ello, debe realizarse reconocimientos médicos previos y periódicos a dichos trabajadores, con la prohibición de no contratar a los calificados como no aptos para desempeñar los puestos de trabajo de que se trate.

— Artículo 243 LGSS, en relación con RDEP (Anexo I).

Véase: Herreros. Industria metalúrgica. Industria siderometalúrgica. Fundiciones. Hornos de fundición. Vanadio. Pirita.

HIGIENISTAS DENTALES

1. Técnico en higiene bucodental.

2. Los trabajadores ocupados en las actividades económicas, y expuestos a los agentes o sustancias que a continuación se indican, pueden contraer una Enfermedad Profesional (E.P.):

a) Causada por inhalación de sustancias y agentes no comprendidos en otros apartados:

• Higienistas dentales, donde los trabajadores estén expuestos a sustancias de alto peso molecular (de origen vegetal o animal), que pueden provocar alguna de las siguientes E.P: rinoconjuntivitis (Código 4H0123), asma (Código 4H0223), alveolitis alérgica extrínseca (Código 4H0323), síndrome de disfunción reactivo de la vía aérea (Código 4H0423), fibrosis intersticial difusa (Código 4H0523), bisinosis, cannabiosis, linnosis, bagazosis, estipatosis, suberosis (Código 4H0623), neumopatía intersticial difusa (Código 4H0723).

• Higienistas dentales, donde los trabajadores estén expuestos a sustancias de bajo peso molecular (metales, sustancias químicas, etc.), que pueden provocar alguna de las siguientes E.P: rinoconjuntivitis (Código 4I0122), asma (Código 4I0322), alveolitis alérgica extrínseca (Código 4I0422), fibrosis intersticial difusa (Código 4I0622), y neumopatía intersticial difusa (Código 4I0822).

b) E.P. de la piel, causada por sustancias y agentes no comprendidos en alguno de los otros apartados:

• Higienistas dentales, donde los trabajadores estén expuestos a sustancias de alto peso molecular (de origen vegetal o animal), que pueden provocar una E.P. de la piel, causada por sustancias de alto peso molecular. (Código 5B0123).

Por ello, debe realizarse reconocimientos médicos previos y periódicos a dichos trabajadores, con la prohibición de no contratar a los calificados como no aptos para desempeñar los puestos de trabajo de que se trate.

— Artículo 243 LGSS, en relación con RDEP (Anexo I).

Véase: Protésicos dentales. Dentistas. Amalgamas dentales. Odontólogos. Odontología.

HILO DE SUTURA

1. Hebra larga y delgada que se usa para coser los labios de una herida.

2. Los trabajadores ocupados en las actividades económicas, y expuestos a los agentes o sustancias que a continuación se indican, pueden contraer una Enfermedad Profesional (E.P.), causada por agentes químicos:

• Esterilización del hilo de sutura quirúrgica catgut, donde se utilice xileno o tolueno. (Código 1K0310).

Por ello, debe realizarse reconocimientos médicos previos y periódicos a dichos trabajadores, con la prohibición de no contratar a los calificados como no aptos para desempeñar los puestos de trabajo de que se trate.

— Artículo 243 LGSS, en relación con RDEP (Anexo I).

Véase: Esterilización. Glutaraldehído. Quirófanos. Desinfectantes. Industria sanitaria.

HILOS CONDUCTORES

1. Es un material que es capaz de conducir la electricidad. Este hilo se fabrica utilizando generalmente materiales como el cobre, el níquel, nylon o fibra de acero inoxidable.

2. Los trabajadores ocupados en las actividades económicas, y expuestos a los agentes o sustancias que a continuación se indican, pueden contraer una Enfermedad Profesional (E.P.), causada por agentes químicos:

• Laqueado de papel, tejidos, cuero, gomas, hilos conductores, donde se utilicen isocianatos. (Código 1Q0103).

Por ello, debe realizarse reconocimientos médicos previos y periódicos a dichos trabajadores, con la prohibición de no contratar a los calificados como no aptos para desempeñar los puestos de trabajo de que se trate.

— Artículo 243 LGSS, en relación con RDEP (Anexo I).

Véase: Borne. Hilos eléctricos. Cables. Corriente eléctrica. Corriente de puesta a tierra.

HILOS ELÉCTRICOS

1. Un hilo consiste en un solo alambre que suele ser de cobre o, a veces, de aluminio. Un cable está constituido por varios hilos. La ventaja del cable es que es capaz de conducir más cantidad de corriente para la misma sección.

2. Los trabajadores ocupados en las actividades económicas, y expuestos a los agentes o sustancias que a continuación se indican, pueden contraer una Enfermedad Profesional (E.P.), causada por agentes químicos:

• Fabricación de transformadores, condensadores, aislamiento de cables y de hilos eléctricos, donde se utilicen derivados halogenados de hidrocarburos aromáticos. (Código 1K0506).

Por ello, debe realizarse reconocimientos médicos previos y periódicos a dichos trabajadores, con la prohibición de no contratar a los calificados como no aptos para desempeñar los puestos de trabajo de que se trate.

— Artículo 243 LGSS, en relación con RDEP (Anexo I).

Véase: Hilos conductores. Cables. Corriente eléctrica.

HISTOLOGÍA

1. Parte de la anatomía que trata del estudio de los tejidos orgánicos.

2. Los trabajadores ocupados en las actividades económicas, y expuestos a los agentes o sustancias que a continuación se indican, pueden contraer una Enfermedad Profesional (E.P.), causada por agentes químicos:

• El tetrahidrofurano (epóxido) se utiliza, además, en histología, y en la fabricación de artículos para el envasado, transporte y conservación de alimentos. (Código 1M0110).

Por ello, debe realizarse reconocimientos médicos previos y periódicos a dichos trabajadores, con la prohibición de no contratar a los calificados como no aptos para desempeñar los puestos de trabajo de que se trate.

— Artículo 243 LGSS, en relación con RDEP (Anexo I).

Véase: Alimentación.

HOMOLOGACIÓN. AUTORIDADES

1. La autoridad de homologación es la autoridad de un Estado miembro establecida o designada por el Estado miembro y notificada a la Comisión por el mismo, que tiene competencias en todos los aspectos de la homologación de un tipo de vehículo, sistema, componente o unidad técnica independiente, del proceso de autorización, de la expedición y, en su caso, retirada o denegación de certificados de homologación, así como para actuar como punto de contacto con las autoridades de homologación de los demás Estados miembros, designar los servicios técnicos y garantizar que el fabricante cumple sus obligaciones sobre conformidad de la producción.

— Artículo 3.27 Reglamento (UE) n.º 167/2013.

2. Obligaciones de las autoridades de homologación:

• Las autoridades de homologación garantizarán que los fabricantes que soliciten una homologación de tipo cumplan las obligaciones que les incumben.

• Las autoridades de homologación únicamente homologarán los vehículos, sistemas, componentes o unidades técnicas independientes.

— Artículo 6 Reglamento (UE) n.º 167/2013.

Véase: Homologación. Homologación: Obligaciones de los Estados. Marcado CE. Autorización. Certificación. Vigilancia del mercado. Normalización. Norma normalizada.

HOMOLOGACIÓN: OBLIGACIONES DE LOS ESTADOS

1. Los Estados miembros crearán o designarán a las autoridades de homologación competentes en cuestiones relativas a la homologación, y a las autoridades de vigilancia del mercado competentes en materia de vigilancia del mercado con arreglo a lo dispuesto en el presente Reglamento. Los Estados miembros informarán a la Comisión de la creación y designación de dichas autoridades. La notificación de las autoridades de homologación y de vigilancia del mercado incluirá su nombre, dirección, correo electrónico y ámbito de responsabilidades. La Comisión publicará en su sitio de internet la lista y los detalles de las autoridades de homologación.

— Artículo 5.1 Reglamento (UE) n.º 167/2013.

2. Los Estados miembros permitirán la introducción en el mercado, la matriculación o la puesta en servicio de los vehículos, componentes o unidades técnicas independientes que cumplan los requisitos del presente Reglamento.

— Artículo 5.2 Reglamento (UE) n.º 167/2013.

3. Los Estados miembros no prohibirán, restringirán ni impedirán la introducción en el mercado, la matriculación o la puesta en servicio de vehículos, sistemas, componentes o unidades técnicas independientes por razones relacionadas con aspectos de su fabricación o funcionamiento regulados por el presente Reglamento, si cumplen sus requisitos.

— Artículo 5.3 Reglamento (UE) n.º 167/2013.

4. Los Estados miembros organizarán y llevarán a cabo la vigilancia del mercado y los controles de los vehículos, sistemas, componentes o unidades técnicas independientes que se introduzcan en el mercado con arreglo a lo dispuesto en el capítulo III del Reglamento (CE) nº 765/2008.

— Artículo 5.4 Reglamento (UE) n.º 167/2013.

Véase: Homologación. Homologación: Autoridades. Marcado CE. Vigilancia del mercado. Autorización. Certificación. Normalización. Norma normalizada.

HOMOLOGACIÓN

1. Es la certificación por parte de una Administración Pública de que el prototipo de un producto cumple los requisitos técnicos reglamentarios.

— Artículo 8.7 LI.

2. Homologación de tipo: el procedimiento mediante el cual una autoridad de homologación certifica que un tipo de vehículo, sistema, componente o unidad técnica independiente cumple las disposiciones administrativas y los requisitos técnicos pertinentes.

— Artículo 3.1 Reglamento (UE) n.º 167/2013.

3. Homologación de tipo nacional: el procedimiento de homologación de tipo establecido por la legislación nacional de un Estado miembro, cuya validez queda limitada al territorio de dicho Estado miembro.

— Artículo 3.6 Reglamento (UE) n.º 167/2013.

4. Homologación de tipo UE: el procedimiento mediante el cual una autoridad de homologación certifica que un tipo de vehículo, sistema, componente o unidad técnica independiente cumple las disposiciones administrativas y los requisitos técnicos pertinentes del presente Reglamento.

— Artículo 3.7 Reglamento (UE) n.º 167/2013.

5. Certificado de homologación de tipo: el documento por el cual la autoridad de homologación certifica oficialmente que un tipo de vehículo, sistema, componente o unidad técnica independiente está homologado.

— Artículo 3.31 Reglamento (UE) n.º 167/2013.

6. Certificado de conformidad: el documento expedido por el fabricante, por el que se certifica que el vehículo fabricado se ajusta al tipo de vehículo homologado.

— Artículo 3.33 Reglamento (UE) n.º 167/2013.

Véase: Homologación: Autoridades. Homologación: Obligaciones de los Estados. Marcado CE. Autorización. Certificación. Vigilancia del mercado. Normalización. Norma normalizada.

HONGOS

1. Son formas complejas de vida que presentan una estructura vegetativa denominada micelio que está formada por hifas (estructuras filiformes por las que circula el citoplasma plurinucleado). Esta estructura vegetativa surge de la germinación de sus células reproductoras o esporas. Su hábitat natural es el suelo, pero algunos componentes de este grupo son parásitos tanto de hombres y animales como de vegetales.

— Nota Técnica de Prevención n.º 203/1988. INSST.

2. Organismos eucariotas, aerobios. Se alimentan de materia orgánica y no dependen de la luz para obtener energía. Presentan paredes celulares rígidas. Se presentan en dos formas: unicelulares o levaduras y pluricelulares o mohos u hongos filamentosos. En este caso, el crecimiento se produce por división celular, las nuevas células permanecen unidas formando estructuras cilíndricas y ramificadas denominadas hifas.

— Notas Técnicas de Prevención n.º 351/1994. 807/2008. INSST.

3. Cualquiera de las plantas acotiledóneas o celulares, desprovistas de clorofila, y de consistencia esponjosa, carnosa o gelatinosa. Muchas especies de hongos se han descrito como productoras de alérgenos tipo I, entre ellas: Alternaria, Penicillium, Aspergillus y Cladosporium al que se asocia con el asma. Sin embargo, no hay evidencias claras que respalden un papel esencial de la alergia tipo I a hongos en las enfermedades respiratorias laborales.

Los hongos y las bacterias termófilas son una reconocida fuente de alérgenos que tienen un papel importante en el desarrollo de las neumonitis hipersensitivas. Las especies de hongos más frecuentemente implicadas en este tipo de enfermedad pertenecen a los géneros: Penicillium, Aspergillus.

— Nota Técnica de Prevención n.º 335/1994. INSST.

4. Método para el recuento de bacterias y hongos en aire.

— Nota Técnica de Prevención n.º 299/1993. INSST.

Véase: Agentes biológicos. Bacterias. Endotoxinas. Peptidoglicanos. Glucanos. Micotoxinas. Alergia. Alérgenos. Moho. Enfermedades respiratorias. Asma laboral. Rinitis. E.P. micosis. E.P. neumonitis por hipersensibilidad. Síndrome toxico. Vacunación.

HORAS EXTRAORDINARIAS

1. Tendrán la consideración de horas extraordinarias aquellas horas de trabajo que se realicen sobre la duración máxima de la jornada ordinaria de trabajo.

— Artículo 35.1 LET.

2. No podrán realizar horas extraordinarias:

• Los trabajadores con riesgo de exposición al amianto no podrán realizar horas extraordinarias ni trabajar por sistema de incentivos en el supuesto de que su actividad laboral exija sobreesfuerzos físicos, posturas forzadas o se realice en ambientes calurosos determinantes de una variación de volumen de aire inspirado. Esta prohibición no vulnera el principio constitucional de productividad recogido en el artículo 38 de la Constitución.

— Artículo 7 RDSSRA
• Los trabajadores nocturnos.

— Artículo 36.1 LET.
• Los trabajadores menores de 18 años.

— Artículo 6.3 LET.

Véase: Tiempo de trabajo. Período de descanso.

HORMIGONERAS. TORRE

1. Las centrales hormigoneras son equipos cuya finalidad es la de obtener en una primera fase la dosificación, lo más exacta posible, de los distintos materiales que componen los hormigones (áridos, cementos, agua y aditivos).

En ocasiones comprenden también una fase de amasado, en la que se pretende obtener la mezcla íntima de todos los componentes, de forma que se pueda lograr un hormigón mezclado de forma homogénea.

Se denominan centrales hormigoneras torre aquéllas en que el almacenamiento de los áridos está en la parte más alta de la misma planta y todo el proceso, tanto de dosificación como de amasado y descarga del hormigón, se realiza por gravedad.

— Nota Técnica de Prevención n.º 94/1984. INSST.

2. Plantas de hormigonado de tipo radial. Esta denominación viene determinada por la disposición de los acopios de áridos. En este sistema los áridos se almacenan directamente en el suelo y las distintas granulometrías se separan mediante tabiques a modo de radios que conforman sectores circulares completando un semicírculo.

— Nota Técnica de Prevención n.º 90/1984. INSST.

Véase: Cemento. Hormigoneras. Aditivos. Plastificantes.

HORMIGONERAS

1. La hormigonera es una máquina utilizada para la fabricación de morteros y hormigón previo mezclado de diferentes componentes tales como áridos de distinto tamaño y cemento básicamente.

— Nota Técnica de Prevención n.º 121/1985. INSST.

2. Camión hormigonera. Está formado por una cuba o bombo giratorio soportado por el bastidor de un camión adecuado para soportar el peso.

— Nota Técnica de Prevención n.º 93/1984. INSST.

Véase: Cemento. Hormigoneras: Torre. Aditivos. Plastificantes.

HORNOS DE FUNDICIÓN

1. El alto horno consiste en un horno de cuba muy prolongada, destinado a reducir los minerales de hierro por medio de castina y carbón y con auxilio de aire impelido con gran fuerza.

2. Los trabajadores ocupados en las actividades económicas, y expuestos a los agentes o sustancias que a continuación se indican, pueden contraer una Enfermedad Profesional (E.P.):

• Trabajos en horno de fundición de hierro o acero, donde se utilice cadmio. (Código 1A0311).

• Trabajos en horno de fundición de hierro y de acero inoxidable, donde se utilice níquel. (Código 1A0810).

• Limpiezas de calderas y tanques, hornos de fuel-oil, donde se utilice vanadio. (Código 1A1103).

• Emisiones gaseosas en los altos hornos, hornos de coque o combustión de espumas de poliuretano, donde se utilice ácido cianhídrico. (Código 1D0413).

• Los hornos de coque, fábricas de gas, donde se utilice amoníaco, que puede provocar una E.P. causada por agentes químicos. (Código 1J0104).

• Ocupaciones con exposición a benceno, por ejemplo, hornos de coque, uso de disolventes que contienen benceno. (Código 1K0101).

• Trabajos en fundición y limpieza de hornos, donde se utilice óxido de carbono. (Código 1T0103).

a) Causadas por agentes cancerígenos:

• Ocupaciones con exposición a benceno, por ejemplo, hornos de coque, uso de disolventes que contienen benceno, que pueden provocar la E.P. de síndrome linfo y mieloproliferativos. (Código 6D0101).

• Trabajos en hornos de carbón o coque, donde se utilicen hidrocarburos aromáticos, que pueden provocar la E.P. de lesiones premalignas de piel (Código 6J0106), y/o E.P. de carcinoma de células escamosas(Código 6J0206).

• Emisiones gaseosas en los altos hornos, hornos de coque o combustión de espumas de poliuretano, donde se utilice ácido cianhídrico, que puede provocar una E.P. cancerígena. (Código 6Q0113).

Por ello, debe realizarse reconocimientos médicos previos y periódicos a dichos trabajadores, con la prohibición de no contratar a los calificados como no aptos para desempeñar los puestos de trabajo de que se trate.

— Artículo 243 LGSS, en relación con RDEP (Anexo I).

Véase: Fundiciones. Hierro. Acero. Metales. Industria metalúrgica. Industria siderometalúrgica.

HOSPITALES

1. Establecimientos destinados al diagnóstico y tratamiento de enfermos, donde a menudo se practican la investigación y la docencia.

2. Deben tener, suministro eléctrico de seguridad que se pone en funcionamiento automáticamente, en los locales de pública afluencia, cuando se produce un fallo en el suministro eléctrico normal, con la finalidad de permitir la continuidad de las actividades normales durante dos horas como mínimo. Cuando proporcione una iluminación inferior al alumbrado normal se usará únicamente para terminar el trabajo con seguridad. Es obligatorio en hospitales, etc.

— Artículo 3 ITC-BT-28 del REBT.

— Nota Técnica de Prevención n.º 181/1986. INSST.

3. Los trabajadores ocupados en las actividades económicas, y expuestos a los agentes o sustancias que a continuación se indican, pueden contraer una Enfermedad Profesional (E.P.):

a) Causada por agentes físicos:

• Trabajos en las consultas de radiodiagnóstico, de radio y radioterapia y de aplicación de isótopos radiactivos, en consultas, clínicas, sanatorios, residencias y hospitales, que pueden producir E.P. provocadas por radiaciones ionizantes. (Código 2I0107).

b) Causada por agentes biológicos:

• Personal sanitario y auxiliar de instituciones cerradas, expuesto a agentes biológicos que pueden provocar enfermedades infecciosas, causadas por el trabajo de las personas que se ocupan a la prevención, asistencia médica y actividades en las que se ha probado un riesgo de infección. (Código 3A0102).

• Personal no sanitario, trabajadores de centros asistenciales o de cuidados de enfermos, tanto en ambulatorios como en instituciones cerradas o a domicilio, expuesto a agentes biológicos que pueden provocar enfermedades infecciosas, causadas por el trabajo de las personas que se ocupan a la prevención, asistencia médica y actividades en las que se ha probado un riesgo de infección. (Código 3A0104).

• Trabajos de toma, manipulación o empleo de sangre humana o sus derivados, expuesto a agentes biológicos que pueden provocar enfermedades infecciosas, causadas por el trabajo de las personas que se ocupan a la prevención, asistencia médica y actividades en las que se ha probado un riesgo de infección. (Código 3A0106).

c) Causada por agentes cancerígenos:

• Trabajos en las consultas de radiodiagnóstico, de radio y radioterapia y de aplicación de isótopos radiactivos, en consultas, clínicas, sanatorios, residencias y hospitales, que pueden provocar la E.P. de síndrome linfo y mieloproliferativos. (Código 6N0107).

• Trabajos en las consultas de radiodiagnóstico, de radio y radioterapia y de aplicación de isótopos radiactivos, en consultas, clínicas, sanatorios, residencias y hospitales, que puede provocar la E.P. de carcinoma epidermoide de piel. (Código 6N0207).

Por ello, debe realizarse reconocimientos médicos previos y periódicos a dichos trabajadores, con la prohibición de no contratar a los calificados como no aptos para desempeñar los puestos de trabajo de que se trate.

— Artículo 243 LGSS, en relación con RDEP (Anexo I).

Véase: Sanatorios. Radioterapia. Clínicas de radioterapia. Enfermeros. Trabajadores sanitarios. Trabajo en hospitales. Trabajo con exposición a rayo X. Suministro eléctrico de seguridad. Esterilización. Desinfectantes. Glutaraldehído. E.P. infecciosas transmitidas por personas.

HOSTELERÍA

1. Conjunto de servicios que proporcionan alojamiento y comida a los clientes.

2. Los trabajadores ocupados en las actividades económicas, y expuestos a los agentes o sustancias que a continuación se indican, pueden contraer una Enfermedad Profesional (E.P.), causada por agentes químicos:

• Trabajos en los que se produzca un apoyo prolongado y repetido de forma directa o indirecta sobre las correderas anatómicas que provocan lesiones nerviosas por compresión. Movimientos extremos de hiperflexión y de hiperextensión. Trabajos que requieran movimientos repetidos o mantenidos de hiperextensión e hiperflexión de la muñeca, de aprehensión de la mano como lavanderos, cortadores de tejidos y material plástico y similares, trabajos de montaje (electrónica, mecánica), industria textil, mataderos (carniceros, matarifes), hostelería (camareros, cocineros), soldadores, carpinteros, pulidores, pintores, que pueden provocar la E.P. de síndrome del túnel carpiano. (Código 2F0201).

Por ello, debe realizarse reconocimientos médicos previos y periódicos a dichos trabajadores, con la prohibición de no contratar a los calificados como no aptos para desempeñar los puestos de trabajo de que se trate.

— Artículo 243 LGSS, en relación con RDEP (Anexo I).

Véase: Camareros. Cocineros. Discotecas. Trabajos en discotecas.

HUESOS

1. Cada una de las piezas duras que forman el esqueleto de los vertebrados. Parte dura y compacta en el centro de algunos frutos, como la aceituna, la guinda, el melocotón, etc., en la cual se contiene la semilla.

2. Los trabajadores ocupados en las actividades económicas, y expuestos a los agentes o sustancias que a continuación se indican, pueden contraer una Enfermedad Profesional (E.P.):

• Empleo del benceno y sus homólogos como decapantes, como diluente, como disolvente para la extracción de aceites, grasas, alcaloides, resinas, desengrasado de pieles, tejidos, huesos, piezas metálicas, caucho, etc., que pueden provocar una E.P. causada por agentes químicos (Código 1K0103) o una E.P. síndrome linfo y mieloproliferativos (Código 1D0103)

Por ello, debe realizarse reconocimientos médicos previos y periódicos a dichos trabajadores, con la prohibición de no contratar a los calificados como no aptos para desempeñar los puestos de trabajo de que se trate.

— Artículo 243 LGSS, en relación con RDEP (Anexo I).

Véase: Sustancias desengrasantes.

HULES

1. Tela barnizada con caucho, que por su impermeabilidad tiene muchos usos.

2. Los trabajadores ocupados en las actividades económicas, y expuestos a los agentes o sustancias que a continuación se indican, pueden contraer una Enfermedad Profesional (E.P.):

• Industria hulera, papel, extractiva, alimenticia, peletera y farmacéutica (como estabilizador), donde se utilice amoníaco. (Código 1J0111).

Por ello, debe realizarse reconocimientos médicos previos y periódicos a dichos trabajadores, con la prohibición de no contratar a los calificados como no aptos para desempeñar los puestos de trabajo de que se trate.

— Artículo 243 LGSS, en relación con RDEP (Anexo I).

Véase: Industria del caucho.

HULLA

1. Carbón de piedra que tiene entre un 75% y un 90% de carbono.

2. Los trabajadores ocupados en las actividades económicas, y expuestos a los agentes o sustancias que a continuación se indican, pueden contraer una Enfermedad Profesional (E.P.), causada por agentes químicos:

• Tratamiento de brea de hulla, de gas de alumbrado y para el calentamiento de ciertas materias plásticas, donde se utilicen fenoles. (Código 1F0209).

• Extracción del naftaleno, durante la destilación del alquitrán de hulla. (Código 1K0201).

Por ello, debe realizarse reconocimientos médicos previos y periódicos a dichos trabajadores, con la prohibición de no contratar a los calificados como no aptos para desempeñar los puestos de trabajo de que se trate.

— Artículo 243 LGSS, en relación con RDEP (Anexo I).

Véase: Alquitrán. Brea. Fenoles.

HUMEDAD

1. Vapor de agua presente en el aire. Humedad relativa: Expresión porcentual de la cantidad de vapor de agua presente en el aire con respecto a la máxima posible para unas condiciones dadas de presión y temperatura.

2. La humedad relativa estará comprendida entre el 30 y el 70 por 100, excepto en los locales donde existan riesgos por electricidad estática en los que el límite inferior será el 50 por 100.

— Anexo III. 3 RDSSLT.

3. Procede la reducción del tiempo de exposición en aquellas faenas del campo en las que concurran circunstancias de especial penosidad derivadas de condiciones anormales de temperatura o humedad, la jornada ordinaria no podrá exceder de seis horas y veinte minutos diarios y treinta y ocho horas semanales de trabajo efectivo.

En las faenas que hayan de realizarse teniendo el trabajador los pies en agua o fango y en las de cava abierta, entendiendo por tales las que se realicen en terrenos que no estén previamente alzados, la jornada ordinaria no podrá exceder de seis horas diarias y treinta y seis semanales de trabajo efectivo.

— Artículo 24 RDJET.

4. Los trabajadores ocupados en las actividades económicas, y expuestos a los agentes o sustancias que a continuación se indican, pueden contraer una Enfermedad Profesional (E.P.):

a) Causada por agentes químicos:

• Fabricación y utilización de ferrosilicio, manganosiliceo, carburos de calcio y de cianamida cálcica cuando contienen residuos de fósforo y cuando esas operaciones se hacen en presencia de humedad. (Código 1A0508).

b) Causada por agentes biológicos:

• Trabajos en contacto con humedad, que pueden provocar una E.P. infecciosa (micosis, legionella y helmintiasis). (Código 3D0104).

• Trabajos en zonas húmedas y/o pantanosas: pantanos, arrozales, salinas, huertas, que pueden provocar una E.P. infecciosa (micosis, legionella y helmintiasis). (Código 3D0107).

Por ello, debe realizarse reconocimientos médicos previos y periódicos a dichos trabajadores, con la prohibición de no contratar a los calificados como no aptos para desempeñar los puestos de trabajo de que se trate.

— Artículo 243 LGSS, en relación con RDEP (Anexo I).

Véase: Sustancias humectantes. Temperatura. Trabajos con humedad. Trabajos en arrozales. Trabajos en pantanos. Zonas pantanosas. Trabajos en salinas. Psicómetro.

HUMO DE TABACO

Trabajadores en zonas habilitadas para fumadores. Al tratarse de trabajadores y estar sometidos a una exposición considerada formalmente como cancerígena, la conclusión lógica sería la aplicación de la legislación sobre sustancias cancerígenas y mutágenas recogida en el RD 665/1997, de 12 de mayo, sobre la protección de los trabajadores contra los riesgos relacionados con la exposición a agentes cancerígenos durante el trabajo.

— Nota Técnica de Prevención n.º 746/2006. INSST.

Véase: Sustancias cancerígenas.

HUMO

1. Mezcla visible de gases producida por la combustión de una sustancia, generalmente compuesta de carbono, y que arrastra partículas en suspensión. Vapor que exhala cualquier cosa que fermenta.

2. Partículas de diámetro inferior a 1 resultantes de una combustión incompleta, suspendidas en un gas y constituidas predominantemente por carbón, hollín u otros materiales combustibles. Partículas sólidas en estado disperso de diámetro generalmente inferior a 100, generadas por fusión o sublimación de metales fundidos o líquidos.

— Nota Técnica de Prevención n.º 49/1983. INSST.

Véase: Chimeneas. Material refractario. Briquetas.

I

IGNÍFUGO

1. Que no se inflama ni propaga la llama o el fuego.

2. Los trabajadores ocupados en las actividades económicas, y expuestos a los agentes o sustancias que a continuación se indican, pueden contraer una Enfermedad Profesional (E.P.).

• Fabricación de caucho sintético, productos ignífugos, papel autocopiativo sin carbono, plastificantes, etc., donde se utilicen derivados alogenados de hidrocarburos aromáticos. (Código 1K0505).

Por ello, debe realizarse reconocimientos médicos previos y periódicos a dichos trabajadores, con la prohibición de no contratar a los calificados como no aptos para desempeñar los puestos de trabajo de que se trate.

— Artículo 243 LGSS, en relación con RDEP (Anexo I).

Véase: Sustancias inflamables.

ILUMINACIÓN DE SEGURIDAD

1. Las vías y salidas de evacuación que requieran iluminación, en caso de avería, deberán estar equipadas con iluminación de seguridad de suficiente intensidad.

Los lugares de trabajo, o parte de los mismos, en los que un fallo del alumbrado normal suponga un riesgo para la seguridad de los trabajadores dispondrán de un alumbrado de emergencia de evacuación y de seguridad.

— Anexo I. Parte A.10 y Anexo IV. Punto 5 RDSSLT.

2. Obras de construcción. En los lugares de trabajo de las obras de construcción, y siempre que lo exijan las características de la obra o de la actividad; las circunstancias o cualquier riesgo, deberán poseer una iluminación de seguridad de intensidad suficiente.

— Anexo IV. Punto A.9 RDSSTOC.

Véase: Iluminación. Alumbrado de seguridad. Suministro eléctrico de seguridad. Alumbrado de emergencia. Alumbrado de reemplazo.

ILUMINACIÓN

1. La iluminación de los locales de trabajo debe realizarse, siempre que no existan problemas de tipo técnico, con un aporte suficiente de luz natural, aunque ésta, por sí sola, no garantiza una iluminación correcta, ya que varía en función del tiempo. Es preciso pues compensar su insuficiencia o ausencia con la luz artificial. Los niveles mínimos de iluminación de los lugares de trabajo serán los establecidos en el RDSSLT.

— Nota Técnica de Prevención n.º 211/1988. INSST.

— Anexo IV. Punto 2, 3 RDSSLT.

2. Oficinas y despachos. La iluminación en el puesto de trabajo estará comprendida entre 150 y 300 lux, cuando las operaciones sean continuas, pudiendo llegar hasta 500 lux en las intermitentes u ocasionales, no siendo aconsejable sobrepasar dichos niveles. Esto es válido para las pantallas de polaridad negativa. En caso de polaridad positiva los límites serían los mismos que en una oficina convencional.

— Nota Técnica de Prevención n.º 196/1988. INSST.

3. Iluminación de las obras de construcción:

• Los lugares de trabajo, los locales y las vías de circulación en la obra deberán disponer, en la medida de lo posible, de suficiente luz natural y tener una iluminación artificial adecuada y suficiente durante la noche y cuando no sea suficiente la luz natural. En su caso, se utilizarán puntos de iluminación portátiles con protección antichoques. El color utilizado para la iluminación artificial no podrá alterar o influir en la percepción de las señales o paneles de señalización.

• Las instalaciones de iluminación de los locales, de los puestos de trabajo y de las vías de circulación deberán estar colocadas de tal manera que el tipo de iluminación previsto no suponga riesgo de accidente para los trabajadores.

• Los locales, los lugares de trabajo y las vías de circulación en los que los trabajadores estén particularmente expuestos a riesgos en caso de avería de la iluminación artificial deberán poseer una iluminación de seguridad de intensidad suficiente.

— Anexo IV. Parte A.9 RDSSTOC.

Véase: Luxómetro. Luminaria. Iluminación de seguridad. Alumbrado de seguridad. Suministro eléctrico de seguridad. Alumbrado de emergencia. Alumbrado de reemplazo.

IMPORTADORES

1. Toda persona física o jurídica establecida en la Unión que introduce en el mercado un vehículo, un sistema, un componente, una unidad técnica independiente, una pieza o un equipo de un tercer país.

— Artículo 3.41 Reglamento (UE) n.º 167/2013.

2. Obligaciones de los importadores de vehículos:

• Los importadores introducirán en el mercado únicamente vehículos, sistemas, componentes o unidades técnicas independientes que sean conformes y que hayan recibido una homologación de tipo UE o que cumplan los requisitos de homologación nacional, o piezas o equipos sujetos totalmente a los requisitos del Reglamento (CE) nº 765/2008.

• Antes de introducir en el mercado un vehículo, sistema, componente o unidad técnica independiente que haya recibido una homologación de tipo, los importadores se asegurarán de que existe un expediente de homologación conforme a lo dispuesto en el artículo 24, apartado 10, y que el vehículo, sistema, componente o unidad técnica independiente lleva la marca de homologación de tipo exigida y cumple con el artículo 8.8. En el caso de los vehículos, el importador comprobará que el vehículo vaya acompañado del certificado de conformidad exigido.

• Si un importador considera o tiene motivos para pensar que un vehículo, sistema, componente, unidad técnica independiente, pieza o equipo no es conforme con los requisitos del presente Reglamento y, en particular, que no se corresponde con su homologación de tipo, no lo introducirá en el mercado, ni permitirá su puesta en servicio, ni lo matriculará hasta que el vehículo, sistema, componente, unidad técnica independiente, pieza o equipo sea conforme. Por otra parte, en aquellos casos en que considere o tenga motivos para pensar que el vehículo, sistema, componente, unidad técnica independiente, pieza o equipo comporta un riesgo grave, informará de ello al fabricante y a las autoridades de vigilancia del mercado. En el caso de vehículos, sistemas, componentes y unidades técnicas independientes que hayan recibido la homologación de tipo, informarán asimismo a tal efecto a la autoridad de homologación que la concedió.

• Los importadores indicarán su nombre, su nombre comercial registrado o marca comercial registrada y su dirección de contacto en el vehículo, sistema, componente, unidad técnica independiente, pieza o equipo o, cuando no sea posible, en el embalaje o en un documento que acompañe al sistema, componente, unidad técnica independiente, pieza o equipo.

• Los importadores se asegurarán de que el vehículo, sistema, componente o unidad técnica independiente vaya acompañado de las instrucciones e información que se exigen en el artículo 51, en las lenguas oficiales de los Estados miembros correspondientes.

• Mientras sean responsables de un vehículo, sistema, componente o unidad técnica independiente, los importadores se asegurarán de que las condiciones de almacenamiento o transporte no comprometan el cumplimiento de los requisitos establecidos en el presente Reglamento.

• En los casos en que se considere adecuado con respecto a los riesgos graves que comporte un vehículo, sistema, componente, unidad técnica independiente, pieza o equipo, los importadores investigarán y, en caso necesario, llevarán un registro de las quejas y llamadas a revisión o recuperaciones de los vehículos, sistemas, componentes, unidades técnicas independientes, piezas o equipos, y mantendrán informados a los distribuidores de este seguimiento, a fin de proteger la salud y la seguridad de los consumidores.

— Artículo 11 Reglamento (UE) n.º 167/2013.

> *Véase: Fabricantes. Distribuidores. Representante autorizado. Máquinas: Comercialización. Requisitos esenciales de seguridad y salud. Fichas de datos de seguridad. Vigilancia del mercado. Usuario intermedio.*

IMPRUDENCIA PROFESIONAL

1. Es aquella producida por una excesiva confianza que el trabajo le inspira al trabajador.

— Artículo 156.5.a LGSS.

2. El empresario está obligado a prever las distracciones o imprudencias no temerarias que pudiera cometer el trabajador. Para su adopción se tendrán en cuenta los riesgos adicionales que pudieran implicar determinadas medidas preventivas, las cuales sólo podrán adoptarse cuando la magnitud de dichos riesgos sea sustancialmente inferior a la de los que se pretende controlar y no existan alternativas más seguras.

— Artículo 15.4 LPRL.

— STS Penal 5.9.01.

— STSJ Valladolid 27.6.07.

3. La información al trabajador de las imprudencias previsibles (limpieza de máquinas en funcionamiento) y los medios técnicamente posibles para evitarlas (parada previa), es de vital importancia para que el empresario pueda prever las distracciones o imprudencias.

— STSJ Cataluña 2.5.06.

— STSJ Sevilla 27.2.07.

4. No procede la imposición de recargo en las prestaciones económicas de la Seguridad Social:

• Cuando la imprudencia del trabajador aparezca como prevalente y determinante en el accidente de trabajo, de forma que excluya el incumplimiento empresarial como causa del accidente.

— STSJ Galicia 6.5.08.

• Se acredita que el trabajador comete una negligencia fuera de todo sentido común, utilizando una máquina para la que no tenía formación y que le estaba prohibida su uso.

— STSJ Cataluña 9.10.09.

Véase: Principios de la acción preventiva. Accidentes de trabajo por imprudencia profesional. Error humano. Observación del trabajo. Investigación de los accidentes de trabajo.

IMPRUDENCIA TEMERARIA

1. Se puede definir como aquellas conductas de descuido negligente o de desprecio de los más elementales cuidados y precauciones. Culpa grave e inexcusable.

2. No concurre imprudencia temeraria cuando fue la falta absoluta de cualquier actividad preventiva de la empresa la que provocó la conducta del trabajador. Convendría no olvidar que la responsabilidad del trabajador está supeditada a sus posibilidades, a su formación y a las instrucciones del empresario y que la presión social empuja a los «buenos» trabajadores (a los frecuentemente se confían las «emergencias productivas») a excederse en el cumplimiento de sus obligaciones, adoptando actitudes imprudentes en su propósito de tratar de resolver un problema empresarial o simplemente de ser más productivos o lo que es lo mismo, más rápidos, no siendo de justicia que ese posible exceso de celo se convierta en elemento de exonerar, total o parcialmente a un empresario poco cuidadoso con el cumplimiento de sus obligaciones.

— STSJ Galicia 6.5.08.

Véase: Accidentes por imprudencia temeraria. Imprudencia profesional.

INCANDESCENCIA

1. Enrojecido o blanqueado por la acción del calor de metales.

2. Los trabajadores ocupados en las actividades económicas, y expuestos a los agentes o sustancias que a continuación se indican, pueden contraer una Enfermedad Profesional (E.P.):

• <u>Fabricación y reparación de termómetros, barómetros, bombas de mercurio, lámparas de incandescencia, lámparas radiofólicas, tubos radiográficos, rectificadores de corriente y otros aparatos que contengan mercurio, que pueden provocar una E.P. causada por agentes químicos.</u> (Código 1A0709).

Por ello, debe realizarse reconocimientos médicos previos y periódicos a dichos trabajadores, con la prohibición de no contratar a los calificados como no aptos para desempeñar los puestos de trabajo de que se trate.

— Artículo 243 LGSS, en relación con RDEP (Anexo I).

Véase:

INCAPACIDAD PERMANENTE ABSOLUTA

1. Se entenderá por incapacidad permanente absoluta para todo trabajo la que inhabilite por completo al trabajador para toda profesión u oficio.

— Artículo 194 LGSS.

— Artículo 12.3 Orden de 15 de abril de 1969.

2. En la valoración de la Incapacidad Permanente se debe considerar no sólo la reducción de la capacidad laboral que comporta, sino también cómo afecta la afección a la seguridad del propio trabajador, de sus compañeros de trabajo y de terceros.

Véase: Incapacidad permanente. Grados de incapacidad permanente. Incapacidad Permanente Parcial. Incapacidad Permanente Total. Gran invalidez.

INCAPACIDAD PERMANENTE PARCIAL

1. Se entenderá por incapacidad permanente parcial para la profesión habitual la que, sin alcanzar el grado de total, ocasione al trabajador una disminución no inferior al 33 por 100 en su rendimiento normal para dicha profesión, sin impedirle la realización de las tareas fundamentales de la misma.

— Artículo 194 LGSS.

— Artículo 3.1 DPRG.

2. Se entenderá por incapacidad permanente parcial para la profesión habitual la que, sin alcanzar el grado de total, produzca al trabajador una disminución, al menos, del 66 por 100 de su capacidad de ganancia en dicha profesión. No obstante, cuando la incapacidad tenga su origen en un accidente de trabajo o enfermedad profesional será calificada de parcial, aunque no alcance el mencionado porcentaje, siempre que ocasione al trabajador una disminución sensible en su rendimiento normal para la profesión habitual, sin impedirle la realización de las tareas fundamentales de dicha profesión.

— Artículo 194 LGSS.

— Artículo 12.1 Orden de 15 de abril de 1969.

3. Se entenderá por profesión habitual, en caso de accidente, sea o no de trabajo la desempeñada normalmente por el trabajador al tiempo de sufrirlo, y en caso de enfermedad, común o profesional, aquella a la que el trabajador dedicaba su actividad fundamental durante los doce meses anteriores a la fecha en que se hubiese iniciado la incapacidad laboral transitoria de la que se derive la invalidez.

— Artículo 11.2 Orden de 15 de abril de 1969.

4. Los trabajadores que hayan sido declarados en situación de incapacidad permanente parcial, tienen derecho a su reincorporación en la Empresa. Si la incapacidad permanente parcial no afecta el rendimiento normal del trabajador en el puesto de trabajo que ocupaba antes de incapacitarse deberá el empresario reincorporarlo al mismo puesto o, en caso de imposibilidad, mantenerle el nivel retributivo correspondiente al mismo. En el supuesto de que el empresario acredite la disminución en el rendimiento, deberá ocupar al trabajador en un puesto de trabajo adecuado a su capacidad residual y, si no existiera, podrá reducir proporcionalmente el salario, sin que en ningún caso la disminución pueda ser superior al 25 por 100 ni que los ingresos sean inferiores al salario mínimo interprofesional cuando se realice jornada completa.

— Artículo 1 RDESTM.

5. En la valoración de la Incapacidad Permanente se debe considerar no sólo la reducción de la capacidad laboral que comporta, sino también cómo afecta la afección a la seguridad del propio trabajador, de sus compañeros de trabajo y de terceros.

Véase: Incapacidad permanente. Grados de incapacidad permanente. Incapacidad Permanente Total. Incapacidad Permanente Absoluta. Gran invalidez. Lesiones permanentes no invalidantes. Cambio de puesto de trabajo.

INCAPACIDAD PERMANENTE TOTAL

1. Se entenderá por incapacidad permanente total para la profesión habitual la que inhabilite al trabajador para la realización de todas o de las fundamentales tareas de dicha profesión, siempre que pueda dedicarse a otra distinta.

— Artículo 194 LGSS.

— Artículo 13.2 Orden de 15 de abril de 1969.

2. Se entenderá por profesión habitual, en caso de accidente, sea o no de trabajo la desempeñada normalmente por el trabajador al tiempo de sufrirlo, y en caso de enfermedad, común o profesional, aquella a la que el trabajador dedicaba su actividad fundamental durante los doce meses anteriores a la fecha en que se hubiese iniciado la incapacidad laboral transitoria de la que se derive la invalidez.

— Artículo 11.2 Orden de 15 de abril de 1969.

3. En la valoración de la Incapacidad Permanente se debe considerar no sólo la reducción de la capacidad laboral que comporta, sino también cómo afecta la afección a la seguridad del propio trabajador, de sus compañeros de trabajo y de terceros.

Véase: Incapacidad permanente. Grados de incapacidad permanente. Incapacidad Permanente Parcial. Incapacidad Permanente Absoluta. Gran invalidez.

INCAPACIDAD PERMANENTE

La incapacidad permanente contributiva es la situación del trabajador que, después de haber estado sometido al tratamiento prescrito, presenta reducciones anatómicas o funcionales graves, susceptibles de determinación objetiva y previsiblemente definitivas, que disminuyan o anulen su capacidad laboral. No obstará a tal calificación la posibilidad de recuperación de la capacidad laboral del incapacitado, si dicha posibilidad se estima médicamente como incierta o a largo plazo.

Las reducciones anatómicas o funcionales existentes en la fecha de la afiliación del interesado en la Seguridad Social no impedirán la calificación de la situación de incapacidad permanente, cuando se trate de personas con discapacidad y con posterioridad a la afiliación tales reducciones se hayan agravado, provocando por sí mismas o por concurrencia con nuevas lesiones o patologías una disminución o anulación de la capacidad laboral que tenía el interesado en el momento de su afiliación.

— Artículo 193.1 LGSS.

Véase: Grados de incapacidad permanente. Incapacidad Permanente Parcial. Incapacidad Permanente Total. Incapacidad Permanente Absoluta. Gran invalidez. Lesiones permanentes no invalidantes.

INCAPACIDAD TEMPORAL

Son aquellas situaciones debidas a enfermedad común o profesional y accidente, sea o no de trabajo, mientras el trabajador reciba asistencia sanitaria de la Seguridad Social y esté impedido para el trabajo, con una duración máxima de trescientos sesenta y cinco días, prorrogables por otros ciento ochenta días cuando se presuma que durante ellos puede el trabajador ser dado de alta médica por curación.

— Artículo 169 LGSS.

Véase: Incapacidad permanente. Lesiones permanentes no invalidantes.

INCENDIOS

1. Según las dimensiones y el uso de los edificios, los equipos, las características físicas y químicas de las sustancias existentes, así como el número máximo de personas que puedan estar presentes, los lugares de trabajo deberán estar equipados con dispositivos adecuados para combatir los incendios y, si fuere necesario, con detectores contra incendios y sistemas de alarma.

— Anexo I. Parte A.11 RDSSLT.

2. El riesgo de incendio entra dentro del alcance de la «evaluación de riesgos» de un centro de trabajo.

La LPRL en su artículo 20, determina, de una forma inequívoca, la exigencia de prever, entre otros, los medios adecuados de lucha contra incendios y de evacuación.

Por otro lado, el RDSSLT en su Anexo I. Parte A.11, determina que «Los lugares de trabajo deberán ajustarse a lo dispuesto en la normativa que resulte de aplicación sobre condiciones de protección contra incendios».

— Notas Técnicas de Prevención n.º 831, 832/2009. 928/2012. INSST.

3. Instalaciones de extinción automática con agentes extintores gaseosos. Son instalaciones previstas para la extinción de incendios utilizando como agente extintor un gas y dotadas de un sistema automático de activación o disparo. También cuentan con un dispositivo de accionamiento manual.

— Notas Técnicas de Prevención n.º 420/1996. 975/2013. INSST.

4. Protección contra incendios en hospitales.

— Nota Técnica de Prevención n.º 282/1991. INSST.

5. Los trabajadores ocupados en las actividades económicas, y expuestos a los agentes o sustancias que a continuación se indican, pueden contraer una Enfermedad Profesional (E.P.), causada por agentes químicos:

• Incendios y explosiones (sobre todo en espacios cerrados, en los túneles y en las minas), por la exposición a los óxidos de carbono. (Código 1T0110).

Por ello, debe realizarse reconocimientos médicos previos y periódicos a dichos trabajadores, con la prohibición de no contratar a los calificados como no aptos para desempeñar los puestos de trabajo de que se trate.

— Artículo 243 LGSS, en relación con RDEP (Anexo I).

6. No adoptar las medidas previstas en el artículo 20 de la LPRL en materia de primeros auxilios, lucha contra incendios y evacuación de los trabajadores, constituye una infracción grave en materia de prevención de riesgos laborales que lleva aparejada una sanción económica de 2.046 euros a 40.985 euros.

— Artículos 12.10 y 40.2.b LISOS.

Véase: Extinción de incendios. Dispositivos de lucha contra incendios. Detectores de incendios. Sistemas de alarma. Detectores de humos. Fuego clase: A, B, C, D, E. Radiaciones térmicas. Carga de fuego ponderada. Extintores. Equipos contra incendios. Sustancias combustibles. Detonación. Deflagración.

INCIDENTES

1. Se considera incidente todo suceso eventual e imprevisto y no querido que se produzca en la empresa, que sin producir daños a los trabajadores, da lugar a una interrupción del trabajo sin perdidas en los bienes y materiales.

A pesar de que no se han producido daños a los trabajadores, hay que investigar las causas que lo han producido, con el fin de adoptar las medidas necesarias para que este tipo de accidentes no se produzca.

2. Cualquier suceso que no llegue a ser un accidente, y que afecte o pueda afectar a la seguridad y salud de los trabajadores, con el objeto de prevenirlos en el futuro.

— Artículo 3.e RDIAAC.

— Artículo 3.c RDIAF.

Véase: Accidentes blancos. Causas de los accidentes e incidentes.

INCINERACIÓN

1. Es la combustión completa de la materia orgánica hasta su conversión en cenizas, usada en el tratamiento de basuras: residuos sólidos urbanos, industriales peligrosos y hospitalarios, entre otros.

La incineración se lleva a cabo en hornos mediante oxidación química en exceso de oxígeno. Los productos de la combustión son cenizas, gases, partículas tóxicas y algunas con efectos cancerígenos, así como calor, que puede utilizarse para generar energía eléctrica.

2. Los trabajadores ocupados en las actividades económicas, y expuestos a los agentes o sustancias que a continuación se indican, pueden contraer una Enfermedad Profesional (E.P.), causada por agentes químicos:

   • Tráfico urbano, instalaciones de incineración. Industria petrolera, industria química, donde los trabajadores pueden estar expuestos al óxido de carbono. (Código 1T0113).

Por ello, debe realizarse reconocimientos médicos previos y periódicos a dichos trabajadores, con la prohibición de no contratar a los calificados como no aptos para desempeñar los puestos de trabajo de que se trate.

— Artículo 243 LGSS, en relación con RDEP (Anexo I).

Véase: Residuos. Biorresiduos. Residuos comerciales. Residuos domésticos. Residuos industriales. Residuos peligrosos. Residuos radiactivos. Residuos urbanos. Residuos: Gestión. Reciclado. Saneamiento público.

INCLEMENCIAS ATMOSFÉRICAS

Inclemencias atmosféricas en el exterior de las obras de construcción: Deberá protegerse a los trabajadores contra las inclemencias atmosféricas que puedan comprometer su seguridad y su salud.

— Anexo IV. Parte C.4 RDSSTOC.

Véase: Construcción.

INDICADORES DE EFECTO BIOLÓGICO

Representan efectos biológicos precoces, reversibles, que en principio se desarrollan en el órgano crítico. En cuanto al efecto en sí cabe distinguir entre efecto crítico y subcrítico. El más corriente de este tipo de efecto suele ser la inhibición de algún enzima que interviene en algún proceso fisiológico que se desarrolla en el mencionado órgano crítico, o en alguna estructura o componente afín a dicho órgano.

Los indicadores son parámetros que señalan un acontecimiento en un sistema o en una muestra biológica, en un momento concreto en el tiempo. Por esta razón, esta toma de muestras de efectuarse de manera sistemática o repetitiva a lo largo del tiempo.

— Nota Técnica de Prevención n.º 660. INSST.

> *Véase: Agentes biológicos. Productos biológicos. Riesgos biológicos. Control biológico. Control de efectos biológicos. Indicadores de exposición biológica. Indicadores de susceptibilidad biológica. Valores límite biológicos. Epi contra agentes biológicos. Ropa de protección contra riesgos biológicos.*

INDICADORES DE EXPOSICIÓN BIOLÓGICA

Son los que presentan una correlación con la concentración del producto en el ambiente de trabajo. Puede ser el propio producto o los productos resultantes de su biotransformación. Tal es el caso de los metabolitos de diferentes ingredientes activos de plaguicidas que se eliminan por la orina. En principio, su concentración urinaria aumenta con el conjunto de la exposición ambiental, dérmica y digestiva.

Los indicadores son parámetros que señalan un acontecimiento en un sistema o en una muestra biológica, en un momento concreto en el tiempo. Por esta razón, esta toma de muestras de efectuarse de manera sistemática o repetitiva a lo largo del tiempo.

— Nota Técnica de Prevención n.º 660. INSST.

> *Véase: Agentes biológicos. Productos biológicos. Riesgos biológicos. Control biológico. Control de efectos biológicos. Indicadores de efecto biológico. Indicadores de susceptibilidad biológica. Valores límite biológicos. Epi contra agentes biológicos. Ropa de protección contra riesgos biológicos.*

INDICADORES DE SUSCEPTIBILIDAD BIOLÓGICA

Cualquier indicador que exprese una condición individual, congénita o adquirida, de capacidad limitada del organismo para hacer frente a la exposición a un contaminante específico.

Los indicadores son parámetros que señalan un acontecimiento en un sistema o en una muestra biológica, en un momento concreto en el tiempo. Por esta razón, esta toma de muestras de efectuarse de manera sistemática o repetitiva a lo largo del tiempo.

— Nota Técnica de Prevención n.º 660. INSHT.

> *Véase: Agentes biológicos. Productos biológicos. Riesgos biológicos. Control biológico. Control de efectos biológicos. Indicadores de efecto biológico. Indicadores de exposición biológica. Valores límite biológicos. Epi contra agentes biológicos. Ropa de protección contra riesgos biológicos.*

ÍNDICE DE ABSENTISMO DE SALUD

Faltas de asistencia, del trabajador a su trabajo por razones de salud.

Es el porcentaje de absentismo por razones de salud, calculado teniendo en cuenta: el número total de días laborables de ausencia por razones de salud, dividido por (número de trabajadores de la empresa, multiplicado los días laborables de la empresa), y multiplicado por cien.

— Notas Técnicas de Prevención n.º 1/1982. 236/1989. 593/2001. INSST.

Véase: Absentismo laboral. Índice de siniestralidad. Índice de duración media de accidentes. Índice de frecuencia. Índice de gravedad. Índice de incidencia.

ÍNDICE DE DURACIÓN MEDIA DE ACCIDENTES

Se utiliza para cuantificar el tiempo medio de duración de las bajas por accidentes.

$$I.D.M. = \frac{n.º \text{ Jornadas perdidas}}{n.º \text{ Accidentes}}$$

Las jornadas perdidas son las correspondientes a incapacidades temporales, más las correspondientes a los diferentes tipos de incapacidades permanentes. En las jornadas perdidas deben contabilizarse exclusivamente los días laborables. No deben incluirse los accidentes *«In itinere»*, ya que se han producido fuera de horas de trabajo.

— Notas Técnicas de Prevención n.º 1/1982. 236/1989. 593/2001. INSST.

Véase: Absentismo laboral. Índice de siniestralidad. Índice de absentismo de salud. Índice de frecuencia. Índice de gravedad. Índice de incidencia.

ÍNDICE DE FRECUENCIA

Representa el número de accidentes ocurridos por cada millón de horas trabajadas:

$$I.F. = \frac{n.º \text{ Accidentes}}{n.º \text{ horas trabajadas}} \times 1.000.000$$

En este índice de frecuencia debe tenerse en cuenta que no deben incluirse los accidentes *«In itinere»*, ya que se han producido fuera de horas de trabajo. Deben computarse las horas reales de trabajo, descontando toda ausencia en el trabajo por permisos, vacaciones, bajas por enfermedad o accidente, etc.

Dado que el personal administrativo o comercial no está expuesto a los mismos riesgos que el personal de fabricación, y que éstos varían según las diferentes secciones de trabajo, se recomienda calcular los índices para cada una de las secciones o ámbitos de trabajo homogéneos.

A nivel de empresa interesa ampliar el seguimiento a todos los accidentes, tanto los que han producido baja como los que no, evaluando el índice de frecuencia global, por secciones.

— Notas Técnicas de Prevención n.º 1/1982. 236/1989. 593/2001. INSST.

Véase: Absentismo laboral. Índice de siniestralidad. Índice de absentismo de salud. Índice de duración media de accidentes. Índice de gravedad. Índice de incidencia.

ÍNDICE DE GRAVEDAD

El índice de gravedad representa el número de jornadas perdidas por cada mil horas trabajadas. Se calcula mediante la expresión:

$$I.G = \frac{n.^o \text{ jornadas perdidas}}{n.^o \text{ horas trabajadas}} \times 1.000.$$

Las jornadas perdidas son las correspondientes a incapacidades temporales, más las correspondientes a los diferentes tipos de incapacidades permanentes. En las jornadas perdidas deben contabilizarse exclusivamente los días laborables. No deben incluirse los accidentes «In itinere», ya que se han producido fuera de horas de trabajo.

Deben computarse las horas reales de trabajo, descontando toda ausencia en el trabajo por permisos, vacaciones, bajas por enfermedad o accidente, etc.

Dado que el personal administrativo o comercial no está expuesto a los mismos riesgos que el personal de fabricación, y que éstos varían según las diferentes secciones de trabajo, se recomienda calcular los índices para cada una de las secciones o ámbitos de trabajo homogéneos.

— Notas Técnicas de Prevención n.º 1/1982. 236/1989. 593/2001. INSST.

> Véase: Absentismo laboral. Índice de siniestralidad. Índice de absentismo de salud. Índice de duración media de accidentes. Índice de frecuencia. Índice de incidencia.

ÍNDICE DE INCIDENCIA

El índice de incidencia representa el número de accidentes ocurridos por cada mil personas expuestas.

$$I.I. = \frac{n.^o \text{ Accidentes}}{n.^o \text{ Trabajadores}} \times 1.000.$$

Este índice es utilizado cuando no se dispone de información sobre las horas trabajadas. Generalmente en la empresa es preferible el empleo del Índice de Frecuencia pues aporta una información más precisa.

— Notas Técnicas de Prevención n.º 1/1982. 236/1989. 593/2001. INSST.

> Véase: Absentismo laboral. Índice de siniestralidad. Índice de absentismo de salud. Índice de duración media de accidentes. Índice de frecuencia. Índice de gravedad.

ÍNDICE DE SINIESTRALIDAD

Índice de siniestralidad que indica el número de accidentes por cada mil trabajadores que están expuestos.

Es utilizado cuando no es posible disponer de la información sobre horas trabajadas, o cuando el cálculo de éstas es muy laborioso debido a que el número de trabajadores y el número de horas de cada uno de ellos trabaja es muy variable.

Se calcula dividiendo el número total de accidentes en un período determinado, por el número de trabajadores expuestos en el mismo período, multiplicado por mil.

Para comparar índices debe comprobarse que para su cálculo se han mantenido los mismos parámetros:

- Accidentes con baja médica y/o sin baja médica.
- No contabilizar los accidentes «*in itinere*», al haberse producido fuera del lugar y horario de trabajo.
- Accidentes de trabajo y/o enfermedades profesionales.

— Notas Técnicas de Prevención n.º 236/1989. 593/2001. INSST.

> *Véase: Absentismo laboral. Índice de absentismo de salud. Índice de duración media de accidentes. Índice de frecuencia. Índice de gravedad. Índice de incidencia.*

ÍNDICES ESTADÍSTICOS DE ACCIDENTES DE TRABAJO

Mediante los índices estadísticos que a continuación se relacionan se permite expresar en cifras relativas las características de la accidentabilidad de una empresa, o de las secciones de la misma, facilitando por lo general unos valores útiles a nivel comparativo: Índice de siniestralidad. Índice de absentismo de salud. Índice de duración media de accidentes. Índice de frecuencia. Índice de Gravedad. Índice de incidencia.

— Notas Técnicas de Prevención n.º 1/1982. 236/1989. 593/2001. INSST.

> *Véase: Absentismo laboral. Índice de siniestralidad. Índice de absentismo de salud. Índice de duración media de accidentes. Índice de frecuencia. Índice de Gravedad. Índice de incidencia.*

INDUSTRIA AEROESPACIAL

1. Es la industria que se ocupa del diseño, fabricación, comercialización y mantenimiento de aeronaves (aviones, helicópteros, vehículos aéreos no tripulados, misiles, etc.), naves espaciales y cohetes, así como de equipos específicos asociados (propulsión, sistemas de navegación, etc.).

2. Los trabajadores ocupados en las actividades económicas, y expuestos a los agentes o sustancias que a continuación se indican, pueden contraer una Enfermedad Profesional (E.P.):

a) Causada por agentes químicos:
- Extracción y metalurgia de berilio, industria aeroespacial, industria nuclear, donde se utilice berilio. (Código 1A0201).

b) Causada por inhalación de sustancias y agentes no comprendidos en otros apartados:
- Extracción y metalurgia de berilio, industria aeroespacial, industria nuclear, donde se utilice berilio. (Código 4K0101).

c) Causada por agentes cancerígenos:
- Extracción y metalurgia de berilio, industria aeroespacial, industria nuclear. donde se utilice berilio, que pueden provocar una E.P. neoplasia maligna de bronquio y pulmón. (Código 6E0101).

Por ello, debe realizarse reconocimientos médicos previos y periódicos a dichos trabajadores, con la prohibición de no contratar a los calificados como no aptos para desempeñar los puestos de trabajo de que se trate.

— Artículo 243 LGSS, en relación con RDEP (Anexo I).

Véase: Aviones. Industria aeronáutica. Industria nuclear. Berilio. Titanio.

INDUSTRIA AERONÁUTICA

1. Conjunto de medios, como las aeronaves, las instalaciones, los servicios, el personal, etc., destinados al transporte aéreo.

2. Los trabajadores ocupados en las actividades económicas, y expuestos a los agentes o sustancias que a continuación se indican, pueden contraer una Enfermedad Profesional (E.P.):

a) Causada por inhalación de sustancias y agentes no comprendidos en otros apartados:

• Industria aeronáutica, donde los trabajadores estén expuestos a sustancias de bajo peso molecular (metales, polvos de maderas, sustancias químicas, etc.), que pueden provocar alguna de las siguientes E.P: rinoconjuntivitis (Código 4I0111), urticaria (Código 4I0211), angiodemas (Código 4I0211), asma (Código 4I0311), alveolitis alérgica extrínseca (Código 4I0411), síndrome de disfunción de la vía reactiva (Código 4I0511), fibrosis intersticial difusa (Código 4I0611), fiebre de los metales (Código 4I0711), y neumopatía intersticial difusa (Código 4I0811).

b) E.P. de la piel, causada por sustancias y agentes no comprendidos en alguno de los otros apartados:

• Industria aeronáutica, donde los trabajadores estén expuestos a sustancias de bajo peso molecular (metales, polvos de maderas, sustancias químicas, etc.), que pueden provocar una E.P. de la piel, causada por sustancias de bajo peso molecular. (Código 5A0111).

Por ello, debe realizarse reconocimientos médicos previos y periódicos a dichos trabajadores, con la prohibición de no contratar a los calificados como no aptos para desempeñar los puestos de trabajo de que se trate.

— Artículo 243 LGSS, en relación con RDEP (Anexo I).

Véase: Aviones. Industria aeroespacial. Titanio. Tráfico aéreo. Trabajos de tráfico aéreo. Trabajadores aéreos. Trabajadores de aeropuertos. Motores reactores. Motores de aviación.

INDUSTRIA DE LA ELECTRÓNICA

1. Es aquella industria que comprende la física aplicada, la ingeniería, la tecnología y las aplicaciones que tratan con la emisión, el flujo y el control de los electrones (u otras partículas cargadas eléctricamente) en el vacío y la materia. La electrónica trata con circuitos eléctricos que involucran componentes eléctricos activos como tubos de vacío, transistores, diodos, circuitos integrados, optoelectrónica y sensores, asociados con componentes eléctricos pasivos y tecnologías de interconexión.

2. Los trabajadores ocupados en las actividades económicas, y expuesto a los agentes o sustancias que a continuación se indican, pueden contraer una Enfermedad Profesional (E.P.):

• La industria de la electrónica, donde se utilice ácido fórmico, que pueden provocar una E.P. causada por agentes químicos. (Código 1E0119).

Por ello, debe realizarse reconocimientos médicos previos y periódicos a dichos trabajadores, con la prohibición de no contratar a los calificados como no aptos para desempeñar los puestos de trabajo de que se trate.

— Artículo 243 LGSS, en relación con RDEP (Anexo I).

Véase: Circuito eléctrico. Silicio. Tantalio.

INDUSTRIA DE LA MADERA

1. La madera es la parte sólida de los árboles cubierta por una corteza. Pieza de madera labrada que sirve para cualquier obra de carpintería.

2. Los trabajadores ocupados en la industria de la madera, y expuestos a los agentes o sustancias que a continuación se indican, pueden contraer una Enfermedad Profesional (E.P.):

a) Causada por agentes químicos:

• Tratamiento de cueros y maderas con agentes de conservación a base de compuestos arsenicales. (Código 1A0105).

• Industria de la madera: imprimación de madera con sales de arsénico, mecanización de maderas imprimadas con compuestos de arsénico. (Código 1A0122).

• Fabricación de catalizadores, productos químicos para la curtición, y productos de tratamiento de la madera que contengan compuestos de cromo. (Código 1A0401).

• Aserrado y mecanizado de madera tratada con compuestos de cromo. (Código 1A0403).

• Empleo de compuestos de flúor como insecticida, pesticida, rodenticida y para conservación de la madera. (Código 1C0310).

• Utilización como preservadores del grano y la madera, donde se utilice ácido propiónico. (Código 1E0123)

• Tratamiento de maderas, donde se utilicen fenoles. (Código 1F0203).

• La combustión de combustibles fósiles, madera y el calentamiento de aceites produce acroleína, donde se utilicen aldehídos. (Código 1G0113).

• Utilización del naftaleno como insecticida y en conservación de la madera. (Código 1K0204).

• Utilización de epóxidos como recubrimientos para la madera y el metal. (Código 1M0102).

• Utilización de hexaclorobenceno (organoclorados) como preservante de madera. (Código 1S0204).

b) Causada por agentes físicos:

• Trabajos de molienda de caucho, de plástico y la inyección de esos materiales para moldeo-Manejo de maquinaria de transformación de la madera, sierras circulares, de cinta, cepilladoras, tupies, fresas, donde el trabajador este expuesto a ruidos continuos y diarios de un nivel sonoro igual o superior a 80 decibelios A, que puede contraer la E.P. de hipoacusia. (Código 2A0116).

c) Causada por inhalación de sustancias y agentes no comprendidos en otros apartados:

• Industria de la madera: Aserraderos, acabados de madera, carpintería, ebanistería, fabricación y utilización de conglomerados de madera, donde los trabajadores estén expuestos a sustancias de alto peso molecular (de origen vegetal o animal), que pueden provocar alguna de las siguientes E.P: rinoconjuntivitis (Código 4H0122), asma (Código 4H0222), alveolitis alérgica extrínseca (Código 4H0322), síndrome de disfunción reactivo de la vía aérea (Código 4H0422), fibrosis intersticial difusa (Código 4H0522), bisinosis, cannabiosis, linnosis, bagazosis, estipatosis, suberosis (Código 4H0622), y neumopatía intersticial difusa (Código 4H0722).

• Industria de la madera: Aserraderos, acabados de madera, carpintería, ebanistería, fabricación y utilización de conglomerados de madera, donde los trabajadores estén expuestos a sustancias de bajo peso molecular (metales, sustancias químicas, etc.), que pueden provocar alguna de las siguientes E.P: rinoconjuntivitis (Código 4I0115), urticaria (Código 4I0215), angiodemas (Código 4I0215), asma (Código 4I0315), alveolitis alérgica extrínseca (Código 4I0415), síndrome de disfunción de la vía reactiva (Código 4I0515), fibrosis intersticial difusa (Código 4I0615), fiebre de los metales (Código 4I0715), y neumopatía intersticial difusa (Código 4I0815).

d) E.P. de la piel, causada por sustancias y agentes no comprendidos en alguno de los otros apartados:

• Industria de la madera: Aserraderos, acabados de madera, carpintería, ebanistería, fabricación y utilización de conglomerados de madera, donde los trabajadores estén expuestos a sustancias de bajo peso molecular (metales, sustancias químicas, etc.), que pueden provocar una E.P. de la piel, causada por sustancias de bajo peso molecular. (Código 5A0115).

• Industria de la madera: Aserraderos, acabados de madera, carpintería, ebanistería, fabricación y utilización de conglomerados de madera, donde los trabajadores estén expuestos a sustancias de alto peso molecular (de origen vegetal o animal), que pueden provocar una E.P. de la piel, causada por sustancias de alto peso molecular. (Código 5B0122).

e) Causada por agentes cancerígenos:

• Tratamiento de cueros y maderas con agentes de conservación a base de compuestos arsenicales, que puede provocar alguna de las siguientes E.P. (cánceres): neoplasia de maligna de bronquio y pulmón (Código 6C0110), carcinoma epidemoide de piel (Código 6C0210), disqueratosis lenticular en disco (Código 6C0310) y angiosarcoma del hígado (Código 6C0410).

• Fabricación de catalizadores, productos químicos para la curtición, y productos de tratamiento de la madera que contengan compuestos de cromo, que puede provocar la E.P. de neoplasia de neoplasia maligna de cavidad nasal. (Código 6I0101).

• Aserrado y mecanizado de madera tratada con compuestos de cromo, que puede provocar la E.P. de neoplasia maligna de cavidad nasal. (Código 6I0103).

• Fabricación de catalizadores, productos químicos para la curtición, y productos de tratamiento de la madera que contengan compuestos de cromo, que puede provocar la E.P. de neoplasia maligna de cavidad nasal. (Código 6I0201).

• Aserrado y mecanizado de madera tratada con compuestos de cromo, que puede provocar la E.P. de neoplasia de bronquio y pulmón. (Código 6I0203).

• Trabajos o actividades, donde se produzcan polvos de madera dura, como: fabricación de muebles (Código 6L0101), triturado de la madera en la industria del papel (Código 6L0104), modelistas de madera (Código 6L0105), prensado de madera (Código 6L0106), mecanizado y montaje de piezas de madera (Código 6L0107) y trabajos de acabado de productos de madera, contrachapado y aglomerado (Código 6L0108), que pueden provocar la E.P. de neoplasia maligna de cavidad nasal.

Por ello, debe realizarse reconocimientos médicos previos y periódicos a dichos trabajadores, con la prohibición de no contratar a los calificados como no aptos para desempeñar los puestos de trabajo de que se trate.

— Artículo 243 LGSS, en relación con RDEP (Anexo I).

Véase: Polvo de madera dura. Aserrado de la madera. Carpinterías. Carpinteros. Ebanistería. Máquinas: Tupi. Parquet.

INDUSTRIA DEL CAFÉ

1. Semilla del cafeto, como de un centímetro de largo, de color amarillento verdoso, convexa por una parte y, por la otra, plana y con un surco longitudinal.

2. Los trabajadores ocupados en las actividades económicas, y expuestos a los agentes o sustancias que a continuación se indican, pueden contraer una Enfermedad Profesional (E.P.):

a) Causada por inhalación de sustancias y agentes no comprendidos en otros apartados:

• Industria del té, industria del café, industria del aceite, donde los trabajadores estén expuestos a sustancias de alto peso molecular (de origen vegetal o animal), que pueden provocar alguna de las siguientes E.P: rinoconjuntivitis (Código 4H0102), asma (Código 4H0202), alveolitis alérgica extrínseca (Código 4H0302), síndrome de disfunción reactivo de la vía aérea (Código 4H0402), fibrosis intersticial difusa (Código 4H0502), bisinosis, cannabiosis, linnosis, bagazosis, estipatosis, suberosis (Códigos 4H0602), y neumopatía intersticial difusa (Código 4H0702).

b) E.P. de la piel, causada por sustancias y agentes no comprendidos en alguno de los otros apartados:

• Industria del té, industria del café, industria del aceite, donde los trabajadores estén expuestos a sustancias de alto peso molecular (de origen vegetal o animal), que pueden provocar una E.P. de la piel, causada por sustancias de alto peso molecular. (Código 5B0102).

Por ello, debe realizarse reconocimientos médicos previos y periódicos a dichos trabajadores, con la prohibición de no contratar a los calificados como no aptos para desempeñar los puestos de trabajo de que se trate.

— Artículo 243 LGSS, en relación con RDEP (Anexo I):

Véase: Alimentación. Industria del té.

INDUSTRIA DEL CAUCHO

1. El caucho es una sustancia natural o sintética que se caracteriza por su elasticidad, repelencia al agua y resistencia eléctrica. El caucho natural se obtiene de un líquido lechoso de color blanco llamado látex, que se encuentra en numerosas plantas. El caucho sintético se prepara a partir de hidrocarburos insaturados.

2. Los trabajadores ocupados en las actividades económicas, y expuestos a los agentes o sustancias que a continuación se indican, pueden contraer una Enfermedad Profesional (E.P.):

a) Causada por agentes químicos:

• Industria de caucho, donde se utilice arsénico y sus compuestos. (Código 1A0117).

• Fabricación de pigmentos cadmíferos para pinturas, esmaltes, materias plásticas, papel, caucho, pirotecnia, donde se utilice cadmio y sus compuestos. (Código 1A0303).

• Fabricación de explosivos y de pigmentos para la industria del caucho (trisulfuro de antimonio), donde se utilice antimonio. (Código 1B0107).

• Uso del antimonio en la industria del caucho y farmacéutica (pentacloruro de antimonio). (Código 1B0108).

• Dióxido de azufre en usos como refrigerante, vulcanización de caucho, agente de blanqueo y para la producción de ácido sulfúrico. (Código 1D0212).

• Empleo de ácidos orgánicos en la industria metalúrgica, del caucho y en fotografía. (Código 1E0106).

• Industria del caucho y de los cueros sintéticos, donde se utilice alcohol. (Código 1F0111).

• Fabricación de desinfectantes, tintes, productos farmacéuticos, perfumes, explosivos, potenciadores del sabor, resinas, antioxidantes, barnices, levaduras, productos fotográficos, caucho, plásticos, polímeros de alto peso molecular, plaguicidas, etc. (Código 1G0104).

• Fabricación y utilización de derivados utilizados como aceleradores y como antioxidantes en la industria del caucho, donde se utilicen aminas e hidracinas. (Código 1I0102).

• Empleo del benceno y sus homólogos como decapantes, como diluente, como disolvente para la extracción de aceites, grasas, alcaloides, resinas, desengrasado de pieles, tejidos, huesos, piezas metálicas, caucho, etc. (Código 1K0103).

• Uso del divinilbenceno como monómero para la polimerización de caucho sintético. (Código 1K0402).

• Fabricación de caucho sintético, productos ignífugos, papel autocopiativo sin carbono, plastificantes, etc., donde se utilicen derivados halogenados de hidrocarburos aromáticos. (Código 1K0505).

• Industria del caucho sintético y de explosivos, donde se utilicen cetonas. (Código 1L0108).

• El furfural (epóxido) se utiliza, además, en la preparación y uso de moldes para fundición, en la vulcanización del caucho, refinado de aceites de petróleo y como agente humectante. (Código 1M0109).

• Industria de la perfumería, caucho, fotografía y materias plásticas, donde se utilicen éteres. (Código 1O0116).

• Industria de explosivos y caucho sintético, donde se utilicen glicoles. (Código 1P0109).

• Fabricación de fibras sintéticas y de caucho sintético, donde se utilicen isocianatos. (Código 1Q0107).

• Empleo del sulfuro de carbono como disolvente de grasas, aceites, resinas, ceras, caucho, gutapercha y otras sustancias. (Código 1U0104).

• Industria del caucho, y disolventes, donde se utilice sulfuro de carbono. (Código 1U0111).

b) Causada por inhalación de sustancias y agentes no comprendidos en otros apartados:

• Industria del caucho, donde se utilicen polvos de talco o de caolín, que pueden producir las E.P. de talcosis (Código 4D0108), silicocaolinosis (Código 4D0208) o caolinosis y otras silicatosis (Código 4D0308), provocadas por la inhalación de polvos de talco o de caolín.

• Industria del caucho, donde los trabajadores estén expuestos a sustancias de bajo peso molecular (metales, polvos de maderas, sustancias químicas, etc.), que pueden provocar alguna de las siguientes E.P: rinoconjuntivitis (Código 4I0113), urticaria (Código 4I0213), angiodemas (Código 4I0213), asma (Código 4I0313), alveolitis alérgica extrínseca (Código 4I0413), síndrome de disfunción de la vía reactiva (Código 4I0513), fibrosis intersticial difusa (Código 4I0613), fiebre de los metales (Código 4I0713), y neumopatía intersticial difusa (Código 4I0813).

• Fabricación de explosivos y de pigmentos para la industria del caucho (trisulfuro de antimonio), donde se utilice antimonio. (Código 4J0107).

• Uso del antimonio en la industria del caucho y farmacéutica (pentacloruro de antimonio). (Código 4J0108).

c) E.P. de la piel, causada por sustancias y agentes no comprendidos en alguno de los otros apartados:

• Industria del caucho, donde los trabajadores estén expuestos a sustancias de bajo peso molecular (metales, polvos de maderas, sustancias químicas, etc.), que pueden provocar una E.P. de la piel, causada por sustancias de bajo peso molecular. (Código 5A0113).

d) Causada por agentes cancerígenos:

• Trabajadores del caucho, donde se utilice aminas, que pueden provocar al E.P. de neoplasia de vejiga. (Código 6B0101).

• Industria de caucho donde se utilice arsénico, que puede provocar alguna de las siguientes E.P: neoplasia de maligna de bronquio y pulmón (Código 6C0120), carcinoma epidemoide de piel (Código 6C0220), disqueratosis lenticular en disco (Código 6C0320) y angiosarcoma del hígado (Código 6C0420).

• Empleo del benceno y sus homólogos como decapantes, como diluente, como disolvente para la extracción de aceites, grasas, alcaloides, resinas, desengrasado de pieles, tejidos, huesos, piezas metálicas, caucho, etc., que pueden provocar una E.P. causada por agentes químicos (Código 1K0103) o una E.P. síndrome linfo y mieloproliferativos (Código 6D0103).

• Tratamientos de caucho vulcanizado, donde se utilice bis (cloruro-metil) éter, que puede provocar la E.P. de neoplasia de bronquio y pulmón. (Código 6F0103).

• Fabricación de pigmentos cadmíferos para pinturas, esmaltes, materias plásticas, papel, caucho, pirotecnia, que puede provocar la E.P. de neoplasia maligna de bronquio, pulmón y próstata. (Código 6G0103).

• Fabricación y utilización de derivados de aminas, utilizados como aceleradores y como antioxidantes en la industria del caucho, que pueden provocar la E.P.de cáncer versical. (Código 6O0102).

Por ello, debe realizarse reconocimientos médicos previos y periódicos a dichos trabajadores, con la prohibición de no contratar a los calificados como no aptos para desempeñar los puestos de trabajo de que se trate.

Véase: Neumáticos. Vulcanización. Resinas. Látex. Bis (cloro-metil) éter.

INDUSTRIA DEL CUERO

1. Industria donde se trata el pellejo de los animales después de curtido y preparado para los diferentes usos a que se aplica en la industria.

2. Los trabajadores ocupados en las actividades económicas, y expuestos a los agentes o sustancias que a continuación se indican, pueden contraer una Enfermedad Profesional (E.P.):

a) Causada por agentes químicos:

• Tratamiento de cueros y maderas con agentes de conservación a base de compuestos arsenicales. (Código 1A0105).

• Tratamiento de cueros y pieles, donde se utilice flúor y sus compuestos. (Código 1C0311).

• Producción de abonos orgánicos, explosivos, nitrocelulosa, seda artificial y cuero sintético, barnices, lacas, colorantes y colodium, donde se utilice ácido nítrico. (Código 1D0102).

• La industria del cuero como neutralizador, para teñir, eliminar el pelo, etc., donde se utilice ácido fórmico. (Código 1E0117).

• Industria del caucho y de los cueros sintéticos, donde se utilice alcohol. (Código 1F0111).

• Utilización de aminas e hidracinas como colorantes en la industria del cuero, de pieles del calzado, de productos capilares, etc., así como en papelería y en productos de peluquería. (Código 1I0104).

• Industria química: fabricación de ácido benzoico, benzoaldehidos, benceno, fenol, caprolactama, linóleo, toluendiisocianato (resinas poliuretano), sulfonatos de tolueno (detergentes), cuero artificial, revestimiento de tejidos y papeles, explosivos, tintes y otros compuestos orgánicos, donde se utilice xileno y tolueno. (Código 1K0301).

• Fabricación de fibras textiles artificiales, seda y cueros artificiales, limpieza y preparación de tejidos para la tintura, donde se utilicen cetonas. (Código 1L0104).

- Utilización de éteres en el acabado del cuero. (Código 1O0109).

- Laqueado de papel, tejidos, cuero, gomas, hilos conductores, donde se utilicen isocianatos. (Código 1Q0103).

b) Causada por inhalación de sustancias y agentes no comprendidos en otros apartados:

- Industria del cuero, donde los trabajadores estén expuestos a sustancias de alto peso molecular (de origen vegetal o animal), que pueden provocar alguna de las siguientes E.P: rinoconjuntivitis (Código 4H0121), asma (Código 4H0221), alveolitis alérgica extrínseca (Código 4H0321), síndrome de disfunción reactivo de la vía aérea (Código 4H0421), fibrosis intersticial difusa (Código 4H0521), bisinosis, cannabiosis, linnosis, bagazosis, estipatosis, suberosis (Código 4H0621), neumopatía intersticial difusa (Código 4H0721).

- Industria del cuero, donde los trabajadores estén expuestos a sustancias de bajo peso molecular (metales, sustancias químicas, etc.), que pueden provocar alguna de las siguientes E.P: rinoconjuntivitis (Código 4I0101), urticaria (Código 4I0201), angiodemas (Código 4I0201), asma (Código 4I0301), alveolitis alérgica extrínseca (Código 4I0401), síndrome de disfunción de la vía reactiva (Código 4I0501), fibrosis intersticial difusa (Código 4I0601) fiebre de los metales (Código 4I0701), neumopatía intersticial difusa (Código 4I0801).

c) E.P. de la piel, causada por sustancias y agentes no comprendidos en alguno de los otros apartados:

- Industria del cuero, donde los trabajadores estén expuestos a sustancias de bajo peso molecular (metales, sustancias químicas, etc.), que pueden provocar una E.P. de la piel, causada por sustancias de bajo peso molecular. (Código 5A0101).

- Industria del cuero, donde los trabajadores estén expuestos a sustancias de alto peso molecular (de origen vegetal o animal), que pueden provocar una E.P. de la piel, causada por sustancias de alto peso molecular. (Código 5B0121).

d) Causada por agentes cancerígenos:

- Tratamiento de cueros y maderas con agentes de conservación a base de compuestos arsenicales, que puede provocar alguna de las siguientes E.P. (cánceres): neoplasia de maligna de bronquio y pulmón (Código 6C0110), carcinoma epidemoide de piel (Código 6C0210), disqueratosis lenticular en disco (Código 6C0310) y angiosarcoma del hígado (Código 6C0410).

- Utilización de aminas como colorantes en la industria del cuero, de pieles del calzado, de productos capilares, etc., así como en papelería y en productos de peluquería, que pueden provocar la E.P. de cáncer versical. (Código 6O0104).

Por ello, debe realizarse reconocimientos médicos previos y periódicos a dichos trabajadores, con la prohibición de no contratar a los calificados como no aptos para desempeñar los puestos de trabajo de que se trate.

— Artículo 243 LGSS, en relación con RDEP (Anexo I).

Véase: Industrias de pieles. Curtidos. Curtidores. Peleteros. Trabajo con animales.

INDUSTRIA DEL PLÁSTICO

1. Ciertos materiales sintéticos que pueden moldearse fácilmente y están compuestos principalmente por polímeros, como la celulosa.

2. Los trabajadores ocupados en las actividades económicas, y expuestos a los agentes o sustancias que a continuación se indican, pueden contraer una Enfermedad Profesional (E.P.):

a) Causada por agentes químicos:

• Fabricación de pigmentos cadmíferos para pinturas, esmaltes, materias plásticas, papel, caucho, pirotecnia. (Código 1A0303).

• Utilización de compuestos orgánicos de plomo en la fabricación de materias plásticas. (Código 1A0920).

• Fabricación de «plexiglás» (acetonacianhidrina), donde se utilice ácido cianhídrico. (Código 1D0407).

• Fabricación de colorantes, pigmentos plásticos y fibras sintéticas, donde se utilice ácido cianhídrico. (Código 1D0412).

• Utilización de ácidos orgánicos en la industria del plástico. (Código 1E0114).

• Tratamiento de brea de hulla, de gas de alumbrado y para el calentamiento de ciertas materias plásticas, donde se utilicen fenoles. (Código 1F0209).

• Fabricación de desinfectantes, tintes, productos farmacéuticos, perfumes, explosivos, potenciadores del sabor, resinas, antioxidantes, barnices, levaduras, productos fotográficos, caucho, plásticos, polímeros de alto peso molecular, plaguicidas, etc., donde se utilicen aldehídos. (Código 1G0104).

• Producción de monómeros de fibras sintéticas y otros plásticos, donde se utilice amoniaco. (Código 1J0109).

• Utilización del naftaleno como productos de base para la fabricación del ácido ftálico, naftaleno, hidrogenados y materias plásticas. (Código 1K0202).

• Uso del naftaleno en fungicidas, bronceadores sintéticos, conservantes, textiles, químicos, materia prima y producto intermedio en industria del plástico y en la fabricación de lacas y barnices. (Código 1K0207).

• Fabricación de plásticos, goma sintética, resinas, aislantes, donde se utilice vinilbenceno (estireno y divinilbenceno). (Código 1K0406).

• Fabricación de caucho sintético, productos ignífugos, papel autocopiativo sin carbono, plastificantes, etc., donde se utilicen derivados alogenados de hidrocarburos aromáticos. (Código 1K0505).

• Industria del plástico, donde se utilicen nitroderivados de los hidrocarburos aromáticos. (Código 1K0605).

• Industria de plásticos. Fabricación de revestimientos plásticos, donde se utilicen ésteres orgánicos. (Código 1N0106).

• Imprenta, reproducción, plásticos, curtidos, textiles, resinas, protésicos dentales sellantes, cosméticos, etc., donde se utilicen ésteres orgánicos. (Código 1N0118).

• Fabricación de plásticos de uso alimentario donde se utilice vinil acetato (ésteres). (Código 1N0124).

- Industria de la perfumería, caucho, fotografía y materias plásticas, donde se utilicen éteres. (Código 1O0116).

- Utilización de glicoles en la industria química como productos intermedios en numerosas síntesis orgánicas, como disolventes de lacas, resinas, barnices celulósicos de secado rápido, de ciertas pinturas, pigmentos, nitrocelulosa y acetatos de celulosa, tintes y plásticos. (Código 1P0102).

- Utilización de policlorobifenilos (PCBs) como constituyente de fluidos dieléctricos en condensadores y transformadores, fluidos hidráulicos, aceites lubricantes, plaguicidas o aditivos en plastificantes y pinturas, etc. (Código 1S0201).

b) Causada por la inhalación de sustancias y agentes no comprendidos en otros apartados:

- Fabricación de pinturas, plásticos y gomas, donde se utilice polvo de sílice, que puede provocar la E.P. de silicosis. (Código 4A0114).

- Industria del plástico, industria del látex, donde los trabajadores estén expuestos a sustancias de alto peso molecular (de origen vegetal o animal), que pueden provocar alguna de las siguientes E.P: rinoconjuntivitis (Código 4H0117), asma (Código 4H0217), alveolitis alérgica extrínseca (Código 4H0317), síndrome de disfunción reactivo de la vía aérea (Código 4H0417),

- fibrosis intersticial difusa (Código 4H0517), bisinosis, cannabiosis, linnosis, bagazosis, estipatosis, suberosis (Códigos 4H0617), y neumopatía intersticial difusa (Código 4H0717).

- Industria del plástico, donde los trabajadores estén expuestos a sustancias de bajo peso molecular (metales, sustancias químicas, etc.), que pueden provocar alguna de las siguientes E.P: rinoconjuntivitis (Código 4I0112), urticaria (Código 4I0212), angiodemas (Código 4I0212), asma (Código 4I0312), alveolitis alérgica extrínseca (Código 4I0412), síndrome de disfunción de la vía reactiva (Código 4I0512), fibrosis intersticial difusa (Código 4I0612), fiebre de los metales (Código 4I0712), y neumopatía intersticial difusa (Código 4I0812).

- Industria del plástico, industria del látex, donde los trabajadores estén expuestos a sustancias de bajo peso molecular (metales, sustancias químicas, etc.), que pueden provocar alguna de las siguientes E.P: rinoconjuntivitis (Código 4I0117), urticaria (Código 4I0217), angiodemas (Código 4I0217), asma (Código 4I0317), alveolitis alérgica extrínseca (Código 4I0417), síndrome de disfunción de la vía reactiva (Código 4I0517), fibrosis intersticial difusa (Código 4I0617), fiebre de los metales (Código 4I0717), y neumopatía intersticial difusa (Código 4I0817).

c) E.P. de la piel, causada por sustancias y agentes no comprendidos en alguno de los otros apartados:

- Industria del plástico, industria del látex, donde los trabajadores estén expuestos a sustancias de alto peso molecular (de origen vegetal o animal), que pueden provocar una E.P. de la piel, causada por sustancias de alto peso molecular (Código 5B0117).

- Industria del plástico, donde los trabajadores estén expuestos a sustancias de bajo peso molecular (metales, sustancias químicas, etc.), que pueden provocar una E.P. de la piel, causada por sustancias de bajo peso molecular (Código 5A0112).

• Industria del plástico, industria del látex, donde los trabajadores estén expuestos a sustancias de bajo peso molecular (metales, sustancias químicas, etc.), que pueden provocar una E.P. de la piel, causada por sustancias de bajo peso molecular (Código 5A0117).

d) Causada por agentes cancerígenos:

• Síntesis de plásticos, donde se utilice bis (cloruro-metil) éter, que puede provocar la E.P. de neoplasia de bronquio y pulmón. (Código 6F0101).

• Fabricación de pigmentos cadmíferos para pinturas, esmaltes, materias plásticas, papel, caucho, pirotecnia, que puede provocar la E.P. de neoplasia maligna de bronquio, pulmón y próstata. (Código 6G0103).

• Industria del plástico, donde se utilice nitrobenceno, que puede provocar la E.P. de linfoma. (Código 6P0105).

• Fabricación de «plexiglás» (acetonacianhidrina), donde se utilice ácido cianhídrico, que puede provocar una E.P. cancerígena. (Código 6Q0107).

• Fabricación de colorantes, pigmentos plásticos y fibras sintéticas, donde se utilice ácido cianhídrico, que puede provocar una E.P. cancerígena. (Código 6Q0112).

Por ello, debe realizarse reconocimientos médicos previos y periódicos a dichos trabajadores, con la prohibición de no contratar a los calificados como no aptos para desempeñar los puestos de trabajo de que se trate.

— Artículo 243 LGSS, en relación con RDEP (Anexo I).

Véase: Plastificantes. Celofán. Celuloide. Sustancias químicas. Bis (cloro-metil) éter. Oxicloruro de carbono.

INDUSTRIA DEL TÉ

1. Hoja del té, seca, arrollada y tostada ligeramente.

2. Los trabajadores ocupados en las actividades económicas, y expuestos a los agentes o sustancias que a continuación se indican, pueden contraer una Enfermedad Profesional (E.P.):

a) Causada por inhalación de sustancias y agentes no comprendidos en otros apartados:

• Industria del té, industria del café, industria del aceite, donde los trabajadores estén expuestos a sustancias de alto peso molecular (de origen vegetal o animal), que pueden provocar alguna de las siguientes E.P: rinoconjuntivitis (Código 4H0102), asma (Código 4H0202), alveolitis alérgica extrínseca (Código 4H0302), síndrome de disfunción reactivo de la vía aérea (Código 4H0402), fibrosis intersticial difusa (Código 4H0502), bisinosis, cannabiosis, linnosis, bagazosis, estipatosis, suberosis (Códigos 4H0602), neumopatía intersticial difusa (Código 4H0702).

b) E.P. de la piel, causada por sustancias y agentes no comprendidos en alguno de los otros apartados:

• Industria del té, industria del café, industria del aceite, donde los trabajadores estén expuestos a sustancias de alto peso molecular (de origen vegetal o animal), que pueden provocar una E.P. de la piel, causada por sustancias de alto peso molecular. (Código 5B0102).

Por ello, debe realizarse reconocimientos médicos previos y periódicos a dichos trabajadores, con la prohibición de no contratar a los calificados como no aptos para desempeñar los puestos de trabajo de que se trate.

— Artículo 243 LGSS, en relación con RDEP (Anexo I).

Véase: Alimentación. Industria del café.

INDUSTRIA DEL VIDRIO

1. El vidrio es un material inorgánico duro, frágil, transparente y amorfo que se encuentra en la naturaleza, aunque también puede ser producido por el ser humano. El vidrio artificial se usa para hacer ventanas, lentes, botellas y una gran variedad de productos. El vidrio es un tipo de material cerámico amorfo. No debe confundirse con el cristal. El vidrio es un sólido amorfo, y el cristal un sólido cristalino.

2. Los trabajadores ocupados en las actividades económicas, y expuestos a los agentes o sustancias que a continuación se indican, pueden contraer una Enfermedad Profesional (E.P.):

a) Causada por agentes químicos:

• Producción de vidrio, donde se utilice arsénico. (Código 1A0101).

• Empleo del anhídrido arsenioso en la fabricación del vidrio. (Código 1A0111).

3. Fabricación de vidrio: preparación y mezcla de la pasta, fusión y colada, manipulación de aditivos, donde se utilice arsénico y sus compuestos. (Código 1A0123).

• Fusión y colada de vidrio, donde se utilice cadmio y sus compuestos. (Código 1A0312).

• Decapado y limpieza de metales y vidrios (ácido sulfocrómico o ácido crómico), donde se utilice cromo. (Código 1A0409).

• Fabricación de vidrio al manganeso. (Código 1A0604).

• Industria de cerámica y vidrio, donde se utilice níquel. (Código 1A0812).

• Industria del vidrio, donde se utilice plomo y sus compuestos. (Código 1A0916).

• Utilización del talio y sus compuestos en la industria farmacéutica, industria del vidrio, en la fabricación de colorantes y pigmentos y en la pirotecnia. (Código 1A1004).

• Empleo de ácido fluorhídrico en los procesos químicos como agente de ataque (industria del vidrio, decapado de metales, limpieza del grafito, de los metales, de los cristales, etc.) y como catalizador. (Código 1C0306).

• Fabricación de fieltros y perlas de vidrio, donde se utilice ácido nítrico. (Código 1D0105).

b) Causada por agentes físicos:

• Trabajos que precisan lámparas germicidas, antorchas de plomo, soldadura de arco o xenón, irradiación solar en grandes altitudes, láser industrial, colada de metales en fusión, vidrieros, empleados en estudios de cine, actores, personal de teatros, laboratorios bacteriológicos y similares, con exposición a radiaciones no ionizantes, con longitud de onda entre los 100 y 400 nm, que pueden producir E.P. oftalmológicas por su exposición a radiaciones no ionizantes (radiaciones ultravioleta). (Código 2J0101).

c) Causada por inhalación de sustancias y agentes no comprendidos en otros apartados:

• Fabricación de carborundo, vidrio, porcelana, loza y otros productos cerámicos, fabricación y conservación de los ladrillos refractarios a base de sílice, que pueden provocar la E.P. de silicosis, por la exposición a la inhalación de polvo de sílice libre. (Código 4A0104).

d) Causada por agentes cancerígenos:

• Empleo del anhídrido arsenioso en la fabricación del vidrio, que puede provocar alguna de las siguientes E.P: neoplasia de maligna de bronquio y pulmón (Códigos 6C0117, 6C0121), carcinoma epidemoide de piel (Códigos 6C0217, 6C0221), disqueratosis lenticular en disco (Códigos 6C0317, 6C0321) y angiosarcoma del hígado (Códigos 6C0417, 6C0421).

• Decapado y limpieza de metales y vidrios (ácido sulfocrómico o ácido crómico), donde se utilice cromo, que puede provocar la E.P. de neoplasia de bronquio y pulmón. (Código 6I0209).

• Fusión y colada de vidrio, que contenga cadmio, que puede provocar la E.P. de neoplasia maligna de bronquio, pulmón y próstata. (Código 6G0112).

• Industria de cerámica y vidrio, donde se utilice níquel, que puede provocar alguna de las siguientes E.P: E.P. neoplasia maligna de cavidad nasal (Código 6K011), E.P. cáncer primitivo del etmoides y de los senos de la cara (Código 6K0211), o E.P. neoplasia maligna de bronquio y pulmón (Código 6K0311).

Por ello, debe realizarse reconocimientos médicos previos y periódicos a dichos trabajadores, con la prohibición de no contratar a los calificados como no aptos para desempeñar los puestos de trabajo de que se trate.

— Artículo 243 LGSS, en relación con RDEP (Anexo I).

Véase: Azogado de espejos. Espejos. Cristales. Pulidores. Abrasivos. Cobalto. Pirilusita. Talio.

INDUSTRIA ELÉCTRICA

1. La industria eléctrica proporciona la producción y distribución de energía eléctrica, en cantidades suficientes para las áreas que necesitan la electricidad a través de una red.

2. Los trabajadores ocupados en las actividades económicas, y expuestos a los agentes o sustancias que a continuación se indican, pueden contraer una Enfermedad Profesional (E.P.), causada por agentes químicos:

• Fabricación y utilización de barnices y capas aislantes para la industria eléctrica (diacetona-alcohol acetona), donde se utilice alcohol. (Código 1F0105).

Por ello, debe realizarse reconocimientos médicos previos y periódicos a dichos trabajadores, con la prohibición de no contratar a los calificados como no aptos para desempeñar los puestos de trabajo de que se trate.

— Artículo 243 LGSS, en relación con RDEP (Anexo I).

Véase: Arco eléctrico. Choque eléctrico. Circuito eléctrico. Corriente de contacto. Corriente de defecto. Corriente de puesta a tierra. Corriente eléctrica. Cortocircuito fusible. Electricidad (Contacto directo, contacto indirecto, alta tensión, estática). Electricistas. Instalación eléctrica. Instalaciones de distribución de energía. Instalaciones de puesta a tierra. Interruptor automático. Riesgo eléctrico. Soldadura exotérmica. Zona de trabajos en tensión. Cobre.

INDUSTRIA FARMACÉUTICA

1. Es aquella que se dedica a la fabricación, preparación y comercialización de productos químicos medicinales para el tratamiento y la prevención de las enfermedades.

— Notas Técnicas de Prevención n.º 721, 722, 723, 724, 725/2006. 939/2012. INSST.

2. Los trabajadores ocupados en las actividades económicas, y expuestos a los agentes o sustancias que a continuación se indican, pueden contraer una Enfermedad Profesional (E.P.):

a) Causada por agentes químicos:

• Industria farmacéutica donde se utilice arsénico y sus compuestos. (Código 1A0109).

• Utilización del fósforo, del ácido fosfórico y de compuestos inorgánicos de fósforo en las industrias química, farmacéutica, gráfica y en la producción de productos agrícolas. (Código 1A0506).

• Preparación de especialidades farmacéuticas que contengan mercurio. (Código 1A0717).

• Utilización del talio y sus compuestos en la industria farmacéutica, industria del vidrio, en la fabricación de colorantes y pigmentos y en la pirotecnia. (Código 1A1004).

• Uso del antimonio en la industria del caucho y farmacéutica (pentacloruro de antimonio). (Código 1B0108).

• Industria química y farmacéutica, donde se utilice bromo. (Código 1C0110).

• Fabricación de derivados clorados en la industria química y farmacéutica. (Código 1C0204).

• Utilización de yodo en la industria química, farmacéutica y fotográfica. (Código 1C0403).

• Fabricación de joyas, industria farmacéutica y ciertos procedimientos de impresión, donde se utilice ácido nítrico. (Código 1D0107).

• Utilización de ácidos orgánicos en la industria farmacéutica y cosmética. (Código 1E0105).

• Industria farmacéutica, donde se utilice alcohol. (Código 1F0109).

• Industria farmacéutica, donde se utilicen fenoles. (Código 1F0208).

• Empleo en la industria química, textil y farmacéutica, cosmética, alimenticia, donde se utilicen aldehídos. (Código 1G0102).

• Fabricación de desinfectantes, tintes, productos farmacéuticos, perfumes, explosivos, potenciadores del sabor, resinas, antioxidantes, barnices, levaduras, productos fotográficos, caucho, plásticos, polímeros de alto peso molecular, plaguicidas, etc., donde se utilicen aldehídos. (Código 1G0104).

• Fabricación de ciertos desinfectantes, anestésicos, antisépticos y otros productos de la industria farmacéutica y química, donde se utilicen derivados halogenados. (Código 1H0205).

• Fabricación de estas sustancias (aminas e hidracinas) y su utilización como productos intermediarios en la industria de colorantes sintéticos y en numerosas síntesis orgánicas, en la industria química, en la industria de insecticidas, en la industria farmacéutica, etc. (Código 1I0101).

• Industria hulera, papel, extractiva, alimenticia, peletera y farmacéutica (como estabilizador). (Código 1J0111).

• Empleo del benceno para la preparación de sus derivados utilizados en las industrias de materias colorantes, perfumes, explosivos, productos farmacéuticos, etc. (Código 1K0102).

• Industria farmacéutica y cosmética, donde se utilicen nitroderivados de los hidrocarburos aromáticos. (Código 1K0604).

• Industria farmacéutica, donde se utilicen cetonas. (Código 1L0106).

• Industria farmacéutica, donde se utilicen ésteres orgánicos. (Código 1N0110).

• Industria farmacéutica, donde se utilicen éteres. (Código 1O0112).

• Utilización de glicoles en la industria farmacéutica como vehículo de ciertos medicamentos, desodorantes, desinfectantes y bactericidas. (Código 1P0103).

• Empleo de nitroglicerina en la industria farmacéutica. (Código 1R0202).

• Utilización de oxicloruro de carbono y sus compuestos en la industria química (preparación de productos farmacéuticos, de materias colorantes, etc.). (Código 1T0204).

• Utilización de oxicloruro de carbono en la industria química para la fabricación de isocianatos, poliuretano, policarbonatos, tintes, pesticidas y productos farmacéuticos. (Código 1T0207).

• Fabricación de productos farmacéuticos y cosméticos, donde se utilice sulfuro de carbono. (Código 1U0106).

b) Causada por agentes físicos:

• Fabricación de productos químicos y farmacéuticos radiactivos, que pueden producir una E.P. provocada por radiaciones ionizantes. (Código 2I0103).

c) Causada por inhalación de sustancias y agentes no comprendidos en otros apartados:

• Industria farmacéutica y cosmética, donde se utilicen polvos de talco o de caolín, que pueden producir las E.P. de talcosis (Código 4D0102), silicocaolinosis (Código 4D0202) o caolinosis y otras silicatosis (Código 4D0302), provocadas por la inhalación de polvos de talco o de caolín.

• Industria farmacéutica, donde los trabajadores estén expuestos a sustancias de alto peso molecular (de origen vegetal o animal), que pueden provocar alguna de las siguientes E.P: rinoconjuntivitis (Códigos 4H0118, 4H0124), asma (Códigos 4H0218, 4H0224), alveolitis alérgica extrínseca (Códigos 4H0318, 4H0324), síndrome de disfunción reactivo de la vía aérea (Códigos 4H0418, 4H0424), fibrosis intersticial difusa (Códigos 4H0518, 4H0524), bisinosis, cannabiosis, linnosis, bagazosis, estipatosis, suberosis (Códigos 4H0618, 4H0624), y neumopatía intersticial difusa (Códigos 4H0718, 4H0724).

• Industria farmacéutica y cosmética, donde los trabajadores estén expuestos a sustancias de bajo peso molecular (metales, sustancias químicas, etc.), que pueden provocar alguna de las siguientes E.P: rinoconjuntivitis (Código 4I0104), urticaria (Código 4I0204), angiodemas (Código 4I0204), asma (Código 4I0304), alveolitis alérgica extrínseca (Código 4I0404), síndrome de disfunción de la vía reactiva (Código 4I0504), fibrosis intersticial difusa (Código 4I0604), fiebre de los metales (Código 4I0704), y neumopatía intersticial difusa (Código 4I0804).

• Uso del antimonio en la industria del caucho y farmacéutica (pentacloruro de antimonio), que pueden provocar una E.P., causada por la inhalación de polvos, humos y vapores de antimonio. (Código 4J0108).

d) E.P. de la piel, causada por sustancias y agentes no comprendidos en alguno de los otros apartados:

• Industria farmacéutica y cosmética, donde los trabajadores estén expuestos a sustancias de bajo peso molecular (metales, sustancias químicas, etc.), que pueden provocar una E.P. de la piel, causada por sustancias de bajo peso molecular. (Código 5A0104).

• Industria farmacéutica, donde los trabajadores estén expuestos a sustancias de alto peso molecular (de origen vegetal o animal), que pueden provocar una E.P. de la piel, causada por sustancias de alto peso molecular. (Código 5B0118).

e) Causada por agentes cancerígenos:

• Industria farmacéutica, donde se utilice arsénico, que puede provocar alguna de las siguientes E.P: neoplasia de maligna de bronquio y pulmón (Código 6C0115), carcinoma epidemoide de piel (Código 6C0215), disqueratosis lenticular en disco (Código 6C0315) y angiosarcoma del hígado (Código 6C0415).

• Empleo del benceno para la preparación de sus derivados utilizados en las industrias de materias colorantes, perfumes, explosivos, productos farmacéuticos, etc., que pueden provocar una E.P. causada por agentes químicos (Códigos 1K0102) o una E.P. síndrome linfo y mieloproliferativos (Códigos 6D0102).

• Fabricación de productos químicos y farmacéuticos radiactivos, que pueden provocar la E.P. de síndrome linfo y mieloproliferativos. (Código 6N0103).

• Fabricación de productos químicos y farmacéuticos radiactivos, que puede provocar la E.P. de carcinoma epidermoide de piel. (Código 6N0203).

• Fabricación de estas sustancias (aminas) y su utilización como productos intermediarios en la industria de colorantes sintéticos y en numerosas síntesis orgánicas, en la industria química, en la industria de insecticidas, en la industria farmacéutica, etc., que pueden provocar la E.P.de cáncer versical. (Código 6O0101).

• Industria farmacéutica y cosmética, donde se utilice nitrobenceno, que puede provocar la E.P. de linfoma. (Código 6P0104).

Por ello, debe realizarse reconocimientos médicos previos y periódicos a dichos trabajadores, con la prohibición de no contratar a los calificados como no aptos para desempeñar los puestos de trabajo de que se trate.

— Artículo 243 LGSS, en relación con RDEP (Anexo I).

Véase: Laboratorios de investigación. Industria química. Amidas. Principios activos. Yodo.

INDUSTRIA GRÁFICA

1. Es aquella que se dedica a la composición, reproducción, grabado o impresión o publicación, en uno o más colores y por cualquier otra materia, de toda clase de caracteres, dibujos o imágenes en general.

2. Los trabajadores ocupados en las actividades económicas, y expuestos a los agentes o sustancias que a continuación se indican, pueden contraer una Enfermedad Profesional (E.P.):

a) Causada por agentes químicos:

• Utilización del fósforo, del ácido fosfórico y de compuestos inorgánicos de fósforo en las industrias química, farmacéutica, gráfica y en la producción de productos agrícolas. (Código 1A0506).

• Trabajos de imprenta, donde se utilice plomo y sus compuestos. (Código 1A0913).

• Cromolitografía efectuada con polvos plumbíferos. (Código 1A0914).

• Fabricación de joyas, industria farmacéutica y ciertos procedimientos de impresión, donde se utilice ácido nítrico. (Código 1D0107).

• Utilización de ácido acético en litografía. (Código 1E0120).

• Imprentas, donde se utilicen ésteres orgánicos. (Código 1N0111).

• Imprenta, reproducción, plásticos, curtidos, textiles, resinas, protésicos dentales sellantes, cosméticos, etc., donde se utilicen ésteres orgánicos. (Código 1N0118).

b) Causada por agentes físicos:

• Trabajos en imprenta rotativa en la industria gráfica, donde el trabajador este expuesto a ruidos continuos y diarios de un nivel sonoro igual o superior a 80 decibelios A, que puede contraer la E.P. de hipoacusia. (Código 2A0115).

c) Causada por inhalación de sustancias y agentes no comprendidos en otros apartados:

• Preparación de tintas de imprimir a partir del pigmento extraído de los residuos de los baños de fusión de la bauxita, que pueden provocar la E.P. de neumoconiosis por inhalación de polvo de aluminio. (Código 4G0104).

d) Causada por agentes cancerígenos:

• Litograbados, donde se utilice cromo, que puede provocar la E.P. de neoplasia maligna de cavidad nasal. (Código 6I0111).

• Preparación de clichés de fotograbado por coloides bicromados, donde se utilice cromo, que puede provocar la E.P. de neoplasia de bronquio y pulmón. (Código 6I0206).

• Litograbados, donde se utilice cromo, que puede provocar la E.P. de neoplasia de bronquio y pulmón. (Código 6I0211).

• Trabajos de impresión en artes gráficas, donde se utilicen hidrocarburos aromáticos, que pueden provocar la E.P. de lesiones premalignas de piel (Código 6J0126), y/o E.P. de carcinoma de células escamosas (Código 6J0226).

Por ello, debe realizarse reconocimientos médicos previos y periódicos a dichos trabajadores, con la prohibición de no contratar a los calificados como no aptos para desempeñar los puestos de trabajo de que se trate.

— Artículo 243 LGSS, en relación con RDEP (Anexo I).

Véase: Litograbados. Trabajos en imprenta.

INDUSTRIA METALÚRGICA

1. Es aquella que se encarga de la obtención y tratamiento de los metales a partir de minerales metálicos. También realiza la producción de aleaciones y el control de calidad de los procesos.

2. Los trabajadores ocupados en las actividades económicas, y expuestos a los agentes o sustancias que a continuación se indican, pueden contraer una Enfermedad Profesional (E.P.):

a) Causada por agentes químicos:

• Extracción y metalurgia de berilio, industria aeroespacial, industria nuclear. donde se utilice berilio. (Código 1A0201).

• Extracción, tratamiento, metalurgia, refinado, fundición, laminado y vaciado del plomo, de sus aleaciones y de metales plumbíferos. (Código 1A0901).

• Empleo de ácidos orgánicos en la industria metalúrgica, del caucho y en fotografía. (Código 1E0106).

b) Causada por la inhalación de sustancias y agentes no comprendidos en otros apartados:

• Industria metalúrgica, donde se utilicen polvos de talco o de caolín, que pueden producir las E.P. de talcosis (Código 4D0113), silicocaolinosis (Código 4D0213) o caolinosis y otras silicatosis (Código 4D0313), provocadas por la inhalación de polvos de talco o de caolín.

• Extracción y metalurgia de berilio, industria aeroespacial, industria nuclear. donde se utilice berilio. (Código 4K0101).

c) Causada por agentes cancerígenos:

• Extracción y metalurgia de berilio, industria aeroespacial, industria nuclear. donde se utilice berilio, que pueden provocar una E.P. neoplasia maligna de bronquio y pulmón (Código 6E0101).

• Operaciones de laminado en metalurgia, donde se utilicen hidrocarburos aromáticos, que pueden provocar la E.P. de lesiones premalignas de piel (Código 6J0103) y/o E.P. de carcinoma de células escamosas (Código 6J0203).

Por ello, debe realizarse reconocimientos médicos previos y periódicos a dichos trabajadores, con la prohibición de no contratar a los calificados como no aptos para desempeñar los puestos de trabajo de que se trate.

— Artículo 243 LGSS, en relación con RDEP (Anexo I).

Véase: Metales. Herreros. Industria siderometalúrgica. Minerales. Fundiciones. Hornos de fundición. Cromo. Trabajos de calderería. Calderas. Cobalto.

INDUSTRIA NUCLEAR

1. La energía nuclear o atómica es la que se libera espontánea o artificialmente en las reacciones nucleares. La industria nuclear aprovecha las reacciones nucleares para la obtención de energía eléctrica, energía térmica y energía mecánica a partir de reacciones atómicas.

2. Los trabajadores ocupados en las actividades económicas, y expuestos a los agentes o sustancias que a continuación se indican, pueden contraer una Enfermedad Profesional (E.P.):

a) Causada por agentes químicos:

• Extracción y metalurgia de berilio, industria aeroespacial, industria nuclear. donde se utilice berilio(Código 1A0201).

• Fabricación de barras de control de reactores nucleares, donde se utilice berilio. (Código 1A0205).

b) Causada por inhalación de sustancias y agentes no comprendidos en otros apartados:

• Extracción y metalurgia de berilio, industria aeroespacial, industria nuclear. donde se utilice berilio. (Código 4K0101).

• Fabricación de barras de control de reactores nucleares, donde se utilice berilio. (Código 4K0105).

c) Causada por agentes cancerígenos:

• Extracción y metalurgia de berilio, industria aeroespacial, industria nuclear. donde se utilice berilio, que pueden provocar una E.P. neoplasia maligna de bronquio y pulmón. (Código 6E0101).

Por ello, debe realizarse reconocimientos médicos previos y periódicos a dichos trabajadores, con la prohibición de no contratar a los calificados como no aptos para desempeñar los puestos de trabajo de que se trate.

— Artículo 243 LGSS, en relación con RDEP (Anexo I).

Véase: Berilio. Industria aeroespacial.

INDUSTRIA PAPELERA

1. El papel consiste en una hoja delgada hecha con pasta de fibras vegetales obtenidas de trapos, madera, paja, etc., molidas, blanqueadas y desleídas en agua, que se hace secar y endurecer por procedimientos especiales.

2. Los trabajadores ocupados en las actividades económicas, y expuestos a los agentes o sustancias que a continuación se indican, pueden contraer una Enfermedad Profesional (E.P.):

a) Causada por agentes químicos:

• Fabricación de pigmentos cadmíferos para pinturas, esmaltes, materias plásticas, papel, caucho, pirotecnia, donde se utilice cadmio y sus compuestos. (Código 1A0303).

- Procesos de blanqueo y decoloración en las industrias, textil, papelera y de fibras artificiales, donde se utilice cloro. (Código 1C0205).

- Fabricación de papel encerado, donde se utilice ácido sulfúrico. (Código 1D0205).

- Utilización de ácidos orgánicos en la industria papelera. (Código 1E0113).

- Utilización de aminas e hidracinas como colorantes en la industria del cuero, de pieles del calzado, de productos capilares, etc., así como en papelería y en productos de peluquería. (Código 1I0104).

- Industria hulera, papel, extractiva, alimenticia, peletera y farmacéutica (como estabilizador), donde se utilice amoníaco. (Código 1J0111).

- Industria química: fabricación de ácido benzoico, benzoaldehidos, benceno, fenol, caprolactama, linóleo, toluendiisocianato (resinas poliuretano), sulfonatos de tolueno (detergentes), cuero artificial, revestimiento de tejidos y papeles, explosivos, tintes y otros compuestos orgánicos, donde se utilice xileno y tolueno. (Código 1K0301).

- Fabricación de caucho sintético, productos ignífugos, papel autocopiativo sin carbono, plastificantes, etc., donde se utilicen derivados halogenados de hidrocarburos aromáticos. (Código 1K0505).

- Utilización de nitroderivados de los hidrocarburos aromáticos en la industria textil, química, del papel. (Código 1K0607).

- La epiclorhidrina (Epóxido) se utiliza además, como insecticida, fumigante y disolvente de pinturas, barnices, esmaltes y lacas. Producción de resinas de alta resistencia a la humedad en la industria papelera. (Código 1M0106).

- Industria de los papeles pintados, donde se utilicen ésteres orgánicos. (Código 1N0104).

- Industria del papel, donde se utilice vinil acetato (ésteres). (Código 1N0123).

- Laqueado de papel, tejidos, cuero, gomas, hilos conductores, donde se utilicen isocianatos. (Código 1Q0103).

b) Causada por agentes físicos:

- Fabricación de tejidos, cartones y papeles de amianto, que pueden provocar las E.P. de afecciones fibrosantes de la pleura y pericardio, causadas por la inhalación de polvo de amianto (asbesto). (Código 2C0202).

c) Causada por inhalación de sustancias y agentes no comprendidos en otros apartados:

- Industria del papel, donde se utilice polvo de sílice, que puede provocar la E.P. de silicosis. (Código 4A0113).

- Fabricación de tejidos, cartones y papeles de amianto, que pueden provocar las E.P. de asbestosis. (Código 4C0102).

- Industria del papel del linóleo, cartón y de ciertas especies de fibrocemento, donde se utilicen polvos de talco o de caolín, que pueden producir las E.P. de talcosis (Código 4D0107), silicocaolinosis (Código 4D0207) o caolinosis y otras silicatosis (Código 4D0307).

• Utilización del hidrato de aluminio en la industria papelera (preparación del sulfato de aluminio), en el tratamiento de aguas, en la industria textil (capa impermeabilizante), en las refinerías de petróleo (preparación y utilización de ciertos catalizadores) y en numerosas industrias donde el aluminio y sus compuestos entran en la composición de numerosas aleaciones, que puede provocar la E.P. de neumoconiosis. (Código 4G0107).

• Industria del papel, donde los trabajadores estén expuestos a sustancias de alto peso molecular (de origen vegetal o animal), que pueden provocar alguna de las siguientes E.P: rinoconjuntivitis (Código 4H0120), asma (Código 4H0220), alveolitis alérgica extrínseca (Código 4H0320), síndrome de disfunción reactivo de la vía aérea (Código 4H0420), fibrosis intersticial difusa (Código 4H0520), bisinosis, cannabiosis, linnosis, bagazosis, estipatosis, suberosis (Código 4H0620), y neumopatía intersticial difusa (Código 4H0720).

• Industria del papel, donde los trabajadores estén expuestos a sustancias de bajo peso molecular (metales, sustancias químicas, etc.), que pueden provocar alguna de las siguientes E.P: rinoconjuntivitis (Código 4I0114), urticaria (Código 4I0214), angiodemas (Código 4I0214), asma (Código 4I0314), alveolitis alérgica extrínseca (Código 4I0414), síndrome de disfunción de la vía reactiva (Código 4I0514), fibrosis intersticial difusa (Código 4I0614), fiebre de los metales (Código 4I0714), y neumopatía intersticial difusa (Código 4I0814).

d) E.P. de la piel, causada por sustancias y agentes no comprendidos en alguno de los otros apartados:

• Industria del papel, donde los trabajadores estén expuestos a sustancias de bajo peso molecular (metales, sustancias químicas, etc.), que pueden provocar una E.P. de la piel, causada por sustancias de bajo peso molecular (Código 5A0114).

• Industria del papel, donde los trabajadores estén expuestos a sustancias de alto peso molecular (de origen vegetal o animal), que pueden provocar una E.P. de la piel, causada por sustancias de alto peso molecular (Código 5B0120).

e) Causada por agentes cancerígenos:

• Fabricación de tejidos, cartones y papeles de amianto, que pueden provocar alguna de las siguientes E.P: neoplasia maligna de bronquio y pulmón (Códigos 6A0103, 6A0107), mesotelioma (Códigos 6A0203, 6A0207), mesotelioma de pleura (Códigos 6A0303, 6A0307), mesotelioma de peritoneo (Códigos 6A0403, 6A0407), mesotelioma de otras localizaciones (Códigos 6A0503, 6A0507) y cáncer de laringe (Códigos 6A0603, 6A0607).

• Fabricación de pigmentos cadmíferos para pinturas, esmaltes, materias plásticas, papel, caucho, pirotecnia, que puede provocar la E.P. de neoplasia maligna de bronquio, pulmón y próstata. (Código 6G0103).

• Triturado de la madera en la industria del papel, donde se produzca polvo de madera dura, que puede provocar la E.P. de neoplasia maligna de cavidad nasal. (Código 6L0104).

• Preparación de aditivos para papel autocopiativo, donde se utilicen hidrocarburos aromáticos, que pueden provocar la E.P. de lesiones premalignas de piel (Código 6J0102), y/o E.P. de carcinoma de células escamosas (Código 6J0202).

• <u>Utilización de nitrobenceno en la industria textil, química, del papel, que puede provocar la E.P. de linfoma</u>. (Código 6P0107).

Por ello, debe realizarse reconocimientos médicos previos y periódicos a dichos trabajadores, con la prohibición de no contratar a los calificados como no aptos para desempeñar los puestos de trabajo de que se trate.

— Artículo 243 LGSS, en relación con RDET (Anexo I).

Véase: Industria de la madera. Polvo de madera dura. Colofonía. Amianto. Cadmio. Ésteres.

INDUSTRIA QUÍMICA

1. La industria química se ocupa de la extracción y procesamiento de materias primas, tanto naturales como sintéticas, y de su transformación en otras sustancias con características diferentes de las que tenían originalmente.

— Notas Técnicas de Prevención n.º 935, 936, 937/2012. INSST.

2. Los trabajadores ocupados en las actividades económicas, y expuestos a los agentes o sustancias que a continuación se indican, pueden contraer una Enfermedad Profesional (E.P.):

a) Causada por agentes químicos:

• <u>Fabricación de catalizadores, productos químicos para la curtición, y productos de tratamiento de la madera que contengan compuestos de cromo</u>. (Código 1A0401).

• <u>Utilización del fósforo, del ácido fosfórico y de compuestos inorgánicos de fósforo en las industrias química, farmacéutica, gráfica y en la producción de productos agrícolas</u>. (Código 1A0506).

• <u>Industria química como agente oxidante, preparación de oxígeno, cloro, fabricación de aditivos alimentarios; utilización como agente antidetonante, donde se utilice manganeso</u>. (Código 1A0614).

• <u>Empleo de níquel como catalizador en la industria química</u>. (Código 1A0808).

• <u>Empleo de óxidos de vanadio como catalizadores en procesos de oxidación de la industria química y como reveladores y sensibilizadores fotográficos</u>. (Código 1A1102).

• <u>4. Industria química y farmacéutica, donde se utilice bromo</u>. (Código 1C0110).

• <u>Fabricación de derivados clorados en la industria química y farmacéutica</u>. (Código 1C0204).

• <u>Utilización de yodo en la industria química, farmacéutica y fotográfica</u>. (Código 1C0403).

• <u>Usos (del ácido sulfúrico) como ácido para acumulador en la electrolisis, en la industria química (producción de abonos) y laboratorios</u>. (Código 1D0210).

• <u>Procesos de la industria química en que interviene el hidrógeno sulfurado</u>. (Código 1D0307).

• <u>Utilización de ácidos orgánicos en la industria química</u>. (Código 1E0103).

• Fabricación de productos quitamanchas, donde se utilice ácidos orgánicos. (Código 1E0107).

• Empleo en la industria química, textil y farmacéutica, cosmética, alimenticia, donde se utilicen aldehídos. (Código 1G0102).

• Fabricación de ciertos desinfectantes, anestésicos, antisépticos y otros productos de la industria farmacéutica y química, donde se utilicen derivados halogenados. (Código 1H0205).

• Fabricación de estas sustancias (aminas e hidracinas) y su utilización como productos intermediarios en la industria de colorantes sintéticos y en numerosas síntesis orgánicas, en la industria química, en la industria de insecticidas, en la industria farmacéutica, etc. (Código 1I0101).

• Uso del naftaleno en fungicidas, bronceadores sintéticos, conservantes, textiles, químicos, materia prima y producto intermedio en industria del plástico y en la fabricación de lacas y barnices. (Código 1K0207).

• Industria química: fabricación de ácido benzoico, benzoaldehidos, benceno, fenol, caprolactama, linóleo, toluendiisocianato (resinas poliuretano), sulfonatos de tolueno (detergentes), cuero artificial, revestimiento de tejidos y papeles, explosivos, tintes y otros compuestos orgánicos, donde se utilice xileno y tolueno. (Código 1K0301).

• Utilización de nitroderivados de los hidrocarburos aromáticos en la industria textil, química, del papel. (Código 1K0607).

• Utilización de éteres en la industria química como disolventes de ceras, grasas, etc., y en la fabricación de colodium para la extracción de nicotina. (Código 1O0111).

• Utilización de glicoles en la industria química como productos intermedios en numerosas síntesis orgánicas, como disolventes de lacas, resinas, barnices celulósicos de secado rápido, de ciertas pinturas, pigmentos, nitrocelulosa y acetatos de celulosa, tintes y plásticos. (Código 1P0102).

• Utilización de monoisocianatos (metilisocianato) como agentes de síntesis en la industria química, donde se utilicen isocianatos. Código 1Q0109).

• Tráfico urbano, instalaciones de incineración. Industria petrolera, industria química, donde los trabajadores pueden estar expuestos al óxido de carbono. (Código 1T0113).

• Utilización de oxicloruro de carbono y sus compuestos en la industria química (preparación de productos farmacéuticos, de materias colorantes, etc.). (Código 1T0204).

• Utilización de oxicloruro de carbono en la industria química para la fabricación de isocianatos, poliuretano, policarbonatos, tintes, pesticidas y productos farmacéuticos. (Código 1T0207).

b) Causada por agentes físicos:

• Fabricación de productos químicos y farmacéuticos radiactivos, que pueden producir una E.P. provocada por radiaciones ionizantes. (Código 2I0103).

c) Causada por inhalación de sustancias y agentes no comprendidos en otros apartados:

• Industria química, donde se utilicen polvos de talco o de caolín, que pueden producir las E.P. de talcosis (Código 4D0112), silicocaolinosis (Código 4D0212) o caolinosis y otras silicatosis (Código 4D0312), provocadas por la inhalación de polvos de talco o de caolín.

• Industria química, donde los trabajadores estén expuestos a sustancias de alto peso molecular (de origen vegetal o animal), que pueden provocar alguna de las siguientes E.P: rinoconjuntivitis (Código 4H0116), asma (Código 4H0216), alveolitis alérgica extrínseca (Código 4H0316), síndrome de disfunción reactivo de la vía aérea (Código 4H0416), fibrosis intersticial difusa (Código 4H0516), bisinosis, cannabiosis, linnosis, bagazosis, estipatosis, suberosis (Códigos 4H0616), y neumopatía intersticial difusa. (Código 4H0716).

• Industria química, donde los trabajadores estén expuestos a sustancias de bajo peso molecular (metales, sustancias químicas, etc.), que pueden provocar alguna de las siguientes E.P: rinoconjuntivitis (Código 4I0102), urticaria (Código 4I0202), angiodemas (Código 4I0202), asma (Códigos 4I0302), alveolitis alérgica extrínseca (Código 4I0402), síndrome de disfunción de la vía reactiva (Código 4I0502), fibrosis intersticial difusa (Código 4I0602), fiebre de los metales (Código 4I0702), y neumopatía intersticial difusa. (Código 4I0802).

d) E.P. de la piel, causada por sustancias y agentes no comprendidos en alguno de los otros apartados:

• Industria química, donde los trabajadores estén expuestos a sustancias de bajo peso molecular (metales, sustancias químicas, etc.), que pueden provocar una E.P. de la piel, causada por sustancias de bajo peso molecular (Código 5A0103).

• Industria química, donde los trabajadores estén expuestos a sustancias de alto peso molecular (de origen vegetal o animal), que pueden provocar una E.P. de la piel, causada por sustancias de alto peso molecular. (Código 5B0116).

e) Causada por agentes cancerígenos:

• Fabricación de catalizadores, productos químicos para la curtición, y productos de tratamiento de la madera que contengan compuestos de cromo, que puede provocar la E.P. de neoplasia de neoplasia maligna de cavidad nasal. (Código 6I0101).

• Fabricación de catalizadores, productos químicos para la curtición, y productos de tratamiento de la madera que contengan compuestos de cromo, que puede provocar la E.P. de neoplasia de bronquio y pulmón. (Código 6I0201).

• Empleo del níquel como catalizador en la industria química, que puede provocar alguna de las siguientes E.P: E.P. neoplasia maligna de cavidad nasal (Código 6K0107), E.P. cáncer primitivo del etmoides y de los senos de la cara (Código 6K0207), o E.P. neoplasia maligna de bronquio y pulmón (Código 6K0307).

• Fabricación de productos químicos y farmacéuticos radiactivos, que pueden provocar la E.P. de síndrome linfo y mieloproliferativos. (Código 6N0103).

• Fabricación de productos químicos y farmacéuticos radiactivos, que puede provocar la E.P. de carcinoma epidermoide de piel. (Código 6N0203).

• Fabricación de estas sustancias (aminas) y su utilización como productos intermediarios en la industria de colorantes sintéticos y en numerosas síntesis orgánicas, en la industria química, en la industria de insecticidas, en la industria farmacéutica, etc., que pueden provocar la E.P.de cáncer versical. (Código 6O0101).

• Utilización de nitrobenceno en la industria textil, química, del papel, que puede provocar la E.P. de linfoma. (Código 6P0107).

Por ello, debe realizarse reconocimientos médicos previos y periódicos a dichos trabajadores, con la prohibición de no contratar a los calificados como no aptos para desempeñar los puestos de trabajo de que se trate.

— Artículo 243 LGSS, en relación con RDEP (Anexo I).

Véase: Productos químicos. Preparados. Agentes químicos. Agentes químicos peligrosos. Exposición a un agente químico. Riesgos químicos. Sustancias químicas. Productos químicos: Etiquetado. Productos químicos: Envasado. Sustancias peligrosas. Presencia de sustancias peligrosas. Fichas de datos de seguridad. Ropa de trabajo contra riesgos químicos. Industria farmacéutica. Laboratorios de investigación. Polímeros. Síntesis.

INDUSTRIA SANITARIA

1. Conjunto de instalaciones destinadas a la producción de bienes o servicios sanitarios.

2. Los trabajadores ocupados en las actividades económicas, y expuestos a los agentes o sustancias que a continuación se indican, pueden contraer una Enfermedad Profesional (E.P.), causada por agentes químicos:

• El óxido de etileno (Epóxido) se utiliza, además, en la industria sanitaria y alimentaria como agente esterilizante, como fumigante de alimentos y tejidos, intermediario en síntesis química y en la síntesis de películas y fibras de poliéster. (Código 1M0107).

Por ello, debe realizarse reconocimientos médicos previos y periódicos a dichos trabajadores, con la prohibición de no contratar a los calificados como no aptos para desempeñar los puestos de trabajo de que se trate.

— Artículo 243 LGSS, en relación con RDEP (Anexo I).

Véase: Esterilización. Desinfectantes. Gluturaldehído. Hilo de sutura.

INDUSTRIA SIDEROMETALÚRGICA

1. Industria del hierro, del acero, de la fundición y de las aleaciones férricas.

2. Los trabajadores ocupados en las actividades económicas, y expuestos a los agentes o sustancias que a continuación se indican, pueden contraer una Enfermedad Profesional (E.P.), causada por agentes químicos:

• Industria siderometalúrgica, donde se utilice sílice, que puede provocar la E.P. de silicosis. (Código 4A0110).

Por ello, debe realizarse reconocimientos médicos previos y periódicos a dichos trabajadores, con la prohibición de no contratar a los calificados como no aptos para desempeñar los puestos de trabajo de que se trate.

— Artículo 243 LGSS, en relación con RDEP (Anexo I).

Véase: Industria metalúrgica. Hierro. Acero. Fundiciones. Hornos de fundición.

INDUSTRIA TEXTIL

1. Es aquella que se dedica a la producción de fibras (fibra natural y sintética), hilados, telas y productos relacionados con la confección de ropa.

2. Los trabajadores ocupados en las actividades económicas, y expuestos a los agentes o sustancias que a continuación se indican, pueden contraer una Enfermedad Profesional (E.P.):

a) Causada por agentes químicos:

• Procesos de blanqueo y decoloración en las industrias, textil, papelera y de fibras artificiales, donde se utilice cloro. (Código 1C0205).

• Producción de abonos orgánicos, explosivos, nitrocelulosa, seda artificial y cuero sintético, barnices, lacas, colorantes y colodium, donde se utilice ácido nítrico. (Código 1D0102).

• Fabricación de fieltros y perlas de vidrio, donde se utilice ácido nítrico. (Código 1D0105).

• Fabricación de joyas, industria farmacéutica y ciertos procedimientos de impresión, donde se utilice ácido nítrico. (Código 1D0915).

• Carbonizado de tejidos de lana, donde se utilice ácido sulfúrico. (Código 1D0208).

• Fabricación de fibras textiles sintéticas, donde se utilice ácido sulfhídrico. (Código 1D0308).

• Fabricación de colorantes, pigmentos plásticos y fibras sintéticas, donde se utilice ácido cianhídrico. (Código 1D0412).

• Utilización de ácidos orgánicos en la industria textil. (Códigos 1E0102, 1E0111).

• Industria de fibras textiles artificiales, donde se utilice alcohol. (Código 1F0112).

• Industrias de las fibras sintéticas (poliamidas, etc.), donde se utilicen fenoles. (Código 1F0204).

• Empleo en la industria química, textil y farmacéutica, cosmética, alimenticia, donde se utilicen aldehídos. (Código 1G0102).

• Empleo del benceno y sus homólogos como decapantes, como diluente, como disolvente para la extracción de aceites, grasas, alcaloides, resinas, desengrasado de pieles, tejidos, huesos, piezas metálicas, caucho, etc. (Código 1K0103).

• Uso del naftaleno en fungicidas, bronceadores sintéticos, conservantes, textiles, químicos, materia prima y producto intermedio en industria del plástico y en la fabricación de lacas y barnices. (Código 1K0207).

• Industria química: fabricación de ácido benzoico, benzoaldehidos, benceno, fenol, caprolactama, linóleo, toluendiisocianato (resinas poliuretano), sulfonatos de tolueno (detergentes), cuero artificial, revestimiento de tejidos y papeles, explosivos, tintes y otros compuestos orgánicos, donde se utilice xileno y tolueno. (Código 1K0301).

• Utilización de nitroderivados de los hidrocarburos aromáticos en la industria textil, química, del papel. (Código 1K0607).

• Fabricación de fibras textiles artificiales, seda y cueros artificiales, limpieza y preparación de tejidos para la tintura, donde se utilicen cetonas. (Código 1L0104).

• El óxido de etileno (Epóxido) se utiliza, además, en la industria sanitaria y alimentaria como agente esterilizante, como fumigante de alimentos y tejidos, intermediario en síntesis química y en la síntesis de películas y fibras de poliéster. (Código 1M0107).

• Imprenta, reproducción, plásticos, curtidos, textiles, resinas, protésicos dentales sellantes, cosméticos, etc., donde se utilicen ésteres orgánicos. (Código 1N0118).

• Fabricación de alfombras, donde se utilice etil acrilato (esteres). (Código 1N0121).

• Industria de fibras textiles artificiales, donde se utilicen éteres. (Código 1O0114).

• Industria textil para dar la flexibilidad a los tejidos y preparación para la textura e impresión de tejidos a base de acetatos de celulosa, así como en la preparación y utilización de ciertos almidones sintéticos, donde se utilicen glicoles. (Código 1P0106).

• Laqueado de papel, tejidos, cuero, gomas, hilos conductores, donde se utilicen isocianatos. (Código 1Q0103).

• Fabricación de fibras sintéticas y de caucho sintético, donde se utilicen isocianatos. (Código 1Q0107).

• Fabricación de la seda artificial del tipo viscosa, rayón, del fibrán, del celofán, donde se utilice sulfuro de carbono. (Código 1U0101).

b) Causada por agentes físicos:

• Trabajos en telares de lanzadera batiente, donde el trabajador este expuesto a ruidos continuos y diarios de un nivel sonoro igual o superior a 80 decibelios A, que puede contraer la E.P. de hipoacusia. (Código 2A0103).

• Trabajos en los que se produzca un apoyo prolongado y repetido de forma directa o indirecta sobre las correderas anatómicas que provocan lesiones nerviosas por compresión. Movimientos extremos de hiperflexión y de hiperextensión. Trabajos que requieran movimientos repetidos o mantenidos de hiperextensión e hiperflexión de la muñeca, de aprehensión de la mano como lavanderos, cortadores de tejidos y material plástico y similares, trabajos de montaje (electrónica, mecánica), industria textil, mataderos (carniceros, matarifes), hostelería (camareros, cocineros), soldadores, carpinteros, pulidores, pintores, que pueden provocar la E.P. de síndrome del túnel carpiano. (Código 2F0201).

c) Causada por inhalación de sustancias y agentes no comprendidos en otros apartados:

• Fabricación de tejidos, cartones y papeles de amianto, que pueden provocar las E.P. de asbestosis (Código 4C0102) y/o afecciones fibrosantes de la pleura y pericardio (Código 4C0201), provocadas por la inhalación de polvo de amianto (asbesto).

• Industria textil, donde se utilicen polvos de talco o de caolín, que pueden producir las E.P. de talcosis (Código 4D0105), silicocaolinosis (Código 4D0205) o caolinosis y otras silicatosis (Código 4D0305), provocadas por la inhalación de polvos de talco o de caolín.

• Utilización del hidrato de aluminio en la industria papelera (preparación del sulfato de aluminio), en el tratamiento de aguas, en la industria textil (capa imper-meabilizante), en las refinerías de petróleo (preparación y utilización de ciertos catalizadores) y en numerosas industrias donde el aluminio y sus compuestos entran en la composición de numerosas aleaciones, que puede provocar la E.P. de neumoconiosis por inhalación de polvo de aluminio. (Código 4G0107).

• Industria textil, donde los trabajadores estén expuestos a sustancias de alto peso molecular (de origen vegetal o animal), que pueden provocar alguna de las siguientes E.P: rinoconjuntivitis (Código 4H0119), asma (Código 4H0219), alveo-litis alérgica extrínseca (Código 4H0319), síndrome de disfunción reactivo de la vía aérea (Código 4H0419), fibrosis intersticial difusa (Código 4H0519), bisinosis, cannabiosis, linnosis, bagazosis, estipatosis, suberosis (Código 4H0619), y neu-mopatía intersticial difusa (Código 4H0719).

• Industria textil, donde los trabajadores estén expuestos a sustancias de bajo peso molecular (metales, sustancias químicas, etc.), que pueden provocar alguna de las siguientes E.P: rinoconjuntivitis (Código 4I0103), urticaria (Código 4I0203), angiodemas (Código 4I0203), asma (Código 4I0303), alveolitis alérgica extrínseca (Código 4I0403), síndrome de disfunción de la vía reactiva (Código 4I0503), fibro-sis intersticial difusa (Código 4I0603), fiebre de los metales (Código 4I0703), y neumopatía intersticial difusa (Código 4I0803).

d) E.P. de la piel, causada por sustancias y agentes no comprendidos en alguno de los otros apartados:

• Industria textil, donde los trabajadores estén expuestos a sustancias de alto peso molecular (de origen vegetal o animal), que pueden provocar una E.P. de la piel, causada por sustancias de alto peso molecular. (Código 5B0119).

• Industria textil, donde los trabajadores estén expuestos a sustancias de bajo peso molecular (metales, sustancias químicas, etc.), que pueden provocar una E.P. de la piel, causada por sustancias de bajo peso molecular. (Código 5A0102).

e) Causada por agentes cancerígenos:

• Fabricación de tejidos, cartones y papeles de amianto, que pueden provocar alguna de las siguientes E.P: neoplasia maligna de bronquio y pulmón (Código 6A0103), mesotelioma (Código 6A0203), mesotelioma de pleura (Código 6A0303), mesotelioma de peritoneo (Código 6A0403), mesotelioma de otras loca-lizaciones (Código 6A0503) y cáncer de laringe (Código 6A0603).

• Empleo del benceno y sus homólogos como decapantes, como diluente, como disolvente para la extracción de aceites, grasas, alcaloides, resinas, desen-grasado de pieles, tejidos, huesos, piezas metálicas, caucho, etc., que pueden provocar una E.P. causada por agentes químicos (Código 1K0103) o una E.P. sín-drome linfo y mieloproliferativos (Código 6D0103).

• Utilización de nitrobenceno en la industria textil, química, del papel, que puede provocar la E.P. de linfoma. (Código 6P0107).

Por ello, debe realizarse reconocimientos médicos previos y periódicos a dichos trabajadores, con la prohibición de no contratar a los calificados como no aptos para desempeñar los puestos de trabajo de que se trate.

— Artículo 243 LGSS, en relación con RDEP (Anexo I).

Véase: Trabajos de la industria textil. Lino. Ácido fórmico. Almidones.

INDUSTRIAS DE EXPLOSIVOS

1. Industrias destinadas a fabricar sustancias y productos que hacen o pueden hacer explosión. Carga explosiva: Componente de proyectiles y otros dispositivos destinado a producir una explosión.

2. Son sustancias (o mezclas) sólidas o líquidas que de manera espontánea, por reacción química, pueden desprender gases a una temperatura, presión y velocidad tales que pueden ocasionar daños a su entorno.

— Notas Técnicas de Prevención n.º 826/2009. 880/2010. INSST.

— Guía técnica para la evaluación y prevención de los riesgos derivados de atmósferas explosivas en el lugar de trabajo. 2009. INSST.

3. Sistemas supresores de explosión: Fundamentos teóricos y medios de extinción.

— Notas Técnicas de Prevención n.º 402, 403/1996. INSST.

4. Deflagraciones producidas por gases, vapores y polvos combustibles: Sistemas de protección.

— Nota Técnica de Preventiva n.º 396/1995. INSST.

5. Atmósferas potencialmente explosivas: Clasificación de emplazamientos de clase I.

— Notas Técnicas de Prevención n.º 369, 370/1995. INSST.

6. La vigilancia y control en materia de prevención de riesgos laborales, en los trabajos de fabricación, transporte, almacenamiento, manipulación y utilización de explosivos, corresponde al Cuerpo Técnico de Inspección del Transporte Terrestre.

— Artículo 7 LPRL.

7. Los trabajadores ocupados en las actividades económicas, y expuestos a los agentes o sustancias que a continuación se indican, pueden contraer una Enfermedad Profesional (E.P.):

a) Causada por agentes químicos:

• Fabricación de explosivos y detonadores, donde se utilice fósforo y sus compuestos. (Código 1A0509).

• Fabricación de explosivos y de pigmentos para la industria del caucho (trisulfuro de antimonio), donde se utilice antimonio. (Código 1B0107).

• Producción de abonos orgánicos, explosivos, nitrocelulosa, seda artificial y cuero sintético, barnices, lacas, colorantes y colodium, donde se utilice ácido nítrico. (Código 1D0102).

• Industria de explosivos, donde se utilice ácido sulfúrico. (Código 1D0206).

• Industria de explosivos, donde se utilice alcohol. (Código 1F0113).

• Fabricación de derivados, particularmente los explosivos (derivados nitrados), donde se utilicen fenoles. (Código 1F0201).

• Fabricación de desinfectantes, tintes, productos farmacéuticos, perfumes, explosivos, potenciadores del sabor, resinas, antioxidantes, barnices, levaduras, productos fotográficos, caucho, plásticos, polímeros de alto peso molecular, plaguicidas, etc., donde se utilicen aldehídos. (Código 1G0104).

• Fabricación de ciertos explosivos, donde se utilicen aminas e hidracinas. (Código 1I0103).

• Empleo del benceno para la preparación de sus derivados utilizados en las industrias de materias colorantes, perfumes, explosivos, productos farmacéuticos, etc., que pueden provocar una E.P. causada por agentes químicos. (Código 1K0102).

• Industria química: fabricación de ácido benzoico, benzoaldehidos, benceno, fenol, caprolactama, linóleo, toluendiisocianato (resinas poliuretano), sulfonatos de tolueno (detergentes), cuero artificial, revestimiento de tejidos y papeles, explosivos, tintes y otros compuestos orgánicos, donde se utilice xileno y tolueno. (Código 1K0301).

• Fabricación de explosivos, donde se utilicen nitroderivados de los hidrocarburos aromáticos. (Código 1K0603).

• Industria del caucho sintético y de explosivos, donde se utilicen cetonas. (Código 1L0108).

• Industria de explosivos y caucho sintético, donde se utilicen glicoles. (Código 1P0109).

• Empleo de nitroderivados alifáticos como aditivos de ciertos explosivos, pesticidas, fungicidas, gasolinas y propulsores para proyectiles. (Código 1R0102).

• Industria de explosivos, donde se utilice nitroglicerina. (Código 1R0201).

• Fabricación de explosivos y otras producciones que impliquen reacciones de nitración, donde se utilicen óxidos de nitrógeno. (Código 1T0303).

b) Causada por agentes físicos:
• Trabajos de expolio y destrucción de municiones y explosivos, donde el trabajador este expuesto a ruidos continuos y diarios de un nivel sonoro igual o superior a 80 decibelios A, que puede contraer la E.P. de hipoacusia, causada por agentes químicos. (Código 2A0118).

c) Causada por la inhalación de sustancias y agentes no comprendidos en otros apartados:
• Fabricación de explosivos y de pigmentos para la industria del caucho (trisulfuro de antimonio), donde se utilice antimonio. (Código 4J0107).

d) Causada por agentes cancerígenos:
• Empleo del benceno para la preparación de sus derivados utilizados en las industrias de materias colorantes, perfumes, explosivos, productos farmacéuticos, etc., que pueden provocar una E.P. síndrome linfo y mieloproliferativos. (Código 6D0102).

• Fabricación de ciertos explosivos, donde se utilicen aminas, que pueden provocar la E.P. de cáncer versical. (Código 6O0103).

• Fabricación de explosivos, donde se utilice nitrobenceno, que puede provocar la E.P. de linfoma. (Código 6P0103).

Por ello, debe realizarse reconocimientos médicos previos y periódicos a dichos trabajadores, con la prohibición de no contratar a los calificados como no aptos para desempeñar los puestos de trabajo de que se trate.

— Artículo 243 LGSS, en relación con RDEP (Anexo I).

Véase: Sustancias explosivas. Ácido nítrico. Ácido sulfúrico. Municiones. Atmosferas explosivas. Pirotecnia. Explosión. Deflagración. Detonación. Detonadores. Fulminantes. Pirotecnia. Fulminatos.

INDUSTRIAS DE PIELES

1. Industria de cuero curtido de modo que se conserve por fuera su pelo natural, y que sirve para forros y adornos y para prendas de abrigo.

2. Los trabajadores ocupados en las actividades económicas, y expuestos a los agentes o sustancias que a continuación se indican, pueden contraer una Enfermedad Profesional (E.P.):

a) Causada por agentes químicos:

• Conservación de pieles donde se utilice arsénico y sus compuestos. (Código 1A0106).

• Curtido al cromo de pieles. (Código 1A0405).

• Curtido de pieles, donde se utilice manganeso y sus compuestos. (Código 1A0616).

• Preparación y tratamiento del pelo en pieles y materias análogas, donde se utilice mercurio y sus compuestos. (Código 1A0714).

• Tratamiento de cueros y pieles, donde se utilice flúor y sus compuestos. (Código 1C0311).

• Utilización de aminas e hidracinas como colorantes en la industria del cuero, de pieles del calzado, de productos capilares, etc., así como en papelería y en productos de peluquería. (Código 1I0104).

• Industria hulera, papel, extractiva, alimenticia, peletera y farmacéutica (como estabilizador), donde se utilice amoníaco. (Código 1J0111).

• Empleo del benceno y sus homólogos como decapantes, como diluente, como disolvente para la extracción de aceites, grasas, alcaloides, resinas, desengrasado de pieles, tejidos, huesos, piezas metálicas, caucho, etc. (Código 1K0103).

b) Causada por agentes biológicos:

• Peleteros y diseñadores de prendas de piel, que pueden contraer una E.P. infecciosa transmitida por animales (o por sus productos y cadáveres). (Códigos 3B0104 y 3B0107).

c) Causada por inhalación de sustancias y agentes no comprendidos en otros apartados:

• Industrias de pieles, donde se utilicen polvos de talco o de caolín, que pueden producir las E.P. de talcosis (Código 4D0110), silicocaolinosis (Código 4D0210) o caolinosis y otras silicatosis (Código 4D0310), provocadas por la inhalación de polvos de talco o de caolín.

d) Causadas por agentes cancerígenos:

• Conservación de pieles, donde se utilice arsénico, que puede provocar alguna de las siguientes E.P.: neoplasia de maligna de bronquio y pulmón (Código 6C011), carcinoma epidemoide de piel (Código 6C0211), disqueratosis lenticular en disco (Código 6C0311) y angiosarcoma del hígado (Código 6C0411).

• Empleo del benceno y sus homólogos como decapantes, como diluente, como disolvente para la extracción de aceites, grasas, alcaloides, resinas, desengrasado de pieles, tejidos, huesos, piezas metálicas, caucho, etc., que pueden provocar una E.P. síndrome linfo y mieloproliferativos. (Código 6D0103).

• Curtido al cromo de pieles, que puede provocar la E.P. de neoplasia maligna de cavidad nasal. (Código 6I0105).

• Curtido al cromo de pieles, que puede provocar la E.P. de neoplasia de bronquio y pulmón. (Código 6I0205).

• Utilización de aminas como colorantes en la industria del cuero, de pieles del calzado, de productos capilares, etc., así como en papelería y en productos de peluquería, que pueden provocar la E.P. de cáncer versical. (Código 6O0104).

Por ello, debe realizarse reconocimientos médicos previos y periódicos a dichos trabajadores, con la prohibición de no contratar a los calificados como no aptos para desempeñar los puestos de trabajo de que se trate.

— Artículo 243 LGSS, en relación con RDEP (Anexo I).

Véase: Peleteros. Industria del cuero. Curtidos. Curtidores. Trabajos con animales.

INDUSTRIAS EXTRACTIVAS A CIELO ABIERTO O SUBTERRÁNEAS

1. Se denominan industrias extractivas todas aquellas que se dedican a extraer y explotar los recursos del subsuelo (minerales, gas, petróleo), y realicen alguna de las siguientes actividades:

• De extracción propiamente dicha de sustancias minerales al aire libre o bajo tierra, incluso por dragado.

• De prospección con vistas a dicha extracción.

• De preparación para la venta de las materias extraídas, excluidas las actividades de transformación de dichas sustancias.

• De perforación o excavación de túneles o galerías, cualquiera que sea su finalidad sin perjuicio de lo dispuesto en la normativa relativa a las condiciones mínimas de seguridad y salud en las obras de construcción.

— Artículo 2.a RDSSAM.

2. La vigilancia y control en materia de prevención de riesgos laborales en los trabajos de minas, canteras y túneles que exijan la aplicación de la técnica minera, la corresponde a los ingenieros de minas del Ministerio de Industria.

— Artículo 7 LPRL.

3. Los trabajadores ocupados en las actividades económicas, y expuestos a los agentes o sustancia que a continuación se indican, pueden contraer una Enfermedad Profesional (E.P.):

a) Causada por agentes químicos:

• Extracción y metalurgia de berilio, industria aeroespacial, industria nuclear. donde se utilice berilio. (Códigos 1A0201, 1A0202).

• Extracción del fósforo de los minerales que lo contienen y de los huesos. (Código 1A0507).

• Extracción y recuperación del metal (mercurio) en las minas y en los residuos industriales. (Código 1A0701).

• Extracción, tratamiento, metalurgia, refinado, fundición, laminado y vaciado del plomo, de sus aleaciones y de metales plumbíferos. (Código 1A0901).

• Extracción del talio de minerales de pirita. (Código 1A1001).

• Extracción de minerales que contienen antimonio y sus procesos de molienda, tamizado y concentrado. (Código 1B0101).

• Extracción de oro, donde se utilice bromo. (Código 1C0109).

• Extracción y licuefacción del cloro. (Código 1C0202).

• Extracción de los compuestos de flúor de los minerales (espato-flúor y criolita). (Código 1C0301).

• Utilización de los compuestos de flúor en la extracción y refinado de metales (del níquel, del cobre, del oro, de la plata). (Código 1C0304).

• Extracción del yodo a partir de algas, del salitre de Chile, y en el curso de ciertas operaciones como el refinado de petróleo. (Código 1C0402).

• Excavaciones, con exposición al ácido sulfhídrico. (Código 1D0305).

• Empleo de derivados halogenados como agentes de extracción y como disolventes. (Código 1H0201).

• Industria hulera, papel, extractiva, alimenticia, peletera y farmacéutica (como estabilizador), donde se utilice amoníaco. (Código 1J0111).

• Extracción del naftaleno, durante la destilación del alquitrán de hulla. (Código 1K0201).

• Utilización de cetonas como agentes de extracción, como materia prima o intermedia en numerosas síntesis orgánicas. (Código 1L0102).

• Utilización de éteres en la industria química como disolventes de ceras, grasas, etc., y en la fabricación de colodium para la extracción de nicotina. (Código 1O0111).

• Extracción del azufre, donde se utilice sulfuro de carbono. (Código 1U0110).

b) Causada por agentes físicos:

• Trabajos de extracción y tratamiento de minerales radiactivos, que pueden contraer una E.P. provocada por radiaciones ionizantes. (Código 2I0101).

c) Causada por inhalación de sustancias y agentes no comprendidos en otros apartados:

• Trabajos de extracción, manipulación y tratamiento de minerales o rocas amiantíferas, que pueden provocar las E.P. de asbestosis (Código 4C0101) y/o afecciones fibrosantes de la pleura y pericardio (Código 4C0201),provocadas por la inhalación de polvo de amianto (asbesto).

• Extracción y tratamiento de minerales que liberen polvo de silicatos, que pueden contraer las E.P. de talcosis (Código 4D0101), silicocaolinosis (Código 4D0201) o caolinosis y otras silicatosis (Código 4D0301), provocadas por la inhalación de polvos de talco o de caolín.

• Extracción de aluminio a partir de sus minerales, en particular la separación por fusión electrolítica del oxido de aluminio, de la bauxita (fabricación de corindón artificial), que puede provocar la E.P. de neumoconiosis por polvo de aluminio. (Código 4G0101).

• Extracción y metalurgia de berilio, industria aeroespacial, industria nuclear. donde se utilice berilio, que pueden provocar alguna de las siguientes Enfermedades Profesionales: E.P. causada por agentes químicos (Códigos 1A0201, 1A0202), E.P. causada por inhalación de sustancias no comprendidas en otros apartados (Códigos 4K0101, 4K0102), o E.P. neoplasia maligna de bronquio y pulmón (Códigos 6E0101, 6E0102).

d) Causada por agentes cancerígenos:

• Trabajos de extracción, manipulación y tratamiento de minerales o rocas amiantíferas, donde exista exposición a la inhalación de polvos de amianto (asbesto), que pueden provocar alguna de las siguientes E.P: neoplasia maligna de bronquio y pulmón (Código 6A0102), mesotelioma (Código 6A0202), mesotelioma de pleura (Código 6A0302), mesotelioma de peritoneo (Código 6A0402), mesotelioma de otras localizaciones (Código 6A0502) y cáncer de laringe (Código 6A0602).

• Extracción y metalurgia de berilio, industria aeroespacial, industria nuclear. donde se utilice berilio, que pueden provocar una E.P. neoplasia maligna de bronquio y pulmón (Códigos 6E0101, 6E0102).

• Trabajos de extracción y tratamiento de minerales radiactivos, que pueden provocar la E.P. de síndrome linfo y mieloproliferativos. (Código 6N0101).

• Trabajos de extracción y tratamiento de minerales radiactivos, que puede provocar la E.P. de carcinoma epidermoide de piel. (Código 6N0201).

Por ello, debe realizarse reconocimientos médicos previos y periódicos a dichos trabajadores, con la prohibición de no contratar a los calificados como no aptos para desempeñar los puestos de trabajo de que se trate.

— Artículo 243 LGSS, en relación con RDEP (Anexo I).

Véase: Minería.

INFORMACIÓN EN MATERIA DE PRL

Véase: Deber de información.

INFRARROJOS

1. Radiación del espectro electromagnético, de mayor longitud de onda que el rojo y de alto poder calorífico.

2. Los trabajadores ocupados en las actividades económicas, y expuestos a los agentes o sustancias que a continuación se indican, pueden contraer una Enfermedad Profesional (E.P.), causada por agentes químicos:

- Fabricación de células fotoeléctricas sensibles al infrarrojo, donde se utilice talio. (Código 1A1005).

Por ello, debe realizarse reconocimientos médicos previos y periódicos a dichos trabajadores, con la prohibición de no contratar a los calificados como no aptos para desempeñar los puestos de trabajo de que se trate.

— Artículo 243 LGSS, en relación con RDEP (Anexo I).

Véase: Radiaciones. Células fotoeléctricas. Radiaciones infrarrojas.

INSECTICIDAS

1. Producto químico utilizado para matar insectos.

2. Los trabajadores ocupados en las actividades económicas, y expuestos a los agentes o sustancias que a continuación se indican, pueden contraer una Enfermedad Profesional (E.P.):

a) Causada por agentes químicos:

- Producción y uso de insecticidas arsenicales y de sus compuestos. (Código 1A0101).

- Fabricación y empleo de insecticidas y anticriptográmicos quw contengan compuestos de arsénico. (Código 1A0103).

- Fabricación y utilización de insecticidas, donde se utilice arsénico y sus compuestos. (Código 1A0118).

- Fabricación y utilización de insecticidas o rodenticidas, donde se utilice fósforo y sus compuestos. (Código 1A0505).

- Preparación y empleo de insecticidas con compuestos de plomo. (Código 1A0922).

- Empleo de compuestos de flúor como insecticida, pesticida, rodenticida y para conservación de la madera. (Código 1C0310).

- Utilización del ácido cianhídrico gaseoso en la lucha contra los insectos parásitos en agricultura y contra los roedores. (Código 1D0402).

- Fabricación de estas sustancias (aminas e hidracinas) y su utilización como productos intermediarios en la industria de colorantes sintéticos y en numerosas síntesis orgánicas, en la industria química, en la industria de insecticidas, en la industria farmacéutica, etc. (Código 1I0101).

- Utilización del naftaleno como insecticida y en conservación de la madera. (Código 1K0204).

- Fabricación de repelente de polillas, insecticida, antiséptico (tópico y vía oral), antihelmíntico, donde se utilice naftaleno. (Código 1K0206).

- Utilización de insecticidas, que contengan xileno o tolueno. (Código 1K0206).

- Fabricación de insecticidas, donde se utilice vinilbenceno (estireno y devinilbenceno). (Código 1K0404).

• Empleo como disolventes, pesticidas, herbicidas, insecticidas y fungicidas, donde se utilicen derivados halogenados de hidrocarburos aromáticos. (Código 1K0501).

• Utilización de los derivados nitrados de los fenoles como herbicidas e insecticidas. (Código 1K0701).

• La epiclorhidrina (Epóxido) se utiliza además, como insecticida, fumigante y disolvente de pinturas, barnices, esmaltes y lacas. Producción de resinas de alta resistencia a la humedad en la industria papelera. (Código 1M0106).

• Constituyentes de algunos insecticidas, donde se utilicen éteres. (Código 1O0105).

• Fabricación de insecticidas, donde se utilicen oxicloruro de carbono. (Código 1T0202).

• Manipulación y empleo del sulfuro de carbono o productos que lo contengan, como insecticidas o parasiticidas en los trabajos de tratamiento de suelos o en el almacenado de productos agrícolas. (Código 1U0107).

b) Causada por agentes cancerígenos:

• Producción y uso de pesticidas arsenicales, herbicidas e insecticidas, donde se utilice arsénico, que puede provocar alguna de las siguientes E.P: neoplasia de maligna de bronquio y pulmón (Código 6C0105), carcinoma epidemoide de piel (Código 6C0205), disqueratosis lenticular en disco (Código 6C0305) y angiosarcoma del hígado (Código 6C0405).

• Fabricación de estas sustancias (aminas) y su utilización como productos intermediarios en la industria de colorantes sintéticos y en numerosas síntesis orgánicas, en la industria química, en la industria de insecticidas, en la industria farmacéutica, etc., que pueden provocar la E.P. de cáncer versical. (Código 6O0101).

• Utilización del ácido cianhídrico gaseoso en la lucha contra los insectos parásitos en agricultura y contra los roedores, que puede provocar una E.P. cancerígena. (Código 6Q0102).

Por ello, debe realizarse reconocimientos médicos previos y periódicos a dichos trabajadores, con la prohibición de no contratar a los calificados como no aptos para desempeñar los puestos de trabajo de que se trate.

— Artículo 243 LGSS, en relación con RDEP (Anexo I).

Véase: Productos fitosanitarios. Plaguicidas. Pesticidas. Repelentes. Parásitos. Organofosforados.

INSPECCIÓN DE TRABAJO: ADMINISTRACIÓN PÚBLICA

1. La corrección de las infracciones en materia de prevención de riesgos laborales, en el ámbito de las Administraciones públicas se sujetará al procedimiento y normas de desarrollo del artículo 45.1 de la LPRL.

— Artículo 42.4 LISOS.

2. En el ámbito de las relaciones del personal civil al servicio de las Administraciones públicas, las infracciones serán objeto de responsabilidades a través de la imposición, por resolución de la autoridad competente, de la realización de las medidas correctoras de los correspondientes incumplimientos, conforme al procedimiento que al efecto se establezca.

En el ámbito de la Administración General del Estado, corresponderá al Gobierno la regulación de dicho procedimiento, que se ajustará a los siguientes principios:

• El procedimiento se iniciará por el órgano competente de la Inspección de Trabajo por orden superior, bien por propia iniciativa o a petición de los representantes del personal. No cabe la denuncia del funcionario afectado.

• Tras su actuación, la Inspección efectuará un requerimiento sobre las medidas a adoptar y plazo de ejecución de las mismas, del que se dará traslado a la unidad administrativa inspeccionada a efectos de formular alegaciones.

• En caso de discrepancia entre los Ministros competentes como consecuencia de la aplicación de este procedimiento, se elevarán las actuaciones al Consejo de Ministros para su decisión final.

— Artículo 45.1 LPRL.

3. Se trata de un requerimiento especifico que debe contener los mismos requisitos formales que las actas de infracción, aunque sin propuesta de sanción pecuniaria, precisándose con exactitud la entidad u organismo supuestamente infractor, el contenido del requerimiento de subsanación y el plazo para realizarlo.

— CTIT 25/2000, de 10 de febrero.

4. En el ámbito de las CC.AA y Ayuntamientos, las funciones de vigilancia y control del personal funcionario o estatutario pueden ser ejercidas por órganos diferentes. Mientras no se apruebe dicha atribución de funciones, estas corresponden a la Inspección de Trabajo.

— Disposición Adicional Tercera.2.b LPRL.

— CTIT 25/2000, de 20 de febrero.

Véase: Centros militares. Centros penitenciarios.

INSPECCIÓN DE TRABAJO: ADVERTENCIAS

1. La Inspección de Trabajo y Seguridad Social, de conformidad con lo previsto en los artículos 17.2 del Convenio 81 de la OIT y 22.2 del Convenio 129 de la OIT, ratificados por el Estado español por Instrumentos de 14 de enero de 1960 y 11 de marzo de 1971, respectivamente, cuando las circunstancias del caso así lo aconsejen y siempre que no se deriven daños ni perjuicios directos a los trabajadores, podrá advertir y aconsejar, en vez de iniciar un procedimiento sancionador; en estos supuestos dará cuenta de sus actuaciones a la autoridad laboral competente.

— Artículo 49 LISOS.

2. El Inspector o Subinspector actante puede advertir y requerir al sujeto responsable, en vez de iniciar un procedimiento sancionador, cuando las circunstancias del caso así lo aconsejen, y siempre que no se deriven perjuicios directos a los trabajadores o a sus representantes.

Tal advertencia o requerimiento se comunicará al sujeto responsable por escrito o mediante la diligencia de actuación, señalando las irregularidades o deficiencias apreciadas con indicación del plazo para su subsanación bajo el correspondiente apercibimiento.

— Artículo 22.1 LOIT.

— Artículo 49 LISOS.

— Artículo 11.5 RPOS.

3. Contra los requerimientos y advertencias cabe presentar las alegaciones y discrepancias que estime oportunas el empresario. La autoridad competente para resolver el recurso sería el Jefe de la Inspección Provincial de Trabajo.

— CTIT 50/2007, de 28 de junio.

Véase: Inspección de Trabajo: Requerimientos.

INSPECCIÓN DE TRABAJO: CIERRE DEL CENTRO DE TRABAJO

1. El Gobierno o, en su caso, los órganos de gobierno de las Comunidades Autónomas con competencias en la materia, cuando concurran circunstancias de excepcional gravedad en las infracciones en materia de seguridad y salud en el trabajo, podrán acordar la suspensión de las actividades laborales por un tiempo determinado o, en caso extremo, el cierre del centro de trabajo correspondiente, sin perjuicio, en todo caso, del pago del salario o de las indemnizaciones que procedan y de las medidas que puedan arbitrarse para su garantía.

— Artículo 53 LPRL.

2. Cuando concurran circunstancias de excepcional gravedad en las infracciones referidas a la seguridad e higiene y salud laborales el Jefe de la Inspección Provincial de Trabajo y Seguridad Social lo pondrá en conocimiento del órgano correspondiente de la Comunidad Autónoma o de la Administración del Estado si no se hubiere transferido la competencia y, en su caso, de la autoridad central de la Inspección, al objeto de que se someta la suspensión temporal o el cierre del establecimiento a la aprobación del Gobierno o del órgano competente de la Comunidad Autónoma, de conformidad con lo previsto en el artículo 53 de la Ley de Prevención de Riesgos Laborales.

— Artículo 26 RPOS.

Véase: Paralización de trabajos.

INSPECCIÓN DE TRABAJO: DELITOS

1. Si la Inspección de Trabajo en el curso de sus actuaciones apreciase la posible comisión de un delito, por el cauce orgánico que reglamentariamente se determine, remitirá al Ministerio Fiscal relación circunstanciada de los hechos que haya conocido y de los sujetos que pudieren resultar afectados.

— Artículo 17.3 LOIT.

— Artículo 39.2 ROFIT.

— Artículo 3 LISOS.

2. Cuando el funcionario actuante considere que los hechos que han dado lugar al inicio del procedimiento administrativo sancionador pudieran ser constitutivos de ilícito penal, remitirá al Jefe de la Inspección de Trabajo y Seguridad Social, informe con expresión de los hechos y circunstancias y de los sujetos que pudieran resultar afectados.

Si el Jefe de la Inspección de Trabajo estimase la concurrencia de ilícito penal, lo comunicará al órgano competente para resolver, quien acordará, en su caso, la remisión del expediente al Ministerio Fiscal y se abstendrá de seguir el procedimiento administrativo sancionador por los mismos hechos, hasta que el Ministerio Fiscal, en su caso, resuelva no interponer acción o le sea notificada la firmeza de la sentencia o auto de sobreseimiento que dicte la autoridad judicial.

También se suspenderá el procedimiento administrativo cuando, no mediando dicha comunicación, se venga en conocimiento de la existencia de actuaciones penales por los mismos hechos y fundamento en relación al mismo presunto responsable.

La comunicación al Ministerio Fiscal no afectará al inmediato cumplimiento de la paralización de trabajos a que se refiere el artículo 44 de la LPRL, ni a la eficacia de los requerimientos formulados, cuyo incumplimiento se comunicará a través del órgano correspondiente al Juzgado competente, por si fuese constitutivo de ilícito penal, ni tampoco afectará a la exigencia de deudas que se apreciasen con el Sistema de Seguridad Social.

La condena por delito en sentencia firme excluirá la imposición de sanción administrativa por los mismos hechos que hayan sido considerados probados siempre que concurra, además, identidad de sujeto y fundamento.

— Artículo 5 RPOS.

Véase: Inspección de Trabajo.

INSPECCIÓN DE TRABAJO: DENUNCIAS

1. La denuncia del incumplimiento de la legislación de orden social es pública. El denunciante puede ser cualquier persona y tiene derecho a ser informado del estado de tramitación de su denuncia.

— Artículo 20.4 LOIT.

2. Si el denunciante (persona física u organización sindical) a puesto en conocimiento de la Inspección de Trabajo, hechos que afectan a sus derechos individuales o colectivos, tiene la condición de interesado, y por ello, tiene derecho a ser informado de los hechos constatados por la Inspección de Trabajo y de las medidas adoptadas al efecto.

— Artículo 20.4 LOIT.

— Artículo 4 LPACAP.

— Artículo 9.3 RPOS.

3. Los funcionarios del Sistema de Inspección de Trabajo, están obligados a guardar secreto respecto al origen de las denuncias.

— Artículo 10 LOIT.

— Artículo 10 ROFIT.

4. El escrito de denuncia deberá contener, además de los datos de identificación personal del denunciante y su firma, los hechos presuntamente constitutivos de infracción, fecha y lugar de su acaecimiento, identificación de los presuntamente responsables y demás circunstancias relevantes.

No se tramitarán las denuncias anónimas ni las que tengan defectos o insuficiencias de identificación. En los dos últimos casos se requerirá al denunciante para que las complete subsanando los defectos en el plazo de quince días. En todo caso la Inspección de Trabajo podrá hacer uso de toda la información disponible para la programación de sus actuaciones.

— Artículo 9.2 RPOS.

5. Cuando el acta de infracción se haya levantado con ocasión de accidente de trabajo o enfermedad profesional, se trasladará copia de la resolución confirmatoria a los trabajadores afectados, o a sus derechohabientes en caso de fallecimiento del trabajador.

— Artículo 21.5 RPOS.

6. Cuando se trate de acta de liquidación de cuotas se notificará a los trabajadores interesados. Los trabajadores no conformes con los períodos y bases de cotización recogidas en el acta o con la procedencia de la liquidación, podrán formular alegaciones en las mismas condiciones que el presunto responsable.

— Artículo 33.1 RPOS.

Véase: Inspección de Trabajo.

INSPECCIÓN DE TRABAJO: GRADUACIÓN DE LAS SANCIONES

1. En las sanciones por infracciones en materia de prevención de riesgos laborales, a efectos de su graduación, se tendrán en cuenta los siguientes criterios:

• La peligrosidad de las actividades desarrolladas en la empresa o centro de trabajo.

• El carácter permanente o transitorio de los riesgos inherentes a dichas actividades.

• La gravedad de los daños producidos o que hubieran podido producirse por la ausencia o deficiencia de las medidas preventivas necesarias.

• El número de trabajadores afectados.

• Las medidas de protección individual o colectiva adoptadas por el empresario y las instrucciones impartidas por éste en orden a la prevención de los riesgos.

• El incumplimiento de las advertencias o requerimientos previos a que se refiere el artículo 43 de la LPRL.

• La inobservancia de las propuestas realizadas por los servicios de prevención, los delegados de prevención o el comité de seguridad y salud de la empresa para la corrección de las deficiencias legales existentes.

• La conducta general seguida por el empresario en orden a la estricta observancia de las normas en materia de prevención de riesgos laborales.

— Artículo 39.3 LISOS.

Véase: Actividades peligrosas.

INSPECCIÓN DE TRABAJO: INVESTIGACIÓN DE ACCIDENTES DE TRABAJO

1. Los accidentes de trabajo ocurridos en el centro de trabajo o por desplazamiento en jornada de trabajo que provoquen el fallecimiento del trabajador, que sean considerados como graves o muy graves o que el accidente ocurrido en un centro de trabajo afecte a más de cuatro trabajadores, pertenezcan o no en su totalidad a la plantilla de la Empresa, será, investigados preceptivamente por la Inspección de Trabajo sobre la forma en que ha ocurrido el accidente, causas del mismo y circunstancias que en él concurran.

— Artículo 6 Orden Ministerial de 16 de diciembre de 1987.

2. Cuando el acta de infracción se haya levantado con ocasión de accidente de trabajo o enfermedad profesional, se trasladará copia de la resolución confirmatoria a los trabajadores afectados, o a sus derechohabientes en caso de fallecimiento del trabajador.

— Artículo 21.5 RPOS.

Véase: Investigación de los A.T.

INSPECCIÓN DE TRABAJO: OBTENCIÓN DE PRUEBAS

La Inspección de Trabajo está facultada para tomar o sacar muestras de sustancias y materiales utilizados o manipulados en el establecimiento, realizar mediciones, obtener fotografías, videos, grabación de imágenes, levantar croquis y planos, siempre que se notifique al empresario o a su representante y obtener copias y extractos de los documentos.

— Artículo 13.3.d LOIT.

INSPECCIÓN DE TRABAJO: PRESCRIPCIÓN

1. En materia de prevención de riesgos laborales, las infracciones prescribirán: al año las leves, a los tres años las graves y a los cinco años las muy graves, contados desde la fecha de la infracción.

— Artículo 4.3 LISOS.

— Artículo 7 RPOS.

2. Las sanciones impuestas prescribirán a los cinco años, a contar desde el día siguiente a aquel en que adquiera firmeza la resolución por la que se impone la sanción.

— Artículo 7.3 RPOS.

Véase: Inspección de Trabajo.

INSPECCIÓN DE TRABAJO: PRESUNCIÓN DE CERTEZA

1. Los hechos constatados por la Inspección de Trabajo y Seguridad Social (Inspectores y Subinspectores), que se formalicen en las actas de infracción observando los requisitos establecidos, tendrán presunción de certeza, sin perjuicio de las pruebas que en defensa de los respectivos derechos e intereses puedan aportar los interesados.

— Artículo 52.2 LISOS.

2. El mismo valor probatorio se atribuye a los hechos reseñados en informes emitidos por la Inspección de Trabajo y Seguridad Social como consecuencia de comprobaciones efectuadas por la misma, sin perjuicio de su contradicción por los interesados.

No se verá afectada la presunción de certeza a que se refieren los párrafos anteriores por la sustitución del funcionario o funcionarios durante el período de la actuación inspectora, si bien se deberá comunicar en tiempo y forma a los interesados dicha sustitución antes de la finalización de aquella.

— Artículo 23 LOIT.

3. Los informes emitidos por los Técnicos de Prevención habilitados por las CC.AA, también gozan de presunción de certeza.

— Artículo 9.3 LPRL.

4. La Jurisprudencia no otorga la presunción de certeza prevista por las Leyes:

• Cuando el relato factico de los hechos es insuficiente, cuando no se explicitan los hechos que se imputan al sujeto responsable y ello produce indefensión.

• STS 19.7.99. 16.7.01.

• No ampara la presunción de certeza la personal conclusión del Inspector actuante sobre la ausencia de coordinación preventiva entre las empresas, ante las pruebas documentales aportadas por los sancionados.

— STSJ Cantabria 20.11.00.

Véase: Principio de culpabilidad. Inspección de trabajo. Técnicos de prevención habilitados.

INSPECCIÓN DE TRABAJO: RECOMENDACIONES

Véase: Inspección de Trabajo: Advertencias.

INSPECCIÓN DE TRABAJO: REINCIDENCIA

1. Circunstancia agravante de la responsabilidad administrativa, que consiste en haber sido inculpado antes por una infracción análoga a la que se le imputa.

2. Existe reincidencia cuando se comete una infracción del mismo tipo y calificación que la que motivó una sanción anterior en el plazo de los 365 días siguientes a la notificación de ésta; en tal supuesto se requerirá que la resolución sancionadora hubiere adquirido firmeza.

Si se apreciase reincidencia, la cuantía de las sanciones consignadas en el artículo anterior podrá incrementarse hasta el duplo del grado de la sanción correspondiente a la infracción cometida, sin exceder, en ningún caso, de las cuantías máximas previstas en el artículo anterior para cada clase de infracción.

— Artículo 41 LISOS.

2. Requisitos de la reincidencia en las actas de la Inspección de Trabajo.

— CTIT n.º 84/2010, de 28 de junio.

Véase: Inspección de Trabajo.

INSPECCIÓN DE TRABAJO: REQUERIMIENTOS

1. El Inspector o Subinspector actante puede advertir y requerir al sujeto responsable, en vez de iniciar un procedimiento sancionador, cuando las circunstancias del caso así lo aconsejen, y siempre que no se deriven perjuicios directos a los trabajadores o a sus representantes.

Tal advertencia o requerimiento se comunicará al sujeto responsable por escrito o mediante la diligencia de actuación, señalando las irregularidades o deficiencias apreciadas con indicación del plazo para su subsanación bajo el correspondiente apercibimiento.

— Artículo 22.1 LOIT.

— Artículo 11.5 RPOS.

2. Cuando el Inspector de Trabajo y Seguridad Social (y los Técnicos de Prevención habilitados de las CC.AA) comprobase la existencia de una infracción a la normativa sobre prevención de riesgos laborales, requerirá al empresario para la subsanación de las deficiencias observadas, salvo que por la gravedad e inminencia de los riesgos procediese acordar la paralización prevista en el artículo 44. Todo ello sin perjuicio de la propuesta de sanción correspondiente, en su caso.

El requerimiento formulado por el Inspector de Trabajo y Seguridad Social se hará saber por escrito al empresario presuntamente responsable señalando las anomalías o deficiencias apreciadas con indicación del plazo para su subsanación. Dicho requerimiento se pondrá, asimismo, en conocimiento de los Delegados de Prevención.

— Artículo 43 LPRL.

3. Requerir al sujeto responsable para que, en el plazo que se le señale, adopte las medidas en orden al cumplimiento de la normativa de orden social o subsane las deficiencias observadas en materia de prevención de riesgos laborales, incluso con su justificación ante el funcionario actuante.

— Artículo 22.2 LOIT.

4. El incumplimiento del requerimiento en materia de prevención de riesgos laborales puede dar lugar:

• A la extensión preceptiva de acta de infracción, si no se levantó anteriormente.

— Artículo 43.2 LPRL.

— Artículo 11.2 RPOS.
• Al agravamiento de la sanción.

— Artículo 39.3.f LISOS.

• A sustentar una acción penal por la tipificación de algún delito de riesgo, dejando a salvo el principio *non bis in idem*.

— Artículo 3 LISOS.

5. Contra los requerimientos y advertencias cabe presentar las alegaciones y discrepancias que estime oportunas el empresario. La autoridad competente para resolver el recurso sería el Jefe de la Inspección Provincial de Trabajo.

— CTIT 50/2007, de 28 de junio.

Véase: Inspección de Trabajo: Advertencias. Técnicos de prevención habilitados.

INSPECCIÓN DE TRABAJO: VISITAS

Con ocasión de sus visitas a los lugares de trabajo, los funcionarios de la Inspección de Trabajo solicitarán la presencia de los representantes de los trabajadores cuando legalmente proceda, conforme a la normativa de prevención de riesgos laborales, o cuando así lo aconseje la índole de la actuación a realizar de acuerdo con las instrucciones que se dicten al respecto.

— Artículo 21.5 LOIT.

Véase: Inspección de Trabajo.

INSPECCIÓN DE TRABAJO: VIVIENDAS Y LOCALES DE DESCANSO

La actuación de la Inspección de Trabajo se podrá ejercer también en locales, viviendas, u otros lugares habilitados, aun cuando no se encuentren en las empresas, centros y lugares de trabajo en que se ejecute la prestación laboral, en los que residan, se alojen o puedan permanecer los trabajadores por razón de su trabajo durante los períodos de descanso, y hayan sido puestos a disposición de los mismos por el empresario, en cumplimiento de una obligación prevista en una norma legal, convenio colectivo o contrato de trabajo.

— Artículo 19.1.a LOIT.

Véase: Inspección de Trabajo.

INSPECCIÓN DE TRABAJO

La Inspección de Trabajo en materia de prevención de riesgos laborales tiene, entre otras, las siguientes competencias y facultades:

• Requerir al empresario para que subsane las deficiencias observadas en materia de prevención de riesgos laborales.

— Artículo 43 LPRL.

• Vigilar el cumplimiento de la normativa de prevención de riesgos laborales, incluidas las normas jurídico-técnicas que incidan en las condiciones de trabajo, proponiendo sanciones.

— Artículos 7.1.b y 9.1.a LPRL.

— Artículo 12.1.b LOIT.

• Facilitar información y asesoramiento a empresarios y trabajadores.

— Artículos Art. 7.1.b y 9.1.b LPRL.

— Artículo 12.2 LOIT.

• Facilitar informes, sobre las circunstancias en que se han producido los accidentes de trabajo y las enfermedades profesionales, a la autoridad laboral y a los Juzgados de lo Social.

— Artículo 9.1 LPRL.

— Artículo 12.1.b LOIT.

• Comprobar el cumplimiento de las obligaciones asumidas por los Servicios de Prevención ajenos.

— Artículo 9.1.e LPRL.

• Ordenar la paralización de trabajos, cuando se aprecie la existencia de riesgo grave e inminente.

— Artículos 9.1.f y 44 LPRL.

— Artículo 22.12 LOIT.

• Proponer el recargo en las prestaciones de la Seguridad Social.

— Artículo 22.9 LOIT.

• Solicitar que le acompañen los Delegados de Prevención y/o Comité de Seguridad y Salud, en las visitas de inspección que realicen a los centros de trabajo, salvo que el funcionario actuante estime que ello puede perjudicar el éxito de sus funciones.

— Artículo 40.2 y 36.2.a LPRL.

— Artículo 13.2 LOIT.

• Tomar o sacar muestras de sustancias y materiales utilizados o manipulados en el establecimiento, realizar mediciones, obtener fotografías, videos, grabación de imágenes, levantar croquis y planos, siempre que se notifique al empresario o a su representante y obtener copias y extractos de los documentos a que se refiere el apartado 3.c.

— Artículo 13.3.d LOIT.

• Proponer primas adicionales (o reducciones) a la cotización de accidentes de trabajo y enfermedades profesionales. Las primas podrán reducirse hasta un 10% en las empresas que se distingan en el empleo de medidas preventivas y aumentarse hasta un 10%, en las empresas que incumplan, y un 20%, en caso de reincidencia.

— Artículo 22.10 LOIT.

— Artículo 146.3 LGSS.

En cuanto a la cuantía de reducción, se fija el incentivo en el 5 por ciento del importe de las cuotas por contingencias profesionales y en el 10 por ciento si existe inversión en prevención de riesgos laborales, estableciéndose en este último caso un límite máximo coincidente con el importe de la inversión realizada.

— Artículo 3.2 RDRCSS.

> *Véase: Autoridad laboral. Técnicos de Prevención Habilitados. Inspección de Trabajo: Advertencias. Inspección de Trabajo: Requerimientos. Presunción de certeza.*

INSPECCIONES DE SEGURIDAD

> *Véase: Controles periódicos.*

INSTALACIÓN ELÉCTRICA

1. El conjunto de los materiales y equipos de un lugar de trabajo mediante los que se genera, convierte, transforma, transporta, distribuye o utiliza la energía eléctrica; se incluyen las baterías, los condensadores y cualquier otro equipo que almacene energía eléctrica.

— Anexo I. 3 RDSSTRE.

2. Conjunto de aparatos y de circuitos asociados, en previsión de un fin particular: producción, conversión, transformación, transmisión, distribución o utilización de la energía eléctrica.

— ITC-BT-01 del REBT.

3. La instalación eléctrica no deberá entrañar riesgos de incendio o explosión. Los trabajadores deberán estar debidamente protegidos contra los riesgos de accidente causados por contactos directos o indirectos.

— Anexo I. Parte A.12 RDSSLT.

4. Instalaciones eléctricas en obras de construcción:

• La instalación eléctrica de los lugares de trabajo en las obras deberá ajustarse a lo dispuesto en su normativa específica.

• En todo caso, y a salvo de disposiciones específicas de la normativa citada, dicha instalación deberá satisfacer las condiciones que se señalan en los siguientes puntos de este apartado.

• Las instalaciones deberán proyectarse, realizarse y utilizarse de manera que no entrañen peligro de incendio ni de explosión y de modo que las personas estén debidamente protegidas contra los riesgos de electrocución por contacto directo o indirecto.

• El proyecto, la realización y la elección del material y de los dispositivos de protección deberán tener en cuenta el tipo y la potencia de la energía suministrada, las condiciones de los factores externos y la competencia de las personas que tengan acceso a partes de la instalación.

— Anexo IV. Parte A.3 RDSSTOC.

Véase: Arco eléctrico. Soldadura exotérmica. Choque eléctrico. Circuito eléctrico. Corriente de contacto. Corriente de defecto. Corriente de puesta a tierra. Corriente eléctrica. Cortocircuito fusible. Electricistas. Industria eléctrica. Instalaciones de distribución de energía. Instalaciones de puesta a tierra. Interruptor automático. Riesgo eléctrico. Soldadura exotérmica. Zona de trabajos en tensión.

INSTALACIONES DE DISTRIBUCIÓN DE ENERGÍA

En el exterior de las obras de construcción:

• Deberán verificarse y mantenerse con regularidad las instalaciones de distribución de energía presentes en la obra, en particular las que estén sometidas a factores externos.

• Las instalaciones existentes antes del comienzo de la obra deberán estar localizadas, verificadas y señalizadas claramente.

• Cuando existan líneas de tendido eléctrico aéreas que puedan afectar a la seguridad en la obra será necesario desviarlas fuera del recinto de la obra o dejarlas sin tensión. Si esto no fuera posible, se colocarán barreras o avisos para que los vehículos y las instalaciones se mantengan alejados de las mismas. En caso de que vehículos de la obra tuvieran que circular bajo el tendido se utilizarán una señalización de advertencia y una protección de delimitación de altura.

— Anexo IV. Parte C.10 RDSSTOC.

Véase: Arco eléctrico. Choque eléctrico. Circuito eléctrico. Corriente de contacto. Corriente de defecto. Corriente de puesta a tierra. Corriente eléctrica. Cortocircuito fusible. Electricistas. Industria eléctrica. Instalación eléctrica. Instalaciones de puesta a tierra. Interruptor automático. Riesgo eléctrico. Soldadura exotérmica. Zona de trabajos en tensión. Energía: Producción.

INSTALACIONES DE PUESTA A TIERRA

Conjunto de conexiones y dispositivos necesarios para poner a tierra, individual o colectivamente, un aparato o una instalación.

— ITC-BT-01 del REBT.

Véase: Borne. Arco eléctrico. Choque eléctrico. Circuito eléctrico. Corriente de contacto. Corriente de defecto. Corriente de puesta a tierra. Corriente eléctrica. Cortocircuito fusible. Electricistas. Industria eléctrica. Instalación eléctrica. Instalaciones de distribución de energía. Interruptor automático. Riesgo eléctrico. Soldadura exotérmica. Zona de trabajos en tensión.

INSTALACIONES FRIGORÍFICAS

1. Recinto provisto de los medios necesarios para llevar a cabo una actividad profesional de producción de frio.

2. Los trabajadores ocupados en instalaciones frigoríficas, y expuestos a los agentes o sustancias que a continuación se indican, pueden contraer una Enfermedad Profesional (E.P.), causada por agentes químicos:

• Fabricación y reparación de aparatos e instalaciones frigoríficas, donde se utilicen derivados halogenados. (Código 1H0203).

Por ello, debe realizarse reconocimientos médicos previos y periódicos a dichos trabajadores, con la prohibición de no contratar a los calificados como no aptos para desempeñar los puestos de trabajo de que se trate.

— Artículo 243 LGSS, en relación con RDEP (Anexo I).

Véase: Trabajos en cámaras frigoríficas. Hielo. Aislamiento térmico. Estrés por frio.

INSTALACIONES NUCLEARES: TITULAR

Cualquier persona física o jurídica que, de acuerdo con lo dispuesto en la Ley 25/1964, de 29 de abril, sobre Energía Nuclear, y reglamentación que la desarrolla, explota una instalación nuclear o radiactiva y está sujeto a un procedimiento de declaración o autorización para el desarrollo de sus actividades.

— Artículo 2.c RDPTERI.

Véase: Energía: Producción. Instalaciones nucleares. Instalaciones radioactivas.

INSTALACIONES NUCLEARES: TRABAJADOR EXTERNO

Cualquier trabajador clasificado como profesionalmente expuesto según lo dispuesto en el apartado c) apéndice I del RPSRI, que efectúe una intervención, de cualquier carácter, en la zona controlada de una instalación nuclear o radiactiva y que esté empleado de forma temporal o permanente por una empresa externa. Incluidos los trabajadores en prácticas profesionales, aprendices o estudiantes o que preste sus servicios en calidad de trabajador por cuenta propia.

Intervención de un trabajador externo. Conjunto de actividades desarrolladas por un trabajador externo en zona controlada de una instalación nuclear o radiactiva.

— Artículo 2.b, e RDPTERI.

— Real Decreto 413/1997, de 21 marzo, sobreprotección operacional de los trabajadores externos con riesgo de exposición a radiaciones ionizantes por intervención en zona controlada. (Art. 2.b y e) (BOE 16.4.97) (LLV V.40).

Véase: Instalaciones nucleares. Instalaciones radiactivas. Radiaciones ionizantes.

INSTALACIONES NUCLEARES

Son instalaciones nucleares:

• Las centrales nucleares: cualquier instalación fija para la producción de energía mediante un reactor nuclear.

• Los reactores nucleares: cualquier estructura que contenga combustibles nucleares dispuestos de tal modo que dentro de ella pueda tener lugar un proceso automantenido de fisión nuclear sin necesidad de una fuente adicional de neutrones.

• Las fábricas que utilicen combustibles nucleares para producir sustancias nucleares y las fábricas en que se proceda al tratamiento de sustancias nucleares, incluidas las instalaciones de tratamiento o reprocesado de combustibles nucleares irradiados.

• Las instalaciones de almacenamiento de sustancias nucleares, excepto los lugares en que dichas sustancias se almacenen incidentalmente durante su transporte.

• Los dispositivos e instalaciones que utilicen reacciones nucleares de fusión o fisión para producir energía o con vistas a la producción o desarrollo de nuevas fuentes energéticas.

— Artículo 11 RINR.

— Nota Técnica de Prevención n.º 589/2001. INSST.

Véase: Radiaciones. Radiaciones ópticas. Radiaciones microondas. Radiaciones infrarrojas. Radiaciones visibles. Radiaciones ultravioleta. Energía radiante. Radancia. Irradancia. Radiaciones ionizantes. Rayos X. Trabajos con exposición a rayos X. Rayos gamma. Rayos cósmicos. Radioactividad. Radiaciones laser. Radiación incoherente. Radiaciones térmicas. Dosímetros de radiación. Instalaciones radioactivas. E.P. por energía radiante. E.P. por radiaciones ionizantes. Energía: Producción. Trabajador externo.

INSTALACIONES PARA COMER

Instalaciones para comer en las obras de construcción: Los trabajadores deberán disponer de instalaciones para poder comer y, en su caso, para preparar sus comidas en condiciones de seguridad y salud.

— Anexo IV. Parte A.19 RDSSTOC.

Véase: Locales de comedores. Agua potable.

INSTALACIONES RADIOACTIVAS

Se entiende por instalaciones radiactivas:

• Las instalaciones de cualquier clase que contengan una fuente de radiación ionizante.

• Los aparatos productores de radiaciones ionizantes que funcionen a una diferencia de potencial superior a 5 kilovoltios.

• Los locales, laboratorios, fábricas e instalaciones donde se produzcan, utilicen, posean, traten, manipulen o almacenen materiales radiactivos, excepto el almacenamiento incidental durante su transporte.

— Artículo 34 RINR.

— Notas Técnicas de Prevención n.º 304/1993. 589/2001. INSST.

Véase: Radiaciones. Radiaciones ópticas. Radiaciones microondas. Radiaciones infrarrojas. Radiaciones visibles. Radiaciones ultravioleta. Energía radiante. Radancia. Irradancia. Radiaciones ionizantes. Rayos X. Trabajos con exposición a rayos X. Rayos gamma. Rayos cósmicos. Radioactividad. Radiaciones laser. Radiación incoherente. Radiaciones térmicas. Dosímetros de radiación. Instalaciones nucleares. Instalaciones nucleares: Trabajador externo. E.P. por energía radiante. E.P. por radiaciones ionizantes.

INSTALACIONES: MANTENIMIENTO

La notable evolución y complejidad de determinadas instalaciones en la industria de proceso, exige cada vez más la utilización de técnicas de evaluación de riesgos más potentes, que permitan realizar un análisis riguroso de las instalaciones, aportando algo más que la simple identificación de deficiencias o la detección de desviaciones sobre estándares reglamentarios establecidos.

Para la realización de un análisis cuantitativo de riesgos es necesario obtener la frecuencia-probabilidad de que se produzca un determinado accidente, que conjuntamente con el nivel de daño producido definirá el riesgo de la instalación.

— Notas Técnicas de Prevención n.º 417/1996. 460/1997. INSST.

Véase: Instalación. Evaluación de riesgos. Revisiones periódicas. Equipos de trabajo: Mantenimiento.

INSTALACIONES

1. Una unidad técnica en el interior de un establecimiento, con independencia de si se encuentra a nivel de suelo o bajo tierra, en la que se producen, utilizan, manipulan o almacenan sustancias peligrosas; incluyendo todos los equipos, estructuras, canalizaciones, maquinaria, herramientas, ramales ferroviarios particulares, dársenas, muelles de carga o descarga para uso de la misma, espigones, depósitos o estructuras similares, estén a flote o no, necesarios para el funcionamiento de esa instalación.

— Artículo 3.13 RDAG.

2. Instalaciones en el exterior de las obras de construcción:

• Las instalaciones, máquinas y equipos utilizados en las obras deberán ajustarse a lo dispuesto en su normativa específica. En todo caso, y a salvo de disposiciones específicas de la normativa citada, las instalaciones, máquinas y equipos deberán satisfacer las condiciones que se señalan en los siguientes puntos de este apartado.

• Las instalaciones, máquinas y equipos, incluidas las herramientas manuales o sin motor, deberán: 1.º. Estar bien proyectados y construidos, teniendo en cuenta, en la medida de lo posible, los principios de la ergonomía. 2.º. Mantenerse en buen estado de funcionamiento. 3.º. Utilizarse exclusivamente para los trabajos que hayan sido diseñados. 4.º. Ser manejados por trabajadores que hayan recibido una formación adecuada.

• Las instalaciones y los aparatos a presión deberán ajustarse a lo dispuesto en su normativa específica.

— Anexo IV. Parte C.8 RDSSTOC.

Véase: Mantenimiento de instalaciones. Establecimiento.

INSTITUTO NACIONAL DE SEGURIDAD Y SALUD EN EL TRABAJO

1. A partir del 21.7.18 el Instituto Nacional de Seguridad e Higiene en el Trabajo (INSHT) pasa a denominarse, Instituto Nacional de Seguridad y Salud en el Trabajo (INSST).

2. El INSST es un órgano científico técnico especializado en materia de prevención de riesgos laborales, de la Administración General del Estado. Ejerce la Secretaría General de la C.N.S.S.T. Entre otras, tiene las siguientes funciones:

• Estar actualizado en el conocimiento de las fuentes de riesgo, mediante estudios e investigación.

• Asesoramiento técnico de empresas, de trabajadores y de organizaciones sindicales.

• Apoyo técnico y colaboración con la Inspección de Trabajo.

• Coordinación y cooperación, mediante el intercambio de información y experiencias, con los distintos departamentos de la Administración General del Estado y de las Comunidades Autónomas; con la Agencia europea para la Seguridad y Salud en el Trabajo; y con los organismos internacionales, como la O.I.T., O.M.S., etc.

— Artículo 8 LPRL.

3. Las Comunidades Autónomas recibieron las competencias que el INSST desarrollaba a nivel provincial y crearon en sus territorios institutos propios:

• Andalucía. El Instituto Andaluz de Prevención de Riesgos Laborales.
• Aragón. El Instituto Aragonés de Seguridad y Salud Laboral.
• Asturias. El Instituto Asturiano de Prevención de Riesgos Laborales.
• Islas Baleares. La Dirección General de Trabajo y Salud Laboral.
• Canarias. El Instituto Canario de Seguridad Laboral.
• Cantabria. El Instituto Cántabro de Seguridad Salud en el Trabajo.
• Cataluña. Los Centros de Seguridad y Salud Laboral.
• Castilla La Mancha. La Dirección General de Seguridad y Salud Laboral.
• Castilla León. El Centro de Seguridad y Salud Laboral.
• Extremadura. Los Centros Extremeños de Seguridad y Salud Laboral.
• Galicia. El Instituto Gallego de Seguridad y Salud Laboral.
• La Rioja. El Instituto Riojano de Salud Laboral.
• Madrid. El Instituto Regional de Seguridad y Salud en el Trabajo.
• Murcia. El Instituto de Seguridad y Salud Laboral.
• Navarra. El Instituto Navarro de Salud Laboral.
• País Vasco. El Instituto Vasco de Seguridad y Salud Laboral.
• Valencia. El Instituto Valenciano de Seguridad.

Véase: Agencia Europea para la Seguridad y Salud en el Trabajo. Comisión Nacional de Seguridad y Salud en el Trabajo.

INSTRUCCIONES TÉCNICAS COMPLEMENTARIAS

Estas normas serán de aplicación directa en todo el territorio nacional y tendrán el carácter de mínimas, pudiendo ser desarrolladas por las Comunidades Autónomas que tengan atribuciones estatutarias para ello, asegurando la ejecución de las normas básicas e introduciendo, en su caso, medidas adicionales de seguridad. Son aprobadas por Orden Ministerial.

— Artículos 1, 2 RGSG.

Véase: Normas jurídico-técnicas. Normalización. Norma armonizada. Guías técnicas del INSST. Marcado CE. Normas UNE. Normas UNE-EN. Normas UNE-EN-ISO. Reglamento técnico.

INTEGRACIÓN DE LA PREVENCIÓN

1. La prevención de riesgos laborales deberá integrarse en el sistema general de la empresa, tanto en el conjunto de sus actividades como en todos los niveles jerárquicos de ésta, a través de la implantación de un Plan de Prevención de riesgos laborales.

— Artículo 16.1 LPRL.
— Nota Técnica de Prevención n.º 830/2009. INSST.
— Guía técnica para la integración de la prevención de riesgos laborales. 2009. INSST.

— Guía técnica para la integración de la prevención de riesgos laborales en el sistema general de gestión de la empresa. 2015. INSST.

2. La integración de la prevención en toda la línea jerárquica de la empresa requiere la especificación de funciones y cometidos de cada miembro en el organigrama empresarial en materia de prevención de riesgos laborales, asumiendo cada uno la responsabilidad de sus funciones como una más de las consustanciales a su cargo o competencia en la empresa.

— STS Penal 26.7.00.

3. Incumplir la obligación de integrar la prevención de riesgos laborales en la empresa a través de la implantación y aplicación de un Plan de Prevención, con el alcance y contenido establecidos en la normativa de prevención de riesgos laborales, constituye una infracción grave en materia de prevención de riesgos laborales, que lleva aparejada una sanción económica de 2.046 euros a 40.985 euros.

— Artículos 12.1.a y 40.2.b LISOS.

> *Véase: Organización del trabajo. Plan de Prevención. Evaluación de Riesgos. Planificación de la actividad preventiva. Gestión de la prevención.*

INTERRUPTOR AUTOMÁTICO

Interruptor capaz de establecer, mantener e interrumpir las intensidades de corriente de servicio, o de establecer e interrumpir automáticamente, en condiciones predeterminadas, intensidades de corriente anormalmente elevadas, tales como las corrientes de cortocircuito.

— ITC-BT-01 del REBT.

> *Véase: Arco eléctrico. Choque eléctrico. Circuito eléctrico. Corriente de contacto. Corriente de defecto. Corriente de puesta a tierra. Corriente eléctrica. Cortocircuito fusible. Electricistas. Industria eléctrica. Instalación eléctrica. Instalaciones de distribución de energía. Instalaciones de puesta a tierra. Riesgo eléctrico. Soldadura exotérmica. Zona de trabajos en tensión.*

INVERNADEROS

1. Estructura usada para el cultivo y/o protección de plantas y cosechas, la cual optimiza la transmisión de radiación solar bajo condiciones controladas para mejorar el entorno del cultivo y cuyas dimensiones posibilitan el trabajo de las personas en su interior.

— Norma UNE-EN 13031-1:2002.

2. Invernaderos artesanales: Riesgos de seguridad en su construcción y mantenimiento.

— Notas Técnicas de Prevención n.º 1001, 1002/2014. INSST.

> *Véase: Agricultura.*

INVESTIGACIÓN DE LOS ACCIDENTES DE TRABAJO Y DE LAS ENFERMEDADES PROFESIONALES

1. Cuando se haya producido un daño para la salud de los trabajadores o cuando, con ocasión de la vigilancia de la salud, aparezcan indicios de que las medidas de prevención resultan insuficientes, el empresario llevará a cabo una investigación al respecto, a fin de detectar las causas de estos hechos.

— Artículo 16.3 LPRL.

2. Cosa distinta son los controles periódicos, que deben realizarse cuando del resultado de una evaluación de riesgos lo hiciera necesario, para hacer un seguimiento de las condiciones de trabajo y de la actividad de los trabajadores.

— Artículo 16.2.a LPRL.

3. El árbol causal para investigar accidentes es una metodología sencilla que permite ir averiguando los diferentes hechos y causas que han ido aconteciendo, desde las más inmediatas a las básicas u originarias, para tomar finalmente decisiones, seleccionar prioridades de actuación y evitar que tales accidentes se repitan.

A su vez, los árboles de sucesos y los de fallos, aunque son técnicas de evaluación de riesgos un poco más complejas, permiten ir desarrollando de manera ordenada los factores determinantes que se van conjugando ante potenciales situaciones graves indeseadas a evitar para eliminarlos o controlarlos debidamente.

— Notas Técnicas de Prevención n.º 274/1991. 328/1993. 442/1997. 942/2012. 1046/2015. INSST.

4. En la legislación española hay varias definiciones de investigación de accidentes, por ejemplo las referidas a las investigaciones de accidentes e incidentes de aviación civil (RD 389/1998), marítimos (RD 800/2011) o ferroviarios (RD 623/2014), y en todos ellos se describe un proceso compuesto de las etapas siguientes:

- Recogida y análisis de información.
- Elaboración de conclusiones, incluida la determinación de las causas.
- Cuando proceda, la elaboración de recomendaciones de seguridad.

— Nota Técnica de Prevención n.º 1046/2015. INSST.

5. No llevar a cabo una investigación de los en caso de producirse daños a la salud de los trabajadores o de tener indicios de que las medidas preventivas son insuficientes, constituye una infracción grave en materia de prevención de riesgos laborales que lleva aparejada una sanción económica de 2.046 euros a 40.985 euros.

— Artículos 12.3 y 40.2.b LISOS.

6. No registrar y archivar los datos obtenidos en las evaluaciones, controles, reconocimientos, investigaciones o informes a que se refieren los artículos 16, 22 y 23 de la LPRL, constituye una infracción grave en materia de prevención de riesgos laborales que lleva aparejada una sanción económica de 2.046 euros y 40.985 euros.

— Artículos 12.4 y 40.2.b LISOS.

7. Las actividades realizadas con el propósito de prevenir los accidentes e incidentes; estas actividades comprenden la recogida y análisis de la información, la elaboración de conclusiones, la determinación de las causas y, cuando proceda, la formulación de recomendaciones sobre seguridad, con el objeto de prevenirlos en el futuro.

— Artículo 3.g RDIAAC.

— Artículo 3.g RDIAF.

Véase: *Inspección de Trabajo: Investigación de accidentes. Observación del trabajo. Error humano. Imprudencia profesional.*

INVESTIGACIÓN: EQUIPOS

Los equipos de investigación, son el conjunto de personas que por sus conocimientos técnicos participan en una investigación, bajo la dirección del investigador encargado o investigador jefe.

— Artículo 3.h RDIAAC.

Véase: Investigador de campo. Investigador encargado. Investigador jefe. Jefe de trabajo. Laboratorios de investigación.

INVESTIGADOR DE CAMPO

Es la persona con suficientes cualificaciones, que participará en las investigaciones bajo la dirección de un investigador encargado o investigador jefe.

— Artículo 3.i RDIAAC.

— Artículo 3.7 RDIAM.

Véase: Investigación: Equipos. Investigador encargado. Investigador jefe. Jefe de trabajo. Laboratorios de investigación.

INVESTIGADOR ENCARGADO

Investigador encargado, es la persona responsable, en razón de sus cualificaciones profesionales, de la organización, realización y control de una investigación.

— Artículo 3.j RDIAAC.

— Artículo 3.6 RDIAM.

Véase: Investigación: Equipos. Investigador de campo. Investigador jefe. Jefe de trabajo. Laboratorios de investigación.

INVESTIGADOR JEFE

Investigador jefe, es la persona responsable, en razón de su experiencia y cualificaciones profesionales, de la coordinación y designación de los investigadores encargados y demás personal en todas las investigaciones.

— Artículo 3.k RDIAAC.

— Artículo 3.5 RDIAM.

Véase: Investigación: Equipos. Investigador de campo. Investigador encargado. Jefe de trabajo. Laboratorios de investigación.

IRRADIANCIA O DENSIDAD DE POTENCIA

1. Se denomina irradiación a la transferencia de energía la de un material radiactivo a otro material, sin que sea necesario un contacto físico entre ambos, y contaminación radiactiva a la presencia de materiales radiactivos en cualquier superficie, materia o medio, incluyendo las personas. Es evidente que toda contaminación da origen a una irradiación.

— Notas Técnicas de Prevención n.º 614/2003. 728/2006. INSST.

2. La potencia radiante que incide, por unidad de área, sobre una superficie, expresada en vatios por metro cuadrado (W/m^2).

— Artículo 2.f RDSSLT.

Véase: Radancia. Radiaciones. Exposición radiante. Radiaciones ópticas. Radiaciones microondas. Radiaciones infrarrojas. Radiaciones visibles. Radiacio-

nes ultravioleta. Energía radiante. Radiaciones ionizantes. Rayos X. Trabajos con exposición a rayos X. Rayos gamma. Rayos cósmicos. Radioactividad. Radiaciones laser. Radiación incoherente. Radiaciones térmicas. Dosímetros de radiación. Instalaciones nucleares. Instalaciones radioactivas. E.P. por energía radiante. E.P. por radiaciones ionizantes.

ISOCIANATOS

1. Los isocianatos son productos de partida en diversos procesos químicos, entre otros, en la obtención de los poliuretanos. El uretano se obtiene por reacción del ácido isocianúrico o su tautómero el ácido cianúrico con etanol.

2. Los isocianatos son compuestos altamente reactivos y de uso frecuente en el ámbito industrial. Principalmente se usan en industrias de pinturas y recubrimientos, fabricación de poliuretanos y como adhesivos. Los poliuretanos se forman como resultado de una reacción química entre el grupo isocianato (CNO) y el grupo hidroxilo (OH) de los poliésteres y poliéteres.

— Notas Técnicas de Prevención n.º 148/1985. 535/1999. INSST.

3. Los trabajadores expuestos a la inhalación de isocianatos orgánicos (poliuretanos) (Códigos 1Q01 y 1T02), pueden contraer una Enfermedad Profesional (E.P.), causada por agentes químicos, en las actividades o trabajos que a continuación se relacionan:

- Fabricación y aplicación de toluen-diisocianato (TDI) y de difenilmetano-diisocianato (MDI), de hdi, ndi, isoforona, ciclohexanona (precursor). (Código 1Q0101).
- Laqueado y acuchillado de parqué. (Código 1Q0102).
- Laqueado de papel, tejidos, cuero, gomas, hilos conductores. (Código 1Q0103).
- Elaboración y utilización de adhesivos y pinturas que contienen poliuretano. (Código 1Q0104).
- Fabricación y empleo de pegamentos que contengan isocianatos. (Código 1Q0105).
- Fabricación de espumas de poliuretano y su aplicación en estado líquido. (Código 1Q0106).
- Fabricación de fibras sintéticas y de caucho sintético. (Código 1Q0107).
- Fabricación y utilización de anticorrosivos y material aislante de cables. (Código 1Q0108).
- Utilización de monoisocianatos (metilisocianato) como agentes de síntesis en la industria química. (Código 1Q0109).
- Utilización de oxicloruro de carbono en la industria química para la fabricación de isocianatos, poliuretano, policarbonatos, tintes, pesticidas y productos farmacéuticos. (Código 1T0207).

Por ello, debe realizarse reconocimientos médicos previos y periódicos a dichos trabajadores, con la prohibición de no contratar a los calificados como no aptos para desempeñar los puestos de trabajo de que se trate.

— Artículo 243 LGSS, en relación con RDEP (Anexo I).

Véase: Poliuretano. Sustancias reactivas. Fabricación de pinturas. Fabricación de adhesivos.

J

JABONES

1. Producto soluble en agua, resultado de la combinación de un álcali con los ácidos del aceite u otro cuerpo graso, que se usa generalmente para lavar.

2. Los trabajadores ocupados en las actividades económicas, y expuestos a los agentes o sustancias que a continuación se indican, pueden contraer una Enfermedad Profesional (E.P.):

• Industria de cosméticos, perfumes, jabones y detergentes, donde se utilice alcohol, que pueden provocar una E.P. causada por agentes químicos. (Código 1F0107).

• Utilización de la acroleína (aldehídos) en las fábricas de jabón, en la galvanoplastia, en la soldadura de piezas metálicas, que pueden provocar una E.P. causada por agentes químicos. (Código 1G0111).

a) Causada por inhalación de sustancias y agentes no comprendidos en otros apartados:

• Industria de perfumes y productos de belleza, fábricas de jabones y en joyería, donde se utilicen polvos de talco o de caolín, que pueden producir las E.P. de talcosis (Código 4D0111), silicocaolinosis (Código 4D0211) o caolinosis y otras silicatosis (Código 4D0311), provocadas por la inhalación de polvos de talco o de caolín.

Por ello, debe realizarse reconocimientos médicos previos y periódicos a dichos trabajadores, con la prohibición de no contratar a los calificados como no aptos para desempeñar los puestos de trabajo de que se trate.

— Artículo 243 LGSS, en relación con RDEP (Anexo I).

Véase: Cosmética. Perfumes. Desodorantes. Protésicos dentales.

JARDINERÍA

1. Actividad consistente en el cuidado y el cultivo de los jardines. Aunque no puede incluirse en el sector agrario, presenta una serie de características comunes como, la realización de tareas a la intemperie, el contacto con tierra y vegetales, la variedad de tareas que ha de realizar un mismo trabajador, el uso de maquinaria, etc.

— Notas Técnicas de Prevención n.º 964, 965/2013. INSST.

2. Los trabajadores ocupados en las actividades económicas, y expuestos a los agentes o sustancias que a continuación se indican, pueden contraer una Enfermedad Profesional (E.P.), causada por agentes físicos:

• Trabajos en los que se produzca un apoyo prolongado y repetido de forma directa o indirecta sobre las correderas anatómicas que provocan lesiones nerviosas por compresión. Movimientos extremos de hiperflexión y de hiperextensión. Trabajos que requieran posición prolongada en cuclillas, como empedradores, soladores, colocadores de parqué, jardineros y similares, que pueden provocar la E.P. de síndrome de compresión ciática, por la exposición a posturas forzadas y/o movimientos repetitivos. (Código 2F0401).

Por ello, debe realizarse reconocimientos médicos previos y periódicos a dichos trabajadores, con la prohibición de no contratar a los calificados como no aptos para desempeñar los puestos de trabajo de que se trate.

— Artículo 243 LGSS, en relación con RDEP (Anexo I).

Véase: Trabajos del servicio del hogar familiar. Agrícolas. Silvicultura. Explotación forestal.

JEFE DE TRABAJO

Persona designada por el empresario para asumir la responsabilidad efectiva de los trabajos.

— Anexo I. Parte 15 RDSSTRE.

Véase: Investigador jefe.

JOYAS

Véase: Fabricación de joyas.

L

LABORATORIOS DE FOTOGRAFÍA

1. Lugar dotado de los medios necesarios para realizar los procedimientos o las técnicas que permitan obtener imágenes fijas de la realidad mediante la acción de la luz sobre una superficie sensible o sobre un sensor.

2. El material fotográfico se compone de dos partes claramente diferenciadas: la superficie sensible, constituida por una emulsión sensible a la luz, y el soporte.

• La superficie sensible es una dispersión de cristales de halogenuro de plata sobre gelatina. La fotografía utiliza la propiedad fotoquímica de los haluros de plata para formar imágenes, según la cual al sufrir una adecuada exposición a la luz se produce la activación selectiva de algunos granos de haluro de plata (imagen latente). Para potenciar esta propiedad los cristales son tratados previamente con una serie de sensibilizantes. Entre los más usados están la tiourea, el tiosulfato sádico, el tiocianato de oro, el tetracloroaurato potásico y reductores como el hidrógeno, el tert-butilaminoborano, los cationes estaño II o la hidrazina.

• Mientras que en la fotografía en blanco y negro la emulsión está constituida por una sola capa de haluro de plata, en la fotografía en color la película consta de tres negativos de plata superpuestos, es decir, se produce un negativo de plata de cada una de las capas sensibilizadas. En estas capas se introduce una sustancia llamada acoplador, que es la que les confiere la propiedad del color. Esta sustancia también puede ser aportada por el baño revelador.

• Otros componentes de la emulsión son, por ejemplo: los tensioactivos, para reducir el revelado espontáneo de regiones no expuestas (tetraazaindenos, mercaptotetrazoles), aldehídos, para reducir la abrasión y permitir el procesado a altas temperaturas, estabilizantes (iones haluro, benzimidazoles, benzotriazoles y mercaptotetrazoles).

• Para la mayor parte de aplicaciones, la emulsión puede estar sobre una película transparente de vidrio, plástico, papel o cartón.

• Las películas, que a veces son multicapa, deben tener una composición y grosor uniformes. Su composición está constituida por diferentes compuestos químicos dedicados a facilitar la adhesión entre la gelatina y el soporte hidrofóbico, así como a evitar la reflexión de la luz en la emulsión durante la exposición (agentes antihalo: partículas de carbón, colorantes o plata coloidal, que han de ser eliminados durante el proceso).

— Notas Técnicas de Prevención n.º 425, 426/1996. INSST.

3. Los trabajadores ocupados en las actividades económicas, y expuestos a los agentes o sustancias que a continuación se indican, pueden contraer una Enfermedad Profesional (E.P.):

a) Causada por agentes químicos:

• Trabajos en laboratorios de fotografía, donde se utilice mercurio y sus compuestos. (Código 1A0710).

• Empleo de óxidos de vanadio como catalizadores en procesos de oxidación de la industria química y como reveladores y sensibilizadores fotográficos. (Código 1A1102).

• Industria fotográfica, donde se utilice bromo. (Código 1C0105).

• Utilización de yodo en la industria química, farmacéutica y fotográfica. (Código 1C0403).

• Empleo de ácidos orgánicos en la industria metalúrgica, del caucho y en fotografía. (Código 1E0106).

• Fabricación de desinfectantes, tintes, productos farmacéuticos, perfumes, explosivos, potenciadores del sabor, resinas, antioxidantes, barnices, levaduras, productos fotográficos, caucho, plásticos, polímeros de alto peso molecular, plaguicidas, etc., donde se utilicen aldehídos. (Código 1G0104).

• Utilización de reveladores (para-aminofenoles) en la industria fotográfica, donde se utilicen aminas e hidracinas. (Código 1I0105).

• Fabricación de resinas sintéticas, celuloide e hidronaftalenos (tetralin, decalin) que se usan como disolventes, en lubricantes y en combustibles, donde se utilice naftaleno. (Código 1K0205).

• Empleo de derivados alogenados de hidrocarburos aromáticos en las industrias de materias colorantes, perfumería y fotografía. (Código 1K0502).

• Industria de la perfumería, caucho, fotografía y materias plásticas, donde se utilicen éteres. (Código 1O0116).

• Preparación de ciertas películas y placas en la industria fotográfica, donde se utilicen glicoles. (Código 1P0108).

b) Causada por inhalación de sustancias y agentes no comprendidos en otros apartados:

• Fijado y revelado de fotografía, donde los trabajadores estén expuestos a sustancias de bajo peso molecular (metales, polvos de maderas, sustancias químicas, etc.), que pueden provocar alguna de las siguientes E.P: rinoconjuntivitis (Código 4I0108), urticaria (Código 4I0208), angiodemas (Código 4I0208), asma (Código 4I0308), alveolitis alérgica extrínseca (Código 4I0408), síndrome de disfunción de la vía reactiva (Código 4I0508), fibrosis intersticial difusa (Código 4I0608), fiebre de los metales (Código 4I0708), y neumopatía intersticial difusa (Código 4I0808).

c) E.P. de la piel, causado por sustancias y agentes no comprendidos en alguno de los otros apartados:

• Fijado y revelado de fotografía, donde los trabajadores estén expuestos a sustancias de bajo peso molecular (metales, polvos de maderas, sustancias químicas, etc.), que pueden provocar una E.P. de la piel, causada por sustancias de bajo peso molecular. (Código 5A0108).

d) Causadas por agentes cancerígenos:

• Utilización de reveladores (para-aminofenoles) en la industria fotográfica, donde se utilicen aminas, que pueden provocar la E.P. de cáncer versical. (Código 6O0105).

Por ello, debe realizarse reconocimientos médicos previos y periódicos a dichos trabajadores, con la prohibición de no contratar a los calificados como no aptos para desempeñar los puestos de trabajo de que se trate.

— Artículo 243 LGSS, en relación con RDEP (Anexo I).

Véase: Fotograbado. Colodión. Celuloide. Cine. Actores.

LABORATORIOS DE INVESTIGACIÓN

1. Lugares dotados de los medios necesarios para realizar investigaciones, experimentos y trabajos de carácter científico o técnico.

2. Existe un amplio número de Notas Técnicas de Prevención del INSST indicando técnicas de prevención a tener en cuenta en el trabajo de laboratorios:

• Cabinas de laboratorio. Control por ventilación de productos de elevada toxicidad en laboratorios. NTP 57/1983.

• Seguridad en el laboratorio. «Cuestionario de Seguridad». NTP 135/1985.

• Pérdida de carga de los soportes de retención. NTP 138/1985.

• Cabinas de seguridad biológica. NTP 233/1989.

• Formaldehído: Su control en laboratorios de Anatomía y Anatomía Patológica. NTP 248/1989.

• Eliminación de residuos en el laboratorio: Procedimientos generales. NTP 276/1991.

• Seguridad en el laboratorio: Gestión de residuos tóxicos y peligrosos en pequeñas cantidades. NTP 359/1994.

• La ventilación general en el laboratorio. NTP 373/1995.

• Seguridad en el laboratorio: Actuación en caso de fugas y vertidos. NTP 399/1995.

• Desinfectantes: Características y usos más corrientes. NTP 429/1996.

• Prevención del riesgo en el laboratorio. Organización y recomendaciones generales. NTP 432/1996.

• Prevención del riesgo en el laboratorio. Instalaciones, material de laboratorio y equipos. NTP 433/1996.

• Seguridad en el laboratorio: Características de peligrosidad de los productos químicos de uso más corriente. NTP 461/1997.

• Prevención del riesgo en el laboratorio químico: Operaciones básicas. NTP 464/1997.

• Trabajo con animales de experimentación. NTP 468/1997.

• Prevención del riesgo en el laboratorio químico: Reactividad de los productos químicos (I) y (II). NTP 478, 479/1998.

• La gestión de los residuos peligrosos en los laboratorios universitarios y de investigación. NTP 480/1998.

• Aseguramiento de la calidad en un laboratorio de higiene industrial: El manual de calidad (I) y (II). NTP 482, 483/1998.

• Prevención del riesgo en el laboratorio: elementos de actuación y protección en casos de emergencia. NTP 500/1998.

• Aseguramiento de la calidad en los laboratorios de higiene industrial: Procedimientos normalizados de trabajo (PNT). NTP 508/1999.

• Prevención del riesgo en el laboratorio. Utilización de equipos de protección individual (I): Aspectos generales. NTP 517/1999.

• Prevención del riesgo en el laboratorio. Utilización de equipos protección individual (II): Gestión. NTP 518/1999.

• Prevención del riesgo biológico en el laboratorio: Trabajo con virus. NTP 520/1999.

• Prevención del riesgo biológico en el laboratorio: Trabajo con hongos. NTP 539/1999.

• Prevención del riesgo biológico en el laboratorio: Trabajo con parásitos. NTP 545/2000.

• Prevención de riesgos en el laboratorio: Ubicación y distribución. NTP 550/2000.

• Prevención de riesgos en el laboratorio: La importancia del diseño. NTP 551/2000.

• Gestión de los equipos de medición en un laboratorio de higiene industrial. NTP 582/2001.

• Prevención del riesgo biológico en el laboratorio: Trabajo con bacterias. NTP 585/2001.

• Riesgos biológicos en la utilización, mantenimiento y reparación de instrumentos de laboratorio. NTP 616/2003.

• Seguridad en el laboratorio: Selección y ubicación de vitrinas. NTP 646/2004.

• Materiales de referencia. Utilización en el laboratorio de higiene industrial. NTP 656/2004.

• Extracción localizada en el laboratorio. NTP 672/2004.

• Seguridad en el laboratorio. Vitrinas de gases de laboratorio: Utilización y mantenimiento. NTP 677/2004.

• Evaluación de la calidad en el laboratorio de higiene industrial. Programas de intercomparación. NTP 681/2005.

• Seguridad en el laboratorio: Almacenamiento de productos químicos. NTP 725/2006.

• Inspecciones de bioseguridad en los laboratorios. NTP 739/2006.

• Seguridad en el laboratorio: Cuestionario de seguridad para laboratorios de secundaria. NTP 921/2011.

• Laboratorios químicos: Clasificación y estimación de su peligrosidad (I) y (II). NTP 987, 988/2013.

• Seguridad en el laboratorio: Medición de la contención de las vitrinas de gases. NTP 990/2013.

• Seguridad en el laboratorio: Utilización de vitrinas de recirculación con filtro. NTP 1055/2015.

• Proyectos de investigación universitarios: Gestión de la prevención de riesgos laborales. NTP 1099, 1100/2017.

3. Los trabajadores ocupados en las actividades económicas, y expuestos a los agentes o sustancias que a continuación se indican, pueden contraer una Enfermedad Profesional (E.P.):

a) Causada por agentes químicos:

• Usos (del ácido sulfúrico) como ácido para acumulador en la electrolisis, en la industria química (producción de abonos) y laboratorios. (Código 1D0210).

• Uso en laboratorio, donde se utilice ácido cianhídrico. (Código 1D0414).

• Utilización de ácidos orgánicos como reactivos de laboratorio. (Código 1E0116).

• Utilización de amoníaco en laboratorios. (Código 1J0106).

• Trabajos de laboratorio en los que se emplee benceno. (Código 1K0105).

• Uso de xileno y tolueno en laboratorio de análisis químico y de anatomía patológica. (Código 1K0305).

• Utilización de nitroderivados de los hidrocarburos aromáticos en laboratorios. (Código 1K0608).

b) Causada por agentes físicos:

• Empleo de sustancias radiactivas y rayos X en los laboratorios de investigación, que pueden producir E.P. provocadas por radiaciones ionizantes. (Código 2I0104).

• Reactores de investigación y de producción de energía, donde se utilicen sustancias radioactivas, que pueden producir E.P. provocadas por radiaciones ionizantes. (Código 2I0109).

• Trabajos que precisan lámparas germicidas, antorchas de plomo, soldadura de arco o xenón, irradiación solar en grandes altitudes, láser industrial, colada de metales en fusión, vidrieros, empleados en estudios de cine, actores, personal de teatros, laboratorios bacteriológicos y similares, con exposición a radiaciones no ionizantes, con longitud de onda entre los 100 y 400 nm, que pueden producir E.P. oftalmológicas por su exposición a radiaciones no ionizantes (radiaciones ultravioleta). (Código 2J0101).

c) Causada por agentes biológicos:

• Personal de laboratorio, que puede contraer una E.P. infecciosa transmitida por personas. (Código 3A0103).

• Trabajadores de laboratorios de investigación o análisis clínicos, que puede contraer una E.P. infecciosa transmitida por personas. (Código 3A0105).

• Personal de laboratorios, que puede contraer una E.P. infecciosa transmitida por animales (o por sus productos y cadáveres). (Código 3B0111).

• Trabajos de manipulación de excretas humanas o de animales (Expeler el excremento. Expulsar los residuos metabólicos, como la orina o el anhídrido carbónico de la respiración), que pueden provocar una E.P. infecciosa transmitida por animales (o por sus productos y cadáveres). (Código 3B0120).

d) Causada por inhalación de sustancias y agentes no comprendidos en otros apartados:

• Personal de laboratorios médicos y farmacéuticos, donde los trabajadores estén expuestos a sustancias de alto peso molecular (de origen vegetal o animal), que pueden provocar alguna de las siguientes E.P: rinoconjuntivitis (Código 4H0124), asma (Código 4H0224), alveolitis alérgica extrínseca (Código 4H0324), síndrome de disfunción reactivo de la vía aérea (Código 4H0424), fibrosis intersticial difusa (Código 4H0524), bisinosis, cannabiosis, linnosis, bagazosis, estipatosis, suberosis (Código 4H0624), y neumopatía intersticial difusa (Código 4H0724).

• Personal de laboratorios médicos y farmacéuticos, donde los trabajadores estén expuestos a sustancias de bajo peso molecular (metales, sustancias químicas, etc.), que pueden provocar alguna de las siguientes E.P: rinoconjuntivitis (Código 4I0119), urticaria (Código 4I0219), angiodemas (Código 4I0219), asma (Código 4I0319), alveolitis alérgica extrínseca (Código 4I0419), síndrome de disfunción de la vía reactiva (Código 4I0519), fibrosis intersticial difusa (Código 4I0619), fiebre de los metales (Código 4I0719), y neumopatía intersticial difusa (Código 4I0819).

e) E.P. de la piel, causada por sustancias y agentes no comprendidos en alguno de los otros apartados:

• Personal de laboratorios médicos y farmacéuticos, donde los trabajadores estén expuestos a sustancias de bajo peso molecular (metales, sustancias químicas, etc.), que puede provocar una E.P. de la piel, causada por sustancias de bajo peso molecular. (Código 5A0119).

• Personal de laboratorios médicos y farmacéuticos, donde los trabajadores estén expuestos a sustancias de alto peso molecular (de origen vegetal o animal), que pueden provocar una E.P. de la piel, causada por sustancias de alto peso molecular. (Código 5B0124).

• Trabajadores de laboratorios de investigación o análisis clínicos, expuestos a agentes infecciosos, que pueden contraer una E.P. de la piel causada por dichos agentes. (Código 5D0103).

f) Causada por agentes cancerígenos:

• Trabajos de laboratorio en los que se emplee benceno, que puede provocar la E.P. de síndrome linfo y mieloproliferativos. (Código 6D0105).

• Empleo de sustancias radiactivas y rayos X en los laboratorios de investigación, que pueden provocar la E.P. de síndrome linfo y mieloproliferativos. (Código 6N0104).

• Reactores de investigación y centrales nucleares, que pueden provocar la E.P. de síndrome linfo y mieloproliferativos. (Código 6N0109).

• Empleo de sustancias radiactivas y rayos X en los laboratorios de investigación, que puede provocar la E.P. de carcinoma epidermoide de piel. (Código 6N0204).

• Reactores de investigación y centrales nucleares, que puede provocar la E.P. de carcinoma epidermoide de piel. (Código 6N0209).

• Utilización de nitrobenceno en laboratorios, que puede provocar la E.P. de linfoma. (Código 6P0108).

• Uso en laboratorio, donde se utilice ácido cianhídrico, que puede provocar una E.P. cancerígena. (Código 6Q0114).

Por ello, debe realizarse reconocimientos médicos previos y periódicos a dichos trabajadores, con la prohibición de no contratar a los calificados como no aptos para desempeñar los puestos de trabajo de que se trate.

— Artículo 243 LGSS, en relación con RDEP (Anexo I).

Véase: Industria farmacéutica. Industria química. Cultivo celular. Investigación: Equipos. Investigador de campo. Investigador encargado. Investigador jefe. Jefe de trabajo. Nanotecnología.

LACAS

1. Sustancia resinosa, traslúcida, quebradiza y encarnada, que se forma por exudación vegetal en las ramas de algunos árboles asiáticos. Barniz duro y brillante. Pintura opaca o transparente de singular brillo y tersura, utilizada en acabado de interiores, sobre madera o acero.

2. Los trabajadores ocupados en las actividades económicas, y expuestos a los agentes o sustancias que a continuación se indican, pueden contraer una Enfermedad Profesional (E.P.):

a) Causada por agentes químicos:

• Fabricación y aplicación de pinturas, lacas, barnices o tintas a base de compuestos de plomo. (Código 1A0910).

• Producción de abonos orgánicos, explosivos, nitrocelulosa, seda artificial y cuero sintético, barnices, lacas, colorantes y colodium, donde se utilice ácido nítrico. (Código 1D0102).

• Fabricación y utilización de disolventes o diluyentes para los colorantes, pinturas, lacas, barnices, resinas naturales y sintéticos, desengrasantes y quitamanchas, donde se utilice alcohol. (Código 1F0104).

• Uso del naftaleno en fungicidas, bronceadores sintéticos, conservantes, textiles, químicos, materia prima y producto intermedio en industria del plástico y en la fabricación de lacas y barnices. (Código 1K0207).

• Operaciones de disolución de resinas naturales o sintéticas para la preparación de colas, adhesivos, lacas, barnices, esmaltes, masillas, tintas, diluyentes de pinturas y productos de limpieza, donde se utilice xileno o tolueno. (Código 1K0303).

• Empleo de barnices, pinturas, esmaltes, adhesivos, lacas y masillas, que contengan cetonas. (Código 1L0111).

• La epiclorhidrina (Epóxido) se utiliza además, como insecticida, fumigante y disolvente de pinturas, barnices, esmaltes y lacas. Producción de resinas de alta resistencia a la humedad en la industria papelera. (Código 1M0106).

• Fabricación de lacas de uñas y perfumes, esencias de frutas, donde se utilicen ésteres orgánicos. (Código 1N0108).

• Disolventes y codisolventes de lacas, resinas, pigmentos, tintes, esmaltes, barnices, perfumes, aceites, acetato de celulosa y nitrato de celulosa, que contengan éteres. (Código 1O0101).

• Utilización de glicoles en la industria química como productos intermedios en numerosas síntesis orgánicas, como disolventes de lacas, resinas, barnices celulósicos de secado rápido, de ciertas pinturas, pigmentos, nitrocelulosa y acetatos de celulosa, tintes y plásticos. (Código 1P0102).

• Laqueado y acuchillado de parqué, donde se utilicen isocianatos. (Código 1Q0102).

• Laqueado de papel, tejidos, cuero, gomas, hilos conductores, donde se utilicen isocianatos. (Código 1Q0103).

• Fabricación de colorantes, lacas y tintes, donde se utilicen óxidos de nitrógeno. (Código 1T0302).

b) Causada por inhalación de sustancias o agentes no comprendidos en otros apartados:

• Fabricación y aplicación de lacas, pinturas, colorantes, adhesivos, barnices, esmaltes, donde los trabajadores estén expuestos a sustancias de bajo peso molecular (metales, polvos de maderas, sustancias químicas, etc.), que pueden provocar alguna de las siguientes E.P.: rinoconjuntivitis (Código 4I0109), urticaria (Código 4I0209), angiodemas (Código 4I0209), asma (Código 4I0309), alveolitis alérgica extrínseca (Código 4I0409), síndrome de disfunción de la vía reactiva (Código 4I0509), fibrosis intersticial difusa (Código 4I0609), fiebre de los metales (Código 4I0709), y neumopatía intersticial difusa (Código 4I0809).

c) E.P. de la piel, causada por inhalación de sustancias o agentes no comprendidos en alguno de los otros apartados:

• Fabricación y aplicación de lacas, pinturas, colorantes, adhesivos, barnices, esmaltes, donde los trabajadores estén expuestos a sustancias de bajo peso molecular (metales, polvos de maderas, sustancias químicas, etc.), que pueden provocar una E.P. de la piel, causada por sustancias de bajo peso molecular. (Código 5A0109).

Por ello, debe realizarse reconocimientos médicos previos y periódicos a dichos trabajadores, con la prohibición de no contratar a los calificados como no aptos para desempeñar los puestos de trabajo de que se trate.

— Artículo 243 LGSS, en relación con RDEP (Anexo I).

Véase: Fabricación de pinturas. Barnices. Esmaltes. Fabricación de resinas. Pintores. Aerografía. Colocadores de parquet. Baquelita.

LADRILLOS REFRACTARIOS

1. Fabricación de conglomerado de materias resistentes a la acción del fuego, en forma de ladrillo.

2. Los trabajadores ocupados en las actividades económicas, y expuestos a los agentes o sustancias que a continuación se indican, pueden contraer una Enfermedad Profesional (E.P.):

a) Causada por inhalación de sustancias y agentes no comprendidos en otros apartados:

• Fabricación de carborundo, vidrio, porcelana, loza y otros productos cerámicos, fabricación y conservación de los ladrillos refractarios a base de sílice, que pueden provocar la E.P. de silicosis, por la exposición a la inhalación de polvo de sílice libre. (Código 4A0104).

b) Causada por sustancias cancerígenas:

• Producción de ladrillos refractarios y cerámicos, donde se utilicen hidrocarburos aromáticos, que pueden provocar la E.P. de lesiones premalignas de piel (Código 6J0123), y/o E.P. de carcinoma de células escamosas (Código 6J0223).

Por ello, debe realizarse reconocimientos médicos previos y periódicos a dichos trabajadores, con la prohibición de no contratar a los calificados como no aptos para desempeñar los puestos de trabajo de que se trate.

— Artículo 243 LGSS, en relación con RDEP (Anexo I).

Véase: Productos refractarios. Material refractario. Briquetas. Manganeso. Productos ignífugos.

LÁMPARAS DE INCANDESCENCIA

1. Se denomina lámpara incandescente, bombilla, lamparita o bombita de luz al dispositivo que produce luz mediante el calentamiento por Efecto Joule de un filamento metálico, hasta ponerlo al rojo blanco, mediante el paso de corriente eléctrica.

2. Los trabajadores ocupados en las actividades económicas, y expuestos a los agentes o sustancias que a continuación se indican, pueden contraer una Enfermedad Profesional (E.P.), causada por agentes químicos:

• Fabricación y reparación de termómetros, barómetros, bombas de mercurio, lámparas de incandescencia, lámparas radiofólicas, tubos radiográficos, rectificadores de corriente y otros aparatos que contengan mercurio. (Código 1A0709).

Por ello, debe realizarse reconocimientos médicos previos y periódicos a dichos trabajadores, con la prohibición de no contratar a los calificados como no aptos para desempeñar los puestos de trabajo de que se trate.

— Artículo 243 LGSS, en relación con RDEP (Anexo I).

Véase: Luminaria. Mercurio. Tungsteno.

LÁMPARAS FLUORESCENTES

1. Tubo de iluminación en el que un gas se torna incandescente por efecto de una corriente eléctrica.

2. Los trabajadores ocupados en las actividades económicas, y expuestos a los agentes o sustancias que a continuación se indican, pueden contraer una Enfermedad Profesional (E.P.):

a) Causada por agentes químicos:
• Fabricación de lámparas fluorescentes, donde se utilice cadmio y sus compuestos. (Código 1A0304).

b) Causada por agentes cancerígenos:
• Fabricación de lámparas fluorescentes, donde se utilice cadmio, que puede provocar la E.P. de neoplasia maligna de bronquio, pulmón y próstata. (Código 6G0104).

Por ello, debe realizarse reconocimientos médicos previos y periódicos a dichos trabajadores, con la prohibición de no contratar a los calificados como no aptos para desempeñar los puestos de trabajo de que se trate.

— Artículo 243 LGSS, en relación con RDEP (Anexo I).

Véase: Luminaria. Cadmio.

LÁMPARAS GERMICIDAS

1. Una lámpara germicida es un tipo especial de lámpara que produce luz ultravioleta. Lámparas que destruyen gérmenes.

2. Los trabajadores ocupados en las actividades económicas, y expuestos a los agentes o sustancias que a continuación se indican, pueden contraer una Enfermedad Profesional (E.P.), causada por agentes físicos:

• Trabajos que precisan lámparas germicidas, antorchas de plomo, soldadura de arco o xenón, irradiación solar en grandes altitudes, láser industrial, colada de metales en fusión, vidrieros, empleados en estudios de cine, actores, personal de teatros, laboratorios bacteriológicos y similares, con exposición a radiaciones no ionizantes, con longitud de onda entre los 100 y 400 nm, que pueden producir E.P. oftalmológicas por su exposición a radiaciones no ionizantes (radiaciones ultravioleta). (Código 2J0101).

Por ello, debe realizarse reconocimientos médicos previos y periódicos a dichos trabajadores, con la prohibición de no contratar a los calificados como no aptos para desempeñar los puestos de trabajo de que se trate.

— Artículo 243 LGSS, en relación con RDEP (Anexo I).

Véase: Radiaciones ultravioleta. Radiaciones ópticas.

LÁSER

1. Amplificación de luz por emisión estimulada de radiación: Todo dispositivo susceptible de producir o amplificar la radiación electromagnética en el intervalo de la longitud de onda de la radiación óptica, principalmente mediante el proceso de emisión estimulada controlada.

— Artículo 2.b RDSSLT.

— Nota Técnica de Prevención n.º 654/2004. INSST.

2. Los trabajadores ocupados en las actividades económicas, y expuestos a los agentes o sustancias que a continuación se indican, pueden contraer una Enfermedad Profesional (E.P.), causada por agentes físicos:

• Trabajos que precisan lámparas germicidas, antorchas de plomo, soldadura de arco o xenón, irradiación solar en grandes altitudes, láser industrial, colada de metales en fusión, vidrieros, empleados en estudios de cine, actores, personal de teatros, laboratorios bacteriológicos y similares, con exposición a radiaciones no ionizantes, con longitud de onda entre los 100 y 400 nm, que pueden producir E.P. oftalmológicas por su exposición a radiaciones no ionizantes (radiaciones ultravioleta). (Código 2J0101).

Por ello, debe realizarse reconocimientos médicos previos y periódicos a dichos trabajadores, con la prohibición de no contratar a los calificados como no aptos para desempeñar los puestos de trabajo de que se trate.

— Artículo 243 LGSS, en relación con RDEP (Anexo I).

Véase: Radiaciones láser. Radiaciones. Radiaciones ópticas.

LÁTEX

1. Jugo propio de muchos vegetales, que circula por los vasos laticíferos, tiene una composición muy compleja y de él se obtienen sustancias tan diversas como el caucho, la gutapercha, etc. El de ciertas plantas es venenoso, como el del manzanillo, el de otras muy áspero y picante, como el de la higuera común, y el del árbol de la leche, es dulce y utilizable como alimento.

2. Los trabajadores ocupados en las actividades económicas, y expuestos a los agentes o sustancias que a continuación se indican, pueden contraer una Enfermedad Profesional (E.P.):

a) Causada por agentes químicos:

• Fabricación y utilización de pinturas, disolventes, decapantes, barnices, látex, etc., donde se utilicen derivados halogenados. (Código 1H0206).

b) Causada por inhalación de sustancias y agentes no comprendidos en otros apartados:

• Industria del plástico, industria del látex, donde los trabajadores estén expuestos a sustancias de alto peso molecular (de origen vegetal o animal), que pueden provocar alguna de las siguientes E.P: rinoconjuntivitis (Código 4H0117), asma (Código 4H0217), alveolitis alérgica extrínseca (Código 4H0317), síndrome de disfunción reactivo de la vía aérea (Código 4H0417), fibrosis intersticial difusa (Código 4H0517), bisinosis, cannabiosis, linnosis, bagazosis, estipatosis, suberosis (Códigos 4H0617), neumopatía intersticial difusa (Código 4H0717).

• Industria del plástico, industria del látex, donde los trabajadores estén expuestos a sustancias de bajo peso molecular (metales, sustancias químicas, etc.), que pueden provocar alguna de las siguientes E.P: rinoconjuntivitis (Código 4I0117), urticaria (Código 4I0217), angiodemas (Código 4I0217), asma (Código 4I0317), alveolitis alérgica extrínseca (Código 4I0417), síndrome de disfunción de la vía reactiva (Código 4I0517), fibrosis intersticial difusa (Código 4I0617), fiebre de los metales (Código 4I0717), neumopatía intersticial difusa (Código 4I0817).

c) E.P. de la piel, causada por sustancias y agentes no comprendidos en alguno de los otros apartados:

• Industria del plástico, industria del látex, donde los trabajadores estén expuestos a sustancias de bajo peso molecular (metales, sustancias químicas, etc.), que pueden provocar una E.P. de la piel, causada por sustancias de bajo peso molecular. (Código 5A0101).

• Industria del plástico, industria del látex, donde los trabajadores estén expuestos a sustancias de alto peso molecular (de origen vegetal o animal), que pueden provocar una E.P. de la piel, causada por sustancias de alto peso molecular. (Código 5B0117).

Por ello, debe realizarse reconocimientos médicos previos y periódicos a dichos trabajadores, con la prohibición de no contratar a los calificados como no aptos para desempeñar los puestos de trabajo de que se trate.

— Artículo 243 LGSS, en relación con RDEP (Anexo I).

Véase: Industria del caucho. Gutapercha. Vulcanización.

LAVABOS

1. Los lavabos dispondrán de agua corriente, caliente si es necesario, jabón y toallas individuales u otro sistema de secado con garantías higiénicas.

— Anexo V. Parte A.2.4.º RDSSLT.

2. En los lugares de trabajo deberán existir el número de lavabos con agua corriente, que permita la utilización de los mismos si dificultades o molestias para los trabajadores, teniendo en cuenta en cada caso el número de trabajadores que vayan a utilizarlos simultáneamente.

— Anexo V. Parte A.2.8.º RDSSLT.

3. Lavabos en las obras de construcción: Los trabajadores deberán disponer en las proximidades de sus puestos de trabajo, de los locales de descanso, de los vestuarios y de las duchas o lavabos, de locales especiales equipados con un número suficiente de retretes y de lavabos.

Los vestuarios, duchas, lavabos y retretes estarán separados para hombres y mujeres, o deberá preverse una utilización por separado de los mismos.

— Anexo IV. Parte A.15 RDSSTOC.

4. Los lugares de trabajo en las obras de construcción deberán estar acondicionados teniendo en cuenta, en su caso, a los trabajadores discapacitados. Esta disposición se aplicará, en particular, a las puertas, vías de circulación, escaleras, duchas, lavabos, retretes y lugares de trabajo utilizados u ocupados directamente por trabajadores discapacitados.

— Anexo IV. Parte A.18 RDSSTOC.

> *Véase: Agua potable. Duchas. Retretes. Locales de aseo. Locales de comedores. Locales de vestuarios.*

LAVANDERÍAS

1. Establecimiento industrial para el lavado de la ropa.

2. Instalaciones de limpieza en seco.

— Nota Técnica de Prevención n.º 56/1983. INSSL.

3. Los trabajadores ocupados en las actividades económicas, y expuestos a los agentes o sustancias que a continuación se indican, pueden contraer una Enfermedad Profesional (E.P.), causada por agentes químicos:

   • Utilización de ésteres en productos de limpieza, lavandería y tintorería. (Código 1N0117).

Por ello, debe realizarse reconocimientos médicos previos y periódicos a dichos trabajadores, con la prohibición de no contratar a los calificados como no aptos para desempeñar los puestos de trabajo de que se trate.

— Artículo 243 LGSS, en relación con RDEP (Anexo I).

> *Véase: Lavanderos. Tintorerías.*

LAVANDEROS

1. Persona que tiene por oficio lavar la ropa.

2. Los trabajadores ocupados en las actividades económicas, y expuestos a los agentes o sustancias que a continuación se indican, pueden contraer una Enfermedad Profesional (E.P.), causada por agentes físicos:

   • Trabajos en los que se produzca un apoyo prolongado y repetido de forma directa o indirecta sobre las correderas anatómicas que provocan lesiones nerviosas por compresión. Movimientos extremos de hiperflexión y de hiperextensión. Trabajos que requieran movimientos repetidos o mantenidos de hiperextensión e hiperflexión de la muñeca, de aprehensión de la mano como lavanderos, cortadores de tejidos y material plástico y similares, trabajos de montaje (electrónica, mecánica), industria textil, mataderos (carniceros, matarifes), hostelería (camareros, cocineros), soldadores, carpinteros, pulidores, pintores, que pueden provocar la E.P. de síndrome del túnel carpiano. (Código 2F0201).

Por ello, debe realizarse reconocimientos médicos previos y periódicos a dichos trabajadores, con la prohibición de no contratar a los calificados como no aptos para desempeñar los puestos de trabajo de que se trate.

— Artículo 243 LGSS, en relación con RDEP (Anexo I).

Véase: Lavanderías. Tintorerías.

LEGIONELLA

1. La legionella es una bacteria Gram negativa de forma bacilar, ubicua en medios acuáticos naturales, lagos, ríos, arroyos, lodos, etc.; que también sobrevive en pequeñas cantidades en los sistemas potabilizadores de agua, pudiendo ser transportada con ella a los edificios donde puede colonizar las instalaciones de suministro de agua y los sistemas de acondicionamiento del aire.

La legionella crece en agua a temperaturas comprendidas entre 20°C y 50°C, con un desarrollo óptimo entre 35°C y 45°C. Por debajo de los 20°C permanece latente, sin multiplicarse, y no sobrevive por encima de los 60°C.

Otros factores que tienen influencia en su desarrollo son: el pH del agua (sobreviven bien en intervalos de pH que oscilan entre 2 y 9,5); precisan de la presencia de L-cisteína y de sales de hierro; y se ha comprobado que la presencia de otras formas de vida como las algas y los protozoos le otorgan, al ser parasitadas, un grado de protección adicional frente a los tratamientos del agua.

— Notas Técnicas de Prevención n.º 538/1989. 691, 692/2005. INSST.

2. Los trabajadores ocupados en las actividades económicas, y expuestos a los agentes o sustancias que a continuación se indican, pueden contraer una Enfermedad Profesional (E.P.), causada por agentes biológicos:

• Trabajadores dedicados a la limpieza y mantenimiento de instalaciones que sean susceptibles de transmitir la legionella, con exposición a agentes biológicos que pueden provocar enfermedades infecciosas. (Código 3D0105).

Por ello, debe realizarse reconocimientos médicos previos y periódicos a dichos trabajadores, con la prohibición de no contratar a los calificados como no aptos para desempeñar los puestos de trabajo de que se trate.

— Artículo 243 LGSS, en relación con RDEP (Anexo I).

Véase: Bacterias. Agua potable. Agua: Tratamiento.

LESIÓN GRAVE

Cualquier lesión sufrida por una persona en un accidente que requiera hospitalización durante más de 48 horas, iniciándose dicha hospitalización dentro de un plazo de siete días contados a partir de la fecha en que se sufrió la lesión; u ocasione una fractura ósea (con excepción de las fracturas simples de la nariz o de los dedos de las manos o de los pies); u ocasione laceraciones que den lugar a hemorragias graves, lesiones de nervios, músculos o tendones; u ocasione daños a cualquier órgano interno; u ocasione quemaduras de segundo o tercer grado u otras quemaduras que afecten a más del 5 por 100 de la superficie del cuerpo; o sea imputable a la exposición, comprobada, a sustancias infecciosas o a radiaciones perjudiciales.

— Artículo 3.l RDIAAC.

2. Cualquier lesión sufrida por una persona en un accidente marítimo y que dan como resultado una incapacidad de más de setenta y dos horas dentro de los siete días siguientes a la fecha en que se produjeron las lesiones.

— Artículo 3.9 RDIAM.

Véase: Riesgo. Riesgo laboral. Riesgo laboral grave. Riesgo laboral grave e inminente. Accidentes graves. Lesión mortal.

LESIÓN MORTAL

Cualquier lesión sufrida por una persona en un accidente que provoque su muerte en el plazo de treinta días contados a partir de la fecha del accidente.

— Artículo 3.m RDIAAC.

Véase: Lesión grave.

LESIONES PERMANENTES NO INVALIDANTES

Las lesiones, mutilaciones y deformidades de carácter definitivo, causadas por accidentes de trabajo o enfermedades profesionales que, sin llegar a constituir una incapacidad permanente, supongan una disminución o alteración de la integridad física del trabajador y aparezcan recogidas en el baremo anejo a las disposiciones de desarrollo de esta Ley, serán indemnizadas, por una sola vez, con las cantidades alzadas que en el mismo se determinen, por la entidad que estuviera obligada al pago de las prestaciones de invalidez permanente, todo ello sin perjuicio del derecho del trabajador a continuar al servicio de la empresa.

— Artículo 201 LGSS.

Véase: Incapacidad temporal. Incapacidad permanente parcial. Incapacidad permanente.

LEVADURA

Organismo unicelular, de la familia de los blastomicetos, que se reproduce por gemación.

— Nota Técnica de Prevención n.º 335/1994. INSST.

Véase: Alimentación.

LEVANTAMIENTO MANUAL DE CARGAS

Véase: Manipulación manual de cargas.

LIBRO DE INCIDENCIAS

1. En cada centro de trabajo existirá con fines de control y seguimiento del Plan de Seguridad y Salud un libro de incidencias que constará de hojas por duplicado, habilitado al efecto.

— Artículo 13.1 RDSSTOC.

2. El libro de incidencias será facilitado por:

• El Colegio profesional al que pertenezca el técnico que haya aprobado el Plan de Seguridad y Salud.

• La Oficina de Supervisión de Proyectos u órgano equivalente cuando se trate de obras de las Administraciones públicas.

— Artículo 13.2 RDSSTOC.

3. El libro de incidencias, que deberá mantenerse siempre en la obra, estará en poder del Coordinador en materia de seguridad y salud durante la ejecución de la obra o, cuando no fuera necesaria la designación de coordinador, en poder de la Dirección facultativa. A dicho libro tendrán acceso la dirección facultativa de la obra, los contratistas y subcontratistas y los trabajadores autónomos, así como las personas u órganos con responsabilidades en materia de prevención en las empresas intervinientes en la obra, los representantes de los trabajadores y los técnicos de los órganos especializados en materia de seguridad y salud en el trabajo de las Administraciones públicas competentes, quienes podrán hacer anotaciones en el mismo, relacionadas con los fines que al libro se le reconocen en el apartado 1.

— Artículo 13.3 RDSSTOC.

4. Efectuada una anotación en el libro de incidencias, el Coordinador en materia de seguridad y salud durante la ejecución de la obra o, cuando no sea necesaria la designación de coordinador, la Dirección facultativa, deberán notificarla al contratista afectado y a los representantes de los trabajadores de éste. En el caso de que la anotación se refiera a cualquier incumplimiento de las advertencias u observaciones previamente anotadas en dicho libro por las personas facultadas para ello, así como en el supuesto a que se refiere el artículo siguiente, deberá remitirse una copia a la Inspección de Trabajo y Seguridad Social en el plazo de veinticuatro horas. En todo caso, deberá especificarse si la anotación efectuada supone una reiteración de una advertencia u observación anterior o si, por el contrario, se trata de una nueva observación.

— Artículo 13.4 RDSSTOC.

Véase: Plan de Seguridad y Salud. Coordinador durante ejecución de la obra. Coordinador en materia de Seguridad y Salud. Coordinador durante proyecto de obra.

LIBRO DE SUBCONTRATACIÓN

Cuando las empresas principal, contratista o subcontratista compartan de forma continuada un mismo centro de trabajo, la primera deberá disponer de un libro registro en el que se refleje la información anterior respecto de todas las empresas citadas. Dicho libro estará a disposición de los representantes legales de los trabajadores.

— Artículo 42.4 LET.

Véase: Nivel de subcontratación. Empresario titular del centro de trabajo. Empresario principal. Empresario contratista.

LIMAS

1. Las limas son herramientas manuales diseñadas para conformar objetos sólidos desbastándolos en frío.

— Nota Técnica de Prevención n.º 392/1995. INSST.

2. Se ha declarado Enfermedad Profesional:

• A la rotura de fibrocartílago triangular de ambas manos de la trabajadora dedicada al lijado o pulido de piezas metálicas (bombas de inyección) con herramientas portátiles (lima y rotalit) y máquinas fijas (maquina grata) que producen vibraciones.

— STSJ Castilla-La Mancha 17.10.02.

Véase: Herramientas portátiles manuales. Alicates. Cinceles. Cuchillos. Destornilladores. Llaves. Martillos. Picos. Punzones. Sierras. Tijeras.

LÍMITES DE EXPOSICIÓN PROFESIONAL

1. Son valores de referencia que protegen a la mayoría de la población laboral, pero no a la totalidad, debido a la amplitud de respuestas individuales posibles. Se establecen a partir de los conocimientos disponibles en ese momento. Son revisados periódicamente en función de los cambios que se vayan produciendo tanto en las condiciones de trabajo, como en los conocimientos científicos o en el marco legal.

— Nota Técnica de Prevención n.º 944/2012. INSST.

Véase: Valores límite. Valores límite ambientales. Valores límite ambientales: Exposición diaria. Valores límite ambientales: Exposiciones de corta duración. Valores límite ambientales: Valores límite techo. Valores límite biológicos. Valores límite cancerígenos. Valores límite de radiaciones ópticas. Valores límite americanos.

LIMPIEZA DE LOS LUGARES DE TRABAJO

1. Los lugares de trabajo, incluidos los locales de servicio, y sus respectivos equipos e instalaciones, se limpiarán periódicamente y siempre que sea necesario para mantenerlos en todo momento en condiciones higiénicas adecuadas. A tal fin, las características de los suelos, techos y paredes serán tales que permitan dicha limpieza y mantenimiento. Se eliminarán con rapidez los desperdicios, las manchas de grasa, los residuos de sustancias peligrosas y demás productos residuales que puedan originar accidentes o contaminar el ambiente de trabajo.

— Anexo II. 2 RDSSLT.

— Nota Técnica de Prevención n.º 481/1998. INSST.

2. Limpieza de cubas de desengrase con tricoloroetileno y percloroetileno.

— Nota Técnica de Prevención n.º 190/1986. INSST.

3. Procede la imposición del recargo en las prestaciones económicas de la Seguridad Social cuando:

• Las consecuencias del accidente de trabajo ocurrido por la caída del trabajador al pisar restos de las piezas animales que se trasladaban desde la zona de sangrado a la cocina.

— STSJ Sevilla 8.6.07.

4. La falta de limpieza del centro o lugar de trabajo, cuando sea habitual o cuando de ello se deriven riesgos para la integridad física y salud de los trabajadores, constituye una infracción grave en materia de prevención de riesgos laborales que lleva aparejada una sanción económica de 2.046 euros a 40.985 euros.

— Artículos 12.17 y 40.2.b LISOS.

Véase: Lugares de trabajo. Limpieza. Productos de limpieza. Trabajadores de limpieza.

LIMPIEZA

1. Acción y efecto de limpiar los lugares de trabajo, incluyendo la maquinaria y otros elementos utilizados en la actividad económica.

2. Los trabajadores ocupados en las actividades económicas, y expuestos a los agentes o sustancias que a continuación se indican, pueden contraer una Enfermedad Profesional (E.P.):

a) Causada por agentes químicos:

• Desincrustado de calderas, donde se utilice arsénico y sus compuestos. (Código 1A0113).

• Limpieza de metales, donde se utilice arsénico y sus compuestos. (Código 1A0115).

• Decapado y limpieza de metales y vidrios (ácido sulfocrómico o ácido crómico), donde se utilice cromo. (Código 1A0409).

• Procesos en que puede producirse fosfina, tales como la generación de acetileno, la limpieza de metales con ácido fosfórico, etc. (Código 1A0503).

• Desbarbado y limpieza de piezas de fundición, donde se utilice níquel. (Código 1A0811).

• Fabricación y manipulación de derivados alcoilados del plomo (plomo tetrametilo, plomo tetraetilo): preparación y manipulación de las gasolinas que los contengan y limpieza de los tanques. (Código 1A0921).

• Limpiezas de calderas y tanques, hornos de fuel-oil, donde se utilice vanadio. (Código 1A1103).

• Empleo de ácido fluorhídrico en los procesos químicos como agente de ataque (industria del vidrio, decapado de metales, limpieza del grafito, de los metales, de los cristales, etc.) y como catalizador. (Código 1C0306).

• Fabricación de limpia metales, donde se utilice ácido cianhídrico. (Código 1D0411).

• Utilización de ácidos orgánicos en la limpieza ácida de metales. (Código 1E0109).

• Fabricación y utilización de disolventes o diluyentes para los colorantes, pinturas, lacas, barnices, resinas naturales y sintéticos, desengrasantes y quitamanchas, donde se utilice alcohol. (Código 1F0104).

• Desengrasado y limpieza de piezas metálicas, como productos de limpieza y desengrasado en tintorerías, donde se utilicen derivados halogenados. (Código 1H0202).

• Preparación, distribución y limpieza de tanques de carburantes que contengan benceno (Código 1K0104).

• Preparación de combustibles y las operaciones de mezclado, trasvasado, limpiado de estanques y cisternas, donde se utilice xileno o tolueno. (Código 1K0302).

• Utilización del xileno y del tolueno en la industria de la limpieza. (Código 1K0307).

• Fabricación de fibras textiles artificiales, seda y cueros artificiales, limpieza y preparación de tejidos para la tintura, donde se utilicen cetonas. (Código 1L0104).

• Utilización de éteres en la limpieza en seco. (Código 1O0104).

• Trabajos en fundición y limpieza de hornos, donde se utilice óxido de carbono. (Código 1T0103).

b) Causada por agentes biológicos:

• Trabajadores dedicados a la limpieza y mantenimiento de instalaciones que sean susceptibles de transmitir la E.P. infecciosa de legionella. (Código 3D0105).

c) Causada por agentes cancerígenos:

• Limpieza, mantenimiento y reparación de acumuladores de calor u otras máquinas que tengan componentes de amianto, que pueden provocar alguna de las siguientes E.P: neoplasia maligna de bronquio y pulmón (Código 6A0109), mesotelioma (Código 6A0209), mesotelioma de pleura (Código 6A0309), mesotelioma de peritoneo (Código 6A0409), mesotelioma de otras localizaciones (Código 6A0509) y cáncer de laringe (Código 6A0609).

• Decapado de metales y limpieza de metales donde se utilice arsénico, que puede provocar alguna de las siguientes E.P. (cánceres): neoplasia de maligna de bronquio y pulmón (Código 6C0102), carcinoma epidermoide de piel (Código 6C0202), disqueratosis lenticular en disco (Código 6C0302) y angiosarcoma del hígado (Código 6C040).

• Preparación, distribución y limpieza de tanques de carburantes que contengan benceno, que puede provocar la E.P. de síndrome linfo y mieloproliferativos. (Código 6D0104).

• Decapado y limpieza de metales y vidrios (ácido sulfocrómico o ácido crómico), que puede provocar la E.P. de neoplasia maligna de cavidad nasal. (Código 6I0109).

• Decapado y limpieza de metales y vidrios (ácido sulfocrómico o ácido crómico), donde se utilice cromo, que puede provocar la E.P. de neoplasia de bronquio y pulmón. (Código 6I0209).

• Desbarbado y limpieza de piezas de fundición, que contengan níquel, que puede provocar alguna de las siguientes E.P: E.P. neoplasia maligna de cavidad nasal (Código 6K0110), E.P. cáncer primitivo del etmoides y de los senos de la cara (Código 6K0210), o E.P. neoplasia maligna de bronquio y pulmón (Código 6K0310).

Por ello, debe realizarse reconocimientos médicos previos y periódicos a dichos trabajadores, con la prohibición de no contratar a los calificados como no aptos para desempeñar los puestos de trabajo de que se trate.

— Artículo 243 LGSS, en relación con RDEP (Anexo I).

Véase: Limpieza de los lugares de trabajo. Dragar. Productos de limpieza. Trabajadores de limpieza. Decapado. Trabajadores del servicio del hogar familiar. Trabajos feminizados. Ultrasonidos.

LINO

1. Materia textil que se saca del tallo del lino.

2. Los trabajadores ocupados en las actividades económicas, y expuestos a los agentes o sustancias que a continuación se indican, pueden contraer una Enfermedad Profesional (E.P.):

a) Causada por inhalación de sustancias y agentes no comprendidos en otros apartados:

- Industria del lino, donde los trabajadores estén expuestos a sustancias de alto peso molecular (de origen vegetal o animal), que pueden provocar alguna de las siguientes E.P: rinoconjuntivitis (Códigos 4H0103, 4H0129, 4H0429), asma (Códigos 4H0203, 4H0229, 4H0429), alveolitis alérgica extrínseca (Códigos 4H0303, 4H0329, 4H0429), síndrome de disfunción reactivo de la vía aérea (Códigos 4H0403, 4H0429), fibrosis intersticial difusa (Códigos 4H0429, 4H0503, 4H0529), bisinosis, cannabiosis, linnosis, bagazosis, estipatosis, suberosis (Códigos 4H0429, 4H0603) y neumopatía intersticial difusa (Códigos 4H0429, 4H0703, 4H0729).

b) E.P. de la piel, causada por sustancias y agentes no comprendidos en alguno de los otros apartados:

- Industria del lino, donde los trabajadores estén expuestos a sustancias de alto peso molecular (de origen vegetal o animal), que pueden provocar una E.P. de la piel, causada por sustancias de alto peso molecular. (Códigos 5B0103, 5B0129).

Por ello, debe realizarse reconocimientos médicos previos y periódicos a dichos trabajadores, con la prohibición de no contratar a los calificados como no aptos para desempeñar los puestos de trabajo de que se trate.

— Artículo 243 LGSS, en relación con RDEP (Anexo I).

Véase: Industria textil. Trabajos en la industria textil.

LÍQUIDOS COMBUSTIBLES

Líquidos con un punto de inflamación superior a 60°C.

— Artículo 2.35 RAPQ.

Véase: Sustancias combustibles.

LÍQUIDOS CORROSIVOS

Las sustancias y mezclas que deban clasificarse como tales según el Reglamento 1272/2008 del Parlamento Europeo y del Consejo, de 16 de diciembre de 2008.

— Artículo 2.36 RAPQ.

Véase: Sustancias corrosivas. Sosa.

LÍQUIDOS INESTABLES

Líquido que puede polimerizarse, descomponerse, condensarse o reaccionar consigo mismo violentamente, bajo condiciones de choque, presión o temperatura. Se perderá el carácter de inestable cuando se almacene en condiciones o con inhibidores que eliminen tal inestabilidad.

— Artículo 2.37 RAPQ.

Véase: Sustancias peligrosas.

LÍQUIDOS INFLAMABLES

1. Líquido con un punto de inflamación no superior a 60°C. A efectos de este Reglamento se consideran también líquidos inflamables, aquellos productos químicos peligrosos en estado líquido que pueden estar almacenados a una temperatura superior a su punto de inflamación, asimilándose a la categoría de peligro 3 (indicación de peligro H226).

— Artículo 2.38 RAPQ.

2. Condiciones de seguridad en la carga y descarga de camiones cisterna: Líquidos inflamables.

— Nota Técnica de Prevención n.º 357/1994. INSST.

3. Electricidad estática en el trasvase de líquidos inflamables.

— Nota Técnica de Prevención n.º 225/1988. INSST.

Véase: Sustancias inflamables. Transporte de mercancías peligrosas.

LITOGRABADOS

1. La litografía es un procedimiento de impresión que consiste en trazar un dibujo, un texto, o una fotografía, en una piedra calcárea o una plancha metálica.

2. Los trabajadores ocupados en las actividades económicas, y expuestos a los agentes o sustancias que a continuación se indican, pueden contraer una Enfermedad Profesional (E.P.):

a) Causada por agentes químicos:

• Litograbados, donde se utilice cromo. (Código 1A0411).

b) Causada por agentes cancerígenos:

• Litograbados, donde se utilice cromo, que puede provocar la E.P. de neoplasia maligna de cavidad nasal. (Código 6I0111).

• Litograbados, donde se utilice cromo, que puede provocar la E.P. de neoplasia de bronquio y pulmón. (Código 6I0211).

Por ello, debe realizarse reconocimientos médicos previos y periódicos a dichos trabajadores, con la prohibición de no contratar a los calificados como no aptos para desempeñar los puestos de trabajo de que se trate.

— Artículo 243 LGSS, en relación con RDEP (Anexo I).

Véase: Industria gráfica. Trabajos en imprenta.

LLAVES

Existen dos tipos de llaves: Boca fija y boca ajustable. Las llaves de boca fija son herramientas manuales destinadas a ejercer esfuerzos de torsión al apretar o aflojar pernos, tuercas y tornillos que posean cabezas que correspondan a las bocas de la herramienta. Están diseñadas para sujetar generalmente las caras opuestas de estas cabezas cuando se montan o desmontan piezas. Tienen formas diversas pero constan como mínimo de una o dos cabezas, una o dos bocas y de un mango o brazo.

Las llaves de boca ajustables son herramientas manuales diseñadas para ejercer esfuerzos de torsión, con la particularidad de que pueden variar la abertura de sus quijadas en función del tamaño de la tuerca a apretar o desapretar. Los distintos tipos y sus partes principales son: mango, tuerca de fijación, quijada móvil, quijada fija y tornillo de ajuste.

— Nota Técnica de Prevención n.º 392/1995. INSST.

Véase: Herramientas portátiles manuales. Alicates. Cinceles. Cuchillos. Destornilladores. Limas. Martillos. Picos. Punzones. Sierras. Tijeras.

LOCALES DE ALOJAMIENTO

1. En los trabajos al aire libre en los que exista un alejamiento entre el centro de trabajo y el lugar de residencia de los trabajadores, que les imposibilite para regresar cada día a la misma, dichos trabajadores dispondrán de locales adecuados destinados a dormitorios y comedores.

Los dormitorios y comedores deberán reunir las condiciones necesarias de seguridad y salud y permitir el descanso y la alimentación de los trabajadores en condiciones adecuadas.

— Anexo V. Parte A.4 RDSSLT.

2. Cuando existan dormitorios en el lugar de trabajo, éstos deberán reunir las condiciones de seguridad y salud exigidas para los lugares de trabajo en este Real Decreto y permitir el descanso del trabajador en condiciones adecuadas.

— Anexo V. Parte A.3.7.º RDSSLT.

3. Locales de descanso en las obras de construcción:

• Cuando lo exijan la seguridad o la salud de los trabajadores, en particular debido al tipo de actividad o el número de trabajadores, y por motivos de alejamiento de la obra, los trabajadores deberán poder disponer de locales de descanso y, en su caso, de locales de alojamiento de fácil acceso.

• Los locales de descanso o de alojamiento deberán tener unas dimensiones suficientes y estar amueblados con un número de mesas y de asientos con respaldo acorde con el número de trabajadores.

• Cuando no existan este tipo de locales se deberá poner a disposición del personal otro tipo de instalaciones para que puedan ser utilizadas durante la interrupción del trabajo.

• Cuando existan locales de alojamiento fijos deberán disponer de servicios higiénicos en número suficiente, así como de una sala para comer y otra de esparcimiento.

• Dichos locales deberán estar equipados de camas, armarios, mesas y sillas con respaldo acordes al numeró de trabajadores, y se deberá tener en cuenta, en su caso, para su asignación, la presencia de trabajadores de ambos sexos.

• En los locales de descanso o de alojamiento deberán tomarse medidas adecuadas de protección para los no fumadores contra las molestias debidas al humo del tabaco.

— Anexo IV. Parte A.16 RDSSTOC.

— Artículo 225 CCGC.

Véase: Agua potable. Lavabos. Duchas. Retretes. Locales de aseo.

LOCALES DE ASEO

1. Los lugares de trabajo dispondrán, en las proximidades de los puestos de trabajo y de los vestuarios, de locales de aseo con espejos, lavabos con agua corriente, caliente si es necesario, jabón y toallas individuales u otro sistema de secado con garantías higiénicas.

Dispondrán además de duchas de agua corriente, caliente y fría, cuando se realicen habitualmente trabajos sucios, contaminantes o que originen elevada sudoración. En tales casos, se suministrarán a los trabajadores los medios especiales de limpieza que sean necesarios. Si los locales de aseo y los vestuarios están separados, la comunicación entre ambos deberá ser fácil.

Los vestuarios, locales de aseos y retretes estarán separados para hombres y mujeres, o deberá preverse una utilización por separado de los mismos. No se utilizarán para usos distintos de aquellos para los que estén destinados.

— Anexo V. Parte A.2 RDSSLT.

2. Servicios higiénicos en las obras de construcción:

• Cuando los trabajadores tengan que llevar ropa especial de trabajo deberán tener a su disposición vestuarios adecuados.

Los vestuarios deberán ser de fácil acceso, tener las dimensiones suficientes y disponer de asientos e instalaciones que permitan a cada trabajador poner a secar, si fuera necesario, su ropa de trabajo. Cuando las circunstancias lo exijan (por ejemplo, sustancias peligrosas, humedad, suciedad), la ropa de trabajo deberá poder guardarse separada de la ropa de calle y de los efectos personales. Cuando los vestuarios no sean necesarios, en el sentido del párrafo primero de este apartado, cada trabajador deberá poder disponer de un espacio para colocar su ropa y sus objetos personales bajo llave.

• Cuando el tipo de actividad o la salubridad lo requieran, se deberán poner a disposición de los trabajadores duchas apropiadas y en número suficiente Las duchas deberán tener dimensiones suficientes para permitir que cualquier trabajador se asee sin obstáculos y en adecuadas condiciones de higiene. Las duchas deberán disponer de agua corriente, caliente y fría.

Cuando, con arreglo al párrafo primero de este apartado, no sean necesarias duchas, deberá haber lavabos suficientes y apropiados con agua corriente, caliente si fuere necesario, cerca de los puestos de trabajo y de los vestuarios.

Si las duchas o los lavabos y los vestuarios estuvieren separados, la comunicación entre unos y otros deberá ser fácil.

• Los trabajadores deberán disponer en las proximidades de sus puestos de trabajo, de los locales de descanso, de los vestuarios y de las duchas o lavabos, de locales especiales equipados con un número suficiente de retretes y de lavabos.

• Los vestuarios, duchas, lavabos y retretes estarán separados para hombres y mujeres, o deberá preverse una utilización por separado de los mismos.

— Anexo IV. Parte A.15 RDSSTOC.

— Artículo 223 CCGC.

Véase: Agua potable. Lavabos. Duchas. Retretes. Locales de vestuarios.

LOCALES DE COMEDORES

En los trabajos al aire libre en los que exista un alejamiento entre el centro de trabajo y el lugar de residencia de los trabajadores, que les imposibilite para regresar cada día a la misma, dichos trabajadores dispondrán de locales adecuados destinados a dormitorios y comedores.

Los dormitorios y comedores deberán reunir las condiciones necesarias de seguridad y salud y permitir el descanso y la alimentación de los trabajadores en condiciones adecuadas.

— Anexo V. Parte A.4 RDSSLT.

Véase: Instalaciones para comer. Agua potable. Lavabos. Duchas. Retretes. Locales de aseo. Locales de descanso.

LOCALES DE DESCANSO

1. Cuando la seguridad o la salud de los trabajadores lo exijan, en particular en razón del tipo de actividad o del número de trabajadores, éstos dispondrán de un local de descanso de fácil acceso. Las dimensiones de los locales de descanso y su dotación de mesas y asientos con respaldos serán suficientes para el número de trabajadores que deban utilizarlos simultáneamente.

Las trabajadoras embarazadas y madres lactantes deberán tener la posibilidad de descansar tumbadas en condiciones adecuadas.

— Anexo V. Parte A.3 RDSSLT.

2. Locales de descanso en las obras de construcción:

• Cuando lo exijan la seguridad o la salud de los trabajadores, en particular debido al tipo de actividad o el número de trabajadores, y por motivos de alejamiento de la obra, los trabajadores deberán poder disponer de locales de descanso y, en su caso, de locales de alojamiento de fácil acceso.

• Los locales de descanso o de alojamiento deberán tener unas dimensiones suficientes y estar amueblados con un número de mesas y de asientos con respaldo acorde con el número de trabajadores.

• Cuando no existan este tipo de locales se deberá poner a disposición del personal otro tipo de instalaciones para que puedan ser utilizadas durante la interrupción del trabajo.

• Cuando existan locales de alojamiento fijos deberán disponer de servicios higiénicos en número suficiente, así como de una sala para comer y otra de esparcimiento.

Dichos locales deberán estar equipados de camas, armarios, mesas y sillas con respaldo acordes al numeró de trabajadores, y se deberá tener en cuenta, en su caso, para su asignación, la presencia de trabajadores de ambos sexos.

• En los locales de descanso o de alojamiento deberán tomarse medidas adecuadas de protección para los no fumadores contra las molestias debidas al humo del tabaco.

— Anexo IV. Parte A.16 RDSSTOC.

— Artículo 225 CCGC.

Véase: Locales de alojamiento. Locales de aseo. Locales de comedores. Locales de primeros auxilios.

LOCALES DE LOS LUGARES DE TRABAJO

Los edificios y locales de los lugares de trabajo deberán poseer la estructura y solidez apropiadas a su tipo de utilización. Para las condiciones de uso previstas, todos sus elementos, estructurales o de servicio, incluidas las plataformas de trabajo, escaleras y escalas, deberán:

• Tener la solidez y la resistencia necesarias para soportar las cargas o esfuerzos a que sean sometidos.

• Disponer de un sistema de armado, sujeción o apoyo que asegure su estabilidad.

Se prohíbe sobrecargar los elementos.

— Anexo I. Parte A.1.1.º RDSSLT.

> *Véase: Lugares de trabajo. Locales de alojamiento. Locales de aseo. Locales de comedores. Locales de descanso. Locales de vestuarios. Locales de primeros auxilios.*

LOCALES DE PRIMEROS AUXILIOS

Los lugares de trabajo de más de 50 trabajadores deberán disponer de un local destinado a los primeros auxilios y otras posibles atenciones sanitarias. También deberán disponer del mismo los lugares de trabajo de más de 25 trabajadores para los que así lo determine la Autoridad laboral, teniendo en cuenta la peligrosidad de la actividad desarrollada y las posibles dificultades de acceso al centro de asistencia médica más próximo.

Los locales de primeros auxilios dispondrán, como mínimo, de un botiquín, una camilla y una fuente de agua potable. Estarán próximos a los puestos de trabajo y serán de fácil acceso para las camillas. El material y locales de primeros auxilios deberán estar claramente señalizados.

— Anexo VI. Parte A.5 RDSSLT.

> *Véase: Primeros auxilios. Emergencia. Agua potable. Lavabos. Botiquín.*

LOCALES DE VESTUARIOS

1. Los lugares de trabajo dispondrán de vestuarios cuando los trabajadores deban llevar ropa especial de trabajo y no se les pueda pedir, por razones de salud o decoro, que se cambien en otras dependencias.

Los vestuarios estarán provistos de asientos y de armarios o taquillas individuales con llave, que tendrán la capacidad suficiente para guardar la ropa y el calzado. Los armarios o taquillas para la ropa de trabajo y para la de calle estarán separados cuando ello sea necesario por el estado de contaminación, suciedad o humedad de la ropa de trabajo.

Cuando los vestuarios no sean necesarios, los trabajadores deberán disponer de colgadores o armarios para colocar su ropa.

Los vestuarios, locales de aseos y retretes estarán separados para hombres y mujeres, o deberá preverse una utilización por separado de los mismos. No se utilizarán para usos distintos de aquellos para los que estén destinados.

— Anexo V. Parte A.2 RDSSLT.

2. Vestuarios en las obras de construcción:

Cuando los trabajadores tengan que llevar ropa especial de trabajo deberán tener a su disposición vestuarios adecuados.

Los vestuarios deberán ser de fácil acceso, tener las dimensiones suficientes y disponer de asientos e instalaciones que permitan a cada trabajador poner a secar, si fuera necesario, su ropa de trabajo. Cuando las circunstancias lo exijan (por ejemplo, sustancias peligrosas, humedad, suciedad), la ropa de trabajo deberá poder guardarse separada de la ropa de calle y de los efectos personales. Cuando los vestuarios no sean necesarios, en el sentido del párrafo primero de este apartado, cada trabajador deberá poder disponer de un espacio para colocar su ropa y sus objetos personales bajo llave.

Los vestuarios, duchas, lavabos y retretes estarán separados para hombres y mujeres, o deberá preverse una utilización por separado de los mismos.

— Anexo IV. Parte A.15 RDSSTOC.

3. Solo podrán realizarse registros sobre la persona del trabajador, en sus taquillas y efectos particulares, cuando sean necesarios para la protección del patrimonio empresarial y del de los demás trabajadores de la empresa, dentro del centro de trabajo y en horas de trabajo. En su realización se respetará al máximo la dignidad e intimidad del trabajador y se contará con la asistencia de un representante legal de los trabajadores o, en su ausencia del centro de trabajo, de otro trabajador de la empresa, siempre que ello fuera posible.

— Artículo 18 LET.

Véase: Agua potable. Lavabos. Duchas. Retretes. Locales de aseo.

LOCUTORES

1. Personas que tiene por oficio hablar por radio o televisión para dar noticias, presentar programas, etc.

2. Los trabajadores ocupados en las actividades económicas, y expuestos a los agentes o sustancias que a continuación se indican, pueden contraer una Enfermedad Profesional (E.P.), causada por agentes físicos:

• Actividades en las que se precise uso mantenido y continuo de la voz, como son profesores, cantantes, actores, teleoperadores, locutores, pueden provocar una E.P. de nódulos en las cuerdas vocales. (Código 2L0101).

Por ello, debe realizarse reconocimientos médicos previos y periódicos a dichos trabajadores, con la prohibición de no contratar a los calificados como no aptos para desempeñar los puestos de trabajo de que se trate.

— Artículo 243 LGSS, en relación con RDEP (Anexo I).

Véase: Profesores. Actores. E.P. nódulos de las cuerdas vocales.

LPRL: ÁMBITO DE APLICACIÓN

Véase: Normativa en materia de PRL: Ámbito de aplicación.

LPRL: OBJETIVOS

Los objetivos de la política de prevención de riesgos laborales son:

1. Promover la mejora de las condiciones de trabajo dirigida a elevar el nivel de protección de la seguridad y la salud de los trabajadores en el trabajo., en cumplimiento del mandato constitucional de que los poderes públicos «velaran por la seguridad e higiene en el trabajo».

— Artículo 40.2 CE.

— Artículo 5.1 LPRL.

a) Para llevar a cabo esta mejora, se adoptaran medidas:
• De coordinación de las distintas administraciones públicas competentes en materia de prevención de riesgos laborales.

— Artículo 5.1 LPRL.

• De participación de los empresarios y de los trabajadores a través de sus organizaciones más representativas.

— Artículo 5.1.b LPRL.

2. Promover la mejora de la educación en materia preventiva en los diferentes niveles de enseñanza y de manera especial en la oferta formativa correspondiente al sistema nacional de cualificaciones profesionales, así como la adecuación de la formación de los recursos humanos necesarios para la prevención de los riesgos laborales.

— Artículo 5.2 LPRL.

• Para llevar a cabo esta mejora se establecerá una colaboración permanente entre el Ministerio de Trabajo y Seguridad Social y los Ministerios que correspondan, en particular los de Educación y Ciencia y de Sanidad y Consumo, al objeto de establecer los niveles formativos y especializaciones idóneas, así como la revisión permanente de estas enseñanzas, con el fin de adaptarlas a las necesidades existentes en cada momento.

— Artículo 5.2 LPRL.

3. Promover el fomento de la investigación en materia de prevención de riesgos laborales, el fomento de nuevas formas de protección y la promoción de estructuras eficaces de prevención.

— Artículo 5.3 LPRL.

• Para llevar a cabo este fomento se adoptaran programas específicos dirigidos a promover la mejora del ambiente de trabajo y el perfeccionamiento de los niveles de protección. Los programas podrán instrumentarse a través de la concesión de los incentivos que reglamentariamente se determinen que se destinarán especialmente a las pequeñas y medianas empresas.

— Artículo 5.3 LPRL.

4. Promover la efectividad del principio de igualdad entre mujeres y hombres, considerando las variables relacionadas con el sexo tanto en los sistemas de recogida y tratamiento de datos como en el estudio e investigación generales en materia de prevención de riesgos laborales, con el objetivo de detectar y prevenir posibles situaciones en las que los daños derivados del trabajo puedan aparecer vinculados con el sexo de los trabajadores.

— Artículo 5.4 LPRL.

5. Promover la integración eficaz de la prevención de riesgos laborales en el sistema de gestión de la empresa.

— Artículo 5.5 LPRL.

6. Tener en cuenta las necesidades y dificultades específicas de las pequeñas y medianas empresas.

— Artículo 5.3 LPRL.

— Disposición Adicional Quinta LPRL.

• Para tener en cuenta estas necesidades y dificultades, en el procedimiento de elaboración de las disposiciones de carácter general en materia de prevención de riesgos laborales deberá incorporarse un informe sobre su aplicación en las pequeñas y medianas empresas que incluirá, en su caso, las medidas particulares que para éstas se contemplen.

— Artículo 5.5 LPRL.

Véase: LPRL: Principios.

LPRL: PRINCIPIOS

Los principios que inspiran a la LPRL son:

1. Principio de coordinación y cooperación. Coordinación y cooperación entre:

• Los distintos departamentos de la Administración General del Estado (laboral, sanitaria, industria, educación y ciencia, consumo, etc.).

• En el ámbito de la Administración General del Estado se establecerá una colaboración permanente entre el Ministerio de Trabajo y Seguridad Social y los Ministerios que correspondan, en particular los de Educación y Ciencia y de Sanidad y Consumo, al objeto de establecer los niveles formativos y especializaciones idóneas, así como la revisión permanente de estas enseñanzas, con el fin de adaptarlas a las necesidades existentes en cada momento.

— Artículo 5.2 y 11 LPRL.

• La información obtenida por la Inspección de Trabajo, en el curso de sus actuaciones en materia de prevención de riesgos laborales, debe ser puesta a disposición de la Autoridad sanitaria y de la Autoridad de industria.

— Artículo 11 LPRL.

a) Entre las distintas Administraciones del Estado.

• El INSST, entre sus funciones, tiene la de coordinar, cooperar y transmitir información entre los distintos departamentos del Estado, las distintas Comunidades Autónomas, la Agencia Europea para la Seguridad y Salud en el Trabajo y entre organismos internacionales.

— Artículo 8 LPRL.

b) Entre distintos empresarios, cuando trabajen en un mismo centro de trabajo.

• Cuando en un mismo centro de trabajo trabajen varias empresas, el empresario titular del centro de trabajo adoptará las medidas necesarias para informar a los demás empresarios y a los autónomos que trabajen en su centro de trabajo, de los riesgos existentes y de las medidas de prevención y de emergencia que se adoptan en su empresa, para que estos empresarios informen a sus trabajadores.

— Artículo 24.2 LPRL.

• Las empresas que contraten o subcontraten con otras la realización de obras o servicios correspondientes a la propia actividad de aquéllas y que se desarrollen en sus propios centros de trabajo deberán vigilar el cumplimiento por dichos contratistas y subcontratistas de la normativa de prevención de riesgos laborales.

— Artículo 24.3 LPRL.

c) Entre la Administración laboral y la Jurisdicción penal.

• En los supuestos en que las infracciones pudieran ser constitutivas de ilícito penal, la Administración pasará el tanto de culpa al órgano judicial competente o al Ministerio Fiscal y se abstendrá de seguir el procedimiento sancionador mientras la autoridad judicial no dicte sentencia firme o resolución que ponga fin al procedimiento o mientras el Ministerio Fiscal no comunique la improcedencia de iniciar o proseguir actuaciones.

• De no haberse estimado la existencia de ilícito penal, o en el caso de haberse dictado resolución de otro tipo que ponga fin al procedimiento penal, la Administración continuará el expediente sancionador en base a los hechos que los Tribunales hayan considerado probados.

• La comunicación del tanto de culpa al órgano judicial o al Ministerio Fiscal o el inicio de actuaciones por parte de éstos, no afectará al inmediato cumplimiento de las medidas de paralización de trabajos adoptadas en los casos de riesgo grave e inminente para la seguridad o salud del trabajador, a la efectividad de los requerimientos de subsanación formulados, ni a los expedientes sancionadores sin conexión directa con los que sean objeto de las eventuales actuaciones jurisdiccionales del orden penal.

— Artículo 3 LISOS.

d) Entre la Jurisdicción Contencioso Administrativa y la Jurisdicción Social.

• La declaración de hechos probados que contenga una sentencia firme del orden jurisdiccional contencioso-administrativo, relativa a la existencia de infracción a la normativa de prevención de riesgos laborales, vinculará al orden social de la jurisdicción, en lo que se refiere al recargo, en su caso, de la prestación económica del sistema de Seguridad Social.

— Artículo 42.5 LISOS.

2. Principio de participación de empresarios y trabajadores. Esta participación se instrumentaliza en dos niveles:

a) Nivel institucional:

• A través de sus organizaciones empresariales y sindicales más representativas, en la elaboración de la política preventiva. En este contexto, la Comisión Nacional de Seguridad y Salud en el Trabajo se configura como un instrumento privilegiado de participación en la formulación y desarrollo de la política en materia preventiva

— Exposición de Motivos. 4 LPRL.

— Artículo 5.1.b y 12 LPRL.

• A través de la Comisión Nacional de Seguridad y Salud en el Trabajo como órgano colegiado asesor de las Administraciones públicas en la formulación de las políticas de prevención y órgano de participación institucional en materia de seguridad y salud en el trabajo.

b) A nivel de empresa, a través de los representantes de los trabajadores, mediante:

• La negociación colectiva.

— Artículo 2.2 LPRL.

• El ejercicio del derecho de los trabajadores a participar en la empresa en materia de prevención de riesgos laborales.

— Artículo 34 LPRL.

• Los Comités de Seguridad y Salud, como órganos paritarios de encuentro y discusión en materia de prevención de riesgos laborales.

— Artículo 38 LPRL.

3. Fomento de una cultura preventiva. Este fomento se instrumentaliza en dos ámbitos:

• Ámbito de la enseñanza, mediante la mejora y potenciación de la educación en materia preventiva, en los distintos niveles de la enseñanza, y de forma especial, en la formación profesional.

— Artículo 5.2 LPRL.

• b) Ámbito laboral, mediante, el derecho de consulta de los trabajadores, el derecho a una formación en materia de prevención de riesgos laborales y mediante la investigación de las causas de los accidentes de trabajo.

— Artículos 33, 19, 16.3 LPRL.

4. Planificación de la prevención. La LPRL parte de la idea de que casi todos los riesgos laborales se pueden evitar, y los que no se pueden evitar, se pueden evaluar y controlar, minimizando sus efectos. Para ello, es necesario que todas las partes que intervienen en la relación de seguridad y salud asuman sus deberes en esta materia:

a) Los trabajadores tendrán que cumplir con sus obligaciones en materia de prevención de riesgos laborales, y con el ejercicio responsable de los derechos y facultades que la normativa en materia de prevención de riesgos laborales les otorga:

— Artículo 29 LPRL.

• Siguiendo las enseñanzas en materia de prevención de riesgos laborales.

— Artículo 19 LPRL.

• Sometiéndose a los reconocimientos médicos periódicos que se practiquen en la empresa.

— Artículo 22 LPRL.

• Contestando a las consultas sobre prevención de riesgos laborales que le formule el empresario.

— Artículos 33 y 36.3 LPRL.

• Paralizando los trabajos cuando aprecie la existencia de riesgo grave e inminente para su seguridad y salud.

— Artículo 44 LPRL.

b) Los empresarios tendrán que cumplir con su deber de protección, que consiste en garantizar la seguridad y salud de los trabajadores en todos los aspectos relacionados con el trabajo.

— Artículo 14.2 LPRL.

Para que el empresario pueda garantizar la seguridad y salud de sus trabajadores, la LPRL establece una serie de obligaciones instrumentales como: establecer un Sistema de prevención en su empresa, realizar un Plan de prevención, etc.

c) Los poderes públicos tendrán que cumplir con el mandato constitucional de «velar por la seguridad e higiene en el trabajo».

— Artículo 40.2 CE.

• Elaborando normas de desarrollo de la LPRL, que tengan en cuenta los avances de la técnica.

— Artículos 6 y 15.1.e LPRL.

• Coordinando las actuaciones de las distintas Administraciones competentes en materia laboral, sanitaría y de industria, para la más eficaz protección de la seguridad y la salud de los trabajadores.

— Artículo 11 LPRL.

• Vigilando el cumplimiento de la normativa en materia de prevención de riesgos laborales a través de un Sistema de Inspección de Trabajo.

— Artículo 9 LPRL.

5. La necesidad de ayudar a la pequeña y mediana empresa. Esta ayuda se instrumentaliza en dos ámbitos:

• En el ámbito funcional, mediante la creación de la «fundación para la mejora de las condiciones de seguridad y salud en el trabajo», cuyo fin primordial es el de ayudar a la pequeña y mediana empresa en el cumplimiento de sus obligaciones de información y formación en materia de prevención de riesgos laborales.

— Disposición Adicional Quinta LPRL.

• b) En el ámbito económico, previniendo la posibilidad de establecer incentivos económicos para las pequeñas y medianas empresas, para que adopten medidas de mejora de las condiciones de trabajo.

— Artículo 5.3 LPRL.

Véase: LPRL: Objetivos.

LUBRIFICANTES

1. Sustancias que disminuye la fricción entre superficies en contacto.

2. Los trabajadores ocupados en las actividades económicas, y expuestos a los agentes o sustancias que a continuación se indican, pueden contraer una Enfermedad Profesional (E.P.), causada por agentes químicos:

• Fabricación de líquidos anticongelantes, de líquidos de frenos hidráulicos, de lubrificantes sintéticos, etc., donde se utilice alcohol. (Código 1F0110).

• Fabricación de resinas sintéticas, celuloide e hidronaftalenos (tetralin, decalin) que se usan como disolventes, en lubricantes y en combustibles, donde se utilice naftaleno. (Código 1K0205).

• Fabricación de productos de limpieza y lubrificantes, donde se utilicen derivados halogenados de hidrocarburos aromáticos. (Código 1K0503).

• Utilización de derivados halogenados de hidrocarburos aromáticos como aditivo en lubrificantes de alta presión. (Código 1K0504).

• Utilización de policlorobifenilos (PCBs) como constituyente de fluidos dieléctricos en condensadores y transformadores, fluidos hidráulicos, aceites lubricantes, plaguicidas o aditivos en plastificantes y pinturas, etc. (Código 1S0201).

Por ello, debe realizarse reconocimientos médicos previos y periódicos a dichos trabajadores, con la prohibición de no contratar a los calificados como no aptos para desempeñar los puestos de trabajo de que se trate.

— Artículo 243 LGSS, en relación con RDEP (Anexo I).

Véase: Anticongelantes. Hidráulico.

LUGARES DE TRABAJO

1. Las áreas del centro de trabajo, edificadas o no, en las que los trabajadores deban permanecer o a las que puedan acceder en razón de su trabajo. Se consideran incluidos en esta definición los servicios higiénicos y locales de descanso, los locales de primeros auxilios y los comedores.

Las instalaciones de servicio o protección ajenas a los lugares de trabajo se considerarán como parte integrante de los mismos.

— Artículo 2 RDSSLT.

2. Cualquier lugar al que el trabajador pueda acceder, en razón de su trabajo.

— Anexo I. 2 RDSSTRE.

3. Los lugares destinados a albergar puestos de trabajo, situados en los edificios de la empresa y/o del establecimiento, incluido cualquier otro lugar dentro del área de la empresa y/o del establecimiento al que el trabajador tenga acceso en el marco del trabajo.

— Artículo 2 Directiva 89/654/CEE, de 30 noviembre de 1989, relativa a las disposiciones mínimas de seguridad y de salud en los lugares de trabajo.

4. Se considera lugar de trabajo para los trabajadores móviles:

• El lugar donde está ubicado el establecimiento principal de la empresa para la que trabaja la persona que realiza actividades móviles de transporte por carretera, y sus diversos establecimientos secundarios, coincidan o no con su domicilio social o su establecimiento principal.

• El vehículo que utiliza la persona que realiza actividades móviles de transporte por carretera cuando realiza su trabajo.

• Cualquier otro lugar donde se llevan a cabo las actividades relacionadas con la ejecución del transporte.

— Artículo 2.c Directiva 2002/15/CE, de 11 marzo, relativa a la ordenación del tiempo de trabajo de las personas que realizan actividades móviles de transporte por carretera.

5. El conjunto de los lugares en los que hayan de implantarse los puestos de trabajo relativos a las actividades e instalaciones relacionadas, directa o indirectamente con las industrias extractivas a cielo abierto o subterráneas, incluidos los depósitos de estéril, escombreras y otras zonas de almacenamiento y, en su caso, los alojamientos a los que los trabajadores tengan acceso por razón de su trabajo.

— Artículo 2.b RDSSAM.

6. Los lugares de trabajo (en las obras de construcción) deberán estar acondicionados teniendo en cuenta, en su caso, a los trabajadores discapacitados. Esta disposición se aplicará, en particular, a las puertas, vías de circulación, escaleras, duchas, lavabos, retretes y lugares de trabajo utilizados u ocupados directamente por trabajadores discapacitados.

— Anexo IV. Parte A.18 RDSSTOC.

7. La jurisprudencia del Tribunal Supremo viene declarando que las referencias de la normativa de prevención de riesgos laborales al centro de trabajo deben entenderse hechas al de lugar de trabajo, y no al concepto restringido de centro de trabajo recogido en el artículo 1.5 de LET.

— Nota Técnica de Prevención n.º 918/2011. INSST.

— Guía técnica para la evaluación y la prevención de los riesgos relativos a la utilización de los lugares de trabajo. 2015. INSST.

8. La expresión lugar de trabajo abarca todos los sitios donde los trabajadores deben permanecer o adonde tienen que acudir por razón de su trabajo, y que se hallan bajo el control directo o indirecto del empleador.

— Artículo 3 Convenio OIT 155, de 22 de junio de 1981.

Véase: Puesto de trabajo. Espacio de trabajo. Espacios cerrados. Centro de trabajo. Limpieza de los lugares de trabajo. Locales de los lugares de trabajo. Altura de los locales de trabajo.

LUMINARIA

Aparato de alumbrado que reparte, filtra o transforma la luz de una o varias lámparas y que comprende todos los dispositivos necesarios para fijar y proteger las lámparas (excluyendo las propias lámparas) y cuando sea necesario, los circuitos auxiliares junto con los medios de conexión al circuito de alimentación.

— ITC-BT-01 del REBT.

Véase: Iluminación. Lámparas fluorescentes. Lámparas de incandescencia.

LUXÓMETRO

Aparato que sirve para medir los niveles de iluminación.

— Nota Técnica de Prevención n.º 175/1986. INSST.

Véase: Aparatos medidores. Iluminación.

M

MADERA. ALMACENAMIENTO

Inicialmente la madera se almacena en troncos desramados y en ocasiones ya descortezados en grandes parques exteriores situados en zonas próximas a Industrias de 1ª Transformación (serrerías). Realizada una primera transformación, la madera se almacena en forma de tablones (procedentes de las serrerías); tableros de aglomerado constituidos por pequeños fragmentos de madera (virutas, astillas, fibras) unidos firmemente entre sí por una cola u otra sustancia aglutinante y chapas de madera procedentes del desenrollado del tronco y posterior corte a formato de la chapa desenrollada.

La madera en tablones, tableros o chapas se almacena en industrias específicamente destinadas a tal fin (almacenes de madera) yasea en recintos o parques exteriores (generalmente bajo cobertizos) o en naves industriales. Los almacenistas distribuyen estos productos a las distintas Industrias de 2ª Transformación de la Madera (Carpinterías, Ebanisterías, etc.), las cuales a su vez las almacenan en el interior de su recinto fabril, sea en zonas especialmente destinadas al efecto (secciones de almacenamiento) o sin una especial ubicación en el propio taller.

— Nota Técnica de Prevención n.º 220/1988. INSST.

Véase: Industria de la madera. Aserrado de la madera. Parquet. Colocadores de parquet. Polvo de madera dura.

MALTA

1. Cebada que, germinada artificialmente y tostada, se emplea en la fabricación de la cerveza.

2. Los trabajadores ocupados en las actividades económicas, y expuestos a los agentes o sustancias que a continuación se indican, pueden contraer una Enfermedad Profesional (E.P.):

a) Causada por inhalación de sustancias y agentes no comprendidos en otros apartados:

• Industria de la malta, donde los trabajadores estén expuestos a sustancias de alto peso molecular (de origen vegetal o animal), que pueden provocar alguna de las siguientes E.P: rinoconjuntivitis (Código 4H0104), asma (Código 4H0204), alveolitis alérgica extrínseca (Código 4H0304), síndrome de disfunción reactivo de la vía aérea (Código 4H0404), fibrosis intersticial difusa (Código 4H0504), bisinosis, cannabiosis, linnosis, bagazosis, estipatosis, suberosis (Códigos 4H0604), neumopatía intersticial difusa (Código 4H0704).

b) E.P. de la piel, causada por sustancias y agentes no comprendidos en alguno de los otros apartados:

• Industria de la malta, donde los trabajadores estén expuestos a sustancias de alto peso molecular (de origen vegetal o animal), que pueden provocar una E.P. de la piel, causada por sustancias de alto peso molecular. (Código 5B0104).

Por ello, debe realizarse reconocimientos médicos previos y periódicos a dichos trabajadores, con la prohibición de no contratar a los calificados como no aptos para desempeñar los puestos de trabajo de que se trate.

— Artículo 243 LGSS, en relación con RDEP (Anexo I).

Véase: Alimentación. Cerveza.

MANDOS A DOS MANOS

El mando a dos manos en una máquina, es un dispositivo de seguridad, para evitar los peligros mecánicos derivados de funcionamientos peligrosos, previstos o no, que pueden ser debidos a una mala concepción del citado circuito de mando o bien al defecto de uno de sus componentes.

— Nota Técnica de Prevención n.º 70/1983. INSST.

Véase: Máquinas. Dispositivos de bloqueo. Componente de seguridad. Máquinas: Órganos de accionamiento.

MANEJO DE MÁQUINAS Y EQUIPOS

Obras de construcción: En los puestos de trabajo en las obras en el exterior de los locales, y siempre que lo exijan las características de la obra o de la actividad; las circunstancias o cualquier riesgo, las instalaciones, máquinas y equipos, incluidas las herramientas manuales o sin motor, deberán ser manejados por trabajadores que hayan recibido una formación adecuada.

— Anexo IV. Parte C.8 RDSSTOC.

Véase: Trabajos con maquinaria. Máquinas. Deber de formación.

MANGANESO

1. Elemento químico metálico, de color y brillo acerado, quebradizo, pesado y muy refractario, que se usa, aleado con el hierro, para la fabricación de acero.

2. Los trabajadores ocupados en las actividades económicas, y expuestos a los agentes o sustancias que a continuación se indican, pueden contraer una Enfermedad Profesional (E.P.):

a) Causada por agentes químicos:

• Extracción, manipulación, transporte y tratamiento de la pirolusita, la manganita, el silomelano y la rodoprosita. (Código 1A0601).

• Fabricación de aleaciones ferrosas y no ferrosas con bióxido de manganeso, especialmente ferromanganeso (acero Martin-Siemens). (Código 1A0602).

• Fabricación de pilas secas. (Código 1A0603).

• Fabricación de vidrio al manganeso. (Código 1A0604).

• Fabricación de briquetes de manganeso. (Código 1A0605).

• Soldadura con compuestos del manganeso. (Código 1A0606).

• Preparación de esmaltes. (Código 1A0607).

• Preparación de permanganato potásico. (Código 1A0608).

• Fabricación de colorantes y secantes que contengan compuestos de manganeso. (Código 1A0609).

• Envejecimiento de tejas. (Código 1A0610).

• Manipulación y transporte de escorias Thomas. (Código 1A0611).

• Preparación, utilización, manutención y transportes de abonos con sulfato de manganeso. (Código 1A0612).

• Fabricación de baterías. (Código 1A0613).

- Industria química como agente oxidante, preparación de oxígeno, cloro, fabricación de aditivos alimentarios; utilización como agente antidetonante. (Código 1A0614).

- Soldadura con electrodos de manganeso. (Código 1A0615).

- Curtido de pieles. (Código 1A0616).

- Uso de compuestos órgano mangánicos como aditivos de *fuel oil* y algunas naftas sin plomo. (Código 1A0617).

- Fabricación de aleaciones con níquel (cobre, manganeso, zinc, cromo, hierro, molibdeno), donde se utilice níquel. (Código 1A0805).

b) Causada por agentes cancerígenos:

- Fabricación de aleaciones con níquel (cobre, manganeso, zinc, cromo, hierro, molibdeno), que puede provocar la E.P. de neoplasia de bronquio y pulmón. (Código 6K0305).

Por ello, debe realizarse reconocimientos médicos previos y periódicos a dichos trabajadores, con la prohibición de no contratar a los calificados como no aptos para desempeñar los puestos de trabajo de que se trate.

— Artículo 243 LGSS, en relación con RDEP (Anexo I).

Véase: Manganita. Briquetas. Material refractario. Ladrillos refractarios. Permanganato.

MANGANITA

1. La manganita es un mineral opaco de brillo submetálico y color negro, negro grisáceo o gris. Contiene un 62% de manganeso.

2. Los trabajadores ocupados en las actividades económicas, y expuestos a los agentes o sustancias que a continuación se indican, pueden contraer una Enfermedad Profesional (E.P.), causada por agentes químicos:

- Extracción, manipulación, transporte y tratamiento de la pirolusita, la manganita, el silomelano y la rodoprosita. (Código 1A0601).

Por ello, debe realizarse reconocimientos médicos previos y periódicos a dichos trabajadores, con la prohibición de no contratar a los calificados como no aptos para desempeñar los puestos de trabajo de que se trate.

— Artículo 243 LGSS, en relación con RDEP (Anexo I).

Véase: Manganeso.

MANIPULACIÓN MANUAL DE CARGAS

1. Cualquier operación de transporte o sujeción de una carga por parte de uno o varios trabajadores, como el levantamiento, la colocación, el empuje, tracción o el desplazamiento, que por sus características o condiciones ergonómicas inadecuadas entrañe riesgos, en particular dorsolumbares, para los trabajadores.

— Artículo 2 RDSSMMC.

2. El manejo y el levantamiento de cargas son las principales causas de lumbalgias. Éstas pueden aparecer por sobreesfuerzo o como resultado de esfuerzos repetitivos.

Otros factores como son el empujar o tirar de cargas, las posturas inadecuadas y forzadas o la vibración están directamente relacionadas con la aparición de este trauma.

— Nota Técnica de Prevención n.º 477/1998. INSST.

3. El peso máximo que se recomienda no sobrepasar es:

• Veinticinco kilos, en condiciones ideales, para trabajadores hombres, salvo jóvenes y mayores.

• Quince kilos, para mujeres, jóvenes y mayores.

Cuando la carga es levantada por dos personas, se atribuye dos tercios del peso de la carga a cada uno. Cuando es levantada por tres personas, se atribuye la mitad del peso de la carga a cada uno.

— Guía técnica para la evaluación y prevención de los riesgos relativos a la manipulación manual de cargas. 2009. INSST.

— Guía para la selección de ayudas a la manipulación de cargas. 2012. INSST.

4. La expresión transporte manual de carga significa todo transporte en que el peso de la carga es totalmente soportado por un trabajador, incluidos el levantamiento y la colocación de la carga. La expresión transporte manual y habitual de carga significa toda actividad dedicada de manera continua o esencial al transporte manual de carga o toda actividad que normalmente incluya, aunque sea de manera discontinua, el transporte manual de cargas.

— Artículo 1 Convenio OIT 127, de 28 de junio de 1967.

5. Los trabajadores ocupados en las actividades económicas, y expuestos a los agentes o sustancias que a continuación se indican, pueden contraer una Enfermedad Profesional (E.P.), causada por agentes físicos:

• <u>Trabajos de apaleo o de manipulación de cargas pesadas, que pueden provocar la E.P. de apófisis espinosa por fatiga.</u> (Código 2E0101).

• <u>Trabajos en los que se produzca un apoyo prolongado y repetido de forma directa o indirecta sobre las correderas anatómicas que provocan lesiones nerviosas por compresión. Movimientos extremos de hiperflexión y de hiperextensión. Trabajos que requieran carga repetida sobre la espalda de objetos pesados y rígidos, como mozos de mudanzas, empleados de carga y descarga y similares, que pueden contraer enfermedades por posturas forzadas y movimientos repetitivos, como parálisis de los nervios del serrato mayor.</u> (Código 2F0501).

Por ello, debe realizarse reconocimientos médicos previos y periódicos a dichos trabajadores, con la prohibición de no contratar a los calificados como no aptos para desempeñar los puestos de trabajo de que se trate.

— Artículo 243 LGSS, en relación con RDEP (Anexo I).

6. Procede la imposición del recargo en las prestaciones económicas de la Seguridad Social:

• Por la manipulación manual de sacos de 50 kilos efectuada por dos trabajadores.

— STSJ Cataluña 20.7.09.

• Por no proveer a los trabajadores medidas mecánicas como grúas para el levantamiento y transporte de enfermos.

— STSJ Cataluña 19.2.03.

• Por la falta de formación e información adecuada sobre los riesgos derivados de la manipulación de cargas, sin que sea óbice la antigüedad del trabajador en la empresa.

— STSJ Málaga 19.5.04.

• Por no evitar con medios mecánicos la manipulación de cargas en un muelle de descarga, pues si en algún lugar es necesaria la utilización de medios mecánicos de descarga es en los muelles de descarga desde los camiones, dado que obviamente es allí donde la descarga es ordinariamente realizada, y no de manera circunstancial en condiciones especiales que hagan imposible o muy difícil su utilización.

— STSJ Cataluña 20.7.09.

• Por no proveer a los trabajadores medidas mecánicas como grúas para el levantamiento y transporte de enfermos.

— STSJ Cataluña 19.2.03.

Véase: Mozos de carga y descarga. Mozos de mudanzas. Muelles de carga y descarga. Bidones. Carretillas manuales. Paletas.

MÁQUINAS. COMERCIALIZACIÓN

1. Se considera comercialización de máquinas la primera puesta a disposición en la Comunidad Europea, mediante pago o de manera gratuita, de una máquina o de una cuasi máquina, con vistas a su distribución o utilización.

— Artículo 2.2.h RDM.

2. Comercialización: suministrar remunerada o gratuitamente un vehículo, sistema, componente, unidad técnica independiente, pieza o equipo para su distribución o utilización en el mercado en el transcurso de una actividad comercial.

— Artículo 3.47 Reglamento (UE) n.º 167/2013.

3. Procede la imposición del recargo en las prestaciones económicas de la Seguridad Social:

• Por rotura de una pieza de la máquina. Si la empresa considera que se debe a un defecto de fabricación podrá ejercitar las acciones que considere pertinente contra el suministrador o fabricante.

• En caso de que no se hubiera impuesto el recargo a la empresa, el beneficiario del recargo podría iniciar otro procedimiento contra el suministrador o fabricante.

— STSJ Valladolid 20.2.08.

• Por la falta de dispositivos de seguridad de la máquina, incumpliendo las instrucciones de seguridad del fabricante.

— STSJ Murcia 7.2.18.

4. Se declara Enfermedad Profesional:

• A la hernia discal dorsal y la profusión discal lumbosacra, debido a la existencia de relación de causalidad entre dichas patologías y el manejo de maquina rompedora o troceadora, generadora de vibraciones durante la operación con la misma.

— STSJ Valladolid 30.6.05.

Véase: Máquinas. Cuasi máquinas. Equipos de trabajo. Herramientas portáti-les. Fabricantes. Importadores. Distribuidores. Vigilancia del mercado.

MÁQUINAS: HERRAMIENTAS ACCIONADAS POR AIRE COMPRIMIDO

1. Dado que su accionamiento es debido a un fluido a presión, su empleo da lugar a la aparición de unos riesgos específicos, que se van a ver magnificados si se hace un mal uso del mismo.

Existe una amplia variedad de herramientas o equipos portátiles accionadas por aire comprimido, entre las que cabe citar como ejemplo, taladros, amoladoras, martillos, atornilladores, pistolas de soplado, etc., que además de presentar los riesgos propios de cada tipo de máquina o herramienta, presentan unos riesgos comunes derivados de utilizar como energía de accionamiento, aire comprimido. Las máquinas están conectadas a una red de aire comprimido, mediante una manguera flexible, y que escapa el aire a la atmósfera, una vez que ha cumplido su cometido, lo que puede dar lugar a la aparición de riesgos específicos.

— Nota Técnica de Prevención n.º 631/2003. INSST.

2. Se declara Enfermedad Profesional:

• A la enfermedad de Kienböck, caracterizada por el dolor y disminución de la función articular en grado variable de la muñeca, relacionada con la vibración transmitida a la mano, que es absorbida a nivel de la articulación del carpo, de un soldador de taloneras de la furgoneta VAN, que soldaba piezas metálicas de aproximadamente 3,6 Kg. de peso y 160 cm. de largo en dos fases.

— STSJ Cataluña 7.11.05.
• A la necrosis del semilunar del albañil que utilizaba con frecuencia herramientas que producen vibraciones, como sierras radiales y martillos neumáticos.

— STSJ Valencia 5.4.05.
• A la rotura de fibrocartílago triangular de ambas manos de la trabajadora dedicada al lijado o pulido de piezas metálicas (bombas de inyección) con herramientas portátiles (lima y rotalit) y máquinas fijas (maquina grata) que producen vibraciones.

— STSJ Castilla-La Mancha 17.10.02.
• A la hernia discal dorsal y la profusión discal lumbosacra, debido a la existencia de relación de causalidad entre dichas patologías y el manejo de maquina rompedora o troceadora, generadora de vibraciones durante la operación con la misma.

— STSJ Valladolid 30.6.05.

Véase: Martillos neumáticos. Herramientas portátiles neumáticas. Herramientas portátiles hidráulicas.

MÁQUINAS: ÓRGANOS DE ACCIONAMIENTO

Se denomina órgano de accionamiento a todo aquel elemento sobre el que actúa un operador para comunicar las órdenes a una máquina, modificar sus parámetros de funcionamiento y de mando o, eventualmente, para recibir informaciones. Los más comunes son los pulsadores, palancas, pedales, selectores, volantes, teclados y pantallas interactivas.

— Nota Técnica de Prevención n.º 1098/2017. INSST.

— Norma UNE EN 60204-1.

Véase: Máquinas. Dispositivos de bloqueo. Mando a dos manos.

MÁQUINAS: PARADA DE EMERGENCIA

1. Los dispositivos de parada de emergencia, son aquellos que permiten detener la máquina en situaciones anormales de funcionamiento, es decir, cuando aparece una situación de peligro durante el desarrollo del trabajo que pueda repercutir ya sea en el operario o bien en la propia máquina.

— Nota Técnica de Prevención n.º 86/1984. INSST.

2. Dispositivo de accionamiento manual, que al ser pulsado, asegura la inmediata desconexión de todos los elementos motores de la grúa e impide su puesta en marcha intempestiva al ser desenclavado.

— Nota Técnica de Prevención n.º 736/2006. INSST.

Véase: Máquinas. Cintas rodantes. Escaleras mecánicas.

MÁQUINAS: PUESTA EN SERVICIO

Primera utilización, de acuerdo con su uso previsto, en la Comunidad Europea, de una máquina cubierta por este real decreto.

— Artículo 2.2.k RDM.

Véase: Máquinas.

MÁQUINAS: RESGUARDOS

1. Es un medio de protección que impide o dificulta el acceso de las personas o de sus miembros al punto o zona de peligro de una máquina. Se trata de un elemento de una máquina utilizado específicamente para garantizar la protección mediante una barrera material. Dependiendo de su forma, un resguardo puede ser denominado carcasa, cubierta, pantalla, puerta, etc.

— Nota Técnica de Prevención n.º 552/2000. INSST.

2. Procede la imposición del recargo en las prestaciones económicas de la Seguridad Social:

• Por el incumplimiento de las obligaciones referentes a resguardos y dispositivos de seguridad.

— STSJ Cataluña 16.3.01.

— STSJ Burgos 3.5.06.

• Los elementos móviles de un equipo de trabajo deben ir equipados con resguardos o dispositivos que impidan el acceso a la zona peligrosa.

— STSJ País Vasco 28.9.04.

— SAP La Coruña 10.5.07.

3. Cuando existe un peligro de atrapamiento no basta con prohibir por escrito meter las manos en los cilindros el laminador cuando se caiga un cuerpo extraño, sino que es necesario dotar la máquina de dispositivos que garanticen su seguridad con protección para impedir la accesibilidad de sus cilindros.

— STS 12.7.07.

Véase: Máquinas. Riesgos mecánicos.

MÁQUINAS: TUPÍ

La máquina tupí se utiliza para la modificación de perfiles de piezas de madera, por creación de ranuras, galces, molduras, etc., mediante la acción de un útil recto o circular que gira sobre un eje normalmente vertical, aunque en determinados casos puede ser horizontal (útil montado sobre el eje de una universal).

— Notas Técnicas de Prevención n.º 68/1983. 645/2003. INSST.

Véase: Industria de la madera.

MÁQUINAS

1. Conjunto de partes o componentes vinculados entre sí, de los cuales al menos uno es móvil, asociados para una aplicación determinada, provisto o destinado a estar provisto de un sistema de accionamiento distinto de la fuerza humana o animal, aplicada directamente. Conjunto como el indicado en el primer guión, al que solo le falten los elementos de conexión a las fuentes de energía y movimiento. Conjunto como los indicados en los guiones primero y segundo, preparado para su instalación que solamente pueda funcionar previo montaje sobre un medio de transporte o instalado en un edificio o una estructura. Conjunto de máquinas como las indicadas en los guiones primero, segundo y tercero anteriores o de cuasi máquinas a las que se refiere la letra g) de este artículo 2.2, que, para llegar a un mismo resultado, estén dispuestas y accionadas para funcionar como una sola máquina. Conjunto de partes o componentes vinculados entre sí, de los cuales al menos uno es móvil, asociados con objeto de elevar cargas y cuya única fuente de energía sea la fuerza humana empleada directamente.

— Artículo 2.2.a RDM.

— Nota Técnica de Prevención n.º 946/2012. INSST.

2. Instalaciones en el exterior de las obras de construcción.

• Las instalaciones, máquinas y equipos utilizados en las obras deberán ajustarse a lo dispuesto en su normativa específica.

En todo caso, y a salvo de disposiciones específicas de la normativa citada, las instalaciones, máquinas y equipos deberán satisfacer las condiciones que se señalan en los siguientes puntos de este apartado.

• Las instalaciones, máquinas y equipos, incluidas las herramientas manuales o sin motor, deberán: 1.º. Estar bien proyectados y construidos, teniendo en cuenta, en la medida de lo posible, los principios de la ergonomía. 2.º. Mantenerse en buen estado de funcionamiento. 3.º. Utilizarse exclusivamente para los trabajos que hayan sido diseñados. 4.º. Ser manejados por trabajadores que hayan recibido una formación adecuada.

• Las instalaciones y los aparatos a presión deberán ajustarse a lo dispuesto en su normativa específica.

— Anexo IV. Parte C.8 RDSSTOC.

3. Se consideran máquinas todas las movidas por una fuerza no humana, ya sean nuevas o de ocasión.

— Convenio OIT 119, de 25 de junio de 1963.

4. Cuestionario de chequeo para el control de riesgo de atrapamiento en máquinas.

— Nota Técnica de Prevención n.º 325/1993. INSST.

5. Medidas de seguridad en máquinas: Criterios de selección.

— Nota Técnica de Prevención n.º 235/1989. INSST.

6. Escopleadora de cadena.

— Nota Técnica de Prevención n.º 186/1986. INSST.

7. Los trabajadores ocupados en las actividades económicas, y expuestos a los agentes o sustancias que a continuación se indican, pueden contraer una Enfermedad Profesional (E.P.), causada por agente químicos:

  • Conducción de máquinas a motor con exposición al óxido de carbono. (Código 1T0109).

Por ello, debe realizarse reconocimientos médicos previos y periódicos a dichos trabajadores, con la prohibición de no contratar a los calificados como no aptos para desempeñar los puestos de trabajo de que se trate.

— Artículo 243 LGSS, en relación con RDEP (Anexo I).

8. El incumplimiento de la normativa de PRL en materia de máquinas, que cree un riesgo grave para la integridad física o la salud de los trabajadores afectados, constituye una infracción grave en materia de prevención de riesgos laborales que lleva aparejada una sanción económica de 2.046 euros a 40.985 euros.

— Artículos 12.16.b y 40.2.b LISOS.

  Véase: Cuasi máquinas. Máquinas: Órganos de accionamiento. Dispositivos de bloqueo. Máquinas: Parada de emergencia. Componente de seguridad. Mando a dos manos. Equipos de trabajo. Motores. Motores diesel. Motores de aviación. Motores de explosión. Motores reactores. Motores de pistón. Trabajos con motores. Trabajos con maquinaria. Manejo de máquinas y equipos. Máquinas: Comercialización. Dispositivo amovible de transmisión mecánica. Trabajos de montaje.

MARCADO CE

Se considerará que las máquinas que estén provistas del marcado CE y vayan acompañadas de la declaración CE de conformidad, cuyo contenido se indica en el anexo II, parte 1, sección A, cumplen lo dispuesto en este Real Decreto.

Una máquina fabricada de conformidad con una norma armonizada, cuya referencia se haya publicado en el «Diario Oficial de la Unión Europea», se considerará conforme a los requisitos esenciales de seguridad y de salud cubiertos por dicha norma armonizada. Las normas españolas que traspongan las normas armonizadas indicadas en el apartado anterior, serán publicadas, a título de información, en el BOE.

— Artículo 7 RDM.

  Véase: Homologación. Homologación: Autoridades. Homologación: Obligaciones de los Estados. Autorización. Certificación. Vigilancia del mercado. Normalización. Norma normalizada.

MARTILLADO DE METALES

1. El martillado supone golpear directamente el metal para darle forma de lámina o lingote. Al martillar las piezas, estas cambian de dureza y ductilidad debido a las transformaciones sufridas en su microestructura, por lo que se hace necesario el recocido uno o varias veces para evitar que se quiebre la lámina o lingote.

2. Los trabajadores ocupados en las actividades económicas, y expuestos a los agentes o sustancias que a continuación se indican, pueden contraer una Enfermedad Profesional (E.P.), causada por agentes físicos:

• Trabajos de estampado, embutido, remachado y martillado de metales, donde el trabajador este expuesto a ruidos continuos y diarios de un nivel sonoro igual o superior a 80 decibelios A, que puede contraer la E.P. de hipoacusia. (Código 2A0102).

Por ello, debe realizarse reconocimientos médicos previos y periódicos a dichos trabajadores, con la prohibición de no contratar a los calificados como no aptos para desempeñar los puestos de trabajo de que se trate.

— Artículo 243 LGSS, en relación con RDEP (Anexo I).

Véase: Metales. Estampado de metales. Embutido de metales. Remachado de metales.

MARTILLOS ELÉCTRICOS

Un martillo eléctrico es una herramienta portátil, que se acciona a través de la energía eléctrica, y es utilizada para demoler pavimentos, realizar agujeros de grandes dimensiones o demoler construcciones de diversa índole.

Véase: Martillos. Martillos neumáticos. Martillos hidráulicos.

MARTILLOS HIDRÁULICOS

Un martillo hidráulico es una herramienta portátil, que se acciona a través de un fluido hidráulico, que circula a presiones elevadas, y es utilizada para demoler pavimentos, realizar agujeros de grandes dimensiones o demoler construcciones de diversa índole. Suele ser de grandes dimensiones y generalmente acoplado a una excavadora o tractor.

Véase: Hidráulico. Herramientas portátiles hidráulicas. Martillos neumáticos. Martillos eléctricos.

MARTILLOS NEUMÁTICOS

1. Un martillo neumático es una herramienta portátil, que se acciona a través de aire comprimido y es utilizada para demoler pavimentos, realizar agujeros de grandes dimensiones o demoler construcciones de diversa índole.

2. Los trabajadores ocupados en las actividades económicas, y expuestos a los agentes o sustancias que a continuación se indican, pueden contraer una Enfermedad Profesional (E.P.), causada por agentes físicos:

• Trabajos con martillos y perforadores neumáticos en minas, túneles y galerías subterráneas, donde el trabajador este expuesto a ruidos continuos y diarios de un nivel sonoro igual o superior a 80 decibelios A, que puede contraer la E.P. de hipoacusia. (Código 2A0105).

• Trabajos en los que se produzcan: vibraciones transmitidas a la mano y al brazo por gran número de máquinas o por objetos mantenidos sobre una superficie vibrante (gama de frecuencia de 25 a 250 Hz), como son aquellos en los que se manejan maquinarias que transmitan vibraciones, como martillos neumáticos, punzones, taladros, taladros a percusión, perforadoras, pulidoras, esmeriles, sierras mecánicas, desbrozadoras, que pueden producir una E.P. de carácter vascular. (Código 2B0101).

Por ello, debe realizarse reconocimientos médicos previos y periódicos a dichos trabajadores, con la prohibición de no contratar a los calificados como no aptos para desempeñar los puestos de trabajo de que se trate.

— Artículo 243 LGSS, en relación con RDEP (Anexo I).

3. Se ha declarado Enfermedad Profesional:

• A la necrosis del semilunar del albañil que utilizaba con frecuencia herramientas que producen vibraciones, como sierras radiales y martillos neumáticos.

— STSJ Valencia 5.4.05.

Véase: Herramientas portátiles neumáticas. Enfermedades vasculares. Vibraciones. Trabajos con martillos neumáticos. Punzones. Taladradoras. Pulidoras. Esmeriles.

MARTILLOS

1. El martillo es una herramienta de mano, diseñada para golpear; básicamente consta de una cabeza pesada y de un mango que sirve para dirigir el movimiento de aquella.

— Nota Técnica de Prevención n.º 393/1995. INSST.

2. También existen tres tipos de martillos accionados por motor, como son los martillos neumáticos, los hidráulicos y los eléctricos.

Véase: Martillos eléctricos. Martillos neumáticos. Martillos hidráulicos. Herramientas portátiles manuales. Alicates. Cinceles. Cuchillos. Destornilladores. Limas. Llaves. Picos. Punzones. Sierras. Tijeras.

MASA MÁXIMA AUTORIZADA

La masa máxima admisible del vehículo dispuesto para la marcha, incluida la carga útil.

— Artículo 4.m Reglamento (CE) n.º 561/2006, de 15 de marzo de 2006.

Véase: Vehículos. Transporte por carretera. Transporte de mercancías. Remolques.

MASILLA

1. Pasta blanda y moldeable usada para tapar agujeros, unir tubos o sujetar cristales.

2. Los trabajadores ocupados en las actividades económicas, y expuestos a los agentes o sustancias que a continuación se indican, pueden contraer una Enfermedad Profesional (E.P.), causada por agentes químicos:

• Operaciones de disolución de resinas naturales o sintéticas para la preparación de colas, adhesivos, lacas, barnices, esmaltes, masillas, tintas, diluyentes de pinturas y productos de limpieza, donde se utilice xileno o tolueno, que pueden provocar una E.P. causada por agentes químicos. (Código 1K0303).

• Empleo de barnices, pinturas, esmaltes, adhesivos, lacas y masillas, que contengan cetonas, que pueden provocar una E.P. causada por agentes químicos. (Código 1L0111).

Por ello, debe realizarse reconocimientos médicos previos y periódicos a dichos trabajadores, con la prohibición de no contratar a los calificados como no aptos para desempeñar los puestos de trabajo de que se trate.

— Artículo 243 LGSS, en relación con RDEP (Anexo I).

Véase: Fabricación de resinas. Mastiques.

MÁSTIQUES

1. Pasta de yeso mate y agua de cola que sirve para igualar las superficies que se han de pintar o decorar.

2. Los trabajadores ocupados en las actividades económicas, y expuestos a los agentes o sustancias que a continuación se indican, pueden contraer una Enfermedad Profesional (E.P.), causada por agentes químicos:

- Fabricación de mástiques y colas, donde se utilice sulfuro de carbono. (Código 1U0102).

Por ello, debe realizarse reconocimientos médicos previos y periódicos a dichos trabajadores, con la prohibición de no contratar a los calificados como no aptos para desempeñar los puestos de trabajo de que se trate.

— Artículo 243 LGSS, en relación con RDEP (Anexo I).

Véase: Fabricación de resinas. Colas. Masilla.

MATADEROS

1. Lugares donde se mata y desuella el ganado y otros animales destinados al abasto público.

2. Los trabajadores ocupados en las actividades económicas, y expuestos a los agentes o sustancias que a continuación se indican, pueden contraer una Enfermedad Profesional (E.P.):

a) Causada por agentes químicos:

- Trabajos en fosas de putrefacción de mataderos o instalaciones de curtidos, donde se utilice ácido sulfhídrico. (Código 1D0301).

b) Causada por agentes físicos:

- Trabajos en los que se produzca un apoyo prolongado y repetido de forma directa o indirecta sobre las correderas anatómicas que provocan lesiones nerviosas por compresión. Movimientos extremos de hiperflexión y de hiperextensión. Trabajos que requieran movimientos repetidos o mantenidos de hiperextensión e hiperflexión de la muñeca, de aprehensión de la mano como lavanderos, cortadores de tejidos y material plástico y similares, trabajos de montaje (electrónica, mecánica), industria textil, mataderos (carniceros, matarifes), hostelería (camareros, cocineros), soldadores, carpinteros, pulidores, pintores, que pueden provocar la E.P. de síndrome del túnel carpiano. (Código 2F0201).

c) Causada por agentes biológicos:

- Personal de mataderos, que puede contraer una E.P. infecciosa transmitida por animales (o por sus productos y cadáveres). (Código 3B0112).

Por ello, debe realizarse reconocimientos médicos previos y periódicos a dichos trabajadores, con la prohibición de no contratar a los calificados como no aptos para desempeñar los puestos de trabajo de que se trate.

— Artículo 243 LGSS, en relación con RDEP (Anexo I).

Véase: Avicultores. Ganaderos. Granjas. Granjeros. Granjas de ganado vacuno. Curtidores. Curtidos. Carniceros. Matarifes. Despojos de animales. Pastores. Trabajos con animales. Veterinarios. Entomólogos. Zoonosis. Zoológicos. Transporte de animales.

MATARIFES

1. Personas especializadas en matar reses u otras especies y las descuartizarlas.

2. Los trabajadores ocupados en las actividades económicas, y expuestos a los agentes o sustancias que a continuación se indican, pueden contraer una Enfermedad Profesional (E.P.):

a) Causada por agentes físicos:

• Trabajos en los que se produzca un apoyo prolongado y repetido de forma directa o indirecta sobre las correderas anatómicas que provocan lesiones nerviosas por compresión. Movimientos extremos de hiperflexión y de hiperextensión. Trabajos que requieran movimientos repetidos o mantenidos de hiperextensión e hiperflexión de la muñeca, de aprehensión de la mano como lavanderos, cortadores de tejidos y material plástico y similares, trabajos de montaje (electrónica, mecánica), industria textil, mataderos (carniceros, matarifes), hostelería (camareros, cocineros), soldadores, carpinteros, pulidores, pintores, que pueden provocar la E.P. de síndrome del túnel carpiano. (Código 2F0201).

b) Causada por agentes biológicos:

• Matarifes, que pueden contraer una E.P. infecciosa transmitida por animales (o por sus productos y cadáveres). (Código 3B0103).

c) E.P. de la piel, causada por sustancias y agentes no comprendidos en alguno de los otros apartados:

• Matarifes, expuestos a agentes infecciosos. (Código 5D0111).

Por ello, debe realizarse reconocimientos médicos previos y periódicos a dichos trabajadores, con la prohibición de no contratar a los calificados como no aptos para desempeñar los puestos de trabajo de que se trate.

— Artículo 243 LGSS, en relación con RDEP (Anexo I).

Véase: Avicultores. Ganaderos. Granjas. Granjeros. Granjas de ganado vacuno. Curtidores. Curtidos. Carniceros. Mataderos. Despojos de animales. Pastores. Trabajos con animales. Veterinarios. Entomólogos. Zoonosis. Zoológicos. Transporte de animales.

MATERIAL REFRACTARIO

1. Aquel que resiste la acción del fuego sin alterarse.

2. Los trabajadores ocupados en las actividades económicas, y expuestos a los agentes o sustancias que a continuación se indican, pueden contraer una Enfermedad Profesional (E.P.):

a) Causada por agentes químicos:

• Fabricación de cerámicas, porcelanas y productos altamente refractarios, donde se utilice berilio. (Código 1A0204).

b) Causada por inhalación de sustancias y agentes no comprendidos en otros apartados.

• Fabricación de refractarios, donde se utilice sílice, que puede provocar la E.P. de silicosis. (Código 4A0111).

• Fabricación de materiales refractarios, donde se utilicen polvos de talco o de caolín, que pueden producir las E.P. de talcosis (Código 4D0104), silicocaolinosis (Código 4D0204) o caolinosis y otras silicatosis (Código 4D0304), provocadas por la inhalación de polvos de talco o de caolín.

Por ello, debe realizarse reconocimientos médicos previos y periódicos a dichos trabajadores, con la prohibición de no contratar a los calificados como no aptos para desempeñar los puestos de trabajo de que se trate.

— Artículo 243 LGSS, en relación con RDEP (Anexo I).

Véase: Productos refractarios. Productos ignífugos. Ladrillos refractarios. Briquetas. Chimeneas. Manganeso.

MATERIALES RADIOACTIVOS

1. Materiales que emiten, de una manera espontánea o provocada, radiaciones o partículas ionizantes.

2. Los trabajadores ocupados en las actividades económicas, y expuestos a los agentes o sustancias que a continuación se indican, pueden contraer una Enfermedad Profesional (E.P.), causada por agentes físicos:

• Trabajos industriales en que se utilicen rayos X y materiales radiactivos, medidas de espesor y de desgaste, que pueden producir E.P. provocadas por radiaciones ionizantes. (Código 2I0106).

Por ello, debe realizarse reconocimientos médicos previos y periódicos a dichos trabajadores, con la prohibición de no contratar a los calificados como no aptos para desempeñar los puestos de trabajo de que se trate.

— Artículo 243 LGSS, en relación con RDEP (Anexo I).

Véase: Rayos X. Fabricación aparatos de rayos X Fabricación aparatos de radioterapia. Transporte de materias radioactivas. Residuos radioactivos.

MECÁNICOS

1. Personas dedicadas al manejo y arreglo de las máquinas.

2. Los trabajadores ocupados en las actividades económicas, y expuestos a los agentes o sustancias que a continuación se indican, pueden contraer una Enfermedad Profesional (E.P.):

a) Causada por agentes físicos:

• Trabajos que requieran movimientos de impacto o sacudidas, supinación o pronación repetidas del brazo contra resistencia, así como movimientos de flexoextensión forzada de la muñeca, como pueden ser: carniceros, pescaderos, curtidores, deportistas, mecánicos, chapistas, caldereros, albañiles, que pueden provocar la E.P. de epicondilitis y/o epitrocleitis. (Código 2D0201).

b) Causada por agentes cancerígenos:

• Trabajos de reparación de vehículos automóviles, donde exista exposición a la inhalación de polvos de amianto (asbesto), que pueden provocar alguna de las siguientes E.P (cánceres): neoplasia maligna de bronquio y pulmón (Código 6A0110), mesotelioma (Código 6A0210), mesotelioma de pleura (Código 6A0310), mesotelioma de peritoneo (Código 6A0410), mesotelioma de otras localizaciones (Código 6A0510) y cáncer de laringe (Código 6A0610).

• Mecánicos (trabajos de reparación de vehículos), donde se utilicen hidrocarburos aromáticos, que pueden provocar la E.P. de lesiones premalignas de piel (Código 6J0118), y/o E.P. de carcinoma de células escamosas (Código 6J0218).

Por ello, debe realizarse reconocimientos médicos previos y periódicos a dichos trabajadores, con la prohibición de no contratar a los calificados como no aptos para desempeñar los puestos de trabajo de que se trate.

— Artículo 243 LGSS, en relación con RDEP (Anexo I).

Véase: Chapistas. Garajes. Talleres. Fosos de inspección de vehículos.

MEDIDAS DE EMERGENCIA

Véase: Plan de emergencia.

MEDIDAS DE PROTECCIÓN COLECTIVA

1. La protección colectiva es aquella técnica de prevención cuyo objetivo es la protección simultánea de varios trabajadores expuestos a un determinado riesgo. Ejemplo: Las medidas contra caídas de altura (barandillas, redes de seguridad, enrejados, etc.).

2. El incumplimiento de la normativa de PRL en materia de protección colectiva o individual, que cree un riesgo grave para la integridad física o la salud de los trabajadores afectados, constituye una infracción grave en materia de prevención de riesgos laborales que lleva aparejada una sanción económica de 2.046 euros a 40.985 euros.

— Artículos 12.16.f y 40.2.b LISOS.

Véase: Barandillas. Redes de seguridad.

MEDIDAS DE PROTECCIÓN INDIVIDUAL

1. Protección individual es la técnica de prevención que tiene como objetivo el proteger al trabajador individualmente considerado, frente a agresiones externas, ya sean de tipo físico, químico o biológico, que se puedan presentar en el desarrollo de la actividad laboral.

2. El incumplimiento de la normativa de PRL en materia de protección colectiva o individual, que cree un riesgo grave para la integridad física o la salud de los trabajadores afectados, constituye una infracción grave en materia de prevención de riesgos laborales que lleva aparejada una sanción económica de 2.046 euros a 40.985 euros.

— Artículos 12.16.f y 40.2.b LISOS.

Véase: Equipos de protección personal.

MEDIOS DE COORDINACIÓN DE ACTIVIDADES EMPRESARIALES

Se consideran medios de coordinación:

• El intercambio de información y de comunicaciones entre las empresas concurrentes.

• La celebración de reuniones periódicas entre las empresas concurrentes.

• Las reuniones conjuntas de los Comités de Seguridad y Salud de las empresas concurrentes o, en su defecto, de los empresarios que carezcan de dichos comités con los Delegados de Prevención.

• La impartición de instrucciones.

• El establecimiento conjunto de medidas específicas de prevención de los riesgos existentes en el centro de trabajo que puedan afectar a los trabajadores de las empresas concurrentes o de procedimientos o protocolos de actuación.

• La presencia en el centro de trabajo de los recursos preventivos de las empresas concurrentes.

• La designación de una o más personas encargadas de la coordinación de las actividades preventivas.

— Artículo 11 RDCAE.

Véase: Deber de Coordinación de actividades preventivas. Empresario concurrente. Coordinador en materia de Seguridad y Salud. Coordinador durante proyecto de obra. Coordinador durante ejecución obra. Recurso preventivo. Dirección facultativa de la obra. Empresa externa.

MERCURIO

1. Elemento químico metálico, líquido, de color blanco y brillo plateado, muy pesado, tóxico, mal conductor del calor y muy bueno de la electricidad, poco abundante en la corteza terrestre y que se usa en la fabricación de plaguicidas, instrumentos técnicos o científicos, espejos y, aleado con el oro y la plata, en odontología y medicina.

2. Es líquido a temperatura ambiente. Muy tóxico. Se usa en la fabricación de termómetros, barómetros y otros aparatos científicos, en la producción de cloro, de pinturas, lámparas y pesticidas. Sus efectos tóxicos afectan al sistema nervioso central y periférico, además de cierta actividad corrosiva en otros órganos.

— Notas Técnicas de Prevención n.º 120/1984. 184/1986. 229/1989. INSST.

3. Toma de muestras de vapor de mercurio.

— Nota Técnica de Prevención n.º 113/1984.

4. Los trabajadores expuestos al mercurio y sus compuestos (Código 1A07) (Metales), por su extracción, tratamiento, preparación, empleo y manipulación, pueden contraer una Enfermedad Profesional (E.P.), causada por agentes químicos, en las actividades o trabajos que a continuación se relacionan:

• Extracción y recuperación del metal en las minas y en los residuos industriales. (Código 1A0701).

• Tratamiento de minerales auríferos y argentíferos. (Código 1A0702).

• Dorado, plateado, estañado, bronceado y damasquinado con ayuda del mercurio o sus sales. (Código 1A0703).

• Electrólisis con mercurio. (Código 1A0704).

• Producción electrolítica de clorina. (Código 1A0705).

• Preparación de zinc amalgamado para pilas eléctricas. (Código 1A0706).

• Fabricación y reparación de acumuladores eléctricos de mercurio. (Código 1A0707).

• Fabricación de baterías. (Código 1A0708).

• Fabricación y reparación de termómetros, barómetros, bombas de mercurio, lámparas de incandescencia, lámparas radiofólicas, tubos radiográficos, rectificadores de corriente y otros aparatos que lo contengan. (Código 1A0709).

• Trabajos en laboratorios de fotografía. (Código 1A0710).

• Empleo del mercurio o de sus compuestos como catalizadores. (Código 1A0711).

• Preparación y utilización de amalgamas y compuestos del mercurio. (Código 1A0712).

• Fabricación y empleo de pigmentos y pinturas anticorrosivas a base de cinabrio. (Código 1A0713).

• Preparación y tratamiento del pelo en pieles y materias análogas. (Código 1A0714).

• Preparación y empleo de fungicidas para la conservación de los granos. (Código 1A0701).

• Fabricación y empleo de cebos de fulminatos de mercurio. (Código 1A0716).

• Preparación de especialidades farmacéuticas que lo contengan. (Código 1A0717).

Por ello, debe realizarse reconocimientos médicos previos y periódicos a dichos trabajadores, con la prohibición de no contratar a los calificados como no aptos para desempeñar los puestos de trabajo de que se trate.

— Artículo 243 LGSS, en relación con RDEP (Anexo I).

Véase: Lámparas de incandescencia. Amalgamas. Amalgamas dentales. Odontólogos. Odontología. Dentistas. Pesticidas. Plaguicidas. Espejos. Azogado de espejos. Barómetros. Termómetros.

METALES

1. Cada uno de los elementos químicos buenos conductores del calor y de la electricidad, con un brillo característico, sólidos a temperatura ordinaria, salvo el mercurio, y que en sus sales en disolución forman iones electropositivos o cationes. Metales: Arsénico, berilio, cadmio, cromo, fósforo, manganeso, mercurio, níquel, plomo, talio, vanadio.

2. Los trabajadores ocupados en las actividades económicas, y expuestos a los agentes o sustancias que a continuación se indican, pueden contraer una Enfermedad Profesional (E.P.):

a) Causada por agentes químicos:

• Decapado de metales, donde se utilice arsénico y sus compuestos, donde se utilice arsénico y sus compuestos. (Código 1A0114).

• Limpieza de metales, donde se utilice arsénico y sus compuestos, donde se utilice arsénico y sus compuestos. (Código 1A0115).

• Revestimiento electrolítico de metales, donde se utilice arsénico y sus compuestos. (Código 1A0116).

• Galvanoplastia y tratamiento de superficies de metales con cromo. (Código 1A0408).

• Decapado y limpieza de metales y vidrios (ácido sulfocrómico o ácido crómico), donde se utilice cromo. (Código 1A0409).

• Procesos en que puede producirse fosfina, tales como la generación de acetileno, la limpieza de metales con ácido fosfórico, etc. (Código 1A0503).

• Dorado, plateado, estañado, bronceado y damasquinado (de metales), con ayuda del mercurio o sus sales. (Código 1A0703).

• Niquelado electrolítico de los metales. (Código 1A0803).

• Revestimiento de metales por pulverización de plomo o el llenado de vacíos. (Código 1A0907).

• Decapado, fijación, mordentado, afinado damasquinado, revestimiento electrolítico de metales, donde se utilice ácido nítrico. (Código 1D0103).

• Obtención de metales preciosos (oro y plata) por cianuración. (Código 1D0403).

• Tratamiento térmico de piezas metálicas, donde se utilice ácido cianhídrico (Código 1D0406).

• Fabricación de limpia metales, donde se utilice ácido cianhídrico. (Código 1D0411).

• Utilización de ácidos orgánicos en la limpieza ácida de metales. (Código 1E0109).

• Utilización de ácidos orgánicos en el electroplateado de metales. (Código 1E0110).

• Desengrasado y limpieza de piezas metálicas, como productos de limpieza y desengrasado en tintorerías, donde se utilicen derivados halogenados. (Código 1H0202).

• Empleo del benceno y sus homólogos como decapantes, como diluente, como disolvente para la extracción de aceites, grasas, alcaloides, resinas, desengrasado de pieles, tejidos, huesos, piezas metálicas, caucho, etc. (Código 1K0103).

• Utilización de epóxidos como recubrimientos para la madera y el metal. (Código 1M0102).

• Utilización del acetato de etilo en la electrodeposición de metales, donde se utilicen ésteres orgánicos. (Código 1N0119).

b) Causada por inhalación de sustancias y agentes no comprendidos en otros apartados:

• Trabajos en los que exista la posibilidad de inhalación de metales sinterizados, compuestos de carburos metálicos de alto punto de fusión y metales de ligazón de bajo punto de fusión (Los carburos metálicos más utilizados son los de titanio, vanadio, cromo, molibdeno, tungsteno y wolframio; como metales de ligazón se utilizan hierro, níquel y cobalto), que pueden provocar las E.P. de neumoconiosis o de siderosis. (Códigos 4E0101, 4E0201).

• Trabajos de mezclado, tamizado, moldeado y rectificado de carburos de tungsteno, titanio, tantalio, vanadio y molibdeno aglutinados con cobalto, hierro y níquel, con exposición a la inhalación de metales sintetizados, que pueden provocar la la E.P. de neumoconiosis, por inhalación de metales sintetizados y de metales de ligazón, que pueden provocar las E.P. de neumoconiosis o de siderosis. (Códigos 4E0102, 4E0202).

• Pulidores de metales, expuestos a la inhalación de polvo de metal duro o acero de Widia, que pueden contraer las E.P. de neumoconiosis o de siderosis. (Códigos 4E0103, 4E0203).

c) Causada por agentes cancerígenos:

• Decapado de metales y limpieza de metales, donde se utilice arsénico, que puede provocar alguna de las siguientes E.P. (cánceres): neoplasia de maligna de bronquio y pulmón (Código 6C0102), carcinoma epidemoide de piel (Código 6C0202), disqueratosis lenticular en disco (Código 6C0302) y angiosarcoma del hígado (Código 6C0402).

• Empleo del benceno y sus homólogos como decapantes, como diluente, como disolvente para la extracción de aceites, grasas, alcaloides, resinas, desengrasado de pieles, tejidos, huesos, piezas metálicas, caucho, etc., que pueden provocar una E.P. síndrome linfo y mieloproliferativos. (Código 6D0103).

• Galvanoplastia y tratamiento de superficies de metales con cromo, que puede provocar la E.P. de neoplasia maligna de cavidad nasal. (Código 6I0108).

• Galvanoplastia y tratamiento de superficies de metales con cromo, que puede provocar la E.P. de neoplasia de bronquio y pulmón. (Código 6I0208).

• Decapado y limpieza de metales y vidrios (ácido sulfocrómico o ácido crómico), donde se utilice cromo, que puede provocar la E.P. de neoplasia de bronquio y pulmón. (Código 6I0209).

• Niquelado electrolítico de los metales, que puede provocar alguna de las siguientes E.P.: E.P. neoplasia maligna de cavidad nasal (Código 6K0103), E.P. cáncer primitivo del etmoides y de los senos de la cara (Código 6K0203), o E.P. neoplasia maligna de bronquio y pulmón (Código 6K0303).

• Obtención de metales preciosos (oro y plata) por cianuración, que puede provocar una E.P. cancerígena (Código 6Q0103).

• Tratamiento térmico de piezas metálicas, donde se utilice ácido cianhídrico, que puede provocar una E.P. cancerígena. (Código 6Q0106).

Por ello, debe realizarse reconocimientos médicos previos y periódicos a dichos trabajadores, con la prohibición de no contratar a los calificados como no aptos para desempeñar los puestos de trabajo de que se trate.

— Artículo 243 LGSS, en relación con RDEP (Anexo I).

Véase: Fundiciones. Colada de metales. Metaloides. Industria metalúrgica. Electrolisis. Electrodeposición. Fluidos de corte.

METALOIDES

Los metaloides tienen un comportamiento intermedio entre los metales y los no metales. Son menos eficientes que los metales en la conducción de la corriente eléctrica y el calor. A diferencia de los metales, los cuales al aumentar la temperatura disminuye su conductividad eléctrica, en los metaloides aumentar la temperatura supone lo contrario, aumenta su conductividad eléctrica. Metaloides: Antimonio.

Véase: Metales. Industria metalúrgica.

MÉTODOS PARA REALIZAR MEDICIONES

1. Cuando la evaluación de los riesgos laborales incluya efectuar mediciones, análisis o ensayos y exista normativa específica de aplicación, o sea, metodología analítica específica, el procedimiento de evaluación deberá ajustarse a las condiciones concretas establecidas en aquella.

Cuando la normativa no establezca los métodos que deben emplearse, o cuando los criterios de evaluación contemplados en dicha normativa deban ser interpretados o precisados a la luz de otros criterios de carácter técnico, se escogerán, en el orden expuesto, los métodos siguientes:

2. Métodos analíticos del INSST: Métodos de Toma de Muestras y Análisis validados y publicados por el Instituto Nacional de Seguridad y Salud en el Trabajo. La elección del método analítico para un determinado contaminante, grupo de contaminantes o analito, se establecerá, en los casos que existan varias posibilidades de elección, con el siguiente orden decreciente de preferencias:

• Método recomendado: Método evaluado por el INSST de acuerdo con el protocolo de validación correspondiente que incluye la realización de pruebas interlaboratorio entre los distintos laboratorios que colaboran en la validación del método.

• Método aceptado: Método utilizado en el INSST y que ha sido sometido a un protocolo de validación por organizaciones oficiales competentes en el área de la normalización de métodos analíticos, o bien ha sido adoptado como método recomendado por asociaciones profesionales dedicadas al estudio y evaluación de riesgos por agentes químicos; así como aquellos métodos recomendados por la UE o basados en métodos ampliamente conocidos y utilizados por especialistas en este tipo de análisis.

— Nota Técnica de Prevención n.º 637/2003. INSST.

3. Normas UNE: Métodos analíticos para la determinación de contaminantes en aire en los lugares de trabajo y para el control biológico recogidos en alguna norma UNE.

4. Normas internacionales, normas publicadas, por ejemplo, por la Organización Internacional de Normalización (ISO), para atmósferas en los lugares de trabajo.

5. Métodos validados por organizaciones oficiales, instituciones o entidades competentes de otros países, de reconocido prestigio en la materia, tales como: Health and Safety Executive (HSE, RU), National Institute Occupational Safety and Health (NIOSH, USA), Occupational Safety and Health Administration (OSHA, USA) u otros.

6. Métodos desarrollados por el propio laboratorio o adoptados de otras fuentes bibliográficas (artículos científicos, libros; publicaciones técnicas) que contengan información suficiente y concisa de cómo realizar los análisis y que previamente hayan sido validados de modo apropiado.

— Nota Técnica de Prevención n.º 637/2003. INSST.

Véase: Recogida de muestras. Evaluación de riesgos.

MEZCLA

Una mezcla o solución compuesta por dos o más sustancias.

— Artículo 3.14 RDAG.

Véase: Preparados.

MICOTOXINAS

Las micotoxinas son metabolitos secundarios tóxicos segregados por ciertos hongos en determinadas condiciones de humedad y temperatura. De las cuatrocientas variedades de micotoxinas conocidas, una veintena tienen acción tóxica para animales y hombres. La problemática de las micotoxinas es compleja puesto que, si bien no todos los hongos las segregan, una variedad de micotoxina puede ser segregada por diferentes cepas de hongos y una cepa de hongo puede segregar diferentes tipos de micotoxinas según sean las circunstancias del medio en el que se desarrollan. Algunas micotoxinas, las aflatoxinas del género Aspergillus, son reconocidas como potentes agentes cancerígenos para el hígado. La Ocratoxina A es otra micotoxina a la que asocia el posible efecto cancerígeno en humanos. La ruta de exposición más relevante es la digestiva, aunque la exposición por vía inhalatoria puede ocurrir sobre todo en actividades en las que se manipula grano, frutos secos o piensos. Los estudios realizados revelan que los trabajadores de industrias de fabricación de piensos tienen un incremento del riesgo de padecer cáncer de hígado, así como, de cánceres del sistema biliar, glándulas salivares y mieloma múltiple. Otros estudios muestran que los granjeros tienen un riesgo aumentado de padecer ciertos cánceres específicos como son: hematológicos, de labios, estómago, próstata, tejido conjuntivo o cerebro.

— Notas Técnicas de Prevención n.º 351/1994. 802, 807/2008. INSST.

Véase: Agentes biológicos. Hongos. Bacterias. Endotoxinas. Peptidoglicanos. Glucanos. Alérgenos. Enfermedades respiratorias. Asma laboral. Rinitis. E.P. neumonitis por hipersensibilidad. Síndrome toxico.

MICROORGANISMO

Toda entidad microbiológica, celular o no, capaz de reproducirse o de transferir material genético.

— Artículo 2.b RDPTAB.

Véase: Bacterias. Virus.

MINERALES

1. Sustancias inorgánicas que se hallan en la superficie o en las diversas capas de la corteza terrestre. Es la parte útil de una explotación minera.

2. Los trabajadores ocupados en las actividades económicas, y expuestos a los agentes o sustancias que a continuación se indican, pueden contraer una Enfermedad Profesional (E.P.):

a) Causada por agentes químicos:

• Extracción del berilio de los minerales. (Código 1A0202).

• Extracción del fósforo de los minerales que lo contienen y de los huesos. (Código 1A0507).

• Tratamiento de minerales auríferos y argentíferos, donde se utilice mercurio. (Código 1A0702).

- Preparación de pentóxidos de vanadio usado, entre otros fines, en la producción de minerales de aluminio. (Código 1A1104).

- Extracción de minerales que contienen antimonio y sus procesos de molienda, tamizado y concentrado. (Código 1B0101).

- Extracción de los compuestos de flúor de los minerales (espato-flúor y criolita). (Código 1C0301).

- Combustión del azufre (carburantes fósiles) y refinerías de minerales metálicos, donde se utilice dióxido de azufre. (Código 1D0211).

b) Causada por agentes físicos:

- Trabajos de molienda de piedras y minerales, donde el trabajador este expuesto a ruidos continuos y diarios de un nivel sonoro igual o superior a 80 decibelios A, que puede contraer la E.P. de hipoacusia. (Código 2A0117).

- Trabajos de extracción y tratamiento de minerales radiactivos, que pueden contraer una E.P. provocada por radiaciones ionizantes. (Código 2I0101).

c) Causada por inhalación de sustancias y agentes no comprendidos en otros apartados:

- Trabajos en seco, de trituración, tamizado y manipulación de minerales o rocas, que contengan sílice, que pueden provocar la E.P. de silicosis. (Código 4A0103).

- Trabajos de extracción, manipulación y tratamiento de minerales o rocas amiantíferas, que pueden provocar las E.P. de asbestosis (Código 4C0101) y/o afecciones fibrosantes de la pleura y pericardio (Código 4C0201), provocadas por la inhalación de polvo de amianto (asbesto).

- Extracción y tratamiento de minerales que liberen polvo de silicatos, que pueden contraer las E.P. de talcosis (Código 4D0101), silicocaolinosis (Código 4D0201) o caolinosis y otras silicatosis (Código 4D0301), provocadas por la inhalación de polvos de talco o de caolín.

- Extracción de minerales que contienen antimonio y sus procesos de molienda, tamizado y concentrado, que pueden provocar una E.P., causada por la inhalación de polvos, humos y vapores de antimonio. (Código 4J0101).

- Extracción del berilio de los minerales, que pueden provocar una E.P. causada por inhalación de sustancias no comprendidas en otros apartados. (Código 4K0102).

d) Causada por agentes cancerígenos:

- Trabajos de extracción, manipulación y tratamiento de minerales o rocas amiantíferas, donde exista exposición a la inhalación de polvos de amianto (asbesto), que puede provocar alguna de las siguientes E.P (cánceres): neoplasia maligna de bronquio y pulmón (Código 6A0102), mesotelioma (Código 6A0202), mesotelioma de pleura (Código 6A0302), mesotelioma de peritoneo (Código 6A0402), mesotelioma de otras localizaciones (Código 6A0502) y cáncer de laringe (Código 6A0602).

- Extracción del berilio de los minerales, que pueden provocar alguna de las siguientes Enfermedades Profesionales: E.P. causada por agentes químicos (Código 1A0202), E.P. causada por inhalación de sustancias no comprendidas en otros apartados (Código 4K0102), o E.P. neoplasia maligna de bronquio y pulmón (Código 6E0102).

• Trabajos de extracción y tratamiento de minerales radiactivos, que puede provocar la E.P. de carcinoma epidermoide de piel. (Código 6N0201).

Por ello, debe realizarse reconocimientos médicos previos y periódicos a dichos trabajadores, con la prohibición de no contratar a los calificados como no aptos para desempeñar los puestos de trabajo de que se trate.

— Artículo 243 LGSS, en relación con RDEP (Anexo I).

Véase: Minería. Trabajadores en minas. Canteras.

MINERÍA

1. Mina: Excavación que se hace para extraer un mineral. La industria minera es la actividad que tiene como propósito extraer y explotar los recursos del subsuelo (minerales, gas, petróleo).

2. Minería de exterior o a cielo abierto, en este tipo de minería no existen labores subterráneas. Sus ámbitos de aplicación fundamentales se centran en la minería metálica, la piedra natural y los áridos, arenas y arcillas.

La minería a cielo abierto se basa en el movimiento, arranque y transporte de rocas y tierras, fundamentalmente mediante el empleo de explosivos y maquinaria pesada y el tipo de técnicas mineras posibles es muy diverso dependiendo de la configuración geológica del yacimiento, pudiendo tener desde explotaciones relativamente sencillas, como puede ser el caso de una gravera o una cantera de áridos hasta otras mucho más complejas como puede ser el caso de una descubierta o una corta.

Criterios de selección de equipos de protección individual (EPI) en minería a cielo abierto.

— Notas Técnicas de Prevención n.º 257/1989. 733/2006. INSST.

3. A los efectos del presente Convenio, el término mina abarca, los emplazamientos subterráneos o de superficie, en los que se lleven a cabo, en particular, las actividades siguientes:

• La exploración de minerales, excluidos el gas y el petróleo, que implique la alteración del suelo por medios mecánicos;
• La extracción de minerales, excluidos el gas y el petróleo;
• La preparación, incluidas la trituración, la molturación, la concentración o el lavado del material extraído.

— Convenio OIT 176, de 22 de junio de 1995.

4. La vigilancia y control en materia de prevención de riesgos laborales en los trabajos de minas, canteras y túneles que exijan la aplicación de la técnica minera, la corresponde a los ingenieros de minas del Ministerio de Industria.

— Artículo 7 LPRL.

5. Los trabajadores ocupados en las actividades económicas y expuestos a los agentes o sustancias que a continuación se indican, pueden contraer una Enfermedad Profesional (E.P.):

a) Causada por agentes químicos:
* Minería donde se extraiga arsénico y sus compuestos. (Código 1A0101).

* Extracción y recuperación del metal (mercurio) en las minas y en los residuos industriales. (Código 1A0701).

* Incendios y explosiones (sobre todo en espacios cerrados, en los túneles y en las minas), por la exposición a los óxidos de carbono. (Código 1T0110).

b) Causada por agentes físicos:
* Trabajos con martillos y perforadores neumáticos en minas, túneles y galerías subterráneas, donde el trabajador este expuesto a ruidos continuos y diarios de un nivel sonoro igual o superior a 80 decibelios A, que puede contraer la E.P. de hipoacusia. (Código 2A0105).

* Trabajadores de la minería subterránea, que pueden adquirir la E.P. de nistagmus. (Código 2M0101).

c) Causada por agentes biológicos:
* Trabajos subterráneos: minas, túneles, galerías, cuevas, que pueden provocar una E.P. infecciosa (micosis, legionella y helmintiasis). (Código 3D0106).

d) Causada por inhalación de sustancias y agentes no comprendidos en otros apartados:
* Trabajos en minas, túneles, canteras, galerías, obras públicas, que pueden provocar la E.P. de silicosis, por la inhalación de polvo de sílice libre. (Código 4A0101).

* Trabajos de explotación de minas de hierro cuyo contenido en sílice sea prácticamente nulo, donde se utilicen polvos de talco o de caolín, que pueden producir las E.P. de talcosis (Código 4D0114), silicocaolinosis (Código 4D0214) o caolinosis y otras silicatosis (Código 4D0314), provocadas por la inhalación de polvos de talco o de caolín.

e) Causada por agentes cancerígenos:
* Industrias en las que se utiliza amianto (asbesto) (por ejemplo, minas de rocas amiantíferas, industria de producción de amianto, trabajos de aislamientos, trabajos de construcción, construcción naval, trabajos en garajes, etc.), que pueden provocar alguna de las siguientes E.P (cánceres): neoplasia maligna de bronquio y pulmón (Código 6A0101), mesotelioma (Código 6A0201), mesotelioma de pleura (Código 6A0301), mesotelioma de peritoneo (Código 6A0401), mesotelioma de otras localizaciones (Código 6A0501) y cáncer de laringe (Código 6A0601).

* Minería del arsénico, fundición de cobre, producción de cobre, donde se utilice arsénico, que puede provocar alguna de las siguientes E.P. (cánceres): neoplasia de maligna de bronquio y pulmón (Código 6C0101), carcinoma epidermoide de piel (Código 6C0201), disqueratosis lenticular en disco (Código 6C0301) y angiosarcoma del hígado (Código 6C0401).

* Minería subterránea, procesos con productos de la cadena radiactiva de origen natural del Uranio-238 precursores del Radón-222, que puede provocar la E.P. de neoplasia de bronquio y pulmón. (Código 6M0101).

Por ello, debe realizarse reconocimientos médicos previos y periódicos a dichos trabajadores, con la prohibición de no contratar a los calificados como no aptos para desempeñar los puestos de trabajo de que se trate.

— Artículo 243 LGSS, en relación con RDEP (Anexo I).

Véase: Industrias extractivas. Túneles. Cuevas. Trabajos en túneles. Trabajos en minas. Trabajos subterráneos. Trabajos en espacios confinados. Trabajos en aislamiento. Espacios cerrados. E.P. bursitis.

MINEROS

1. Personas que trabajan en las minas.

2. Los trabajadores ocupados en las actividades económicas, y expuestos a los agentes o sustancias que a continuación se indican, pueden contraer una Enfermedad Profesional (E.P.), causada por agentes físicos:

• Trabajos en los que se produzca un apoyo prolongado y repetido de forma directa o indirecta sobre las correderas anatómicas que provocan lesiones nerviosas por compresión. Movimientos extremos de hiperflexión y de hiperextensión. Trabajos que requieran posición prolongada en cuclillas, como empedradores, soladores, colocadores de parqué, jardineros y similares. (Código 2F0401).

• Trabajos que requieran posturas en hiperflexión de la rodilla en posición mantenida en cuclillas de manera prolongada como son: Trabajos en minas subterráneas, electricistas, soladores, instaladores de suelos de madera, fontaneros, que pueden contraer enfermedades por posturas forzadas y movimientos repetitivos, como lesiones del menisco. (Código 2G0101).

Por ello, debe realizarse reconocimientos médicos previos y periódicos a dichos trabajadores, con la prohibición de no contratar a los calificados como no aptos para desempeñar los puestos de trabajo de que se trate.

— Artículo 243 LGSS, en relación con RDEP (Anexo I).

Véase: Minería. Trabajos en minas. Trabajos en canteras.

MOBBING

Véase: Acoso psicológico en el trabajo.

MOHO

Depósito o capa que se presenta en las sustancias orgánicas por el desarrollo de diferentes hongos de los géneros Mucor, Penicillium, Aspergillus, etc.

— Nota Técnica de Prevención n.º 335/1994. INSST.

Véase: Ácido propiónico. Hongos.

MOLIBDENO

1. Elemento químico metálico, de color gris o negro y brillo plateado, pesado, blando y dúctil en estado puro, pero quebradizo si presenta impurezas, escaso en la corteza terrestre, donde se encuentra generalmente en forma de sulfuro, y usado en la fabricación de aceros y filamentos resistentes a altas temperaturas.

2. Los trabajadores ocupados en las actividades económicas, y expuestos a los agentes o sustancias que a continuación se indican, pueden contraer una Enfermedad Profesional (E.P.):

a) Causada por agentes químicos:

• Fabricación de aleaciones con níquel (cobre, manganeso, zinc, cromo, hierro, molibdeno). (Código 1A0805).

b) Causada por inhalación de sustancias y agentes no comprendidos en otros apartados:

• Trabajos en los que exista la posibilidad de inhalación de metales sinterizados, compuestos de carburos metálicos de alto punto de fusión y metales de ligazón de bajo punto de fusión (Los carburos metálicos más utilizados son los de titanio, vanadio, cromo, molibdeno, tungsteno y wolframio; como metales de ligazón se utilizan hierro, níquel y cobalto), que pueden provocar las E.P. de neumoconiosis o de siderosis. (Códigos 4E0101, 4E0201).

• Trabajos de mezclado, tamizado, moldeado y rectificado de carburos de tungsteno, titanio, tantalio, vanadio y molibdeno aglutinados con cobalto, hierro y níquel, con exposición a la inhalación de metales sintetizados, que pueden provocar la la E.P. de neumoconiosis, por inhalación de metales sintetizados y de metales de ligazón, que pueden provocar las E.P. de neumoconiosis o de siderosis. (Códigos 4E0102, 4E0202).

c) Causada por agentes cancerígenos:

• Fabricación de aleaciones con níquel (cobre, manganeso, zinc, cromo, hierro, molibdeno), que puede provocar la E.P. de neoplasia de bronquio y pulmón. (Código 6K0305).

Por ello, debe realizarse reconocimientos médicos previos y periódicos a dichos trabajadores, con la prohibición de no contratar a los calificados como no aptos para desempeñar los puestos de trabajo de que se trate.

— Artículo 243 LGSS, en relación con RDEP (Anexo I).

Véase: Acero. Níquel.

MOLIENDA
Véase: Trabajos de molienda.

MOLINOS

1. Máquinas para moler, compuestas de una muela, una solera y los mecanismos necesarios para transmitir y regularizar el movimiento producido por una fuerza motriz, como el agua, el viento, el vapor u otro agente mecánico. Artefactos con que, por un procedimiento determinado, se quebranta, machaca, lamina o estruja algo.

2. Los trabajadores ocupados en las actividades económicas, y expuestos a los agentes o sustancias que a continuación se indican, pueden contraer una Enfermedad Profesional (E.P.):

a) Causada por inhalación de sustancias y agentes no comprendidos en otros apartados:

• Trabajadores de silos y molinos, donde los trabajadores estén expuestos a sustancias de alto peso molecular (de origen vegetal o animal), que pueden provocar alguna de las siguientes E.P: rinoconjuntivitis (Código 4H0111), asma (Código 4H0211), alveolitis alérgica extrínseca (Código 4H0311), síndrome de disfunción reactivo de la vía aérea (Código 4H0411), fibrosis intersticial difusa

(Código 4H0511), bisinosis, cannabiosis, linnosis, bagazosis, estipatosis, suberosis (Códigos 4H0611), neumopatía intersticial difusa (Código 4H0711).

b) E.P. de la piel, causada por sustancias y agentes no comprendidos en alguno de los otros apartados:

• Trabajadores de silos y molinos, donde los trabajadores estén expuestos a sustancias de alto peso molecular (de origen vegetal o animal), que pueden provocar una E.P. de la piel, causada por sustancias de alto peso molecular. (Código 5B0111).

Por ello, debe realizarse reconocimientos médicos previos y periódicos a dichos trabajadores, con la prohibición de no contratar a los calificados como no aptos para desempeñar los puestos de trabajo de que se trate.

— Artículo 243 LGSS, en relación con RDEP (Anexo I).

Véase: Trabajos de molienda.

MONÓXIDO DE CARBONO

1. El monóxido de carbono (CO) es un subproducto de la combustión incompleta. Siempre se produce algo de monóxido de carbono cuando quemamos algún combustible basado en el carbono, tal como el gas natural, petróleo para calefacción, leña, troncos de madera reconstituida, gasolina, carbón vegetal y otros productos semejantes.

2. Se trata de un gas que se absorbe fácilmente a través de los pulmones para pasar a la sangre y se combina con la hemoglobina para formar carboxihemoglobina e impidiendo el transporte de oxígeno a los tejidos. La acción tóxica primaria de este gas es la asfixiante. Produce efectos sobre el sistema cardiovascular, disminuyendo la capacidad de trabajo en las condiciones de máximo ejercicio, en la población general, pudiéndose producir una agravación de los síntomas en los pacientes con angina de pecho al realizar ejercicio presentando concentraciones del 2,9 al 4,5% de carboxi hemoglobina. La exposición a medias y bajas concentraciones es totalmente reversible. Se encuentra en la combustión incompleta de materias orgánicas, emisión por motores de combustión interna dentro de edificios (garajes) y el fumar. También puede provenir del exterior por tomas inadecuadas del aire de la ventilación.

— Nota Técnica de Prevención n.º 315/1995. INSST.

3. Recogida de muestras de dióxido y monóxido de nitrógeno.

— Nota Técnica de Prevención n.º 171/1986. INSST.

Véase: Carbono. Dióxido de carbono. Gas. Ventilación. Ozono.

MONTACARGAS

Véase: Aparatos elevadores.

MONTADORES DE ESTRUCTURAS

1. Trabajadores especializados en el montaje de estructuras.

2. Los trabajadores ocupados en las actividades económicas, y expuestos a los agentes o sustancias que a continuación se indican, pueden contraer una Enfermedad Profesional (E.P.), causada por agentes físicos, causada por agentes físicos:

• Trabajos ejecutados con posturas forzadas y movimientos repetitivos, que se realicen con los codos en posición elevada o que tensen los tendones o bolsa subacromial, asociándose a acciones de levantar y alcanzar; uso continuado del brazo en abducción o flexión, como son pintores, escayolistas, montadores de estructuras, que pueden provocar la E.P. de tendidosa crónica. (Código 2D0101).

Por ello, debe realizarse reconocimientos médicos previos y periódicos a dichos trabajadores, con la prohibición de no contratar a los calificados como no aptos para desempeñar los puestos de trabajo de que se trate.

— Artículo 243 LGSS, en relación RDEP (Anexo I).

Véase: Trabajos con posturas forzadas. Trabajos repetitivos. Pintores. Escayolistas. Trabajos de montaje. E.P. tendidosa crónica.

MOTO VOLQUETE

Véase: Dumper.

MOTORES DE AVIACIÓN

1. Máquinas destinadas a producir movimiento a expensas de otra fuente de energía. Motor de reacción es aquel motor de combustión que origina un movimiento contrario al del chorro de los gases expulsados.

2. Los trabajadores ocupados en las actividades económicas, y expuestos a los agentes o sustancias que a continuación se indican, pueden contraer una Enfermedad Profesional (E.P.), causada por agentes físicos:

• Trabajos de control y puesta a punto de motores de aviación, reactores o de pistón, donde el trabajador este expuesto a ruidos continuos y diarios de un nivel sonoro igual o superior a 80 decibelios A, que puede contraer la E.P. de hipoacusia. (Código 2A0104).

Por ello, debe realizarse reconocimientos médicos previos y periódicos a dichos trabajadores, con la prohibición de no contratar a los calificados como no aptos para desempeñar los puestos de trabajo de que se trate.

— Artículo 243 LGSS, en relación con RDEP (Anexo I).

Véase: Aviones. Tráfico aéreo. Ruido. Trabajadores aéreos. Trabajadores de aeropuertos. Motores reactores. Trabajo con motores.

MOTORES DE EXPLOSIÓN

1. Aquellos motores que funcionan por la energía producida por la combustión interna de una mezcla de aire y un carburante.

2. Los trabajadores ocupados en las actividades económicas, y expuestos a los agentes o sustancias que a continuación se indican, pueden contraer una Enfermedad Profesional (E.P.), causada por agentes químicos:

• Trabajos en presencia de motores de explosión, donde se utilice óxido de carbono. (Código 1T0105).

Por ello, debe realizarse reconocimientos médicos previos y periódicos a dichos trabajadores, con la prohibición de no contratar a los calificados como no aptos para desempeñar los puestos de trabajo de que se trate.

— Artículo 243 LGSS, en relación con RDEP (Anexo I).

Véase: Máquinas. Motores. Motores diesel. Motores reactores. Motores de pistón. Trabajos con motores. Trabajos con maquinaria. Trabajadores aéreos. Trabajadores de aeropuertos. Tráfico aéreo.

MOTORES DE PISTÓN

1. Un motor de pistón libre es un motor de combustión interna de dos tiempos con ignición espontánea (como en un motor diesel). El movimiento del pistón responde únicamente a la presión del gas, sin necesidad de biela ni de cigüeñal para originar una rotación. Las configuraciones básicas de los motores de pistón libre son: un único pistón, un pistón doble o dos pistones opuestos. Son muy ruidosos.

2. Los trabajadores ocupados en las actividades económicas, y expuestos a los agentes o sustancias que a continuación se indican, pueden contraer una Enfermedad Profesional (E.P.), causada por agentes físicos:

• Trabajos de control y puesta a punto de motores de aviación, reactores o de pistón, donde el trabajador este expuesto a ruidos continuos y diarios de un nivel sonoro igual o superior a 80 decibelios A, que puede contraer la E.P. de hipoacusia. (Código 2A0104).

Por ello, debe realizarse reconocimientos médicos previos y periódicos a dichos trabajadores, con la prohibición de no contratar a los calificados como no aptos para desempeñar los puestos de trabajo de que se trate.

— Artículo 243 LGSS, en relación con RDEP (Anexo I).

Véase: Máquinas. Motores. Motores diesel. Motores de explosión. Motores reactores. Trabajos con motores. Trabajos con maquinaria.

MOTORES DIÉSEL

1. Motores de combustión interna que utilizan gasóleo como combustible, el cual se autoinflama al ser inyectado en la cámara, por la alta temperatura que alcanza el aire comprimido en el cilindro.

2. Los trabajadores ocupados en las actividades económicas, y expuestos a los agentes o sustancias que a continuación se indican, pueden contraer una Enfermedad Profesional (E.P.), causada por agentes físicos:

• Motores diesel, en particular en las dragas y los vehículos de transportes de ruta, ferroviarios y marítimos, donde el trabajador este expuesto a ruidos continuos y diarios de un nivel sonoro igual o superior a 80 decibelios A, que puede contraer la E.P. de hipoacusia. (Código 2A0111).

Por ello, debe realizarse reconocimientos médicos previos y periódicos a dichos trabajadores, con la prohibición de no contratar a los calificados como no aptos para desempeñar los puestos de trabajo de que se trate.

— Artículo 243 LGSS, en relación con RDEP (Anexo I).

Véase: Máquinas. Motores. Motores de aviación. Motores de explosión. Motores reactores. Motores de pistón. Trabajos con motores. Trabajos con maquinaria.

MOTORES REACTORES

1. Motores que funcionan mediante la expulsión a gran velocidad y presión, de un chorro de gases producidos por combustión.

2. Los trabajadores ocupados en las actividades económicas, y expuestos a los agentes o sustancias que a continuación se indican, pueden contraer una Enfermedad Profesional (E.P.), causada por agentes físicos:

• Trabajos de control y puesta a punto de motores de aviación, reactores o de pistón, donde el trabajador este expuesto a ruidos continuos y diarios de un nivel sonoro igual o superior a 80 decibelios A, que puede contraer la E.P. de hipoacusia. (Código 2A0104).

Por ello, debe realizarse reconocimientos médicos previos y periódicos a dichos trabajadores, con la prohibición de no contratar a los calificados como no aptos para desempeñar los puestos de trabajo de que se trate.

— Artículo 243 LGSS, en relación con RDEP (Anexo I).

Véase: Aviones. Tráfico aéreo. Ruido. Trabajadores aéreos. Trabajadores de aeropuertos. Motores de aviación. Trabajos con motores. Reactores nucleares. Barras de control de reactores nucleares.

MOTORES

1. Aparatos que transmiten el movimiento a una máquina.

2. Los trabajadores ocupados en las actividades económicas, y expuestos a los agentes o sustancias que a continuación se indican, pueden contraer una Enfermedad Profesional (E.P.):

a) Causada por agentes químicos:

• Conducción de máquinas a motor, donde se utilice óxido de carbono. (Código 1T0109).

b) Causada por agentes cancerígenos:

• Montadores de motores, donde se utilicen hidrocarburos aromáticos, que pueden provocar la E.P. de lesiones premalignas de piel (Código 6J0117), y/o E.P. de carcinoma de células escamosas (Código 6J0217).

Por ello, debe realizarse reconocimientos médicos previos y periódicos a dichos trabajadores, con la prohibición de no contratar a los calificados como no aptos para desempeñar los puestos de trabajo de que se trate.

— Artículo 243 LGSS, en relación con RDEP (Anexo I).

Véase: Máquinas. Motores diesel. Motores de aviación. Motores de explosión. Motores reactores. Motores de pistón. Trabajos con motores. Trabajos con maquinaria.

MOVIMIENTOS REPETITIVOS

Véase: Trabajos con movimientos repetitivos.

MOZOS DE CARGA Y DESCARGA

1. Trabajadores que se ocupan de la carga y descarga en almacenes y de camiones u otros medios de transporte.

2. Los trabajadores ocupados en las actividades económicas, y expuestos a los agentes o sustancias que a continuación se indican, pueden contraer una Enfermedad Profesional (E.P.):

• Trabajos en los que se produzca un apoyo prolongado y repetido de forma directa o indirecta sobre las correderas anatómicas que provocan lesiones nerviosas por compresión. Movimientos extremos de hiperflexión y de hiperextensión. Trabajos que requieran carga repetida sobre la espalda de objetos pesados y rígidos, como mozos de mudanzas, empleados de carga y descarga y similares, que pueden contraer enfermedades por posturas forzadas y movimientos repetitivos, como parálisis de los nervios del serrato mayor. (Código 2F0501).

Por ello, debe realizarse reconocimientos médicos previos y periódicos a dichos trabajadores, con la prohibición de no contratar a los calificados como no aptos para desempeñar los puestos de trabajo de que se trate.

— Artículo 243 LGSS, en relación con RDEP (Anexo I).

Véase: Muelles de carga y descarga. Mozos de mudanzas. Manipulación manual de cargas. Carretillas manuales. Paletas.

MOZOS DE MUDANZAS

1. Trabajadores que realizan los traslados muebles y otros enseres.

2. Los trabajadores ocupados en las actividades económicas, y expuestos a los agentes o sustancias que a continuación se indican, pueden contraer una Enfermedad Profesional (E.P.), **causada por agentes físicos:**

• Trabajos en los que se produzca un apoyo prolongado y repetido de forma directa o indirecta sobre las correderas anatómicas que provocan lesiones nerviosas por compresión. Movimientos extremos de hiperflexión y de hiperextensión. Trabajos que requieran carga repetida sobre la espalda de objetos pesados y rígidos, como mozos de mudanzas, empleados de carga y descarga y similares, que pueden contraer enfermedades por posturas forzadas y movimientos repetitivos, como parálisis de los nervios del serrato mayor. (Código 2F0501).

Por ello, debe realizarse reconocimientos médicos previos y periódicos a dichos trabajadores, con la prohibición de no contratar a los calificados como no aptos para desempeñar los puestos de trabajo de que se trate.

— Artículo 243 LGSS, en relación con RDEP (Anexo I).

Véase: Mozos de carga y descarga. Manipulación manual de cargas. Carretillas manuales. Paletas. Muelles de carga y descarga.

MUDANZAS

Véase: Mozos de mudanzas.

MUELLES DE CARGA Y DESCARGA

1. Los muelles de carga y descarga son unos equipamientos industriales diseñados para facilitar el trasiego de materiales entre naves industriales y vehículos de transporte de mercancías. Los muelles de carga deberán tener al menos una salida, o una en cada extremo cuando tengan gran longitud y sea técnicamente posible.

— Anexo I. Parte 5 RDSSLT.

— Notas Técnicas de Prevención n.º 985/2012. 1076/2016. INSST.

2. Las aberturas o desniveles que supongan un riesgo de caída de personas se protegerán mediante barandillas u otros sistemas de protección de seguridad equivalente, que podrán tener partes móviles cuando sea necesario disponer de acceso a la abertura. Deberán protegerse, en particular:

• Las aberturas en los suelos.

• Las aberturas en paredes o tabiques, siempre que su situación y dimensiones suponga riesgo de caída de personas, y las plataformas, muelles o estructuras similares. La protección no será obligatoria, sin embargo, si la altura de caída es inferior a 2 metros.

— Anexo I. Punto 3.2.º RDSSLT.

3. Muelles de carga en las obras de construcción:

• Los muelles y rampas de carga deberán ser adecuados a las dimensiones de las cargas transportadas.

• Los muelles de carga deberán tener al menos una salida y las rampas de carga deberán ofrecer la seguridad de que los trabajadores no puedan caerse.

— Anexo IV. Parte A.12 RDSSTOC.

Véase: Rampas de carga. Mozos de carga y descarga. Aberturas en los suelos. Plataformas de trabajo. Barandillas. Andamios. Plataformas suspendidas. Góndolas. Desniveles. Pasarelas. Torres de acceso. Torres de trabajo móviles. Caída de objetos. Caída de personas.

MUNICIONES

1. Carga que se pone en las armas de fuego. Armas ofensivas y defensivas, pólvora, balas y demás pertrechos.

2. La vigilancia y control en materia de prevención de riesgos laborales, en los trabajos de fabricación, transporte, almacenamiento, manipulación y utilización de explosivos, corresponde al Cuerpo Técnico de Inspección del Transporte Terrestre.

— Artículo 7 LPRL.

2. Los trabajadores ocupados en las actividades económicas expuestos a los agentes o sustancias que a continuación se indican, pueden contraer una Enfermedad Profesional (E.P.):

a) Causada por agentes químicos:

• Fabricación de municiones y baterías de polarización, donde se utilice arsénico y sus compuestos. (Código 1A0127).

• Fabricación de municiones y artículos pirotécnicos, donde se utilice plomo y sus compuestos. (Código 1A0909).

• Empleo de nitroderivados alifáticos como aditivos de ciertos explosivos, pesticidas, fungicidas, gasolinas y propulsores para proyectiles. (Código 1R0102).

b) Causada por agentes físicos:

• Trabajos de expolio y destrucción de municiones y explosivos, donde el trabajador este expuesto a ruidos continuos y diarios de un nivel sonoro igual o superior a 80 decibelios A, que puede contraer la E.P. de hipoacusia, causada por agentes qímicos. (Código 2A0118).

c) Causada por agentes cancerígenos:

• Fabricación de municiones y baterías de polarización, donde se utilice arsénico, que puede provocar alguna de las siguientes E.P: neoplasia de maligna de bronquio y pulmón (Código 6C0114), carcinoma epidemoide de piel (Código 6C0214), disqueratosis lenticular en disco (Código 6C0314) y angiosarcoma del hígado (Código 6C0414).

Por ello, debe realizarse reconocimientos médicos previos y periódicos a dichos trabajadores, con la prohibición de no contratar a los calificados como no aptos para desempeñar los puestos de trabajo de que se trate.

— Artículo 243 LGSS, en relación con RDEP (Anexo I).

Véase: Industrias de explosivos. Sustancias explosivas. Atmosferas explosivas. Pirotecnia.

MUSEOS

1. Lugares en que se conservan y exponen al público colecciones de objetos de interés cultural.

2. Los trabajadores ocupados en las actividades económicas, y expuestos a los agentes o sustancias que a continuación se indican, pueden contraer una Enfermedad Profesional (E.P.), causada por agentes biológicos:

• Museos y bibliotecas, que pueden provocar una E.P. infecciosa (micosis, legionella y helmintiasis). (Código 3D0103).

Por ello, debe realizarse reconocimientos médicos previos y periódicos a dichos trabajadores, con la prohibición de no contratar a los calificados como no aptos para desempeñar los puestos de trabajo de que se trate.

— Artículo 243 LGSS, en relación con RDEP (Anexo I).

Véase: Bibliotecas. Agentes biológicos. E.P. infecciosas.

MUTUAS COMO SERVICIOS DE PREVENCIÓN

Las Mutuas de Accidentes de Trabajo y Enfermedades Profesionales pueden desarrollar para las empresas a ellas asociadas las funciones de los servicios de prevención ajenos, siempre que estén debidamente acreditadas por la Administración laboral y dispongan de una organización específica e independiente de las actividades de colaboración en la gestión de la Seguridad Social.

— Artículos 31, 32 LPRL.

— Artículo 19 RSP.

Véase: Sistemas de Prevención. Servicio de Prevención propio. Servicios de Prevención ajenos. Servicios de Prevención mancomunados. Designación de trabajadores. Asunción de la prevención por el empresario. Auditorias de prevención.

N

NAFTALENO

1. Hidrocarburo aromático que resulta de la condensación de dos anillos de benceno.

2. Los trabajadores expuestos al naftaleno y sus homólogos (Código 1K02), pueden contraer una Enfermedad Profesional (E.P.), causada por agentes químicos, en las actividades o trabajos que a continuación se relacionan:

• Extracción del naftaleno, durante la destilación del alquitrán de hulla. (Código 1K0201).

• Utilización como productos de base para la fabricación del ácido ftálico, naftaleno, hidrogenados y materias plásticas. (Código 1K0202).

• Fabricación de tintes. (Código 1K0203).

• Utilización como insecticida y en conservación de la madera. (Código 1K0204).

• Fabricación de resinas sintéticas, celuloide e hidronaftalenos (tetralin, decalin) que se usan como disolventes, en lubricantes y en combustibles. (Código 1K0205).

• Fabricación de repelente de polillas, insecticida, antiséptico (tópico y vía oral), antihelmíntico. (Código 1K0206).

• Uso en fungicidas, bronceadores sintéticos, conservantes, textiles, químicos, materia prima y producto intermedio en industria del plástico y en la fabricación de lacas y barnices. (Código 1K0207).

Por ello, debe realizarse reconocimientos médicos previos y periódicos a dichos trabajadores, con la prohibición de no contratar a los calificados como no aptos para desempeñar los puestos de trabajo de que se trate.

— Artículo 243 LGSS, en relación con RDEP (Anexo I).

Véase: Benceno. Naftas. Hidrocarburos aromáticos.

NAFTAS

1. Fracción ligera del petróleo natural, obtenida en la destilación de la gasolina como una parte de esta, cuyas variedades se usan como materia prima en la petroquímica, y algunas como disolventes.

2. Los trabajadores expuestos a las naftas (Código), pueden contraer una Enfermedad Profesional (E.P.), causada por agentes químicos, en las actividades o trabajos que a continuación se relacionan, causadas por agentes químicos:

• Uso de compuestos órgano mangánicos como aditivos de *fuel oil* y algunas naftas sin plomo, donde se utilice manganeso. (Código 1A0617).

Por ello, debe realizarse reconocimientos médicos previos y periódicos a dichos trabajadores, con la prohibición de no contratar a los calificados como no aptos para desempeñar los puestos de trabajo de que se trate.

— Artículo 243 LGSS, en relación con RDEP (Anexo I).

Véase: Gasolinas. Gasolineras. Fuel oil. Benceno. Petróleo.

NANOTECNOLOGÍA

Capacidad de manipular la materia para diseñar, obtener y aplicar nuevas estructuras y sistemas a escala nanométrica.

— Nota Técnica de Prevención n.º 797/2008. INSST.

Véase: Laboratorios de investigación.

NAVÍOS

1. Barcos de grandes dimensiones. Navío mercante es aquel que sirve para conducir mercancías o pasajeros de unos puertos a otros.

2. Los trabajadores ocupados en las actividades económicas, y expuestos a los agentes o sustancias que a continuación se indican, pueden contraer una Enfermedad Profesional (E.P.):

a) Causada por agentes químicos:

• Empleo de bromuro de metilo (derivado halogenado) para el tratamiento de vegetales en bodegas, cámaras de fumigación, contenedores, calas de barcos, camiones cubiertos, entre otros. (Código 1H0212).

• Uso sanitario de los productos plaguicidas que contienen organofosforados y carbamatos inhibidores de la colinesterasa para desinsectación de edificios, bodegas, calas de barcos, control de vectores de enfermedades transmisibles. (Código 1S0105).

• Trabajos en calderas navales, industriales y domésticas, donde se utilice óxido de carbono. (Código 1T0106).

b) Causada por agentes físicos:

• Trabajos en salas de máquinas de navíos, donde el trabajador este expuesto a ruidos continuos y diarios de un nivel sonoro igual o superior a 80 decibelios A, que puede contraer la E.P. de hipoacusia. (Código 2A0106).

c) Causada por inhalación de sustancias y agentes no comprendidos en otros apartados:

• Trabajos de aislamiento térmico en construcción naval y de edificios y su destrucción, que pueden provocar las E.P. de asbestosis (Código 4C0105) y/o afecciones fibrosantes de la pleura y pericardio (Código 4C0205), provocadas por la inhalación de polvo de amianto (asbesto).

• Desmontaje (de navíos) y demolición de instalaciones que contengan amianto, con exposición a la inhalación de polvos de amianto (asbesto), que pueden provocar asbestosis. (Código 4C0105).

d) Causada por agentes cancerígenos:

• Industrias en las que se utiliza amianto (asbesto) (por ejemplo, minas de rocas amiantíferas, industria de producción de amianto, trabajos de aislamientos, trabajos de construcción, construcción naval, trabajos en garajes, etc.), que pueden provocar alguna de las siguientes E.P (cánceres): neoplasia maligna de bronquio y pulmón (Códigos 6A0101, 6A0106), mesotelioma (Códigos 6A0202, 6A0206), mesotelioma de pleura (Códigos 6A0302, 6A0306), mesotelioma de peritoneo (Códigos 6A0402, 6A0406), mesotelioma de otras localizaciones (Códigos 6A0502, 6A0506) y cáncer de laringe (Códigos 6A0602, 6A0606).

Por ello, debe realizarse reconocimientos médicos previos y periódicos a dichos trabajadores, con la prohibición de no contratar a los calificados como no aptos para desempeñar los puestos de trabajo de que se trate.

— Artículo 243 LGSS, en relación con RDEP (Anexo I).

Véase: Buque de pesca. Trabajos en navíos. Gente del mar. Trabajador del mar. Armador. Capitán de buque. Pesca de altura. Pesca de arrastre. Pesca de bajura. Pesca de cerco. Contenedores. Bodegas.

NEGOCIACIÓN COLECTIVA

1. Negociación que llevan a cabo los sindicatos de trabajadores y los empresarios para la determinación de las condiciones de trabajo y que, normalmente, desemboca en un convenio colectivo.

— Notas Técnicas de Prevención n.º 453, 454/1997. INSST.

2. Uno de los objetivos de la LPRL puede considerarse, sin duda, el de potenciar la seguridad y salud en el trabajo dentro de la negociación colectiva. Así, la normativa sobre prevención de riesgos laborales está constituida por la citada Ley, sus disposiciones de desarrollo o complementarias y cuantas otras normas, legales o convencionales, contengan prescripciones relativas a la adopción de medidas preventivas en el ámbito laboral o susceptibles de producirlas en dicho ámbito.

— Artículo 1 LPRL.

3. Las disposiciones de carácter laboral contenidas en la LPRL y en sus normas reglamentarias tendrán en todo caso el carácter de Derecho necesario mínimo indisponible, pudiendo ser mejoradas y desarrolladas en los convenios colectivos.

— Artículo 2.2 LPRL.

4. Por negociación colectiva o mediante los acuerdos a que se refiere el artículo 83.3 de la LET, o en su defecto, por decisión de las empresas afectadas, podrá acordarse, igualmente, la constitución de servicios de prevención mancomunados entre aquellas empresas pertenecientes a un mismo sector productivo o grupo empresarial o que desarrollen sus actividades en un polígono industrial o área geográfica limitada.

— Artículo 21.1 RSP.

5. En la negociación colectiva o mediante los acuerdos a que se refiere el artículo 83.3 de la LET, podrán establecerse criterios para la determinación de los medios personales y materiales de los servicios de prevención propios, del número de trabajadores designados, en su caso, por el empresario para llevar a cabo actividades de prevención y del tiempo y los medios de que dispongan para el desempeño de su actividad, en función del tamaño de la empresa, de los riesgos a que estén expuestos los trabajadores y de su distribución en la misma, así como en materia de planificación de la actividad preventiva y para la formación en materia preventiva de los trabajadores y de los delegados de prevención.

— Disposición Adicional Séptima RSP.

6. En el ámbito de las Administraciones Públicas, la organización de los recursos necesarios para el desarrollo de las actividades preventivas y la definición de las funciones y niveles de cualificación del personal que las lleve a cabo se realizará en los términos que se regulen en la normativa específica que al efecto se dicte, de conformidad con lo dispuesto en el artículo 31.1 y en la Disposición Adicional Tercera de la LPRL, y en la disposición adicional primera de este Reglamento, previa consulta con las organizaciones sindicales más representativas, en los términos señalados en la Ley 7/1990, de 19 de julio, sobre negociación colectiva y participación en la determinación de las condiciones de trabajo de los empleados públicos.

— Disposición Adicional Cuarta RSP.

6. La designación de los Delegados de Prevención, prevista en la LPRL, puede modificarse por negociación colectiva, siempre que se garantice que la facultad de designación corresponde a los representantes del personal o a los propios trabajadores.

— Artículo 35.4 LPRL.

Véase: Derecho necesario.

NEUMÁTICOS

1. Pieza de caucho con cámara de aire o sin ella, que se monta sobre la llanta de una rueda.

2. Los trabajadores ocupados en las actividades económicas, y expuestos a los agentes o sustancias que a continuación se indican, pueden contraer una Enfermedad Profesional (E.P.), causada por agentes cancerígenos:

• Fabricación de neumáticos, donde se utilicen hidrocarburos aromáticos, que pueden provocar la E.P. de lesiones premalignas de piel (Código 6J0125), y/o E.P. de carcinoma de células escamosas (Código 6J0225).

Por ello, debe realizarse reconocimientos médicos previos y periódicos a dichos trabajadores, con la prohibición de no contratar a los calificados como no aptos para desempeñar los puestos de trabajo de que se trate.

— Artículo 243 LGSS, en relación con RDEP (Anexo I).

Véase: Industria del caucho.

NICOTINA

1. Alcaloide tóxico del tabaco, que provoca hipertensión arterial, taquicardia y estimula el sistema nervioso central, induciendo adicción o tabaquismo.

2. Los trabajadores ocupados en las actividades económicas, y expuestos a los agentes o sustancias que a continuación se indican, pueden contraer una Enfermedad Profesional (E.P.), causada por agentes químicos:

• Utilización de éteres en la industria química como disolventes de ceras, grasas, etc., y en la fabricación de colodium para la extracción de nicotina. (Código 1O0111).

Por ello, debe realizarse reconocimientos médicos previos y periódicos a dichos trabajadores, con la prohibición de no contratar a los calificados como no aptos para desempeñar los puestos de trabajo de que se trate.

— Artículo 243 LGSS, en relación con RDEP (Anexo I).

Véase: Éteres.

NIEBLAS

1. Concentraciones de gotas de los líquidos o de partículas de los productos que la forman, que dificulta la visión. Suspensión dispersa de materias liquidas en el aire, producida por condensación o por dispersión.

2. Dispersión de partículas líquidas, de tamaño comprendido entre 0,01 y 500, originadas por condensación del estado gaseoso o dispersión de un líquido por procesos físicos.

— Nota Técnica de Prevención n.º 49/1983. INSST.

3. Los trabajadores ocupados en las actividades económicas, y expuestos a los agentes o sustancias que a continuación se indican, pueden contraer una Enfermedad Profesional (E.P.), causada por agentes químicos:

• Aplicación directa de los productos plaguicidas que contiene organofosforados y carbamatos inhibidores de la colinesterasa por aspersión, nieblas, rocío, pulverizado, micropulverizado, vaporización, por vía terrestre o aérea, con métodos manuales o mecánicos. (Código 1S0104).

Por ello, debe realizarse reconocimientos médicos previos y periódicos a dichos trabajadores, con la prohibición de no contratar a los calificados como no aptos para desempeñar los puestos de trabajo de que se trate.

— Artículo 243 LGSS, en relación con RDEP (Anexo I).

Véase: Vapores. Ventilación. Gas. Aerosoles. Ambiente de trabajo. Calidad del aire.

NÍQUEL

1. Elemento químico metálico, del color y brillo de la plata, duro, tenaz y resistente a la corrosión, escaso en la corteza terrestre, donde se encuentra nativo en meteoritos y, combinado con azufre y arsénico, en diversos minerales, y que se usa en el recubrimiento de superficies y en la fabricación de baterías eléctricas, monedas y aceros inoxidables.

2. Los trabajadores expuestos al níquel y sus compuestos pueden contraer alguna de las siguientes Enfermedades Profesionales: E.P. causada por agentes químicos (Códigos 1A08, 1A0302, 1D0405), E.P. causada por inhalación de sustancias no comprendidas en otros apartados (Códigos 4E0101, 4E0201, 4I0125, 4I0225, 4I0325, 4I0425, 4I0525, 4I0625, 4I0725, 4I0825), E.P. de la piel causada por sustancias no comprendidas en oros apartados, E.P. neoplasia maligna de cavidad nasal (Cáncer) (Código 6K01), E.P. cáncer primitivo del etmoides y de los senos de la cara (Código 6K02), o E.P. neoplasia maligna de bronquio y pulmón (Cáncer), en las actividades o trabajos que a continuación se relacionan:

• Fundición y refino de níquel, producción de acero inoxidable, fabricación de baterías. (Códigos 1A0801, 6K0101, 6K0201, 6K0301).

• Producción de níquel por el proceso Mond. (Códigos 1A0802, 6K0102, 6K0202, 6K0302).

• Niquelado electrolítico de los metales. (Códigos 1A0803, 6K0103, 6K0203, 6K0303).

• Trabajos de bisutería. (Códigos 1A0804, 6K0104, 6K0204, 6K0304).

• Fabricación de aleaciones con níquel (cobre, manganeso, zinc, cromo, hierro, molibdeno). (Códigos 1A0805, 6K0105, 6K0205, 6K0305).

• Fabricación de aceros especiales al níquel (ferroniquel). (Códigos 1A0806, 6K0106, 6K0206, 6K0306).

• Fabricación de acumuladores al níquel-cadmio. (Códigos 1A0302, 1A0807, 6K0106, 6K0206, 6K0306).

• Empleo como catalizador en la industria química. (Códigos 1A0808, 6K0107, 6K0207, 6K0307).

• Trabajos que implican soldadura y oxicorte de acero inoxidable. (Códigos 1A0809, 6K0108, 6K0208, 6K0308).

- Trabajos en horno de fundición de hierro y de acero inoxidable. (Códigos 1A0810, 6K0109, 6K0209, 6K0309).
- Desbarbado y limpieza de piezas de fundición. (Códigos 1A0811, 6K0110, 6K0211, 6K0311).
- Industria de cerámica y vidrio. (Códigos 1A0812, 6K0111, 6K0211, 6K0311).
- Aplicación por proyección de pinturas y barnices que contengan níquel. (Códigos 1A0813, 6K0112, 6K0212, 6K0312).
- Procesado de residuos que contengan níquel. (Códigos 1A0814, 6K0113, 6K0213, 6K0313).
- Empleo de cianuro en las operaciones de galvanoplastia (niquelado, cadmiado, cobrizado, etc.) que puede provocar una E.P. causada por agentes químicos (Código 1D0405), o una E.P. cancerígena (Código 6Q0105).
- Trabajos en los que exista la posibilidad de inhalación de metales sinterizados, compuestos de carburos metálicos de alto punto de fusión y metales de ligazón de bajo punto de fusión (Los carburos metálicos más utilizados son los de titanio, vanadio, cromo, molibdeno, tungsteno y wolframio; como metales de ligazón se utilizan hierro, níquel y cobalto), que pueden provocar las E.P. de neumoconiosis o de siderosis. (Códigos 4E0101 y 4E0201).
- Trabajos de mezclado, tamizado, moldeado y rectificado de carburos de tungsteno, titanio, tantalio, vanadio y molibdeno aglutinados con cobalto, hierro y níquel, con exposición a la inhalación de metales sintetizados, que pueden provocar la la E.P. de neumoconiosis, por inhalación de metales sintetizados y de metales de ligazón, que pueden provocar las E.P. de neumoconiosis o de siderosis. (Códigos 4E0102 y 4E0202).
- Galvanizado, plateado, niquelado y cromado de metales, donde los trabajadores estén expuestos a sustancias de bajo peso molecular (metales, polvos de maderas, sustancias químicas, etc.), que pueden provocar alguna de las siguientes E.P: rinoconjuntivitis (Código 4I0125), urticaria (Código 4I0225), angiodemas (Código 4I0225), asma (Código 4I0325), alveolitis alérgica extrínseca (Código 4I0425), síndrome de disfunción de la vía reactiva (Código 4I0525), fibrosis intersticial difusa (Código 4I0625), fiebre de los metales (Código 4I0725), neumopatía intersticial difusa (Código 4I0825) y E.P. de la piel, causada por sustancias de bajo peso molecular (Código 5A0124).

Por ello, debe realizarse reconocimientos médicos previos y periódicos a dichos trabajadores, con la prohibición de no contratar a los calificados como no aptos para desempeñar los puestos de trabajo de que se trate.

— Artículo 243 LGSS, en relación con RDEP (Anexo I).

Véase: Acero. Arsénico. Azufre. Baterías. Bisutería. Catalizadores.

NITROBENCENO

1. Derivado nitrado del benceno. Es un líquido oleoso, tóxico, incoloro, ligeramente soluble en agua y muy soluble en alcohol y éter.

2. Los trabajadores ocupados en las actividades económicas, y expuestos a los agentes o sustancias que a continuación se indican, pueden contraer una Enfermedad Profesional (E.P.), causada por sustancias cancerígenas:

- Utilización como disolventes. (Código 6P0101).

- Producción de colorantes, pigmentos, tintes. (Código 6P0102).
- Fabricación de explosivos. (Código 6P0103).
- Industria farmacéutica y cosmética. (Código 6P0104).
- Industria del plástico. (Código 6P0105).
- Utilización como pesticidas. (Código 6P0106).
- Utilización en la industria textil, química, del papel. (Código 6P0107).
- Utilización en laboratorios. (Código 6P0108).
- Utilización de nitrobenceno como enmascarador de olores. (Código 6P0109).
- Utilización de dinitrobenceno en la producción de celuloide, etc. (Código 6P0110).

Por ello, debe realizarse reconocimientos médicos previos y periódicos a dichos trabajadores, con la prohibición de no contratar a los calificados como no aptos para desempeñar los puestos de trabajo de que se trate.

— Artículo 243 LGSS, en relación con RDEP (Anexo I).

Véase: Benceno. Olores. E.P. linfoma.

NITRODERIVADOS ALIFÁTICOS

1. Los nitroderivados (o nitrocompuestos o compuestos nitro) son compuestos orgánicos que contienen uno o más grupos funcionales nitro. Son a menudo altamente explosivos; impurezas varias o una manipulación inapropiada pueden fácilmente desencadenar una descomposición exotérmica violenta. Alifáticos: moléculas orgánicas que tienen una estructura de cadena abierta.

2. Los trabajadores expuestos a los nitroderivados alifáficos, nitroalcanos (Código 1R01), pueden contraer una Enfermedad Profesional (E.P.), causada por agentes químicos, en las actividades o trabajos que a continuación se relacionan:

- Empleo como disolventes. (Código 1R0101).
- Empleo como aditivos de ciertos explosivos, pesticidas, fungicidas, gasolinas y propulsores para proyectiles. (Código 1R0102).
- Utilización en síntesis orgánica. (Código 1R0103).

Por ello, debe realizarse reconocimientos médicos previos y periódicos a dichos trabajadores, con la prohibición de no contratar a los calificados como no aptos para desempeñar los puestos de trabajo de que se trate.

— Artículo 243 LGSS, en relación con RDEP (Anexo I).

Véase: Nitroderivados. Nitroderivados de hidrocarburos aromáticos. Nitroglicerina.

NITRODERIVADOS DE HIDROCARBUROS AROMÁTICOS

1. Los nitroderivados (o nitrocompuestos o compuestos nitro) son compuestos orgánicos que contienen uno o más grupos funcionales nitro. Son a menudo altamente explosivos; impurezas varias o una manipulación inapropiada pueden fácilmente desencadenar una descomposición exotérmica violenta.

2. Los trabajadores expuestos a los nitroderivados de hidrocarburos aromáticos: nitro--dinitrobenceno, dinitro-trinitrotolueno (Código 1K06), pueden contraer una Enfermedad Profesional (E.P.), causada por agentes químicos, en las actividades o trabajos que a continuación se relacionan:

- Utilización como disolventes. (Código 1K0601).
- Producción de colorantes, pigmentos, tintes. (Código 1K0602).
- Fabricación de explosivos. (Código 1K0603).
- Industria farmacéutica y cosmética. (Código 1K0604).
- Industria del plástico. (Código 1K0605).
- Utilización como pesticidas. (Código 1K0606).
- Utilización en la industria textil, química, del papel. (Código 1K0607).
- Utilización en laboratorios. (Código 1K0608).
- Utilización de nitrobenceno como enmascarador de olores. (Código 1K0609).
- Utilización de dinitrobenceno en la producción de celuloide, etc. (Código 1K0610).

Por ello, debe realizarse reconocimientos médicos previos y periódicos a dichos trabajadores, con la prohibición de no contratar a los calificados como no aptos para desempeñar los puestos de trabajo de que se trate.

— Artículo 243 LGSS, en relación con RDEP (Anexo I).

Véase: Nitroderivados. Nitroderivados alifáticos. Nitroglicerina. Derivados halogenados de hidrocarburos aromáticos.

NITRODERIVADOS

Los nitroderivados (o nitrocompuestos o compuestos nitro) son compuestos orgánicos que contienen uno o más grupos funcionales nitro. Son a menudo altamente explosivos; impurezas varias o una manipulación inapropiada pueden fácilmente desencadenar una descomposición exotérmica violenta. Se puede distinguir, entre otros: Nitroderivados de hidrocarburos aromáticos (Código 1K06). Nitroderivados alifáticos, nitroalcanos (Código 1R01). Nitroglicerina y otros ésteres del ácido nítrico (Código 1R02).

Véase: Nitroderivados de hidrocarburos aromáticos. Nitroderivados alifáticos. Nitroglicerina.

NITROGLICERINA

1. La nitroglicerina es un líquido aceitoso e inodoro, que se prepara por nitración de la glicerina y es un explosivo de alta potencia, utilizado en la fabricación de la dinamita y en medicina como vasodilatador de acción inmediata.

2. Los trabajadores expuestos a la nitroglicerina y a otros ésteres del ácido nítrico, pueden contraer una Enfermedad Profesional (E.P.), causada por agentes químicos, en las actividades o trabajos que a continuación se relacionan:

- Industria de explosivos. (Código 1R0201).
- Empleo en la industria farmacéutica. (Código 1R0202).
- Producción de nitratos metálicos, ácidos oxálicos, ftálico o sulfúrico, de nitritos y ácidos nitrosos, de trinitrofenol, de trinitrotolueno, de nitroglicerina, de dinitrato de etilenglicol, donde se utilice ácido nítrico. (Código 1D0106).

Por ello, debe realizarse reconocimientos médicos previos y periódicos a dichos trabajadores, con la prohibición de no contratar a los calificados como no aptos para desempeñar los puestos de trabajo de que se trate.

— Artículo 243 LGSS, en relación con RDEP (Anexo I).

Véase: Nitroderivados. Nitroderivados de hidrocarburos aromáticos. Nitroderivados alifáticos.

NIVEL DE EXPOSICIÓN

El nivel de exposición es un indicador de la frecuencia con la que se presenta la exposición a un determinado riesgo.

El nivel de exposición se puede estimar en función de los tiempos de permanencia en áreas y/o tareas en que se haya identificado el riesgo.

— Nota Técnica de Prevención n.º 934/2012. INSST.

Véase: Valores límite.

NIVEL DE SUBCONTRATACIÓN

Cada uno de los escalones en que se estructura el proceso de subcontratación que se desarrolla para la ejecución de la totalidad o parte de la obra asumida contractualmente por el contratista con el promotor.

— Artículo 3.1 LSC.

Véase: Empresario. Empresario titular del centro de trabajo. Promotor. Empresario principal. Empresario contratista. Empresario subcontratista. Libro de subcontratación. Nivel de subcontratación. Trabajador autónomo. Trabajador autónomo económicamente dependiente. Propia actividad. Deber de Coordinación de actividades empresariales.

NIVELES DE CUALIFICACIÓN

1. A efectos de determinación de las capacidades y aptitudes necesarias para la evaluación de los riesgos y el desarrollo de la actividad preventiva, las funciones a realizar se clasifican en los siguientes grupos:

- Funciones de nivel básico.
- Funciones de nivel intermedio.
- Funciones de nivel superior, correspondientes a las especialidades y disciplinas preventivas de medicina del trabajo, seguridad en el trabajo, higiene industrial, y ergonomía y psicosociología aplicada.

— Artículo 34 RSP.

2. Niveles de cualificación en la Administración General del Estado.

— Artículo 8 RDPAGE.

Véase: Evaluación de riesgos.

NORMA ARMONIZADA

Especificación técnica, de carácter no obligatorio, adoptada por un organismo de normalización, a saber el Comité Europeo de Normalización (CEN), el Comité Europeo de Normalización Electrotécnica (CENELEC) o el Instituto Europeo de Normas de Telecomunicación (ETSI), en el marco de un mandato de la Comisión otorgado con arreglo a los procedimientos establecidos en la Directiva 98/34/CE del Parlamento Europeo y del Consejo, de 22 de junio de 1998, por la que se establece un procedimiento de información en materia de las normas y reglamentaciones técnicas y de las reglas relativas a los servicios de la sociedad de la información, transpuesta a derecho interno español mediante Real Decreto 1337/1999, de 31 de julio.

— Artículo 2.2.1 RDM.

Véase: Marcado CE. Normalización. Guías técnicas del INSST. Instrucciones Técnicas Complementarias. Normas UNE. Normas UNE-EN. Normas UNE-EN-ISO.

NORMALIZACIÓN

Es la actividad por la que se unifican criterios respecto a determinadas materias y se posibilita la utilización de un lenguaje común en un campo de actividad concreto.

— Artículo 8.5 LI.

Véase: Homologación. Homologación: Autoridades. Homologación: Obligaciones de los Estados. Marcado CE. Autorización. Certificación. Norma normalizada.

NORMAS JURÍDICO-TÉCNICAS

1. Las normas jurídico-técnicas, son aquellas normas que no teniendo una calificación directa de normas laborales pueden incidir en las condiciones de trabajo.

— Artículo 1 LPRL.

2. Le corresponde a la Inspección de Trabajo (Inspectores y Subinspectores de Seguridad y Salud Laboral), la vigilancia y exigencia del cumplimiento de la normativa en materia de prevención de riesgos laborales y de las normas jurídico-técnicas que incidan en las condiciones de trabajo.

— Artículo 12 LOIT.

— Artículo 8.3 ROIT.

Véase: Instrucciones Técnicas Complementarias. Normativa en materia de PRL. Reglamento técnico.

NORMAS UNE

1. Norma: Es la especificación técnica de aplicación repetitiva o continuada cuya observancia no es obligatoria, establecida con participación de todas las partes interesadas, que aprueba un Organismo reconocido, a nivel nacional o internacional, por su actividad normativa.

— Artículo 8 LI.

2. Las Normas UNE (Una Norma Española) son normas no vinculantes, elaboradas por Aenor (Asociación Española de Normalización y Certificación). Normas supletorias de interpretación o precisión técnica en materia de prevención de riesgos laborales.

Se trata de orientaciones prácticas y criterios armonizados de actuación en materia de prevención de riesgos laborales.

— Artículo 5 RSP.

Véase: Normalización. Norma armonizada. Marcado CE. Guías técnicas del INSST. Instrucciones Técnicas Complementarias. Normas UNE-EN. Normas UNE-EN-ISO.

NORMAS UNE-EN

1. Las Normas UNE (Una Norma Española) son normas no vinculantes, elaboradas por Aenor (Asociación Española de Normalización y Certificación). Normas supletorias de interpretación o precisión técnica en materia de prevención de riesgos laborales.

Se trata de orientaciones prácticas y criterios armonizados de actuación en materia de prevención de riesgos laborales.

— Artículo 5 RSP.

2. Normas UNE-EN. Se trata de una Norma Europea (EN) adoptada por Aenor para España. Primero es elaborada la norma EN, por CEN (Comité Europeo de Normalización), o por CENELEC (Comité Europeo de Normalización Electrónica). Más tarde Aenor la acoge y edita una norma UNE-EN.

> *Véase: Normalización. Norma armonizada. Marcado CE. Guías técnicas del INSST. Instrucciones Técnicas Complementarias. Normas UNE. Normas UNE-EN-ISO.*

NORMAS UNE-EN-ISO

1. Las Normas UNE (Una Norma Española) son normas no vinculantes, elaboradas por Aenor (Asociación Española de Normalización y Certificación). Normas supletorias de interpretación o precisión técnica en materia de prevención de riesgos laborales. Se trata de orientaciones prácticas y criterios armonizados de actuación en materia de prevención de riesgos laborales.

— Artículo 5 RSP.

2. Normas UNE-EN-ISO. Se trata de una Norma Internacional elaborada por la Organización Internacional de Normalización (ISO), adoptada por los comités que elaboran las normas europeas, CEN o CENELEC (EN) y adoptada por Aenor para España.

Primero se elabora la norma ISO, por la Organización Internacional de Normalización. Más tarde, el CEN o CENELEC la acoge y edita una Norma EN-ISO, y más tarde Aenor la acoge y edita una Norma UNE-EN-ISO.

> *Véase: Normalización. Norma armonizada. Marcado CE. Guías técnicas del INSST. Instrucciones Técnicas Complementarias. Normas UNE. Normas UNE-EN.*

NORMATIVA EN MATERIA DE PRL: ÁMBITO DE APLICACIÓN

1. La normativa en materia de PRL es de aplicación:

• Las relaciones laborales reguladas por el ET, salvo las particularidades de la relación laboral especial del servicio del hogar familiar y de la relación laboral especial de penados en instituciones penitenciarias.

• Relaciones de carácter administrativo o estatutario (empleados públicos).

• Sociedades cooperativas.

• Trabajadores autónomos.

• Fabricantes, importadores y suministradores de maquinaria y de equipos de trabajo (Art. 41 LPRL).

• Centros y establecimientos militares será de aplicación con las particularidades previstas en su normativa específica.

• Establecimientos penitenciarios, se adaptarán a la presente Ley aquellas actividades cuyas características justifiquen una regulación especial.

— Artículo 3 LPRL.

2. La normativa en materia de PRL no será de aplicación en aquellas actividades cuyas particularidades lo impidan en el ámbito de las funciones públicas de:

- Policía, seguridad y resguardo aduanero.
- Servicios operativos de protección civil y peritaje forense en los casos de grave riesgo, catástrofe y calamidad pública.
- Fuerzas Armadas y actividades militares de la Guardia Civil.

No obstante, esta Ley inspirará la normativa específica que se dicte para regular la protección de la seguridad y la salud de los trabajadores que prestan sus servicios en las indicadas actividades.

— Artículo 3.2 LPRL.

Véase: Normativa en materia de PRL: Exclusiones. Normas jurídico-técnicas.

NORMATIVA EN MATERIA DE PRL: EXCLUSIONES

1. La presente Ley no será de aplicación en aquellas actividades cuyas particularidades lo impidan en el ámbito de las funciones públicas de:

- Policía, seguridad y resguardo aduanero.
- Servicios operativos de protección civil y peritaje forense en los casos de grave riesgo, catástrofe y calamidad pública.
- Fuerzas Armadas y actividades militares de la Guardia Civil.

No obstante, esta Ley inspirará la normativa específica que se dicte para regular la protección de la seguridad y la salud de los trabajadores que prestan sus servicios en las indicadas actividades.

— Artículo 3.2 LPRL.

2. En los centros y establecimientos militares será de aplicación lo dispuesto en la presente Ley, con las particularidades previstas en su normativa específica.

En los establecimientos penitenciarios, se adaptarán a la presente Ley aquellas actividades cuyas características justifiquen una regulación especial, lo que se llevará a efecto en los términos señalados en la Ley 7/1990, de 19 de julio, sobre negociación colectiva y participación en la determinación de las condiciones de trabajo de los empleados públicos.

— Artículo 3.3 LPRL.

3. La presente Ley tampoco será de aplicación a la relación laboral de carácter especial del servicio del hogar familiar. No obstante lo anterior, el titular del hogar familiar está obligado a cuidar de que el trabajo de sus empleados se realice en las debidas condiciones de seguridad e higiene.

— Artículo 3.4 LPRL.

Véase: Normativa en materia de PRL: Ámbito de aplicación.

NORMATIVA EN MATERIA DE PRL

1. La normativa sobre prevención de riesgos laborales está constituida por la presente Ley, sus disposiciones de desarrollo o complementarias y cuantas otras normas, legales o convencionales, contengan prescripciones relativas a la adopción de medidas preventivas en el ámbito laboral o susceptibles de producirlas en dicho ámbito. Quedan incluidas las normas jurídico-técnicas, que son aquellas que no teniendo una calificación directa de norma laboral pueden incidir en las condiciones de trabajo.

— Artículo 1 LPRL.

2. Las disposiciones de carácter laboral contenidas en esta LPRL y en sus normas reglamentarias tendrán en todo caso el carácter de Derecho necesario mínimo indisponible, pudiendo ser mejoradas y desarrolladas en los convenios colectivos.

— Artículo 1.2 LPRL.

3. La normativa sobre prevención de riesgos laborales es de competencia exclusiva del Estado, sin perjuicio de normas de ejecución que puedan ser dictadas por las Comunidades Autónomas.

— Artículo 149.1.7ª CE.

— Disposición Adicional Tercera. LPRL.

4. En cuanto a las normas jurídico-técnicas de sanidad e industria, las competencias de las Comunidades Autónomas es más amplia.

— Artículo 148.1.9ª, 13ª, 21ª CE.

5. El incumplimiento de la normativa de prevención de riesgos laborales, siempre que dicho incumplimiento cree un riesgo grave para la integridad física o la salud de los trabajadores afectados, constituye una infracción grave en materia de prevención de riesgos laborales que lleva aparejada una sanción económica de 2.046 euros a 40.985 euros.

— Artículos 12.16 y 40.2.b LISOS.

> *Véase: Normativa en materia de PRL: Ámbito de aplicación. Normas jurídico-técnicas.*

NOTIFICACIÓN DE LOS ACCIDENTES DE TRABAJO

1. El empresario estará obligado a notificar por escrito a la Autoridad Laboral los daños para la salud de los trabajadores a su servicio que se hubieran producido con motivo del desarrollo de su trabajo.

— Artículo 23.3 LPRL.

2. El parte de accidente de trabajo deberá cumplimentarse en aquellos accidentes de trabajo o recaídas que conlleven la ausencia del accidentado del lugar de trabajo de, al menos, un día —salvedad hecha del día en que ocurrió el accidente—, previa baja médica. Dicho documento será remitido por el empresario o trabajador por cuenta propia, según proceda, de acuerdo con lo establecido en el apartado 2 de la presente Orden, a la Entidad gestora o colaboradora que tenga a su cargo la protección por accidente de trabajo, en el plazo máximo de cinco días hábiles, contados desde la fecha en que se produjo el accidente o desde la fecha de la baja médica.

— Artículo 3.a Orden de 16 de diciembre de 1987.

— Nota Técnica de Prevención n.º 592/2001. INSST.

3. En aquellos accidentes ocurridos en el centro de trabajo o por desplazamiento en jornada de trabajo que provoquen el fallecimiento del trabajador, que sean considerados como graves o muy graves o que el accidente ocurrido en un centro de trabajo afecte a más de cuatro trabajadores, pertenezcan o no en su totalidad a la plantilla de la empresa, el empresario, además de cumplimentar el correspondiente parte de accidente de trabajo, comunicará, en el plazo máximo de veinticuatro horas, este hecho por telegrama u otro medio de comunicación análogo a la Autoridad Laboral de la provincia donde haya ocurrido el accidente.

— Artículo 6 Orden de 16 de diciembre de 1987.

Véase: Comunicación de los accidentes de trabajo. Accidentes de trabajo. Parte de accidente de trabajo.

0

OBLIGACIONES DE DOCUMENTACIÓN E INFORMACIÓN

1. La Ley es clara, en ocasiones habla de entrega de documentación y en otras sólo habla de facilitar información o de dar a conocer, conceptos totalmente distintos.

Según el Diccionario de la Real Academia Española:

Entregar: Poner en manos de otra persona una cosa.

Facilitar: Hacer posible la consecución de un fin. Proporcionar o entregar.

Conocer: Tener idea o captar por medio de facultades intelectuales la naturaleza y cualidades de las cosas.

Acceso: Posibilidad de llegar a algo.

Notificar: Dar noticia de una cosa. Comunicar una cosa.

Así, el empresario está obligado a entregar documentación o a notificar por escrito determinadas obligaciones derivadas de la relación laboral y otras obligaciones sólo se extienden a facilitar información, esto es, poner en conocimiento de su destinatario el contenido de una determinada cuestión. El problema para el empresario es el de acreditar, probar de que ha cumplido con su obligación de facilitar información, pero si lo puede probar por cualquier medio admitido en Derecho, su conducta no puede ser reprochable.

Incluso en ocasiones las Leyes prevén que la información (no la entrega de documentación que es un concepto de mayor calado), deberá hacerse con determinados límites.

Así, la LPRL (artículos 30.3, 36.2.b, 37.7) y la Ley de Protección de Datos recoge que la información que debe facilitar el empresario en materia de prevención de riesgos a los trabajadores designados para ocuparse de la tareas de prevención dentro de la empresa, deben realizarse, en todo caso, garantizando el respeto de la confidencialidad y del sigilo profesional previsto en el artículo 65.2 de la LET.

2. El empresario está obligado a entregar documentación, en los siguientes casos:

a) A los Representantes Legales de los trabajadores:

• Entregar una copia básica de todos los contratos que deban celebrarse por escrito, salvo los de alta dirección en los que «solo lo notificara» y los representantes legales la firmaran a efectos de que se ha producido la entrega.

— Artículos 8.2, 8.3, 15.4, 64.1.2.º LET.

• Entregar la documentación necesaria para acreditar las causas del despido colectivo o Expediente de Regulación de Empleo que pretenda tramitar la empresa.

— Artículo 51.2 LET.

• Acusar recibo, de que ha recibido la convocatoria de Asamblea con expresión del orden del día propuesto por los convocantes.

— Artículo 79 LET.

• Entregar a la Mesa Electoral el censo laboral de la empresa.

— Artículo 74.2, 3 LET)

• Entregar la comunicación para iniciar las negociones de un convenio colectivo.

— Artículo 89.1 LET.

• Notificar por escrito a la Autoridad Laboral los daños para la salud de los trabajadores a su servicio que se hubieran producido con motivo del desarrollo de su trabajo.

— Artículo 23.3 LPRL.

• Aunque no esté obligado expresamente, no debe existir inconveniente de entregar aquella documentación que se pueda obtener de los Registros públicos, como cuentas anuales, etc.

b) A los trabajadores directamente:

• Entregar recibo individual y justificativo del pago del salario.

— Artículo 29.1 LET.

• Entregar copia del resumen de horas extraordinarias realizadas en el mes.

— Artículo 35.5 LET)

• Entregar, cuando se le comunique la extinción de la relación laboral, una propuesta del finiquito o documento de liquidación de las cantidades adeudadas.

— Artículo 50.2 LET.

• Entregar Certificado de Empresa, al término de la relación laboral.

• Entregar, al término de un contrato de Formación, certificado en el que conste la duración de la formación teórica y el nivel de formación práctica adquirida.

— Artículo 11.2.g LET.

• Entregar la carta de despido, haciendo constar la fecha y los hechos que lo motivan.

— Artículos 53.1 y 55.1 LET.

• Entregar por escrito la imputación de faltas graves y muy graves, haciendo constar la fecha y los hechos que la motivan.

— Artículo 58.2 LET.

3. El empresario está obligado a facilitar información a los Representantes Legales de los trabajadores, en los siguientes casos:

• Dar a conocer el balance y la cuenta de resultados.

— Artículo 64.1.3.º LET.

• Informar trimestralmente sobre la producción y ventas de la empresa, de las estadísticas de absentismo y de los Accidentes de Trabajo ocurridos en el trimestre anterior.

— Artículo 64.1.1.º y 8.º LET.

• Informar inmediatamente sobre los Accidentes de Trabajo y Enfermedades Profesionales.

— Artículos 36.2.c y 39.2.e LPRL.

• Dar a conocer los modelos de contrato de trabajo utilizados por la empresa, los finiquitos y los certificados de empresa.

— Artículo 64.1.6.º LET.

• Informar de todas las sanciones impuestas a los trabajadores por faltas muy graves.

— Artículo 64.1.7.º LET.
• Comunicar la movilidad funcional de los trabajadores que suponga la encomienda de funciones inferiores a las contratadas.

— Artículo 39.2 LET.
• Notificar la movilidad geográfica de los trabajadores.

— Artículo 40.1 LET.
• Notificar la decisión de modificación sustancial de las condiciones de trabajo.

— Artículo 41.3 LET.
• Informar de la subcontratación de obras y servicios.

— Artículo 42.4 LET.
• Informar del cambio de titularidad de la empresa.

— Artículo 44.6 LET.
• Informar sobre los riesgos de la empresa en su conjunto, las medidas de prevención que se adopten, y sobre las medidas de emergencia.

— Artículo 18.1.c LPRL.
• Informar sobre las conclusiones que se deriven de los reconocimientos médicos efectuados a los trabajadores.

— Artículo 22.4 LPRL.
• Informar, cuando se utilicen trabajadores procedentes de ETT, de la adscripción a los distintos puestos de trabajo.

— Artículo 28.5 LPRL.
• Informar sobre los informes que reciba de los Servicios de Prevención o de los Institutos Regionales de Prevención de Riesgos Laborales.

— Artículo 36.2.d LET.
• Recibir información de los resultados de las actuaciones de la Inspección de Trabajo en materia de prevención de riesgos laborales, se le informara por la propia Inspección.

— Artículo 40.3 LPRL.
• Dar a conocer de cuantos documentos e informes relativos a la prevención de riesgos laborales disponga la empresa, como memoria y programación anual de los Servicios de Prevención.

— Artículo 39.2.b LPRL.
• Facilitar la información en materia de prevención de riesgos laborales haya recibido de los fabricantes, importadores y suministradores de maquinaria, equipos de trabajo y productos utilizados en la empresa. Si el fabricante no la facilita, debe ser requerida por el empresario.

— Artículo 41 LPRL.
• Informar sobre la orden de paralización de trabajos acordada por la Inspección de Trabajo por apreciar la existencia de riesgo grave e inminente.

— Artículo 44.1 LPRL.

• Consultar con la debida antelación, la adopción de aquellas decisiones que puedan tener efectos en materia de prevención de riesgos laborales.

— Artículos 33.2 y 36.1.c LPRL.

• Proporcionar a los Delegados de Prevención (no a todos los Representantes Legales), los medios y la formación específica en materia de prevención de riesgos laborales que resulte necesaria para el ejercicio de sus funciones.

— Artículo 37.2 LPRL.

• El Comité de Seguridad y Salud se reunirá trimestralmente y siempre que lo solicite alguna de las representaciones, de acuerdo con las normas de funcionamiento que haya elaborado el propio Comité.

— Artículo 38.3 LPRL.

Véase: Documentación en materia preventiva.

OBLIGACIONES DE LOS TRABAJADORES

1. Corresponde a cada trabajador velar, según sus posibilidades y mediante el cumplimiento de las medidas de prevención que en cada caso sean adoptadas, por su propia seguridad y salud en el trabajo y por la de aquellas otras personas a las que pueda afectar su actividad profesional, a causa de sus actos y omisiones en el trabajo, de conformidad con su formación y las instrucciones del empresario.

2. Los trabajadores, con arreglo a su formación y siguiendo las instrucciones del empresario, deberán en particular:

• Usar adecuadamente, de acuerdo con su naturaleza y los riesgos previsibles, las máquinas, aparatos, herramientas, sustancias peligrosas, equipos de transporte y, en general, cualesquiera otros medios con los que desarrollen su actividad.

• Utilizar correctamente los medios y equipos de protección facilitados por el empresario, de acuerdo con las instrucciones recibidas de éste.

• No poner fuera de funcionamiento y utilizar correctamente los dispositivos de seguridad existentes o que se instalen en los medios relacionados con su actividad o en los lugares de trabajo en los que ésta tenga lugar.

• Informar de inmediato a su superior jerárquico directo, y a los trabajadores designados para realizar actividades de protección y de prevención o, en su caso, al servicio de prevención, acerca de cualquier situación que, a su juicio, entrañe, por motivos razonables, un riesgo para la seguridad y la salud de los trabajadores.

• Contribuir al cumplimiento de las obligaciones establecidas por la autoridad competente con el fin de proteger la seguridad y la salud de los trabajadores en el trabajo.

• Cooperar con el empresario para que éste pueda garantizar unas condiciones de trabajo que sean seguras y no entrañen riesgos para la seguridad y la salud de los trabajadores.

3. El incumplimiento por los trabajadores de las obligaciones en materia de prevención de riesgos a que se refieren los apartados anteriores tendrá la consideración de incumplimiento laboral a los efectos previstos en el artículo 58.1 del Estatuto de los Trabajadores o de falta, en su caso, conforme a lo establecido en la correspondiente normativa sobre régimen disciplinario de los funcionarios públicos o del personal estatutario al servicio de las Administraciones públicas. Lo dispuesto en este apartado será igualmente aplicable a los socios de las cooperativas cuya actividad consista en la prestación de su trabajo, con las precisiones que se establezcan en sus Reglamentos de Régimen Interno.

— Artículo 29 LPRL.

4. El empresario tomará en consideración las capacidades profesionales de los trabajadores en materia de seguridad y de salud en el momento de encomendarles las tareas.

— Artículo 15.2 LPRL.

Véase: Paralización de trabajos. Riesgo grave e inminente.

OBRA DE CONSTRUCCIÓN

1. Cualquier obra, pública o privada, en la que se efectúen trabajos de construcción o de ingeniería civil.

— Artículo 3.a LSC.

2. Cualquier obra, pública o privada, en la que se efectúen trabajos de construcción o ingeniería civil cuya relación no exhaustiva figura en el anexo I.

— Artículo 2.1.a RDSSTOC.

Véase: Albañiles. Construcción. Obras públicas. Trabajos en la construcción. Trabajos en obras públicas.

OBRAS PÚBLICAS

1. Cualquier obra, pública o privada, en la que se efectúen trabajos de construcción o de ingeniería civil.

2. Los trabajadores ocupados en obras públicas, y expuestos a los agentes o sustancias que a continuación se indican, pueden contraer una Enfermedad Profesional (E.P.):

a) Causadas por agentes físicos:

• Trabajos de obras públicas (rutas, construcciones, etc.) efectuados con máquinas ruidosas como las bulldozers, excavadoras, palas mecánicas, etc., donde el trabajador este expuesto a ruidos continuos y diarios de un nivel sonoro igual o superior a 80 decibelios A, que puede contraer la E.P. de hipoacusia. (Código 2A0110).

b) Causadas por inhalación de sustancias y agentes no comprendidos en otros apartados:

• Trabajos en minas, túneles, canteras, galerías, obras públicas, que pueden provocar la E.P. de silicosis, por la inhalación de polvo de sílice libre. (Código 4A0101).

c) Causadas por agentes cancerígenos:

• Fabricación de pigmentos, deshollinado de chimeneas, pavimentación de carreteras, aislamientos, donde se utilicen hidrocarburos aromáticos, que pueden provocar la E.P. de lesiones premalignas de piel (Códigos 6J0101, 6J0112, 6J0113), y/o E.P. de carcinoma de células escamosas (Códigos 6J0201, 6J0212, 6J0213).

Por ello, debe realizarse reconocimientos médicos previos y periódicos a dichos trabajadores, con la prohibición de no contratar a los calificados como no aptos para desempeñar los puestos de trabajo de que se trate.

— Artículo 243 LGSS, en relación con RDEP (Anexo I).

Véase: Asfalto. Albañiles. Construcción. Obra de construcción. Trabajos en la construcción. Trabajos en obras públicas. Dumper. Bulldozers. Trabajos con bulldozers. Excavadoras. Excavaciones. Trabajos con excavadoras. Palas cargadoras. Trabajos con palas mecánicas. Ruido. Vibraciones.

OBSERVACIÓN DEL TRABAJO

La observación del trabajo es una técnica, complementaria a la inspección de seguridad, que sirve para comprobar si el trabajo se realiza de forma segura y de acuerdo a lo establecido.

Para una mayor efectividad, es imprescindible que las observaciones del trabajo formen parte del sistema de gestión de los puestos de trabajo, y para ello han de ser debidamente planeadas, organizadas y evaluadas. Se trata de una técnica muy sistemática y desarrollada, y fácilmente aplicable.

— Nota Técnica de Prevención n.º 415/1996. INSST.

Véase: Error humano. Investigación de los accidentes de trabajo. Imprudencia profesional.

ODONTOLOGÍA

1. Tratamiento de los dientes y de sus dolencias.

2. Los trabajadores ocupados en las actividades económicas, y expuestos a los agentes o sustancias que a continuación se indican, pueden contraer una Enfermedad Profesional (E.P.), causada por agentes químicos:

 • Utilización de vinilbenceno (estireno y divinilbenceno) en odontología. (Código 1K0408).

Por ello, debe realizarse reconocimientos médicos previos y periódicos a dichos trabajadores, con la prohibición de no contratar a los calificados como no aptos para desempeñar los puestos de trabajo de que se trate.

— Artículo 243 LGSS, en relación con RDEP (Anexo I).

Véase: Amalgamas dentales. Odontólogos. Dentistas. Protésicos dentales. Higienistas dentales. Mercurio. Sustancias infecciosas.

ODONTÓLOGOS

1. Profesionales especialistas en odontología.

2. Los trabajadores ocupados en las actividades económicas, y expuestos a los agentes o sustancias que a continuación se indican, pueden contraer una Enfermedad Profesional (E.P.):

a) Causada por agentes biológicos:

 • Odontólogos, que puede contraer una E.P. infecciosa transmitida por personas, por la exposición a agentes biológicos durante el trabajo. (Código 3A0107).

b) E.P. de la piel, causada por sustancias y agentes no comprendidos en alguno de los otros apartados:

 • Odontólogos, expuestos a agentes infecciosos. (Código 5D0105).

Por ello, debe realizarse reconocimientos médicos previos y periódicos a dichos trabajadores, con la prohibición de no contratar a los calificados como no aptos para desempeñar los puestos de trabajo de que se trate.

— Artículo 243 LGSS, en relación con RDEP (Anexo I).

Véase: Dentistas. Protésicos dentales. Higienistas dentales. Amalgamas dentales. Odontología. Sustancias infecciosas. Mercurio.

OLORES DESAGRADABLES

1. La apreciación de olores desagradables genera quejas sobre la calidad del aire, debido a que los olores pueden afectar el estado de ánimo de las personas, así cómo suscitar efectos psicológicos y fisiológicos en el organismo. Los compuestos químicos generadores de olores pueden tener efectos de tipo sensorial tales como irritación y malestar general, y a largo plazo, efectos adversos sobre la salud. En la práctica, estos efectos provocan disconfort y alteran la calidad de vida laboral. Éstos compuestos son mayoritariamente los compuestos orgánicos volátiles, aunque debe tenerse en cuenta que algunos compuestos inorgánicos, como por ejemplo el sulfuro de hidrógeno o el amoníaco, también pueden generar olores desagradables.

Determinados ambientes interiores industriales pueden tener altos valores de compuestos orgánicos volátiles y en consecuencia presentar malos olores, por ejemplo en plantas de tratamiento de residuos, industrias químicas, del plástico, textiles, de pinturas y barnices, de fragancias y aromas, de lavado en seco, etc.

— Nota Técnica de Prevención n.º 1012/2014. INSST.

2. Umbrales olfativos y seguridad de sustancias químicas peligrosas.

— Nota Técnica de Prevención n.º 320/1993. INSST.

Véase: Olores. Nitrobenceno. Ambientes de trabajo. Calidad del aire. Ventilación.

OLORES

1. Impresión que los efluvios producen en el olfato.

2. Los trabajadores ocupados en las actividades económicas, y expuestos a los agentes o sustancias que a continuación se indican, pueden contraer una Enfermedad Profesional (E.P.):

a) Causada por agentes químicos:

• Utilización de nitrobenceno como enmascarador de olores. Código 1K0609).

• Utilización de nitrobenceno como enmascarador de olores, que puede provocar la E.P. de linfoma. (Código 6P0109).

Por ello, debe realizarse reconocimientos médicos previos y periódicos a dichos trabajadores, con la prohibición de no contratar a los calificados como no aptos para desempeñar los puestos de trabajo de que se trate.

— Artículo 243 LGSS, en relación con RDEP (Anexo I).

Véase: Nitrobenceno. Olores desagradables.

OPERACIONES POTENCIALMENTE PELIGROSAS

Aquellas que, en ausencia de medidas preventivas específicas, originen riesgos para la seguridad y la salud de los trabajadores que los desarrollan o utilizan.

— Artículo 4.5 LPRL.

Véase: Operaciones potencialmente peligrosas. Peligro. Riesgo. Riesgo laboral. Riesgo laboral grave. Riesgo laboral grave e inminente. Sustancias peligrosas.

ORDEN Y LIMPIEZA

Véase: Limpieza de los lugares de trabajo.

ORDENADORES

1. Máquina electrónica que, mediante determinados programas, permite almacenar y tratar información, y resolver problemas de diversa índole.

2. Los trabajadores ocupados en las actividades económicas, y expuestos a los agentes o sustancias que a continuación se indican, pueden contraer una Enfermedad Profesional (E.P.), causada por agentes químicos:

• <u>Utilización del acetato de isobutilo en la fabricación de periféricos de ordenadores, donde se utilicen ésteres orgánicos</u>. (Código 1N0120).

Por ello, debe realizarse reconocimientos médicos previos y periódicos a dichos trabajadores, con la prohibición de no contratar a los calificados como no aptos para desempeñar los puestos de trabajo de que se trate.

— Artículo 243 LGSS, en relación con RDEP (Anexo I).

Véase: Pantallas de visualización. Pantallas de visualización: Asiento de trabajo. Iluminación. Programas. Reflejos y deslumbramientos. Trabajador. Pantallas TFT. Pantallas de plasma.

ORGANIZACIÓN DEL TRABAJO

1. La organización del trabajo incide en la seguridad y salud de los trabajadores.

2. Actitudes y habilidades de los mandos en la organización del trabajo.

— Nota Técnica de Prevención n.º 491/1998. INSST.

3. Participación de los trabajadores en la nueva organización del trabajo.

— Nota Técnica de Prevención n.º 499/1998. INSST.

Véase: Integración de la prevención.

ORGANOCLORADOS

1. Un compuesto organoclorado, hidrocarburo clorado, clorocarburo o compuesto orgánico clorado es un compuesto químico orgánico, es decir, compuesto por un esqueleto de átomos de carbono, en el cual, algunos de los átomos de hidrógeno unidos al carbono, han sido reemplazados por átomos de cloro, unidos por enlaces covalentes al carbono. Son dañinos para los seres vivos y para el medio ambiente, pudiendo llegar a ser cancerígenos. Muchos de ellos tienen acción insecticida o pesticida y otros son subproductos de la industria.

2. Los trabajadores ocupados en las actividades económicas, y expuestos a los agentes o sustancias que a continuación se indican, pueden contraer una Enfermedad Profesional (E.P.), causada por agentes químicos:

• Utilización de policlorobifenilos (PCBs) como constituyente de fluidos dieléctricos en condensadores y transformadores, fluidos hidráulicos, aceites lubricantes, plaguicidas o aditivos en plastificantes y pinturas, etc. (Código 1S0201).

• Utilización de hexaclorobenceno en los procesos industriales de fabricación y combustión de compuestos clorados. (Código 1S0202).

• Utilización de hexaclorobenceno como fungicida en el tratamiento de semillas y suelos. (Código 1S0203).

• Utilización de hexaclorobenceno como preservante de madera. (Código 1S0204).

Por ello, debe realizarse reconocimientos médicos previos y periódicos a dichos trabajadores, con la prohibición de no contratar a los calificados como no aptos para desempeñar los puestos de trabajo de que se trate.

— Artículo 243 LGSS, en relación con RDEP (Anexo I).

Véase: Cloro. Carbono. Hidrógeno. Pirolisis.

ORGANOFOSFORADOS

1. (Carbamatos) Un compuesto organofosforado es un compuesto orgánico degradable que contiene enlaces fósforo-carbono (excepto los ésteres de fosfato y fosfito), utilizados principalmente en el control de plagas como alternativa a los hidrocarburos clorados que persisten en el ambiente.

La definición de los compuestos organofosforados es variable, lo que puede llevar a confusión. En química industrial y ambiental, un compuesto organofosforado necesita contener solamente un sustituyente orgánico, pero no necesita tener un enlace directo P-C. Así la mayoría de los insecticidas, como por ejemplo el malatión, se incluyen a menudo en esta clase de compuestos.

2. Los trabajadores ocupados en las actividades económicas, y expuestos a los agentes o sustancias que a continuación se indican, pueden contraer una Enfermedad Profesional (E.P.), causada por agentes químicos:

• Síntesis, formulación y envasado de los productos plaguicidas que contienen organofosforados y carbamatos inhibidores de la colinesterasa. (Código 1S0101).

• Transporte, almacenamiento y distribución de los productos plaguicidas que contienen organofosforados y carbamatos inhibidores de la colinesterasa. (Código 1S0102)

• Uso agrícola de los productos plaguicidas que contiene organofosforados y carbamatos inhibidores de la colinesterasa; preparación, formulación y las soluciones, cebos, gel y toda otra forma de presentación. (Código 1S0103)

• Aplicación directa de los productos plaguicidas que contiene organofosforados y carbamatos inhibidores de la colinesterasa por aspersión, nieblas, rocío, pulverizado, micropulverizado, vaporización, por vía terrestre o aérea, con métodos manuales o mecánicos. (Código 1S0104)

• Uso sanitario de los productos plaguicidas que contienen organofosforados y carbamatos inhibidores de la colinesterasa para desinsectación de edificios, bodegas, calas de barcos, control de vectores de enfermedades transmisibles. (Código 1S0105)

Por ello, debe realizarse reconocimientos médicos previos y periódicos a dichos trabajadores, con la prohibición de no contratar a los calificados como no aptos para desempeñar los puestos de trabajo de que se trate.

— Artículo 243 LGSS, en relación con RDEP (Anexo I).

Véase: Insecticidas. Productos fitosanitarios. Plaguicidas. Pesticidas. Parásitos.

OXICLORURO DE CARBONO

1. El oxicloruro de carbono o fosgeno, es un gas generalmente incoloro y no inflamable, con un olor agradable, similar al del heno recién cortado. Es utilizado para hacer plásticos y pesticidas. A temperatura ambiente (21 °C), el fosgeno es un gas venenoso. Si es enfriado y presurizado, el gas de fosgeno puede ser convertido en líquido, de forma que pueda ser transportado y almacenado.

2. Los trabajadores ocupados en las actividades económicas, y expuestos a los agentes o sustancias que a continuación se indican, pueden contraer una Enfermedad Profesional (E.P.), causada por agentes químicos:

- Procesos de síntesis industriales en que se utilice oxicloruro de carbono. (Código 1T0201).
- Fabricación de insecticidas. (Código 1T0202).
- Procesos industriales en que se utilicen hidrocarburos clorados. (Código 1T0203).
- Utilización de oxicloruro de carbono y sus compuestos en la industria química (preparación de productos farmacéuticos, de materias colorantes, etc.). (Código 1T0204).
- Desprendimiento de fosgeno por pirolisis de numerosos derivados organoclorados, como el tetracloruro de carbono, el cloroformo, tetracloroetano, tricloroetileno, etc. (Código 1T0205).
- Soldadura de piezas o partes metálicas que hayan sido limpiadas con hidrocarburos clorados. (Código 1T0206).
- Utilización en la industria química para la fabricación de isocianatos, poliuretano, policarbonatos, tintes, pesticidas y productos farmacéuticos. (Código 1T0207).

Por ello, debe realizarse reconocimientos médicos previos y periódicos a dichos trabajadores, con la prohibición de no contratar a los calificados como no aptos para desempeñar los puestos de trabajo de que se trate.

— Artículo 243 LGSS, en relación con RDEP (Anexo I).

Véase: Industria del plástico. Pesticidas.

ÓXIDOS DE CARBONO

1. Es un compuesto inorgánico (gas), que consiste únicamente de carbono y oxígeno. Los más simples y más comunes óxidos de carbono son el monóxido de carbono (CO) y el dióxido de carbono (CO2).

El monóxido de carbono es un subproducto de la combustión incompleta. Siempre se produce algo de monóxido de carbono cuando quemamos algún combustible basado en el carbono, tal como el gas natural, petróleo para calefacción, leña, troncos de madera reconstituida, gasolina, carbón vegetal y otros productos semejantes.

El dióxido de carbono se encuentra ampliamente en la naturaleza. Se utiliza como agente extintor eliminando el oxígeno encontrado en ese espacio, e impidiendo que se genere una combustión. En la industria alimentaria, se utiliza en bebidas carbonatadas para darles efervescencia.

2. Los trabajadores expuestos a los óxidos de carbono (trabajos en locales o puestos cuya ventilación natural o forzada no logre impedir una concentración continuada de 50 centímetros cúbicos de óxido de carbono por metro cúbico de aire, a la altura de la zona de aspiración de los trabajadores) (Código 1T01), pueden contraer una Enfermedad Profesional (E.P.), causada por agentes químicos, en las actividades o trabajos que a continuación se relacionan:

- Producción, depuración y almacenamiento de gas. (Código 1T0101).
- Reparación de conductos de gas. (Código 1T0102).
- Trabajos en fundición y limpieza de hornos. (Código 1T0103).
- Trabajos de soldadura y corte. (Código 1T0104).
- Trabajos en presencia de motores de explosión. (Código 1T0105).
- Trabajos en calderas navales, industriales y domésticas. (Código 1T0106).
- Industrias que emplean como combustible cualquier gas industrial. (Código 1T0107).
- Trabajos en garajes, depósitos y talleres de reparación. (Código 1T0108).
- Conducción de máquinas a motor. (Código 1T0109).
- Incendios y explosiones (sobre todo en espacios cerrados, en los túneles y en las minas). (Código 1T0110).
- Trabajos en instalaciones de calefacción. (Código 1T0111).
- Utilización de medios de calefacción o combustión libre. (Código 1T0112).
- Tráfico urbano, instalaciones de incineración. Industria petrolera, industria química. (Código 1T0113).
- Bomberos. (Código 1T0114).

Por ello, debe realizarse reconocimientos médicos previos y periódicos a dichos trabajadores, con la prohibición de no contratar a los calificados como no aptos para desempeñar los puestos de trabajo de que se trate.

— Artículo 243 LGSS, en relación con RDEP (Anexo I).

Véase: Dióxido de carbono. Monóxido de carbono. Carbono. Gas. Ventilación. Bomberos. Calefacción. Tráfico urbano.

ÓXIDOS DE NITRÓGENO

1. Se trata de varios compuestos químicos binarios gaseosos formados por la combinación de oxígeno y nitrógeno. El proceso de formación más habitual de estos compuestos inorgánicos es la combustión a altas temperaturas, proceso en el cual habitualmente el aire es el comburente.

Los óxidos de nitrógeno son liberados al aire desde los tubos de escape de vehículos motorizados (sobre todo diesel y de mezcla pobre), de la combustión del carbón, petróleo o gas natural, y durante procesos tales como la soldadura por arco, galvanoplastia, grabado de metales y detonación de dinamita. También son producidos comercialmente al hacer reaccionar el ácido nítrico con metales o con celulosa.

2. Los trabajadores expuestos a los óxidos de nitrógeno (Código 1T03), pueden contraer una Enfermedad Profesional (E.P.), causada por agentes químicos, en las actividades o trabajos que a continuación se relacionan:

- Soldadura de arco. (Código 1T0301).
- Fabricación de colorantes, lacas y tintes. (Código 1T0302).
- Fabricación de explosivos y otras producciones que impliquen reacciones de nitración. (Código 1T0303).
- Producción de ácido nítrico. (Código 1T0304).
- Procesos de electroplateado y grabado. (Código 1T0305).
- Utilización del dióxido de nitrógeno como gas protector en los locales exiguos o mal ventilados. (Código 1T0306).
- Utilización del protóxido de nitrógeno como gas anestésico. (Código 1T0307).

Por ello, debe realizarse reconocimientos médicos previos y periódicos a dichos trabajadores, con la prohibición de no contratar a los calificados como no aptos para desempeñar los puestos de trabajo de que se trate.

— Artículo 243 LGSS, en relación con RDEP (Anexo I).

Véase: Soldadura eléctrica al arco. Galvanoplastia.

OXIGENO

1. Elemento químico gaseoso, incoloro, inodoro, insípido y muy reactivo, presente en todos los seres vivos, esencial para la respiración y para los procesos de combustión, que forma parte del agua, de los óxidos y de casi todos los ácidos y sustancias orgánicas.

2. El oxígeno es un gas incoloro, inodoro e insípido, por lo que la presencia de una atmósfera sobreoxigenada no es detectable por los sentidos, además de no producir efectos fisiológicos que puedan delatar su presencia, a la presión atmosférica. El oxígeno es más pesado que el aire, lo que le hace susceptible de acumularse en sótanos, fosos, salas bajo nivel, etc., en el caso de producirse vertidos o escapes.

El oxígeno es un elemento comburente, y como tal, en su presencia tiene lugar la combustión, cuyas condiciones para su iniciación y mantenimiento están determinadas por el denominado triángulo del fuego.

El oxígeno se encuentra en la atmósfera en una proporción, en volumen, del 21%, y con dicho porcentaje, si las condiciones son adecuadas, se puede iniciar y mantener la combustión de muchos materiales. Ahora bien, a medida que la concentración de oxígeno va aumentando, la situación se vuelve más crítica, y a partir de concentraciones en el aire superiores al 25%, la mayoría de los materiales pueden arder, incluso con carácter explosivo.

— Notas Técnicas de Prevención n.º 340/1994. 630/2003. INSST.

3. Almacenamiento de oxígeno.

— Nota Técnica de Prevención n.º 51/1983. INSST.

4. Los trabajadores ocupados en las actividades económicas, y expuestos a los agentes o sustancias que a continuación se indican, pueden contraer una Enfermedad Profesional (E.P.), causada por agentes químicos:

• Industria química como agente oxidante, preparación de oxígeno, cloro, fabricación de aditivos alimentarios; utilización como agente antidetonante, donde se utilice manganeso. (Código 1A0614).

Por ello, debe realizarse reconocimientos médicos previos y periódicos a dichos trabajadores, con la prohibición de no contratar a los calificados como no aptos para desempeñar los puestos de trabajo de que se trate.

— Artículo 243 LGSS, en relación con RDEP (Anexo I).

Véase: Riesgo de incendio y explosión. Gases licuados. Pirolusita.

OZONO

1. El ozono es un gas de olor penetrante y generalmente incoloro que se origina a partir del oxígeno al exponerse el aire a un campo eléctrico. Cuando esto ocurre, el oxígeno se carga eléctricamente, rompiéndose el enlace entre los átomos y reaccionando cada uno de estos con otra molécula de oxígeno, formándose así ozono con una carga eléctrica negativa.

Este gas puede originarse en pequeñas cantidades en las fotocopiadoras y en las impresoras láser como consecuencia de las descargas eléctricas que tienen lugar durante el proceso electrostático, pudiendo formarse en mayor cantidad en el caso de las fotocopiadoras que operan con corriente continua. Una fuente menor de ozono la constituye la emisión de luz ultravioleta de las lámparas presentes en las fotocopiadoras. En las fotocopiadoras y en las impresoras láser, el cilindro o tambor fotoconductor y el papel de copia se cargan eléctricamente a través del filamento de corona, que es sometido a un alto voltaje y, posteriormente, al incidir la luz sobre determinadas zonas de la superficie del tambor, éstas se descargan, siendo dicha sucesión de cargas y descargas eléctricas lo que da lugar a la generación de ozono como subproducto. Sin embargo, en los equipos de oficina modernos no suele emplearse un filamento de corona para efectuar este proceso, sino un rodillo de carga primaria (PCR, del inglés Primary Charge Roller) que funciona con voltajes menores, de manera que los niveles de ozono generados son considerablemente inferiores. El ozono es muy inestable y se descompone rápidamente en oxígeno, teniendo una vida media en el aire interior de oficinas de 6 a 10 minutos aproximadamente, aunque en entornos mal ventilados o sin circulación de aire su período de descomposición puede ser mayor. En las condiciones normales de funcionamiento, la concentración de ozono generada alrededor del equipo suele ser insuficiente para causar efectos adversos en la salud de los trabajadores, los cuales suelen estar asociados con síntomas tales como irritación de los ojos, de las vías respiratorias altas y de los pulmones, sequedad de las mucosas ocular, nasal y faríngea, dolor de cabeza, mareo, fatiga, dificultad respiratoria, etc. Además, la mayoría de las fotocopiadoras y de las impresoras láser suelen ir provistas de un filtro, normalmente de carbón activado, situado en la salida de aire del equipo, donde el ozono se descompone rápidamente. Por ello, en las actividades realizadas en entornos de oficinas se considera que el riesgo de exposición a ozono como consecuencia del empleo de estos equipos es muy bajo. No obstante, en determinadas circunstancias puede tener lugar dicha exposición y causar algunos de los síntomas anteriormente indicados, por ejemplo, si el equipo se encuentra ubicado en una zona en la que la ventilación es insuficiente (principalmente si la zona es de reducidas dimensiones y el equipo se emplea con mucha frecuencia, o si hay varios equipos próximos entre sí), si el equipo no dispone filtro de ozono, si éste no se reemplaza con la frecuencia requerida, si presenta algún fallo de funcionamiento o si el mantenimiento no se realiza correctamente. La exposición a niveles de ozono perjudiciales puede suceder con más frecuencia en invierno que en verano debido a que durante el invierno el período de descomposición del gas es mayor.

— Notas Técnicas de Prevención n.º 706/2005. 874/2010. 1085/2017. INSST.

2. Es muy irritante del tracto respiratorio. En caso de exposición intensa puede producir edema pulmonar. Exposiciones crónicas a bajas concentraciones provocan bronquitis, bronquiolitis e hiperreactividad bronquial en individuos susceptibles. A concentraciones de 0.1 ppm produce irritación de ojos y a 0.5 ppm se detectan ya efectos adversos agudos. Se utiliza para desodorizar, desinfectar y reducir la concentración de monóxido de carbono. Se forma en presencia de luz UV (lámparas, descargas eléctricas y fotocopiadoras).

— Nota Técnica de Prevención n.º 315

1993. INSST.

3. Protección de la capa de ozono: Aspectos legales

— Nota Técnica de Prevención n.º 389/1995. INSST.

Véase: Fotocopiadoras. Desinfectantes. Desinfección de edificios. Monóxido de carbono. Ventilación.

P

PALAS CARGADORAS

1. Pala cargadora o pala mecánica compuesta de un tractor sobre orugas o neumáticos equipado de una cuchara cuyo movimiento de elevación se logra mediante dos brazos laterales articulados. Se utiliza principalmente en movimientos de tierras.

— Nota Técnica de Prevención n.º 79/1983. INSST.

2. Máquinas para movimiento de tierras.

— Nota Técnica de Prevención n.º 126/1985. INSST.

3. Los trabajadores ocupados en las actividades económicas, y expuestos a los agentes o sustancias que a continuación se indican, pueden contraer una Enfermedad Profesional (E.P.), causada por agentes físicos:

• Trabajos de obras públicas (rutas, construcciones, etc.) efectuados con máquinas ruidosas como las bulldozers, excavadoras, palas mecánicas, etc., donde el trabajador este expuesto a ruidos continuos y diarios de un nivel sonoro igual o superior a 80 decibelios A. (Código 2A0110).

Por ello, debe realizarse reconocimientos médicos previos y periódicos a dichos trabajadores, con la prohibición de no contratar a los calificados como no aptos para desempeñar los puestos de trabajo de que se trate.

— Artículo 243 LGSS, en relación con RDEP (Anexo I).

Véase: Ruido. Carretillas elevadoras automotoras. Dumper. Trabajos con palas mecánicas. Construcción. Obras públicas. Excavadoras. Excavaciones. Retroexcavadora.

PALETAS

Es una bandeja de carga (normalmente de madera) constituida esencialmente por dos pisos unidos entre sí por largueros o dados, o por un piso apoyado sobre pies o soportes y cuya altura está reducida al mínimo compatible para su manipulación con horquillas metálicas o transpaletas.

— Nota Técnica de Prevención n.º 77/1983. INSST.

Véase: Manipulación manual de cargas. Bidones. Carretillas manuales.

PANADERÍAS

1. Establecimiento donde se hace o vende el pan.

2. Los trabajadores ocupados en las actividades económicas, y expuestos a los agentes o sustancias que a continuación se indican, pueden contraer una Enfermedad Profesional (E.P.):

a) Causada por inhalación de sustancias y agentes no comprendidos en otros apartados:

• Industria alimenticia, panadería, industria de la cerveza, donde los trabajadores estén expuestos a sustancias de alto peso molecular (de origen vegetal o animal), que pueden provocar alguna de las siguientes E.P: rinoconjuntivitis (Código 4H0101), asma (Código 4H0201), alveolitis alérgica extrínseca (Código 4H0301), síndrome de disfunción reactivo de la vía aérea (Código 4H0401), fibrosis intersticial difusa (Código 4H0501), bisinosis, cannabiosis, linnosis, bagazosis, estipatosis, suberosis (Códigos 4H0601), neumopatía intersticial difusa (Código 4H0701).

b) E.P. de la piel, causada por sustancias y agentes no comprendidos en alguno de los otros apartados:

• Industria alimenticia, panadería, industria de la cerveza, donde los trabajadores estén expuestos a sustancias de alto peso molecular (de origen vegetal o animal), que pueden provocar una E.P. de la piel, causada por sustancias de alto peso molecular. (Código 5B0101).

Por ello, debe realizarse reconocimientos médicos previos y periódicos a dichos trabajadores, con la prohibición de no contratar a los calificados como no aptos para desempeñar los puestos de trabajo de que se trate.

— Artículo 243 LGSS, en relación con RDEP (Anexo I).

Véase: Alimentación. Harinas.

PANTALLAS DE PLASMA

El principio de funcionamiento de una pantalla de plasma consiste en iluminar pequeñas luces fluorescentes de colores para conformar una imagen.

Las pantallas de plasma funcionan como las lámparas fluorescentes, en que cada píxel es semejante a un pequeño foco coloreado. Cada uno de los píxeles que integran la pantalla está formado por una pequeña celda estanca que contiene un gas inerte (generalmente neón o xenón). Al aplicar una diferencia de potencial entre los electrodos de la celda, dicho gas pasa al estado de plasma. El gas así cargado emite radiación ultravioleta que golpea y excita el material fosforescente que recubre el interior de la celda. Cuando el material fosforescente regresa a su estado energético natural, emite luz visible.

— Nota Técnica de Prevención n.º 678/2004. INSST.

Véase: Ordenadores. Pantallas de visualización. Pantallas de visualización: Asiento de trabajo. Iluminación. Puesto de trabajo. Programas. Reflejos y deslumbramientos. Trabajador. Pantallas TFT. Radiaciones ultravioleta.

PANTALLA DE VISUALIZACIÓN DE DATOS: ASIENTO DE TRABAJO

1. El asiento de trabajo deberá ser estable, proporcionando al usuario libertad de movimiento y procurándole una postura confortable. La altura del mismo deberá ser regulable. El respaldo deberá ser reclinable y su altura ajustable. Se pondrá un reposapiés a disposición de quienes lo deseen.

— Anexo 1.e RDSSPV.

2. Pantallas de visualización de datos: Fatiga postural.

— Notas Técnicas de Prevención n.º 173/1986. 232/1989. INSST.

Véase: Ordenadores. Pantallas de visualización. Pantallas de visualización: Iluminación. Puesto de trabajo. Programas. Reflejos y deslumbramientos. Trabajador. Pantallas TFT. Pantallas de plasma.

PANTALLA DE VISUALIZACIÓN: ILUMINACIÓN

La iluminación general y la iluminación especial (lámparas de trabajo), cuando sea necesaria, deberán garantizar unos niveles adecuados de iluminación y unas relaciones adecuadas de luminancias entre la pantalla y su entorno, habida cuenta del carácter del trabajo, de las necesidades visuales del usuario y del tipo de pantalla utilizado. El acondicionamiento del lugar de trabajo y del puesto de trabajo, así como la situación y las características técnicas de las fuentes de luz artificial, deberán coordinarse de tal manera que se eviten los deslumbramientos y los reflejos molestos en la pantalla u otras partes del equipo.

— Artículo 2.b RDSSPV.

Véase: Ordenadores. Pantallas de visualización. Pantallas de visualización: Asiento de trabajo. Puesto de trabajo. Programas. Reflejos y deslumbramientos. Trabajador. Pantallas TFT. Pantallas de plasma.

PANTALLA DE VISUALIZACIÓN: PROGRAMAS

Para la elaboración, la elección, la compra y la modificación de programas, así como para la definición de las tareas que requieran pantallas de visualización, el empresario tendrá en cuenta los siguientes factores:

- El programa habrá de estar adaptado a la tarea que deba realizarse.
- El programa habrá de ser fácil de utilizar y deberá en su caso, poder adaptarse al nivel de conocimientos y de experiencia del usuario; no deberá utilizarse ningún dispositivo cuantitativo o cualitativo de control sin que los trabajadores hayan sido informados y previa consulta con sus representantes.

— Artículo 3 a. b RDSSPV.

Véase: Ordenadores. Pantallas de visualización. Pantallas de visualización: Asiento de trabajo. Iluminación. Puesto de trabajo. Reflejos y deslumbramientos. Trabajador. Pantallas TFT. Pantallas de plasma.

PANTALLAS DE VISUALIZACIÓN: PUESTO DE TRABAJO

El constituido por un equipo con pantalla de visualización, provisto en su caso, de un teclado o dispositivo de adquisición de datos, de un programa para la interconexión persona/máquina, de accesorios ofimáticos y de un asiento y mesa o superficie de trabajo, así como el entorno laboral inmediato.

— Artículo 2.b RDSSPV.

Véase: Ordenadores. Pantallas de visualización. Pantallas de visualización: Asiento de trabajo. Iluminación. Programas. Reflejos y deslumbramientos. Trabajador. Pantallas TFT. Pantallas de plasma.

PANTALLAS DE VISUALIZACIÓN: REFLEJOS Y DESLUMBRAMIENTOS

Los puestos de trabajo deberán instalarse de tal forma que las fuentes de luz, tales como ventanas y otras aberturas, los tabiques transparentes o translúcidos y los equipos o tabiques de color claro no provoquen deslumbramiento directo ni produzcan reflejos molestos en la pantalla. Las ventanas deberán ir equipadas con un dispositivo de cobertura adecuado y regulable para atenuar la luz del día que ilumine el puesto de trabajo.

— Artículo 2.c RDSSPV.

— Nota Técnica de Prevención n.º 196/1988. INSST.

Véase: Ordenadores. Pantallas de visualización. Pantallas de visualización: Asiento de trabajo. Iluminación. Puesto de trabajo. Programas. Trabajador. Pantallas TFT. Pantallas de plasma.

PANTALLAS DE VISUALIZACIÓN: TRABAJADOR

Trabajador: cualquier trabajador que habitualmente y durante una parte relevante de su trabajo normal utilice un equipo con pantalla de visualización.

— Artículo 2.c RDSSPV.

> *Véase: Ordenadores. Pantallas de visualización. Pantallas de visualización: Asiento de trabajo. Iluminación. Puesto de trabajo. Programas. Reflejos y deslumbramientos. Pantallas TFT. Pantallas de plasma.*

PANTALLAS DE VISUALIZACIÓN

1. Una pantalla de visualización es un aparato que genera imágenes, formadas por puntos o rayas en una pantalla fluorescente, producidas por la acción de un haz de rayos catódicos originado en el interior del tubo correspondiente. Generalmente los datos se ofrecen mediante caracteres alfanuméricos y símbolos.

— Notas Técnicas de Prevención n.º 139/1985. 204/1988. 251, 252/1989. 678/2004. 694/2005. INSST.

— Guía técnica para la evaluación y prevención de los riesgos relativos a la utilización de equipos con pantallas de visualización. 2006. INSST.

2. Una pantalla alfanumérica o gráfica, independientemente del método de representación visual utilizado.

— Artículo 2.a RDSSPV.

3. Los caracteres de la pantalla deberán estar bien definidos y configurados de forma clara, y tener una dimensión suficiente, disponiendo de un espacio adecuado entre los caracteres y los renglones. La imagen de la pantalla deberá ser estable, sin fenómenos de destellos, centelleos u otras formas de inestabilidad. El usuario de terminales con pantalla deberá poder ajustar fácilmente la luminosidad y el contraste entre los caracteres y el fondo de la pantalla, y adaptarlos fácilmente a las condiciones del entorno. La pantalla deberá ser orientable e inclinable a voluntad, con facilidad para adaptarse a las necesidades del usuario. Podrá utilizarse un pedestal independiente o una mesa regulable para la pantalla. La pantalla no deberá tener reflejos ni reverberaciones que puedan molestar al usuario.

— Artículo 1.b RDSSPV.

4. Se concede el abono de los gastos de las lentes correctoras cuando el déficit de agudeza visual es diagnosticado por los Servicios Médicos de la Mutua, de cuyo informe se deduce la necesidad que tiene el trabajador de utilizar un dispositivo corrector especial para la protección de su vista que se ve perjudicada y agudizada por la fijación continua al ordenador.

— STSJ País Vasco 30.9.04.

> *Véase: Ordenadores. Pantallas de visualización: Asiento de trabajo. Iluminación. Puesto de trabajo. Programas. Reflejos y deslumbramientos. Trabajador. Pantallas TFT. Pantallas de plasma.*

PANTALLAS TFT

Las pantallas TFT están formadas por uno o más tubos de neón que conforman la luz trasera que ilumina la totalidad de la pantalla.

La pantalla está constituida por pequeñas celdas que, a su vez, forman los píxeles de la misma. Cada una de estas celdas tiene dos polarizadores orientados de tal forma que su dirección de polarización es perpendicular. Entre los dos polarizadores se sitúan dos capas de vidrio, llamadas substrato, entre las que se encuentra el cristal líquido propiamente dicho. En función del voltaje aplicado, los cristales se orientan en el espacio y modifican el plano de oscilación de la luz. De esta forma, cada celda puede dejar pasar la luz o bien bloquearla, y el conjunto de todas ellas es el que genera la imagen visible.

— Nota Técnica de Prevención n.º 678/2004. INSST.

Véase: Ordenadores. Pantallas de visualización. Pantallas de visualización: Asiento de trabajo. Iluminación. Puesto de trabajo. Programas. Reflejos y deslumbramientos. Trabajador. Pantallas de plasma.

PANTANOS
Véase: Trabajos en pantanos.

PARALIZACIÓN DE TRABAJOS

1. Los trabajos deben paralizarse cuando exista riesgo grave e inminente para la seguridad y salud de los trabajadores.

— Artículos 4.4 y 21 LPRL.

El primer obligado a paralizar los trabajos por existencia de riego grave e inminente es el empresario, hasta que dicha situación desaparezca.

— Artículo 21.1 LPRL.

Si el empresario no lo hace, pueden tomar la decisión:

• El trabajador.

— Artículo 21.2 LPRL.

• Corresponde a cada trabajador velar, según sus posibilidades y mediante el cumplimiento de las medidas de prevención que en cada caso sean adoptadas, por su propia seguridad y salud en el trabajo y por la de aquellas otras personas a las que pueda afectar su actividad profesional, a causa de sus actos y omisiones en el trabajo, de conformidad con su formación y las instrucciones del empresario.

— Artículo 29.1 LPRL.
• Los Representantes Legales de los trabajadores.

— Artículo 21.3 LPRL.
• Los Delegados de Prevención, cuando no resulte posible reunir con urgencia a los Representantes Legales.

— Artículo 21.3 LPRL.
• El Coordinador en materia de Seguridad y Salud, en las obras de construcción.

— Artículo 14 RDSSTOC.
• El trabajador autónomo tendrá derecho a interrumpir su actividad y abandonar el lugar de trabajo cuando considere que dicha actividad entraña un riesgo grave e inminente para su vida o salud.

— Artículo 8.7 LETA.

• La Inspección de Trabajo (Inspectores y Subinspectores de Seguridad y Salud Laboral).

— Artículos 9.1.f y 44 LPRL.

— Artículo 15.3 LOIT.

— Artículo 8.3 y 27.2.d ROFIT.

— Artículo 11.3 RPOS.
• Los Técnicos de Prevención Habilitados de las CC.AA.

— Artículo 63 ROFIT.

2. El Recurso Preventivo no puede acordar la paralización de trabajos por apreciar la existencia de riesgo grave e inminente, salvo que el empresario le haya otorgado dicha facultad y en los términos que se haya fijado.

— Nota Técnica de Prevención n.º 994/2013. INSST.

3. La paralización de trabajos durará hasta que se subsanen las causas que la motivaron. Una vez subsanadas se comunicara a la Inspección de Trabajo.

El empresario tiene que cumplir inmediatamente con la orden de paralización de trabajos, sin perjuicio de poderla impugnar ante la Autoridad laboral, en el plazo de tres días hábiles.

— Artículo 44 LPRL.

4. Paralización de trabajos en los centros militares.

— Artículo 2 RDSSCEM.

5. Los incumplimientos de las órdenes de la Inspección de Trabajo y Seguridad Social y de las resoluciones de la Autoridad Laboral en materia de paralización de trabajos que no cumplan las normas de seguridad y salud, pueden dar lugar:

• Se equiparará, respecto de los accidentes de trabajo que en tal caso pudieran producirse, a la falta de formalización de la protección por dicha contingencia de los trabajadores afectados, con independencia de cualquier otra responsabilidad o sanción a que hubiera lugar.

— Artículo 242 LGSS.
• Infracción muy grave en materia de prevención de riesgos laborales, que lleva aparejada una sanción económica de 40.986 euros a 819.780 euros y la publicación de la infracción.

— Artículos 13.3 y 40.2.c LISOS.
• Remisión de las actuaciones de la Inspección de Trabajo al Ministerio Fiscal por apreciar indicios razonables de delito y suspender el procedimiento administrativo sancionador.

— Artículo 3 LISOS.

6. No paralizar ni suspender de forma inmediata, a requerimiento de la Inspección de Trabajo y Seguridad Social, los trabajos que se realicen sin observar la normativa sobre prevención de riesgos laborales y que, a juicio de la Inspección, impliquen la existencia de un riesgo grave e inminente para la seguridad y salud de los trabajadores, o reanudar los trabajos sin haber subsanado previamente las causas que motivaron la paralización, constituye una infracción muy grave en materia de prevención de riesgos laborales que lleva aparejada una sanción económica de 40.986 euros a 819.780 euros y la publicación de infracción.

— Artículos 13.3 y 40.2 LISOS.

7. Las acciones u omisiones que impidan el ejercicio del derecho de los trabajadores a paralizar su actividad en los casos de riesgo grave e inminente, en los términos previstos en el artículo 21 de la LPRL, constituye una infracción muy grave en materia de prevención de riesgos laborales que lleva aparejada una sanción económica de 40.986 euros a 819.780 euros y la publicación de infracción.

— Artículos 13.9 y 40.2 LISOS.

Véase: Inspección de Trabajo: Cierre del centro de trabajo. Riesgo grave e inminente. Obligaciones de los trabajadores.

PARÁSITOS

1. Dicho de un organismo animal o vegetal, que vive a costa de otro de distinta especie, alimentándose de él y depauperándolo sin llegar a matarlo.

2. Los trabajadores ocupados en las actividades económicas, y expuestos a los agentes o sustancias que a continuación se indican, pueden contraer una Enfermedad Profesional (E.P.):

a) Causada por agentes químicos:

• Utilización del ácido cianhídrico gaseoso en la lucha contra los insectos parásitos en agricultura y contra los roedores. (Código 1D0402).

• Uso del bromuro de metilo (derivado halogenado) en la agricultura para el tratamiento de parásitos del suelo. (Código 1H0213).

• Manipulación y empleo del sulfuro de carbono o productos que lo contengan, como insecticidas o parasiticidas en los trabajos de tratamiento de suelos o en el almacenado de productos agrícolas. (Código 1U0107).

b) Causada por agentes cancerígenos:

• Utilización del ácido cianhídrico gaseoso en la lucha contra los insectos parásitos en agricultura y contra los roedores, que puede provocar una E.P. cancerígena. (Código 6Q0102).

Por ello, debe realizarse reconocimientos médicos previos y periódicos a dichos trabajadores, con la prohibición de no contratar a los calificados como no aptos para desempeñar los puestos de trabajo de que se trate.

— Artículo 243 LGSS, en relación con RDEP (Anexo I).

Véase: Plaguicidas. Pesticidas. Insecticidas. Rodenticida. Herbicidas. Protozoos. E.P. helmintiasis.

PARQUET

1. Entarimado hecho con maderas finas de varios tonos, que, convenientemente ensambladas, forman dibujos geométricos.

2. Los trabajadores ocupados en las actividades económicas, y expuestos a los agentes o sustancias que a continuación se indican, pueden contraer una Enfermedad Profesional (E.P.):

a) Causada por agentes químicos:

• Laqueado y acuchillado de parqué, donde se utilicen isocianatos. (Código 1Q0102).

b) Causada por agentes físicos:

• Trabajos que requieran habitualmente de una posición de rodillas mantenidas como son trabajos en minas, en la construcción, servicio doméstico, colocadores de parquet y baldosas, jardineros, talladores y pulidores de piedras, trabajadores agrícolas y similares, que pueden producir la E.P. de bursitis. (Código 2C0101).

c) Causada por agentes cancerígenos:

• Lijado de parqué, tarima, etc., donde se produzca polvo de madera dura, que puede provocar la E.P. de neoplasia maligna de cavidad nasal (Cáncer). (Código 6L0109).

Por ello, debe realizarse reconocimientos médicos previos y periódicos a dichos trabajadores, con la prohibición de no contratar a los calificados como no aptos para desempeñar los puestos de trabajo de que se trate.

— Artículo 243 LGSS, en relación con RDEP (Anexo I).

Véase: E.P. bursitis. Colocadores de parquet. Trabajos con posturas forzadas. Soladores. Trabajos en cuclillas.

PARTE DE ACCIDENTE DE TRABAJO

Es el documento oficial que deberá de cumplimentar la empresa cuando se produzca un accidente de trabajo o recaída que comporte la ausencia del trabajador/a del puesto de trabajo de, como mínimo, un día, sin contar el día en que se accidentó, previa baja médica.

— Anexo I Orden TAS/2926/2002.

Véase: Accidentes de trabajo. Comunicación de los accidentes de trabajo. Notificación de los accidentes de trabajo.

PARTE DE ENFERMEDAD PROFESIONAL

1. Es el documento oficial que deberá de cumplimentar la entidad gestora o mutua que tenga asumida la protección de las contingencias profesionales.

— Artículo 3 Orden TAS/1/2007.

2. El trabajador y el empresario podrán solicitar una copia.

— Artículo 2 Orden TAS/1/2007.

Véase: E.P: Enfermedades Profesionales. Comunicación de las Enfermedades Profesionales.

PARTICIPACIÓN DE LOS TRABAJADORES EN MATERIA DE PREVENCIÓN DE RIESGOS LABORALES

1. Los trabajadores tienen derecho a participar en la empresa en las cuestiones relacionadas con la prevención de riesgos en el trabajo.

En las empresas o centros de trabajo que cuenten con seis o más trabajadores, la participación de éstos se canalizará a través de sus representantes y de la representación especializada que se regula en este capítulo.

— Artículo 34.1 LPRL.

2. Los representantes de los trabajadores son:

• Los representantes legales (Delegados de Personal y Comité de Empresa).

— Artículos 62.1 y 63 LET.

• Los representantes sindicales (Delegados Sindicales).

— LOLS. Artículo 10.

• Los representantes especializados en materia de prevención de riesgos laborales (Delegados de Prevención y Comité de Seguridad y Salud).

— Artículos 35 y 38 LPRL.

3. A estos representantes les corresponden la defensa de los intereses de los trabajadores en materia de prevención de riesgos en el trabajo. Para ello, los representantes del personal ejercerán las competencias que dichas normas (LET y LOLS) establecen en materia de información, consulta y negociación, vigilancia y control y ejercicio de acciones ante las empresas y los órganos y tribunales competentes.

— Artículo 34.2 LPRL.

4. Participación de los trabajadores en la Administración General del Estado.

— Artículo 4 RDPAGE.

Véase: Derecho de participación. Delegados de prevención. Comité de Seguridad y Salud.

PASARELAS

Obras de construcción. En los puestos de trabajo en las obras en el exterior de los locales, y siempre que lo exijan las características de la obra o de la actividad; las circunstancias o cualquier riesgo, las plataformas, andamios y pasarelas, así como los desniveles, huecos y aberturas existentes en los pisos de las obras, que supongan para los trabajadores un riesgo de caída de altura superior a dos metros, se protegerán mediante barandillas u otro sistema de protección colectiva de seguridad equivalente. Las barandillas serán resistentes, tendrán una altura mínima de noventa centímetros y dispondrán de un reborde de protección, un pasamanos y una protección intermedia que impidan el paso o deslizamiento de los trabajadores

— Anexo IV. Parte C.3 RDSSTOC.

Véase: Aberturas en los suelos. Plataformas de trabajo. Barandillas. Andamios. Plataformas suspendidas. Góndolas. Desniveles. Torres de acceso. Torres de trabajo móviles. Muelles de carga y descarga. Caída de objetos. Caída de personas. Redes de seguridad.

PASILLOS

Véase: Vías de circulación.

PASTORES

1. Personas que guardan, guían y apacientan el ganado, especialmente el de ovejas.

2. Los trabajadores ocupados en las actividades económicas, y expuestos a los agentes o sustancias que a continuación se indican, pueden contraer una Enfermedad Profesional (E.P.), causada por agentes biológicos:

• Pastores, que pueden contraer una E.P. infecciosa transmitida por animales (o por sus productos y cadáveres). (Código 3B0109)

Por ello, debe realizarse reconocimientos médicos previos y periódicos a dichos trabajadores, con la prohibición de no contratar a los calificados como no aptos para desempeñar los puestos de trabajo de que se trate.

— Artículo 243 LGSS, en relación con RDEP (Anexo I).

Véase: Avicultores. Ganaderos. Granjas. Granjeros. Granjas de ganado vacuno. Curtidores. Curtidos. Carniceros. Matarifes. Mataderos. Trabajos con animales. Veterinarios. Entomólogos. Zoonosis. Zoológicos. Transporte de animales.

PAUSAS DE TRABAJO OBLIGATORIAS

1. Se denomina pausa, cualquier período durante el cual un conductor no pueda llevar a cabo ninguna actividad de conducción u otro trabajo y que sirva exclusivamente para su reposo.

— Artículo 4.d Reglamento (CE) n.º 561/2006, de 15 de marzo de 2006.

2. En los trabajos con amianto: La utilización de los equipos de protección individual de las vías respiratorias no podrá ser permanente y su tiempo de utilización, para cada trabajador, deberá limitarse al mínimo estrictamente necesario sin que en ningún caso puedan superarse las 4 horas diarias. Durante los trabajos realizados con un equipo de protección individual de las vías respiratorias se deberán prever las pausas pertinentes en función de la carga física y condiciones climatológicas.

— Artículo 8 RDSSRA.

Véase: Tiempo de trabajo. Período de descanso.

PEGAMENTO

1. Sustancia propia para pegar. Unir una cosa con otra mediante alguna sustancia.

2. Los trabajadores ocupados en las actividades económicas, y expuestos a los agentes o sustancias que a continuación se indican, pueden contraer una Enfermedad Profesional (E.P.), causada por agentes químicos:

• Fabricación y empleo de pegamentos que contengan isocianatos. (Código 1Q0105).

Por ello, debe realizarse reconocimientos médicos previos y periódicos a dichos trabajadores, con la prohibición de no contratar a los calificados como no aptos para desempeñar los puestos de trabajo de que se trate.

— Artículo 243 LGSS, en relación con RDEP (Anexo I).

Véase: Sustancias adhesivas. Colas. Adhesivos. Fabricación de adhesivos. Gomas. Gutapercha.

PELETEROS

1. Personas que tienen por oficio trabajar en pieles finas o venderlas.

2. Los trabajadores ocupados en las actividades económicas, y expuestos a los agentes o sustancias que a continuación se indican, pueden contraer una Enfermedad Profesional (E.P.):

a) Causada por agentes físicos:

• Trabajos en los que se produzca un apoyo prolongado y repetido de forma directa o indirecta sobre las correderas anatómicas que provocan lesiones nerviosas por compresión. Movimientos extremos de hiperflexión y de hiperextensión. Trabajos que entrañen compresión prolongada en la muñeca o de una presión mantenida o repetida sobre el talón de la mano, como ordeño de vacas, grabado, talla y pulido de vidrio, burilado, trabajo de zapatería, leñadores, herreros, peleteros, lanzadores de martillo, disco y jabalina, que pueden producir enfermedades por posturas forzadas y movimientos repetitivos, como el síndrome del canal de Guyon. (Código 2F0301).

b) Causada por agentes biológicos:

• Peleteros, que pueden contraer una E.P. infecciosa transmitida por animales (o por sus productos y cadáveres). (Código 3B0104).

Por ello, debe realizarse reconocimientos médicos previos y periódicos a dichos trabajadores, con la prohibición de no contratar a los calificados como no aptos para desempeñar los puestos de trabajo de que se trate.

— Artículo 243 LGSS, en relación con RDEP (Anexo I).

Véase: Industrias de pieles. Industria del cuero. Trabajos con animales. Curtidores. Curtidos.

PELIGRO

1. La capacidad intrínseca de una sustancia peligrosa o la potencialidad de una situación física para ocasionar daños a las personas, los bienes y al medio ambiente.

— Artículo 3.15 RDAG.

2. La capacidad intrínseca de un agente químico para causar daño.

— Artículo 2 RDSSAQ.

Véase: Operaciones potencialmente peligrosas. Riesgo. Riesgo laboral. Riesgo laboral grave. Riesgo laboral grave e inminente. Sustancias peligrosas.

PELUQUERÍAS

1. Establecimientos donde trabaja el peluquero.

2. Los trabajadores ocupados en las actividades económicas, y expuestos a los agentes o sustancias que a continuación se indican, pueden contraer una Enfermedad Profesional (E.P.):

a) Causada por agentes químicos:

• Preparación y empleo de lociones de peluquería, donde se utilicen derivados halogenados. (Código 1H0208).

• Utilización de aminas e hidracinas como colorantes en la industria del cuero, de pieles del calzado, de productos capilares, etc., así como en papelería y en productos de peluquería. (Código 1I0104).

• Empleo de derivados alogenados de hidrocarburos aromáticos en las industrias de materias colorantes, perfumería y fotografía. (Código 1K0502).

• Industria de perfumería y de los cosméticos, donde se utilicem cetonas. (Código 1L0107).

b) Causada por inhalación de sustancias y agentes no comprendidos en otros apartados:

• Trabajos de peluquería, donde los trabajadores estén expuestos a sustancias de bajo peso molecular (metales, polvos de maderas, sustancias químicas, etc.), que pueden provocar alguna de las siguientes E.P: rinoconjuntivitis (Código 4I0105), urticaria (Código 4I0205), angiodemas (Código 4I0205), asma (Código 4I0305), alveolitis alérgica extrínseca (Código 4I0405), síndrome de disfunción de la vía reactiva (Código 4I0505), fibrosis intersticial difusa (Código 4I0605), fiebre de los metales (Código 4I0705), y neumopatía intersticial difusa (Código 4I0805).

c) E.P. de la piel, causada por sustancias y agentes no comprendidos en alguno de los otros apartados:

• Trabajos de peluquería, donde los trabajadores estén expuestos a sustancias de bajo peso molecular (metales, polvos de maderas, sustancias químicas, etc.), que pueden provocar una E.P. de la piel, causada por sustancias de bajo peso molecular (Código 5A0105).

d) Causada por agentes cancerígenos:

• Utilización de aminas como colorantes en la industria del cuero, de pieles del calzado, de productos capilares, etc., así como en papelería y en productos de peluquería, que pueden provocar la E.P. de cáncer versical. (Código 6O0104).

Por ello, debe realizarse reconocimientos médicos previos y periódicos a dichos trabajadores, con la prohibición de no contratar a los calificados como no aptos para desempeñar los puestos de trabajo de que se trate.

— Artículo 243 LGSS, en relación con RDEP (Anexo I).

Véase: Productos capilares. Colorantes.

PEPTIDOGLICANOS

Son componentes de la pared celular de las bacterias. Estudios realizados sobre estos compuestos sugieren que principalmente inducirían respuesta inmunológica atópica. La exposición laboral a estos compuestos está relacionada con aquellas actividades en las que la presencia de bacterias sea importante, por ejemplo: manejo de residuos y fabricación de compost, mataderos, almacenamiento de alimentos o serrerías, entre otros.

— Nota Técnica de Prevención n.º 802/2008. INSST.

Véase: Agentes biológicos. Hongos. Bacterias. Endotoxinas. Glucanos. Micotoxinas. Alérgenos. Enfermedades respiratorias. Asma laboral. Rinitis. E.P. neumonitis por hipersensibilidad. Síndrome toxico.

PERFORADORES NEUMÁTICOS

Véase: Martillos neumáticos.

PERFUMES

1. Sustancias, generalmente líquidas, que se utilizan para dar buen olor.

2. Los trabajadores ocupados en las actividades económicas, y expuesto a los agentes o sustancias que a continuación se indican, pueden contraer una Enfermedad Profesional (E.P.):

a) Causada por agentes químicos:

• Industria de cosméticos, perfumes, jabones y detergentes, donde se utilice alcohol. (Código 1F0107).

• Fabricación de desinfectantes, tintes, productos farmacéuticos, perfumes, explosivos, potenciadores del sabor, resinas, antioxidantes, barnices, levaduras, productos fotográficos, caucho, plásticos, polímeros de alto peso molecular, plaguicidas, etc., donde se utilicen aldehídos. (Código 1G0104).

• Preparación y empleo de lociones de peluquería, donde se utilicen derivados halogenados. (Código 1H0208).

• Empleo del benceno para la preparación de sus derivados utilizados en las industrias de materias colorantes, perfumes, explosivos, productos farmacéuticos, etc. (Códigos 1K0102).

• Utilización del xileno o tolueno en perfumería. (Código 1K0309).

• Empleo de derivados alogenados de hidrocarburos aromáticos en las industrias de materias colorantes, perfumería y fotografía. (Código 1K0502).

• Industria de perfumería y de los cosméticos, donde se utilicen cetonas. (Código 1L0107).

• Fabricación de lacas de uñas y perfumes, esencias de frutas, donde se utilicen ésteres orgánicos. (Código 1N0108).

• Disolventes y codisolventes de lacas, resinas, pigmentos, tintes, esmaltes, barnices, perfumes, aceites, acetato de celulosa y nitrato de celulosa, que contengan éteres. (Código 1O0101).

• Industria de la perfumería, caucho, fotografía y materias plásticas, donde se utilicen éteres. (Código 1O0116).

b) Causada por inhalación de sustancias y agentes no comprendidos en otros apartados:

• Industria de perfumes y productos de belleza, fábricas de jabones y en joyería, donde se utilicen polvos de talco o de caolín, que pueden producir las E.P. de talcosis (Código 4D0111), silicocaolinosis (Código 4D0211) o caolinosis y otras silicatosis (Código 4D0311), provocadas por la inhalación de polvos de talco o de caolín.

c) Causada por agentes cancerígenos:

• Empleo del benceno para la preparación de sus derivados utilizados en las industrias de materias colorantes, perfumes, explosivos, productos farmacéuticos, etc., que pueden provocar una E.P. síndrome linfo y mieloproliferativos. (Código 6D0102).

Por ello, debe realizarse reconocimientos médicos previos y periódicos a dichos trabajadores, con la prohibición de no contratar a los calificados como no aptos para desempeñar los puestos de trabajo de que se trate.

Véase: Cosméticos. Jabones. Desodorantes. Protésicos dentales.

PERÍODO DE DESCANSO

1. Todo período que no sea tiempo de trabajo.

— Artículo 2.2 Directiva 2003/88/CE, de 4 noviembre, relativa a determinados aspectos de la ordenación del tiempo de trabajo.

2. Período de descanso adecuado: Períodos regulares de descanso de los trabajadores, cuya duración se expresa en unidades de tiempo, suficientemente largos y continuos para evitar que, debido al cansancio o a ritmos de trabajo irregulares, aquellos se produzcan lesiones a sí mismos, a sus compañeros o terceros, y que perjudiquen su salud, a corto o a largo plazo.

— Nota Técnica de Prevención n.º 916/2011. INSST.

3. Los trabajadores tendrán derecho a un descanso mínimo semanal, acumulable por períodos de hasta catorce días, de día y medio ininterrumpido que, como regla general, comprenderá la tarde del sábado o, en su caso, la mañana del lunes y el día completo del domingo. La duración del descanso semanal de los menores de dieciocho años será, como mínimo, de dos días ininterrumpidos.

— Artículo 37.1 LET.

4. Siempre que la duración de la jornada diaria continuada exceda de seis horas, deberá establecerse un período de descanso durante la misma de duración no inferior a quince minutos. Este período de descanso se considerará tiempo de trabajo efectivo cuando así esté establecido o se establezca por convenio colectivo o contrato de trabajo.

En el caso de los trabajadores menores de dieciocho años, el período de descanso tendrá una duración mínima de treinta minutos, y deberá establecerse siempre que la duración de la jornada diaria continuada exceda de cuatro horas y media.

— Artículo 34.4 LET.

5. El período de descanso es el tiempo no comprendido en las horas de trabajo; en esta expresión no se incluyen las pausas breves.

— Anexo. Cláusula 2.b RDOTTM.

Véase: Horas de descanso. Tiempo de trabajo. Tiempo de conducción. Semana. Tiempo de aseo personal.

PERÍODO NOCTURNO

Todo período no inferior a siete horas, definido por la legislación nacional, y que deberá incluir, en cualquier caso, el intervalo comprendido entre las 24,00 horas y las 5,00 horas.

— Artículo 2.3 Directiva 2003/88/CE, de 4 noviembre, relativa a determinados aspectos de la ordenación del tiempo de trabajo.

Véase: Trabajadores nocturnos. Trabajo a turnos.

PERMANGANATO

1. Compuesto de manganeso que se utiliza como desinfectante.

2. Los trabajadores ocupados en las actividades económicas, y expuestos a los agentes o sustancias que a continuación se indican, pueden contraer una Enfermedad Profesional (E.P.), causada por agentes químicos:

• Preparación de permanganato potásico. (Código 1A0608).

Por ello, debe realizarse reconocimientos médicos previos y periódicos a dichos trabajadores, con la prohibición de no contratar a los calificados como no aptos para desempeñar los puestos de trabajo de que se trate.

— Artículo 243 LGSS, en relación con RDEP (Anexo I).

Véase: Desinfectantes. Manganeso.

PERSONAS CON DISCAPACIDAD

1. La Organización Mundial de la Salud, en la «Clasificación Internacional de deficiencias, discapacidades y minusvalías» de 1980, define los conceptos de deficiencia y discapacidad.

Deficiencia sería «toda pérdida o anormalidad de una estructura o función psicológica, fisiológica o anatómica». Algunos ejemplos de deficiencia serían la ceguera, la sordera, o el retraso mental.

Discapacidad sería «toda restricción o ausencia (debida a una deficiencia) de la capacidad de realizar una actividad en la forma o dentro del margen que se considera normal para un ser humano». Algunos ejemplos serían, la dificultad para ver, para moverse o desplazarse, o para relacionarse con los compañeros...

La Clasificación Internacional del Funcionamiento de la discapacidad y de la Salud del año 2001 define discapacidad como: «término genérico que incluye déficit, limitaciones en la actividad y restricciones en la participación. Indica los aspectos negativos de la interacción entre un individuo (con una condición de salud) y sus factores contextuales (factores ambientales y personales)».

— Nota Técnica de Prevención n.º 1003/2014. INSST.

2. Son personas con discapacidad aquellas que presentan deficiencias físicas, mentales, intelectuales o sensoriales, previsiblemente permanentes que, al interactuar con diversas barreras, puedan impedir su participación plena y efectiva en la sociedad, en igualdad de condiciones con los demás.

Además de lo establecido en el apartado anterior, y a todos los efectos, tendrán la consideración de personas con discapacidad aquellas a quienes se les haya reconocido un grado de discapacidad igual o superior al 33 por ciento. Se considerará que presentan una discapacidad en grado igual o superior al 33 por ciento los pensionistas de la Seguridad Social que tengan reconocida una pensión de incapacidad permanente en el grado de total, absoluta o gran invalidez, y a los pensionistas de clases pasivas que tengan reconocida una pensión de jubilación o de retiro por incapacidad permanente para el servicio o inutilidad.

— Artículos 4.1 y 4.2 LGDPDIS.

3. Los empresarios están obligados a adoptar las medidas adecuadas para la adaptación del puesto de trabajo y la accesibilidad de la empresa, en función de las necesidades de cada situación concreta, con el fin de permitir a las personas con discapacidad acceder al empleo, desempeñar su trabajo, progresar profesionalmente y acceder a la formación, salvo que esas medidas supongan una carga excesiva para el empresario.

Para determinar si una carga es excesiva se tendrá en cuenta si es paliada en grado suficiente mediante las medidas, ayudas o subvenciones públicas para personas con discapacidad, así como los costes financieros y de otro tipo que las medidas impliquen y el tamaño y el volumen de negocios total de la organización o empresa.

— Artículo 40.2 LGDPDIS.

— Notas Técnicas de Prevención n.º 490/1998. 1004/2014. INSST.

Véase: Trabajadores con discapacidad. Trabajadores especialmente sensibles. Discriminación directa. Discriminación indirecta.

PESCA DE ALTURA

1. La que se efectúa en aguas relativamente cerca del litoral. En el caso de España, entre los paralelos 0.º y 60.º y los meridianos 15.º E. y 20.º O. Pesca de gran altura la que se efectúa en aguas muy retiradas en cualquier lugar del océano.

2. Riesgos biológicos en los trabajos de pesca marítima.

— Nota Técnica de Prevención n.º 625/2003. INSST.

   Véase: Buque de pesca. Navíos. Trabajos en navíos. Gente del mar. Trabajador del mar. Armador. Capitán de buque. Pesca de arrastre. Pesca de bajura. Pesca de cerco.

PESCA DE ARRASTRE

1. La pesca de arrastre consiste en una red de forma troncocónica con un saco o copo en su extremo para acumular el pescado. Esta red lleva en la boca dos cables o malletas de las que tiran un barco (modalidad de baka) o dos barcos (modalidad de pareja). Para mantener la boca abierta se utiliza una especie de planeadores o puertas deflectoras que tienden, por efecto del choque con el agua, a separarse y mantener abierta la red. La red se arrastra por el fondo marino (modalidad más extendida) o a una altura determinada del mismo (arrastre pelágico o semipelágico).

— Nota Técnica de Prevención n.º 1078/2017. INSST.

2. Riesgos biológicos en los trabajos de pesca marítima.

— Nota Técnica de Prevención n.º 625/2003. INSST.

   Véase: Buque de pesca. Navíos. Trabajos en navíos. Gente del mar. Trabajador del mar. Armador. Capitán de buque. Pesca de altura. Pesca de bajura. Pesca de cerco.

PESCA DE BAJURA

1. La que se efectúa con pequeñas embarcaciones en las proximidades de la costa. También denominada pesca con artes menores.

— Nota Técnica de Prevención n.º 624/2003. INSST.

2. Riesgos biológicos en los trabajos de pesca marítima.

— Nota Técnica de Prevención n.º 625/2003. INSST.

   Véase: Buque de pesca. Navíos. Trabajos en navíos. Gente del mar. Trabajador del mar. Armador. Capitán de buque. Pesca de altura. Pesca de arrastre. Pesca de cerco.

PESCA DE CERCO

1. La pesca de cerco consiste, como su propio nombre indica, en cercar un banco de peces (como sardina, boquerón, jurel, caballa, etc.). Se procede soltando la red con la ayuda de una embarcación auxiliar de pequeño tamaño. A continuación, el barco principal procede a la maniobra de cercado del banco de peces hasta llegar a la posición de la embarcación auxiliar donde se cierra el cerco. Seguidamente se cierra el fondo de la red capturando la pesca.

— Nota Técnica de Prevención n.º 1081/2017. INSST.

2. Buque de cerco: El que se dedica a la pesca con artes de cerco, conforme a lo definido en la legislación nacional vigente.

Embarcación auxiliar: Las dedicadas a labores auxiliares de explotaciones de acuicultura, de estabulación de especies marinas o asociadas a una licencia o permiso administrativo para ejercer actividades acuícolas, inscritos en la cuarta lista del Registro de Matrícula de buques.

— Artículo 4 RDTMBP.

3. Riesgos biológicos en los trabajos de pesca marítima.

— Nota Técnica de Prevención n.º 625/2003. INSST.

Véase: Buque de pesca. Navíos. Trabajos en navíos. Gente del mar. Trabajador del mar. Armador. Capitán de buque. Pesca de altura. Pesca de arrastre. Pesca de bajura.

PESCADEROS

1. Personas que venden pescado, especialmente al por menor.

2. Los trabajadores ocupados en las actividades económicas, y expuestos a los agentes o sustancias que a continuación se indican, pueden contraer una Enfermedad Profesional (E.P.), causada por agentes físicos:

• Trabajos que requieran movimientos de impacto o sacudidas, supinación o pronación repetidas del brazo contra resistencia, así como movimientos de flexoextensión forzada de la muñeca, como pueden ser: carniceros, pescaderos, curtidores, deportistas, mecánicos, chapistas, caldereros, albañiles, que pueden provocar la E.P. de epicondilitis y/o epitrocleitis. (Código 2D0201).

Por ello, debe realizarse reconocimientos médicos previos y periódicos a dichos trabajadores, con la prohibición de no contratar a los calificados como no aptos para desempeñar los puestos de trabajo de que se trate.

— Artículo 243 LGSS, en relación con RDEP (Anexo I).

Véase: Carniceros. Curtidores.

PESTICIDAS

1. Sustancias que se emplean para combatir plagas. Según la definición de la FAO, un plaguicida o pesticida, es cualquier sustancia destinada a prevenir, destruir, atraer, repeler o combatir cualquier plaga, incluidas las especies indeseadas de plantas o animales, durante la producción, almacenamiento, transporte, distribución y elaboración de alimentos, productos agrícolas o alimentos para animales, o que pueda administrarse a los animales para combatir ectoparásitos.

2. Sustancias químicas que combaten las plagas del campo.

— Notas Técnicas de Prevención n.º 143/1985. 268/1991. INSST.

3. Los trabajadores ocupados en las actividades económicas, y expuestos a los agentes o sustancias que a continuación se indican, pueden contraer una Enfermedad Profesional (E.P.):

a) Causadas por agentes químicos:

• Producción y uso de pesticidas arsenicales y de sus compuestos. (Código 1A0101).

• Fabricación de pesticidas, donde se utilice cadmio y sus compuestos. (Código 1A0316).

• Empleo de compuestos de flúor como insecticida, pesticida, rodenticida y para conservación de la madera. (Código 1C0310).

• Utilización de acrilonitrilo como pesticida, donde se utilice ácido cianhídrico. (Código 1D0408).

• Fabricación y manipulación de pesticidas y productos para el control de malezas, donde se utilicen fenoles. (Código 1F0207).

• Utilización de aldehídos como herbicidas y pesticidas. (Código 1G0106).

• Utilización de pesticidas, donde se utilicen derivados halogenados. (Código 1H0204).

• Empleo como disolventes, pesticidas, herbicidas, insecticidas y fungicidas, donde se utilicen derivados halogenados de hidrocarburos aromáticos. (Código 1K0501).

• Utilización de nitroderivados de los hidrocarburos aromáticos como pesticidas. (Código 1K0606).

• Empleo de nitroderivados alifáticos como aditivos de ciertos explosivos, pesticidas, fungicidas, gasolinas y propulsores para proyectiles. (Código 1R0102).

• Utilización de oxicloruro de carbono en la industria química para la fabricación de isocianatos, poliuretano, policarbonatos, tintes, pesticidas y productos farmacéuticos. (Código 1T0207).

b) Causada por agentes cancerígenos:

• Producción y uso de pesticidas arsenicales, herbicidas e insecticidas, donde se utilice arsénico, que puede provocar alguna de las siguientes E.P: neoplasia de maligna de bronquio y pulmón (Código 6C0105), carcinoma epidemoide de piel (Código 6C0205), disqueratosis lenticular en disco (Código 6C0305) y angiosarcoma del hígado (Código 6C0405).

• Fabricación de pesticidas, que contengan cadmio, que puede provocar la E.P. de neoplasia maligna de bronquio, pulmón y próstata. (Código 6G0116).

• Utilización de nitrobenceno como pesticidas, que puede provocar la E.P. de linfoma. (Código 6P0106).

• Utilización de acrilonitrilo como pesticida, donde se utilice ácido cianhídrico, que puede provocar una E.P. cancerígena. (Código 6Q0108).

Por ello, debe realizarse reconocimientos médicos previos y periódicos a dichos trabajadores, con la prohibición de no contratar a los calificados como no aptos para desempeñar los puestos de trabajo de que se trate.

— 243 LGSS, en relación con RDEP (Anexo I).

Véase: Productos fitosanitarios. Alcantarillado. Zoonosis. Trabajos de alcantarillado. Plaguicidas. Repelentes. Desratización. Rodenticida. Parásitos. Insecticidas. Oxicloruro de carbono.

PETRÓLEO

1. Líquido natural oleaginoso e inflamable, constituido por una mezcla de hidrocarburos, que se extrae de lechos geológicos continentales o marítimos y del que se obtienen productos utilizables con fines energéticos o industriales, como la gasolina, el queroseno o el gasóleo.

2. Los trabajadores ocupados en las actividades económicas, y expuestos a los agentes o sustancias que a continuación se indican, pueden contraer una Enfermedad Profesional (E.P.):

a) Causada por agentes químicos:

• Extracción del yodo a partir de algas, del salitre de Chile, y en el curso de ciertas operaciones como el refinado de petróleo. (Código 1C0402).

• Purificación de petróleo, donde se utilice ácido sulfúrico. (Código 1D0209).

• Refinerías de petróleo, donde se utilice ácido sulfhídrico. (Código 1D0309).

• Industria de la refinería de petróleo, donde se utilice alcohol. (Código 1F0114).

• Refino del petróleo, donde se utilicen fenoles. (Código 1F0205).

• Destilación y refinado del petróleo, donde se utilicen hidrocarburos. (Código 1H0101).

• Refino de petróleo (como inhibidor de la corrosión), donde se utilice amoniaco. (Código 1J0110).

• El furfural (Epóxido) se utiliza, además, en la preparación y uso de moldes para fundición, en la vulcanización del caucho, refinado de aceites de petróleo y como agente humectante. (Código 1M0109).

• Tráfico urbano, instalaciones de incineración. Industria petrolera, industria química, donde los trabajadores pueden estar expuestos al óxido de carbono. (Código 1T0113).

b) Causada por inhalación de sustancias y agentes no comprendidos en otros apartados:

• Utilización del hidrato de aluminio en la industria papelera (preparación del sulfato de aluminio), en el tratamiento de aguas, en la industria textil (capa impermeabilizante), en las refinerías de petróleo (preparación y utilización de ciertos catalizadores) y en numerosas industrias donde el aluminio y sus compuestos entran en la composición de numerosas aleaciones, que puede provocar la E.P. de neumoconiosis por inhalación de polvo de aluminio. (Código 4G0107).

c) Causadas por agentes cancerígenos:

• Operaciones de destilación en la industria del petróleo, donde se utilicen hidrocarburos aromáticos, que pueden provocar la E.P. de lesiones premalignas de piel (Código 6J0111), y/o E.P. de carcinoma de células escamosas (Código 6J0211).

Por ello, debe realizarse reconocimientos médicos previos y periódicos a dichos trabajadores, con la prohibición de no contratar a los calificados como no aptos para desempeñar los puestos de trabajo de que se trate.

— Artículo 243 LGSS, en relación RDEP (Anexo I).

Véase: Fuel oil. Gasolinas. Gasóleo. Naftas. Hidrocarburos aromáticos.

PICOS

1. Los picos son herramientas de mano utilizadas principalmente en la construcción para romper superficies no muy duras, en las fundiciones de hierro o en trabajos de soldadura para eliminar rebabas de distinto tamaño y dureza. Pueden ser de dos tipos principalmente:

a) Rompedores: Tienen dos partes, la pequeña de golpear en plano con ángulos rectos, mientras que la más larga es puntiaguda y puede ser redondeada o cuadrada.

b) Troceadores: Tienen dos partes, una puntiaguda y la otra plana y afilada.

— Nota Técnica de Prevención n.º 393/1995. INSST.

Véase: Herramientas portátiles manuales. Alicates. Cinceles. Cuchillos. Destornilladores. Llaves. Martillos. Punzones. Sierras. Tijeras.

PICTOGRAMAS DE PELIGRO

Los pictogramas de peligro son composiciones gráficas que contienen un símbolo negro sobre un fondo blanco, con un marco rojo lo suficientemente ancho para ser claramente visible. Tienen forma de cuadrado apoyado en un vértice y sirven para transmitir la información específica sobre el peligro en cuestión.

— Nota Técnica de Prevención n.º 878/2010. INSST.

Véase: Señalización de seguridad. Señales visuales de seguridad. Señales en forma de panel. Símbolo o pictograma.

PIEL: PROTECCIÓN

1. Los efectos derivados de la exposición dérmica a contaminantes químicos pueden ser locales, provocando trastornos en la piel, tales como irritaciones, dermatitis, sensibilización o cáncer, o sistémicos, causando alteraciones o daños en órganos o sistemas específicos (hígado, riñón, etc.) una vez absorbidos y distribuidos por el organismo.

La absorción de sustancias a través de la piel puede contribuir significativamente a la dosis global absorbida en la exposición laboral.

— Nota Técnica de Prevención n.º 697/2005. INSST.

2. Absorción de sustancias químicas por la piel.

— Nota Técnica de Prevención n.º 336/1994. INSST.

Véase: Dermatosis. Enfermedades de la piel. E.P. de la piel.

PIENSOS

1. El pienso es el alimento seco que se da al ganado.

2. Los trabajadores ocupados en las actividades económicas, y expuestos a los agentes o sustancias que a continuación se indican, pueden contraer una Enfermedad Profesional (E.P.):

a) Causada por inhalación de sustancias y agentes no comprendidos en otros apartados:

• Trabajos con harinas de pescado y piensos compuestos, donde los trabajadores estén expuestos a sustancias de alto peso molecular (de origen vegetal o animal), que pueden provocar alguna de las siguientes E.P: rinoconjuntivitis (Código 4H0125), asma (Código 4H0225), alveolitis alérgica extrínseca (Código 4H0325), síndrome de disfunción reactivo de la vía aérea (Código 4H0425), fibrosis intersticial difusa (Código 4H0525), bisinosis, cannabiosis, linnosis, bagazosis, estipatosis, suberosis (Código 4H0625), neumopatía intersticial difusa (Código 4H0725).

b) E.P. de la piel, causada por sustancias y agentes no comprendidos en alguno de los otros apartados:

• Trabajos con harinas de pescado y piensos compuestos, donde los trabajadores estén expuestos a sustancias de alto peso molecular (de origen vegetal o animal), que pueden provocar una E.P. de la piel, causada por sustancias de alto peso molecular. (Código 5B0125).

Por ello, debe realizarse reconocimientos médicos previos y periódicos a dichos trabajadores, con la prohibición de no contratar a los calificados como no aptos para desempeñar los puestos de trabajo de que se trate.

— Artículo 243 LGSS, en relación con RDEP (Anexo I).

Véase: Harinas. Polvos. Piscicultura.

PILAS

1. Dispositivos que almacenan energía por procedimientos electroquímicos y de la que se puede disponer en forma de electricidad. Es necesario distinguir entre baterías recargables o acumuladores y baterías desechables o pilas.

2. Los trabajadores ocupados en las actividades económicas, y expuestos a los agentes o sustancia que a continuación se indican, pueden contraer una Enfermedad Profesional (E.P.), causada por agentes químicos:

• Fabricación de pilas secas, donde se utilice nanganeso y sus compuestos. (Código 1A0603).

• Preparación de zinc amalgamado para pilas eléctricas donde se utilice mercurio. (Código 1A0706).

• Fabricación y reparación de acumuladores eléctricos de mercurio. (Código 1A0707).

Por ello, debe realizarse reconocimientos médicos previos y periódicos a dichos trabajadores, con la prohibición de no contratar a los calificados como no aptos para desempeñar los puestos de trabajo de que se trate.

— Artículo 243 LGSS, en relación con RDEP (Anexo I).

Véase: Acumuladores eléctricos. Baterías. Condensadores. Zinc.

PINTORES

1. Pintor es la persona cuyo oficio es la decoración y protección de paredes, cubiertas y otras superficies interiores o exteriores mediante la aplicación de pintura.

2. Los trabajadores ocupados en las actividades económicas, y expuestos a los agentes o sustancias que a continuación se indican, pueden contraer una Enfermedad Profesional (E.P.):

a) Causada por agentes físicos:

• Trabajos ejecutados con posturas forzadas y movimientos repetitivos, que se realicen con los codos en posición elevada o que tensen los tendones o bolsa subacromial, asociándose a acciones de levantar y alcanzar; uso continuado del brazo en abducción o flexión, como son pintores, escayolistas, montadores de estructuras, que pueden provocar la E.P. de tendidosa crónica. (Código 2D0101).

• Trabajos en los que se produzca un apoyo prolongado y repetido de forma directa o indirecta sobre las correderas anatómicas que provocan lesiones nerviosas por compresión. Movimientos extremos de hiperflexión y de hiperextensión. Trabajos que requieran movimientos repetidos o mantenidos de hiperextensión e hiperflexión de la muñeca, de aprehensión de la mano como lavanderos, cortadores de tejidos y material plástico y similares, trabajos de montaje (electrónica, mecánica), industria textil, mataderos (carniceros, matarifes), hostelería (camareros, cocineros), soldadores, carpinteros, pulidores, pintores, que pueden provocar la E.P. de síndrome del túnel carpiano. (Código 2F0201).

b) Causada por agentes cancerígenos:

• Aplicación por proyección de pinturas y barnices, que contengan cadmio, que puede provocar la E.P. de neoplasia maligna de bronquio, pulmón y próstata. (Código 6G0113).

• Aplicación por proyección de pinturas y barnices que contengan cromo o níquel, que puede provocar la E.P. de de neoplasia maligna de cavidad nasal. (Códigos 6I0104, 6K0112).

• Aplicación de pinturas con base de alquitrán, que contengan hidrocarburos aromáticos, que pueden provocar la E.P. de lesiones premalignas de piel (Código 6J0114), y/o E.P. de carcinoma de células escamosas (Código 6J0214).

Por ello, debe realizarse reconocimientos médicos previos y periódicos a dichos trabajadores, con la prohibición de no contratar a los calificados como no aptos para desempeñar los puestos de trabajo de que se trate.

— Artículo 243 LGSS, en relación con RDEP (Anexo I).

Véase: Aerografía. Fabricación de pinturas. Barnices. Trabajos con posturas forzadas. Trabajos repetitivos. E.P. Tendidosa crónica.

PIRITA

1. Mineral de sulfuro de hierro, brillante y de color amarillo oro. Pirita de cobre: Pirita que se compone de azufre, hierro y cobre.

2. Los trabajadores ocupados en las actividades económicas, y expuestos a los agentes o sustancias que a continuación se indican, pueden contraer una Enfermedad Profesional (E.P.), causada por agentes químicos:

• Extracción del talio de minerales de pirita. (Código 1A1001).

Por ello, debe realizarse reconocimientos médicos previos y periódicos a dichos trabajadores, con la prohibición de no contratar a los calificados como no aptos para desempeñar los puestos de trabajo de que se trate.

— Artículo 243 LGSS, en relación con RDEP (Anexo I).

Véase: Azufre. Cobre. Hierro.

PIROLISIS

1. Descomposición de un compuesto químico por acción del calor.

2. Los trabajadores ocupados en las actividades económicas, y expuestos a los agentes o sustancias que a continuación se indican, pueden contraer una Enfermedad Profesional (E.P.), causada por agentes químicos:

• Desprendimiento de fosgeno por pirolisis de numerosos derivados organoclorados, como el tetracloruro de carbono, el cloroformo, tetracloroetano, tricloroetileno, etc. (Código 1T0205).

Por ello, debe realizarse reconocimientos médicos previos y periódicos a dichos trabajadores, con la prohibición de no contratar a los calificados como no aptos para desempeñar los puestos de trabajo de que se trate.

— Artículo 243 LGSS, en relación con RDEP (Anexo I).

Véase: Organoclorados.

PIROLUSITA

1. Mineral de color negro, pardo o gris azulado y textura terrosa, concrecionada o fibrosa, poco más duro que el yeso, de gran uso industrial para la obtención del oxígeno, preparación del cloro, fabricación del acero y del vidrio, etc. Es el peróxido de manganeso y la mena más abundante de este metal.

2. Los trabajadores ocupados en las actividades económicas, y expuestos a los agentes o sustancias que a continuación se indican, pueden contraer una Enfermedad Profesional (E.P.), causada por agentes químicos:

• Extracción, manipulación, transporte y tratamiento de la pirolusita, la manganita, el silomelano y la rodoprosita. (Código 1A0601).

Por ello, debe realizarse reconocimientos médicos previos y periódicos a dichos trabajadores, con la prohibición de no contratar a los calificados como no aptos para desempeñar los puestos de trabajo de que se trate.

— Artículo 243 LGSS, en relación con RDEP (Anexo I).

Véase: Acero. Industria del vidrio. Oxígeno.

PIROTECNIA

1. Técnica de la fabricación y utilización de materiales explosivos o fuegos artificiales. Material explosivo o para fuegos artificiales. Fábrica de materiales explosivos o fuegos artificiales.

2. La vigilancia y control en materia de prevención de riesgos laborales, en los trabajos de fabricación, transporte, almacenamiento, manipulación y utilización de explosivos, corresponde al Cuerpo Técnico de Inspección del Transporte Terrestre.

— Artículo 7 LPRL.

3. Los trabajadores ocupados en las actividades económicas, y expuestos a los agentes o sustancias que a continuación se indican, pueden contraer una Enfermedad Profesional (E.P.):

a) Causada por agentes químicos:

• Pirotecnia donde se utilice arsénico y sus compuestos. (Código 1A0107).

• Fabricación de pigmentos cadmíferos para pinturas, esmaltes, materias plásticas, papel, caucho, pirotecnia, donde se utilice cadmio y sus compuestos. (Código 1A0303).

• Fabricación de municiones y artículos pirotécnicos, donde se utilice plomo y sus componentes. (Código 1A0909).

• Utilización del talio y sus compuestos en la industria farmacéutica, industria del vidrio, en la fabricación de colorantes y pigmentos y en la pirotecnia. (Código 1A1004).

• Pirotecnia, donde se utilice cloro. (Código 1C0207).

b) Causada por inhalación de sustancias y agentes no comprendidos en otros apartados:

• Fabricación de artefactos pirotécnicos con granos de aluminio, que pueden provocar la E.P. de neumoconiosis por inhalación de polvo de aluminio. (Código 4G0106).

c) Causada por agentes cancerígenos:

• Pirotecnia, donde se utilice arsénico, que puede provocar alguna de las siguientes E.P. (cánceres): neoplasia de maligna de bronquio y pulmón (Código 6C0113), carcinoma epidemoide de piel (Código 6C0213), disqueratosis lenticular en disco (Código 6C0313) y angiosarcoma del hígado (Código 6C0413).

• Fabricación de pigmentos cadmíferos para pinturas, esmaltes, materias plásticas, papel, caucho, pirotecnia, que puede provocar la E.P. de neoplasia maligna de bronquio, pulmón y próstata (Cáncer). (Código 6G0103).

Por ello, debe realizarse reconocimientos médicos previos y periódicos a dichos trabajadores, con la prohibición de no contratar a los calificados como no aptos para desempeñar los puestos de trabajo de que se trate.

— Artículo 243 LGSS, en relación con RDEP (Anexo I).

Véase: Industria de explosivos. Detonación. Detonadores. Deflagración. Fulminantes. Sustancias explosivas. Atmosferas explosivas. Fósforo. Ácido nítrico. Ácido sulfúrico. Fulminatos.

PISCICULTURA

1. Conjunto de técnicas y conocimientos relativos a la cría artificial de peces y mariscos.

2. Los trabajadores ocupados en las actividades económicas, y expuestos a los agentes o sustancias que a continuación se indican, pueden contraer una Enfermedad Profesional (E.P.):

a) Causada por inhalación de sustancias y agentes no comprendidos en otros apartados:

• Trabajos en piscicultura, donde los trabajadores estén expuestos a sustancias de alto peso molecular (de origen vegetal o animal), que pueden provocar alguna de las siguientes E.P: rinoconjuntivitis (Código 4H0115), asma (Código 4H0215), alveolitis alérgica extrínseca (Código 4H0315), síndrome de disfunción reactivo de la vía aérea (Código 4H0415), fibrosis intersticial difusa (Código 4H0515), bisinosis, cannabiosis, linnosis, bagazosis, estipatosis, suberosis (Códigos 4H0615), neumopatía intersticial difusa (Código 4H0715).

b) E.P. de la piel, causada por sustancias y agentes no comprendidos en alguno de los otros apartados:

• Trabajos en piscicultura, donde los trabajadores estén expuestos a sustancias de alto peso molecular (de origen vegetal o animal), que pueden provocar una E.P. de la piel, causada por sustancias de alto peso molecular. (Código 5B0115).

Por ello, debe realizarse reconocimientos médicos previos y periódicos a dichos trabajadores, con la prohibición de no contratar a los calificados como no aptos para desempeñar los puestos de trabajo de que se trate.

— Artículo 243 LGSS, en relación con RDEP (Anexo I).

Véase: Acuicultura. Harinas. Piensos.

PISCINAS

1. Construcción que contiene gran cantidad de agua y que se destina al baño, a la natación o a otros ejercicios y deportes acuáticos.

2. Las piscinas cubiertas son áreas de exposición al cloro, que hasta el momento sigue siendo el producto químico más empleado para la desinfección del agua. El colectivo de personas expuestas en una piscina cubierta es muy variado en cuanto a características, edad, actividad y tiempo de exposición. Por otro lado, las importantes concentraciones de cloro habitualmente presentes en el aire de las mismas, pueden provocar la formación de otros derivados clorados, la exposición a los cuales también cabría considerar.

— Nota Técnica de Prevención n.º 341/1994. INSST.

3. Los trabajadores ocupados en la fabricación de piscinas y expuestos a los agentes o sustancias que a continuación se indican, pueden contraer una Enfermedad Profesional (E.P.), causada por agentes químicos:

• Fabricación de piscinas, yates, bañeras, carrocerías de automóviles, donde se utilice vinilbenceno (estireno y divinilbenceno). (Código 1K0405).

Por ello, debe realizarse reconocimientos médicos previos y periódicos a dichos trabajadores, con la prohibición de no contratar a los calificados como no aptos para desempeñar los puestos de trabajo de que se trate.

— Artículo 243 LGSS, en relación con RDEP (Anexo I).

Véase: Agua: Tratamiento. Depuración. Aguas contaminadas. Cloro. Construcción. Bañeras. Carrocerías. Yates.

PISTOLAS DE SELLADO

1. Herramientas que permiten cerrar herméticamente algo.

2. Los trabajadores ocupados en las actividades económicas, y expuestos a los agentes o sustancias que a continuación se indican, pueden contraer una Enfermedad Profesional (E.P.), causada por agentes físicos:

• Utilización de remachadoras y pistolas de sellado, que pueden producir una E.P. de carácter vascular. (Código 2B0102).

Por ello, debe realizarse reconocimientos médicos previos y periódicos a dichos trabajadores, con la prohibición de no contratar a los calificados como no aptos para desempeñar los puestos de trabajo de que se trate.

— Artículo 243 LGSS, en relación con RDEP (Anexo I).

Véase: Herramientas portátiles. Herramientas portátiles manuales. Enfermedades vasculares.

PLAGUICIDAS

1. Sustancias que se emplean para combatir plagas. Según la definición de la FAO, un plaguicida o pesticida, es cualquier sustancia destinada a prevenir, destruir, atraer, repeler o combatir cualquier plaga, incluidas las especies indeseadas de plantas o animales, durante la producción, almacenamiento, transporte, distribución y elaboración de alimentos, productos agrícolas o alimentos para animales, o que pueda administrarse a los animales para combatir ectoparásitos.

2. Sustancias químicas que combaten las plagas del campo. Los efectos de los plaguicidas en los trabajadores pueden dar lugar a una intoxicación aguda de aparición inmediata o a las pocas horas o a una intoxicación crónica de aparición posterior debido a exposiciones anteriores de baja intensidad.

La vía de contacto con el plaguicida puede ser la inhalatoria cuando, como cualquier otro agente químico, se encuentre en el ambiente, o por contacto con el producto depositado en superficies contaminadas o tratadas, directamente a través de la piel, cuando ésta constituye una vía de absorción para el agente en concreto, o indirectamente por el contacto mano-boca. Todos los plaguicidas son realmente agentes químicos peligrosos

— Notas Técnicas de Prevención n.º 143/1985. 512, 513/1999. 595/2001. 660, 661/2004. INSST.

3. El INSST recomienda la realización de reconocimientos médicos periódicos a los trabajadores que manejen plaguicidas:

a) Al mes de comenzar el trabajo: Para grupos de alto riesgo (GAR), para los que manejen sustancias muy tóxicas (MT) y/o tóxicas (T). Se consideran grupos de alto riesgo, los trabajadores:

• Que manejan directamente plaguicidas, diariamente o con mucha frecuencia.

• De plantas de fabricación o formulación.

• Aplicadores agrícolas: manuales, pilotos, maquinaria, señalizadores, cargadores y mezcladores.

• Aplicadores de edificaciones urbanas, silos, industrias, etc.

• Transportistas, almacenistas y vendedores de plaguicidas.

• Técnicos agrarios de plagas.

b) Cada 3 meses: Para GAR, para MT y para T.

c) Cada 6 meses: Para GAR, para MT, para T, y para grupos de moderado riesgo (GMR).

d) Cada 12 meses: Para GAR, para MT, para T, para GMR y para grupos de bajo riesgo.

e) Al finalizar período de aplicación de los plaguicidas: Para GAR, para MT y para T.

— Nota Técnica de Prevención n.º 199/1988. INSST.

4. Los trabajadores ocupados en las actividades económicas, y expuestos a los agentes o sustancias que a continuación se indican, pueden contraer una Enfermedad Profesional (E.P.), causada por agentes químicos:

• Fabricación de desinfectantes, tintes, productos farmacéuticos, perfumes, explosivos, potenciadores del sabor, resinas, antioxidantes, barnices, levaduras, productos fotográficos, caucho, plásticos, polímeros de alto peso molecular, plaguicidas, etc., donde se utilicen aldehídos. (Código 1G0104).

• Síntesis, formulación y envasado de los productos plaguicidas, que contienen organofosforados y carbamatos inhibidores de la colinesterasa. (Código 1S0101 y 1S0102).

• Uso agrícola de los productos plaguicidas que contiene organofosforados y carbamatos inhibidores de la colinesterasa; preparación, formulación y las soluciones, cebos, gel y toda otra forma de presentación. (Código 1S0103).

• Aplicación directa de los productos plaguicidas que contiene organofosforados y carbamatos inhibidores de la colinesterasa por aspersión, nieblas, rocío, pulverizado, micropulverizado, vaporización, por vía terrestre o aérea, con métodos manuales o mecánicos. (Código 1S0104).

• Uso sanitario de los productos plaguicidas que contienen organofosforados y carbamatos inhibidores de la colinesterasa para desinsectación de edificios, bodegas, calas de barcos, control de vectores de enfermedades transmisibles. (Código 1S0105).

• Utilización de policlorobifenilos (PCBs) (organoclorados) como constituyente de fluidos dieléctricos en condensadores y transformadores, fluidos hidráulicos, aceites lubricantes, plaguicidas o aditivos en plastificantes y pinturas, etc. (Código 1S0201).

Por ello, debe realizarse reconocimientos médicos previos y periódicos a dichos trabajadores, con la prohibición de no contratar a los calificados como no aptos para desempeñar los puestos de trabajo de que se trate.

— Artículo 243 LGSS, en relación con RDEP (Anexo I).

Véase: Reconocimientos médicos previos. Productos fitosanitarios. Pesticidas. Repelentes. Parásitos. Rodenticida. Agentes químicos peligrosos. Arsénico. Mercurio. Zoonosis. Insecticidas.

PLAN DE EMERGENCIA ESTATAL

El plan estatal establecerá la organización y los procedimientos de actuación de aquellos recursos y servicios del Estado que sean necesarios para asegurar una respuesta eficaz del conjunto de las Administraciones públicas, ante situaciones de emergencia por accidente grave, en las que esté presente el interés nacional, así como los mecanismos de apoyo a los planes de comunidades autónomas en los supuestos que lo requieran.

— Artículo 8 RDPCRAG.

Véase: Emergencia. Plan de emergencia. Plan de emergencia exterior. Plan de emergencia interior. Accidente mayor. Accidentes graves. Trabajadores de Protección Civil. Trabajos de voluntariado.

PLAN DE EMERGENCIA EXTERIOR

Los planes especiales de comunidad autónoma ante el riesgo de accidentes graves en establecimientos en los que se encuentran sustancias peligrosas se denominarán planes de emergencia exterior. Estos planes establecerán las medidas de prevención y de información, así como la organización y los procedimientos de actuación y coordinación de los medios y recursos de la propia comunidad autónoma, de otras Administraciones públicas asignados al plan y de entidades públicas y privadas con el objeto de prevenir y, en su caso, mitigar las consecuencias de estos accidentes sobre la población, el medio ambiente y los bienes que puedan verse afectados.

— Artículo 7 RDPCRAC.

— Nota Técnica de Prevención n.º 791/2008. INSST.

Véase: Emergencia. Plan de emergencia. Plan de emergencia interior. Plan de emergencia estatal. Accidente mayor. Accidentes graves. Trabajadores de Protección Civil. Trabajos de voluntariado.

PLAN DE EMERGENCIA INTERIOR

1. Los industriales están obligados a elaborar y presentar a la autoridad competente un plan de autoprotección, denominado plan de emergencia interior, que comprenda el análisis y la evaluación de los riesgos, el establecimiento de objetivos de prevención, la definición de los medios corporativos humanos y materiales necesarios para la prevención y control, la organización de éstos y los procedimientos de actuación ante emergencias que garanticen la evacuación y/o confinamiento e intervención inmediatas, así como su integración en el sistema público de protección civil.

— Artículo 3 RDPCRAG.

— Nota Técnica de Prevención n.º 791/2008. INSST.

2. Plan de emergencia interior en la industria química.

— Notas técnicas de Prevención n.º 334, 339/1994. INSST.

Véase: Emergencia. Plan de emergencia. Plan de emergencia exterior. Plan de emergencia estatal. Accidente mayor. Accidentes graves. Trabajadores de Protección Civil. Trabajos de voluntariado.

PLAN DE EMERGENCIA

1. El plan de emergencia es la planificación y organización humana para la utilización óptima de los medios técnicos previstos con la finalidad de reducir al mínimo las posibles consecuencias humanas y/o económicas que pudieran derivarse de la situación de emergencia.

— Notas Técnicas de Prevención n.º 41/1983. 361/1994. INSST.

2. El empresario, teniendo en cuenta el tamaño y la actividad de la empresa, así como la posible presencia de personas ajenas a la misma, deberá analizar las posibles situaciones de emergencia y adoptar las medidas necesarias en materia de primeros auxilios, lucha contra incendios y evacuación de los trabajadores, designando para ello al personal encargado de poner en práctica estas medidas y comprobando periódicamente, en su caso, su correcto funcionamiento. El citado personal deberá poseer la formación necesaria, ser suficiente en número y disponer del material adecuado, en función de las circunstancias antes señaladas.

Para la aplicación de las medidas adoptadas, el empresario deberá organizar las relaciones que sean necesarias con servicios externos a la empresa, en particular en materia de primeros auxilios, asistencia médica de urgencia, salvamento y lucha contra incendios, de forma que quede garantizada la rapidez y eficacia de las mismas.

— Artículo 20 LPRL.

3. El plan de emergencia de cualquier centro de trabajo plantea el doble objetivo de proteger a las personas y a las instalaciones ante situaciones críticas, minimizando sus consecuencias. La mejor salvaguarda para los ocupantes ante una emergencia es que puedan trasladarse a un lugar seguro, a través de un itinerario protegido y en un tiempo adecuado, esto es, realizar una evacuación eficiente.

— Nota Técnica de Prevención n.º 436/1997. INSST.

Véase: Emergencia. Primeros auxilios. Plan de emergencia exterior. Plan de emergencia interior. Plan de emergencia estatal. Accidente mayor. Accidentes graves.

PLAN DE PREVENCIÓN

1. La prevención de riesgos laborales debe integrarse en el sistema general de gestión de la empresa, tanto en el conjunto de sus actividades como en todos los niveles jerárquicos, a través de un Plan de Prevención, que debe documentarse.

— Artículo 16.1 LPRL.

2. El Plan de Prevención consta de cuatro fases:

• Recogida de datos de la empresa. Referentes a la actividad, la organización, los procesos productivos, maquinaria y sustancias utilizadas (fichas de datos de seguridad), número de trabajadores y de centros de trabajo, puestos de trabajo, índices de siniestralidad, etc.
• Visita al centro de trabajo y entrevista personal a los trabajadores de la empresa.
• La Evaluación de Riesgos.

— Artículo 16.2.a LPRL.
• La Planificación de la actividad preventiva, que debe realizarse cuando la Evaluación de Riesgos ponga de manifiesto situaciones de riesgo.

— Artículo 16.2.b LPRL.

El Plan de Prevención, la Evaluación de Riesgos y la Planificación, puede realizarse de forma simplificada en atención al número de trabajadores y a la naturaleza y peligrosidad de las actividades desempeñadas.

— Artículo 16.2 LPRL.

— Notas Técnicas de Prevención n.º 848, 849, 850, 851/2009. INSST.

3. Las empresas de hasta 50 trabajadores que no desarrollen actividades peligrosas del Anexo I, podrán reflejar en un único documento el Plan de Prevención de riesgos laborales, la Evaluación de riesgos y la Planificación de la actividad preventiva.

Este documento será de extensión reducida y fácil comprensión, deberá estar plenamente adaptado a la actividad y tamaño de la empresa y establecerá las medidas operativas pertinentes para realizar la integración de la prevención en la actividad de la empresa, los puestos de trabajo con riesgo y las medidas concretas para evitarlos o reducirlos, jerarquizadas en función del nivel de riesgos, así como el plazo para su ejecución.

— Artículo 16.2.bis LPRL.

— Artículo 2.4 RSP.

4. El Plan de Prevención debe recoger: Organigrama de la empresa, las personas, las funciones en materia de prevención de cada una de ellas, las responsabilidades, las prácticas, los procedimientos y los recursos necesarios para realizar las acciones de prevención de riesgos en la empresa.

— S Juzgado Cont.-Adm. n.º 6 Murcia 30.10.07.

5. Plan de prevención en la Administración General del Estado.

— Artículo 3 y Disposición Adicional Sexta RDPAGE.

6. No procede la imposición de recargo en las prestaciones económicas de la Seguridad Social:

a) El trabajador pudo haber utilizado la rampa (y no saltando), pues la ausencia del Plan de Prevención no influyo en el accidente, al no existir nexo causal que una el daño con la omisión, máxime cuando el trabajador había recibido una formación de 30 horas en materia de prevención de riesgos laborales en ese puesto de trabajo.

— STSJ Murcia 28.2.18.

7. Incumplir la obligación de integrar la prevención de riesgos laborales en la empresa a través de la implantación y aplicación de un Plan de prevención, con el alcance y contenido establecidos en la normativa de prevención de riesgos laborales, constituye una infracción grave en materia de prevención de riesgos laborales, que lleva aparejada una sanción económica de 2.046 euros a 40.985 euros.

— Artículos 12.1.a y 40.2.b LISOS.

Véase: Gestión de la prevención. Integración de la prevención. Evaluación de Riesgos. Planificación de la actividad preventiva. Plan de Seguridad y Salud.

PLAN DE SEGURIDAD LABORAL VIAL

Se entiende como Plan de Seguridad Laboral Vial, el conjunto de acciones planificadas y en proceso de implementación para evitar y controlar los riesgos laborales viales derivados de la movilidad de personas y materiales durante la jornada laboral, sean en el interior del centro de trabajo o en una vía pública. El Plan de seguridad laboral vial debe ser el resultado de la evaluación de los riesgos laborales viales. El Plan de seguridad laboral vial de una empresa es la versión pormenorizada que pretende minimizar los riesgos en vía pública de sus trabajadores en circunstancias reconocidas reglamentariamente como laborales.

— Notas Técnicas de Prevención n.º 1090, 1091/2017. INSST.

Véase: Conductor. Conducción. Conductores de vehículos. Transportes por carretera. Transporte de mercancías peligrosas.

PLAN DE SEGURIDAD Y SALUD

En aplicación del Estudio de Seguridad y Salud o, en su caso, del Estudio Básico, cada contratista, en el sector de la construcción, elaborará un Plan de Seguridad y Salud en el trabajo en el que se analicen, estudien, desarrollen y complementen las previsiones contenidas en el Estudio o Estudio Básico, en función de su propio sistema de ejecución de la obra. En dicho plan se incluirán, en su caso, las propuestas de medidas alternativas de prevención que el contratista proponga con la correspondiente justificación técnica, que no podrán implicar disminución de los niveles de protección previstos en el Estudio o Estudio Básico.

En el caso de Planes de Seguridad y Salud elaborados en aplicación del Estudio de seguridad y salud las propuestas de medidas alternativas de prevención incluirán la valoración económica de las mismas, que no podrá implicar disminución del importe total.

• El Plan de Seguridad y Salud deberá ser aprobado antes del inicio de la obra, por el Coordinador en materia de seguridad y de salud durante la ejecución de la obra.

• En el caso de obras de las Administraciones públicas, el plan, con el correspondiente informe del Coordinador en materia de seguridad y de salud durante la ejecución de la obra, se elevará para su aprobación a la Administración pública que haya adjudicado la obra.

• Cuando no sea necesaria la designación de Coordinador, las funciones que se le atribuyen en los párrafos anteriores serán asumidas por la Dirección Facultativa.

• En relación con los puestos de trabajo en la obra, el Plan de Seguridad y Salud en el trabajo a que se refiere este artículo constituye el instrumento básico de ordenación de las actividades de identificación y, en su caso Evaluación de los riesgos y Planificación de la actividad preventiva a las que se refiere el capítulo II del RSP.

• El Plan de Seguridad y Salud podrá ser modificado por el contratista en función del proceso de ejecución de la obra, de la evolución de los trabajos y de las posibles incidencias o modificaciones que puedan surgir a lo largo de la obra, pero siempre con la aprobación expresa en los términos del apartado 2. Quienes intervengan en la ejecución de la obra, así como las personas u órganos con responsabilidades en materia de prevención en las empresas intervinientes en la misma y los representantes de los trabajadores, podrán presentar, por escrito y de forma razonada, las sugerencias y alternativas que estimen oportunas. A tal efecto, el Plan de Seguridad y Salud estará en la obra a disposición permanente de los mismos.

• Asimismo, el Plan de Seguridad y Salud estará en la obra a disposición permanente de la Dirección Facultativa.

— Artículo 7 RDSSTOC.

2. Una copia del Plan de Seguridad y Salud y de sus posibles modificaciones, en los términos previstos en el apartado 4 del artículo 7, a efectos de su conocimiento y seguimiento, será facilitada por el contratista a los representantes de los trabajadores en el centro de trabajo.

— Artículo 16.3 RDSSTOC.

3. El Plan de Seguridad y Salud estará a disposición permanente de la Inspección de Trabajo y Seguridad Social y de los técnicos de los órganos especializados en materia de seguridad y salud en las Administraciones públicas competentes.

— Artículo 16.2 RDSSTOC.

4. Incumplir:

• La obligación de elaborar el plan de seguridad y salud en el trabajo con el alcance y contenido establecidos en la normativa de prevención de riesgos laborales, en particular por carecer de un contenido real y adecuado a los riesgos específicos para la seguridad y la salud de los trabajadores de la obra o por no adaptarse a las características particulares de las actividades o los procedimientos desarrollados o del entorno de los puestos de trabajo.

• La obligación de realizar el seguimiento del plan de seguridad y salud en el trabajo, con el alcance y contenido establecidos en la normativa de prevención de riesgos laborales, constituye una infracción grave en materia de prevención de riesgos laborales que lleva aparejada una sanción económica de 2.046 euros a 40.985 euros.

— Artículos 12.23 y 40.2.b LISOS.

Véase: Libro de incidencias. Comunicación de apertura. Plan de Prevención. Evaluación de riesgos. Planificación de la actividad preventiva. Recurso preventivo.

PLANIFICACIÓN DE LA ACTIVIDAD PREVENTIVA

1. Si los resultados de la Evaluación de Riesgos pusieran de manifiesto situaciones de riesgo, el empresario realizará aquellas actividades preventivas necesarias para eliminar o reducir y controlar tales riesgos. Dichas actividades serán objeto de Planificación por el empresario, incluyendo para cada actividad preventiva el plazo para llevarla a cabo, la designación de responsables y los recursos humanos y materiales necesarios para su ejecución. El empresario deberá asegurarse de la efectiva ejecución de las actividades preventivas incluidas en la Planificación, efectuando para ello un seguimiento continuo de la misma. Las actividades de prevención deberán ser modificadas cuando se aprecie por el empresario, como consecuencia de los controles periódicos, su inadecuación a los fines de protección requeridos.

El Plan de Prevención, la Evaluación de Riesgos y la Planificación, puede realizarse de forma simplificada en atención al número de trabajadores y a la naturaleza y peligrosidad de las actividades desempeñadas.

— Artículo 16.2 LPRL.

2. Debe realizarse una nueva Planificación cuando:

• Realizada una Evaluación de Riesgos se ponga de manifiesto situaciones de riesgo.

— Artículo 16.2.b LPRL.

• Se considere inadecuada la establecida, a consecuencia de los controles periódicos que realice la empresa.

— Artículo 16.2.b LPRL.

— Notas Técnicas de Prevención n.º 848, 849, 850, 851/2009. INSST.

3. El empresario está obligado a planificar la prevención, buscando un conjunto coherente que integre en ella la técnica, la organización del trabajo, las condiciones de trabajo, las relaciones sociales y la influencia de los factores ambientales en el trabajo.

— Artículo 15.1.g LPRL.

4. Incumplir la obligación de efectuar la Planificación de la actividad preventiva que derive como necesaria de la evaluación de riesgos, o no realizar el seguimiento de la misma, con el alcance y contenido establecidos en la normativa de prevención de riesgos laborales, constituye una infracción grave en materia de prevención de riesgos laborales que lleva aparejada una sanción económica de 2.046 euros a 40.985 euros.

— Artículos 12.6 y 40.2.b LISOS.

Véase: Plan de Prevención. Evaluación de Riesgos. Plan de Seguridad y Salud. Gestión de la prevención.

PLASTIFICANTES

1. Los plastificantes o plastificadores son aditivos que suavizan los materiales (normalmente mezclas de plástico u hormigón) a los que se añaden. Aunque se usan los mismos compuestos para plásticos que para hormigones, los efectos son ligeramente diferentes. Los plastificadores para el plástico suavizan el producto final incrementando su flexibilidad. Los plastificadores para el hormigón suavizan la mezcla antes de que fragüe, haciéndolo más trabajable sin afectar a las propiedades finales del producto una vez endurecido.

2. Los trabajadores ocupados en las actividades económicas y expuestos a los agentes o sustancias que a continuación se indican, pueden contraer una Enfermedad Profesional (E.P.), causada por agentes químicos:

• <u>Fabricación de caucho sintético, productos ignífugos, papel autocopiativo sin carbono, plastificantes, etc., donde se utilicen derivados halogenados de hidrocarburos aromáticos.</u> (Código 1K0505).

• <u>Utilización de epóxidos como reactivos en la fabricación de disolventes, plastificantes, cementos, adhesivos y resinas sintéticas.</u> (Código 1M0101).

• <u>Utilización de policlorobifenilos (PCBs) (organoclorados) como constituyente de fluidos dieléctricos en condensadores y transformadores, fluidos hidráulicos, aceites lubricantes, plaguicidas o aditivos en plastificantes y pinturas, etc.</u> (Código 1S0201).

Por ello, debe realizarse reconocimientos médicos previos y periódicos a dichos trabajadores, con la prohibición de no contratar a los calificados como no aptos para desempeñar los puestos de trabajo de que se trate.

— Artículo 243 LGSS, en relación con RDEP (Anexo I).

Véase: Industria del plástico. Aditivos. Hormigoneras. Hormigoneras: Torre.

PLATAFORMAS DE TRABAJO

1. Las aberturas o desniveles que supongan un riesgo de caída de personas se protegerán mediante barandillas u otros sistemas de protección de seguridad equivalente, que podrán tener partes móviles cuando sea necesario disponer de acceso a la abertura. Deberán protegerse, en particular:

• Las aberturas en los suelos.

• Las aberturas en paredes o tabiques, siempre que su situación y dimensiones suponga riesgo de caída de personas, y las plataformas, muelles o estructuras similares. La protección no será obligatoria, sin embargo, si la altura de caída es inferior a 2 metros.

• Los lados abiertos de las escaleras y rampas de más de 60 centímetros de altura. Los lados cerrados tendrán un pasamanos, a una altura mínima de 90 centímetros, si la anchura de la escalera es mayor de 1,2 metros; si es menor, pero ambos lados son cerrados, al menos uno de los dos llevará pasamanos.

— Anexo I. Parte 3.2.º RDSSLT.

2. En el exterior de las obras de construcción:

a) Los puestos de trabajo móviles o fijos situados por encima o por debajo del nivel del suelo deberán ser sólidos y estables teniendo en cuenta:

• El número de trabajadores que los ocupen.

• Las cargas máximas que, en su caso, puedan tener que soportar, así como su distribución.

• Los factores externos que pudieran afectarles. En caso de que los soportes y los demás elementos de estos lugares de trabajo no poseyeran estabilidad propia, se deberá garantizar su estabilidad mediante elementos de fijación apropiados y seguros con el fin de evitar cualquier desplazamiento inesperado o involuntario del conjunto o de parte de dichos puestos de trabajo.

b) Deberá verificarse de manera apropiada la estabilidad y la solidez, y especialmente después de cualquier modificación de la altura o de la profundidad del puesto de trabajo.

— Anexo IV. Parte C.1 RDSSTOC.

Véase: Aberturas en los suelos. Barandillas. Andamios. Plataformas suspendidas. Góndolas. Desniveles. Pasarelas. Torres de acceso. Torres de trabajo móviles. Muelles de carga y descarga. Caída de objetos. Caída de personas. Redes de seguridad. Trabajos en alturas.

PLATAFORMAS ELEVADORAS MÓVILES DE PERSONAL

La plataforma elevadora móvil de personal es una máquina móvil destinada a desplazar personas hasta una posición de trabajo donde llevan a cabo una tarea desde la plataforma, en la que las personas entren y salgan de la plataforma de trabajo solo desde las posiciones de acceso a nivel del suelo o sobre el chasis.

— Notas Técnicas de Prevención n.º 634/2003. 1039, 1040/2015. INSST.

— Norma UNE-EN 280. 2002. Plataformas elevadoras móviles de personal. Aenor.

— Norma UNE 58921 IN. 2002. Instrucciones para la instalación, manejo, mantenimiento, revisiones e inspecciones de las plataformas elevadoras móviles de personal. Aenor.

Grúas: Aparatos para elevación de personas. Cestas de elevación de personas.

PLATAFORMAS SUSPENDIDAS

Las góndolas son plataformas suspendidas de una estructura, previstas para instalarse de manera permanente sobre un edificio o estructura específica. La estructura de suspensión es generalmente un aparejo elevador que se desplaza sobre raíles o sobre una superficie apropiada, por ejemplo, una plataforma de hormigón, un monocarril, etc. Existen otros tipos de góndolas tales como las constituidas por plataformas con el grupo de elevación incorporado que cuelgan de monocarriles o las formadas por pescantes de columna denominados Davit fijados al edificio.

— Nota Técnica de Prevención n.º 999/2014. INSST.

Véase: Aberturas en los suelos. Plataformas de trabajo. Barandillas. Andamios. Dispositivos de anclaje. Góndolas. Desniveles. Pasarelas. Torres de acceso. Torres de trabajo móviles. Muelles de carga y descarga. Caída de objetos. Caída de personas. Redes de seguridad. Trabajos en altura.

PLATINO

1. Elemento químico metálico, de color plateado, dúctil y maleable, usado para fabricar termómetros especiales, crisoles y prótesis, y cuyas aleaciones se emplean en joyería, en electrónica y en la fabricación de instrumentos científicos.

2. Los trabajadores ocupados en las actividades económicas, y expuestos a los agentes o sustancias que a continuación se indican, pueden contraer una Enfermedad Profesional (E.P.):

a) Causada por inhalación de sustancias y agentes no comprendidos en otros apartados:

• Refinería de platino, donde los trabajadores estén expuestos a sustancias de bajo peso molecular (metales, polvos de maderas, sustancias químicas, etc.), que pueden provocar alguna de las siguientes E.P: rinoconjuntivitis (Código 4I0124), urticaria (Código 4I0224), angiodemas (Código 4I0224), asma (Código 4I0324), alveolitis alérgica extrínseca (Código 4I0424), síndrome de disfunción de la vía reactiva (Código 4I0524), fibrosis intersticial difusa (Código 4I0624), fiebre de los metales (Código 4I0724) y neumopatía intersticial difusa (Código 4I0824).

Por ello, debe realizarse reconocimientos médicos previos y periódicos a dichos trabajadores, con la prohibición de no contratar a los calificados como no aptos para desempeñar los puestos de trabajo de que se trate.

— Artículo 243 LGSS, en relación con RDEP (Anexo I).

Véase: Fabricación de joyas. Electrónica. Termómetros.

PLOMO

1. Elemento químico metálico, de color gris azulado, dúctil, pesado, maleable, resistente a la corrosión y muy blando. Se encuentra en la galena, la anglesita y la cerusita, usado en la fabricación de canalizaciones, como antidetonante en las gasolinas, en la industria química y de armamento, y como blindaje contra radiaciones.

2. El plomo tiene un comportamiento muy tóxico. Se han constatado sus efectos nocivos para las funciones renal y hepática y los sistemas hematopoyéticos, nervioso central y periférico.

— Nota Técnica de Prevención n.º 165/1986. INSST.

3. Los trabajadores expuestos al plomo (Metales), por su extracción, tratamiento, preparación y empleo, pueden contraer la Enfermedad Profesional (E.P.), en las actividades o trabajos que a continuación se relacionan:

a) Causada por agentes químicos:

• Extracción, tratamiento, metalurgia, refinado, fundición, laminado y vaciado del plomo, de sus aleaciones y de metales plumbíferos. (Código 1A0901).

• Fabricación, soldadura, rebabado y pulido de objetos de plomo o sus aleaciones. (Código 1A0902).

• Estañado con ayuda de aleaciones de plomo. (Código 1A0903).

• Recuperación de plomo viejo y de metales plumbíferos. (Código 1A0904).

• Fabricación de zinc; fusión de zinc viejo y de plomo en lingotes. (Código 1A0905).

• Temple en baño de plomo y trefilado de los aceros templados en el baño de plomo. (Código 1A0906).

• Revestimiento de metales por pulverización de plomo o el llenado de vacíos. (Código 1A0907).

• Fabricación y reparación de acumuladores de plomo. (Código 1A0908).

• Fabricación de municiones y artículos pirotécnicos. (Código 1A0909).

• Fabricación y aplicación de pinturas, lacas, barnices o tintas a base de compuestos de plomo. (Código 1A0910).

• Trabajos con soplete de materias recubiertas con pinturas plumbíferas. (Código 1A0911).

• Trabajos de fontanería. (Código 1A0912).

• Trabajos de imprenta. (Código 1A0913).

• Cromolitografía efectuada con polvos plumbíferos. (Código 1A0914).

• Talla de diamantes donde se usen «gotas» de plomo. (Código 1A0915).

• Industria del vidrio. (Código 1A0916).

• Industria de la cerámica y alfarería. (Código 1A0917).

• Industria de la construcción. (Código 1A0918).

• Fabricación y manipulación de los óxidos y sales de plomo. (Código 1A0919).

• Utilización de compuestos orgánicos de plomo en la fabricación de materias plásticas. (Código 1A0920).

• Fabricación y manipulación de derivados alcoilados del plomo (plomo tetrametilo, plomo tetraetilo): preparación y manipulación de las gasolinas que los contengan y limpieza de los tanques. (Código 1A0921).

• Preparación y empleo de insecticidas con compuestos de plomo. (Código 1A0922).

• Preparación del cadmio por procesado del zinc, cobre o plomo, donde se utilice cadmio y sus compuestos. (Código 1A0301).

b) Causada por agentes físicos:

• Trabajos que precisan lámparas germicidas, antorchas de plomo, soldadura de arco o xenón, irradiación solar en grandes altitudes, láser industrial, colada de metales en fusión, vidrieros, empleados en estudios de cine, actores, personal de teatros, laboratorios bacteriológicos y similares, con exposición a radiaciones no ionizantes, con longitud de onda entre los 100 y 400 nm, que pueden producir enfermedades oftalmológicas por exposiciones a radiaciones ultravioleta. (Código 2J0101).

c) Causada por agentes cancerígenos:

• Preparación del cadmio por procesado del zinc, cobre o plomo, que puede provocar la E.P. de neoplasia maligna de bronquio, pulmón y próstata. (Código 6G0101).

Por ello, debe realizarse reconocimientos médicos previos y periódicos a dichos trabajadores, con la prohibición de no contratar a los calificados como no aptos para desempeñar los puestos de trabajo de que se trate.

— Artículo 243 LGSS, en relación con RDEP (Anexo I).

Véase: Gasolinas. Industria química. Radiaciones. Saturnismo.

PLUSES POR TRABAJOS PENOSOS, TÓXICOS O PELIGROSOS

1. Si en convenio colectivo o el contrato de trabajo lo recoge, el trabajador que se encuentre expuesto a un trabajo penoso, tóxico o peligroso, tendrá derecho a un plus salarial, durante el tiempo de exposición.

2. Procede el percibo de dicho plus:

• Con independencia de que la empresa adopte las medidas de protección general e industrial que se han de disponer para evitar accidentes o enfermedades profesionales.

— STSJ Cataluña 26.4.05.

3. Se ha considerado trabajo penoso:

• Llevar de una manera permanente protectores auditivos.

— STS 25.11.09. 3.2.10

14.6.10. 30.11.11. 38.3.12.

Véase: Trabajos penosos. Trabajos tóxicos. Trabajos peligrosos.

POLÍMEROS

1. Compuestos químicos, naturales o sintéticos, formados por polimerización y que consiste esencialmente en unidades estructurales repetidas.

2. Los trabajadores ocupados en las actividades económicas, y expuestos a los agentes o sustancias que a continuación se indican, pueden contraer una Enfermedad Profesional (E.P.), causada por agentes químicos:

• Fabricación de desinfectantes, tintes, productos farmacéuticos, perfumes, explosivos, potenciadores del sabor, resinas, antioxidantes, barnices, levaduras, productos fotográficos, caucho, plásticos, polímeros de alto peso molecular, plaguicidas, etc., donde se utilicen aldehídos. (Código 1G0104).

• Fabricación de polímeros de síntesis, donde se utilicen derivados halogenados. (Código 1H0209).

• Síntesis y producción de polímeros (poliestireno), de copolímeros (acrilonitrilo butadieno estireno o ABS) y de resinas poliésteres, donde se utilice vinilbenceno. (Código 1K0401).

• Uso del divinilbenceno como monómero para la polimerización de caucho sintético. (Código 1K0402).

Por ello, debe realizarse reconocimientos médicos previos y periódicos a dichos trabajadores, con la prohibición de no contratar a los calificados como no aptos para desempeñar los puestos de trabajo de que se trate.

— Artículo 243 LGSS, en relación con RDEP (Anexo I).

Véase: Industria química. Síntesis.

POLIURETANO

1. Resina sintética de baja densidad obtenida por condensación de poliésteres.

2. Los trabajadores ocupados en las actividades económicas, y expuestos a los agentes o sustancias que a continuación se indican, pueden contraer una Enfermedad Profesional (E.P.):

a) Causada por agentes químicos:

• Emisiones gaseosas en los altos hornos, hornos de coque o combustión de espumas de poliuretano, donde se utilice ácido cianhídrico. (Código 1D0413).

b) Causada por inhalación de sustancias y agentes no comprendidos en otros apartados:

• Fabricación de espumas de poliuretano y su aplicación en estado líquido, donde los trabajadores estén expuestos a sustancias de bajo peso molecular (metales, polvos de maderas, sustancias químicas, etc.), que pueden provocar alguna de las siguientes E.P.: rinoconjuntivitis (Código 4I0116), urticaria (Código 4I0216), angiodemas (Código 4I0216), asma (Código 4I0316), alveolitis alérgica extrínseca (Código 4I0416), síndrome de disfunción de la vía reactiva (Código 4I0516), fibrosis intersticial difusa (Código 4I0616), fiebre de los metales (Código 4I0716), neumopatía intersticial difusa (Código 4I0816).

c) E.P. de la piel, causada por sustancias y agentes no comprendidos en alguno de los otros apartados:

• Fabricación de espumas de poliuretano y su aplicación en estado líquido, donde los trabajadores estén expuestos a sustancias de bajo peso molecular (metales, polvos de maderas, sustancias químicas, etc.), que pueden provocar una E.P. de la piel, causada por sustancias de bajo peso molecular. (Código 5A0116).

d) Causada por agentes cancerígenos:

• Emisiones gaseosas en los altos hornos, hornos de coque o combustión de espumas de poliuretano, donde se utilice ácido cianhídrico, que puede provocar una E.P. cancerígena. (Código 6Q0113).

Por ello, debe realizarse reconocimientos médicos previos y periódicos a dichos trabajadores, con la prohibición de no contratar a los calificados como no aptos para desempeñar los puestos de trabajo de que se trate.

— Artículo 243 LGSS, en relación con RDEP (Anexo I).

Véase: Isocianatos. Ésteres. Fabricación de resinas.

POLVO DE MADERA DURA

1. Las maderas duras son generalmente de árboles de hoja caduca (haya, roble, cerezo, olmo, nogal, etc.) y de ciertas especies tropicales (caoba, teca, etc.). Las maderas blancas son generalmente de coníferas (pinos, abetos, cedros, etc.). Esta distinción es puramente botánica y no se corresponde con la dureza física de la madera.

Como las maderas duras son cancerígenas, las medidas preventivas a adoptar cuando se trabaja con ellas son mucho más exigentes que con las maderas blandas. Por ello es necesario conocer la identidad de las maderas utilizadas y su clasificación en duras o blandas. Cuando no sea posible saber si la madera empleada es dura o blanda, como ocurre por ejemplo cuando se trabaja con maderas aglomeradas, deberá considerarse que la madera es dura, y adoptar las medidas preventivas correspondientes.

— Polvo de madera: Un peligro para la salud. INSST.

2. Las partículas más gruesas, de maderas duras y blandas, que son la mayoría, son retenidas en la nariz y pueden provocar sinusitis, rinitis, etc. Las partículas más pequeñas pueden llegar a los pulmones y pueden provocar asma, bronquitis crónica, etc., y las maderas duras también pueden provocar cáncer de senos nasales.

— Polvo de madera: Un peligro para la salud. INSST.

3. Los trabajadores expuestos a polvo de madera dura pueden contraer la Enfermedad Profesional (E.P.) de neoplasia maligna de cavidad nasal (Cáncer) (Código 6L01), en las actividades o trabajos que a continuación se relacionan:

- Fabricación de muebles. (Código 6L0101).
- Trabajos de tala de árboles. (Código 6L0102).
- Trabajos en aserraderos. (Código 6L0103).
- Triturado de la madera en la industria del papel. (Código 6L0104).
- Modelistas de madera. (Código 6L0105).
- Prensado de madera. (Código 6L0106).
- Mecanizado y montaje de piezas de madera. (Código 6L0107).
- Trabajos de acabado de productos de madera, contrachapado y aglomerado. (Código 6L0108).
- Lijado de parqué, tarima, etc. (Código 6L0109).

Por ello, debe realizarse reconocimientos médicos previos y periódicos a dichos trabajadores, con la prohibición de no contratar a los calificados como no aptos para desempeñar los puestos de trabajo de que se trate.

— Artículo 243 LGSS, en relación con RDEP (Anexo I).

Véase: Industria de la madera. Aserrado de la madera. Parquet. Colocadores de parquet. Madera: Almacenamiento.

POLVOS
1. La parte más menuda y deshecha de la tierra muy seca, que con cualquier movimiento se levanta en el aire. Residuo que queda de cosas sólidas, moliéndolas hasta reducirlas a partes muy menudas. Conjunto de partículas sólidas que flotan en el aire y se posan sobre los objetos y pueden ser inhaladas.

2. Partículas sólidas originadas en procesos mecánicos de disgregación de materiales sólidos. Su diámetro está comprendido entre 102 10 (polvo fino) y 10 5•102 (polvo grueso).

— Nota Técnica de Prevención n.º 49/1983. INSST.

3. Recogida de muestras de polvo inerte o molesto.

— Nota Técnica de Prevención n.º 21/1982. INSST.

4. Los trabajadores ocupados en las actividades económicas, y expuestos a los agentes o sustancias que a continuación se indican, pueden contraer una Enfermedad Profesional (E.P.), causada por inhalación de sustancias y agentes no comprendidos en otros apartados:

- Extracción y tratamiento de minerales que liberen polvo de silicatos, con exposición a la inhalación de polvos minerales (talco, caolín, etc.), que pueden provocar talcosis. (Código 4D0101).

Por ello, debe realizarse reconocimientos médicos previos y periódicos a dichos trabajadores, con la prohibición de no contratar a los calificados como no aptos para desempeñar los puestos de trabajo de que se trate.

— Artículo 243 LGSS, en relación con RDEP (Anexo I).

Véase: Sustancias sólidas. Cerámica. Porcelana. Harinas. Piensos. Silos. Síndrome tóxico.

PORCELANA

1. Material de cerámica fino y brillante, producido de forma artesanal o industrial y tradicionalmente blanco, compacto, frágil, translúcido, impermeable, resonante, de baja elasticidad y altamente resistente al ataque químico y al choque térmico, utilizado para fabricar los diversos componentes de las vajillas y para jarrones, condensadores, lámparas, esculturas y elementos ornamentales y decorativos.

2. Los trabajadores ocupados en las actividades económicas, y expuestos a los agentes o sustancias que a continuación se indican, pueden contraer una Enfermedad Profesional (E.P.):

a) Causada por agentes químicos:

• Fabricación de cristales, cerámicas, porcelanas y productos altamente refractarios, donde se utilice berilio. (Código 1A0204).

b) Causada por inhalación de sustancias y agentes no comprendidos en otros apartados:

• Fabricación de carborundo, vidrio, porcelana, loza y otros productos cerámicos, fabricación y conservación de los ladrillos refractarios a base de sílice, que pueden provocar la E.P. de silicosis, por la exposición a la inhalación de polvo de sílice libre. (Código 4A0104).

• Industria cerámica y de la porcelana, donde se utilicen polvos de talco o de caolín, que pueden producir las E.P. de talcosis (Código 4D0103), silicocaolinosis (Código 4D0203) o caolinosis y otras silicatosis (Código 4D0303), provocadas por la inhalación de polvos de talco o de caolín.

• Fabricación de cristales, cerámicas, porcelanas y productos altamente refractarios, donde se utilice berilio, que pueden provocar una E.P. causada por inhalación de sustancias no comprendidas en otros apartados. (Código 4K0104).

c) Causada por agentes cancerígenos:

• Fabricación de cristales, cerámicas, porcelanas y productos altamente refractarios, donde se utilice berilio, que pueden provocar una E.P. neoplasia maligna de bronquio y pulmón. (Código 6E0104).

Por ello, debe realizarse reconocimientos médicos previos y periódicos a dichos trabajadores, con la prohibición de no contratar a los calificados como no aptos para desempeñar los puestos de trabajo de que se trate.

— Artículo 243 LGSS, en relación con RDEP (Anexo I).

Véase: Cerámica. Polvos. Sustancias sólidas.

POSTURA DE TRABAJO ESTÁTICA

Una postura de trabajo estática es aquella que se mantiene durante más de 4 segundos y en la que se pueden dar ligeras variaciones alrededor de un mismo nivel de fuerza generado por los músculos y otras estructuras corporales

— Notas Técnicas de Prevención n.º 819/2008. 847/2009. INSST.

— Norma ISO 11226:2000.

Véase: Ergonomía. Trabajos con posturas forzadas.

POSTURAS FORZADAS
Véase: Trabajos con posturas forzadas.

PRENSA PLEGADORA
Las prensas plegadoras son máquinas utilizadas para el trabajo en frío de materiales en hojas, generalmente chapa.

— Nota Técnica de Prevención n.º 149/1985. INSST.

Véase: Máquinas. Prensas verticales. Guillotinas.

PRENSAS VERTICALES
1. Las prensas verticales son las máquinas que presentan una mayor accidentabilidad, no sólo en frecuencia sino en gravedad. La boca de carga del cajón de la prensa irá protegida mediante una puerta enclavada eléctricamente, de modo que con la puerta abierta no pueda producirse el descenso de la platina. Asimismo, la apertura de la puerta durante el desarrollo de la operación de prensado implicará la detención inmediata de la platina en el punto del ciclo en que se encuentre. Además, la puerta de descarga de la bala no podrá ser abierta si no lo está a su vez la puerta de carga, o en su defecto, irá dotada asimismo de enclavamiento eléctrico con idénticas funciones al descrito para la puerta de carga

— Notas Técnicas de Prevención n.º 187/1986. 256/1989. INSST.

2. Sistemas de protección en prensas mecánicas excéntricas.

— Nota Técnica de Prevención n.º 69/1983. INSST.

Véase: Prensa plegadora. Guillotinas.

PREPARADOS
Mezclas o soluciones compuestas por dos o más sustancias.

— Artículo 2 RCEEPP.

— Artículo 2.1.b RCEESP.

— Notas Técnicas de Prevención n.º 635/2003. 649, 650, 651/2004. 726, 727/2006. INSST.

Véase: Sustancias. Fichas de datos de seguridad. Productos químicos. Productos químicos: Envasado. Productos químicos: Etiquetado.

PRESENCIA DE SUSTANCIAS PELIGROSAS
La presencia actual o anticipada de sustancias peligrosas en el establecimiento, o de sustancias peligrosas que sea razonable prever que pueden generarse a consecuencia de la pérdida de control de los procesos, incluidas las actividades de almacenamiento en cualquier instalación en el interior de un establecimiento, en cantidades iguales o superiores a las cantidades umbral indicadas en las partes 1 o 2 del anexo I.

— Artículo 3.16 RDAG.

Véase: Preparados. Sustancias. Productos potencialmente peligrosos. Sustancias explosivas. Envasado de sustancias peligrosas. Etiquetado de sustancias peligrosas. Sustancias comburentes. Sustancias inflamables. Sustancias tóxicas. Sustancias nocivas. Sustancias corrosivas. Sustancias irritantes. Sustancias sensibilizantes. Sustancias cancerígenas. Sustancias mutagénicas. Sustancias tóxi-

cas para la reproducción. Sustancias peligrosas para el medio ambiente. Fugas de sustancias peligrosas. Agentes químicos peligrosos.

PRESIÓN

1. Consiste en la acción de apretar o comprimir. Magnitud física que expresa la fuerza ejercida por un cuerpo sobre la unidad de superficie y cuya unidad en el sistema internacional es el pascal.

Presión crítica: Presión característica de cada líquido, tal que a su temperatura crítica coexisten los estados líquido y gaseoso.

Presión osmótica: Presión que ejercen las partículas del disolvente en una disolución sobre la membrana semipermeable que la separa de otra de mayor concentración.

2. Los trabajadores ocupados en las actividades económicas, y expuestos a los agentes o sustancias que a continuación se indican, pueden contraer una Enfermedad Profesional (E.P.), causada por agentes químicos:

• Utilización de derivados alogenados de hidrocarburos aromáticos como aditivo en lubrificantes de alta presión. (Código 1K0504).

Por ello, debe realizarse reconocimientos médicos previos y periódicos a dichos trabajadores, con la prohibición de no contratar a los calificados como no aptos para desempeñar los puestos de trabajo de que se trate.

— Artículo 243 LGSS, en relación con RDEP (Anexo I).

Véase: Botellas de butano y propano. Gas. Extintores. Aerosoles.

PRESURIZAR

1. Mantener la presión atmosférica normal en un recinto, independientemente de la presión exterior, como en la cabina de pasajeros de un avión.

2. Los trabajadores ocupados en las actividades económicas, y expuestos a los agentes o sustancias que a continuación se indican, pueden contraer una Enfermedad Profesional (E.P.), causada por agentes físicos:

• Deficiencia mantenida de los sistemas de presurización durante vuelos de gran altitud, que pueden producir una E.P. provocada por compresión o descompresión atmosférica. (Código 2H0103).

Por ello, debe realizarse reconocimientos médicos previos y periódicos a dichos trabajadores, con la prohibición de no contratar a los calificados como no aptos para desempeñar los puestos de trabajo de que se trate.

— Artículo 243 LGSS, en relación con RDEP (Anexo I).

Véase: Aviones. Tráfico aéreo. Trabajadores aéreos. Ambiente hiperbárico. Cámaras hiperbáricas. Buceo. Trabajos con riesgos especiales. Trabajos subacuáticos. Trabajos en espacios confinados. E.P. por descompresión atmosférica.

PREVENCIÓN

1. El conjunto de actividades o medidas adoptadas o previstas en todas las fases de actividad de la empresa con el fin de evitar o disminuir los riesgos derivados del trabajo.

— Artículo 4.1 LPRL.

2. Conjunto de disposiciones o de medidas adoptadas o previstas en todas las fases de la actividad de la empresa, con el fin de evitar o de disminuir los riesgos profesionales.

— Artículo 3.d Directiva 89/391/CEE, de 12 junio de/1989, relativa a la aplicación de medidas para promover la mejora de la seguridad y de la salud de los trabajadores en el trabajo.

Véase: Riesgo. Riesgo laboral.

PRIMEROS AUXILIOS

1. Son los primeros cuidados a un accidentado o enfermo repentino, siempre en el lugar de los hechos, hasta la llegada de personal especializado. Estos primeros cuidados son fundamentales para la evolución posterior de la víctima, pues su recuperación dependerá en gran medida de la atención prestada en un primer momento.

— Notas Técnicas de Prevención n.º 546/2000. 1062/2015. INSST.

2. El empresario, teniendo en cuenta el tamaño y la actividad de la empresa, así como la posible presencia de personas ajenas a la misma, deberá analizar las posibles situaciones de emergencia y adoptar las medidas necesarias en materia de primeros auxilios, lucha contra incendios y evacuación de los trabajadores, designando para ello al personal encargado de poner en práctica estas medidas y comprobando periódicamente, en su caso, su correcto funcionamiento. El citado personal deberá poseer la formación necesaria, ser suficiente en número y disponer del material adecuado, en función de las circunstancias antes señaladas. Para la aplicación de las medidas adoptadas, el empresario deberá organizar las relaciones que sean necesarias con servicios externos a la empresa, en particular en materia de primeros auxilios, asistencia médica de urgencia, salvamento y lucha contra incendios, de forma que quede garantizada la rapidez y eficacia de las mismas.

— Artículo 20 LPRL.

3. Para poner en marcha estos primeros auxilios, el empresario debe:

• Designar al personal encargado de poner en práctica dichas medidas previa consulta de los Delegados de Prevención.

• Dicho personal, en función de los riesgos, deberá recibir la formación adecuada en materia de primeros auxilios, ser suficiente en número y disponer del material adecuado, siempre a tenor del tamaño y actividad de la empresa, de la organización del trabajo y del nivel tecnológico de aquella.

• Revisión o comprobación periódica del correcto funcionamiento de las medidas adoptadas.

• Organización de las relaciones que sean necesarias con servicios externos para garantizar la rapidez y eficacia de las actuaciones en materia de primeros auxilios y asistencia médica de urgencias.

— Artículos 33, 36 LPRL.

— Nota Técnica de Prevención n.º 458/1997. INSST.

4. Primeros auxilios en las obras de construcción:

• Será responsabilidad del empresario garantizar que los primeros auxilios puedan prestarse en todo momento por personal con la suficiente formación para ello. Asimismo, deberán adoptarse medidas para garantizar la evacuación, a fin de recibir cuidados médicos de los trabajadores accidentados o afectados por una indisposición repentina.

• Cuando el tamaño de la obra o el tipo de actividad lo requieran, deberá contarse con uno o varios locales para primeros auxilios.

• Los locales para primeros auxilios deberán estar dotados de las instalaciones y el material de primeros auxilios indispensables y tener fácil acceso para las camillas. Deberán estar señalizados conforme al Real Decreto sobre señalización de seguridad y salud en el trabajo.

• En todos los lugares en los que las condiciones de trabajo lo requieran se deberá disponer también de material de primeros auxilios, debidamente señalizado y de fácil acceso. Una señalización claramente visible deberá indicar la dirección y el número de teléfono del servicio local de urgencia.

— Anexo IV. Parte A.14 RDSSTOC.

— Artículo 226 CCGC.

5. Primeros auxilios por quemaduras.

— Nota Técnica de Prevención n.º 524/1999. INSST.

6. Primeros auxilios por hemorragias y shock

— Nota Técnica de Prevención n.º 469/1997. INSST.

7. Primeros auxilios por obstrucción de las vías respiratorias.

— Nota Técnica de Prevención n.º 467/1997. INSST.

8. Primeros auxilios por lesiones oculares.

— Nota Técnica de Prevención n.º 250/1989. INSST.

9. Primeros auxilios por intoxicaciones agudas.

— Nota Técnica de Prevención n.º 246/1989. INSST.

10. No adoptar las medidas de primeros auxilios, constituye una infracción grave en materia de prevención de riesgos laborales que lleva aparejada una sanción económica de 2.046 euros a 40.985 euros.

— Artículos 12.10 y 40.2.b LISOS.

Véase: Botiquín. Emergencia. Plan de emergencia. Locales de primeros auxilios. Heridas. Contusiones. Agua potable.

PRINCIPIO DE CULPABILIDAD

1. El artículo 45.1 de la LPRL puede inducir a la existencia de una responsabilidad objetiva, de forma que bastaría la producción de la infracción para iniciar el expediente sancionador, sin más y sin entrar a valorar la intervención de los hechos del inculpado. Tal interpretación contraviene la jurisprudencia del Tribunal Constitucional sobre el principio de legalidad en el Derecho Administrativo sancionador, con aplicación matizada de los principios garantistas del Derecho Penal.

— STC 26.4.90. 19.12.91.

2. Debe tenerse en cuenta que por las peculiaridades de la responsabilidad administrativa, la aplicación del principio de culpabilidad al Derecho Administrativo sancionador, opera con ciertos matices de menor rigidez. Así, los empresarios serán administrativamente responsables de aquellos incumplimientos de las normas preventivas en que hayan incurrido por acción u omisión aunque sea «a título de simple inobservancia» cuando concurra negligencia o falta de atención exigible (por supuesto, cuando concurra dolo, culpa o imprudencia); y a «*sensu contrario*, no les serán imputables aquellos hechos debidos a «circunstancias que les sean ajenas, anormales e imprevisibles o de acontecimientos excepcionales cuyas consecuencias no hubieran podido ser evitadas a pesar de toda la diligencia desplegada», a que se refiere el artículo 5.4 de la Directiva 89/391/CEE.

— Criterio Técnico n.º 23/1999, de 3 septiembre, de la Subdirección General de Asistencia Técnica de la Inspección de Trabajo, para la determinación de la responsabilidad administrativa por infracciones a la normativa de prevención de riesgos laborales.

3. La aplicación de los principios del Derecho Penal se extienden a todas las manifestaciones del ordenamiento punitivo, entre las que se halla el Derecho Administrativo sancionador. De estos principios aquí interesa resaltar los de tipicidad y culpabilidad: el primero supone una previsión exacta e inequívoca del ilícito reprochado, y el segundo requiere que la conducta castigada haya estado guiada por una intención o negligencia inexcusable referida a ese ilícito inequívocamente tipificado.

— STSJ Cont-Adm. Murcia 7.2.95.

> *Véase: Presunción de certeza. Responsabilidades empresariales en materia de PRL. Responsabilidad administrativa.*

PRINCIPIO DE IGUALDAD DE TRATO

Consiste en la ausencia de toda discriminación directa o indirecta por razón del origen racial o étnico, la religión o convicciones, la discapacidad, la edad o la orientación sexual de una persona. Cualquier orden de discriminar a las personas por razón de origen racial o étnico, religión o convicciones, discapacidad, edad u orientación sexual se considerará en todo caso discriminación.

— Artículo 28 LMFAOS.

> *Véase: Discriminación directa. Discriminación indirecta. Personas con discapacidad. Trabajadores con discapacidad. Trabajadores especialmente sensibles. Acoso. Acoso sexual. Acoso psicológico.*

PRINCIPIOS ACTIVOS

Aquellas sustancias, compuestos o incluso complejos naturales que genuinamente tienen la actividad farmacológica del medicamento; siendo los restantes componentes que forman parte de su composición, diluyentes, dispersantes, etc., cuya finalidad es la de coadyuvar o contribuir a hacer eficaz la actividad de la forma farmacéutica concreta (inyectable, comprimido, cápsula, etc.) de la especialidad comercial producida.

— Notas Técnicas de Prevención n.º 721, 722, 723, 724, 725/2006. INSST.

> *Véase: Industria farmacéutica. Sustancias diluyentes.*

PRINCIPIOS DE LA ACCIÓN PREVENTIVA

1. El empresario aplicará las medidas que integran el deber general de prevención previsto en el artículo anterior, con arreglo a los siguientes principios generales:

- Evitar los riesgos.
- Evaluar los riesgos que no se puedan evitar.
- Combatir los riesgos en su origen.

• Adaptar el trabajo a la persona, en particular en lo que respecta a la concepción de los puestos de trabajo, así como a la elección de los equipos y los métodos de trabajo y de producción, con miras, en particular, a atenuar el trabajo monótono y repetitivo y a reducir los efectos del mismo en la salud.

• Tener en cuenta la evolución de la técnica.

• Sustituir lo peligroso por lo que entrañe poco o ningún peligro.

• Planificar la prevención, buscando un conjunto coherente que integre en ella la técnica, la organización del trabajo, las condiciones de trabajo, las relaciones sociales y la influencia de los factores ambientales en el trabajo.

• Adoptar medidas que antepongan la protección colectiva a la individual.

• Dar las debidas instrucciones a los trabajadores.

Estos principios de la acción preventiva han de tenerse en cuenta para la elaboración del Plan de Prevención.

— Artículo 15.1 LPRL.

2. Asimismo, el empresario está obligado a:

• Tomar en consideración las capacidades profesionales de los trabajadores en materia de seguridad y de salud en el momento de encomendarles las tareas.

• Prever las distracciones o imprudencias no temerarias que pudiera cometer el trabajador. Para su adopción se tendrán en cuenta los riesgos adicionales que pudieran implicar determinadas medidas preventivas, las cuales sólo podrán adoptarse cuando la magnitud de dichos riesgos sea sustancialmente inferior a la de los que se pretende controlar y no existan alternativas más seguras.

— STS Penal 5.9.01.

— STSJ Valladolid 27.6.07.

La información al trabajador de las imprudencias previsibles (limpieza de máquinas en funcionamiento) y los medios técnicamente posibles para evitarlas (parada previa), es de vital importancia para que el empresario pueda prever las distracciones o imprudencias.

— STSJ Cataluña 2.5.06.

— STSJ Sevilla 27.2.07.

• Adoptar las medidas necesarias a fin de garantizar que sólo los trabajadores que hayan recibido información suficiente y adecuada puedan acceder a las zonas de riesgo grave y específico.

— Artículo 15 LPRL.

Véase: Deber de protección. Ergonomía. Planificación de la actividad preventiva. Deber de dirección. Trabajadores especialmente sensibles. Imprudencia profesional. Sustitución de productos peligrosos. Zonas peligrosas.

PRL: CONCEPTO

La Prevención de Riesgos Laborales puede definirse como el conjunto de normas, principalmente laborales, y de amplio contenido técnico, que tienen por objeto fundamental la protección de la vida, la integridad física y la salud de los trabajadores, y determinar las consecuencias jurídicas que produce su incumplimiento.

Véase: Normativa en materia de PRL.

PROCEDIMIENTO DE TRABAJO

Secuencia de las operaciones a desarrollar para realizar un determinado trabajo, con inclusión de los medios materiales (de trabajo o de protección) y humanos (cualificación o formación del personal) necesarios para llevarlo a cabo.

— Anexo I.4 RDSSTRE.

Véase: Deber de información. Deber de formación.

PROCESAMIENTO DE LA PATATA

1. Someter a un proceso de transformación biológica a las patatas

2. Los trabajadores ocupados en las actividades económicas, y expuestos a los agentes o sustancias que a continuación se indican, pueden contraer una Enfermedad Profesional (E.P.), causada por agentes biológicos:

• Plantas de procesamiento de las patatas, que pueden provocar una E.P. infecciosa (micosis, legionella y helmintiasis). (Código 3D0102).

Por ello, debe realizarse reconocimientos médicos previos y periódicos a dichos trabajadores, con la prohibición de no contratar a los calificados como no aptos para desempeñar los puestos de trabajo de que se trate.

— Artículo 243 LGSS, en relación con RDEP (Anexo I).

Véase: Agricultura.

PRODUCTIVIDAD

La productividad es el resultado tangible de las innovaciones que se suman al sustento de las prácticas exitosas existentes; si bien no todas las innovaciones conducen necesariamente a una mejora de la productividad integral. Habrá innovaciones que mejoran unos aspectos, pero pueden descuidar otros. La productividad es sinónimo de medición.

— Notas Técnicas de Prevención n.º 911, 912/2011. INSST.

Véase: Competitividad. Coste-beneficio de la prevención.

PRODUCTOS ANESTÉSICOS

1. Productos que producen la pérdida temporal de las sensaciones del tacto y del dolor, causada por un medicamento.

2. Los trabajadores ocupados en las actividades económicas, y expuestos a los agentes o sustancias que a continuación se indican, pueden contraer una Enfermedad Profesional (E.P.), causada por agentes químicos:

• Fabricación de ciertos desinfectantes, anestésicos, antisépticos y otros productos de la industria farmacéutica y química, donde se utilicen hidrocarburos alifáticos. (Código 1H0205).

• El guayacol (Epóxido) se utiliza, además, como anestésico local, antioxidante, expectorante y aromatizante de bebidas. (Código 1M0108).

Por ello, debe realizarse reconocimientos médicos previos y periódicos a dichos trabajadores, con la prohibición de no contratar a los calificados como no aptos para desempeñar los puestos de trabajo de que se trate.

— Artículo 243 LGSS, en relación con RDEP (Anexo I).

Véase: Anestésico. Gases. Éteres. Quirófanos.

PRODUCTOS ANTISÉPTICOS

1. Sustancias que combaten o previenen los padecimientos infecciosos destruyendo los microbios que los causan.

2. Los trabajadores ocupados en las actividades económicas, y expuestos a los agentes o sustancias que a continuación se indican, pueden contraer una Enfermedad Profesional (E.P.). Por ello, debe realizarse reconocimientos médicos previos y periódicos a dichos trabajadores, con la prohibición de no contratar a los calificados como no aptos para desempeñar los puestos de trabajo de que se trate.

   • Fabricación de ciertos desinfectantes, anestésicos, antisépticos y otros productos de la industria farmacéutica y química, donde se utilicen hidrocarburos alifáticos. (Código 1H0205).

— Artículo 243 LGSS, en relación con RDEP (Anexo I).

Véase: Sustancias infecciosas. Embalaje de sustancias infecciosas.

PRODUCTOS BIOLÓGICOS

El concepto productos biológicos incluye tanto productos biológicos preparados para uso humano o veterinario, fabricados según los requisitos exigidos por las autoridades nacionales de salud pública y puestos en circulación con licencia o aprobación especial de dichas autoridades; como productos biológicos terminados, expedidos antes de la concesión de la licencia con fines de investigación o desarrollo para su uso en personas o animales, o productos para el tratamiento experimental de animales y que han sido fabricados según los requisitos exigidos por las autoridades nacionales de salud pública. Abarcan también productos biológicos sin acabar, preparados de conformidad con los procedimientos de organismos gubernamentales especializados. Las vacunas humanas y veterinarias de gérmenes vivos se consideran como productos biológicos y no como sustancias infecciosas.

— Nota Técnica de Prevención n.º 628/2003. INSST.

Véase: Preparados. Sustancias. Agentes biológicos. Riesgos biológicos. Control biológico. Control de efectos biológicos. Indicadores de efecto biológico. Indicadores de exposición biológica. Indicadores de susceptibilidad biológica. Valor límite biológico. Epi contra agentes biológicos. Ropa de protección contra riesgos biológicos.

PRODUCTOS CAPILARES

1. Productos para el cabello.

2. Los trabajadores ocupados en las actividades económicas, y expuestos a los agentes o sustancias que a continuación se indican, pueden contraer una Enfermedad Profesional (E.P.), causada por agentes químicos:

   • Utilización de aminas e hidracinas como colorantes en la industria del cuero, de pieles del calzado, de productos capilares, etc., así como en papelería y en productos de peluquería. (Código 1I0104).

Por ello, debe realizarse reconocimientos médicos previos y periódicos a dichos trabajadores, con la prohibición de no contratar a los calificados como no aptos para desempeñar los puestos de trabajo de que se trate.

— Artículo 243 LGSS, en relación con RDEP (Anexo I).

Véase: Colorantes. Peluquerías.

PRODUCTOS DE LIMPIEZA

1. Aquellos productos fabricados o elaborados para la limpieza de superficies y objetos.

2. Los trabajadores ocupados en las actividades económicas, y expuestos a los agentes o sustancias que a continuación se indican, pueden contraer una Enfermedad Profesional (E.P.):

a) Causada por agentes químicos:

- Decapado de metales, donde se utilice arsénico. (Código 1A0114).

- Limpieza de metales, donde se utilice arsénico. (Código 1A0115).

- Decapado y limpieza de metales y vidrios (ácido sulfocrómico o ácido crómico), donde se utilice cromo. (Código 1A0409).

- Procesos en que puede producirse fosfina, tales como la generación de acetileno, la limpieza de metales con ácido fosfórico, etc. (Código 1A0503).

- Decapado, fijación, mordentado, afinado damasquinado, revestimiento electrolítico de metales, donde se utilice ácido nítrico. (Código 1D0103).

- Fabricación de limpia metales, donde se utilice ácido cianhídrico. (Código 1D0411).

- Fabricación de productos quitamanchas, donde se utilicen ácidos orgánicos. (Código 1E0107).

- Utilización de ácidos orgánicos en la limpieza ácida de metales. (Código 1E0109).

- Desengrasado y limpieza de piezas metálicas, como productos de limpieza y desengrasado en tintorerías, donde se utilicen derivados halogenados. (Código 1H0202).

- Operaciones de disolución de resinas naturales o sintéticas para la preparación de colas, adhesivos, lacas, barnices, esmaltes, masillas, tintas, diluyentes de pinturas y productos de limpieza, donde se utilice xileno o tolueno. (Código 1K0303).

- Fabricación de productos de limpieza y lubrificantes, donde se utilicen derivados halogenados de hidrocarburos aromáticos. (Código 1K0503).

- Fabricación de productos de limpieza, donde se utilicen cetonas. (Código 1L0109).

- Utilización de ésteres en productos de limpieza, lavandería y tintorería. (Código 1N0117).

b) Causada por agentes cancerígenos:

- Fabricación de limpia metales, donde se utilice ácido cianhídrico, que puede provocar una E.P. cancerígena. (Código 6Q0111).

Por ello, debe realizarse reconocimientos médicos previos y periódicos a dichos trabajadores, con la prohibición de no contratar a los calificados como no aptos para desempeñar los puestos de trabajo de que se trate.

— Artículo 243 LGSS, en relación con RDEP (Anexo I).

Véase: Limpieza. Limpieza de los lugares de trabajo. Decapado. Trabajadores de limpieza. Detergentes.

PRODUCTOS FITOSANITARIOS

1. Productos relativos a la prevención y curación de las enfermedades de las plantas.

2. Equipo de aplicación de productos fitosanitarios: Cualquier máquina destinada específicamente a la aplicación de productos fitosanitarios, incluidos los elementos y dispositivos que sean fundamentales para el correcto funcionamiento de dicho equipo.

Pulverizador hidráulico: Equipo de aplicación de productos fitosanitarios utilizable con productos preparados en estado líquido en los que la pulverización se produce por la presión hidráulica que proporciona una bomba, de forma que el fluido es impulsado hasta una o varias boquillas, donde se disgrega en finas gotas.

Pulverizador hidroneumático: Pulverizador hidráulico en el que las gotas formadas por las boquillas son transportadas hasta el objetivo a tratar por una corriente de aire.

Pulverizador neumático: Pulverizador en el que la formación y transporte de las gotas se realiza exclusivamente por una corriente de aire a gran velocidad.

Pulverizador centrífugo: Pulverizador en el que la formación de gotas se obtiene mediante un elemento dotado de movimiento de rotación, siendo su fuerza centrífuga la que induce a la pulverización del líquido.

Espolvoreador: Equipo para aplicar productos preparados en estado sólido, creando una nube de polvo y proyectándolo mediante un flujo de aire.

Equipo de aplicación para tratamientos aéreos: Equipo de aplicación de productos fitosanitarios diseñado para su montaje en aeronaves (avión o helicóptero).

Equipo de aplicación en instalaciones permanente: Equipo de aplicación de productos fitosanitarios diseñado para su instalación en el interior de invernaderos y otros locales cerrados.

— Artículo 2 RDIPPF.

— Notas Técnicas de Prevención n.º 883/2010. 1005/2014, 1067/2016.

Véase: Agricultura. Herbicidas. Pesticidas. Plaguicidas. Insecticidas. Repelentes.

PRODUCTOS IGNÍFUGOS

1. Productos que no se inflaman ni propagan la llama o el fuego.

2. Los trabajadores ocupados en las actividades económicas, y expuestos a los agentes o sustancias que a continuación se indican, pueden contraer una Enfermedad Profesional (E.P.), causada por agentes químicos:

• Fabricación de caucho sintético, productos ignífugos, papel autocopiativo sin carbono, plastificantes, etc., donde se utilicen derivados halogenados de hidrocarburos aromáticos. (Código 1K0505).

Por ello, debe realizarse reconocimientos médicos previos y periódicos a dichos trabajadores, con la prohibición de no contratar a los calificados como no aptos para desempeñar los puestos de trabajo de que se trate.

— Artículo 243 LGSS, en relación con RDEP (Anexo I).

Véase: Productos refractarios. Material refractario. Ladrillos refractarios.

PRODUCTOS INTERMEDIOS

Las sustancias formadas durante las reacciones químicas y que se transforman y desaparecen antes del final de la reacción o del proceso.

— Artículo 2.7 RDSSAQ.

— Real Decreto 374/2001, de 6 abril, sobre la protección de la salud y la seguridad de los trabajadores contra riesgos relacionados con los agentes químicos durante el trabajo. (Art. 2.7) (BOE 1.5.01) (LLV V.16).

— Los trabajadores ocupados en las actividades económicas y expuestos a los agentes o sustancias que a continuación se indican, pueden contraer una Enfermedad Profesional (E.P.):

• Productos intermedios en numerosos procesos de síntesis orgánica, donde se utilicen aldehídos, que pueden provocar una E.P. causada por agentes químicos. (Código 1G0103).

• Fabricación de estas sustancias (aminas e hidracinas) y su utilización como productos intermediarios en la industria de colorantes sintéticos y en numerosas síntesis orgánicas, en la industria química, en la industria de insecticidas, en la industria farmacéutica, etc., que pueden provocar una E.P. causada por agentes químicos. (Código 1I0101).

• Fabricación de ácido nítrico y otros reactivos químicos como ácido sulfúrico, cianuros, amidas, urea, sosa, nitritos e intermediarios de colorantes, donde se utilice amoniaco, que puede provocar una E.P. causada por agentes químicos. (Código 1J0108).

• Uso del naftaleno en fungicidas, bronceadores sintéticos, conservantes, textiles, químicos, materia prima y producto intermedio en industria del plástico y en la fabricación de lacas y barnices, que puede provocar una E.P. causada por agentes químicos. (Código 1K0207).

• Utilización de cetonas como agentes de extracción, como materia prima o intermedia en numerosas síntesis orgánicas, que puede provocar una E.P. causada por agentes químicos. (Código 1L0102).

• El óxido de etileno (Epóxido) se utiliza, además, en la industria sanitaria y alimentaria como agente esterilizante, como fumigante de alimentos y tejidos, intermediario en síntesis química y en la síntesis de películas y fibras de poliéster, que puede provocar una E.P. causada por agentes químicos. (Código 1M0107).

• Productos intermedios en numerosos procesos de síntesis orgánica, donde se utilicen ésteres orgánicos, que pueden provocar una E.P. causada por agentes químicos. (Código 1N0103).

• Utilización de glicoles en la industria química como productos intermedios en numerosas síntesis orgánicas, como disolventes de lacas, resinas, barnices celulósicos de secado rápido, de ciertas pinturas, pigmentos, nitrocelulosa y acetatos de celulosa, tintes y plásticos, que pueden provocar una E.P. causada por agentes químicos. (Código 1P0102).

Por ello, debe realizarse reconocimientos médicos previos y periódicos a dichos trabajadores, con la prohibición de no contratar a los calificados como no aptos para desempeñar los puestos de trabajo de que se trate.

— Ley General de la Seguridad Social (LGSS), aprobada por el Real Decreto Legislativo 8/2015, de 30 de octubre, por el que se aprueba el Texto Refundido de la Ley General de la Seguridad Social (Art. 243), en relación con el Real Decreto 1299/2006, de 10 de noviembre, por el que se aprueba el cuadro de Enfermedades Profesionales en el sistema de la Seguridad Social y se establecen criterios para su notificación y registro (Anexo 1).

PRODUCTOS POTENCIALMENTE PELIGROSOS

Aquellos que, en ausencia de medidas preventivas específicas, originen riesgos para la seguridad y la salud de los trabajadores que los desarrollan o utilizan.

— Artículo 4.5 LPRL.

Véase: Preparados. Sustancias. Sustancias peligrosas. Agentes químicos peligrosos. Etiquetado de sustancias peligrosas. Productos químicos: Etiquetado. Productos químicos: Envasado.

PRODUCTOS QUÍMICOS: ENVASADO

Los envases para la comercialización de sustancias peligrosas deberán cumplir las siguientes condiciones:

• Estar diseñados y fabricados de tal modo que no sean posibles pérdidas de contenido (siempre que no dispongan de dispositivo especiales de seguridad).

• Los materiales con los que estén fabricados y sus cierres no deberán ser atacables por el contenido, ni formar combinaciones peligrosas con el cierre.

• Los envases y cierres deberán ser fuertes y sólidos.

• Los recipientes con un sistema de cierre reutilizable habrán de estar diseñados de forma que pueda cerrarse el envase varias veces sin pérdida de su contenido.

• Las sustancias muy tóxicas, tóxicas o corrosivas que puedan llegar al público en general, deberán disponer de un cierre de seguridad para niños y llevar una indicación de peligro detectable al tacto.

• Las sustancias nocivas, extremadamente inflamables o fácilmente inflamables que puedan llegar al público en general deberán disponer de una indicación de peligro detectable al tacto.

— Artículo 8 RCEEPP.

— Notas Técnicas de Prevención n.º 635/2003. 649, 650, 651/2004. 726, 727/2006. INSST.

Véase: Productos químicos. Preparados. Agentes químicos. Agentes químicos peligrosos. Exposición a un agente químico. Riesgos químicos. Sustancias químicas. Industria química. Productos químicos: Etiquetado. Sustancias peligrosas. Fichas de datos de seguridad. Ropa de trabajo contra riesgos químicos.

PRODUCTOS QUÍMICOS: ETIQUETADO

Todo producto químico, sustancia o preparado, clasificado como peligroso debe incluir en su envase una etiqueta bien visible que es la primera información básica que recibe el usuario sobre los peligros inherentes al mismo y sobre las precauciones a tomar en su manipulación.

Esta etiqueta, redactada en el idioma oficial del Estado, contendrá:

• Nombre de la sustancia.

• Nombre, dirección y teléfono del fabricante o importador. Es decir del responsable de su comercialización en la Unión Europea.

• Símbolos e indicaciones de peligro normalizadas para destacar los riesgos principales.

— Artículo 9 RCEEPP.

— Artículo 7 Convenio OIT 170, de 25 de junio de/1990.

— Notas Técnicas de Prevención n.º 635/2003. 649, 650, 651/2004. 726, 727/2006. INSST.

Véase: Productos químicos. Preparados. Agentes químicos. Agentes químicos peligrosos. Exposición a un agente químico. Riesgos químicos. Sustancias químicas. Industria química. Sustancias peligrosas. Fichas de datos de seguridad. Ropa de trabajo contra riesgos químicos.

PRODUCTOS QUÍMICOS

1. Un producto químico es un conjunto de compuestos químicos (aunque en ocasiones sea uno solo) destinado a cumplir una función. Generalmente el que cumple la función principal es un solo componente, llamado componente activo. Los compuestos restantes o excipientes, son para llevar a las condiciones óptimas al componente activo (concentración, pH, densidad, viscosidad, etc.), darle mejor aspecto y aroma, cargas (para abaratar costos), etc.

Por «producto químico» se entiende toda sustancia, sola o en forma de mezcla o preparación, ya sea fabricada u obtenida de la naturaleza, excluidos los organismos vivos.

2. La expresión productos químicos designa los elementos y compuestos químicos, y sus mezclas, ya sean naturales o sintéticos. La expresión productos químicos peligrosos comprende todo producto químico que haya sido clasificado como peligroso de conformidad con el artículo 6 o respecto del cual existan informaciones pertinentes que indiquen que entraña un riesgo.

— Artículo 2 Convenio OIT 170, de 25 de junio de/1990.

Véase: Preparados. Agentes químicos. Agentes químicos peligrosos. Exposición a un agente químico. Riesgos químicos. Sustancias químicas. Industria química. Productos químicos: Envasado. Productos químicos: Etiquetado. Fichas de datos de seguridad. Ropa de trabajo contra riesgos químicos.

PRODUCTOS REFRACTARIOS

1. Productos que resisten la acción del fuego sin alterarse.

2. Los trabajadores ocupados en las actividades económicas, y expuestos a los agentes o sustancias que a continuación se indican, pueden contraer una Enfermedad Profesional (E.P.):

a) Causada por agentes químicos:

• <u>Fabricación de cristales, cerámicas, porcelanas y productos altamente refractarios, donde se utilice berilio</u>. (Código 1A0204).

b) Causada por inhalación de sustancias y agentes no comprendidos en otros apartados:

• <u>Fabricación de cristales, cerámicas, porcelanas y productos altamente refractarios, donde se utilice berilio, que pueden provocar una E.P. causada por inhalación de sustancias no comprendidas en otros apartados</u>. (Código 4K0104).

c) Causada por agentes cancerígenos:

• <u>Fabricación de cristales, cerámicas, porcelanas y productos altamente refractarios, donde se utilice berilio, que pueden provocar una E.P. neoplasia maligna de bronquio y pulmón</u>. (Código 6E0104).

Por ello, debe realizarse reconocimientos médicos previos y periódicos a dichos trabajadores, con la prohibición de no contratar a los calificados como no aptos para desempeñar los puestos de trabajo de que se trate.

— Artículo 243 LGSS, en relación con RDEP (Anexo I).

Véase: Material refractario. Ladrillos refractarios. Productos ignífugos.

PROFESORES

1. Personas que ejercen o enseñan una ciencia o arte.

2. Los trabajadores ocupados en las actividades económicas, y expuestos a los **agentes** o sustancias que a continuación se indican, pueden contraer una Enfermedad Profesional (E.P.), causada por agentes físicos:

• <u>Actividades en las que se precise uso mantenido y continuo de la voz, como son profesores, cantantes, actores, teleoperadores, locutores, pueden provocar una E.P. de nódulos en las cuerdas vocales</u>. (Código 2L0101).

Por ello, debe realizarse reconocimientos médicos previos y periódicos a dichos trabajadores, con la prohibición de no contratar a los calificados como no aptos para desempeñar los puestos de trabajo de que se trate.

— Artículo 243 LGSS, en relación con RDEP (Anexo I).

Véase: Trabajo en centros de enseñanza. Locutores. Actores. E.P. nódulos de las cuerdas vocales.

PROHIBICIONES POR ESCRITO

1. El deber de protección, el empresario deberá garantizar la seguridad y la salud de los trabajadores a su servicio en todos los aspectos relacionados con el trabajo. Este deber de protección no se agota con el cumplimiento por el empresario de toda la normativa en materia de prevención de riesgos laborales, ni de dar todas las instrucciones por escrito, sino que deberá adoptar todas las medidas necesarias para evitar cualquier daño a sus trabajadores.

— Artículo 14 LPRL.

2. Cuando existe un peligro de atrapamiento no basta con prohibir por escrito meter las manos en los cilindros el laminador cuando se caiga un cuerpo extraño, sino que es necesario dotar la máquina de dispositivos que garanticen su seguridad con protección para impedir la accesibilidad de sus cilindros.

— STS 12.7.07.

3. No basta con el aviso al trabajador, sino que el jefe de equipo o encargado de la empresa tenía que haber ordenado y no permitir que permaneciera en el espacio vallado, para evitar así posibles impactos en caso de caída del elemento suspendido.

— STSJ Galicia 27.6.08.

Véase: Señal de prohibición.

PROMOTOR

1. Cualquier persona física o jurídica por cuenta de la cual se realice la obra.

— Artículo 3.b LSC.

— Artículo 2.1.c RDSSTOC.

2. Cuando el promotor contrate directamente trabajadores autónomos para la realización de la obra o de determinados trabajos de la misma, tendrá la consideración de contratista respecto de aquéllos a efectos de lo dispuesto en el presente Real Decreto. Lo dispuesto en el párrafo anterior no será de aplicación cuando la actividad contratada se refiera exclusivamente a la construcción o reparación que pueda contratar un cabeza de familia respecto de su vivienda.

— Artículo 2.3 RDSSTOC.

3. Obligaciones del promotor de la obra, en materia de prevención de riesgos laborales:

a) Designar la Dirección Facultativa, encargada de la dirección y del control de la ejecución de la obra.

— Artículo 3.c LSC.

— Artículo 3.2 RDSSTOC.

b) Designar el Coordinador en materia de seguridad y salud durante la ejecución de la obra. Debe estar integrado en la Dirección Facultativa. El Coordinador es obligatorio cuando en la obra intervienen varias empresas o autónomos y es el encargado de tener el Libro de Incidencias de la obra.

— Artículo 3.d LSC.

— Artículos 3.2 y 13.3 RDSSTOC.

c) Encargar la elaboración del Estudio de Seguridad y Salud.

— Artículo 4.1 RDSSTOC.

d) No permitir a su Dirección Facultativa que amplíe la cadena de subcontratación, salvo en casos debidamente justificados.

— Artículo 5.3 LSC.

La cadena de subcontratación, que no puede ser limitada, salvo excepciones, se extiende:

— Artículo 5.1 LSC.

• Primero, al promotor, que puede contratar con todos los contratistas que estime oportuno.

• Segundo, al contratista o contratistas, que puede contratar con todos los subcontratistas que estime oportuno y tiene que llevar un Libro de Subcontratación.

— Artículo 8.1 LSC.

• Tercero, al subcontratista o subcontratistas primeros, que pueden contratar con todos los subcontratistas que estime oportuno, salvo que solo aporte mano de obra.

• Cuarto, al subcontratista o subcontratistas segundos, que pueden contratar con todos los subcontratistas que estime oportuno, salvo que solo aporte mano de obra. El subcontratista tercero, no puede subcontratar.

— Artículo 5 LSC.

• Excepcionalmente, por razones de fuerza mayor, podrá extenderse la cadena de subcontratación en un nivel adicional.

— Artículo 5.3 LSC.

• En este caso, hay que comunicarlo en el plazo de 5 días hábiles siguientes a la Autoridad Laboral.

— Artículo 16.2.c RDSC.

e) Si el promotor realiza, con medios humanos y materiales propios, parte o la totalidad de la obra, en la parte que ejecute se considera contratista.

— Artículo 3.e LSC.

— Artículo 2.3 RDSSTOC.

f) Si el promotor contrata directamente con trabajadores autónomos, la ley lo convierte en contratista y podría ser sancionado por los incumplimientos en materia de prevención de riesgos laborales que cometiera el trabajador autónomo en la obra.

— Disposición Adicional Segunda RDSC.

4. El promotor no responde solidariamente con la empresa principal de las infracciones cometidas por esta en materia de prevención de riesgos laborales.

— STS 25.10.05.

5. Constituyen infracciones graves en materia de PRL del promotor, que llevan aparejada una sanción económica de 2.046 euros a 40.985 euros.

• No designar los coordinadores en materia de seguridad y salud cuando ello sea preceptivo.

• Incumplir la obligación de que se elabore el estudio o, en su caso, el estudio básico de seguridad y salud, cuando ello sea preceptivo, con el alcance y contenido establecidos en la normativa de prevención de riesgos laborales, o cuando tales estudios presenten deficiencias o carencias significativas y graves en relación con la seguridad y la salud en la obra.

• No adoptar las medidas necesarias para garantizar, en la forma y con el alcance y contenido previstos en la normativa de prevención, que los empresarios que desarrollan actividades en la obra reciban la información y las instrucciones adecuadas sobre los riesgos y las medidas de protección, prevención y emergencia.

• No cumplir los coordinadores en materia de seguridad y salud las obligaciones establecidas en el artículo 9 del Real Decreto 1627/1997 como consecuencia de su falta de presencia, dedicación o actividad en la obra.

• No cumplir los coordinadores en materia de seguridad y salud las obligaciones, distintas de las citadas en los párrafos anteriores, establecidas en la normativa de prevención de riesgos laborales cuando tales incumplimientos tengan o puedan tener repercusión grave en relación con la seguridad y salud en la obra.

• Permitir, a través de la actuación de la dirección facultativa, la aprobación de la ampliación excepcional de la cadena de subcontratación cuando manifiestamente no concurran las causas motivadoras de la misma prevista en dicha Ley, salvo que proceda su calificación como infracción muy grave, de acuerdo con el artículo siguiente

— Artículos 12.24, 29 y 40.2.b LISOS.

Véase: Empresario. Empresario titular del centro de trabajo. Empresario principal. Empresario contratista. Empresario subcontratista. Nivel de subcontratación. Trabajador autónomo. Trabajador autónomo económicamente dependiente. Propia actividad. Deber de Coordinación de actividades empresariales. Proyectista.

PROPIA ACTIVIDAD

1. Durante mucho tiempo en la determinación doctrinal y jurisprudencial de lo que significa «propia actividad» se han mantenido dos interpretaciones:

• Según una primera interpretación, se integran en el concepto tanto las actividades que constituyen el ciclo de producción de la empresa principal como aquellas complementarias o no nucleares, es decir, todas aquellas que resulten necesarias para la organización del trabajo o el fin productivo empresarial (es lo que se denomina teoría de la indispensabilidad). Podrían ser con carácter general por ejemplo, actividades de mantenimiento, limpieza o vigilancia, aunque habría que matizar las circunstancias particulares que se den de cada situación.

• De acuerdo con una segunda interpretación, propia actividad será únicamente la que es inherente al ciclo productivo, de modo que sólo incluye las tareas que corresponden dicho ciclo de la empresa principal, en sentido estricto (teoría de la inherencia). Este puede ser el caso de la contratación en un hospital del servicio de restauración para los pacientes ingresados, ya que se trata de una actividad productiva inherente a los servicios hospitalarios y que debería prestarse por el propio hospital si no se subcontratara, al igual que ocurre con la contratación del servicio de comedor en un Colegio Mayor, tal y como manifestó la STS de 28 de noviembre de 1998.

Por tanto, mientras que en el primer caso se incluyen como propias las tareas complementarias o no nucleares, en el segundo quedan excluidas del concepto. El Tribunal Supremo en los últimos tiempos, se ha venido inclinando por la segunda teoría, es decir en términos generales se considera propia actividad, cuando coincide con la actividad nuclear del empresario (la imprescindible para conseguir en el objeto jurídico que da lugar a la actividad de la empresa principal). No obstante, a la hora de calificar una actividad como propia o no, debe efectuarse un análisis específico y pormenorizado de la situación existente para cada caso concreto.

— Nota Técnica de Prevención n.º 918/2011. INSST.

2. Se incluye en el concepto de propia actividad cuando:

• Se está ante la realización de obras y servicios que pertenecen al ciclo productivo de la misma, esto es, los que forman parte de las actividades principales de la empresa.

Ejemplo: Trabajos de pintura, fontanería, carpintería, ferretería, montaje de estructuras, movimiento de tierras, etc. con respecto a la actividad de construcción y similares.

— STS 2.12.87. 18.1.95. 27.2.19.

3. Quedan excluidos del concepto propia actividad cuando:

• La obra o servicio esta desconectada de la finalidad productiva y de las actividades normales de la empresa.

— STSJ Galicia 12.3.10.

Véase: Empresario. Empresario titular del centro de trabajo. Promotor. Empresario principal. Empresario contratista. Empresario subcontratista. Trabajador autónomo. Trabajador autónomo económicamente dependiente. Deber de Coordinación de actividades empresariales.

PROTECTORES AUDITIVOS

1. Los protectores auditivos pasivos se refieren a las orejeras o a los tapones que poseen una respuesta acústica que depende de su diseño y de las características físicas de los materiales utilizados. Estos son los de uso más frecuente y su atenuación acústica permanece constante al variar el nivel de ruido siempre y cuando no cambie la frecuencia o el espectro de ruido presente.

Los protectores auditivos no pasivos son los denominados Equipos de Protección Individual (EPI) que incorporan algún sistema electrónico o elemento mecánico que los hace comportarse acústicamente de una forma específica. Entre éstos se encuentran las orejeras dependientes del nivel (de ruido), las orejeras con reducción activa del ruido o las orejeras con entrada eléctrica de audio.

— Nota Técnica de Prevención n.º 980/2013. INSST.

2. Para la selección del protector auditivo adecuado a cada puesto de trabajo, véase: RDSSRR y RDEPI.

— Norma UNE-EN 458: 2016. Aenor.

Véase: Ruido. Sonómetro. Audiometría. Epi contra el ruido. E.P. hipoacusia.

PROTÉSICOS DENTALES

1. Especialistas que diseñan, fabrican y reparan prótesis dentales.

2. Los trabajadores ocupados en las actividades económicas, y expuestos a los agentes o sustancias que a continuación se indican, pueden contraer una Enfermedad Profesional (E.P.), causada por agentes químicos:

• Imprenta, reproducción, plásticos, curtidos, textiles, resinas, protésicos dentales sellantes, cosméticos, etc., donde se utilicen ésteres orgánicos. (Código 1N0118).

Por ello, debe realizarse reconocimientos médicos previos y periódicos a dichos trabajadores, con la prohibición de no contratar a los calificados como no aptos para desempeñar los puestos de trabajo de que se trate.

— Artículo 243 LGSS, en relación con RDEP (Anexo I).

Véase: Amalgamas dentales. Higienistas dentales. Dentistas. Odontólogos. Odontología.

PROTOZOOS

Son organismos unicelulares siendo algunos de ellos parásitos de los vertebrados. Su ciclo vital es complejo, necesitando, en algunos casos, de varios huéspedes para completar su desarrollo. La transmisión de un huésped a otro la realizan habitualmente insectos.

— Nota Técnica de Prevención n.º 203/1988. INSST.

Véase: E.P. paludismo. Parásitos.

PROYECTISTA

El autor o autores, por encargo del promotor, de la totalidad o parte del proyecto de obra.

— Artículo 2.1.b RDSSTOC.

Véase: Promotor.

PSICÓMETRO

Aparato que sirve para medir la temperatura seca y humedad.

— Nota Técnica de Prevención n.º 175/1986. INSST.

Véase: Aparatos medidores. Termómetros. Temperatura. Humedad.

PÚBLICO INTERESADO

El público que resulta o puede resultar afectado por las decisiones adoptadas sobre alguno de los asuntos previstos en el artículo 16.1, o que tiene un interés que invocar en la toma de esas decisiones; a efectos de la presente definición, se considerará que tienen un interés las organizaciones no gubernamentales que trabajen en favor de la protección de la salud de las personas o del medio ambiente y que cumplan los requisitos pertinentes previstos por la legislación nacional.

— Artículo 3.19 RDAG.

Véase: Plan de emergencia. Plan de emergencia exterior. Plan de emergencia interior. Plan de emergencia estatal. Trabajadores de Protección Civil. Accidentes graves.

PUERTAS DE EMERGENCIA

1. Las puertas de emergencia deberán abrirse hacia el exterior y no deberán estar cerradas, de forma que cualquier persona que necesite utilizarlas en caso de urgencia pueda abrirlas fácil e inmediatamente. Estarán prohibidas las puertas específicas de emergencia que sean correderas o giratorias. Las puertas situadas en los recorridos de las vías de evacuación deberán estar señalizadas de manera adecuada. Se deberán poder abrir en cualquier momento desde el interior sin ayuda especial. Cuando los lugares de trabajo estén ocupados, las puertas deberán poder abrirse.

— Anexo I. Parte A.10 RDSSLT.

2. Obras de construcción. En los puestos de trabajo en las obras en el interior de los locales, y siempre que lo exijan las características de la obra o de la actividad; las circunstancias o cualquier riesgo, las puertas de emergencia deberá abrirse hacia el exterior y no deberán estar cerradas, de tal forma que cualquier persona que necesite utilizarlas en caso de emergencia pueda abrirlas fácil e inmediatamente.

Están prohibidas como puertas de emergencia las puertas correderas y las puertas giratorias.

— Anexo IV. Parte B.2 RDSSTOC.

Véase: Vías y salidas de emergencia. Puertas. Puertas transparentes. Puertas mecánicas.

PUERTAS MECÁNICAS

1. Las puertas y portones mecánicos deberán funcionar sin riesgo para los trabajadores. Tendrán dispositivos de parada de emergencia de fácil identificación y acceso, y podrán abrirse de forma manual, salvo si se abren automáticamente en caso de avería del sistema de emergencia.

— Anexo I. Parte A.6 RDSSLT.

2. Obras de construcción. En los lugares de trabajo de las obras de construcción, y siempre que lo exijan las características de la obra o de la actividad; las circunstancias o cualquier riesgo, las puertas y portones mecánicos deberán poseer dispositivos de parada de emergencia fácilmente identificables y de fácil acceso y también deberán poder abrirse manualmente excepto si en caso de producirse una avería en el sistema de energía se abren automáticamente.

— Anexo IV. Parte A.10 RDSSTOC.

Véase: Puertas. Vías de circulación. Vías y salidas de emergencia. Puertas de emergencia.

PUERTAS TRANSPARENTES

1. Las puertas transparentes deberán tener una señalización a la altura de la vista. Las superficies transparentes o translúcidas de las puertas y portones que no sean de material de seguridad deberán protegerse contra la rotura cuando ésta pueda suponer un peligro para los trabajadores.

Las puertas y portones de vaivén deberán ser transparentes o tener partes transparentes que permitan la visibilidad de la zona a la que se accede.

— Anexo I. Parte A.6 RDSSLT.

2. Obras de construcción. En los puestos de trabajo en las obras en el interior de los locales, y siempre que lo exijan las características de la obra o de la actividad; las circunstancias o cualquier riesgo, las puertas transparentes deberán tener una señalización a la altura de la vista.

— Anexo IV. Parte B.7 RDSSTOC.

Véase: Puertas. Tabiques transparentes. Ventanas.

PUERTAS

1. La anchura mínima de las puertas exteriores y de los pasillos será de 80 centímetros y 1 metro, respectivamente.

— Anexo I. Parte A.5 RDSSLT.

2. Las puertas correderas deberán ir provistas de un sistema de seguridad que les impida salirse de los carriles y caer.

Las puertas y portones que se abran hacia arriba estarán dotados de un sistema de seguridad que impida su caída.

Las puertas de acceso a las escaleras no se abrirán directamente sobre sus escalones sino sobre descansos de anchura al menos igual a la de aquéllos.

Los portones destinados básicamente a la circulación de vehículos deberán poder ser utilizados por los peatones sin riesgos para su seguridad, o bien deberán disponer en su proximidad inmediata de puertas destinadas a tal fin, expeditas y claramente señalizadas.

— Anexo I. Parte A.6 RDSSLT.

3. Puertas y portones en las obras de construcción:

• Las puertas correderas deberán ir provistas de un sistema de seguridad que les impida salirse de los raíles y caerse.

• Las puertas y portones que se abran hacia arriba deberán ir provistos de un sistema de seguridad que les impida volver a bajarse.

• Las puertas y portones situados en el recorrido de las vías de emergencia deberán estar señalizados de manera adecuada.

• En las proximidades inmediatas de los portones destinados sobre todo a la circulación de vehículos deberán existir puertas para la circulación de los peatones, salvo en caso de que el paso sea seguro para éstos. Dichas puertas deberán estar señalizadas de manera claramente visible y permanecer expeditas en todo momento.

• Las puertas y portones mecánicos deberán funcionar sin riesgo de accidente para los trabajadores. Deberán poseer dispositivos de parada de emergencia fácilmente identificables y de fácil acceso y también deberán poder abrirse manualmente excepto si en caso de producirse una avería en el sistema de energía se abren automáticamente.

• La posición, el número, los materiales de fabricación y las dimensiones de las puertas y portones se determinarán según el carácter y el uso de los locales.

• Las puertas transparentes deberán tener una señalización a la altura de la vista.

• Las puertas y los portones que se cierren solos deberán ser transparentes o tener paneles transparentes.

• Las superficies transparentes o translúcidas de las puertas o portones que no sean de materiales seguros deberán protegerse contra la rotura cuando ésta pueda suponer un peligro para los trabajadores.

— Anexo IV. Parte A.10 y Parte B.7 RDSSTOC.

4. Los lugares de trabajo (en las obras de construcción) deberán estar acondicionados teniendo en cuenta, en su caso, a los trabajadores discapacitados. Esta disposición se aplicará, en particular, a las puertas, vías de circulación, escaleras, duchas, lavabos, retretes y lugares de trabajo utilizados u ocupados directamente por trabajadores discapacitados.

— Anexo IV. Parte A.18 RDSSTOC.

Véase: Puertas tranparentes. Tabiques transparentes. Puertas de emergencia. Puertas mecánicas. Vías de circulación. Vías y salidas de emergencia. Torres de acceso. Escaleras. Escalas. Rampas. Rampas de carga. Muelles de carga y descarga.

PUESTO DE TRABAJO

Con este término se hace referencia tanto al conjunto de actividades que están encomendadas a un trabajador concreto como al espacio físico en que éste desarrolla su trabajo.

— Nota Técnica de Prevención n.º 526/1999. INSST.

Véase: Ergonomía. Espacio de trabajo. Lugares de trabajo.

PULIDORAS

1. Herramienta manual utilizada para pulir.

2. Los trabajadores ocupados en las actividades económicas, y expuestos a los agentes o sustancias que a continuación se indican, pueden contraer una Enfermedad Profesional (E.P.):

a) Causada por agentes físicos:

• Trabajos en los que se produzcan: vibraciones transmitidas a la mano y al brazo por gran número de máquinas o por objetos mantenidos sobre una superficie vibrante (gama de frecuencia de 25 a 250 Hz), como son aquellos en los que se manejan maquinarias que transmitan vibraciones, como martillos neumáticos, punzones, taladros, taladros a percusión, perforadoras, pulidoras, esmeriles, sierras mecánicas, desbrozadoras, que pueden producir una E.P. de carácter vascular. (Código 2B0101).

Por ello, debe realizarse reconocimientos médicos previos y periódicos a dichos trabajadores, con la prohibición de no contratar a los calificados como no aptos para desempeñar los puestos de trabajo de que se trate.

— Artículo 243 LGSS, en relación con RDEP (Anexo I).

Véase: Trabajos con pulidoras. Pulidores. Enfermedades vasculares. Trabajos con aparatos vibradores. Vibraciones. Martillos neumáticos. Amoladoras. Taladradoras. Punzones. Esmeriles.

PULIDORES

1. Personas dedicadas a pulir, componer y adornar algo.

2. Los trabajadores ocupados en las actividades económicas, y expuestos a los agentes o sustancias que a continuación se indican, pueden contraer una Enfermedad Profesional (E.P.):

a) Causada por agentes químicos:

• Fabricación, soldadura, rebabado y pulido de objetos de plomo o sus aleaciones. (Código 1A0902).

b) Causada por agentes físicos:

• Trabajos que requieran habitualmente de una posición de rodillas mantenidas como son trabajos en minas, en la construcción, servicio doméstico, colocadores de parquet y baldosas, jardineros, talladores y pulidores de piedras, trabajadores agrícolas y similares. (Código 2C0101).

• Trabajos en los que se produzca un apoyo prolongado y repetido de forma directa o indirecta sobre las correderas anatómicas que provocan lesiones nerviosas por compresión. Movimientos extremos de hiperflexión y de hiperextensión. Trabajos que requieran movimientos repetidos o mantenidos de hiperextensión e hiperflexión de la muñeca, de aprehensión de la mano como lavanderos, cortadores de tejidos y material plástico y similares, trabajos de montaje (electrónica, mecánica), industria textil, mataderos (carniceros, matarifes), hostelería (camareros, cocineros), soldadores, carpinteros, pulidores, pintores, que pueden provocar la E.P. de síndrome del túnel carpiano. (Código 2F0201).

• Trabajos en los que se produzca un apoyo prolongado y repetido de forma directa o indirecta sobre las correderas anatómicas que provocan lesiones nerviosas por compresión. Movimientos extremos de hiperflexión y de hiperextensión. Trabajos que entrañen compresión prolongada en la muñeca o de una presión mantenida o repetida sobre el talón de la mano, como ordeño de vacas, grabado, talla y pulido de vidrio, burilado, trabajo de zapatería, leñadores, herreros, peleteros, lanzadores de martillo, disco y jabalina, que pueden contraer enfermedades por posturas forzadas y movimientos repetitivos, como el síndrome del canal de Guyon. (Código 2F0301).

c) Causada por inhalación de sustancias y agentes no comprendidos en otros apartados:

• Trabajos de tallado y pulido de rocas silíceas, trabajos de canterías, que pueden provocar la E.P. de silicosis, por la exposición a la inhalación de polvo de sílice libre. (Código 4A0102).

• Trabajos con muelas (pulido, afinado) que contengan sílice libre, que pueden provocar la E.P. de silicosis, por la exposición a la inhalación de polvo de sílice libre. (Código 4A0107).

• Pulidores de metales, expuestos a la inhalación de polvo de metal duro o acero de Widia, que pueden contraer las E.P. de neumoconiosis o de siderosis. (Códigos 4E0103, 4E0203).

Por ello, debe realizarse reconocimientos médicos previos y periódicos a dichos trabajadores, con la prohibición de no contratar a los calificados como no aptos para desempeñar los puestos de trabajo de que se trate.

— Artículo 243 LGSS, en relación con RDEP (Anexo I).

Véase: Pulidoras. Trabajos con pulidoras. Trabajos con aparatos vibradores. Sustancias abrasivas. Abrasivos. Industria del vidrio. E.P. Bursitis. Talladores. Azogado de espejos. Espejos. Cristales.

PUNZONES

1. Los escoplos o punzones son herramientas de mano diseñadas para expulsar remaches y pasadores cilíndricos o cónicos, pues resisten los impactos del martillo, para aflojar los pasadores y empezar a alinear agujeros, marcar superficies duras y perforar materiales laminados. Son de acero, de punta larga y forma ahusada que se extiende hasta el cuerpo del punzón con el fin de soportar golpes más o menos violentos. Pueden ser manuales o eléctricos.

— Nota Técnica de Prevención n.º 391/1995. INSST.

2. Los trabajadores ocupados en las actividades económicas, y expuestos a los agentes o sustancias que a continuación se indican, pueden contraer una Enfermedad Profesional (E.P.), causada por agentes físicos:

• Trabajos en los que se produzcan: vibraciones transmitidas a la mano y al brazo por gran número de máquinas o por objetos mantenidos sobre una superficie vibrante (gama de frecuencia de 25 a 250 Hz), como son aquellos en los que se manejan maquinarias que transmitan vibraciones, como martillos neumáticos, punzones, taladros, taladros a percusión, perforadoras, pulidoras, esmeriles, sierras mecánicas, desbrozadoras, que pueden producir una E.P. de carácter vascular. (Código 2B0101).

Por ello, debe realizarse reconocimientos médicos previos y periódicos a dichos trabajadores, con la prohibición de no contratar a los calificados como no aptos para desempeñar los puestos de trabajo de que se trate.

— Artículo 243 LGSS, en relación con RDEP (Anexo I).

Véase: Herramientas portátiles manuales. Alicates. Cinceles. Cuchillos. Destornilladores. Limas. Llaves. Martillos. Picos. Sierras. Taladradoras. Enfermedades vasculares. Trabajos con aparatos vibradores. Vibraciones.

Q

QUEMADURAS

La quemadura es el resultado del contacto de los tejidos del organismo con el calor. Suele ser de origen accidental, doméstico o laboral, y las causas principales son el fuego, los líquidos hirviendo o en llamas, los sólidos incandescentes, los productos químicos, las radiaciones y la electricidad. El cuerpo humano tolera temperaturas de hasta 40.ºC; por encima se produce una desnaturalización de las proteínas y se altera la capacidad de reparación celular. Las quemaduras pueden ser de:

Primer grado. Destruye solamente la capa superficial de la piel, la epidermis, produciendo un enrojecimiento de la zona lesionada. A esta lesión se le denomina eritema.

Segundo grado. También de grosor parcial. Destruye la epidermis y un espesor variable de la dermis. Se produce una inflamación del tejido o formación de ampollas llamadas flictemas. La lesión es dolorosa y se dice que «llora» por la pérdida de líquidos del tejido y por la aparición de las ampollas.

Tercer grado. Llamada de grosor total. Afecta a todas las capas de la piel incluyendo la dermis profunda. Es una lesión de aspecto de cuero seco, blanca o chamuscada. No hay dolor debido a la destrucción de las terminaciones nerviosas. Técnicamente se le denomina escara.

— Nota Técnica de Prevención n.º 524/1999. INSST.

Véase: Fuego. Radiaciones. Corriente eléctrica. Soldadores.

QUESO

1. Producto obtenido por maduración de la cuajada de la leche con características propias para cada uno de los tipos según su origen o método de fabricación.

2. Los trabajadores ocupados en las actividades económicas, y expuestos a los agentes o sustancias que a continuación se indican, pueden contraer una Enfermedad Profesional (E.P.), causada por inhalación de sustancias y agentes no comprendidos en otros apartados:

• Lavadores de queso, donde los trabajadores estén expuestos a sustancias de alto peso molecular (de origen vegetal o animal), que pueden provocar alguna de las siguientes E.P: rinoconjuntivitis (Código 4H0109), asma (Código 4H0209), alveolitis alérgica extrínseca (Código 4H0309), síndrome de disfunción reactivo de la vía aérea (Código 4H0409), fibrosis intersticial difusa (Código 4H0509), bisinosis, cannabiosis, linnosis, bagazosis, estipatosis, suberosis (Códigos 4H0609), neumopatía intersticial difusa (Código 4H0709).

a) E.P. de la piel, causada por sustancias y agentes no comprendidos en alguno de los otros apartados:

• Lavadores de queso, donde los trabajadores estén expuestos a sustancias de alto peso molecular (de origen vegetal o animal), que pueden provocar una E.P. de la piel, causada por sustancias de alto peso molecular. (Código 5B0109).

Por ello, debe realizarse reconocimientos médicos previos y periódicos a dichos trabajadores, con la prohibición de no contratar a los calificados como no aptos para desempeñar los puestos de trabajo de que se trate.

— Artículo 243 LGSS, en relación con RDEP (Anexo I).

Véase: Alimentación.

QUIRÓFANOS

1. Local convenientemente acondicionado para hacer operaciones quirúrgicas de manera que puedan presenciarse al través de una separación de cristal, y, por extensión, cualquier sala donde se efectúan estas operaciones.

2. Los trabajadores ocupados en las actividades económicas, y expuestos a los agentes o sustancias que a continuación se indican, pueden contraer una Enfermedad Profesional (E.P.), causada por agentes químicos:

• Uso en anestesia quirúrgica, donde se utilicen hidrocarburos alifáticos. (Código 1H0211).

• Esterilización del hilo de sutura quirúrgica catgut, donde se utilice xileno o tolueno. (Código 1K0310).

Por ello, debe realizarse reconocimientos médicos previos y periódicos a dichos trabajadores, con la prohibición de no contratar a los calificados como no aptos para desempeñar los puestos de trabajo de que se trate.

— Artículo 243 LGSS, en relación con RDEP (Anexo I).

Véase: Anestésico. Productos anestésicos. Gases anestésicos. Hilo de sutura.

R

RADIACIÓN INCOHERENTE

Toda radiación distinta de una radiación láser.

— Artículo 2.d RDSSROA.

> *Véase: Radiaciones. Radiaciones ópticas. Radiaciones microondas. Radiaciones infrarrojas. Radiaciones visibles. Radiaciones ultravioleta. Energía radiante. Radancia. Irradancia. Radiaciones ionizantes. Rayos X. Trabajos con exposición a rayos X. Rayos gamma. Rayos cósmicos. Radioactividad. Radiaciones laser. Radiaciones térmicas. Dosímetros de radiación. Instalaciones nucleares. Instalaciones radioactivas. E.P. por energía radiante. E.P. por radiaciones ionizantes.*

RADIACIONES INFRARROJAS

1. Es la radiación óptica de longitud de onda comprendida entre 780 nm y 1 mm. La región infrarroja se divide en IRA (780-1.400 nm), IRB (1.400-3.000 nm) e IRC (3.000 nm-1mm).

— Artículo 2.a.2.º RDSSROA.

2. Pueden producir quemaduras en la piel y daños en la retina.

— Nota Técnica de Prevención n.º 903/2011. INSST.

> *Véase: Radiaciones. Radiaciones ópticas. Radiaciones microondas. Radiaciones visibles. Radiaciones ultravioleta. Energía radiante. Radancia. Irradancia. Radiaciones ionizantes. Rayos X. Trabajos con exposición a rayos X. Rayos gamma. Rayos cósmicos. Radioactividad. Radiaciones laser. Radiación incoherente. Radiaciones térmicas. Dosímetros de radiación. Instalaciones nucleares. Instalaciones radioactivas. E.P. por energía radiante. E.P. por radiaciones ionizantes. E.P. de la piel, causada por agentes fotosensibles exógenos.*

RADIACIONES IONIZANTES

1. Radiaciones electromagnéticas capaces de producir directa o indirectamente iones a su paso a través de la materia. Flujo de partículas o fotones con suficiente energía para producir ionizaciones en las moléculas que atraviesa. Son las más energéticas de todas las radiaciones electromagnéticas. Pueden producir graves alteraciones en la salud como leucemia. Dentro de las radiaciones ionizantes se pueden distinguir los rayos X, los rayos gamma y los rayos cósmicos.

Se define una radiación como ionizante cuando al interaccionar con la materia produce la ionización de la misma, es decir, origina partículas con carga eléctrica (iones). El origen de estas radiaciones es siempre atómico, pudiéndose producir tanto en el núcleo del átomo como en los orbitales y pudiendo ser de naturaleza corpuscular (partículas subatómicas) o electromagnética (rayos X, rayos gamma).

— Notas Técnicas de Prevención n.º 304/1993. 614/2003. 728/2006. INSST.

2. La vigilancia y control en materia de prevención de riesgos laborales, en los trabajos donde se utilice energía nuclear, corresponde a los inspectores del Consejo de Seguridad Nuclear.

— Artículo 7 LPRL.

3. Los trabajadores expuestos a radiaciones ionizantes (todos los trabajos expuestos a la acción de los rayos X o de las sustancias radiactivas naturales o artificiales o a cualquier fuente de emisión corpuscular), pueden contraer alguna de las siguientes Enfermedades

Profesionales: E.P. causada por radiaciones ionizantes (Código 2I01), E.P. síndrome linfo y mieloproliferativos (Cáncer) (Código 6N01), o E.P. carcinoma epidermoide (Cáncer) (Código 6N02), en las actividades o trabajos que a continuación se relacionan:

a) Causada por agentes físicos:

• Todos los trabajos expuestos a la acción de los rayos X o de las sustancias radiactivas naturales o artificiales o a cualquier fuente de emisión corpuscular, que pueden producir enfermedades provocadas por radiaciones ionizantes. (Código 2I01).

• Trabajos de extracción y tratamiento de minerales radiactivos, que pueden contraer una E.P. provocada por radiaciones ionizantes. (Código 2I0101).

b) Causada por agentes cancerígenos:

• Trabajos de extracción y tratamiento de minerales radiactivos. (Código 6N0101).

• Fabricación de aparatos de rayos X y de radioterapia. (Código 6N0102).

• Fabricación de productos químicos y farmacéuticos radiactivos. (Código 6N0103).

• Empleo de sustancias radiactivas y rayos X en los laboratorios de investigación. (Código 6N0104).

• Fabricación y aplicación de productos luminosos con sustancias radiactivas en pinturas de esferas de relojería. (Código 6N0105).

• Trabajos industriales en que se utilicen rayos X y materiales radiactivos, medidas de espesor y de desgaste. (Código 6N0106).

• Trabajos en las consultas de radiodiagnóstico, de radio y radioterapia y de aplicación de isótopos radiactivos, en consultas, clínicas, sanatorios, residencias y hospitales. (Código 6N0107).

• Conservación de alimentos por radiaciones ionizantes, que pueden provocar la E.P. de síndrome linfo y mieloproliferativos. (Código 6N0108).

• Reactores de investigación y centrales nucleares. (Código 6N0109).

• Instalaciones de producción y tratamiento de radioelementos o isótopos radiactivos. (Código 6N0110).

• Fábrica de enriquecimiento de combustibles nucleares. (Código 6N0111).

• Instalaciones de tratamiento y almacenamiento de residuos radiactivos. (Código 6N0112).

• Transporte de materias radiactivas. (Código 6N0113).

• Aceleradores de partículas, fuentes de gammagrafía, bombas de cobalto, etc. (Código 6N0114).

• Todos los trabajos expuestos a la acción de los rayos X o de las sustancias radiactivas naturales o artificiales o a cualquier fuente de emisión corpuscular. (Código 6N02).

• Trabajos de extracción y tratamiento de minerales radiactivos. (Código 6N0201).

• Fabricación de aparatos de rayos X y de radioterapia. (Código 6N0202).

• Fabricación de productos químicos y farmacéuticos radiactivos. (Código 6N0203).

• Empleo de sustancias radiactivas y rayos X en los laboratorios de investigación. (Código 6N0204).

• Fabricación y aplicación de productos luminosos con sustancias radiactivas en pinturas de esferas de relojería. (Código 6N0205).

• Trabajos industriales en que se utilicen rayos X y materiales radiactivos, medidas de espesor y de desgaste. (Código 6N0206).

• Trabajos en las consultas de radiodiagnóstico, de radio y radioterapia y de aplicación de isótopos radiactivos, en consultas, clínicas, sanatorios, residencias y hospitales. (Código 6N0207).

• Conservación de alimentos por radiaciones ionizantes, que puede provocar la E.P. de carcinoma epidermoide de piel (Cáncer). (Código 6N0208).

• Reactores de investigación y centrales nucleares. (Código 6N0209).

• Instalaciones de producción y tratamiento de radioelementos o isótopos radiactivos. (Código 6N0210).

• Fábrica de enriquecimiento de combustibles nucleares. (Código 6N0211).

• Instalaciones de tratamiento y almacenamiento de residuos radiactivos. (Código 6N0212).

• Transporte de materias radiactivas. (Código 6N0213).

• Aceleradores de partículas, fuentes de gammagrafía, bombas de cobalto, etc. (Código 6N0214).

Por ello, debe realizarse reconocimientos médicos previos y periódicos a dichos trabajadores, con la prohibición de no contratar a los calificados como no aptos para desempeñar los puestos de trabajo de que se trate.

— Artículo 243 LGSS, en relación con RDEP (Anexo I).

Véase: Radiaciones. Trabajador expuesto. Radiaciones ópticas. Radiaciones microondas. Radiaciones infrarrojas. Radiaciones visibles. Radiaciones ultravioleta. Energía radiante. Radancia. Irradancia. Rayos X. Trabajos con exposición a rayos X. Rayos gamma. Rayos cósmicos. Radioactividad. Radiaciones laser. Radiación incoherente. Radiaciones térmicas. Dosímetros de radiación. Instalaciones nucleares. Instalaciones nucleares: Trabajador externo. Instalaciones radioactivas. Zona controlada. E.P. por energía radiante. E.P. por radiaciones ionizantes.

RADIACIONES LÁSER

Son las radiaciones procedentes de un láser. Los dispositivos láser son un tipo particular de fuente de radiación artificial. Emiten en una única longitud de onda o en bandas muy estrechas, lo que los distingue claramente de las fuentes de banda ancha. Como consecuencia, la evaluación de sus riesgos sigue un procedimiento diferente y por ello tiene unos valores límite de exposición propios.

— Artículo 2.a, c RDSSROA.

— Nota Técnica de Prevención n.º 903/2011. INSST.

Véase: Laser. Radiaciones. Radiaciones ópticas. Radiaciones microondas. Radiaciones infrarrojas. Radiaciones visibles. Radiaciones ultravioleta. Energía radiante. Radancia. Irradancia. Radiaciones ionizantes. Rayos X. Trabajos con exposición a rayos X. Rayos gamma. Rayos cósmicos. Radioactividad. Radiación incoherente. Radiaciones térmicas. Dosímetros de radiación. Instalaciones nucleares. Instalaciones radioactivas. E.P. por energía radiante. E.P. por radiaciones ionizantes.

RADIACIONES MICROONDAS

Radiación óptica electromagnética, no ionizante, cuya longitud de onda se sitúa por encima de los 10.000 nanómetros.

El uso más común de las microondas es el del horno de microondas. Las microondas hacen vibrar y rotar el agua de los alimentos, por ello, generan calor. Debido a que la mayor parte de los alimentos contiene un importante porcentaje de agua, pueden ser cocinados fácilmente de esta manera. También se usa en telecomunicaciones, radares, etc.

Véase: Radiaciones. Radiaciones ópticas. Radiaciones infrarrojas. Radiaciones visibles. Radiaciones ultravioleta. Energía radiante. Radancia. Irradancia. Radiaciones ionizantes. Rayos X. Trabajos con exposición a rayos X. Rayos gamma. Rayos cósmicos. Radioactividad. Radiaciones laser. Radiación incoherente. Radiaciones térmicas. Dosímetros de radiación. Instalaciones nucleares. Instalaciones radioactivas. E.P. por energía radiante. E.P. por radiaciones ionizantes.

RADIACIONES NO IONIZANTES

Véase: Radiaciones ópticas.

RADIACIONES ÓPTICAS

1. Se denomina radiación óptica, o radiación no ionizante, a toda radiación electromagnética cuya longitud de onda esté comprendida entre 100 nanómetros (nm) y 1 mm. Radiación que posee suficiente energía para producir fenómenos de ionización en la materia sobre la que inciden. Produce quemaduras, molestias dérmicas y oculares. Se dividen en cuatro bandas espectrales:

- Microondas (por encima de los 10.000 nm).
- Radiación infrarroja, IR (700-10.000 nm), que comprende al IRA, IRB e IRC.
- Radiación visible (380-700 nm).
- Radiación ultravioleta, UV (180-380 nm), que se subdivide en UVC, UVB y UVA.

— Artículo 2.a RDSSROA.

— Nota Técnica de Prevención n.º 903/2011. INSST.

3. La mayoría de las fuentes artificiales de radiación óptica emiten en un rango amplio de longitudes de onda, que generalmente involucra a más de una banda espectral. A estas fuentes se las denominan «fuentes incoherentes de banda ancha».

— Artículo 2.a RDSSROA.

— Nota Técnica de Prevención n.º 903/2011. INSST.

Véase: Radiaciones. Radiaciones microondas. Radiaciones infrarrojas. Radiaciones visibles. Radiaciones ultravioleta. Energía radiante. Radancia. Irradancia. Radiaciones ionizantes. Rayos X. Trabajos con exposición a rayos X. Rayos gamma. Rayos cósmicos. Radioactividad. Láser. Radiaciones láser. Radiación incoherente. Radiaciones térmicas. Dosímetros de radiación. Instalaciones nucleares. Instalaciones radioactivas. E.P. por energía radiante. E.P. por radiaciones ionizantes.

RADIACIONES TÉRMICAS

La intensidad de las radiaciones térmicas recibidas por un ser vivo u objeto situado en el campo de influencia de un incendio, depende de las condiciones atmosféricas (humedad ambiente), de la geometría del incendio (diámetro de la base del incendio, altura de las llamas y distancia al punto irradiado) y de las características físico-químicas del producto en combustión.

— Notas Técnicas de Prevención n.º 293, 294/1991. 326/1993. INSST.

Véase: Incendios. Radiaciones. Radiaciones ópticas. Radiaciones microondas. Radiaciones infrarrojas. Radiaciones visibles. Radiaciones ultravioleta. Energía radiante. Radancia. Irradancia. Radiaciones ionizantes. Rayos X. Trabajos con exposición a rayos X. Rayos gamma. Rayos cósmicos. Radioactividad. Radiaciones laser. Radiación incoherente. Dosímetros de radiación. Instalaciones nucleares. Instalaciones radioactivas. E.P. por energía radiante. E.P. por radiaciones ionizantes.

RADIACIONES ULTRAVIOLETA

1. Radiación ultravioleta: La radiación óptica de longitud de onda comprendida entre 100 y 400 nm. La región ultravioleta se divide en UVA (315-400 nm), UVB (280-315 nm) y UVC (100-280 nm).

— Artículo 2.a.1.º RDSSROA.

2. Los riesgos para la piel y los ojos, asociados a la exposición a radiación ultravioleta son: fotoqueratitis, fotoconjuntivitis, cataratas, eritema, elastosis y cáncer de piel. La parte más energética puede dar lugar a ionizaciones y por tanto causar los mismos efectos que las radiaciones ionizantes.

— Nota Técnica de Prevención n.º 903/2011. INSST.

3. Procede la imposición del <u>recargo en las prestaciones</u> económicas de la Seguridad Social:

• Cuando el soldador de piezas de aluminio con arco metálico en atmosfera de gas inerte (argón), ha estado expuesto a radiaciones ultravioleta tanto directas como indirectas por insuficiencia de las medidas preventivas.

— STSJ Cataluña 15.5.07.

Véase: Radiaciones. Radiaciones ópticas. Radiaciones microondas. Radiaciones infrarrojas. Radiaciones visibles. Energía radiante. Radancia. Irradancia. Radiaciones ionizantes. Rayos X. Trabajos con exposición a rayos X. Rayos gamma. Rayos cósmicos. Radioactividad. Radiaciones laser. Radiación incoherente. Radiaciones térmicas. Dosímetros de radiación. Instalaciones nucleares. Instalaciones radioactivas. E.P. por energía radiante. E.P. por radiaciones ionizantes. Lámparas germicidas.

RADIACIONES VISIBLES

Es la radiación óptica electromagnética, no ionizante, cuya longitud de onda está comprendida entre 380 nm y 780 nm. Pueden producir quemaduras en la piel y daños en la retina.

— Artículo 2.a.2.º RDSSROA.

— Nota Técnica de Prevención n.º 903/2011. INSST.

> *Véase: Radiaciones. Radiaciones ópticas. Radiaciones microondas. Radiaciones infrarrojas. Radiaciones ultravioleta. Energía radiante. Radancia. Irradancia. Radiaciones ionizantes. Rayos X. Trabajos con exposición a rayos X. Rayos gamma. Rayos cósmicos. Radioactividad. Radiaciones laser. Radiación incoherente. Radiaciones térmicas. Dosímetros de radiación. Instalaciones nucleares. Instalaciones radioactivas. E.P. por energía radiante. E.P. por radiaciones ionizantes.*

RADIACIONES

1. Los distintos tipos de energía electromagnética hacen referencia a la longitud de onda y a la cantidad de energía, en una relación inversamente proporcional. Las más dañinas son las que tienen mayor cantidad de energía y menor longitud de onda. Las radiaciones pueden dividirse en radiaciones no ionizantes, también denominadas radiaciones ópticas electromagnéticas y radiaciones ionizantes.

Dentro de las radiaciones no ionizantes, o radiaciones ópticas, se pueden distinguir las microondas, las radiaciones infrarrojas, las radiaciones visibles y las radiaciones ultravioleta (salvo la parte más energética, que se encuadraría dentro de las radiaciones ionizantes).

Dentro de las radiaciones ionizantes se pueden distinguir los rayos X, los rayos gamma y los rayos cósmicos.

Los láseres son dispositivos de emisión de radiaciones.

— Notas Técnicas de Prevención n.º 234/1989. 522, 523/1999. 614/2003. 728/2006. INSST.

2. Los rayos X son de naturaleza electromagnética pero se originan en los orbitales de los átomos como consecuencia de la acción de los electrones rápidos sobre la corteza del átomo. Son de menor energía pero presentan una gran capacidad de penetración y son absorbidos por apantallamientos especiales de grosor elevado

— Notas Técnicas de Prevención n.º 614/2003. 728/2006. INSST.

3. La vigilancia y control en materia de prevención de riesgos laborales, en los trabajos donde se utilice energía nuclear, corresponde a los inspectores del Consejo de Seguridad Nuclear.

— Artículo 7 LPRL.

4. Se ha considerado infracción en materia de prevención de riesgos laborales:

• La falta de protección mediante cortinas o pantallas la zona de soldadura eléctrica que impidiera que las radiaciones alcancen a otros trabajadores sin gafas de protección o pantallas de protección.

> *Véase: Exposición radiante. Sistema de vigilancia radiológica. Sustancias radiactivas. Radiaciones ópticas. Radiaciones microondas. Radiaciones infrarro-*

jas. Infrarrojos. Radiaciones visibles. Radiaciones ultravioleta. Energía radiante. Radancia. Irradancia. Radiaciones ionizantes. Rayos X. Trabajos con exposición a rayos X. Rayos gamma. Rayos cósmicos. Radioactividad. Radiaciones laser. Radiación incoherente. Radiaciones térmicas. Células fotoeléctricas. Dosímetros de radiación. Instalaciones nucleares. Instalaciones radioactivas. Reconocimientos médicos previos: Obligatoriedad expresa. E.P. por energía radiante. E.P. por radiaciones ionizantes. Plomo. Energía: Producción. Quemaduras. Riesgos físicos.

RADIACTIVIDAD

1. Propiedad de ciertos cuerpos cuyos átomos, al desintegrarse espontáneamente, emiten radiaciones, y cuya unidad de medida en el sistema internacional es el becquerel.

2. Emisión, espontánea o provocada, de radiaciones o partículas ionizantes por parte de los materiales denominados radiactivos, siendo su origen la inestabilidad nuclear que poseen algunos átomos. En el cuerpo humano provoca degeneraciones celulares, cromosómicas o genéticas y graves lesiones locales o generales en diferentes órganos, según la exposición haya sido localizada o total.

3. La vigilancia y control en materia de prevención de riesgos laborales, en los trabajos donde se utilice energía nuclear, corresponde a los inspectores del Consejo de Seguridad Nuclear.

— Artículo 7 LPRL.

Véase: Radiaciones. Sistema de vigilancia radiológica. Sustancias radiactivas. Radiaciones ópticas. Radiaciones microondas. Radiaciones infrarrojas. Radiaciones visibles. Radiaciones ultravioleta. Energía radiante. Radancia. Irradancia. Radiaciones ionizantes. Rayos X. Trabajos con exposición a rayos X. Rayos gamma. Rayos cósmicos. Radiaciones laser. Radiación incoherente. Radiaciones térmicas. Dosímetros de radiación. Instalaciones nucleares. Instalaciones radioactivas. E.P. por energía radiante. E.P. por radiaciones ionizantes.

RADIAL

Véase: Amoladoras.

RADIANCIA

El flujo radiante o la potencia radiante emitida por unidad de ángulo sólido y por unidad de área, expresada en vatios por metro cuadrado por estereorradián $\{W/(m^2Vsr)\}$.

— Artículo 2.h RDSSROA.

Véase: Irradancia. Exposición radiante. Radiaciones. Radiaciones ópticas. Radiaciones microondas. Radiaciones infrarrojas. Radiaciones visibles. Radiaciones ultravioleta. Energía radiante. Radiaciones ionizantes. Rayos X. Trabajos con exposición a rayos X. Rayos gamma. Rayos cósmicos. Radioactividad. Radiaciones laser. Radiación incoherente. Radiaciones térmicas. Dosímetros de radiación. Instalaciones nucleares. Instalaciones radioactivas. E.P. por energía radiante. E.P. por radiaciones ionizantes.

RADIOTERAPIA

1. Terapia de radiación es un tratamiento del cáncer que usa altas dosis de radiación para destruir células cancerosas y reducir tumores.

2. Los trabajadores ocupados en las actividades económicas, y expuestos a los agentes o sustancias que a continuación se indican, pueden contraer una Enfermedad Profesional (E.P.), causada por agentes cancerígenos:

• Fabricación de aparatos de rayos X y de radioterapia, que pueden provocar la E.P. de síndrome linfo y mieloproliferativos. (Código 6N0102).

• Trabajos en las consultas de radiodiagnóstico, de radio y radioterapia y de aplicación de isótopos radiactivos, en consultas, clínicas, sanatorios, residencias y hospitales, que pueden provocar la E.P. de síndrome linfo y mieloproliferativos. (Código 6N0107).

• Fabricación de aparatos de rayos X y de radioterapia, que puede provocar la E.P. de carcinoma epidermoide de piel. (Código 6N0202).

• Trabajos en las consultas de radiodiagnóstico, de radio y radioterapia y de aplicación de isótopos radiactivos, en consultas, clínicas, sanatorios, residencias y hospitales, que puede provocar la E.P. de carcinoma epidermoide de piel. (Código 6N0207).

Por ello, debe realizarse reconocimientos médicos previos y periódicos a dichos trabajadores, con la prohibición de no contratar a los calificados como no aptos para desempeñar los puestos de trabajo de que se trate.

— Artículo 243 LGSS, en relación con RDEP (Anexo I).

Véase: Clínicas de radioterapia. Radón. Hospitales. Sanatorios. Enfermeros. Trabajadores sanitarios. Trabajos en hospitales. Trabajos con exposición a rayos X. Fabricación de aparatos de radioterapia.

RADÓN

1. Elemento químico radiactivo, perteneciente al grupo de los gases nobles, con una vida media de cuatro días, presente en el aire en pequeñísima cantidad, incoloro, muy pesado y radiotóxico, y que se usa en radioterapia y como indicio de la existencia de uranio y de la inminencia de actividades sísmicas.

2. El radón es un gas radiactivo de origen natural, procedente de la desintegración del uranio (radio-226) que se encuentra en una pequeña proporción en el aire que se respira y es el responsable de una fracción de la radiación natural que recibe el ser humano.

La radiación natural forma parte del medio ambiente y sus principales componentes son las radiaciones cósmicas, las procedentes de los radionucleidos, presentes en suelos y rocas, y las de las sustancias radiactivas, que se encuentran en los alimentos, el agua y el aire.

A esta radiación natural hay que añadir el aumento en las dosis de radiación debido a la radiación artificial, principalmente como consecuencia de la aplicación de radiaciones y materiales radiactivos en medicina y también, para la producción de energía, en la industria, la agricultura, e incluso en el control de la contaminación.

— Nota Técnica de Prevención n.º 533/1999. INSST.

3. En un edificio, las principales fuentes de radón son el suelo en el que está asentado y los materiales empleados en su construcción.

También puede entrar con el aire de renovación, con el agua de suministro y el gas de uso doméstico, aunque estos últimos, excepto en algunos casos concretos, se consideran fuentes menores.

Al tratarse de un gas, su concentración en un ambiente interior depende también de determinadas prácticas y hábitos que favorezcan su acumulación, especialmente la falta de ventilación, acompañada de hermeticidad en la construcción, generadas por políticas de ahorro energético.

Puede producir cáncer de pulmón en los trabajadores de minas de extracción de uranio.

— Nota Técnica de Prevención n.º 440/1997. INSST.

2. Los trabajadores ocupados en las actividades económicas, y expuestos a los agentes o sustancias que a continuación se indican, pueden contraer una Enfermedad Profesional (E.P.), causada por agentes cancerígenos:

• Minería subterránea, procesos con productos de la cadena radiactiva de origen natural del Uranio-238 precursores del Radón-222. (Código 6M0101).

Por ello, debe realizarse reconocimientos médicos previos y periódicos a dichos trabajadores, con la prohibición de no contratar a los calificados como no aptos para desempeñar los puestos de trabajo de que se trate.

— Artículo 243 LGSS, en relación con RDEP (Anexo I).

Véase: Radioterapia. Clínicas de radioterapia.

RAMPAS DE CARGA
Rampas de carga en las obras de construcción:

• Los muelles y rampas de carga deberán ser adecuados a las dimensiones de las cargas transportadas.

• Los muelles de carga deberán tener al menos una salida y las rampas de carga deberán ofrecer la seguridad de que los trabajadores no puedan caerse.

— Anexo IV. Parte A.12 RDSSTOC.

Véase: Rampas. Muelles de carga y descarga. Vías de circulación. Vías y salidas de emergencia. Torres de acceso. Puertas. Escaleras. Escalas.

RAMPAS
Los pavimentos de las rampas, escaleras y plataformas de trabajo serán de materiales no resbaladizos o dispondrán de elementos antideslizantes. Las rampas tendrán una pendiente máxima del 12 por 100 cuando su longitud sea menor que 3 metros, del 10 por 100 cuando su longitud sea menor que 10 metros o del 8 por 100 en el resto de los casos.

— Anexo I. Parte A.7 RDSSLT.

— Nota Técnica de Prevención n.º 436/1997. INSST.

Véase: Rampas de carga. Vías de circulación. Vías y salidas de emergencia. Torres de acceso. Puertas. Escaleras. Escalas. Muelles de carga y descarga.

RAYO: IMPACTO DIRECTO
El impacto directo del rayo en una persona trabajando en una zona abierta, con la corriente del rayo circulando hacia tierra a través de su cuerpo, normalmente produce graves lesiones e incluso la muerte. Pero incluso si el rayo impacta en un punto cercano, existe riesgo de electrocución debido a las tensiones de paso y de contacto.

— Nota Técnica de Prevención n.º 1084/2017. INSST.

Véase: Rayo: Tensión de paso. Corriente de contacto.

RAYO: TENSIÓN DE PASO

La tensión de paso es la diferencia de potencial entre dos puntos de la superficie del terreno, separados por una distancia de un paso equivalente a un metro, cuando en ese terreno se está dispersando la corriente del rayo.

— Nota Técnica de Prevención n.º 1084/2017. INSST.

Véase: Rayo: Impacto directo. Corriente de contacto.

RAYOS CÓSMICOS

Los rayos cósmicos, también llamados radiación cósmica, son partículas subatómicas procedentes del espacio exterior cuya energía es muy elevada debido a su gran velocidad.

Véase: Radiaciones. Radiaciones ópticas. Radiaciones microondas. Radiaciones infrarrojas. Radiaciones visibles. Radiaciones ultravioleta. Energía radiante. Radancia. Irradancia. Radiaciones ionizantes. Rayos X. Trabajos con exposición a rayos X. Rayos gamma. Radioactividad. Radiaciones laser. Radiación incoherente. Radiaciones térmicas. Dosímetros de radiación. Instalaciones nucleares. Instalaciones radioactivas. E.P. por energía radiante. E.P. por radiaciones ionizantes.

RAYOS GAMMA

Radiación electromagnética ionizante, capaz de atravesar cuerpos opacos, más profundamente que los **rayos X,** dado que contienen una mayor cantidad de energía. Se usan para esterilizar equipos médicos y para exterminar bacterias e insectos en productos alimentarios tales como carne, setas, huevos y verduras, con el fin de mantener su frescura. La exposición a cantidades altas de rayos gamma puede producir cáncer.

— Nota Técnica de Prevención n.º 614/2003. INSST.

Véase: Radiaciones. Radiaciones ópticas. Radiaciones microondas. Radiaciones infrarrojas. Radiaciones visibles. Radiaciones ultravioleta. Energía radiante. Radancia. Irradancia. Radiaciones ionizantes. Rayos X. Trabajos con exposición a rayos X. Rayos cósmicos. Radioactividad. Radiaciones laser. Radiación incoherente. Radiaciones térmicas. Dosímetros de radiación. Instalaciones nucleares. Instalaciones radioactivas. E.P. por energía radiante. E.P. por radiaciones ionizantes.

RAYOS X

1. Los rayos X son de naturaleza electromagnética pero se originan en los orbitales de los átomos como consecuencia de la acción de los electrones rápidos sobre la corteza del átomo. Son de menor energía pero presentan una gran capacidad de penetración y son absorbidos por apantallamientos especiales de grosor elevado.

Los rayos X constituyen una radiación electromagnética ionizante, capaz de atravesar cuerpos opacos y de imprimir las películas fotográficas. La exposición a cantidades altas de rayos X, puede producir daños para la salud como quemaduras, caída del cabello, esterilidad, cataratas, etc.

— Notas Técnicas de Prevención n.º 614/2003. 728/2006. INSST.

2. Los trabajadores ocupados en las actividades económicas, y expuestos a los agentes o sustancias que a continuación se indican, pueden contraer una Enfermedad Profesional (E.P.):

a) Causada por agentes físicos:

• Empleo de sustancias radiactivas y rayos X en los laboratorios de investigación, que pueden producir E.P. provocadas por radiaciones ionizantes. (Código 2I0104).

• Trabajos industriales en que se utilicen rayos X y materiales radiactivos, medidas de espesor y de desgaste, que pueden producir E.P. provocadas por radiaciones ionizantes. (Código 2I0106).

b) Causada por agentes cancerígenos:

• Fabricación de aparatos de rayos X y de radioterapia, que pueden provocar la E.P. de síndrome linfo y mieloproliferativos. (Código 6N0102).

• Empleo de sustancias radiactivas y rayos X en los laboratorios de investigación, que pueden provocar la E.P. de síndrome linfo y mieloproliferativos. (Código 6N0104).

• Trabajos industriales en que se utilicen rayos X y materiales radiactivos, medidas de espesor y de desgaste, que pueden provocar la E.P. de síndrome linfo y mieloproliferativos. (Código 6N0106).

• Todos los trabajos expuestos a la acción de los rayos X o de las sustancias radiactivas naturales o artificiales o a cualquier fuente de emisión corpuscular, que puede provocar la E.P. de carcinoma epidermoide de piel. (Código 6N0201).

• Fabricación de aparatos de rayos X y de radioterapia, que puede provocar la E.P. de carcinoma epidermoide de piel. (Código 6N0202).

• Trabajos industriales en que se utilicen rayos X y materiales radiactivos, medidas de espesor y de desgaste, que puede provocar la E.P. de carcinoma epidermoide de piel. (Código 6N0206).

Por ello, debe realizarse reconocimientos médicos previos y periódicos a dichos trabajadores, con la prohibición de no contratar a los calificados como no aptos para desempeñar los puestos de trabajo de que se trate.

— Artículo 243 LGSS, en relación con RDEP (Anexo I).

Véase: Radiaciones. Fabricación de aparatos de rayos X. Radiaciones ópticas. Radiaciones microondas. Radiaciones infrarrojas. Radiaciones visibles. Radiaciones ultravioleta. Energía radiante. Radancia. Irradancia. Radiaciones ionizantes. Trabajos con exposición a rayos X. Rayos gamma. Rayos cósmicos. Radioactividad. Radiaciones laser. Radiación incoherente. Radiaciones térmicas. Dosímetros de radiación. Instalaciones nucleares. Instalaciones radioactivas. E.P. por energía radiante. E.P. por radiaciones ionizantes.

REACTORES NUCLEARES

1. Instalación destinada a que pueda iniciarse, mantenerse y controlarse una reacción nuclear de fisión en cadena.

2. Los trabajadores ocupados en las actividades económicas, y expuestos a los agentes o sustancias que a continuación se indican, pueden contraer una Enfermedad Profesional (E.P.):

a) Causada por agentes químicos:

• Fabricación de barras de control de reactores nucleares, que contengan berilio. (Código 1A0205).

• Fabricación de barras de control de reactores nucleares, que contengan cadmio. (Código 1A0308).

b) Causada por inhalación de sustancias y agentes no comprendidos en otros apartados:

• Fabricación de barras de control de reactores nucleares, que contengan berilio, que pueden provocar una E.P. causada por inhalación de sustancias. (Código 4K0105).

c) Causada por agentes cancerígenos:

• Fabricación de barras de control de reactores nucleares, que contengan berilio, que pueden provocar la E.P. neoplasia maligna de bronquio y pulmón. (Código 6E0105).

• Fabricación de barras de control de reactores nucleares, que puede provocar la E.P. de neoplasia maligna de bronquio, pulmón y próstata. (Código 6G0108).

• Reactores de investigación y centrales nucleares, que pueden provocar la E.P. de síndrome linfo y mieloproliferativos. (Código 6N0109).

Por ello, debe realizarse reconocimientos médicos previos y periódicos a dichos trabajadores, con la prohibición de no contratar a los calificados como no aptos para desempeñar los puestos de trabajo de que se trate.

— Artículo 243 LGSS, en relación con RDEP (Anexo I).

Véase: Barras de control de reactores nucleares. Motores reactores.

RECARGO DE LAS PRESTACIONES

1. Todas las prestaciones económicas que tengan su causa en accidente de trabajo o enfermedad profesional se aumentarán, según la gravedad de la falta, de un 30 a un 50 por 100, cuando la lesión se produzca por máquinas, artefactos o en instalaciones, centros o lugares de trabajo que carezcan de los dispositivos de precaución reglamentarios, los tengan inutilizados o en malas condiciones, o cuando no se hayan observado las medidas generales o particulares de seguridad e higiene en el trabajo, o las elementales de salubridad o las de adecuación personal a cada trabajo, habida cuenta de sus características y de la edad, sexo y demás condiciones del trabajador.

• La responsabilidad del pago del recargo establecido en el apartado anterior recaerá directamente sobre el empresario infractor y no podrá ser objeto de seguro alguno, siendo nulo de pleno derecho cualquier pacto o contrato que se realice para cubrirla, compensarla o transmitirla.

• La responsabilidad que regula este artículo es independiente y compatible con las de todo orden, incluso penal, que puedan derivarse de la infracción.

— Artículo 164 LGSS.

— Artículo 27 RPOS.

2. Procede la imposición del recargo en las prestaciones económicas de la Seguridad Social:

• Cuando existe un nexo causal entre la falta de información en materia de prevención de riesgos laborales y el accidente de trabajo. De haber recibido dicha información y formación no se hubiera producido el accidente.

— STSJ Albacete 29.1.10.

— STSJ Galicia 18.3.10.

— STSJ Madrid 19.9.02.

• Por las consecuencias del accidente de trabajo ocurrido por la caída del trabajador al pisar restos de las piezas animales que se trasladaban desde la zona de sangrado a la cocina.

— STSJ Sevilla 8.6.07.

• Por no existir en las vías de circulación una zona de tránsito de personal debidamente protegida para evitar que las distintas máquinas que circulan puedan invadir esa zona de paso.

— STSJ Burgos 6.11.02.

• Por no existir elementos de anclaje o sujeción de la escalera de mano y no existir una adecuada formación que hubiera evitado el imprudente movimiento del trabajador.

— STS 22.7.10.

• Ante la ausencia de señalización adecuada de las vías de circulación para las carretillas elevadoras, de modo que cualquier persona podía pasa por los lugares de circulación de las mismas, aunque se alertara o llamara la atención a los trabajadores del riesgo de atropello, ya que ello por sí solo no era suficiente para prevenir adecuadamente el riesgo.

— STSJ Cataluña 17.2.10.

• El accidente se produjo cuando se realizaba una maniobra peligrosa, entre otras infracciones, utilizando señales manuales y no acústicas y niel señalista ni el operario de la grúa tenían visibilidad sobre el fondo de la zanja donde se produjo el accidente.

— STSJ Galicia 2.3.10.

• La señal acústica es ineficaz dado el ambiente ruidoso del centro de trabajo.

— STSJ Cataluña 16.12.09.

— STSJ Cantabria 11.12.06.

• Por falta de dispositivo sonoro de marcha atrás, que produjo el atropello del trabajador.

— STSJ Murcia 5.10.98.

— STSJ Burgos 7.6.99.

• El accidente se hubiera evitado con una señalización que acotara al máximo y señalara las zonas de confluencia de peatones y carretillas.

— STS 11.12.08.

— STSJ Cataluña 12.9.07.

• Por caída de un trabajador de un andamio cuya instalación adolecía de medidas de seguridad.

— STS 16.1.06.

• Por la caída de un trabajador de una escalera de mano que sobrepasaba solo 55 centímetros de la planta a la que iba a acceder. Se modera la graduación de la falta por el hecho de que el trabajador portaba un cubo con tornillos cuyo peso era inferior a 25 kilos.

— STSJ Murcia 30.9.97.

• Por la falta de la adecuada evaluación de riesgos, previa a la estiba del buque, de las circunstancias específicas que concurrían en los cometidos a realizar, que correspondía a la empresa estibadora, y no al capitán del buque.

— STSJ Valencia 24.4.09.

• Falta de evaluación de riesgos como desencadenante del accidente a pesar de tener el manual de gestión de seguridad y contaminación a bordo del barco pesquero.

— STSJ Galicia 27.12.04.

• No cumplir con las medidas de seguridad, en las labores de mantenimiento y reparación de los equipos de trabajo.

— STSJ Burgos 28.7.00.

— STSJ Cantabria 9.2.06.

• Por permitir la empresa que un trabajador sin la instrucción necesaria maneje el equipo de trabajo.

— STSJ Valladolid 3.1.01.

— STSJ Valencia 3.6.08.

• No basta con el aviso al trabajador, sino que el jefe de equipo o encargado de la empresa tenía que haber ordenado y no permitir que permaneciera en el espacio vallado, para evitar así posibles impactos en caso de caída del elemento suspendido.

— STSJ Galicia 27.6.08.

• Por rotura de una pieza de la máquina. Si la empresa considera que se debe a un defecto de fabricación podrá ejercitar las acciones que considere pertinente contra el suministrador o fabricante.

• En caso de que no se hubiera impuesto el recargo a la empresa, el beneficiario del recargo podría iniciar otro procedimiento contra el suministrador o fabricante.

— STSJ Valladolid 20.2.08.

• El riesgo de proyección de una máquina de inyección de resina sometida a presión no es imprevisible. La máquina debiera haber contado con un elemento de seguridad que impidiera la apertura de la tapa cuando hubiera presión en su interior, y por tanto, riesgo de rotura y estallido.

— STSJ Cataluña 18.1.06.

• Por el incumplimiento de las obligaciones referentes a resguardos y dispositivos de seguridad.

— STSJ Cataluña 16.3.01.

— STSJ Burgos 3.5.06.

• Los elementos móviles de un equipo de trabajo deben ir equipados con resguardos o dispositivos que impidan el acceso a la zona peligrosa.

— STSJ País Vasco 28.9.04.

— SAP La Coruña 10.5.07.
• Por no proporcionar al trabajador guantes de trabajo y guante armado de acero, como preveía el propio manual de la máquina.

— STSJ Madrid 21.1.08.
• Aunque se había entregado el arnés de seguridad, no había vigilado que fuera anclado.

— STSJ Galicia 6.4.10.
• Poco importa que la careta utilizada se encuentre homologada, lo decisivo es que no consta que lo esté para el trabajo que se estaba realizando y que el hecho de que permitiera atravesar e incrustarse en el ojo del trabajador el objeto que saltó mientras trabajaba con la desbrozadora, evidencia que tal careta no era adecuada.

— STSJ Asturias 31.5.02.
• Por la falta de vigilancia de la adecuada utilización de los Epis, por los trabajadores.

— STSJ País Vasco 12.7.05.

— STSJ Baleares Cont.-Adm
• 11.5.06.

— STSJ Burgos 30.10.07.
• Por no proporcionar información ni formación al trabajador accidentado sobre los riesgos a los que estaba expuesto.

— STSJ Burgos 24.7.02.
• Por la manipulación manual de sacos de 50 kilos efectuada por dos trabajadores.

— STSJ Cataluña 20.7.09.
• Por no proveer a los trabajadores medidas mecánicas como grúas para el levantamiento y transporte de enfermos.

— STSJ Cataluña 19.2.03.
• Por la falta de formación e información adecuada sobre los riesgos derivados de la manipulación de cargas, sin que sea óbice la antigüedad del trabajador en la empresa.

— STSJ Málaga 19.5.04.
• Por no evitar con medios mecánicos la manipulación de cargas en un muelle de descarga, pues si en algún lugar es necesaria la utilización de medios mecánicos de descarga es en los muelles de descarga desde los camiones, dado que obviamente es allí donde la descarga es ordinariamente realizada, y no de manera circunstancial en condiciones especiales que hagan imposible o muy difícil su utilización.

— STSJ Cataluña 20.7.09.
• Encomendar trabajos en alta tensión a operarios sin la más mínima formación para ello.

— STSJ Valladolid 15.9.10.

• Por la falta de reconocimientos médicos (inicial y semestral) obligatorios.

— STSJ Valladolid 12.9.07.

• Por no facilitar al trabajador que manipulaba piezas con amianto, realizando cortes y perforaciones, ningún medio de protección eficaz para evitar la inhalación de polvo de amianto.

— STSJ Cataluña 23.3.10.

— STSJ Murcia 25.10.17.

• Escalera de mano que no contaba con elemento que impidiera su apertura.

— STSJ Murcia 24.5.17.

Véase: Principio de culpabilidad. Responsabilidad administrativa. Responsabilidad civil contractual. Responsabilidad penal. Responsabilidad por falta de reconocimientos médicos. Responsabilidad solidaria.

RECARGO EN LAS PRIMAS DE AT Y EP

1. La cuantía de los tipos de cotización por Accidentes de Trabajo y Enfermedades Profesionales podrá reducirse en el supuesto de empresas que se distingan por el empleo de medios eficaces de prevención.

Asimismo, dicha cuantía podrá aumentarse en el caso de empresas que incumplan sus obligaciones en materia de seguridad y salud en el trabajo.

La reducción y el aumento previstos en este apartado no podrán exceder del 10 por ciento de los tipos de cotización, si bien el aumento podrá llegar hasta un 20 por ciento en caso de reiterado incumplimiento de las aludidas obligaciones.

— Artículo 146.3 LGSS.

2. Proponer recargos o reducciones en las primas de aseguramiento de accidentes de trabajo y enfermedades profesionales, en relación a empresas por su comportamiento en la prevención de riesgos y salud laborales, le corresponde a la Inspección de Trabajo.

— Artículo 22.10 LOIT.

Véase: Inspección de Trabajo.

RECICLADO

Toda operación de valorización mediante la cual los materiales de residuos son transformados de nuevo en productos, materiales o sustancias, tanto si es con la finalidad original como con cualquier otra finalidad. Incluye la transformación del material orgánico, pero no la valorización energética ni la transformación en materiales que se vayan a usar como combustibles o para operaciones de relleno.

— Artículo 3.t LRSC.

— Nota Técnica de Prevención n.º 1054/2015. INSST.

Véase: Residuos. Residuos: Gestión.

RECOGIDA DE DATOS

1. Para realizar una evaluación de riesgos, lo primero que hay que hacer, es realizar una recogida de datos completa de los distintos puestos de trabajo y de la empresa en su conjunto.

— Notas Técnicas de Prevención n.º 386/1995. 709/2005. INSST.

2. Para la recogida de datos, en ocasiones, hay que realizar una entrevista personal a los trabajadores. La entrevista es una técnica para obtener cierta información deseada, de un sujeto determinado de antemano, por medio de una conversación directa fijada en un cuestionario previo y preciso. La entrevista, como técnica de recopilación, va desde la interrogación estandarizada hasta la conversación libre; en ambos casos se recurre a una guía que puede ser un formulario o un bosquejo de cuestiones para orientar la conversación. La entrevista se emplea para medir opiniones. En el campo de la prevención, la entrevista, junto con la observación y el cuestionario, es el método psicosocial más adecuado para cuantificar y medir en lo posible los problemas y conceptos que se han seleccionado con anterioridad.

— Nota Técnica de Prevención n.º 107/1984. INSST.

Véase: Evaluación de riesgos. Métodos para realizar mediciones. Recogida de muestras. Fabricantes. Importadores. Fichas de datos de seguridad. Instalaciones: Mantenimiento.

RECOGIDA DE MUESTRAS

1. El procedimiento de determinación de contaminantes ambientales mediante toma de muestras y posterior análisis de éstas en el laboratorio precisa de una sistemática de trabajo específicamente establecida para obtener resultados con el necesario grado de fiabilidad.

La descripción completa del procedimiento de toma de muestras integra tres niveles de información; primeramente una metódica general válida para todos los contaminantes, en segundo lugar una metódica más concreta referente al sistema de captación recomendado y finalmente una serie de datos específicos para el contaminante en cuestión.

— Nota Técnica de Prevención n.º 19/1982. INSST.

2. La toma de muestras de gases y vapores con bolsa consiste simplemente en llenar una bolsa preparada al efecto con el aire contaminado a estudiar. El coste de una bolsa inerte de buena calidad es muy elevado y por otro lado, sólo es utilizable para un número pequeño de captaciones.

— Nota Técnica de Prevención n.º 117/1984. INSST.

3. Recogida de muestras de contaminantes con filtro. Norma general.

— Nota Técnica de Prevención n.º 20/1982. INSST.

4. Recogida de muestras de polvo inerte o molesto.

— Nota Técnica de Prevención n.º 21/1982. INSST.

5. Recogida de muestras de contaminantes con soluciones absorbentes. Norma general.

— Nota Técnica de Prevención n.º 22/1982. INSST.

6. Recogida de muestra de contaminantes mediante absorbentes sólidos. Norma general.

— Nota Técnica de Prevención n.º 23/1982. INSST.

7. Recogida de muestra de vapores de disolventes mediante adsorbentes sólidos. Normas de captación.

— Nota Técnica de Prevención n.º 24/1982. INSST.

8. Recogida de muestras de 2,4-toluendiisocianato (TDI).

— Nota Técnica de Prevención n.º 58/1983. INSST.

9. Recogida de muestras de sílice libre. Análisis colorimétrico.

— Nota Técnica de Prevención n.º 59/1983. INSST.

10. Recogida de muestras de sílice libre. Análisis difractométrico.

— Nota Técnica de Prevención n.º 60/1983. INSST.

11. Recogida de muestras de ácido clorhídrico.

— Nota Técnica de Prevención n.º 61/1983. INSST.

12. Recogida de muestras de amoníaco.

— Nota Técnica de Prevención n.º 62/1983. INSST.

13. Recogida de muestras de hidróxido sódico.

— Nota Técnica de Prevención n.º 63/1983. INSST.

14. Recogida de muestras de estibamina.

— Nota Técnica de Prevención n.º 64/1983. INSST.

15. Sistemas aplicables para la recogida de muestras de contaminantes químicos.

— Nota Técnica de Prevención n.º 105/1984. INSST.

16. Recogida de muestras de metales (polvos y humos).

— Nota Técnica de Prevención n.º 110/1984. INSST.

17. Recogida de muestras de ácido nítrico.

— Nota Técnica de Prevención n.º 111/1984. INSST.

18. Recogida de muestras de nieblas de ácido crómico.

— Nota Técnica de Prevención n.º 112/1984. INSST.

19. Recogida de muestras de vapor de mercurio.

— Nota Técnica de Prevención n.º 113/1984. INSST.

20. Recogida de muestras de Baygón.

— Nota Técnica de Prevención n.º 114/1984. INSST.

21. Recogida de muestras de cloro.

— Nota Técnica de Prevención n.º 115/1984. INSST.

22. Recogida de muestras de metilen-bis-4-fenil-isociananto.

— Nota Técnica de Prevención n.º 116/1984. INSST

23. Soportes de retención en la toma de muestras.

— Nota Técnica de Prevención n.º 138/1985. INSST.

24. Recogida de muestras con captadores pasivos.

— Nota Técnica de Prevención n.º 151/1985. INSST.

25. Recogida de muestras de fibras de amianto.

— Nota Técnica de Prevención n.º 158/1986. INSST.

26. Recogida de muestras de formaldehido.

— Nota Técnica de Prevención n.º 170/1986. INSST.

27. Recogida de muestras de dióxido y monóxido de nitrógeno.

— Nota Técnica de Prevención n.º 171/1986. INSST.

28. Agentes biológicos: Equipos de muestreo (I) y (II).

— Notas Técnicas de Prevención n.º 609, 610/2001. INSST.

> *Véase: Evaluación de riesgos. Métodos para realizar mediciones. Recogida de datos. Fabricantes. Importadores. Fichas de datos de seguridad. Instalaciones: Mantenimiento.*

RECOMENDACIONES DE LA UNIÓN EUROPEA

Las recomendaciones permiten a las instituciones de la UE dar a conocer sus puntos de vista y sugerir una línea de actuación sin imponer obligaciones legales a quienes se dirigen. No son vinculantes.

— Artículos 288 y sig. Tratado de funcionamiento de la Unión Europea, de 1957 (Texto consolidado DOUE. 30.3.10).

> *Véase: Reglamentos de la U.E. Directivas de la U.E. Decisiones de la U.E. Dictámenes de la U.E. Convenios de la OIT.*

RECONOCIMIENTOS MÉDICOS PERIÓDICOS

> *Véase: Deber de vigilancia de la salud.*

RECONOCIMIENTOS MÉDICOS PREVIOS: OBLIGATORIEDAD EXPRESA

Es obligatorio realizar reconocimientos médicos previos, por estar recogido expresamente por una norma, en los siguientes casos:

• Trabajadores que vayan a ocupar puestos de trabajo con riesgo de enfermedad profesional.

— Artículo 243.1 LGSS.

• Estos reconocimientos médicos previos también son obligatorios para el candidato-trabajador.

— STSJ Sevilla 15.2.08.

• Trabajadores nocturnos.

— Artículo 36.4 LET.

• Trabajadores con exposición al amianto.

— Artículo 16 RDSSRA.

• Trabajos en cajones con aire comprimido.

— Artículo 21 Orden de 20 de enero de 1956.

• Trabajo de la minería. También debe realizarse un reconocimiento médico a la extinción de la relación laboral.

— Artículos 2 y 28 RDEM.

• Sólo podrán ser admitidos a trabajar en actividades mineras con riesgo de neumoconiosis las personas que hayan superado el examen médico realizado en las condiciones establecidas en el Reglamento de Enfermedades Profesionales, siendo indispensable la presentación de la certificación médica antes de su incorporación al trabajo.

— ITC 04.08.01. Punto 5.1, aprobada por la Orden de 13 de septiembre de 1985.

• Trabajos con exposición a radiaciones ionizantes.

— Artículo 5.2.b RDPTERI.

• Trabajadores expuestos a radiaciones ionizantes.

• Toda persona que vaya a ser clasificada como trabajador expuesto de categoría A deberá ser sometida a un examen de salud previo, que permita comprobar que no se halla incursa en ninguna de las incompatibilidades que legalmente estén determinadas y decidir su aptitud para el trabajo.

— Artículo 40.1 RPSRI.

— STSJ Granada 18.2.03.

• Trabajadores que vayan a enrolarse en barcos de pesca o mercantes.

• Tendrá tal consideración el reconocimiento médico inicial el que se practique al interesado por primera vez o cuando hayan transcurrido más de cinco años desde la fecha de realización del último reconocimiento médico de embarque marítimo.

— Artículo 5.1 RDRMEM.

— Convenio OIT 16, de 11 de noviembre de 1921.

— Convenio OIT 113, de 19 de junio de 1959.

Véase: Deber de vigilancia de la salud. Reconocimientos médicos previos.

RECONOCIMIENTOS MÉDICOS PREVIOS

1. Todas las empresas que hayan de cubrir puestos de trabajo con riesgo de enfermedades profesionales están obligadas a practicar un reconocimiento médico previo a la admisión de los trabajadores que hayan de ocupar aquellos y a realizar los reconocimientos periódicos que para cada tipo de enfermedad se establezcan en las normas que, al efecto, apruebe el Ministerio de Empleo y Seguridad Social.

Las indicadas empresas no podrán contratar trabajadores que en el reconocimiento médico no hayan sido calificados como aptos para desempeñar los puestos de trabajo de que se trate. Igual prohibición se establece respecto a la continuación del trabajador en su puesto de trabajo cuando no se mantenga la declaración de aptitud en los reconocimientos sucesivos.

— Artículo 243.1 y 3 LGSS.

2. La adscripción de trabajadores a puestos de trabajo cuyas condiciones fuesen incompatibles con sus características personales o de quienes se encuentren manifiestamente en estados o situaciones transitorias que no respondan a las exigencias psicofísicas de los respectivos puestos de trabajo, así como la dedicación de aquéllos a la realización de tareas sin tomar en consideración sus capacidades profesionales en materia de seguridad y salud en el trabajo, salvo que se trate de infracción muy grave conforme al artículo siguiente, constituye una infracción grave en materia de prevención de riesgos laborales, que lleva aparejada una sanción de 2.046 euros a 40.985 euros.

— Artículos 12.7 y 40.2.b LISOS.

— Nota Técnica de Prevención n.º 958/2012. INSST.

3. El incumplimiento por parte de la empresa de la obligación de efectuar los reconocimientos médicos previos o periódicos la constituirá en responsable directa de todas las prestaciones que puedan derivarse, en tales casos, de enfermedad profesional, tanto si la empresa estuviera asociada a una mutua colaboradora con la Seguridad Social, como si tuviera cubierta la protección de dicha contingencia en una entidad gestora.

— Artículo 244.2 LGSS.

4. Las entidades gestoras y las colaboradoras con la Seguridad Social están obligadas, antes de tomar a su cargo la protección por accidente de trabajo y enfermedad profesional del personal empleado en empresas con riesgo específico de esta última contingencia, a conocer el certificado del reconocimiento médico previo a que se refiere el artículo anterior, haciendo constar en la documentación correspondiente que tal obligación ha sido cumplida. De igual forma deberán conocer las entidades mencionadas los resultados de los reconocimientos médicos periódicos.

El incumplimiento por las mutuas de lo dispuesto en el apartado anterior les hará incurrir en las siguientes responsabilidades:

• Obligación de ingresar en el Fondo de Contingencias Profesionales de la Seguridad Social a que se refiere el artículo 97, el importe de las primas percibidas, con un recargo que podrá llegar al 100 por ciento de dicho importe.

• Obligación de ingresar, con el destino antes fijado, una cantidad igual a la que equivalgan las responsabilidades a cargo de la empresa, en los supuestos a que se refiere el apartado anterior de este artículo, incluyéndose entre tales responsabilidades las que procedan de acuerdo con lo dispuesto en el artículo 164.

• Anulación, en caso de reincidencia, de la autorización para colaborar en la gestión.

• Cualesquiera otras responsabilidades que procedan de acuerdo con lo dispuesto en esta ley y en sus disposiciones de aplicación y desarrollo.

— Artículo 244 LGSS.

5. El INSST recomienda la realización de reconocimientos médicos previos para aquellos trabajadores de grupos de alto riesgo, que manejen productos o sustancias muy tóxicas o tóxicas (plaguicidas).

Se consideran grupos de alto riesgo, los trabajadores:

• Que manejan directamente plaguicidas, diariamente o con mucha frecuencia.

• De plantas de fabricación o formulación.

• Aplicadores agrícolas: manuales, pilotos, maquinaria, señalizadores, cargadores y mezcladores.

• Aplicadores de edificaciones urbanas, silos, industrias, etc.

• Transportistas, almacenistas y vendedores de plaguicidas.

• Técnicos agrarios de plagas.

— Nota Técnica de Prevención n.º 199/1988. INSST.

6. Estos reconocimientos médicos previos también son obligatorios para el candidato-trabajador.

— STSJ Sevilla 15.2.08.

Véase: *Deber de vigilancia de la salud. Reconocimientos médicos previos: Obligatoriedad expresa.*

RECTIFICADORES

1. Aparato que transforma una corriente alterna en corriente continua.

2. Los trabajadores ocupados en las actividades económicas, y expuestos a los agentes o sustancias que a continuación se indican, pueden contraer una Enfermedad Profesional (E.P.), causada por agentes químicos:

- Fabricación y reparación de termómetros, barómetros, bombas de mercurio, lámparas de incandescencia, lámparas radiofólicas, tubos radiográficos, rectificadores de corriente y otros aparatos que contengan mercurio. (Código 1A0709).

Por ello, debe realizarse reconocimientos médicos previos y periódicos a dichos trabajadores, con la prohibición de no contratar a los calificados como no aptos para desempeñar los puestos de trabajo de que se trate.

— Artículo 243 LGSS, en relación con RDEP (Anexo I).

Véase: Corriente eléctrica. Corriente alterna. Corriente continúa. Transformadores.

RECURSO PREVENTIVO

1. El recurso preventivo estará compuesto por una o varias personas, para vigilar el cumplimiento de las actividades preventivas. Estas personas deben que tener, como mínimo, la formación del nivel básico. Pueden ser trabajadores de la empresa o miembros de un servicio de prevención ajeno. La duración de la permanencia en el centro de trabajo será, mientras que se mantenga la situación que determine su presencia. El deber de constituir y permanecer los recursos preventivos en el centro de trabajo nace cuando:

- Se realicen actividades o procesos considerados peligrosos.
- Se pueda producir una agravación del riesgo debido, al desarrollo del proceso productivo, por la concurrencia de operaciones diversas, y/o debido a la existencia de varias empresas en el centro de trabajo.
- Lo decida la Inspección de Trabajo, en virtud de las condiciones del trabajo detectadas.

— Artículo 32.bis LPRL.

2. Pueden ser Recurso Preventivo los trabajadores designados o trabajadores asignados específicamente para esta tarea, con conocimientos, cualificación, experiencia y dotados con medios suficientes para vigilar el cumplimiento de las actividades preventivas en determinados supuestos y situaciones de especial riesgo y peligrosidad, regulado en el artículo 32 bis de la LPRL y el artículo 22 bis del RSP. Está previsto además por el RDCAE, como uno de los posibles medios de Coordinación de actividades.

— Notas Técnicas de Prevención n.º 918/2011. 994/2013. INSST.

3. Es compatible la actividad de Recurso Preventivo y la actividad de Coordinador de Actividades Preventivas, teniendo en cuenta las distintas exigencias en materia de formación preventiva para una y otra figura.

— Artículo 13.4 RDCAE.

— Nota Técnica de Prevención n.º 994/2013. INSST.

4. Los trabajadores autónomos no pueden ser designados, ni asignados para realizar las tareas del Recurso Preventivo.

— Nota Técnica de Prevención n.º 994/2013. INSST.

5. Los trabajadores designados o asignados específicamente para esta materia tienen que reunir los conocimientos, la cualificación y la experiencia necesarios en las actividades o procesos que hacen necesaria su presencia y cuenten con la formación preventiva correspondiente, como mínimo, a las funciones del nivel básico. No obstante, podrán darse situaciones en las que por la peligrosidad de la actividad o las circunstancias en las que se desarrolle, puedan generarse riesgos de tal gravedad que resulte conveniente que el recurso preventivo disponga de unos conocimientos específicos e imprescindibles para la prevención de estos riesgos y poder así garantizar la seguridad y salud de los trabajadores implicados en dichas actividades o puedan resultar afectados por las mismas.

Por ejemplo, cuando deba existir un recurso preventivo en operaciones que impliquen el uso de máquinas que carezcan de declaración CE y la protección del trabajador no esté suficientemente garantizada, que se regula en el artículo 22.bis, apartado b.3 del RSP, dicho recurso deberá tener conocimientos específicos sobre la máquina en concreto, así como de sus partes y componentes, del procedimiento exacto para su correcto funcionamiento y de los riesgos concretos y de las medidas para proteger al trabajador teniendo en cuenta las particularidades de esa máquina en concreto, así como de su estado y de las características de la tarea u operación concreta a realizar.

Todos estos aspectos relativos a la formación y capacitación de los recursos, vendrán recogidos en la Planificación de la actividad preventiva.

— Nota Técnica de Prevención n.º 919/2011. INSST.

6. El Recurso Preventivo no puede acordar la paralización de trabajos por apreciar la existencia de riesgo grave e inminente, salvo que el empresario le haya otorgado dicha facultad y en los términos que se haya fijado.

— Nota Técnica de Prevención n.º 994/2013. INSST.

7. El Recurso Preventivo constituido por trabajadores designados o por trabajadores integrantes del Servicio de Prevención propio, tienen las mismas garantías previstas por la normativa vigente para los representantes de los trabajadores.

— Artículo 30.4 LPRL.

— Artículos 68.a, b, c y 56.4 LET.

El Recurso Preventivo constituido por trabajadores asignados específicamente para ello, no goza de dichas garantías.

— Consulta Dirección General de Trabajo 27.2.09.

— Nota Técnica de Prevención n.º 994/2013. INSST.

8. En el sector de la construcción. La presencia en el centro de trabajo de los recursos preventivos de cada contratista prevista en la disposición adicional decimocuarta de la LPRL, se aplicará a las obras de construcción reguladas en este real decreto, con las siguientes especialidades:

• El Plan de Seguridad y Salud determinará la forma de llevar a cabo la presencia de los recursos preventivos.

• Cuando, como resultado de la vigilancia, se observe un deficiente cumplimiento de las actividades preventivas, las personas a las que se asigne la presencia deberán dar las instrucciones necesarias para el correcto e inmediato cumplimiento de las actividades preventivas y poner tales circunstancias en conocimiento del empresario para que éste adopte las medidas necesarias para corregir las deficiencias observadas, si éstas no hubieran sido aún subsanadas.

• Cuando, como resultado de la vigilancia, se observe ausencia, insuficiencia o falta de adecuación de las medidas preventivas, las personas a las que se asigne esta función deberán poner tales circunstancias en conocimiento del empresario, que procederá de manera inmediata a la adopción de las medidas necesarias para corregir las deficiencias y a la modificación del plan de seguridad y salud en los términos previstos en el artículo 7.4 de este real decreto.

— Disposición Adicional Única RDSSTOC.

9. Presencia de los recursos preventivos en las empresas.

— CTIT n.º 83/2010.

10. La obligación legal del nombramiento y asignación de la presencia de recursos preventivos corresponde a cada empresario contratista y no a los empresarios subcontratistas.

— Dirección General Trabajo: Consulta 27.2.09.

11. Recurso preventivo en la Administración General del Estado.

— Artículo 9 RDPAGE.

12. Constituye una infracción grave en materia de prevención de riesgos laborales que lleva aparejada una sanción económica de 2.046 euros a 40.985 euros.

• No designar a uno o varios trabajadores para ocuparse de las actividades de protección y prevención en la empresa o no organizar o concertar un servicio de prevención cuando ello sea preceptivo, o no dotar a los recursos preventivos de los medios que sean necesarios para el desarrollo de las actividades preventivas.

• La falta de presencia de los recursos preventivos cuando ello sea preceptivo o el incumplimiento de las obligaciones derivadas de su presencia.

— Artículos 12.15.a, b y 40.2.b LISOS.

13. Se ha condenado por la comisión de un delito contra los derechos de los trabajadores:

• Por no poner a ninguna persona a vigilar, para impedir que ningún trabajador, ni la escalera se acercase a la línea de media tensión, ni ordenar a los trabajadores que no recolectasen de los árboles por debajo de la línea eléctrica.

— SAP Sevilla 17.2.09.

Véase: Deber de Coordinación de actividades preventivas. Empresario concurrente. Coordinador en materia de Seguridad y Salud. Coordinador durante proyecto de obra. Coordinador durante ejecución obra. Medios de coordinación. Dirección facultativa de la obra. Empresa externa. Demoliciones.

REDES DE SEGURIDAD

Las redes tienen por objeto impedir la caída de personas u objetos. Existen varios tipos de redes de seguridad:

• Redes verticales con o sin horcas para fachadas.
• Redes horizontales en huecos.

• Redes tipo tenis. Se pueden utilizar, fundamentalmente, para proteger los bordes de los forjados en plantas diáfanas, colocando siempre la red por la cara interior de los pilares de fachada.

Constan de una red de fibras, cuya altura mínima será de 1,25 m, dos cuerdas del mismo material de 12 mm de diámetro, una en su parte superior y otra en la inferior, atadas a los pilares para que la red quede convenientemente tensa, de tal manera que pueda soportar en el centro un esfuerzo de hasta 150 Kgs.

— Nota Técnica de Prevención n.º 124/1985. INSST.

— Artículo 184 CCGC.

> *Véase: Aberturas en los suelos. Plataformas de trabajo. Barandillas. Andamios. Plataformas suspendidas. Góndolas. Desniveles. Pasarelas. Torres de acceso. Torres de trabajo móviles. Muelles de carga y descarga. Caída de objetos. Caída de personas. Epi anticaídas.*

REINADO DE ACEITES MINERALES

1. El refinado consiste en hacer más fino o más puro algo, separando las heces y materias heterogéneas o groseras.

2. Los trabajadores ocupados en las actividades económicas, y expuestos a los agentes o sustancias que a continuación se indican, pueden contraer una Enfermedad Profesional (E.P.), causada por agentes químicos, en las actividades o trabajos que a continuación se relacionan:

• Extracción del yodo a partir de algas, del salitre de Chile, y en el curso de ciertas operaciones como el refinado de petróleo. (Código 1C0402).

• Refinerías de petróleo, donde se utilice ácido sulfhídrico. (Código 1D0309).

• Industria de la refinería de petróleo, donde se utilice alcohol. (Código 1F0114).

• Refino del petróleo, donde se utilicen fenoles. (Código 1F0205).

• Refino de aceites minerales, donde se utilicen derivados halogenados. (Código 1H0210).

• Refino de petróleo (como inhibidor de la corrosión), donde se utilice amoniaco. (Código 1J0110).

• El furfural (epóxido) se utiliza, además, en la preparación y uso de moldes para fundición, en la vulcanización del caucho, refinado de aceites de petróleo y como agente humectante. (Código 1M0109).

Por ello, debe realizarse reconocimientos médicos previos y periódicos a dichos trabajadores, con la prohibición de no contratar a los calificados como no aptos para desempeñar los puestos de trabajo de que se trate.

— Artículo 243 LGSS, en relación con RDEP (Anexo I).

> *Véase: Aceites. Aceites industriales. Destilación. Refinado de aceites vegetales. Refinado de metales. Refinado de minerales.*

REFINADO DE ACEITES VEGETALES

1. El refinado consiste en hacer más fino o más puro algo, separando las heces y materias heterogéneas o groseras.

2. Los trabajadores ocupados en las actividades económicas, y expuestos a los agentes o sustancias que a continuación se indican, pueden contraer una Enfermedad Profesional (E.P.), causada por agentes químicos:

- Refinado de aceites vegetales, donde se utilice ácido sulfúrico. Código 1D0207).

Por ello, debe realizarse reconocimientos médicos previos y periódicos a dichos trabajadores, con la prohibición de no contratar a los calificados como no aptos para desempeñar los puestos de trabajo de que se trate.

— Artículo 243 LGSS, en relación con RDEP (Anexo I).

Véase: Aceites. Aceites industriales. Destilación. Refinado de aceites minerales. Refinado de metales. Refinado de minerales.

REFINO DE METALES

1. El refinado consiste en hacer más fino o más puro algo, separando las heces y materias heterogéneas o groseras.

2. Los trabajadores ocupados en las actividades económicas, y expuestos a los agentes o sustancias que a continuación se indican, pueden contraer una Enfermedad Profesional (E.P.):

a) Causada por agentes químicos:

- Aleación con otros metales (Pb). Refino de Cu, Pb, Zn, Co (presente como impureza). (Código 1A0120).

- Extracción, tratamiento, metalurgia, refinado, fundición, laminado y vaciado del plomo, de sus aleaciones y de metales plumbíferos. (Código 1A0901).

- Utilización de los compuestos de flúor en la extracción y refinado de metales (del níquel, del cobre, del oro, de la plata). (Código 1C0304).

- Procesos de refinado de metales preciosos, donde se utilicen cetonas. (Código 1L0112).

b) Causada por la inhalación de sustancias y agentes no comprendidos en otros apartados:

- Refinería de platino, donde los trabajadores estén expuestos a sustancias de bajo peso molecular (metales, polvos de maderas, sustancias químicas, etc.), que pueden provocar alguna de las siguientes E.P: rinoconjuntivitis (Código 4I0124), asma (Código 4I0324), alveolitis alérgica extrínseca (Código 4I0424), fibrosis intersticial difusa (Código 4I0624), y neumopatía intersticial difusa (Código 4I0824).

c) Causada por agentes cancerígenos:

- Fundición y refino de níquel, producción de acero inoxidable, fabricación de baterías, donde se utilice níquel, que puede provocar alguna de las siguientes E.P: E.P. neoplasia maligna de cavidad nasal (Código 6K0101), E.P. cáncer primitivo del etmoides y de los senos de la cara (Código 6K0201), o E.P. neoplasia maligna de bronquio y pulmón (Código 6K0301).

Por ello, debe realizarse reconocimientos médicos previos y periódicos a dichos trabajadores, con la prohibición de no contratar a los calificados como no aptos para desempeñar los puestos de trabajo de que se trate.

— Artículo 243 LGSS, en relación con RDEP (Anexo I).

Véase: Aceites. Aceites industriales. Destilación. Refinado de aceites minerales. Refinado de aceites vegetales. Refinado de minerales.

REFINO DE MINERALES

1. El refinado consiste en hacer más fino o más puro algo, separando las heces y materias heterogéneas o groseras.

2. Los trabajadores ocupados en las actividades económicas, y expuestos a los agentes o sustancias que a continuación se indican, pueden contraer una Enfermedad Profesional (E.P.):

a) causada por agentes químicos:
- Calcinación, fundición y refino de minerales arsénicos. (Código 1A0102).

- Aleación con otros metales (Pb). Refino de Cu, Pb, Zn, Co (presente como impureza). (Código 1A0120).

- Extracción, tratamiento, metalurgia, refinado, fundición, laminado y vaciado del plomo, de sus aleaciones y de metales plumbíferos. (Código 1A0901).

- Utilización de los compuestos de flúor en la extracción y refinado de metales (del níquel, del cobre, del oro, de la plata). (Código 1C0304).

- Refino de minerales ricos en azufre, donde se utilice anhídrido sulfuroso. (Código 1D0202).

- Combustión del azufre (carburantes fósiles) y refinerías de minerales metálicos, donde se utilice dióxido de azufre. (Código 1D0211).

b) Causada por agentes cancerígenos:
- Calcinación, fundición y refino de minerales arseníferos, que puede provocar alguna de las siguientes E.P: neoplasia de maligna de bronquio y pulmón (Códigos 6C0104, 6C0109), carcinoma epidemoide de piel (Códigos 6C0204, 6C020), disqueratosis lenticular en disco (Códigos 6C0304, 6C0309) y angiosarcoma del hígado (Códigos 6C0404, 6C0409).

Por ello, debe realizarse reconocimientos médicos previos y periódicos a dichos trabajadores, con la prohibición de no contratar a los calificados como no aptos para desempeñar los puestos de trabajo de que se trate.

— Artículo 243 LGSS, en relación con RDEP (Anexo I).

Véase: Aceites. Aceites industriales. Destilación. Refinado de aceites minerales. Refinado de aceites vegetales. Refinado de metales.

REFORMING

1. Proceso petrolífero que reforma, es decir, transforma una gasolina de número de octanos bajo en otra con número de octanos elevado.

2. Los trabajadores ocupados en las actividades económicas, y expuestos a los agentes o sustancias que a continuación se indican, pueden contraer una Enfermedad Profesional (E.P.), causada por agentes químicos:

- El «cracking» y el «reforming», procedimientos destinados esencialmente a modificar la estructura de los hidrocarburos, donde se utilicen hidrocarburos alifáticos. (Código 1H0102).

Por ello, debe realizarse reconocimientos médicos previos y periódicos a dichos trabajadores, con la prohibición de no contratar a los calificados como no aptos para desempeñar los puestos de trabajo de que se trate.

— Artículo 243 LGSS, en relación con RDEP (Anexo I).

Véase: Cracking. Hidrocarburos alifáticos. Sustancias de alto peso molecular. Sustancias de bajo peso molecular. Trabajos off-shore.

REGLAMENTO TÉCNICO

Es la especificación técnica relativa a productos, procesos o instalaciones industriales, establecida con carácter obligatorio a través de una disposición, para su fabricación, comercialización o utilización.

— Artículo 8.4 LI.

Véase: Normas Jurídico-Técnicas. Instrucciones Técnicas Complementarias.

REGLAMENTOS DE LA UNIÓN EUROPEA

Son obligatorios en todos sus elementos y directamente aplicables en todo Estado miembro. Es obligatorio para el Estado y para los particulares. Son adoptados por el Consejo. Entran en vigor en la fecha que el propio Reglamento determine, o bien, a los veinte días siguientes de su publicación en el Diario Oficial de la Unión Europea.

— Artículos 288 y sig. Tratado de funcionamiento de la Unión Europea, de 1957 (Texto consolidado DOUE. 30.3.10).

Véase: Directivas de la U.E. Decisiones de la U.E. Recomendaciones de la U.E. Dictámenes de la U.E. Convenios de la OIT.

RELOJERÍA

1. Taller donde se hacen o componen relojes.

2. Los trabajadores ocupados en las actividades económicas, y expuestos a los agentes o sustancias que a continuación se indican, pueden contraer una Enfermedad Profesional (E.P.), causada por agentes físicos:

    • Fabricación y aplicación de productos luminosos con sustancias radiactivas en pinturas de esferas de relojería, que pueden producir una E.P. provocada por radiaciones ionizantes. (Código 2I0105).

Por ello, debe realizarse reconocimientos médicos previos y periódicos a dichos trabajadores, con la prohibición de no contratar a los calificados como no aptos para desempeñar los puestos de trabajo de que se trate.

— Artículo 243 LGSS, en relación con RDEP (Anexo I).

Véase: Sustancias radiactivas.

REMACHADO DE METALES

1. Percutir el extremo del roblón colocado en el correspondiente taladro hasta formarle cabeza que lo sujete y afirme. Machacar la punta o la cabeza del clavo ya clavado, para mayor firmeza.

2. Los trabajadores ocupados en las actividades económicas, y expuestos a los agentes o sustancias que a continuación se indican, pueden contraer una Enfermedad Profesional (E.P.), causada por agentes físicos:

• Trabajos de estampado, embutido, remachado y martillado de metales, donde el trabajador este expuesto a ruidos continuos y diarios de un nivel sonoro igual o superior a 80 decibelios A, que puede contraer la E.P. de hipoacusia. (Código 2A0102).

Por ello, debe realizarse reconocimientos médicos previos y periódicos a dichos trabajadores, con la prohibición de no contratar a los calificados como no aptos para desempeñar los puestos de trabajo de que se trate.

— Artículo 243 LGSS, en relación con RDEP (Anexo I).

Véase: Metales. Estampado de metales. Embutido de metales. Martillado de metales. Remachadoras.

REMACHADORAS

1. Máquinas que sirven para remachar metales.

2. Los trabajadores ocupados en las actividades económicas, y expuestos a los agentes o sustancias que a continuación se indican, pueden contraer una Enfermedad Profesional (E.P.), causada por agentes físicos:

• Utilización de remachadoras y pistolas de sellado, que pueden producir una E.P. de carácter vascular. (Código 2B0102).

Por ello, debe realizarse reconocimientos médicos previos y periódicos a dichos trabajadores, con la prohibición de no contratar a los calificados como no aptos para desempeñar los puestos de trabajo de que se trate.

— Artículo 243 LGSS, en relación con RDEP (Anexo I).

Véase: Enfermedades vasculares. Remachado de metales.

REMOLQUES

Todo vehículo agrícola o forestal destinado principalmente a ser remolcado por un tractor y destinado principalmente a transportar cargas o al tratamiento de materias, y en el que la relación entre la masa máxima en carga y la masa en vacío de dicho vehículo sea igual o superior a 3,0.

— Artículo 3.9 Reglamento (UE) n.º 167/2013.

Véase: Tractores. Vehículos. Masa máxima autorizada. Vehículos eléctricos híbridos. Automóviles.

REPELENTES

1. Sustancias empleadas para alejar a ciertos animales.

2. Los trabajadores ocupados en las actividades económicas, y expuestos a los agentes o sustancias que a continuación se indican, pueden contraer una Enfermedad Profesional (E.P.), causada por agentes químicos:

• Fabricación de repelente de polillas, insecticida, antiséptico (tópico y vía oral), antihelmíntico, donde se utilice naftaleno. (Código 1K0206).

Por ello, debe realizarse reconocimientos médicos previos y periódicos a dichos trabajadores, con la prohibición de no contratar a los calificados como no aptos para desempeñar los puestos de trabajo de que se trate.

— Artículo 243 LGSS, en relación con RDEP (Anexo I).

Véase: Productos fitosanitarios. Plaguicidas. Pesticidas. Parásitos. Organofosforados.

REPRESENTANTE AUTORIZADO

Persona física o jurídica establecida en la Comunidad Europea que haya recibido un mandato por escrito del fabricante para cumplir en su nombre la totalidad o parte de las obligaciones y formalidades relacionadas con este real decreto, sobre comercialización de las máquinas.

— Artículo 2.2.j RDM.

Véase: Fabricantes. Importadores. Distribuidores.

REPRESENTANTES LEGALES DE LOS TRABAJADORES

1. Los Delegados de Personal (Representantes Legales) y los Comités de Empresa, tienen casi las mismas competencias en materia de prevención de riesgos laborales que los Delegados de Prevención.

— Artículo 34.2 LPRL.

— Artículo 64 LET.

2. Los Representantes Legales no tienen derecho:

• A una formación específica en materia de prevención de riesgos laborales.

• A que se les compute como tiempo de trabajo, el tiempo que se dediquen a actividades en materia de prevención de riesgos laborales.

• No están obligados, expresamente, a emitir informe cuando les consulte el empresario, sobre cualquier cuestión en materia de prevención de riesgos laborales.

• A ser infirmados sobre los requerimientos, y de los resultados de las actuaciones de la Inspección de Trabajo en materia de prevención de riesgos laborales. En cambio, sí tienen derecho a ser informados de las propuestas de sanciones calificadas como muy graves.

3. Sin embargo, los Representantes Legales tienen unas competencias específicas en materia de prevención de riesgos laborales, como es:

• Designar a los Delegados de Prevención, salvo que el convenio colectivo disponga otra cosa.

— Artículo 35 y 34.2 LPRL.

• Acordar la paralización de trabajos por la existencia de riesgo grave e inminente. Los Delegados de Prevención podrán acordar la paralización de trabajos cuando no sea posible reunir urgentemente a los representantes legales.

— Artículos 21.3 y 34.2 LPRL.

— Artículo 64 LET.

Véase: Derecho de participación. Delegados de Prevención. Delegados Sindicales. Garantías de los Delegados de Prevención. Sigilo profesional.

REQUISITOS ESENCIALES DE SEGURIDAD Y DE SALUD

Disposiciones obligatorias relativas al diseño y la fabricación de los productos sujetos al presente real decreto (sobre comercialización de máquinas) para garantizar un nivel elevado de protección de la salud y la seguridad de las personas y, en su caso, de los animales domésticos y los bienes así como, cuando sea aplicable, del medio ambiente.

Los requisitos esenciales de salud y seguridad se recogen en el anexo I. Los requisitos esenciales de salud y seguridad para la protección del medio ambiente se aplicarán únicamente a las máquinas contempladas en el apartado 2.4 de dicho anexo.

— Artículo 2.2.m RDM.

Véase: Fabricantes. Importadores. Distribuidores.

RESIDENCIAS DE MAYORES

1. Establecimiento público donde conviven y residen, sujetándose a determinada reglamentación, personas mayores.

2. Los trabajadores ocupados en las actividades económicas, y expuestos a los agentes o sustancias que a continuación se indican, pueden contraer una Enfermedad Profesional (E.P.):

a) Causada por agentes biológicos:

• Personal no sanitario, trabajadores de centros asistenciales o de cuidados de enfermos, tanto en ambulatorios como en instituciones cerradas o a domicilio, que puede contraer una E.P. infecciosa transmitida por personas. (Código 3A0104).

b) Causada por inhalación de sustancias y agentes no comprendidos en otros apartados:

• Trabajadores que se dedican al cuidado de personas y asimilados, donde los trabajadores estén expuestos a sustancias de bajo peso molecular (metales, polvos de maderas, sustancias químicas, etc.), que pueden provocar alguna de las siguientes E.P: rinoconjuntivitis (Código 4I0132), urticaria (Código 4I0232), angiodemas (Código 4I0232), asma (Código 4I0332), alveolitis alérgica extrínseca (Código 4I0432), síndrome de disfunción de la vía reactiva (Código 4I0532), fibrosis intersticial difusa (Código 4I0632), fiebre de los metales (Código 4I0732), y neumopatía intersticial difusa (Código 4I0832).

c) E.P. de la piel, causada por sustancias y agentes no comprendidos en alguno de los otros apartados:

• Trabajadores que se dedican al cuidado de personas y asimilados, donde los trabajadores estén expuestos a sustancias de bajo peso molecular (metales, polvos de maderas, sustancias químicas, etc.), que pueden provocar una E.P. de la piel, causada por sustancias de bajo peso molecular. (Código 5A0131).

• Personal no sanitario, trabajadores de centros asistenciales o de cuidados de enfermos, tanto a nivel ambulatorio, de instituciones cerradas o domicilio, expuesto a agentes infecciosos, que puede contraer una E.P. de la piel causada por dichos agentes. (Código 5D0102).

d) Causada por agentes cancerígenos:

• Trabajos en las consultas de radiodiagnóstico, de radio y radioterapia y de aplicación de isótopos radiactivos, en consultas, clínicas, sanatorios, residencias y hospitales, que pueden provocar la E.P. de síndrome linfo y mieloproliferativos. (Código 6N0107).

• Trabajos en las consultas de radiodiagnóstico, de radio y radioterapia y de aplicación de isótopos radiactivos, en consultas, clínicas, sanatorios, residencias y hospitales, que puede provocar la E.P. de carcinoma epidermoide de piel. (Código 6N0207).

Por ello, debe realizarse reconocimientos médicos previos y periódicos a dichos trabajadores, con la prohibición de no contratar a los calificados como no aptos para desempeñar los puestos de trabajo de que se trate.

— Artículo 243 LGSS, en relación con RDEP (Anexo I).

Véase: Cuidado de personas. Trabajadores del servicio del hogar familiar. Trabajadores sociales. Trabajos feminizados. Trabajos de voluntariado. E.P. infecciosas transmitidas por personas.

RESIDUOS COMERCIALES

Residuos generados por la actividad propia del comercio, al por mayor y al por menor, de los servicios de restauración y bares, de las oficinas y de los mercados, así como del resto del sector servicios.

— Artículo 3.c LRSC.

— Nota Técnica de Prevención n.º 1054/2015. INSST.

Véase: Trabajos de recogida de basuras. Ruido. Biorresiduos. Residuos. Residuos domésticos. Residuos industriales. Residuos peligrosos. Residuos radiactivos. Residuos urbanos. Residuos: Gestión. Residuos: Gestor. Incineración.

RESIDUOS DOMÉSTICOS

Residuos generados en los hogares como consecuencia de las actividades domésticas. Se consideran también residuos domésticos los similares a los anteriores generados en servicios e industrias. Se incluyen también en esta categoría los residuos que se generen en los hogares de aparatos eléctricos y electrónicos, ropa, pilas, acumuladores, muebles y enseres así como los residuos y escombros procedentes de obras menores de construcción y reparación domiciliaria. Tendrán la consideración de residuos domésticos los residuos procedentes de limpieza de vías públicas, zonas verdes, áreas recreativas y playas, los animales domésticos muertos y los vehículos abandonados.

— Artículo 3.b LRSC.

— Nota Técnica de Prevención n.º 1054/2015. INSST.

Véase: Trabajos de recogida de basuras. Ruido. Biorresiduos. Residuos. Residuos comerciales. Residuos industriales. Residuos peligrosos. Residuos radiactivos. Residuos urbanos. Residuos: Gestión. Residuos: Gestor. Incineración. Saneamiento público.

RESIDUOS INDUSTRIALES

1. Parte o porción que queda de un todo. Aquello que resulta de la descomposición o destrucción de materiales industriales. Material que queda como inservible después de haber realizado un trabajo u operación.

2. Residuos resultantes de los procesos de fabricación, de transformación, de utilización, de consumo, de limpieza o de mantenimiento generados por la actividad industrial, excluidas las emisiones a la atmósfera reguladas en la Ley 34/2007, de calidad del aire y protección de la atmósfera.

— Artículo 3.d LRSC.

— Nota Técnica de Prevención n.º 1054/2015. INSST.

3. Los trabajadores ocupados en las actividades económicas, y expuestos a los agentes o sustancias que a continuación se indican, pueden contraer una Enfermedad Profesional (E.P.):

a) Causada por agentes químicos:

• Procesado de residuos que contengan cadmio. (Código 1A0307).

• Tratamiento de residuos peligrosos en actividades de saneamiento público, que contengan cadmio. (Código 1A0315).

• Procesado de residuos que contengan cromo. (Código 1A0415).

• Extracción y recuperación del metal (mercurio) en las minas y en los residuos industriales. (Código 1A0701).

• Procesado de residuos que contengan níquel. (Código 1A0814).

• Preparación de ciertos residuos sintéticos del tipo ceraformol, que contengan amoniaco. (Código 1J0102).

b) Causada por agentes cancerígenos:

• Procesado de residuos que contengan cromo o níquel, que puede provocar la E.P. de neoplasia de bronquio y pulmón. (Códigos 6I0215, 6K0313).

• Procesado de residuos que contengan cadmio, que puede provocar la E.P. de neoplasia maligna de bronquio, pulmón y próstata. (Código 6G0107).

• Tratamiento de residuos peligrosos en actividades de saneamiento público, que contengan cadmio, que puede provocar la E.P. de neoplasia maligna de bronquio, pulmón y próstata. (Código 6G0115).

• Procesado de residuos que contengan cromo o níquel, que puede provocar la E.P. de neoplasia maligna de cavidad nasal. (Códigos 6I0115, 6K0113).

• Instalaciones de tratamiento y almacenamiento de residuos radiactivos, que puede provocar la E.P. de carcinoma epidermoide de piel. (Código 6N0212).

Por ello, debe realizarse reconocimientos médicos previos y periódicos a dichos trabajadores, con la prohibición de no contratar a los calificados como no aptos para desempeñar los puestos de trabajo de que se trate.

— Artículo 243 LGSS, en relación con RDEP (Anexo I).

Véase: Trabajos de recogida de basuras. Ruido. Biorresiduos. Residuos. Residuos comerciales. Residuos domésticos. Residuos peligrosos. Residuos radiactivos. Residuos urbanos. Residuos: Gestión. Residuos: Gestor. Incineración. Saneamiento público.

RESIDUOS PELIGROSOS

1. Residuos que presentan una o varias de las características peligrosas enumeradas en el anexo III, y aquél que pueda aprobar el Gobierno de conformidad con lo establecido en la normativa europea o en los convenios internacionales de los que España sea parte, así como los recipientes y envases que los hayan contenido.

— Artículo 3.e LRSC.

— Nota Técnica de Prevención n.º 1054/2015. INSST.

2. Se consideran residuos peligrosos, entre otros:

• Los residuos de disolventes. Para su regeneración son sometidos a tratamientos basados en su «recuperación por destilación», especialmente los disolventes procedentes de limpiezas, y «recuperación por rectificación» o «destilación fraccionada», para disolventes residuales de procesos químicos en general.

• Los aceites industriales usados se consideran residuos peligrosos por su impacto negativo sobre el medio ambiente, tanto si se depositan en el suelo o se vierten en aguas, afectando ríos y acuíferos, como si se queman en condiciones inadecuadas, emitiendo gases contaminantes a la atmósfera.

• El tratamiento y reciclaje de frigoríficos.

• Las pilas de bastón o de botón, usadas.

• Los vehículos fuera de uso, debido a los distintos materiales y fluidos que lo componen.

— Nota Técnica de Prevención n.º 1054/2015. INSST.

Véase: Trabajos de recogida de basuras. Ruido. Biorresiduos. Residuos. Residuos comerciales. Residuos domésticos. Residuos industriales. Residuos radiactivos. Residuos urbanos. Residuos: Gestión. Residuos: Gestor. Incineración.

RESIDUOS RADIACTIVOS

1. Residuos de materiales que emiten, radiaciones o partículas ionizantes.

2. Los trabajadores ocupados en las actividades económicas, y expuestos a los agentes o sustancias que a continuación se indican, pueden contraer una Enfermedad Profesional (E.P.):

a) Causada por agentes físicos:

• Instalaciones de tratamiento y almacenamiento de residuos radiactivos, que pueden producir E.P. provocadas por radiaciones ionizantes. (Código 2I0112).

b) Causada por agentes cancerígenos:

• Instalaciones de tratamiento y almacenamiento de residuos radiactivos, que pueden provocar la E.P. de síndrome linfo y mieloproliferativos. (Código 6N0112).

Por ello, debe realizarse reconocimientos médicos previos y periódicos a dichos trabajadores, con la prohibición de no contratar a los calificados como no aptos para desempeñar los puestos de trabajo de que se trate.

— Artículo 243 LGSS, en relación con RDEP (Anexo I).

Véase: Materiales radiactivos. Dosímetros de radiación. Radiaciones. Radiaciones ionizantes. Trabajos de recogida de basuras. Ruido. Biorresiduos. Residuos. Residuos comerciales. Residuos domésticos. Residuos industriales. Residuos peligrosos. Residuos urbanos. Residuos: Gestión. Residuos: Gestor.

RESIDUOS URBANOS

1. Son aquellos residuos generados en los domicilios particulares, comercios, oficinas y servicios, así como todos aquéllos que no tengan la clasificación de peligrosos y que por su naturaleza o composición puedan asimilarse a los producidos en los anteriores lugares o actividades. También se considerarán como residuos urbanos los procedentes de la limpieza vial (vía pública, zonas verdes, áreas recreativas y playas), animales domésticos muertos, muebles, enseres, vehículos abandonados y residuos y escombros procedentes de obras menores de construcción y de reparaciones domiciliarias.

— Notas Técnicas de Prevención n.º 675/2004. 717/2006. INSST.

2. Los trabajadores ocupados en las actividades económicas, y expuestos a los agentes o sustancias que a continuación se indican, pueden contraer una Enfermedad Profesional (E.P.), causada por agentes físicos:

• <u>Recolección de basura doméstica, donde el trabajador este expuesto a ruidos continuos y diarios de un nivel sonoro igual o superior a 80 decibelios A, que puede contraer la E.P. de hipoacusia.</u> (Código 2A0112).

Por ello, debe realizarse reconocimientos médicos previos y periódicos a dichos trabajadores, con la prohibición de no contratar a los calificados como no aptos para desempeñar los puestos de trabajo de que se trate.

— Artículo 243 LGSS, en relación con RDEP (Anexo I).

Véase: Trabajos de recogida de basuras. Ruido. Biorresiduos. Residuos. Residuos comerciales. Residuos domésticos. Residuos industriales. Residuos peligrosos. Residuos radiactivos. Residuos: Gestión. Residuos: Gestor. Incineración. Saneamiento público.

RESIDUOS: GESTIÓN

1. La recogida, el transporte y tratamiento de los residuos, incluida la vigilancia de estas operaciones, así como el mantenimiento posterior al cierre de los vertederos, incluidas las actuaciones realizadas en calidad de negociante o agente.

— Artículo 3.m LRSC.

— Nota Técnica de Prevención n.º 1054/2015. INSST.

2. Existen tres categorías de vertederos, también denominados depósitos controlados, son: para residuos peligrosos, para residuos no peligrosos y para residuos inertes.

— Nota Técnica de Prevención n.º 781/2007. INSST.

3. Gestión de residuos sanitarios. Recogida, transporte y almacenamiento.

— Notas Técnicas de Prevención n.º 372/1995. 838, 853/2009. INSST.

4. Gestión de residuos peligrosos de laboratorios en centros docentes.

— Nota Técnica de Prevención n.º 767/2007. INSST.

5. Gestión de residuos tóxicos y peligrosos en pequeñas cantidades, en los laboratorios.

— Nota Técnica de Prevención n.º 359/1994. INSST.

Véase: Residuos. Fichas de datos de seguridad. Fabricantes. Importadores. Residuos: Gestor. Residuos comerciales. Residuos domésticos. Residuos industriales. Residuos radiactivos. Residuos urbanos. Reciclado.

RESIDUOS: GESTOR

1. La persona o entidad, pública o privada, registrada mediante autorización o comunicación que realice cualquiera de las operaciones que componen la gestión de los residuos, sea o no el productor de los mismos.

— Artículo 3.n LRSC.

— Nota Técnica de Prevención n.º 1054/2015. INSST.

2. La responsabilidad sobre los residuos, una vez el gestor los ha retirado, es compartida por ambas partes (gestor y empresa), hasta que el residuo es reagrupado, manipulado y/o etiquetado de nuevo por el gestor autorizado, momento en que los residuos son considerados de su única responsabilidad.

— Nota Técnica de Prevención n.º 793/2008. INSST.

Véase: Residuos. Residuos: Gestión.

RESIDUOS

1. Cualquier sustancia u objeto que su poseedor deseche o tenga la intención o la obligación de desechar.

— Artículo 3.a LRSC.

— Nota Técnica de Prevención n.º 1054/2015. INSST.

Véase: Trabajos de recogida de basuras. Ruido. Biorresiduos. Residuos comerciales. Residuos domésticos. Residuos industriales. Residuos peligrosos. Residuos radiactivos. Residuos urbanos. Residuos: Gestión. Incineración. Reciclado. Saneamiento público.

RESPONSABILIDAD ADMINISTRATIVA

1. Constituyen infracciones administrativas en el orden social las acciones u omisiones de los distintos sujetos responsables tipificadas y sancionadas en la presente Ley y en las leyes del orden social.

Las infracciones no podrán ser objeto de sanción sin previa instrucción del oportuno expediente, de conformidad con el procedimiento administrativo especial en esta materia, a propuesta de la Inspección de Trabajo y Seguridad Social, sin perjuicio de las responsabilidades de otro orden que puedan concurrir.

Las infracciones se califican como leves, graves y muy graves en atención a la naturaleza del deber infringido y la entidad del derecho afectado, de conformidad con lo establecido en la presente Ley.

— Artículo 1 LISOS.

2. La responsabilidad administrativa es compatible con la responsabilidad civil, pero no con la responsabilidad penal.

Véase: Inspección de Trabajo. Sanciones accesorias en materia de prevención de riesgos laborales. Recargo de las prestaciones. Principio de culpabilidad. Responsabilidad civil contractual. Responsabilidad penal. Responsabilidad por falta de reconocimientos médicos. Responsabilidad solidaria. Responsabilidades empresariales en materia de PRL.

RESPONSABILIDAD CIVIL CONTRACTUAL

1. Es la derivada del incumplimiento de un contrato. En materia de prevención de riesgos laborales, la derivada del incumplimiento del contrato de trabajo, por incumplimiento del deber de protección. Quedan sujetos a la indemnización de los daños y perjuicios causados los que en el cumplimiento de sus obligaciones incurrieren en dolo (engaño), negligencia o morosidad, y los que de cualquier modo contravinieren al tenor de aquellas.

— Artículo 1101 CC.

2. Cuando la responsabilidad civil contractual está asegurada, se produce una responsabilidad directa de la entidad aseguradora, frente a la víctima.

— Artículo 117 CP.

3. Procede la responsabilidad civil contractual del empresario a indemnizar al trabajador por los daños y perjuicios, cuando se acredita que:

• La empresa no le ha facilitado información y formación en materia de prevención de riesgos laborales y esa carencia dio lugar a que el trabajador se colocara sobre una estructura que todavía no había alcanzado la resistencia necesaria.

— STSJ Cataluña 31.7.09.

• La falta de información y formación, junto con otros elementos, durante un largo período influyo en la aparición de la enfermedad profesional que dio lugar al fallecimiento del trabajador.

— STSJ Valencia 18.9.09.

• La inexistencia de medidas de seguridad en escalera de mano, utilizada por un trabajador no habituado a su uso y que sube con las manos ocupadas portando el equipo de soldar y el arnés.

— STSJ Valencia 10.1.08.

• Quien crea un riesgo debe asumir los daños provocados.

— STS Sala Civil 11.6.08.

• La relación de causalidad entre la Enfermedad Profesional declarada y los incumplimientos del empresario de no dotar al trabajador de medios de protección contra los movimientos vibratorios, por no informar sobre los riesgos del puesto de trabajo, y por no realizar reconocimientos específicos para descubrir patologías derivadas de las vibraciones.

— STSJ Cataluña 7.11.05.

• El acoso sexual sufrido por una trabajadora por parte del director-gerente, que le causó un trastorno depresivo, y adicionalmente la extinción del contrato de trabajo por la voluntad de la trabajadora.

— STSJ Madrid 13.6.07.

4. No procede la responsabilidad civil contractual del empresario a indemnizar al trabajador por los daños y perjuicios cuando:

• Se acredita que la empresa había facilitado al trabajador información y formación de los riesgos que pudieran derivarse de su actividad. Asimismo acredita que el trabajador tenía prohibido subir en el montacargas y que había carteles impeditivos para subir a dicho montacargas.

— STSJ Burgos 10.6.10.

5. Procede la responsabilidad civil contractual de forma solidaria:

• De la empresa, por acoso sexual practicado por un compañero de trabajo, al existir el deber en las organizaciones de promover condiciones de trabajo que eviten el acoso y de evitar procedimientos específicos para su prevención.

— STSJ Galicia 22.1.10.

Véase: Deber de protección. Recargo de las prestaciones. Principio de culpabilidad. Responsabilidad administrativa. Responsabilidad penal. Responsabilidad por falta de reconocimientos médicos. Responsabilidad solidaria.

RESPONSABILIDAD CIVIL EXTRACONTRACTUAL

1. El que por acción u omisión causa daño a otro, interviniendo culpa o negligencia, está obligado a reparar el daño causado.

— Artículo 1902 CC.

2. Esta responsabilidad civil alcanza a los dueños o directores de un establecimiento o empresa respecto de los perjuicios causados por sus dependientes en el servicio de los ramos en que los tuvieran empleados, o con ocasión de sus funciones.

— Artículo 1903 CC.

3. Se ha declarado la responsabilidad civil extracontractual:

• Del arquitecto director de obra y a su aseguradora, por el fallecimiento de un trabajador al caer de una escalera de la obra.

— STS Civil 30.11.04.

• b) Del empresario principal y del arquitecto (junto con el empresario), por el fallecimiento de un trabajador que utilizaba una escalera construida por el mismo, para acceder a la parte superior de la obra, con elementos tubulares sin las medidas de seguridad adecuadas, por no haber procedido a su retirada.

— STS 30.11.04.

4. La responsabilidad civil extracontractual prescribe al año, desde que lo supo el perjudicado.

— Artículo 1968.2.º CC.

Véase: Responsabilidad civil contractual. Responsabilidad penal.

RESPONSABILIDAD PENAL: INDEMNIZACIÓN CIVIL

1. La ejecución de un hecho descrito por la ley como delito obliga a reparar, los daños y perjuicios por él causados. El perjudicado podrá optar, en todo caso, por exigir la responsabilidad civil ante la Jurisdicción Civil.

— Artículo 109 CP.

2. Toda persona criminalmente responsable de un delito lo es también civilmente si del hecho se derivaren daños o perjuicios. Si son dos o más los responsables de un delito los jueces o tribunales señalarán la cuota de que deba responder cada uno.

— Artículo 116 CP.

3. Responsables civiles directos:

a) Los autores y los cómplices.

— Artículo 116 CP.

• Arquitecto técnico director de obra, condenado por un delito contra la seguridad de los trabajadores, por no estar al pie de la obra y de esta manera evitar la omisión del empresario, reconociéndose una cooperación necesaria con el empresario en la comisión del delito. Además es condenado por un delito de homicidio (concurso ideal de delitos).

— STS Penal 29.9.01.

• Director de obra, exento de responsabilidad penal por no tener la responsabilidad de vigilar la ejecución de la obra. Son condenados los directores de obra que estaban designados por el empresario para realizar esta actividad.

— STS Penal 21.7.88.

b) Los administradores de hecho o de derecho.

— Código Penal. Artículo 31 Código Penal.

• Administrador condenado por un delito contra la seguridad de los trabajadores, por no facilitar las medidas de prevención y por un delito de homicidio (concurso ideal de delitos).

— STS Penal 29.9.01.

c) Las entidades aseguradoras hasta el límite de la indemnización legalmente establecida o convencionalmente pactada, sin perjuicio del derecho de repetición contra quien corresponda.

— Artículo 117 CP.

3. Responsables civiles solidarios:

• Los autores y los cómplices, cada uno dentro de su respectiva clase, serán responsables solidariamente entre sí por sus cuotas, y subsidiariamente por las correspondientes a los demás responsables.

• Tanto en los casos en que se haga efectiva la responsabilidad solidaria como la subsidiaria, quedará a salvo la repetición del que hubiere pagado contra los demás por las cuotas correspondientes a cada uno.

— Artículo 116.2 CP.

• La responsabilidad penal de una persona jurídica llevará consigo su responsabilidad civil de forma solidaria con las personas físicas que fueren condenadas por los mismos hechos.

— Artículo 116.3 CP.

4. Responsables civiles subsidiarios:

• La responsabilidad subsidiaria se hará efectiva: primero, en los bienes de los autores, y después, en los de los cómplices.

— Artículo 116.2 CP.

• Empresario. Las personas naturales o jurídicas dedicadas a cualquier género de industria o comercio, por los delitos que hayan cometido sus empleados o dependientes, representantes o gestores en el desempeño de sus obligaciones o servicios.

— Artículo 120.4 CP.

• El Estado, Comunidades Autónomas y Municipios, por los delitos que hayan cometido sus empleados o dependientes, representantes o gestores en el desempeño de sus obligaciones o servicios.

— Artículo 121 CP.

Véase: Responsabilidad penal. Responsabilidad civil contractual.

RESPONSABILIDAD PENAL

1. Es la derivada de la comisión de un delito. Son delitos las acciones y omisiones dolosas (engañosas) o imprudentes penadas por la ley.

— Artículo 10 CP.

2. Son responsables criminalmente de los delitos los autores y los cómplices. Son autores quienes realizan el hecho por sí solos o conjuntamente. Son cómplices los que, no hallándose comprendidos en el artículo anterior, cooperan a la ejecución del hecho con actos anteriores o simultáneos.

— Artículos 27, 28, 29 CP.

3. En los supuestos previstos en el Código Penal, las personas jurídicas serán penalmente responsables.

— Artículos 31 y siguientes. CP.

4. La responsabilidad penal comprende:

- La pena privativa de libertad y/o derechos y/o multa económica.
- La indemnización civil, por los daños materiales o morales ocasionados.

— Artículos 32 y 109 CP.

5. La ejecución de un hecho descrito por la ley como delito obliga a reparar, en los términos previstos en las leyes, los daños y perjuicios por él causados. El perjudicado podrá optar, en todo caso, por exigir la responsabilidad civil ante la Jurisdicción Civil.

— Artículo 109 CP.

6. En el ámbito de la relación laboral se pueden cometer, entre otros, los siguientes delitos:

a) <u>Delito contra los derechos de los trabajadores</u>. Los que con infracción de las normas de prevención de riesgos laborales y estando legalmente obligados, no faciliten (omisión) los medios necesarios para que los trabajadores desempeñen su actividad con las medidas de seguridad e higiene adecuadas, de forma que pongan así en peligro grave su vida, salud o integridad física.

— Artículo 316 CP.

• Se hace responsable como autores en un concurso ideal de delitos (delito contra los derechos de los trabajadores y delito de homicidio por imprudencia) al administrador-gerente y al arquitecto técnico director de obra, por un accidente de trabajo con fallecimiento de un trabajador. Al administrador, por no facilitar las medidas de prevención, y al arquitecto técnico por no estar al pie de la obra y de esta manera evitar la omisión del administrador, produciéndose una cooperación necesaria con el administrador en la comisión de los dos delitos.

— STS Penal 26.9.01.

• Por carecer la máquina de captores de seguridad antiapertura de las trampillas de la misma, cuya misión era impedir el funcionamiento de la máquina cuando dichas trampillas están abiertas, en contra de la expresa advertencia del libro de instrucciones.

— SAP Lleida 16.7.09.

• Por no poner a ninguna persona a vigilar, para impedir que ningún trabajador, ni la escalera se acercase a la línea de media tensión, ni ordenar a los trabajadores que no recolectasen de los árboles por debajo de la línea eléctrica.

— SAP Sevilla 17.2.09.

b) <u>Delito de omisión el deber de socorro</u>. El que no socorriere a una persona que se halle desamparada y en peligro manifiesto y grave, cuando pudiere hacerlo sin riesgo propio ni de terceros.

— Artículo 195 CP.

c) <u>Delito de homicidio</u>. El que por imprudencia grave causare la muerte de otro.

— Artículo 142.1 CP.

• Se condena por un delito de homicidio imprudente, a todos los que estaban obligados a la supervisión de los trabajos y que debían hacer cumplir las medidas de seguridad.

— SAP Madrid 20.7.06.

d) <u>Delito de lesiones</u>. El que, por cualquier medio o procedimiento, causare a otro una lesión que menoscabe su integridad corporal o su salud física o mental.

— Artículo 147 CP.

e) <u>Delito de aborto</u>. El que por imprudencia grave ocasionare un aborto.

— Artículo 146 CP.

f) <u>Delito de lesiones al feto</u>. El que, por imprudencia grave, causare en un feto una lesión o enfermedad que perjudique gravemente su normal desarrollo, o provoque en el mismo una grave tara física o psíquica.

— Artículo 158 CP.

g) <u>Delito de acoso sexual</u>. El que solicitare favores de naturaleza sexual, para sí o para un tercero, en el ámbito de una relación laboral, docente o de prestación de servicios, continuada o habitual, y con tal comportamiento provocare a la víctima una situación objetiva y gravemente intimidatoria, hostil o humillante.

— Artículo 184.1 CP.

7. En el ámbito de la relación laboral pueden ser responsables penalmente, entre otros:

• El empresario. Asimismo, el empresario es responsable civil subsidiario de las indemnizaciones civiles a las que hayan sido condenados sus empleados.

— Artículo 120.4.º CP.
• El encargado.
• Trabajadores designados para encargarse de las tareas de prevención.

— Artículo 30 LPRL.
• Técnicos de prevención
• Trabajadores designados para recurso preventivo.

— Artículo 32.bis LPRL.
• Trabajadores encargados de equipos de trabajo con riesgo especial.

— Artículo 17.1.a LPRL.

• Trabajadores designados para las medidas de emergencia.

— Artículo 20 LPRL.

• El trabajador autónomo.

Véase: Recargo de las prestaciones. Principio de culpabilidad. Responsabilidad administrativa. Responsabilidad civil contractual. Responsabilidad penal: Indemnización civil. Responsabilidad por falta de reconocimientos médicos. Responsabilidad solidaria. Sustancias tóxicas para la reproducción.

RESPONSABILIDAD POR FALTA DE RECONOCIMIENTOS MÉDICOS

1. El incumplimiento por parte de la empresa de la obligación de efectuar los reconocimientos médicos previos o periódicos la constituirá en responsable directa de todas las prestaciones que puedan derivarse, en tales casos, de Enfermedad Profesional, tanto si la empresa estuviera asociada a una mutua colaboradora con la Seguridad Social, como si tuviera cubierta la protección de dicha contingencia en una entidad gestora.

— Artículo 244.2 LGSS.

2. Las entidades gestoras y las colaboradoras con la Seguridad Social están obligadas, antes de tomar a su cargo la protección por accidente de trabajo y enfermedad profesional del personal empleado en empresas con riesgo específico de esta última contingencia, a conocer el certificado del reconocimiento médico previo a que se refiere el artículo anterior, haciendo constar en la documentación correspondiente que tal obligación ha sido cumplida. De igual forma deberán conocer las entidades mencionadas los resultados de los reconocimientos médicos periódicos.

El incumplimiento por las mutuas de esta obligación les hará incurrir en las siguientes responsabilidades:

• Obligación de ingresar en el Fondo de Contingencias Profesionales de la Seguridad Social a que se refiere el artículo 97, el importe de las primas percibidas, con un recargo que podrá llegar al 100 por ciento de dicho importe.

• Obligación de ingresar, con el destino antes fijado, una cantidad igual a la que equivalgan las responsabilidades a cargo de la empresa, en los supuestos a que se refiere el apartado anterior de este artículo, incluyéndose entre tales responsabilidades las que procedan de acuerdo con lo dispuesto en el artículo 164.

• Anulación, en caso de reincidencia, de la autorización para colaborar en la gestión.

• Cualesquiera otras responsabilidades que procedan de acuerdo con lo dispuesto en esta ley y en sus disposiciones de aplicación y desarrollo.

— Artículo 244.1 y 3 LGSS.

Véase: Recargo de las prestaciones. Principio de culpabilidad. Responsabilidad administrativa. Responsabilidad civil contractual. Responsabilidad penal. Responsabilidad solidaria.

RESPONSABILIDAD SOCIAL

1. La responsabilidad social es uno de los principios esenciales de lo que se denomina en términos empresariales «la nueva cultura de empresa». Junto a otros principios con los que se interrelaciona, tales como: visión a medio y largo plazo; ética, valor clave en todas las actuaciones; personas y capital intelectual, su principal activo; necesidad de innovación y mejora continua en todos los ámbitos en un marco de calidad global; y formación continua, garantía esencial de desarrollo, etc., abren nuevas perspectivas a las políticas y estrategias empresariales para la pervivencia de las propias organizaciones y de la misma sociedad.

— Notas Técnicas de Prevención n.º 643/2003. 693/2005. 810, 817/2008. INSST.

2. La responsabilidad social corporativa es la integración voluntaria, por parte de las empresas, de las preocupaciones sociales y medioambientales en sus operaciones comerciales y sus relaciones con todos sus interlocutores. Supone dar respuesta satisfactoria a los siguientes objetivos:

• Ofrecer productos y servicios que respondan a necesidades de sus usuarios, contribuyendo al bienestar

• Tener un comportamiento que vaya más allá del cumplimiento de los mínimos reglamentarios, optimizando en forma y contenido la aplicación de todo lo que le es exigible

• La ética ha de impregnar todas las decisiones de directivos y personal con mando, y formar parte consustancial de la cultura de empresa

• Las relaciones con los trabajadores han de ser prioritarias, asegurando unas condiciones de trabajo seguras y saludables

• Ha de respetar con esmero el medio ambiente

• Ha de integrarse en la comunidad de la que forma parte, respondiendo con la sensibilidad adecuada y las acciones sociales oportunas a las necesidades planteadas, atendiéndolas de la mejor forma posible y estando en equilibrio sus intereses con los de la sociedad.

— Notas Técnicas de Prevención n.º 643, 644/2003. 647, 648/2004. 687, 688, 693/2005. 997, 998/2014. INSST.

3. Tipos de responsabilidad social:

• Primarias: Son inherentes a la actividad específica de la empresa e influyen directamente sobre sus resultados y su supervivencia. Suelen estar relacionadas con requisitos legales y exigencias morales/éticas tales como cumplir con rigor las leyes, reglamentos o normas pertinentes, así como respetar las costumbres y los compromisos adquiridos. No responder adecuadamente a lo que representan podría llegar a tener graves consecuencias para la continuidad de una empresa.

Ejemplo: Proporcionar a los trabajadores los equipos de protección individuales adecuados a los riesgos existentes, sin coste para los trabajadores, y velar por su uso correcto.

• Secundarias: Tienen incidencia sobre la actividad empresarial y de los grupos sociales con los que se relaciona, si bien la incidencia puede no ser directa. Se sitúan más allá de los mínimos legalmente exigibles y suelen suponer una mejora del entorno laboral y social con repercusión positiva, no sólo en los resultados económicos, sino también en el bien común del entorno inmediato de la empresa.

Ejemplo: Extender la vigilancia de la salud a la prevención y el tratamiento de patologías comunes de tipo no laboral y desarrollar acciones de promoción de la salud dentro y fuera del trabajo.

• Terciarias: Son actuaciones encaminadas a mejorar determinados aspectos del entorno social no inmediato de la empresa, más allá de su actividad específica. Están claramente muy por encima de los mínimos legales exigibles y no tienen una incidencia directa sobre los grupos sociales con los que se relaciona habitualmente tales como trabajadores, clientes o proveedores.

• *Ejemplo*: Participación en campañas benéficas destinadas a víctimas de catástrofes naturales. El límite entre tales responsabilidades puede resultar a veces difícil de establecer, si bien las responsabilidades primarias son siempre prioritarias frente a las secundarias, y éstas a su vez lo son respecto a las consideradas responsabilidades terciarias.

— Notas Técnicas de Prevención n.º 644/2003. 1043, 1044/2015. INSST.

   Véase: Deber de protección. Condición de trabajo.

RESPONSABILIDAD SOLIDARIA

1. La responsabilidad solidaria, es una obligación conjunta sobre una misma deuda o deber. La exigibilidad se extiende sobre sujetos distintos al deudor principal en virtud de un precepto legal o de unas condiciones voluntariamente aceptadas por todos ellos.

2. Pueden ejercerse acciones, para el cumplimiento de la deuda o deber, contra cualquiera de ellos de manera indistinta sin necesidad de que el deudor principal se declare fallido o insolvente.

3. Responsabilidad solidaria, del contratista o subcontratista, por los incumplimientos del subcontratista en materia de prevención de riesgos laborales, cuando subcontrate obras o servicios correspondientes a su propia actividad.

— Artículo 24.3 LPRL.

— Artículo 42.3 LISOS.

4. Los empresarios que contraten o subcontraten con otros la realización de obras o servicios correspondientes a la propia actividad de aquellos responderán solidariamente de:

   • Las cuotas de la Seguridad Social devengadas durante la vigencia de la contrata, durante los tres años siguientes.

   • Las obligaciones de naturaleza salarial contraídas por los contratistas o subcontratistas durante la vigencia de la contrata, durante el año siguiente.

No habrá responsabilidad por los actos del contratista cuando la actividad contratada se refiera exclusivamente a la construcción o reparación que pueda contratar un cabeza de familia respecto de su vivienda, así como cuando el propietario de la obra o industria no contrate su realización por razón de una actividad empresarial.

— Artículo 42.1 LET.

5. En el sector de la construcción. Asimismo, se extenderá la responsabilidad a la indemnización de naturaleza no salarial por muerte, gran invalidez, incapacidad permanente absoluta o total derivadas de accidente de trabajo o enfermedad profesional pactada en el artículo 66 del presente Convenio, quedando limitado el ámbito de esta responsabilidad exclusivamente respecto de los trabajadores de las empresas subcontratadas.

— Artículo 26.2 CCGC.

6. Procede la responsabilidad civil contractual de forma solidaria:

   • De la empresa, por acoso sexual practicado por un compañero de trabajo, al existir el deber en las organizaciones de promover condiciones de trabajo que eviten el acoso y de evitar procedimientos específicos para su prevención.

— STSJ Galicia 22.1.10.

Véase: Responsabilidad subsidiaria. Recargo de las prestaciones. Principio de culpabilidad. Responsabilidad administrativa. Responsabilidad civil contractual. Responsabilidad penal. Responsabilidad por falta de reconocimientos médicos.

RESPONSABILIDAD SUBSIDIARIA

1. La responsabilidad subsidiaria es aquella, prevista en la Ley o en contrato, que recae sobre un sujeto por el incumplimiento de una obligación por parte del obligado principal. Se exige que el obligado principal declare fallido o insolvente, para dirigirse al responsable subsidiario.

La responsabilidad civil subsidiaria deriva del daño que produce una persona actuando por cuenta de otro. Así pues, el otro será subsidiariamente responsable del daño que produzca quien actúa por cuenta suya.

2. Responsabilidad civil subsidiaria de la empresa:

• Por las indemnizaciones civiles a que sean condenados sus trabajadores por la comisión de delitos en el ámbito laboral.

— Artículos 116 a 122 CP.

• Por el delito de acoso sexual cometido por uno de sus empleados, y responsabilidad civil directa de la entidad aseguradora de la empresa.

— STS 10.7.19.

Véase: Responsabilidad penal: Indemnización civil. Responsabilidad solidaria.

RESPONSABILIDADES DEL EMPRESARIO EN MATERIA DE PREVENCIÓN DE RIESGOS LABORALES

El incumplimiento de la normativa en materia de prevención de riesgos laborales puede dar lugar a una responsabilidad administrativa, a una responsabilidad civil (laboral), o a una responsabilidad penal.

La responsabilidad administrativa es compatible con la responsabilidad civil, pero no con la responsabilidad penal.

— Artículo 3 LISOS.

Véase: Principio de culpabilidad.

RESTAURADORES DE ARTE

1. Personas dedicadas a restaurar obras de arte.

2. Los trabajadores ocupados en las actividades económicas, y expuestos a los agentes o sustancias que a continuación se indican, pueden contraer una Enfermedad Profesional (E.P.):

a) Causada por agentes químicos:

• Restauradores de arte, donde se utilice arsénico y sus compuestos. (Código 1A0125).

b) Causada por agentes cancerígenos:

• Restauradores de arte, donde se utilice arsénico, que puede provocar alguna de las siguientes E.P: neoplasia de maligna de bronquio y pulmón (Código

6C0122), carcinoma epidemoide de piel (Código 6C0222), disqueratosis lenticular en disco (Código 6C0322) y angiosarcoma del hígado (Código 6C0422).

Por ello, debe realizarse reconocimientos médicos previos y periódicos a dichos trabajadores, con la prohibición de no contratar a los calificados como no aptos para desempeñar los puestos de trabajo de que se trate.

— Artículo 243 LGSS, en relación con RDEP (Anexo I).

Véase: Arsénico.

RETRETES

1. Los lugares de trabajo dispondrán de retretes, dotados de lavabos, situados en las proximidades de los puestos de trabajo, de los locales de descanso, de los vestuarios y de los locales de aseo, cuando no estén integrados en estos últimos.

Los retretes dispondrán de descarga automática de agua y papel higiénico. En los retretes que hayan de ser utilizados por mujeres se instalarán recipientes especiales y cerrados. Las cabinas estarán provistas de una puerta con cierre interior y de una percha.

Los vestuarios, locales de aseos y retretes estarán separados para hombres y mujeres, o deberá preverse una utilización por separado de los mismos. No se utilizarán para usos distintos de aquellos para los que estén destinados.

— Anexo V. Parte A.2 RDSSLT.

2. Retretes en las obras de construcción: Los trabajadores deberán disponer en las proximidades de sus puestos de trabajo, de los locales de descanso, de los vestuarios y de las duchas o lavabos, de locales especiales equipados con un número suficiente de retretes y de lavabos.

Los vestuarios, duchas, lavabos y retretes estarán separados para hombres y mujeres, o deberá preverse una utilización por separado de los mismos.

— Anexo IV. Parte A.I5 RDSSTOC.

3. Los lugares de trabajo en las obras de construcción, deberán estar acondicionados teniendo en cuenta, en su caso, a los trabajadores discapacitados.

Esta disposición se aplicará, en particular, a las puertas, vías de circulación, escaleras, duchas, lavabos, retretes y lugares de trabajo utilizados u ocupados directamente por trabajadores discapacitados.

— Anexo IV. Parte A.I8 RDSSTOC.

Véase. Agua potable. Lavabos. Duchas. Locales de aseo. Locales de vestuarios.

RETROEXCAVADORA

La máquina retroexcavadora se emplea básicamente para abrir trincheras destinadas a tuberías, cables, drenajes, etc.

Otro campo de aplicación muy frecuente es la excavación de cimientos para edificios, así como la excavación de rampas en solares cuando la excavación de los mismos se ha realizado con pala cargadora.

— Nota Técnica de Prevención n.º 122/1985. INSST.

Véase: Excavadora. Excavaciones. Palas cargadoras. Trabajos con palas mecánicas.

REVISIÓN DE APARATOS DE MEDICIÓN

1. Someter los aparatos de medición a nuevo examen, para en su caso, corregirlos, enmendarlos o repararlos.

2. Se ha declarado la invalidez de la prueba de alcoholemia practicada con etilómetro del que no consta en qué fecha fue objeto de la última revisión.

— SAP Cuenca 20.3.98.

3. Validación de un espirómetro.

— Nota Técnica de Prevención n.º 217/1988.

4. Gestión de los equipos de medición en un laboratorio de higiene industrial.

— Nota Técnica de Prevención n.º 582/2001.

Véase: Aparatos medidores. Revisiones periódicas de seguridad.

REVISIONES PERIÓDICAS DE SEGURIDAD

1. Las revisiones periódicas generales de los lugares de trabajo responden a la necesidad de que los lugares de trabajo deben ser periódicamente revisados, poniendo especial énfasis en el orden y limpieza de los mismos.

— Anexo II. RDSSLT.

2. Se deberá velar para que los trabajadores dispongan de los medios adecuados y de la formación necesaria para que mantengan su ámbito físico de trabajo en correcto estado. Se debe tener en cuenta que la mayoría de accidentes suceden en las superficies de tránsito y de trabajo por golpes y choques en los que muchas veces están implicadas también las herramientas manuales. Mediante estas revisiones se pretenden controlar los riesgos convencionales que se suelen generar en los lugares de trabajo.

— Notas Técnicas de Prevención n.º 418/1996. 577/2001. INSST.

3. Cuestionario de chequeo para el control de riesgos de accidente.

— Nota Técnica de Prevención n.º 324/1993. INSST.

Véase: Equipos de trabajo: Mantenimiento. Instalaciones: Mantenimiento. Revisión de aparatos de medición.

RIESGO DE INCENDIO Y EXPLOSIÓN

1. El oxígeno se encuentra en la atmósfera en una proporción, en volumen, del 21%, y con dicho porcentaje, si las condiciones son adecuadas, se puede iniciar y mantener la combustión de muchos materiales. Ahora bien, a medida que la concentración de oxígeno va aumentando, la situación se vuelve más crítica, y a partir de concentraciones en el aire superiores al 25%, la mayoría de los materiales pueden arder, incluso con carácter explosivo.

El oxígeno en forma de gas comprimido o licuado, se utiliza ampliamente en la industria. Equivalente líquido/gas: 1 litro de líquido se transforma en 854 litros de gas (a 15.º C, 1 bar).

2. Atmosferas ricas en oxígeno: Trabajos de soldadura autógena y oxicorte, hornos de fusión y cocción en industria cerámica y del vidrio, industria de fibra óptica, piscifactorías, tratamiento de aguas residuales, etc.

— Nota Técnica de Prevención n.º 630/2003. INSST.

3. Para que un incendio se inicie tienen que coexistir tres factores: combustible, comburente y foco de ignición que conforman el conocido «triángulo del fuego»; y para que el incendio progrese, la energía desprendida en el proceso tiene que ser suficiente para que se produzca la reacción en cadena. Estos cuatro factores forman lo que se denomina el «tetraedro del fuego».

— Notas Técnicas de Prevención n.º 599, 600/2001. INSST.

4. Muchos productos en forma de polvo como el carbón, harina, almidón, azúcar, goma, plásticos, algunos metales, productos farmacéuticos, etc., pueden dar origen a explosiones si se encuentran dispersados en el aire en forma de nube con una concentración adecuada y en presencia de una fuente de ignición.

Las explosiones de nubes de polvo dan lugar a un aumento rápido de la presión si están confinadas en recipientes u otros equipos de proceso. La mayoría de estas instalaciones no pueden soportar tales presiones, por lo que se deben tomar medidas para prevenir la explosión y para proteger las plantas contra los posibles efectos destructivos.

Las explosiones de polvos combustibles son tanto o más peligrosas que las de gases y vapores inflamables ya que su manipulación y procesado se realiza en la mayoría de los casos en contacto con el aire.

— Notas Técnicas de Prevención n.º 427, 428/1996. INSST.

4. Evaluación del riesgo de incendio. Método de Gustav Purt.

— Nota Técnica de Prevención n.º 100/1984. INSST.

5. Métodos de extinción y agentes extintores.

— Nota Técnica de Prevención n.º 99/1984. INSST.

Véase: Oxígeno. Incendios. Dispositivos de lucha contra incendios. Detectores de incendios. Detectores de humos. Sistemas de alarma.

RIESGO DURANTE EL EMBARAZO

1. Suspensión del contrato de trabajo, con reserva del puesto de trabajo, cuando no sea posible, primero adaptar sus condiciones o tiempo de trabajo y/o segundo trasladar a la trabajadora embarazada a puesto de trabajo exento de riesgo.

— Artículo 48 LET.

— Artículo 26.3 LPRL.

— Notas Técnicas de Prevención n.º 992, 993/2013. INSST.

2. Duración: Desde el día en que se inicia la suspensión del contrato de trabajo por esta causa, hasta el día anterior al inicio de la suspensión del contrato de trabajo por maternidad o el de reincorporación a su puesto de trabajo u otro compatible con su estado.

— Artículo 187.2 LGSS.

3. Se ha declarado la existencia de riesgo para el embarazo:

• De trabajadora acolchadora, con requerimientos de levantar y mover rollos de tela de hasta 50 kilos.

— STSJ Aragón 18.11.00.

• De trabajadora cuidadora de personas discapacitadas, con sobreesfuerzos al levantar y al ayudar a los residentes, siendo el trabajo en varios turnos y con eventual posibilidad de conductas agresivas de algún residente.

— STSJ Navarra 27.3.02. 30.4.02. 13.6.02.

Véase: Cambio de puesto de trabajo. Agentes teratógenos. Exámenes prenatales. Trabajadora embarazada. Tóxicos para la reproducción. Trabajadora y fertilidad. Sustancias tóxicas para la reproducción.

RIESGO DURANTE LA LACTANCIA NATURAL

1. Suspensión del contrato de trabajo, con reserva del puesto de trabajo, cuando no sea posible, primero adaptar sus condiciones o tiempo de trabajo y/o segundo trasladar a la trabajadora embarazada a puesto de trabajo compatible con su situación.

— Artículo 48.5 LET.

— Artículo 26.3 LPRL.

2. Duración: hasta que el lactante cumpla los 9 meses, salvo que la trabajadora se haya reincorporado con anterioridad a su puesto de trabajo anterior o a otro compatible con su situación.

— Artículos 188, 189 LGSS.

— Notas Técnicas de Prevención n.º 992, 993/2013. INSST.

3. No supone un riesgo para la lactancia natural la utilización de un escáner de vigilancia en el aeropuerto, puesto rotativo, al no superar el riesgo de irradiación de un mili silver por año la zona de libre acceso.

— STSJ Asturias 7.11.08.

Véase: Cambio de puesto de trabajo. Trabajadora en período de lactancia. Trabajadora que ha dado a luz.

RIESGO ELÉCTRICO

1. Riesgo originado por la energía eléctrica. Quedan específicamente incluidos los riesgos de:

• Choque eléctrico por contacto con elementos en tensión (contacto eléctrico directo), o con masas puestas accidentalmente en tensión (contacto eléctrico indirecto).

• Quemaduras por choque eléctrico, o por arco eléctrico.

• Caídas o golpes como consecuencia de choque o arco eléctrico.

• Incendios o explosiones originados por la electricidad.

— Anexo I.1 RDSSTRE.

— Nota Técnica de Prevención n.º 763/2007. INSST.

2. Se ha considerado infracción en materia de prevención de riesgos laborales:

• Mantener los armarios del cuadro eléctrico general y los cuadros eléctricos de las máquinas abiertos y con acceso directo a las barras y conductores activos con tensión eléctrica de 380 V y 220 V, lo que permite que todos los trabajadores puedan acceder a ellos y sufrir una descarga eléctrica que dé lugar a su electrocución.

— STSJ Cataluña Cont.-Adm. 17.3.05.

Véase: Arco eléctrico. Choque eléctrico. Circuito eléctrico. Corriente de contacto. Corriente de defecto. Corriente de puesta a tierra. Corriente eléctrica. Cortocircuito fusible. Electricistas. Industria eléctrica. Instalación eléctrica. Instalaciones de distribución de energía. Instalaciones de puesta a tierra. Interruptor automático. Soldadura exotérmica. Zona de trabajos en tensión.

RIESGO LABORAL GRAVE E INMINENTE

Aquel que resulte probable racionalmente que se materialice en un futuro inmediato y pueda suponer un daño grave para la salud de los trabajadores.

En el caso de exposición a agentes susceptibles de causar daños graves a la salud de los trabajadores, se considerará que existe un riesgo grave e inminente cuando sea probable racionalmente que se materialice en un futuro inmediato una exposición a dichos agentes de la que puedan derivarse daños graves para la salud, aun cuando éstos no se manifiesten de forma inmediata.

— Artículo 4.4 LPRL.

Véase: Riesgo. Riesgo laboral. Riesgo laboral grave. Lesión grave. Peligro. Accidentes graves. Operaciones potencialmente peligrosas. Peligro. Sustancias peligrosas.

RIESGO LABORAL GRAVE

Para calificar un riesgo desde el punto de vista de su gravedad, se valorarán conjuntamente la probabilidad de que se produzca el daño y la severidad del mismo.

— Artículo 4.2 LPRL.

Véase: Riesgo. Riesgo laboral. Riesgo laboral grave e inminente. Lesión grave. Peligro. Accidentes graves. Operaciones potencialmente peligrosas. Sustancias peligrosas.

RIESGO LABORAL

1. La posibilidad de que un trabajador sufra un determinado daño derivado del trabajo. Para calificar un riesgo desde el punto de vista de su gravedad, se valorarán conjuntamente la probabilidad de que se produzca el daño y la severidad del mismo.

— Artículo 4.2 LPRL.

2. Se considera riesgo laboral la posibilidad de que un trabajador de una entidad bancaria sufra daños a consecuencia de un atraco.

— STS 25.6.08.

Véase: Prevención. Riesgo. Riesgo laboral grave. Riesgo laboral grave e inminente. Lesión grave. Peligro. Accidentes graves. Operaciones potencialmente peligrosas. Sustancias peligrosas.

RIESGO

1. La probabilidad de que se produzca un efecto específico en un período de tiempo determinado o en circunstancias determinadas.

— Artículo 3.2 RDAG.

2. La posibilidad de que un trabajador sufra un determinado daño derivado de la exposición a agentes químicos. Para calificar un riesgo desde el punto de vista de su gravedad, se valorarán conjuntamente la probabilidad de que se produzca el daño y la severidad del mismo.

— Artículo 2 RDCTE.

Véase: Prevención. Riesgo laboral. Riesgo laboral grave. Riesgo laboral grave e inminente. Lesión grave. Peligro. Accidentes graves. Operaciones potencialmente peligrosas. Sustancias peligrosas.

RIESGOS BIOLÓGICOS

1. Se denominan riesgos biológicos el conjunto de microorganismos (bacterias, virus, hongos, etc.), a los que pueden estar expuestos los trabajadores. Su transmisión puede ser por vía respiratoria, digestiva, sanguínea, piel o mucosas.

Los riesgos biológicos pueden producir infecciones y enfermedades, incluso enfermedades profesionales.

2. Los contaminantes ambientales de procedencia biológica (bioaerosoles) están constituidos por las partículas, las moléculas de tamaño grande, o los compuestos orgánicos volátiles que están vivos o que proceden de un organismo vivo. En los bioaerosoles se pueden encontrar los microorganismos (cultivables, contables y los microorganismos muertos), y los fragmentos, toxinas y partículas producto de los desechos de todo tipo, cuyo origen es la materia viva.

— Nota Técnica de Prevención n.º 409/1996. INSST.

Véase: Agentes biológicos. Productos biológicos. Control biológico. Control de efectos biológicos. Indicadores de efecto biológico. Indicadores de exposición biológica. Indicadores de susceptibilidad biológica. Valor límite biológico. Epi contra agentes biológicos. Ropa de protección contra riesgos biológicos.

RIESGOS CATASTRÓFICOS

1. Son riesgos catastróficos los fenómenos de la naturaleza tales como los terremotos, maremotos, inundaciones, etc., y aquellos riesgos extraordinarios ocasionados violentamente como consecuencia de terrorismo, rebelión, motín, tumulto popular, etc.

2. En ningún caso serán objeto de protección por el Régimen General de la Seguridad Social los riesgos declarados catastróficos al amparo de su legislación especial.

— Artículo 160 LGSS.

Véase: Riesgo laboral. Accidentes de trabajo.

RIESGOS FÍSICOS

1. Se denominan riesgos físicos el conjunto de factores ambientales de naturaleza física tales como: ruido, temperatura, ventilación, iluminación, radiaciones, vibraciones, que cuando entran en contacto con los trabajadores pueden tener efectos nocivos sobre la salud dependiendo de su intensidad, tiempo de exposición y concentración.

Los riesgos físicos pueden producir daños a los trabajadores como golpe de calor, trastornos vasculares, enfermedades profesionales, etc.

Véase: Ruido. Corriente eléctrica. Radiaciones. Vibraciones.

RIESGOS LABORALES: CLASES

Los riesgos laborales se pueden clasificar en: Riesgos mecánicos, riesgos químicos, riesgos físicos, riesgos biológicos, riesgos psicosociales.

Véase: Riesgo laboral. Riesgo eléctrico.

RIESGOS MECÁNICOS

1. Se denominan riesgos mecánicos el conjunto de factores físicos que pueden dar lugar a una lesión por la acción mecánica de elementos de máquinas y equipos de trabajo, herramientas, instalaciones, etc.

Los riesgos mecánicos pueden producir lesiones traumáticas como cortes, magulladuras, fracturas, amputaciones, etc., ocasionadas por la acción de las piezas móviles de las máquinas, por atrapamientos, por caídas, por aplastamientos, por proyecciones de partículas etc.

— Nota Técnica de Prevención n.º 552/2000. INSST.

2. Cuando existe un peligro de atrapamiento no basta con prohibir por escrito meter las manos en los cilindros el laminador cuando se caiga un cuerpo extraño, sino que es necesario dotar la máquina de dispositivos que garanticen su seguridad con protección para impedir la accesibilidad de sus cilindros.

— STS 12.7.07.

Véase: Máquinas: Resguardos.

RIESGOS PSICOSOCIALES

1. Los riesgos psicosociales son aquellos que están originados por una deficiente organización y gestión de las tareas y por un entorno social negativo. Los riesgos psicosociales pueden afectar a la salud física, psíquica o social del trabajador, al producir situaciones de estrés laboral, síndrome de burnout, fatiga, etc.

2. El concepto teórico de factores psicosociales fue definido por el comité mixto OIT/OMS en 1984 como «aquellas condiciones presentes en una situación de trabajo, relacionadas con la organización, el contenido y la realización del trabajo susceptibles de afectar tanto al bienestar y la salud (física, psíquica o social) de los trabajadores como al desarrollo del trabajo.»

— Notas Técnicas de Prevención n.º 450/1997. 602, 603/2001. 702/2005. 840/2009. 926/2011. 944, 945/2012. INSST.

3. Los programas de ayuda al empleado es un servicio de asistencia que la empresa/organización puede ofrecer a sus empleados con la finalidad de dar soporte y asesoramiento a todos sus trabajadores en la resolución de sus problemas tanto personales como laborales reduciendo el impacto de los mismos sobre su salud y su rendimiento laboral.

— Nota Técnica de Prevención n.º 780/2007. INSST.

4. Evaluación de riesgos psicosociales.

— Nota Técnica de Prevención n.º 443/1997. INSST.

5. «Test de salud total» de Langner-Amiel: Su aplicación en el contexto laboral.

— Nota Técnica de Prevención n.º 421/1996. INSST.

Véase: Adicción al trabajo. Carga mental. Fatiga. Burnout. Estrés laboral.

RIESGOS QUÍMICOS

1. Los riesgos químicos son aquellos riesgos producidos por la exposición de los trabajadores a productos químicos, que pueden dar lugar a lesiones por la acción de sustancias y agentes químicos, como polvos, humos, gases, líquidos, etc.

Los riesgos químicos pueden producir daños a los trabajadores como intoxicaciones, irritaciones, alergias, enfermedades profesionales, etc.

2. La posibilidad de que un trabajador sufra un determinado daño derivado de la exposición a agentes químicos.

Para calificar un riesgo desde el punto de vista de su gravedad, se valorarán conjuntamente la probabilidad de que se produzca el daño y la severidad del mismo.

— Artículo 2.4 RDSSAQ.

— Notas Técnicas de Prevención n.º 663/2004. 872/2010. INSST.

3. Evaporación, fugas y derrames de sustancias químicas.

— Nota Técnica de Prevención n.º 430/1996. INSST.

Véase: Productos químicos. Preparados. Agentes químicos. Agentes químicos peligrosos. Exposición a un agente químico. Sustancias químicas. Industria química. Productos químicos: Etiquetado. Productos químicos: Envasado. Sustancias peligrosas. Presencia de sustancias peligrosas. Fichas de datos de seguridad. Ropa de trabajo contra riesgos químicos.

RINITIS

Rinitis es el término que describe los síntomas producidos por irritación o inflamación nasal. Entre los síntomas cabe destacar: goteo nasal, picor, estornudos y congestión nasal. Esta enfermedad a menudo coexiste con otras enfermedades respiratorias como por ejemplo el asma. Existen dos tipos de rinitis dependiendo o no de la intervención de los mecanismos inmunitarios:

Rinitis alérgica: esta condición ocurre cuando el sistema inmunitario responde de forma excesiva a determinadas sustancias tales como: polen, hongos, ácaros, pelo animal, productos químicos, humo de tabaco, alimentos, medicinas o veneno de insectos, que el organismo reconoce como extrañas. Tras un primer contacto con el alérgeno, una persona atópica (con predisposición genética) queda sensibilizada. Un contacto posterior con el alérgeno va a provocar una respuesta desmesurada del sistema inmunitario.

Rinitis no alérgica: esta forma de rinitis no depende de la presencia de la inmunoglobulina IgE y no es consecuencia de una reacción alérgica. Los síntomas pueden ser provocados por el humo de tabaco, olores fuertes, el frío, infecciones o el uso excesivo de descongestionantes.

Véase: Agentes biológicos. Hongos. Bacterias. Endotoxinas. Peptidoglicanos. Glucanos. Micotoxinas. Alérgenos. Enfermedades respiratorias. Asma laboral. E.P. neumonitis por hipersensibilidad. Síndrome toxico.

RODENTICIDA

1. Un rodenticida (raticida) es un pesticida que se utiliza para matar roedores. La efectividad de los rodenticidas está ligada a su acción tóxica y a la aceptación por los roedores del cebo.

2. Los trabajadores ocupados en las actividades económicas, y expuestos a los agentes o sustancias que a continuación se indican, pueden contraer una Enfermedad Profesional (E.P.):

a) Causada por agentes químicos:

• Fabricación y utilización de insecticidas o rodenticidas, donde se utilice fósforo y sus compuestos. (Código 1A0505).

• Preparación, manipulación y empleo de rodenticidas, donde se utilice talio y sus compuestos. (Código 1A1002).

• Empleo de compuestos de flúor como insecticida, pesticida, rodenticida y para conservación de la madera. (Código 1C0310).

• Utilización del ácido cianhídrico gaseoso en la lucha contra los insectos parásitos en agricultura y contra los roedores. (Código 1D0402).

• Preparación de ciertos rodenticidas, donde se utilice sulfuro de carbono. (Código 1U0108).

b) Causada por agentes biológicos:

• Trabajos de alcantarillado (ratas), que pueden provocar una E.P. infecciosa transmitida por animales (o por sus productos y cadáveres), por la exposición a agentes biológicos durante el trabajo. (Código 3B0127).

c) Causada por agentes cancerígenos:

• Utilización del ácido cianhídrico gaseoso en la lucha contra los insectos parásitos en agricultura y contra los roedores, que puede provocar una E.P. cancerígena. (Código 6Q0102).

Por ello, debe realizarse reconocimientos médicos previos y periódicos a dichos trabajadores, con la prohibición de no contratar a los calificados como no aptos para desempeñar los puestos de trabajo de que se trate.

— Artículo 243 LGSS, en relación con RDEP (Anexo I).

Véase. Desratización. Pesticida. Alcantarillado. Zoonosis. Trabajos de alcantarillado.

ROL

En una organización, el «rol» o «papel» de cada uno sería un conjunto de expectativas de conducta asociadas con su puesto, un patrón de comportamiento que se espera de quien desempeñe cada puesto, con cierta independencia de la persona que sea.

— Nota Técnica de Prevención n.º 388/1995. INSST.

Véase: Ambigüedad de rol. Conflicto de rol.

ROPA DE PROTECCIÓN CONTRA RIESGOS BIOLÓGICOS

La ropa de protección es la ropa que sustituye o cubre la ropa personal, y que está diseñada para proporcionar protección contra uno o más peligros.

La ropa de protección frente a los riesgos biológicos tiene como principal finalidad evitar que los agentes biológicos alcancen la piel y las mucosas.

Para proporcionar dicha protección se requiere que la ropa sirva de barrera frente a las distintas formas de exposición, incluyendo el caso en que la piel esté posiblemente dañada.

— Notas Técnicas de Prevención n.º 571/2000. 772/2007. INSST.

— Norma UNE-EN 340.

Véase: Agentes biológicos. Productos biológicos. Riesgos biológicos. Control biológico. Control de efectos biológicos. Indicadores de efecto biológico. Indicadores de exposición biológica. Indicadores de susceptibilidad biológica. Valor límite biológico. Epi contra agentes biológicos.

ROPA DE PROTECCIÓN CONTRA RIESGOS QUÍMICOS

La función de la ropa de protección contra productos químicos es evitar que éstos entren en contacto directo con la piel. Esto es una forma de controlar un riesgo de exposición, cuando éste no ha podido eliminarse o reducirse hasta los niveles deseados por otros medios. La exposición de la piel a productos químicos supone un riesgo si:

- El producto es peligroso para la salud.
- El producto se absorbe a través de la piel o la daña.
- La piel, aunque no se vea afectada directamente o sea vía de entrada, pueda servir de vehículo hacia otras rutas como, por ejemplo, las vías respiratorias.

La información sobre la peligrosidad de las sustancias químicas y sus mezclas, así como las posibles vías de absorción, puede obtenerse mediante los suministradores de las mismas. Las fuentes de información son la Etiqueta de los productos y la Ficha de Datos de Seguridad, ambas reguladas por el Reglamento REACH. En concreto, la Ficha de Datos de Seguridad requiere, en función de la clasificación de la sustancia o mezcla, que se especifique en su apartado 8 cuáles son los medios de control de la exposición y los equipos de protección personal necesarios para la manipulación del producto.

Los requisitos de la ropa de protección química se han definido en las normas técnicas, en base al estado físico del producto químico (sólido, líquido, gas), la cantidad de producto que pueda llegar al cuerpo o a una zona concreta de éste y la probabilidad de que se produzca una contaminación, es decir, si ésta es previsible por la tarea realizada o accidental.

Existen varios tipos de ropa de trabajo. Salvo para productos químicos líquidos (excepto si producen vapores), los trajes protegerán el cuerpo entero, debiendo tener las costuras y uniones herméticas en el propio traje, así como las conexiones con los demás accesorios integrales, como guantes, botas, etc.

— Nota Técnica de Prevención n.º 929/2012. INSST.

Véase: Productos químicos. Preparados. Agentes químicos. Agentes químicos peligrosos. Exposición a un agente químico. Riesgos químicos. Sustancias químicas. Productos químicos: Etiquetado. Productos químicos: Envasado. Sustancias peligrosas. Presencia de sustancias peligrosas. Fichas de datos de seguridad. Industria farmacéutica. Laboratorios de investigación.

ROPA DE PROTECCIÓN

1. Se considera ropa de protección (incluyendo protectores), aquella que cubre o reemplaza la ropa personal y que está diseñada para proporcionar protección contra uno o más peligros.

— Norma UNE-EN 340:2004.

2. La ropa de protección debe seleccionarse basándose en la evaluación de riesgos, lo que implica la identificación de los peligros y la determinación del riesgo por exposición a esos peligros. Asimismo, dicha ropa de protección, de acuerdo al Real Decreto 773/1997, deberá estar certificada según lo establecido en el Real Decreto 1407/1992.

— Nota Técnica de Prevención n.º 769/2007. INSST.

3. Ropa de señalización de alta visibilidad para los trabajadores expuestos al riesgo de atropello por vehículos o maquinaria en movimiento.

— Nota Técnica de Prevención n.º 718/2006. INSST.

— Norma UNE EN 471: 2004. Aenor.

Véase: Epi contra el frio. Ropa de protección contra riesgos biológicos. Ropa de protección contra riesgos químicos.

ROTACIÓN DE PUESTO DE TRABAJO

Cuando algún puesto de trabajo tiene unas exigencias que lo hacen especialmente repetitivo y pesado y mientras no sea modificado convenientemente, se recurre a la rotación de puestos entre varias personas. Ello puede estar especialmente indicado por motivos de seguridad, cuando uno de los puestos es especialmente fatigante o peligroso y los posibles errores pueden llegar a tener graves consecuencias. En estos casos, la rotación de puestos sería una solución de carácter urgente y transitorio, mientras se encuentra una alternativa mejor.

— Nota Técnica de Prevención n.º 444/1997. INSST.

Véase: Estrés laboral. Trabajos repetitivos. Carga mental de trabajo. Carga física de trabajo. Fatiga. Cambio de puesto de trabajo. Período de descanso. Pausas de trabajo obligatorias.

RUIDO

1. El término ruido comprende cualquier sonido que pueda provocar una pérdida de audición o ser nocivo para la salud o entrañar cualquier otro tipo de peligro.

— Artículo 3.b Convenio OIT 148, de 20 de junio de 1977.

2. Existe en nuestro entorno la idea, firmemente asentada, de que la tarea de reducir el nivel de ruido en los puestos de trabajo es siempre difícil, cuando no imposible, y se justifica el uso de protectores auditivos individuales como única solución, sin necesidad de demostración objetiva alguna, dando por hecho que aquella sentencia es siempre cierta. Aunque las técnicas operativas de reducción de ruido llevan consigo una complejidad técnica que, a menudo, contrasta con el resultado que se obtiene, muchos de los factores que incrementan la exposición laboral a ruido pueden corregirse mediante el conocimiento de las fuentes de ruido y las características del proceso y del local de trabajo (características de la exposición).

— Notas Técnicas de Prevención n.º 193/1988. 270/1991. 794, 795/2008. 864, 865/2010. 950, 951, 952, 960/2012. INSST.

3. Niveles de ruido:

— Nivel de presión acústica.
— Nivel de presión acústica ponderado.
— Nivel de presión acústica continuo.
— Nivel de exposición diario equivalente.

— Nivel de exposición semanal equivalente.

— Nivel de pico.

— Ruido estable.

— Anexo I. RDSSRR.

4. Medición del ruido.

— Anexo II. RDSSRR.

— Guía Técnica para la evaluación y prevención de los riesgos relacionados con la exposición de los trabajadores al ruido. 2009. INSST.

5. Ruido en trabajos de oficina.

— Nota Técnica de Prevención n.º 503/1999. INSST.

6. Procede la imposición del recargo en las prestaciones económicas de la Seguridad Social cuando:

• La señal acústica es ineficaz dado el ambiente ruidoso del centro de trabajo.

— STSJ Cataluña 16.12.09.

— STSJ Cantabria 11.12.06.

7. Se aprecia infracción en materia de prevención de riesgos laborales:

• Por evaluación de riesgos incompleta, al dejar pendiente la evaluación del ruido producido por los equipos de trabajo en la sección de carga y descarga.

— STSJ Murcia Cont.-Adm. 30.11.05.

Véase: Ambiente de trabajo. Trabajos con amplificadores de ruido. Trabajos de recogida de basuras. Sonómetro. Epi contra el ruido. Protectores auditivos. E.P. hipoacusia.

S

SALINAS

Véase: Trabajos en salinas.

SALUD LABORAL

La salud laboral tiene por objeto conseguir el más alto grado de bienestar físico, psíquico y social de los trabajadores en relación con las características y riesgos derivados del lugar de trabajo, el ambiente laboral y la influencia de éste en su entorno, promoviendo aspectos preventivos, de diagnóstico, de tratamiento, de adaptación y rehabilitación de la patología producida o relacionada con el trabajo.

— Artículo 32 LGSP.

Véase: Condición de trabajo. Salud. Salud mental. Satisfacción laboral.

SALUD MENTAL

La Organización Mundial de la Salud define la salud mental como el estado de bienestar en el cual el individuo se da cuenta de sus propias aptitudes, puede afrontar las presiones normales de la vida, puede trabajar productiva y fructíferamente y es capaz de hacer una contribución a su comunidad.

— Nota Técnica de Prevención n.º 1045/2015. INSST.

Véase: Condición de trabajo. Salud. Salud laboral. Satisfacción laboral.

SALUD

La Organización Mundial de la Salud (OMS), define la salud como un estado de bienestar físico, mental y social completo y no meramente la ausencia de daño y enfermedad.

Véase: Salud laboral. Salud mental. Satisfacción laboral.

SANATORIOS

1. Establecimientos convenientemente dispuestos para la estancia de enfermos que necesitan someterse a tratamientos médicos, quirúrgicos o climatológicos.

2. Deben tener, suministro eléctrico de seguridad que se pone en funcionamiento automáticamente, en los locales de pública afluencia, cuando se produce un fallo en el suministro eléctrico normal, con la finalidad de permitir la continuidad de las actividades normales durante dos horas como mínimo. Cuando proporcione una iluminación inferior al alumbrado normal se usará únicamente para terminar el trabajo con seguridad. Es obligatorio en hospitales, etc.

— Artículo 3 ITC-BT-28 del REBT.

— Nota Técnica de Prevención n.º 181/1986. INSST.

3. Los trabajadores ocupados en las actividades económicas, y expuestos a los agentes o sustancias que a continuación se indican, pueden contraer una Enfermedad Profesional (E.P.):

a) Causada por agentes físicos:

• Trabajos en las consultas de radiodiagnóstico, de radio y radioterapia y de aplicación de isótopos radiactivos, en consultas, clínicas, sanatorios, residencias y hospitales, que pueden producir E.P. provocadas por radiaciones ionizantes. (Código 2I0107).

b) Causada por agentes cancerígenos:

• <u>Trabajos en las consultas de radiodiagnóstico, de radio y radioterapia y de aplicación de isótopos radiactivos, en consultas, clínicas, sanatorios, residencias y hospitales, que pueden provocar la E.P. de síndrome linfo y mieloproliferativos.</u> (Código 6N0107).

• <u>Trabajos en las consultas de radiodiagnóstico, de radio y radioterapia y de aplicación de isótopos radiactivos, en consultas, clínicas, sanatorios, residencias y hospitales, que puede provocar la E.P. de carcinoma epidermoide de piel.</u> (Código 6N0207).

Por ello, debe realizarse reconocimientos médicos previos y periódicos a dichos trabajadores, con la prohibición de no contratar a los calificados como no aptos para desempeñar los puestos de trabajo de que se trate.

— Artículo 243 LGSS, en relación con RDEP (Anexo I).

Véase: Hospitales. Radioterapia. Clínicas de radioterapia. Enfermeros. Trabajadores sanitarios. Trabajos en hospitales. Trabajos con exposición a rayos X. Suministro eléctrico de seguridad. E.P. infecciosas transmitidas por personas.

SANCIONES ACCESORIAS EN MATERIA DE PRL

1. Publicación de las sanciones por la comisión infracciones muy graves en materia de prevención de riesgos laborales.

— Artículo 40.2 LISOS.

2. Prohibición de contratar con la Administración, por la comisión de infracciones muy graves en materia de prevención de riesgos laborales.

— Artículo 54 LPRL.

3. Cancelación de la acreditación a los Servicios de Prevención ajenos, a las personas o entidades que realicen Auditorias del sistema de prevención y entidades que realicen formación en materia de prevención de riesgos laborales, por la comisión de infracciones graves y muy graves en materia de prevención de riesgos laborales.

— Artículo 40.2 LISOS.

4. Otras responsabilidades derivadas de incumplimientos en materia de prevención de riesgos laborales:

• Responsabilidad solidaria del contratista o subcontratista, por los incumplimientos del subcontratista, cuando subcontrate obras o servicios correspondientes a su propia actividad.

— Artículo 24.3 LPRL.

— Artículo 42.3 LISOS.

• Responsabilidad directa de la empresa usuaria: De las condiciones de ejecución del trabajo y del recargo de prestaciones económicas que pueda fijarse, de los trabajadores procedentes de empresas de trabajo temporal.

— Artículo 42.3 LISOS.

• Paralización de trabajos por la existencia de riesgo grave e inminente.

— Artículo 44 LPRL.

• Recargo de las prestaciones económicas del sistema de Seguridad Social que pueda fijarse.

— Artículo 164 LGSS.

— Artículo 27 RPOS.

• Recargo de hasta el 20% de los tipos de cotización por accidentes de trabajo y enfermedades profesionales.

— Artículo 146.3 LGSS.

• Responsabilidad civil contractual.

— Artículo 1101 CC.

• Responsabilidad penal.

— Artículo 10 CP.

Véase: Responsabilidad administrativa.

SANEAMIENTO PÚBLICO

1. Sistema de evacuación y tratamiento de los residuos urbanos e industriales de una ciudad.

2. Los trabajadores ocupados en las actividades económicas, y expuestos a los agentes o sustancias que a continuación se indican, pueden contraer una Enfermedad Profesional (E.P.):

a) Causada por agentes químicos:

• Tratamiento de residuos peligrosos en actividades de saneamiento público, que contengan cadmio. (Código 1A0315).

b) Causada por agentes cancerígenos:

• Tratamiento de residuos peligrosos en actividades de saneamiento público, que contengan cadmio, que puede provocar la E.P. de neoplasia maligna de bronquio, pulmón y próstata. (Código 6G0115).

Por ello, debe realizarse reconocimientos médicos previos y periódicos a dichos trabajadores, con la prohibición de no contratar a los calificados como no aptos para desempeñar los puestos de trabajo de que se trate.

— Artículo 243 LGSS, en relación con RDEP (Anexo I).

Véase: Residuos. Residuos urbanos. Residuos domésticos. Residuos industriales. Trabajos de recogida de basuras. Cadmio.

SASTRES

1. Persona que tiene por oficio cortar y coser trajes.

2. Los trabajadores ocupados en las actividades económicas, y expuestos a los agentes o sustancias que a continuación se indican, pueden contraer una Enfermedad Profesional (E.P.), causada por agentes físicos:

• Sastrería y trabajos que requieran presión mantenida en región maleolar externa, que pueden producir la E.P. de bursitis. (Código 2C0401).

Por ello, debe realizarse reconocimientos médicos previos y periódicos a dichos trabajadores, con la prohibición de no contratar a los calificados como no aptos para desempeñar los puestos de trabajo de que se trate.

— Artículo 243 LGSS, en relación con RDEP (Anexo I).

Véase: E.P. Bursitis.

SATISFACCIÓN LABORAL

Es el estado emocional positivo o placentero de la percepción subjetiva de las experiencias laborales del trabajador.

— Notas Técnicas de Prevención n.º 212, 213/1988. 394/1995. INSST.

Véase: Salud. Salud laboral. Salud mental.

SATURNISMO

Intoxicación crónica por la acción del plomo, que penetra en el organismo por diversas vías (respiratoria, percutánea o digestiva) y se transforma en sales absorbibles por la sangre, que se depositan en diferentes órganos (hígado, bazo, etc.), pero sobre todo en el esqueleto.

— Nota Técnica de Prevención n.º 160/1986. INSST.

Véase: Plomo.

SECADO

1. Extraer la humedad, o hacer que se evapore de un cuerpo mojado, mediante el aire o el calor que se le aplica.

2. Los trabajadores ocupados en las actividades económicas, y expuestos a los agentes o sustancias que a continuación se indican, pueden contraer una Enfermedad Profesional (E.P.), causada por agentes químicos:

- Fabricación de colorantes y secantes que contengan compuestos de manganeso. (Código 1A0609).
- Utilización de resinas, colas, adhesivos, lacas, barnices, esmaltes, pinturas y productos de limpieza, en operaciones de secado que facilitan la evaporación de tolueno y los xilenos. (Código 1K0303).
- Utilización de glicoles en la industria química como productos intermedios en numerosas síntesis orgánicas, como disolventes de lacas, resinas, barnices celulósicos de secado rápido, de ciertas pinturas, pigmentos, nitrocelulosa y acetatos de celulosa, tintes y plásticos. (Código 1P0102).

Por ello, debe realizarse reconocimientos médicos previos y periódicos a dichos trabajadores, con la prohibición de no contratar a los calificados como no aptos para desempeñar los puestos de trabajo de que se trate.

— Artículo 243 LGSS, en relación con RDEP (Anexo I).

Véase: Sustancias secantes.

SEMANA

El período de tiempo comprendido entre las 00.00 del lunes y las 24.00 del domingo.

— Artículo 4.i Reglamento (CE) n.º 561/2006, de 15 de marzo de 2006.

Véase: Tiempo de trabajo. Tiempo de conducción. Período de descanso.

SEMICONDUCTORES

1. Sustancia aislante, como el germanio o el silicio, que se transforma en conductor por la adición de determinadas impurezas.

2. Los trabajadores ocupados en las actividades económicas, y expuestos a los agentes o sustancias que a continuación se indican, pueden contraer una Enfermedad Profesional (E.P.):

a) Causada por agentes químicos:

 • Fabricación de semiconductores, donde se utilice antimonio. (Código 1B0104).

 • Industria de semiconductores, donde se utilice etil acrilato (ésteres). (Código 1N0122).

 • Fabricación de semiconductores en la industria microelectrónica, donde se utilicen éteres. (Código 1O0102).

b) Causada por inhalación se sustancias y agentes no comprendidos en otros apartados:

 • Fabricación de semiconductores, donde se utilice antimonio, que puede provocar una E.P., causada por la inhalación de polvos, humos y vapores de antimonio. (Código 4J0104).

Por ello, debe realizarse reconocimientos médicos previos y periódicos a dichos trabajadores, con la prohibición de no contratar a los calificados como no aptos para desempeñar los puestos de trabajo de que se trate.

— Artículo 243 LGSS, en relación con RDEP (Anexo I).

Véase: Silicio. Antimonio.

SEÑAL ACÚSTICA

1. Señal sonora codificada, emitida y difundida por medio de un dispositivo apropiado, sin intervención de voz humana o sintética que va dirigida a alertar sobre la aparición de una situación de peligro y de la consiguiente necesidad de actuar de una forma determinada urgentemente o de evacuar la zona de peligro.

— Artículo 2.1 y Anexo IV RDSSST.

— Notas Técnicas de Seguridad n.º 888, 889/2010. INSST.

2. Procede la imposición del recargo en las prestaciones económicas de la Seguridad Social:

 • El accidente se produjo cuando se realizaba una maniobra peligrosa, entre otras infracciones, utilizando señales manuales y no acústicas y ni el señalista ni el operario de la grúa tenían visibilidad sobre el fondo de la zanja donde se produjo el accidente.

— STSJ Galicia 2.3.10.
 • Cuando la señal acústica es ineficaz dado el ambiente ruidoso del centro de trabajo.

— STSJ Cataluña 16.12.09.

— STSJ Cantabria 11.12.06.

3. No procede la imposición del recargo en las prestaciones económicas de la Seguridad Social:

• Cuando las vagonetas discurren por dos raíles, siendo necesario que un trabajador se coloque en las vías para ser atrapado.

— STSJ Valencia 1.7.05.

Véase: Comunicación verbal. Señalización de Seguridad. Colores de seguridad. Señales de seguridad: Forma. Señal de prohibición. Señal de advertencia. Señal de obligación. Señalización de emergencia. Señalización de salvamento. Señal indicativa. Señal en forma de panel. Señal adicional. Señal gestual. Señal luminosa. Señal óptica. Señales visuales de seguridad. Pictogramas de peligro.

SEÑAL ADICIONAL

Señal utilizada junto a otra señal en forma de panel, y que facilita informaciones complementarias.

— Artículo 2.h RDSSST.

Véase: Señalización de Seguridad. Colores de seguridad. Señales de seguridad: Forma. Señal de prohibición. Señal de advertencia. Señal de obligación. Señalización de emergencia. Señalización de salvamento. Señal indicativa. Señal en forma de panel. Señal acústica. Señal gestual. Señal luminosa. Señal óptica. Señales visuales de seguridad. Pictograma de peligro.

SEÑAL DE ADVERTENCIA

Señal triangular que advierte de un riesgo o peligro.

— Artículo 2.c RDSSST.

— Nota Técnica de Prevención n.º 188/1986. INSST.

Véase: Señalización de Seguridad. Colores de seguridad. Señales de seguridad: Forma. Señal de prohibición. Señal de obligación. Señalización de emergencia. Señalización de salvamento. Señal indicativa. Señal en forma de panel. Señal acústica. Señal adicional. Señal gestual. Señal luminosa. Señal óptica. Señales visuales de seguridad. Pictograma de peligro.

SEÑAL DE OBLIGACIÓN

Señal redonda que obliga a un comportamiento determinado.

— Artículo 2.d RDSSST.

— Nota Técnica de Prevención n.º 188/1986. INSST.

Véase: Señalización de Seguridad. Colores de seguridad. Señales de seguridad: Forma. Señal de prohibición. Señal de advertencia. Señalización de emergencia. Señalización de salvamento. Señal indicativa. Señal en forma de panel. Señal acústica. Señal adicional. Señal gestual. Señal luminosa. Señal óptica. Señales visuales de seguridad. Pictograma de peligro.

SEÑAL DE PROHIBICIÓN

1. Señal redonda que prohíbe un comportamiento susceptible de provocar un peligro.

— Artículo 2.b RDSSST.

— Nota Técnica de Prevención n.º 188/1986. INSST.

2. Se aprecia infracción a la normativa de prevención de riesgos laborales y por ello se sanciona.

• Por caerse un montacargas por exceso de peso, habiendo quedado probado la ausencia de señalización y de prohibición de subir personas en las operaciones de pruebas de cargas, ni haber sido informados los trabajadores de los riesgos de utilizarlo.

— STSJ Cataluña 15.6.04.

Véase: Señalización de Seguridad. Colores de seguridad. Señales de seguridad: Forma. Señal de advertencia. Señal de obligación. Señalización de emergencia. Señalización de salvamento. Señal indicativa. Señal en forma de panel. Señal acústica. Señal adicional. Señal gestual. Señal luminosa. Señal óptica. Señales visuales de seguridad. Prohibiciones por escrito. Pictograma de peligro.

SEÑAL DE SALVAMENTO O DE SOCORRO

Señal rectangular o cuadrada que proporciona indicaciones relativas a las salidas de socorro, a los primeros auxilios o a los dispositivos de salvamento.

— Artículo 2.e RDSSST.

— Nota Técnica de Prevención n.º 188/1986. INSST.

Véase: Señalización de Seguridad. Colores de seguridad. Señales de seguridad: Forma. Señal de prohibición. Señal de advertencia. Señal de obligación. Señalización de emergencia. Señal indicativa. Señal en forma de panel. Señal acústica. Señal adicional. Señal gestual. Señal luminosa. Señal óptica. Señales visuales de seguridad. Pictograma de peligro.

SEÑAL DE SOCORRO

Véase: Señal de salvamento.

SEÑAL EN FORMA DE PANEL

Señal que, por la combinación de una forma geométrica, de colores y de un símbolo o pictograma, proporciona una determinada información, cuya visibilidad está asegurada por una iluminación de suficiente intensidad.

— Artículo 2.g RDSSST.

Véase: Señalización de Seguridad. Colores de seguridad. Señales de seguridad: Forma. Señal de prohibición. Señal de advertencia. Señal de obligación. Señalización de emergencia. Señalización de salvamento. Señal indicativa. Señal acústica. Señal adicional. Señal gestual. Señal luminosa. Señal óptica. Señales visuales de seguridad. Pictograma de peligro.

SEÑAL GESTUAL

1. Un movimiento o disposición de los brazos o de las manos en forma codificada para guiar a las personas que estén realizando maniobras que constituyan un riesgo o peligro para los trabajadores.

— Artículo 2.n y Anexo VI RDSSST.

2. El encargado de las señales deberá dedicarse exclusivamente a dirigir las maniobras y a la seguridad de los trabajadores situados en las proximidades.

— Anexo VI RDSSST.

Véase: Comunicación verbal. Señalización de Seguridad. Colores de seguridad. Forma de las señales de seguridad. Señal de prohibición. Señal de advertencia. Señal de obligación. Señalización de emergencia. Señalización de salvamento. Señal indicativa. Señal en forma de panel. Señal acústica. Señal adicional. Señal luminosa. Señal óptica. Señales visuales de seguridad.

SEÑAL INDICATIVA

Señal rectangular o cuadrada que proporciona otras informaciones distintas de las señales de prohibición, de advertencia, de obligación, y de salvamento.

— Artículo 2.f RDSSST.

— Nota Técnica de Prevención n.º 188/1986. INSST.

Véase: Señalización de Seguridad. Colores de seguridad. Señales de seguridad: Forma. Señal de prohibición. Señal de advertencia. Señal de obligación. Señalización de emergencia. Señalización de salvamento. Señal en forma de panel. Señal acústica. Señal adicional. Señal gestual. Señal luminosa. Señal óptica. Señales visuales de seguridad. Pictograma de peligro.

SEÑAL LUMINOSA

Señal emitida por medio de un dispositivo formado por materiales transparentes o translúcidos, iluminados desde atrás o desde el interior, de tal manera que aparezca por sí misma como una superficie luminosa.

— Artículo 2.k y Anexo IV RDSSST.

Véase: Señalización de Seguridad. Colores de seguridad. Señales de seguridad: Forma. Señal de prohibición. Señal de advertencia. Señal de obligación. Señalización de emergencia. Señalización de salvamento. Señal indicativa. Señal en forma de panel. Señal acústica. Señal adicional. Señal gestual. Señal óptica. Señales visuales de seguridad. Pictograma de peligro.

SEÑAL ÓPTICA

Señal luminosa difundida por un dispositivo, que va dirigida a alertar sobre la aparición de una situación de peligro y de la consiguiente necesidad de actuar de una forma determinada urgentemente o de evacuar la zona de peligro.

— Notas Técnicas de Seguridad n.º 888, 889/2010. INSST.

Véase: Señalización de Seguridad. Colores de seguridad. Señales de seguridad: Forma. Señal de prohibición. Señal de advertencia. Señal de obligación. Señalización de emergencia. Señalización de salvamento. Señal indicativa. Señal en forma de panel. Señal acústica. Señal adicional. Señal gestual. Señal luminosa. Señales visuales de seguridad. Pictograma de peligro.

SEÑALES DE SEGURIDAD: FORMA

1. La forma triangular se utilizará para las señales de advertencia.

2. La forma redonda se utilizará para señales de prohibición y para señales de obligación.

3. La forma rectangular o cuadrada se utilizara para señales relativas a los equipos de lucha contra incendios y para señales de salvamento o socorro.

— Anexo III.3 RDSSST.

Véase: Señalización de Seguridad. Colores de seguridad. Señal de prohibición. Señal de advertencia. Señal de obligación. Señalización de emergencia. Señalización de salvamento. Señal indicativa. Señal en forma de panel. Señal acústica. Señal adicional. Señal gestual. Señal luminosa. Señal óptica. Señales visuales de seguridad. Pictograma de peligro. Símbolo o pictograma.

SEÑALES VISUALES DE SEGURIDAD

Los sistemas de señalización luminiscente tendrán como función informar sobre la situación de los equipos e instalaciones de protección contra incendios, de utilización manual, aun en caso de fallo en el suministro del alumbrado normal.

— Anexo I. Sección 2ª.1 RIPI.

— Nota Técnica de Prevención n.º 511/1999. INSST.

Véase: Señalización de Seguridad. Colores de seguridad. Señales de seguridad: Forma. Señal de prohibición. Señal de advertencia. Señal de obligación. Señalización de emergencia. Señalización de salvamento. Señal indicativa. Señal en forma de panel. Señal acústica. Señal adicional. Señal gestual. Señal luminosa. Señal óptica. Pictograma de peligro.

SEÑALIZACIÓN DE EMERGENCIA

Es la que va dirigida a alertar a los trabajadores o a terceros de la aparición de una situación de peligro y de la consiguiente y urgente necesidad de actuar de una forma determinada o de evacuar la zona de peligro. Esta señalización abarca tanto la señalización de la localización de los medios de protección contra incendios como la señalización de evacuación, salvamento y socorro en sus diferentes tipos y modalidades.

— Nota Técnica de Prevención n.º 888/2010. INSST.

Véase: Señalización de Seguridad. Colores de seguridad. Señales de seguridad: Forma. Señal de prohibición. Señal de advertencia. Señal de obligación. Señalización de salvamento. Señal indicativa. Señal en forma de panel. Señal acústica. Señal adicional. Señal gestual. Señal luminosa. Señal óptica. Señales visuales de seguridad. Vías y salidas de emergencia. Pictograma de peligro.

SEÑALIZACIÓN DE SEGURIDAD

1. Una señalización que, referida a un objeto, actividad o situación determinadas, proporcione una indicación o una obligación relativa a la seguridad o la salud en el trabajo mediante una señal en forma de panel, un color, una señal luminosa o acústica, una comunicación verbal o una señal gestual, según proceda.

— Artículo 2.a RDSSST.

— Nota Técnica de Prevención n.º 188/1986. INSST.

— Guía técnica para la señalización de seguridad y salud en el trabajo. 2009. INSST.

2. La elección del tipo de señal a implantar en una empresa dependerá de los receptores de la misma, para que así nuestro mensaje llegue de manera eficaz y provoque una reacción.

— Nota Técnica de Prevención n.º 655/2004. INSST.

3. Señalización de seguridad de recipientes y tuberías.

— Anexo VII.4 RDSSST.

— Nota Técnica de Prevención n.º 566/2000. INSST.

— Normas UNE 1115:1985 y UNE 1063:2000.

4. Procede la imposición del <u>recargo de las prestaciones</u> económicas de la Seguridad social cuando:

• El accidente se hubiera evitado con una señalización que acotara al máximo y señalara las zonas de confluencia de peatones y carretillas.

— STS 11.12.08.

— STSJ Cataluña 12.9.07.

• Falta de señalización y circulación por sitios por donde no se podía circular. La propiedad del camión no hace que la responsabilidad sea solidaria.

— STSJ Murcia 26.4.17.

5. Se aprecia infracción a la normativa de prevención de riesgos laborales y por ello se sanciona.

• Por caerse un montacargas por exceso de peso, habiendo quedado probado la ausencia de señalización y de prohibición de subir personas en las operaciones de pruebas de cargas, ni haber sido informados los trabajadores de los riesgos de utilizarlo.

— STSJ Cataluña 15.6.04.

• Por ausencia de señalización ante la existencia de un riesgo alto, grave y probable de agrupamiento.

— STSJ Asturias 26.2.10.

• Por no adoptarse medidas de señalización de seguridad para advertir a los demás trabajadores que el vehículo estaba en reparación y no debía moverse.

— STSJ Castilla la Mancha 18.3.09.

Véase: Colores de seguridad. Señales de seguridad: Forma. Señal de prohibición. Señal de advertencia. Señal de obligación. Señalización de emergencia. Señalización de salvamento. Señal indicativa. Señal en forma de panel. Señal acústica. Señal adicional. Señal gestual. Señal luminosa. Señal óptica. Señales visuales de seguridad. Pictogramas de peligro. Símbolo o pictograma.

SEPULTAMIENTO
Enterramiento por caída súbita de parte del terreno de una excavación o desprendimiento de bloques rocosos.

— Nota Técnica de Prevención n.º 905/2011. INSST.

Véase: Excavaciones. Trabajos con riesgos especiales.

SERVICIO DOMÉSTICO
Véase: Trabajadores del servicio del hogar familiar.

SERVICIOS DE PREVENCIÓN AJENOS
1. La expresión servicios de salud en el trabajo designa unos servicios investidos de funciones esencialmente preventivas y encargados de asesorar al empleador, a los trabajadores y a sus representantes en la empresa acerca de:

• Los requisitos necesarios para establecer y conservar un medio ambiente de trabajo seguro y sano que favorezca una salud física y mental óptima en relación con el trabajo;

• La adaptación del trabajo a las capacidades de los trabajadores, habida cuenta de su estado de salud física y mental.

— Artículo 1 Convenio OIT 161, de 25 de junio de 1985.

2. Se entenderá como Servicios de Prevención el conjunto de medios humanos y materiales necesarios para realizar las actividades preventivas a fin de garantizar la adecuada protección de la seguridad y la salud de los trabajadores, asesorando y asistiendo para ello al empresario, a los trabajadores y a sus representantes y a los órganos de representación especializados. Para el ejercicio de sus funciones, el empresario deberá facilitar a dicho servicio el acceso a la información y documentación a que se refiere el apartado 3 del artículo anterior.

— Artículo 31.2 LPRL.

— Artículo 10.2 RSP.

— Guía técnica de criterios de calidad del servicio de los Servicios de Prevención Ajenos. 2012. INSST.

3. Incumplir las obligaciones derivadas de actividades correspondientes a Servicios de Prevención ajenos respecto de sus empresarios concertados, de acuerdo con la normativa aplicable, constituye una infracción grave en materia de prevención de riesgos laborales que lleva aparejada una sanción económica de 2.046 euros a 40.985 euros.

— Artículos 12.22 y 40.2.b LISOS.

4. Ejercer sus actividades las entidades especializadas que actúen como Servicios de Prevención ajenos a las empresas, las personas o entidades que desarrollen la actividad de auditoría del sistema de prevención de las empresas o las que desarrollen y certifiquen la formación en materia de prevención de riesgos laborales, sin contar con la preceptiva acreditación o autorización, cuando ésta hubiera sido suspendida o extinguida, cuando hubiera caducado la autorización provisional, así como cuando se excedan en su actuación del alcance de la misma, constituye una infracción muy grave en materia de prevención de riesgos laborales que lleva aparejada una sanción económica de 40.986 euros a 819.780 euros y la publicación de infracción.

— Artículos 13.11 y 40.2.c LISOS.

5. Mantener las entidades especializadas que actúen como servicios de prevención ajenos a las empresas o las personas o entidades que desarrollen la actividad de auditoría del sistema de prevención de las empresas, vinculaciones comerciales, financieras o de cualquier otro tipo, con las empresas auditadas o concertadas, distintas a las propias de su actuación como tales, así como certificar, las entidades que desarrollen o certifiquen la formación preventiva, actividades no desarrolladas en su totalidad, constituye una infracción muy grave en materia de prevención de riesgos laborales que lleva aparejada una sanción económica de 40.986 euros a 819.780 euros y la publicación de infracción.

— Artículos 13.12 y 40.2.c LISOS.

6. El incumplimiento del deber de información a los trabajadores designados para ocuparse de las actividades de prevención o, en su caso, al servicio de prevención de la incorporación a la empresa de trabajadores con relaciones de trabajo temporales, de duración determinada o proporcionados por empresas de trabajo temporal, constituye una infracción grave en materia de prevención de riesgos laborales que lleva aparejada una sanción económica de 2.046 euros a 40.985 euros.

— Artículos 12.18 y 40.2.b LISOS.

7. No facilitar a los trabajadores designados o al servicio de prevención el acceso a la información y documentación señaladas en el apartado 1 del artículo 18 y en el apartado 1 del artículo 23 de la LPRL, constituye una infracción grave en materia de prevención de riesgos laborales que lleva aparejada una sanción económica de 2.046 euros a 40.985 euros.

— Artículos 12.19 y 40.2.b LISOS.

8. Se ha considerado que el Servicio de Prevención ajeno incumplió las obligaciones adquiridas en el concierto

• Cuando el Servicio de Prevención inicio su actividad preventiva a los seis meses siguientes al concierto.

— STSJ Madrid 3.2.06. 24.2.06.

• Cuando el Servicio de prevención no acredita que empezó a realizar la actividad preventiva contratada inmediatamente a la firma del concierto.

— STSJ Madrid 18.11.05.

— STSJ Baleares 15.7.05.

• Cuando excluyó en el concierto que la evaluación de riesgos se realizaría sin evaluar las máquinas, lo que impide realizar una evaluación integral de los riesgos de la empresa.

— STSJ Navarra 11.12.03. 30.7.04.

Véase: Sistemas de Prevención. Servicios de Prevención mancomunados. Servicio de Prevención propio. Mutuas como Servicios de Prevención. Designación de trabajadores. Asunción de la prevención por el empresario. Auditorias de prevención.

SERVICIOS DE PREVENCIÓN MANCOMUNADOS

Podrán constituirse servicios de prevención mancomunados entre aquellas empresas que desarrollen simultáneamente actividades en un mismo centro de trabajo, edificio o centro comercial, siempre que quede garantizada la operatividad y eficacia del servicio en los términos previstos en el apartado 3 del artículo 15 del RSP. Las empresas que tengan obligación legal de disponer de un Servicio de Prevención propio no podrán formar parte de servicios de prevención mancomunados constituidos para las empresas de un determinado sector, aunque sí de los constituidos para empresas del mismo grupo.

— Artículo 21 RSP.

Véase: Sistemas de Prevención. Servicio de Prevención propio. Servicios de Prevención ajenos. Mutuas como Servicios de Prevención. Designación de trabajadores. Asunción de la prevención por el empresario. Auditorias de prevención.

SERVICIOS DE PREVENCIÓN PROPIOS

1. Es obligatorio constituir un servicio de prevención propio en:

• Empresas de más de 500 trabajadores.

• Empresas entre 250 y 500 trabajadores cuando desarrollen alguna actividad peligrosa.

• Cuando lo decida la Autoridad Laboral, en función de la frecuencia o gravedad de los accidentes de trabajo y enfermedades profesionales.

— Artículo 30.1 LPRL.

— Artículo 14 RSP.

2. Cuando existe la obligación de constituir un Servicio de Prevención propio no puede externalizar parte de las especialidades, debiendo constituir imperativamente un Servicio de Prevención propio sin opción de concierto.

— STS 3.11.05.

3. No designar a uno o varios trabajadores para ocuparse de las actividades de protección y prevención en la empresa o no organizar o concertar un Servicio de Prevención cuando ello sea preceptivo, o no dotar a los recursos preventivos de los medios que sean necesarios para el desarrollo de las actividades preventivas, constituye una infracción grave en materia de prevención de riesgos laborales que lleva aparejada una sanción económica de 2.026 euros a 40.985 euros.

— Artículos 12.15.a, 40.2 LISOS.

4. El incumplimiento del deber de información a los trabajadores designados para ocuparse de las actividades de prevención o, en su caso, al servicio de prevención de la incorporación a la empresa de trabajadores con relaciones de trabajo temporales, de duración determinada o proporcionados por empresas de trabajo temporal, constituye una infracción grave en materia de prevención de riesgos laborales que lleva aparejada una sanción económica de 2.046 euros a 40.985 euros.

— Artículos 12.18 y 40.2.b LISOS.

5. No facilitar a los trabajadores designados o al servicio de prevención el acceso a la información y documentación señaladas en el apartado 1 del artículo 18 y en el apartado 1 del artículo 23 de la LPRL, constituye una infracción grave en materia de prevención de riesgos laborales que lleva aparejada una sanción económica de 2.046 euros a 40.985 euros.

— Artículos 12.19 y 40.2.b LISOS.

6. Servicios de prevención en la Administración General del Estado.

— Artículo 7 RDPAGE.

Véase: Sistemas de Prevención. Servicios de Prevención mancomunados. Servicios de Prevención ajenos. Mutuas como Servicios de Prevención. Designación de trabajadores. Asunción de la prevención por el empresario. Auditorias de prevención.

SIERRAS

1. Herramientas para cortar madera, piedra u otros objetos duros, que generalmente consiste en una hoja de acero dentada sujeta a una empuñadura, bastidor o armazón.

2. Las sierras pueden ser:

• Herramientas portátiles manuales diseñadas para cortar superficies de diversos materiales. Se componen de un bastidor o soporte en forma de arco, fijo o ajustable;

una hoja, un mango recto o tipo pistola y una tuerca de mariposa para fijarla. La hoja de la sierra es una cinta de acero de alta calidad, templado y revenido; tiene un orificio en cada extremo para sujetarla en el pasador del bastidor; además uno de sus bordes está dentado.

- Herramientas portátiles eléctricas, como la sierra circular, la sierra de cinta, etc.
- Máquinas fijas eléctricas, como la sierra de cinta, la cepilladora, etc.

— Nota Técnica de Prevención n.º 393/1995. INSST.

3. Sierra circular para construcción. Dispositivos de protección.

— Nota Técnica de Prevención n.º 96

1984. INSST.

4. Sierra de cinta. Se compone de un bastidor generalmente en forma de cuello de cisne soportando dos volantes equilibrados superpuestos en un mismo plano vertical y sobre los cuales se enrolla una hoja de sierra sin fin llamada cinta.

— Nota Técnica de Prevención n.º 92

1984. INSST.

4. Cepilladora. Está formada de un bastidor que soporta el plano de trabajo rectangular, compuesto de dos mesas horizontales entre las cuales está situado el árbol portacuchillas para el cepillado de madera.

— Nota Técnica de Prevención n.º 91/1984. INSST.

5. Los trabajadores ocupados en las actividades económicas, y expuestos, a los agentes o sustancias que a continuación se indican, pueden contraer una Enfermedad Profesional (E.P.), causada por agentes físicos:

- Talado y corte de árboles con sierras portátiles, donde el trabajador este expuesto a ruidos continuos y diarios de un nivel sonoro igual o superior a 80 decibelios A, que puede contraer la E.P. de hipoacusia. (Código 2A0108).
- Trabajos de molienda de caucho, de plástico y la inyección de esos materiales para moldeo-Manejo de maquinaria de transformación de la madera, sierras circulares, de cinta, cepilladoras, tupies, fresas, donde el trabajador este expuesto a ruidos continuos y diarios de un nivel sonoro igual o superior a 80 decibelios A, que puede contraer la E.P. de hipoacusia. (Código 2A0116).
- Trabajos en los que se produzcan: vibraciones transmitidas a la mano y al brazo por gran número de máquinas o por objetos mantenidos sobre una superficie vibrante (gama de frecuencia de 25 a 250 Hz), como son aquellos en los que se manejan maquinarias que transmitan vibraciones, como martillos neumáticos, punzones, taladros, taladros a percusión, perforadoras, pulidoras, esmeriles, sierras mecánicas, desbrozadoras, que pueden producir una E.P. de carácter vascular. (Código 2B0101).

Por ello, debe realizarse reconocimientos médicos previos y periódicos a dichos trabajadores, con la prohibición de no contratar a los calificados como no aptos para desempeñar los puestos de trabajo de que se trate.

— Artículo 243 LGSS, en relación con RDEP (Anexo I).

6. Se declara Enfermedad Profesional:

- A la necrosis del semilunar del albañil que utilizaba con frecuencia herramientas que producen vibraciones, como sierras radiales y martillos neumáticos.

— STSJ Valencia 5.4.05.

Véase: Trabajos con sierras. Talado de árboles. Herramientas portátiles manuales. Alicates. Cinceles. Cuchillos. Destornilladores. Limas. Llaves. Martillos. Picos. Punzones. Tijeras. Carpinterías. Enfermedades vasculares. Herramientas portátiles eléctricas. Máquinas.

SIGILO PROFESIONAL

1. A los Delegados de Prevención les será de aplicación lo dispuesto en el apartado 2 del artículo 65 de la LET en cuanto al sigilo profesional debido respecto de las informaciones a que tuviesen acceso como consecuencia de su actuación en la empresa.

— Artículo 37.3 LPRL.

2. Ningún tipo de documento entregado por la empresa al Comité podrá ser utilizado fuera del estricto ámbito de aquella ni para fines distintos de los que motivaron su entrega.

El deber de sigilo subsistirá incluso tras la expiración de su mandato e independientemente del lugar en que se encuentren.

— Artículo 65 LET.

3. El deber de sigilo de los Delegados de Prevención respecto a la información recibida queda limitado a aquella que no pueda significar un grave obstáculo al ejercicio de sus competencias. La alegación de que produciría un daño a la imagen y prestigio de la empresa no es suficiente.

— STC 198/2004.

— STSJ Sta. Cruz de Tenerife 7.11.07.

Véase: Delegados de Prevención. Comité de Seguridad y Salud. Garantías de los Delegados de Prevención.

SILICIO

1. Elemento químico que se presenta en forma de sílice, como en el granito y en el cuarzo, y de silicatos, como en la mica, el feldespato y la arcilla, que, por sus propiedades semiconductoras, tiene gran aplicación en la industria electrónica para la fabricación de transistores y células solares, y cuyos derivados presentan gran variedad de usos, desde las industrias del vidrio a las de los polímeros artificiales, como las siliconas.

2. Los trabajadores ocupados en las actividades económicas, y expuestos a los agentes o sustancias que a continuación se indican, pueden contraer una Enfermedad Profesional (E.P.), causada por agentes químicos:

• Fabricación de acero al silicio. (Código 1A0112).

Por ello, debe realizarse reconocimientos médicos previos y periódicos a dichos trabajadores, con la prohibición de no contratar a los calificados como no aptos para desempeñar los puestos de trabajo de que se trate.

— Artículo 243 LGSS, en relación con RDEP (Anexo I).

Véase: Acero. Semiconductores. Industria de la electrónica. Xiloxanos.

SILOS

1. Lugar seco en donde se guarda el trigo u otros granos, semillas o forraje.

2. Los trabajadores ocupados en las actividades económicas, y expuestos a los agentes o sustancias que a continuación se indican, pueden contraer una Enfermedad Profesional (E.P.):

a) Causada por inhalación de sustancias y agentes no comprendidos en otros apartados:

• Trabajadores de silos y molinos, donde los trabajadores estén expuestos a sustancias de alto peso molecular (de origen vegetal o animal), que pueden provocar alguna de las siguientes E.P: rinoconjuntivitis (Código 4H0111), asma (Código 4H0211), alveolitis alérgica extrínseca (Código 4H0311), síndrome de disfunción reactivo de la vía aérea (Código 4H0411), fibrosis intersticial difusa (Código 4H0511), bisinosis, cannabiosis, linnosis, bagazosis, estipatosis, suberosis (Códigos 4H0611), neumopatía intersticial difusa (Código 4H0711).

b) E.P. de la piel, causada por sustancias y agentes no comprendidos en alguno de los otros apartados:

• Trabajadores de silos y molinos, donde los trabajadores estén expuestos a sustancias de alto peso molecular (de origen vegetal o animal), que pueden provocar una E.P. de la piel, causada por sustancias de alto peso molecular. (Código 5B0111).

Por ello, debe realizarse reconocimientos médicos previos y periódicos a dichos trabajadores, con la prohibición de no contratar a los calificados como no aptos para desempeñar los puestos de trabajo de que se trate.

— Artículo 243 LGSS, en relación con RDEP (Anexo I).

Véase: Polvos. Síndrome tóxico.

SILOXANOS

1. Los siloxanos son compuestos orgánicos de silicio que se usan principalmente en la fabricación de polímeros de silicona, teniendo múltiples aplicaciones, por ejemplo, como recubrimientos y adhesivos en construcción y como componentes de productos de cuidado personal, de cosméticos y de productos de limpieza. También se encuentran en equipos de oficina, siendo los más comunes los siloxanos cíclicos, como:

• hexametilciclotrisiloxano (siloxano D3),
• octametilciclotetrasiloxano (siloxano D4),
• decametilciclopentasiloxano (siloxano D5),
• dodecametilciclohexasiloxano (siloxano D6),
• tetradecametilcicloheptasiloxano (siloxano D7) y
• hexadecametilciclooctasiloxano (siloxano D8).

Las emisiones de estos compuestos pueden proceder, entre otros, de los paneles de circuito impreso, de los monitores, del tóner de las impresoras láser y las fotocopiadoras, o de los lubricantes termorresistentes hechos a base de aceite o grasa de silicona que se emplean en los dispositivos de impresión. Según estudios realizados, los ordenadores pueden constituir una fuente importante de emisión de siloxanos D5 y D6, mientras que las impresoras y las fotocopiadoras son fuentes potenciales importantes de siloxanos D3 y D5. Debido a su uso tan extenso, se han llevado a cabo diversos estudios toxicológicos, no habiéndose demostrado hasta la fecha que la exposición a los siloxanos cíclicos comporte riesgos para la salud, si bien el siloxano D4 está clasificado, de conformidad con el Reglamento CLP, como tóxico para la reproducción de categoría 2.

— Nota Técnica de Prevención n.º 1085/2017. INSST.

Véase: Sustancias teratógenas. Agentes teratógenos. Sustancias tóxicas para la reproducción. Trabajadora y fertilidad. Trabajador y fertilidad. Silicio.

SILVICULTURA

La silvicultura o selvicultura es una actividad del sector agrario que consiste en el cuidado y el cultivo de los bosques y los montes.

— Nota Técnica de Prevención n.º 1020/2014. INSST.

Véase: Agricultura. Explotación forestal. Jardinería.

SÍMBOLO O PICTOGRAMA

Una imagen que describe una situación u obliga a un comportamiento determinado, utilizada sobre una señal en forma de panel o sobre una superficie luminosa.

— Artículo 2.j RDSSST.

Real Decreto 485/1997, de 14 abril, sobre disposiciones mínimas en materia de señalización de seguridad y salud en el trabajo. (Art. 2.j) (BOE. 23.4.97) (LLV V.42).

Véase: Pictogramas de peligro. Señalización de seguridad. Señales de seguridad: Formas.

SÍNCOPE POR CALOR

1. La pérdida de conciencia o desmayo son signos de alarma de sobrecarga térmica. La permanencia de pie o inmóvil durante mucho tiempo en un ambiente caluroso con cambio rápido de postura puede producir una bajada de tensión con disminución de caudal sanguíneo que llega al cerebro. Normalmente se produce en trabajadores no aclimatados a la exposición al calor.

— Nota Técnica de Prevención n.º 922/2011. INSST.

2. En caso de síncope, desvanecimiento, se deberá tumbar a la persona boca arriba (en decúbito supino) manteniendo las piernas elevadas y aflojar la ropa (cinturón, cuello de camisa, corbata, etc.).

— Nota Técnica de Prevención n.º 279/1991. INSST.

Véase: Calor. Estrés térmico. Deshidratación. Agotamiento por calor. Golpe de calor. Sobrecarga térmica.

SÍNDROME DE ESTAR QUEMADO POR EL TRABAJO

Véase: Burnout.

SÍNDROME DEL EDIFICIO ENFERMO

Se denomina síndrome del edificio enfermo cuando en grandes edificios de oficinas y en edificios herméticos con sistema centralizado de control de la ventilación a través de aire acondicionado se produce entre los trabajadores un alto índice de cefaleas, irritación de mucosas y sensación de fatiga.

— Notas Técnicas de Prevención n.º 243/1989. 288, 289, 290/1991. 380/1995. INSST.

Véase: Alergias. Calidad del aire. Aire acondicionado. Fatiga.

SÍNDROME TÓXICO

Síndrome tóxico por polvo orgánico es una enfermedad aguda febril no alérgica, caracterizada por: fiebre, temblores, tos seca, opresión torácica, disnea, dolor de cabeza, dolores musculares y articulares, fatiga, náusea y malestar general. Los síntomas hacen pensar en la gripe, pero normalmente desaparecen al día siguiente. Bajo este nombre se pueden englobar otras enfermedades tales como: las fiebres de los manipuladores de grano (síndrome de los silos), la bisinosis, la fiebre de los humidificadores y climatizadores, el síndrome de los poceros y otras fiebres inhalatorias. Esta enfermedad es típica de trabajadores expuestos a niveles elevados de polvo orgánico normalmente en espacios confinados.

— Nota Técnica de Prevención n.º 802/2008. INSST.

Véase: Polvos. Solos. Agentes biológicos. Hongos. Bacterias. Endotoxinas. Peptidoglicanos. Glucanos. Micotoxinas. Alérgenos. Enfermedades respiratorias. Asma laboral. Rinitis. Tabajos en pozos. E.P. bisinosis. E. P. neumonitis por hipersensibilidad.

SÍNTESIS

1. Proceso de obtención de un compuesto a partir de sustancias más sencillas. Composición de un todo por la reunión de sus partes.

2. Los trabajadores ocupados en las actividades económicas y expuestos a los agentes o sustancias que a continuación se indican, pueden contraer una Enfermedad Profesional (E.P.):

a) Causada por agentes químicos:

• Producción de acrilatos, sales de amonio, cianógeno y otras sustancias químicas de síntesis, donde se utilice ácido cianhídrico. (Código 1D0410).

• Utilización de alcoholes en las síntesis orgánicas. (Código 1F0101).

• Síntesis química de productos, donde se utilicen fenoles. (Código 1F0210).

• Productos intermedios en numerosos procesos de síntesis orgánica, donde se utilicen aldehídos. (Código 1G0103).

• Fabricación de polímeros de síntesis, donde se utilicen derivados halogenados. (Código 1H0209).

• Trabajos de síntesis de policloruro de vinilo (PVC) que exponen al monómero. (Código 1H0215).

• Fabricación de estas sustancias (aminas e hidracinas) y su utilización como productos intermediarios en la industria de colorantes sintéticos y en numerosas síntesis orgánicas, en la industria química, en la industria de insecticidas, en la industria farmacéutica, etc. (Código 1I0101).

• Síntesis y producción de polímeros (poliestireno), de copolímeros (acrilonitrilo butadieno estireno o ABS) y de resinas poliésteres, donde se utilice vinilbenceno. (Código 1K0401).

• Utilización de cetonas como agentes de extracción, como materia prima o intermedia en numerosas síntesis orgánicas. (Código 1L0102).

• El óxido de etileno (Epóxido) se utiliza, además, en la industria sanitaria y alimentaria como agente esterilizante, como fumigante de alimentos y tejidos, intermediario en síntesis química y en la síntesis de películas y fibras de poliéster. (Código 1M0107).

• Productos intermedios en numerosos procesos de síntesis orgánica, donde se utilicen ésteres orgánicos. (Código 1N0103).

• Utilización de glicoles en la industria química como productos intermedios en numerosas síntesis orgánicas, como disolventes de lacas, resinas, barnices celulósicos de secado rápido, de ciertas pinturas, pigmentos, nitrocelulosa y acetatos de celulosa, tintes y plásticos. (Código 1P0102).

• Utilización de monoisocianatos (metilisocianato) como agentes de síntesis en la industria química, donde se utilicen isocianatos. Código 1Q0109).

• Utilización de nitroderivados alifáticos en síntesis orgánica. (Código 1R0103).

• Síntesis, formulación y envasado de los productos plaguicidas, que contienen organofosforados y carbamatos inhibidores de la colinesterasa. (Código 1S0101).

• Procesos de síntesis industriales en que se utilice oxicloruro de carbono. (Código 1T0201).

b) Causada por agentes cancerígenos:

• Síntesis de plásticos, donde se utilice bis (cloruro-metil) éter, que puede provocar la E.P. de neoplasia de bronquio y pulmón. (Código 6F0101).

• Síntesis de resinas de intercambio iónico, donde se utilice bis (cloruro-metil) éter, que puede provocar la E.P. de neoplasia de bronquio y pulmón. (Código 6F0102).

• Fabricación de estas sustancias (aminas) y su utilización como productos intermediarios en la industria de colorantes sintéticos y en numerosas síntesis orgánicas, en la industria química, en la industria de insecticidas, en la industria farmacéutica, etc., que pueden provocar la E.P.de cáncer versical. (Código 6O0101).

• Producción de acrilatos, sales de amonio, cianógeno y otras sustancias químicas de síntesis, donde se utilice ácido cianhídrico, que puede provocar una E.P. cancerígena. (Código 6Q0110).

Por ello, debe realizarse reconocimientos médicos previos y periódicos a dichos trabajadores, con la prohibición de no contratar a los calificados como no aptos para desempeñar los puestos de trabajo de que se trate.

— Artículo 243 LGSS, en relación con RDEP (Anexo I).

Véase: Industria química. Polímeros.

SISAL

1. Fibra flexible y resistente obtenida de la pita y otras especies de agave.

2. Los trabajadores ocupados en las actividades económicas, y expuestos a los agentes o sustancias que a continuación se indican, pueden contraer una Enfermedad Profesional (E.P.):

a) Causada por inhalación de sustancias y agentes no comprendidos en otros apartados:

• Trabajos en los que se manipula cáñamo, bagazo de caña de azúcar, yute, lino, esparto, sisal y corcho, donde los trabajadores estén expuestos a sustancias de alto peso molecular (de origen vegetal o animal), que pueden provocar alguna de las siguientes E.P: rinoconjuntivitis (Código 4H0129), asma (Código 4H0229), alveolitis alérgica extrínseca (Código 4H0329), síndrome de disfunción reactivo de la vía aérea (Código 4H0429), fibrosis intersticial difusa (Código 4H0529), bisinosis, cannabiosis, linnosis, bagazosis, estipatosis, suberosis (Código 4H0629), neumopatía intersticial difusa (Código 4H0729).

b) E.P. de la piel, causada por sustancias y agentes no comprendidos en alguno de los otros apartados:

• Trabajos en los que se manipula cáñamo, bagazo de caña de azúcar, yute, lino, esparto, sisal y corcho, donde los trabajadores estén expuestos a sustancias de alto peso molecular (de origen vegetal o animal), que pueden provocar una E.P. de la piel, causada por sustancias de alto peso molecular. (Código 5B0129).

Por ello, debe realizarse reconocimientos médicos previos y periódicos a dichos trabajadores, con la prohibición de no contratar a los calificados como no aptos para desempeñar los puestos de trabajo de que se trate.

— Artículo 243 LGSS, en relación con RDEP (Anexo I).

Véase: Cáñamo. Esparto.

SISTEMA DE VIGILANCIA RADIOLÓGICA

Conjunto de medidas destinadas a aplicar, en lo que afecte a los, trabajadores externos, 1as disposiciones correspondientes del RPSRI.

Documento individual de seguimiento radiológico. Instrumento para el registro de datos, donde se recogen los aspectos oportunos relativos al trabajador, procedentes de la aplicación del sistema de vigilancia radiológica.

— Artículo 2.f, g RDPTERI.

Véase: Radiaciones. Radiactividad.

SISTEMAS DE ALARMA

Obras de construcción. En los lugares de trabajo de las obras de construcción, y siempre que lo exijan las características de la obra o de la actividad; las circunstancias o cualquier riesgo, deberá existir detectores de incendios y sistemas de alarma y estar debidamente señalizados.

— Anexo IV. Parte A.5 RDSSTOC.

Véase: Incendios. Extinción de incendios. Dispositivos de lucha contra incendios. Detectores de incendios. Detectores de humos. Fuego clase: A, B, C, D, E. Radiaciones térmicas. Carga de fuego ponderada. Extintores. Equipos contra incendios.

SISTEMAS DE PREVENCIÓN

1. La Ley de Prevención de Riesgos Laborales deja libertad al empresario (con ciertas limitaciones o requisitos) para que elija el Sistema de Prevención que desea implantar en su empresa de los previstos en la propia LPRL, pudiéndolos compatibilizar. Los sistemas de prevención previstos por la LPRL son:

• Que el empresario asuma directamente las actividades de prevención en su empresa.

• Que el empresario designe a trabajadores de su empresa para que se ocupen de las tareas de prevención.

• Que el empresario concierte las tareas de prevención con un Servicio de Prevención Ajeno.

• Que el empresario constituya un Servicio de Prevención Propio o Mancomunado.

— Artículos 30, 31 LPRL.

— Nota Técnica de Prevención n.º 565/2000 INSST.

2. No designar a uno o varios trabajadores para ocuparse de las actividades de protección y prevención en la empresa o no organizar o concertar un servicio de prevención cuando ello sea preceptivo, o no dotar a los recursos preventivos de los medios que sean necesarios para el desarrollo de las actividades preventivas, constituye una infracción grave en materia de prevención de riesgos laborales que lleva aparejada una sanción económica de 2.046 euros a 40.985 euros.

— Artículos 12.15.a y 40.2.b LISOS.

Véase: Gestión de la prevención. Integración de la prevención. Asunción de la prevención por el empresario. Designación de trabajadores. Servicios de Prevención ajenos. Servicios de Prevención mancomunados. Servicio de Prevención propio. Auditorias de prevención.

SOBRECARGA TÉRMICA

El estrés térmico corresponde a la carga neta de calor a la que los trabajadores están expuestos y que resulta de la contribución combinada de las condiciones ambientales del lugar donde trabajan, la actividad física que realizan y las características de la ropa que llevan. La sobrecarga térmica es la respuesta fisiológica del cuerpo humano al estrés térmico y corresponde al coste que le supone al cuerpo humano el ajuste necesario para mantener la temperatura interna en el rango adecuado.

La sobrecarga térmica refleja las consecuencias que sufre un individuo cuando se adapta a condiciones de estrés térmico. No se corresponde con un ajuste fisiológico adecuado del cuerpo humano, sino que supone un coste para el mismo. Los parámetros que permiten controlar y determinar la sobrecarga térmica son: la temperatura corporal, la frecuencia cardiaca y la tasa de sudoración.

— Nota Técnica de Prevención n.º 922/2011. INSST.

Véase: Estrés térmico. Aislamiento térmico. Calor. Deshidratación. Agotamiento por calor. Síncope por calor. Golpe de calor.

SOJA

1. El grano de soja y sus subproductos (aceite y harina de soja) se utilizan en la alimentación humana, del ganado y aves. Se comercializa en todo el mundo debido a sus múltiples usos.

2. Los trabajadores ocupados en las actividades económicas, y expuestos a los agentes o sustancias que a continuación se indican, pueden contraer una Enfermedad Profesional

(E.P.), causada por inhalación de sustancias y agentes no comprendidos en otros apartados:

  • Procesamiento de soja, donde los trabajadores estén expuestos a sustancias de alto peso molecular (de origen vegetal o animal), que pueden provocar alguna de las siguientes E.P: rinoconjuntivitis (Código 4H0106), asma (Código 4H0206), alveolitis alérgica extrínseca (Código 4H0306), síndrome de disfunción reactivo de la vía aérea (Código 4H0406), fibrosis intersticial difusa (Código 4H0506), bisinosis, cannabiosis, linnosis, bagazosis, estipatosis, suberosis (Códigos 4H0606), y neumopatía intersticial difusa (Código 4H0706).

Por ello, debe realizarse reconocimientos médicos previos y periódicos a dichos trabajadores, con la prohibición de no contratar a los calificados como no aptos para desempeñar los puestos de trabajo de que se trate.

— Artículo 243 LGSS, en relación con RDEP (Anexo I).

  Véase: Aceite. Harinas. Centeno.

SOLADORES

1. Personas que se dedican a revestir el suelo de un lugar con ladrillos, losas u otro material.

2. Los trabajadores ocupados en las actividades económicas, y expuestos a los agentes o sustancias que a continuación se indican, pueden contraer una Enfermedad Profesional (E.P.), causada por agentes físicos:

  • Trabajos que requieran habitualmente de una posición de rodillas mantenidas como son trabajos en minas, en la construcción, servicio doméstico, colocadores de parquet y baldosas, jardineros, talladores y pulidores de piedras, trabajadores agrícolas y similares. (Código 2C0101).

  • Trabajos en los que se produzca un apoyo prolongado y repetido de forma directa o indirecta sobre las correderas anatómicas que provocan lesiones nerviosas por compresión. Movimientos extremos de hiperflexión y de hiperextensión. Trabajos que requieran posición prolongada en cuclillas, como empedradores, soladores, colocadores de parqué, jardineros y similares, que pueden provocar la E.P. de síndrome de compresión ciática, por la exposición a posturas forzadas y/o movimientos repetitivos. (Código 2F0401).

  • Trabajos que requieran posturas en hiperflexión de la rodilla en posición mantenida en cuclillas de manera prolongada como son: Trabajos en minas subterráneas, electricistas, soladores, instaladores de suelos de madera, fontaneros, que pueden provocar la E.P. de lesiones del menisco por la exposición a posturas forzadas y/o movimientos repetitivos. (Código 2G0101).

Por ello, debe realizarse reconocimientos médicos previos y periódicos a dichos trabajadores, con la prohibición de no contratar a los calificados como no aptos para desempeñar los puestos de trabajo de que se trate.

— Artículo 243 LGSS, en relación con RDEP (Anexo I).

  Véase: Colocadores de parquet. Trabajos con posturas forzadas. Trabajos en cuclillas. E.P. bursitis.

SOLDADORES

1. Profesionales dedicados a soldar, esto es, encargados de pegar y unir sólidamente dos cosas, o dos partes de una misma cosa, normalmente con alguna sustancia igual o semejante a ellas.

2. Los trabajadores ocupados en las actividades económicas, y expuestos a los agentes o sustancias que a continuación se indican, pueden contraer una Enfermedad Profesional (E.P.):

a) Causadas por agentes físicos:

• Trabajos en los que se produzca un apoyo prolongado y repetido de forma directa o indirecta sobre las correderas anatómicas que provocan lesiones nerviosas por compresión. Movimientos extremos de hiperflexión y de hiperextensión. Trabajos que requieran movimientos repetidos o mantenidos de hiperextensión e hiperflexión de la muñeca, de aprehensión de la mano como lavanderos, cortadores de tejidos y material plástico y similares, trabajos de montaje (electrónica, mecánica), industria textil, mataderos (carniceros, matarifes), hostelería (camareros, cocineros), soldadores, carpinteros, pulidores, pintores, que pueden provocar la E.P. de síndrome del túnel carpiano. (Código 2F0201).

• Trabajos en los que se produzca un apoyo prolongado y repetido de forma directa o indirecta sobre las correderas anatómicas que provocan lesiones nerviosas por compresión. Movimientos extremos de hiperflexión y de hiperextensión. Trabajos que requieran posición prolongada en cuclillas, como empedradores, soladores, colocadores de parqué, jardineros y similares, que pueden contraer enfermedades por posturas forzadas y movimientos repetitivos, como el síndrome de compresión ciática. (Código 2F0401).

b) Causada por inhalación de sustancias no comprendidas en otros apartados:

• Soldadores, donde los trabajadores estén expuestos a sustancias de bajo peso molecular (metales, polvos de maderas, sustancias químicas, etc.), que pueden provocar alguna de las siguientes E.P: rinoconjuntivitis (Código 4I0126), urticaria (Código 4I0226), angiodemas (Código 4I0226), asma (Código 4I0326), alveolitis alérgica extrínseca (Código 4I0426), síndrome de disfunción de la vía reactiva (Código 4I0526), fibrosis intersticial difusa (Código 4I0626), fiebre de los metales (Código 4I0726), y neumopatía intersticial difusa (Código 4I0826).

c) E.P. de la piel, causada por sustancias y agentes no comprendidos en alguno de los otros apartados:

• Soldadores, donde los trabajadores estén expuestos a sustancias de bajo peso molecular (metales, polvos de maderas, sustancias químicas, etc.), que pueden provocar una E.P. de la piel, causada por sustancias de bajo peso molecular. (Código 5A0125).

Por ello, debe realizarse reconocimientos médicos previos y periódicos a dichos trabajadores, con la prohibición de no contratar a los calificados como no aptos para desempeñar los puestos de trabajo de que se trate.

— Artículo 243 LGSS, en relación con RDEP (Anexo I).

3. Se ha declarado Enfermedad Profesional:

• A la enfermedad de Kienböck, caracterizada por el dolor y disminución de la función articular en grado variable de la muñeca, relacionada con la vibración transmitida a la mano, que es absorbida a nivel de la articulación del carpo, de un soldador de taloneras de la furgoneta VAN, que soldaba piezas metálicas de aproximadamente 3,6 Kg. de peso y 160 cm. de largo en dos fases.

— STSJ Cataluña 7.11.05.

Véase: Soldadura y oxicorte. Soldadura oxiacetilénica. Soldadura autógena. Soldadura eléctrica al arco. Soldadura exotérmica. Acetileno. Quemaduras.

SOLDADURA AUTÓGENA

1. Es aquella soldadura que se hace con el mismo metal de las piezas que se han de soldar.

2. Las soldaduras autógenas (con gas) son las que se realizan por presión, y en ellas el calor se aporta quemando un gas combustible (acetileno).

El acetileno se mezcla con el oxígeno en un soplete de soldar, atraviesa una boquilla y se quema al salir de ella.

— Nota Técnica de Prevención n.º 132/1985. INSST.

3. Procede la imposición del <u>recargo en las prestaciones</u> económicas de la Seguridad Social:

a) Cuando el soldador de piezas de aluminio con arco metálico en atmosfera de gas inerte (argón), ha estado expuesto a radiaciones ultravioleta tanto directas como indirectas por insuficiencia de las medidas preventivas.

— STSJ Cataluña 15.5.07.

Véase: Soldadura y oxicorte. Soldadura oxiacetilénica. Soldadura eléctrica al arco. Soldadura exotérmica. Acetileno. Soldadores.

SOLDADURA ELÉCTRICA AL ARCO

1. Dentro del campo de la soldadura industrial, la soldadura eléctrica manual al arco con electrodo revestido es la más utilizada. Para ello se emplean máquinas eléctricas de soldadura que básicamente consisten en transformadores que permiten modificar la corriente de la red de distribución, en una corriente tanto alterna como continua de tensión más baja, ajustando la intensidad necesaria según las características del trabajo a efectuar. Los trabajos con este tipo de soldadura conllevan una serie de riesgos entre los que destacan los relacionados con el uso de la corriente eléctrica, los contactos eléctricos directos e indirectos.

— Nota Técnica de Prevención n.º 494/1998. INSST.

2. La soldadura por arco es uno de varios procesos de fusión para la unión de metales. Mediante la aplicación de calor intenso, el metal en la unión entre las dos partes se funde y da lugar a que se entremezclen, directamente, o más comúnmente con el metal de relleno fundido intermedio. Tras el enfriamiento y la solidificación, se crea una unión metalúrgica. Puesto que la unión es una mezcla de metales, la soldadura final, potencialmente tiene las mismas propiedades de resistencia como el metal de las piezas.

— Nota Técnica de Prevención n.º 770/2007. INSST.

3. Un arco eléctrico es una descarga disruptiva generada por la ionización de un medio gaseoso (por ejemplo, el aire) entre dos superficies o elementos a diferente potencial.

El arco eléctrico es un fenómeno caótico (es decir, no lineal y fuertemente dependiente de las condiciones iníciales), complejo (depende de muchos factores como el medio físico donde se produce, la intensidad de corriente o la forma y materiales de la instalación eléctrica en tensión) y que puede originarse, tanto por un fallo técnico como por un error humano (caída de herramientas, maniobra inadecuada, etc.).

El arco eléctrico es uno de los principales riesgos a los que se ven expuestos los trabajadores de instalaciones eléctricas. Cuando se produce un arco, se desencadena una fuerte liberación de energía y se producen muchos fenómenos diferentes.

— Nota Técnica de Prevención n.º 904/2011. INSST.

4. Se ha considerado infracción en materia de prevención de riesgos laborales:

• La falta de protección mediante cortinas o pantallas la zona de soldadura eléctrica que impidiera que las radiaciones alcancen a otros trabajadores sin gafas de protección o pantallas de protección.

Véase: Arco eléctrico. Soldadura y oxicorte. Soldadura oxiacetilénica. Soldadura autógena. Soldadura exotérmica. Acetileno. Soldadores. Riesgo eléctrico. Corriente eléctrica. Electricidad: contacto directo. Electricidad: contacto indirecto. Trabajos con tensión. Óxidos de nitrógeno.

SOLDADURA EXOTÉRMICA

La soldadura exotérmica o soldadura aluminotérmica de cobre es un proceso para unir molecularmente conductores de cobre, acero inoxidable, galvanizado, bronces, etc., en instalaciones eléctricas que requieren tomas de tierra.

— Nota Técnica de Prevención n.º 1028/2014. INSST.

Véase: Soldadura y oxicorte. Soldadura oxiacetilénica. Soldadura autógena. Soldadura eléctrica al arco. Acetileno. Soldadores. Arco eléctrico. Choque eléctrico. Circuito eléctrico. Corriente de contacto. Corriente de defecto. Corriente de puesta a tierra. Corriente eléctrica. Cortocircuito fusible. Electricidad: contacto directo. Electricidad: contacto indirecto. Electricidad: alta tensión. Electricidad: estática. Electricistas. Industria eléctrica. Instalación eléctrica. Instalaciones de distribución de energía. Instalaciones de puesta a tierra. Interruptor automático. Riesgo eléctrico. Zona de trabajos en tensión.

SOLDADURA OXIACETILÉNICA

Los gases en estado comprimido son en la actualidad prácticamente indispensables para llevar a cabo la mayoría de los procesos de soldadura. Por su gran capacidad inflamable, el gas más utilizado es el acetileno que, combinado con el oxígeno, es la base de la soldadura oxiacetilénica y oxicorte, el tipo de soldadura por gas más utilizado. Por otro lado y a pesar de que los recipientes que contienen gases comprimidos se construyen de forma suficientemente segura, todavía se producen muchos accidentes por no seguir las normas de seguridad relacionadas con las operaciones complementarias de manutención, transporte, almacenamiento y las distintas formas de utilización.

— Nota Técnica de Prevención n.º 495/1998. INSST.

Véase: Soldadura y oxicorte. Soldadura autógena. Soldadura eléctrica al arco. Soldadura exotérmica. Acetileno. Soldadores.

SOLDADURA Y OXICORTE

1. La soldadura consiste en la acción y efecto de soldar, mediante el material que sirve y está preparado para soldar. Oxicorte consiste en la técnica de cortar metales con soplete oxiacetilénico.

2. Los trabajadores ocupados en las actividades económicas, y expuestos a los agentes o sustancias que a continuación se indican, pueden contraer una Enfermedad Profesional (E.P.):

a) Causada por agentes químicos:

• Soldadura y oxicorte de piezas con cadmio. (Código 1A0306).

• Trabajos que implican soldadura y oxicorte de aceros inoxidables, donde se utilice cromo. (Código 1A0413).

• Soldadura con compuestos del manganeso. (Código 1A0606).

• Soldadura con electrodos de manganeso. (Código 1A0615).

• Trabajos que implican soldadura y oxicorte de acero inoxidable, donde se utilice níquel. (Código 1A0809).

• Fabricación, soldadura, rebabado y pulido de objetos de plomo o sus aleaciones. (Código 1A0902).

• Estañado con ayuda de aleaciones de plomo. (Código 1A0903).

• Trabajos con soplete de materias recubiertas con pinturas plumbíferas. (Código 1A0911).

• Soldadura con antimonio. (Código 1B0103).

• La preparación de cables para soldadura, donde se utilice ácido fórmico. (Código 1E0118).

• Utilización de la acroleína (aldehídos) en las fábricas de jabón, en la galvanoplastia, en la soldadura de piezas metálicas. (Código 1G0111).

• Trabajos de soldadura y corte, donde se utilice óxido de carbono. (Código 1T0104).

• Soldadura de piezas o partes metálicas que hayan sido limpiadas con hidrocarburos clorados. (Código 1T0206).

• Soldadura de arco, donde se utilicen óxidos de nitrógeno. (Código 1T0301).

b) Causada por agentes físicos:

• Trabajos que precisan lámparas germicidas, antorchas de plomo, soldadura de arco o xenón, irradiación solar en grandes altitudes, láser industrial, colada de metales en fusión, vidrieros, empleados en estudios de cine, actores, personal de teatros, laboratorios bacteriológicos y similares, con exposición a radiaciones no ionizantes, con longitud de onda entre los 100 y 400 nm, que pueden producir E.P. oftalmológicas por su exposición a radiaciones no ionizantes (radiaciones ultravioleta). (Código 2J0101).

c) Causada por la inhalación de sustancias y agentes no comprendidos en otros apartados:

• Soldadura con antimonio. (Código 4J0103).

d) Causada por agentes cancerígenos:

• Soldadura y oxicorte de piezas con cadmio, que puede provocar la E.P. de neoplasia maligna de bronquio, pulmón y próstata. (Código 6G0106).

• Trabajos que implican soldadura y oxicorte de aceros inoxidables, donde se utilice cromo o níquel, que puede provocar la E.P. de neoplasia maligna de cavidad nasal. (Códigos 6I0113, 6K0108).

• Trabajos que implican soldadura y oxicorte de aceros inoxidables, donde se utilice cromo o níquel, que puede provocar alguna de las siguientes E.P: E.P. neoplasia maligna de cavidad nasal (Códigos 6I0213, 6K0108), E.P. cáncer primitivo del etmoides y de los senos de la cara (Código 6K0208), o E.P. neoplasia maligna de bronquio y pulmón (Código 6K0308)

Por ello, debe realizarse reconocimientos médicos previos y periódicos a dichos trabajadores, con la prohibición de no contratar a los calificados como no aptos para desempeñar los puestos de trabajo de que se trate.

— Artículo 243 LGSS, en relación con RDEP (Anexo I).

Véase: Soldadura oxiacetilénica. Soldadura autógena. Soldadura eléctrica al arco. Soldadura exotérmica. Acetileno. Soldadores. Ultrasonidos.

SONÓMETRO

Aparato que sirve para medir los niveles de ruido del medio ambiente.

— Nota Técnica de Prevención n.º 175/1986. INSST.

Véase: Aparatos medidores. Ruido. Protectores auditivos. Epi contra el ruido. Audiometría. Revisión de aparatos de medición.

SOSA

1. Hidróxido sódico, muy cáustico.

2. Los trabajadores ocupados en las actividades económicas, y expuestos a los agentes o sustancias que a continuación se indican, pueden contraer una Enfermedad Profesional (E.P.), causada por agentes químicos:

• Fabricación de ácido nítrico y otros reactivos químicos como ácido sulfúrico, cianuros, amidas, urea, sosa, nitritos e intermediarios de colorantes, donde se utilice amoniaco. (Código 1J0108).

Por ello, debe realizarse reconocimientos médicos previos y periódicos a dichos trabajadores, con la prohibición de no contratar a los calificados como no aptos para desempeñar los puestos de trabajo de que se trate.

— Artículo 243 LGSS, en relación con RDEP (Anexo I).

Véase: Sustancias corrosivas. Líquidos corrosivos.

SUBPRODUCTOS

Las sustancias que se forman durante las reacciones químicas y que permanecen al final de la reacción o del proceso.

— Artículo 2.8 RDSSAQ.

Véase: Sustancias reactivas.

SUELOS

En el interior de las obras de construcción: Los suelos de los locales deberán estar libres de protuberancias, agujeros o planos inclinados peligrosos, y ser fijos, estables y no resbaladizos.

— Anexo IV. Parte B.5 RDSSTOC.

Véase: Superficies de trabajo. Vías de circulación.

SULFURO DE CARBONO

1. El sulfuro de carbono o disulfuro de carbono, es un líquido volátil, incoloro y muy fácilmente inflamable. Tienen un olor característico que empeora si está impuro debido a la hidrólisis parcial o total que libera ácido sulfhídrico. Se mezcla completamente con la mayor parte de los disolventes orgánicos y disuelve el yodo, azufre elemental, fósforo blanco etc.

2. Los trabajadores expuestos al sulfuro de carbono (fabricación, manipulación y empleo de sulfuro de carbono y de los productos que lo contengan), pueden contraer una Enfermedad Profesional (E.P.), causada por agentes químicos, en las actividades o trabajos que a continuación se relacionan:

• Fabricación de la seda artificial del tipo viscosa, rayón, del fibrán, del celofán. (Código 1U0101).

• Fabricación de mastiques y colas. (Código 1U0102).

• Preparación de la carbanilina como aceleradora de la vulcanización. (Código 1U0103).

• Empleo como disolvente de grasas, aceites, resinas, ceras, caucho, gutapercha y otras sustancias. (Código 1U0104).

• Fabricación de cerillas. (Código 1U0105).

• Fabricación de productos farmacéuticos y cosméticos. (Código 1U0106).

• Manipulación y empleo del sulfuro de carbono o productos que lo contengan, como insecticidas o parasiticidas en los trabajos de tratamiento de suelos o en el almacenado de productos agrícolas. (Código 1U0107).

• Preparación de ciertos rodenticidas. (Código 1U0108).

• Extracción de aceites volátiles de las flores. (Código 1U0109).

• Extracción del azufre. (Código 1U0110).

• Industria del caucho. Disolvente. (Código 1U0111).

Por ello, debe realizarse reconocimientos médicos previos y periódicos a dichos trabajadores, con la prohibición de no contratar a los calificados como no aptos para desempeñar los puestos de trabajo de que se trate.

— Artículo 243 LGSS, en relación con RDEP (Anexo I).

Véase: Carbono. Óxidos de carbono. Dióxido de carbono. Monóxido de carbono.

SUMINISTRADORES

Véase: Fabricantes. Importadores.

SUMINISTRO ELÉCTRICO DE SEGURIDAD

El suministro eléctrico normal, es el efectuado por una empresa suministradora de acuerdo con la potencia contratada por el abonado. El suministro eléctrico de seguridad es un suministro complementario que incluye el alumbrado de emergencia, en sus dos niveles: el alumbrado de seguridad y el alumbrado de reemplazo. El suministro de seguridad puede realzarse por la misma empresa suministradora, por empresa distinta o por recursos propios. Entra en funcionamiento cuando la tensión de alimentación desciende del 70% de la tensión nominal.

— ITC-BT-28 del REBT.

Véase: Iluminación. Iluminación de seguridad. Alumbrado de seguridad. Alumbrado de emergencia. Alumbrado de reemplazo. Hospitales. Sanatorios. Clínicas de radioterapia.

SUPERFICIES DE TRABAJO

El movimiento de personas y materiales en los centros de trabajo se realiza a través de los pasillos de tránsito, las rampas, las puertas, etc. y el hecho de circular por ellos conlleva la posibilidad de ocurrencia de diversos tipos de accidentes, principalmente caídas, golpes y choques.

Su origen principal son las condiciones o suciedad de las superficies de trabajo o defectos existentes en las mismas (aberturas diversas, obstáculos fijos o provisionales, defectos de iluminación, mantenimiento y limpieza insuficientes, señalización inexistente o inadecuada, etc.).

— Notas Técnicas de Prevención n.º 434, 435/1996. INSST.

Véase: Suelos. Vías de circulación.

SUSTANCIAS ABRASIVAS

Producto que sirve para desgastar o pulir, por fricción, sustancias duras. No es, por tanto, sinónimo de: «corrosivo», que significa: «que corroe», «que desgasta lentamente una cosa». En el ámbito preventivo, corrosión significa un efecto destructivo sobre materiales o tejidos.

— Nota Técnica de Prevención n.º 886/2002. INSST.

Véase: Abrasivos. Pulidores.

SUSTANCIAS ADHESIVAS

1. Sustancias capaces de adherirse o pegarse. Sustancia que, interpuesta entre dos cuerpos o fragmentos, sirve para pegarlos.

2. Los trabajadores ocupados en las actividades económicas, y expuestos a los agentes o sustancias que a continuación se indican, pueden contraer una Enfermedad Profesional (E.P.), causada por agentes químicos:

• El uso de adhesivos y colas con polímeros de formol puede implicar exposición a formaldehido. (Código 1G0112).

• Empleo de barnices, pinturas, esmaltes, adhesivos, lacas y masillas, donde se utilicen cetonas. (Código 1L0111).

Por ello, debe realizarse reconocimientos médicos previos y periódicos a dichos trabajadores, con la prohibición de no contratar a los calificados como no aptos para desempeñar los puestos de trabajo de que se trate.

— Artículo 243 LGSS, en relación con RDEP (Anexo I).

Véase: Adhesivos. Colas. Fabricación de adhesivos. Pegamento. Gomas. Gutapercha.

SUSTANCIAS ASFIXIANTES

Aquellas sustancias que producen un efecto de anoxia ocasionado por desplazamiento del oxígeno del aire (asfixiantes físicos) o por alteración de los mecanismos oxidativos biológicos (asfixiantes químicos).

— Nota Técnica de Prevención n.º 108/1984. INSST.

Véase: Sustancias peligrosas.

SUSTANCIAS AUTORREACTIVAS

Las sustancias o mezclas que reaccionan espontáneamente (llamadas de manera simplificada autorreactivas), son sustancias térmicamente inestables, líquidas o sólidas, que pueden experimentar una descomposición exotérmica intensa incluso en ausencia de oxígeno (aire). Se considera que una sustancia que reacciona espontáneamente tiene características propias de los explosivos si en los ensayos de laboratorio puede detonar, deflagrar rápidamente o experimentar alguna reacción violenta cuando se calienta en condiciones de confinamiento.

— Nota Técnica de Prevención n.º 880/2010. INSST.

Véase: Sustancias peligrosas. Sustancias explosivas.

SUSTANCIAS BACTERICIDAS

1. Sustancias o productos que destruyen las bacterias.

2. Los trabajadores ocupados en las actividades económicas, y expuestos a los agentes o sustancias que a continuación se indican, pueden contraer una Enfermedad Profesional (E.P.), causada por agentes químicos:

• Utilización del formol como agente desinfectante, desodorante, bactericida, etc, donde se utilicen aldehídos. (Código 1G0109).

• Utilización de glicoles en la industria farmacéutica como vehículo de ciertos medicamentos, desodorantes, desinfectantes y bactericidas. (Código 1P0103).

Por ello, debe realizarse reconocimientos médicos previos y periódicos a dichos trabajadores, con la prohibición de no contratar a los calificados como no aptos para desempeñar los puestos de trabajo de que se trate.

— Artículo 243 LGSS, en relación con RDEP (Anexo I).

Véase: Bacterias. Agentes biológicos. Productos biológicos. Desinfectantes.

SUSTANCIAS CANCERÍGENAS

1. Aquellas sustancias y preparados que, por inhalación, ingestión o penetración cutánea, puedan producir cáncer o aumentar su frecuencia.

Sustancias capaces de iniciar un proceso cancerígeno (o tumoral).

— Artículo 2 RCEEPP.

— Artículo 2.2.l RCEESP.

— Notas Técnicas de Prevención n.º 137/1985. 332/1994. 635/2003. 649, 650, 651/2004. 726, 727/2006. INSST.

— Guía técnica para la evaluación y prevención de los riesgos relacionados con la exposición a agentes cancerígenos o mutágenos durante el trabajo. 2017. INSST.

2. Cancerígenos químicos.

— Nota Técnica de Prevención n.º 119/1984. INSST.

Véase: Valores límite cancerígenos. Sustancias peligrosas. Sustancias genotó-xicas. Sustancias explosivas. Sustancias comburentes. Sustancias inflamables. Sustancias tóxicas. Sustancias nocivas. Sustancias corrosivas. Sustancias irritantes. Sustancias sensibilizantes. Sustancias mutagénicas. Sustancias tóxicas para la reproducción. Sustancias peligrosas para el medio ambiente. Fugas de sustancias peligrosas.

SUSTANCIAS CARBURANTES

1. Sustancias compuestas por una mezcla de hidrocarburos, que se emplea como combustible en los motores de combustión interna.

2. Los trabajadores ocupados en las actividades económicas, y expuestos a los agentes o sustancias que a continuación se indican, pueden contraer una Enfermedad Profesional (E.P.), causada por agentes químicos:

• Utilización de los productos de destilación como disolventes, carburantes, combustibles y desengrasantes, que contengan hidrocarburos alifáticos. (Código 1H0103).

• Preparación, distribución y limpieza de tanques de carburantes que contengan benceno. (Código 1K0104).

• Utilización de estireno como disolvente y aditivo en el carburante para aviones. (Código 1K0403).

• Utilización como aditivos de carburantes y de aceites de motor, donde se utilicen ésteres orgánicos. (Código 1N0112).

Por ello, debe realizarse reconocimientos médicos previos y periódicos a dichos trabajadores, con la prohibición de no contratar a los calificados como no aptos para desempeñar los puestos de trabajo de que se trate.

— Artículo 243 LGSS, en relación con RDEP (Anexo I).

Véase: Carburantes. Sustancias combustibles. Combustión. Sustancias peligrosas.

SUSTANCIAS CITOSTÁTICAS

Cualquier sustancia capaz de detener el desarrollo o la multiplicación celular. Los citostáticos se aplican comúnmente como agentes antineoplásicos. Pueden provocar efectos mutagénicos, carcinogénicos o teratogénicos.

— Nota Técnica de Prevención n.º 163/1986. INSST.

Véase: Sustancias mutagénicas. Sustancias cancerígenas. Sustancias teratógenas.

SUSTANCIAS COMBURENTES

Son sustancias que, en contacto con otras, particularmente con inflamables, producen una reacción fuertemente exotérmica. Muchas veces se identifican también como oxidantes, ya que ésta es su clasificación desde el punto de vista químico.

Se agrupan también según sus características físicas en gases, líquidos y sólidos:

• Gases comburentes: Son gases que, generalmente liberando oxígeno, pueden provocar o facilitar la combustión de otras sustancias en mayor medida que el aire.

• Líquidos comburentes: Los líquidos comburentes se dividen en 3 categorías según un ensayo basado en la determinación del tiempo medio de aumento de presión en la inflamación de una mezcla del líquido con celulosa.

• Sólidos comburentes: Son sustancias o mezclas sólidas que, sin ser necesariamente combustibles en sí, pueden por lo general, al desprender oxígeno, provocar o favorecer la combustión de otras sustancias.

— Artículo 2 RCEEPP.

— Artículo 2.2.b RCEESP.

— Notas Técnicas de Prevención n.º 137/1985. 332/1994. 635, 637/2003. 649, 650, 651/2004. 726, 727/2006. 880/2010. INSST.

Véase: Sustancias peligrosas. Sustancias explosivas. Sustancias inflamables. Sustancias tóxicas. Sustancias nocivas. Sustancias corrosivas. Sustancias irritantes. Sustancias sensibilizantes. Sustancias cancerígenas. Sustancias mutagénicas. Sustancias tóxicas para la reproducción. Sustancias peligrosas para el medio ambiente. Fugas de sustancias peligrosas.

SUSTANCIAS COMBUSTIBLES

1. Sustancias que pueden arder. Sustancias que arden con facilidad. Leña, carbón, petróleo, gas, etc., que se usa en las cocinas, chimeneas, hornos, fraguas y máquinas cuyo agente es el fuego.

2. Los trabajadores ocupados en las actividades económicas, y expuestos a los agentes o sustancias que a continuación se indican, pueden contraer una Enfermedad Profesional (E.P.):

a) Causadas por agentes químicos:

• La combustión de combustibles fósiles, madera y el calentamiento de aceites produce acroleína, donde se utilicen aldehídos. (Código 1G0113).

• Utilización de los productos de destilación como disolventes, carburantes, combustibles y desengrasantes, que contengan hidrocarburos alifáticos. (Código 1H0103).

• Fabricación de resinas sintéticas, celuloide e hidronaftalenos (tetralin, decalin) que se usan como disolventes, en lubricantes y en combustibles, donde se utilice naftaleno, que puede provocar una E.P. causada por agentes químicos. (Código 1K0205).

• Preparación de combustibles y las operaciones de mezclado, trasvasado, limpiado de estanques y cisternas, donde se utilice xileno o tolueno. (Código 1K0302).

• Utilización de éteres como aditivos de combustibles. (Código 1O0106).

• Industrias que emplean como combustible cualquier gas industrial. (Código 1T0107).

b) Causada por agentes físicos:

• Fábrica de enriquecimiento de combustibles, donde se utilicen sustancias radioactivas, que pueden producir E.P. provocadas por radiaciones ionizantes. (Código 2I0111).

Por ello, debe realizarse reconocimientos médicos previos y periódicos a dichos trabajadores, con la prohibición de no contratar a los calificados como no aptos para desempeñar los puestos de trabajo de que se trate.

— Artículo 243 LGSS, en relación con RDEP (Anexo I).

Véase: Líquidos combustibles. Sustancias inflamables. Sustancias comburentes. Combustibles fósiles. Combustión. Gas. Extintores. Incendios. Bomberos. Carburantes. Sustancias carburantes. Sustancias combustibles. Sustancias peligrosas.

SUSTANCIAS CORROSIVAS

1. Aquellas sustancias y preparados que, en contacto con tejidos vivos puedan ejercer una acción destructiva de los mismos.

— Artículo 2 RCEEPP.

— Artículo 2.2.i RCEESP.

— Notas Técnicas de Prevención n.º 137/1985. 332/1994. 635/2003. 649, 650, 651/2004. 726, 727/2006. INSST.

2. Sustancias corrosivas para metales son aquellas sustancias o mezclas las cuales, por medio de una acción química, pueden dañar gravemente, o incluso destruir, los metales.

— Notas Técnicas de Prevención n.º 880, 881/2010. INSST.

3. Sustancias corrosivas para la piel son aquellas sustancias que pueden generar la aparición de lesiones irreversibles en la piel (una necrosis que alcanza la dermis), como consecuencia de su aplicación durante un período de hasta 4 horas.

En cambio, el efecto irritación es el que causa la aparición de lesiones reversibles de la piel como consecuencia de su aplicación durante el mismo período de tiempo.

— Notas Técnicas de Prevención n.º 880, 881/2010. INSST.

Véase: Líquidos corrosivos. Anticorrosivos. Sosa. Sustancias peligrosas. Sustancias explosivas. Sustancias comburentes. Sustancias inflamables. Sustancias tóxicas. Sustancias nocivas. Sustancias irritantes. Sustancias sensibilizantes. Sustancias cancerígenas. Sustancias mutagénicas. Sustancias tóxicas para la reproducción. Sustancias peligrosas para el medio ambiente. Fugas de sustancias peligrosas.

SUSTANCIAS DE ALTO PESO MOLECULAR

1. Las sustancias de alto peso molecular (APM) son aquellas que están por encima de los 1.000 daltons. Son proteínas vegetales o animales. Las proteínas son sustancias constitutivas de la materia viva, formada por una o varias cadenas de aminoácidos; p. ej., las enzimas, las hormonas, los anticuerpos, etc.

2. Las sustancias de alto peso molecular (sustancias de origen vegetal, animal, microorganismos, y sustancias enzimáticas de origen vegetal, animal y/o de microorganismos), pueden provocar las siguientes Enfermedades Profesionales (E.P.): Rinoconjuntivitis (Código 4H01), asma (Código 4H02), alveolitis alérgica extrínseca (Código 4H03), síndrome de disfunción reactivo de la vía aérea (Código 4H04), fibrosis intersticial difusa (Código 4H05), bisinosis, cannabiosis, linnosis, bagazosis, estipatosis, suberosis (Código 4H06), neumopatía intersticial difusa (Código 4H07) y E.P. de la piel, causadas por agentes y sustancias de alto peso molecular (Código 5B01).

Véase: Sustancias de bajo peso molecular. Reforming. Alérgenos.

SUSTANCIAS DE BAJO PESO MOLECULAR

1. Las sustancias de bajo peso molecular (BPM), son aquellas que están por debajo de los 1.000 daltons.

2. Las sustancias de bajo peso molecular (metales y sus sales, polvos de maderas, productos farmacéuticos, sustancias químico plásticas, aditivos, etc.), pueden provocar las siguientes Enfermedades Profesionales (E.P.): Rinoconjuntivitis (Código 4I01), urticaria, angiodemas (Código 4I02), asma (Código 4I03), alveolitis alérgica extrínseca (Código 4I04), síndrome de disfunción de la vía reactiva (Código 4I05), fibrosis intersticial difusa (Código 4I06), fiebre de los metales (Código 4I07), neumopatía intersticial difusa (Código 4I08) y E.P. de la piel, causadas por sustancias de bajo peso molecular (Código 5A01).

Véase: Sustancias de alto peso molecular. Reforming. Alérgenos.

SUSTANCIAS DE EXTRACCIÓN

1. Aquellas sustancias que obtienen uno de los componentes de un cuerpo por la acción de disolventes u otros medios.

2. Los trabajadores ocupados en las actividades económicas, y expuestos a los agentes o sustancias que a continuación se indican, pueden contraer una Enfermedad Profesional (E.P.), causada por agentes químicos:

• Empleo de hidrocarburos alifáticos como agentes de extracción y como disolventes. (Código 1H0201).

Por ello, debe realizarse reconocimientos médicos previos y periódicos a dichos trabajadores, con la prohibición de no contratar a los calificados como no aptos para desempeñar los puestos de trabajo de que se trate.

— Artículo 243 LGSS, en relación con RDEP (Anexo I).

Véase: Sustancias disolventes. Sustancias diluyentes.

SUSTANCIAS DESENGRASANTES

1. Aquellas sustancias que desengrasan, que quitan la grasa.

2. Los trabajadores ocupados en las actividades económicas, y expuestos a los agentes o sustancias que a continuación se indican, pueden contraer una Enfermedad Profesional (E.P.), causada por agentes químicos:

• Fabricación y utilización de disolventes o diluyentes para los colorantes, pinturas, lacas, barnices, resinas naturales y sintéticos, desengrasantes y quitamanchas, donde se utilice alcohol. (Código 1F0104).

• Utilización de los productos de destilación como disolventes, carburantes, combustibles y desengrasantes, que contengan hidrocarburos alifáticos. (Código 1H0103).

• Desengrasado y limpieza de piezas metálicas, como productos de limpieza y desengrasado en tintorerías, donde se utilice derivados halogenados. (Código 1H0202).

• Empleo del benceno y sus homólogos como decapantes, como diluente, como disolvente para la extracción de aceites, grasas, alcaloides, resinas, desengrasado de pieles, tejidos, huesos, piezas metálicas, caucho, etc. (Código 1K0103).

Por ello, debe realizarse reconocimientos médicos previos y periódicos a dichos trabajadores, con la prohibición de no contratar a los calificados como no aptos para desempeñar los puestos de trabajo de que se trate.

— Artículo 243 LGSS, en relación con RDEP (Anexo I).

Véase: Grasas. Sustancias disolventes. Sustancias diluyentes.

SUSTANCIAS DILUENTES

Véase: Sustancias diluyentes.

SUSTANCIAS DILUYENTES

1. Sustancias que diluyen. Disuelven algo por medio de un líquido. Disminuir la concentración de una disolución añadiendo disolvente. Hacer que algo pierda importancia o intensidad hasta no poderse percibir.

2. Los trabajadores ocupados en las actividades económicas, y expuestos a los agentes o sustancias que a continuación se indican, pueden contraer una Enfermedad Profesional (E.P.):

a) Causada por agentes químicos:

• Fabricación y utilización de disolventes o diluyentes para los colorantes, pinturas, lacas, barnices, resinas naturales y sintéticos, desengrasantes y quitamanchas, donde se utilice alcohol. (Código 1F0104).

• Empleo del benceno y sus homólogos como decapantes, como diluente, como disolvente para la extracción de aceites, grasas, alcaloides, resinas, desengrasado de pieles, tejidos, huesos, piezas metálicas, caucho, etc. (Código 1K0103).

• Operaciones de disolución de resinas naturales o sintéticas para la preparación de colas, adhesivos, lacas, barnices, esmaltes, masillas, tintas, diluyentes de pinturas y productos de limpieza, donde se utilice xileno o tolueno. (Código 1K0303).

b) Causada por agentes cancerígenos:

• Empleo del benceno y sus homólogos como decapantes, como diluente, como disolvente para la extracción de aceites, grasas, alcaloides, resinas, desengrasado de pieles, tejidos, huesos, piezas metálicas, caucho, etc., que pueden provocar la E.P. síndrome linfo y mieloproliferativos. (Código 6D0103).

Por ello, debe realizarse reconocimientos médicos previos y periódicos a dichos trabajadores, con la prohibición de no contratar a los calificados como no aptos para desempeñar los puestos de trabajo de que se trate.

— Artículo 243 LGSS, en relación con RDEP (Anexo I).

Véase: Sustancias disolventes. Principios activos. Sustancias de extracción. Sustancias desengrasantes. Benceno. Tolueno. Xileno.

SUSTANCIAS DISOLVENTES

1. Sustancias capaces de separar las partículas o moléculas de un sólido, un líquido o un gas en un líquido de forma que queden incorporadas a él. Deshacer algo poniendo fin a la unión de sus componentes

2. Los trabajadores ocupados en las actividades económicas, y expuestos a los agentes o sustancias que a continuación se indican, pueden contraer una Enfermedad Profesional (E.P.):

a) Causada por agentes químicos:

• Disolvente de barnices y pinturas, donde se utilice ácido acético. (Código 1E0121).

• Fabricación y utilización de disolventes o diluyentes para los colorantes, pinturas, lacas, barnices, resinas naturales y sintéticos, desengrasantes y quitamanchas, donde se utilice alcohol. (Código 1F0104).

• Utilización de aldehídos como disolventes. (Código 1G0105).

• Utilización de los productos de destilación como disolventes, carburantes, combustibles y desengrasantes, que contengan hidrocarburos alifáticos. (Código 1H0103).

• El n-hexano se utiliza principalmente como disolvente (colas), donde se utilicen hidrocarburos alifáticos. (Código 1H0104).

• Empleo de derivados halogenados como agentes de extracción y como disolventes. (Código 1H0201).

• Fabricación y utilización de pinturas, disolventes, decapantes, barnices, látex, etc., donde se utilicen derivados halogenados. (Código 1H0206).

• Ocupaciones con exposición a benceno, por ejemplo, hornos de coque, uso de disolventes que contienen benceno. (Códigos 1K0101, 1K0103).

• Fabricación de resinas sintéticas, celuloide e hidronaftalenos (tetralin, decalin) que se usan como disolventes, en lubricantes y en combustibles, donde se utilice naftaleno. (Código 1K0205).

• Operaciones de disolución de resinas naturales o sintéticas para la preparación de colas, adhesivos, lacas, barnices, esmaltes, masillas, tintas, diluyentes de pinturas y productos de limpieza, donde se utilice xileno o tolueno. (Código 1K0303).

• Utilización de vinilbenceno (estireno y divinilbenceno) como disolvente y aditivo en el carburante para aviones. (Código 1K0403).

• Empleo como disolventes, pesticidas, herbicidas, insecticidas y fungicidas, donde se utilicen derivados halogenados de hidrocarburos aromáticos. (Código 1K0501).

• Utilización de nitroderivados de los hidrocarburos aromáticos como disolventes. (Código 1K0601).

• Utilización de cetonas como disolventes. (Código 1L0103).

• Utilización de epóxidos como reactivos en la fabricación de disolventes, plastificantes, cementos, adhesivos y resinas sintéticas. (Código 1M0101).

• Utilización de epóxidos como disolventes. (Código 1M0104).

• La epiclorhidrina (Epóxido) se utiliza además, como insecticida, fumigante y disolvente de pinturas, barnices, esmaltes y lacas. Producción de resinas de alta resistencia a la humedad en la industria papelera. (Código 1M0106).

• Utilización de los ésteres orgánicos como disolventes. (Código 1N0115).

• Disolventes y codisolventes de lacas, resinas, pigmentos, tintes, esmaltes, barnices, perfumes, aceites, acetato de celulosa y nitrato de celulosa, que contengan éteres. (Código 1O0101).

• Utilización de éteres en la industria química como disolventes de ceras, grasas, etc., y en la fabricación de colodium para la extracción de nicotina. (Código 1O0111).

• Fabricación y utilización de disolventes y decapantes para las pinturas y barnices, donde se utilicen éteres. (Código 1O0117).

• Utilización de glicoles en la industria química como productos intermedios en numerosas síntesis orgánicas, como disolventes de lacas, resinas, barnices celulósicos de secado rápido, de ciertas pinturas, pigmentos, nitrocelulosa y acetatos de celulosa, tintes y plásticos. (Código 1P0102).

• Empleo de nitroderivados alifáticos como disolventes. (Código 1R0101).

• Empleo del sulfuro de carbono como disolvente de grasas, aceites, resinas, ceras, caucho, gutapercha y otras sustancias. (Código 1U0104).

• Industria del caucho, y disolventes, donde se utilice sulfuro de carbono. (Código 1U0111).

b) Causada por agentes cancerígenos:

• Ocupaciones con exposición a benceno, por ejemplo, hornos de coque, uso de disolventes que contienen benceno, que pueden provocar la E.P. síndrome linfo y mieloproliferativos. (Código 6D0101).

• Empleo del benceno como decapante, como diluente, como disolvente, que puede provocar la E.P. de síndrome linfo y mieloproliferativos. (Código 6D0103).

• Utilización del nitrobenceno como disolvente, que puede provocar la E.P. de linfoma. (Código 6P0101).

Por ello, debe realizarse reconocimientos médicos previos y periódicos a dichos trabajadores, con la prohibición de no contratar a los calificados como no aptos para desempeñar los puestos de trabajo de que se trate.

— Artículo 243 LGSS, en relación con RDEP (Anexo I).

Véase: Dimitilformamida. Alcaloides. Ácido cianhídrico. Benceno. Gasolinas. Sustancias diluyentes. Sustancias desengrasantes. Tolueno. Xileno.

SUSTANCIAS EXPLOSIVAS

1. Las sustancias y preparados sólidos, líquidos, pastosos o gelatinosos que, incluso en ausencia del oxígeno del aire, pueden reaccionar de forma exotérmica con rápida formación de gases y que, en condiciones de ensayo determinadas, detonan, deflagran rápidamente o, bajo el efecto del calor, en caso de confinamiento parcial, explosionan.

— Artículo 2 RCEEPP.

— Artículo 2.2.a RCEESP.

— Notas Técnicas de Prevención n.º 137/1985. 635/2003. 649, 650, 651/2004. 726, 727/2006. INSST.

2. Son sustancias (o mezclas) sólidas o líquidas que de manera espontánea, por reacción química, pueden desprender gases a una temperatura, presión y velocidad tales que pueden ocasionar daños a su entorno.

— Notas Técnicas de Prevención n.º 332/1994. 880/2010. INSST.

Véase: Sustancias peligrosas. Sustancias autorreactivas. Sustancias comburentes. Sustancias inflamables. Sustancias tóxicas. Sustancias nocivas. Sustancias corrosivas. Sustancias irritantes. Sustancias sensibilizantes. Sustancias cancerígenas. Sustancias mutagénicas. Sustancias tóxicas para la reproducción. Sustancias peligrosas para el medio ambiente. Fugas de sustancias peligrosas. Industrias de explosivos. Pirotecnia. Atmosferas explosivas.

SUSTANCIAS FOTOSENSIBILIZANTES

1. Sustancias que incrementan los efectos de la radiación luminosa. Una sustancia fotosensible es aquella que es sensible a la luz. Por ejemplo, la piel contiene sustancias fotosensibles que hacen que se enrojezca por exceso de exposición; una de las reacciones es ponerse moreno. Los materiales fotográficos sensibles a la luz se componen principalmente de bromuro de plata.

2. Los trabajadores ocupados en las actividades económicas, y expuestos a los agentes o sustancias que a continuación se indican, pueden contraer una Enfermedad Profesional (E.P.) de la piel, causada por sustancias y agentes no comprendidos en alguno de los otros apartados:

• <u>Toda industria o trabajo en los que se entre en contacto con sustancias fotosensibilizantes y conlleve una dosis de exposición lumínica.</u> (Código 5C0101).

Por ello, debe realizarse reconocimientos médicos previos y periódicos a dichos trabajadores, con la prohibición de no contratar a los calificados como no aptos para desempeñar los puestos de trabajo de que se trate.

— Artículo 243 LGSS, en relación con RDEP (Anexo I).

Véase: E.P. de la piel, causada por agentes fotosensibles exógenos. Radiaciones infrarrojas. Laboratorios de fotografía.

SUSTANCIAS GENOTÓXICAS

Aquellas sustancias que afectan al material genético del trabajador y pueden producir tumores cancerígenos.

— Nota Técnica de Prevención n.º 192/1988. INSST.

Véase: Sustancias cancerígenas. Cáncer profesional.

SUSTANCIAS GRASAS

Véase: Aceites.

SUSTANCIAS HUMECTANTES

1. Sustancias que mantienen el contenido de agua de un material.

2. Los trabajadores ocupados en las actividades económicas, y expuestos a los agentes o sustancias que a continuación se indican, pueden contraer una Enfermedad Profesional (E.P.), causada por agentes químicos:

• <u>El furfural (epóxido) se utiliza, además, en la preparación y uso de moldes para fundición, en la vulcanización del caucho, refinado de aceites de petróleo y como agente humectante.</u> (Código 1M0109).

Por ello, debe realizarse reconocimientos médicos previos y periódicos a dichos trabajadores, con la prohibición de no contratar a los calificados como no aptos para desempeñar los puestos de trabajo de que se trate.

— Artículo 243 LGSS, en relación con RDEP (Anexo I).

Véase: Humedad. Vulcanización.

SUSTANCIAS INFECCIOSAS

Se definen como aquellas que contienen microorganismos viables, incluidas bacterias, virus, rickettsias, parásitos, hongos o recombinantes, híbridos o mutantes que, se sabe o se sospecha razonablemente, pueden causar enfermedades tanto en el hombre como en los animales; aunque esta definición no incluye a los priones causantes de la Encefalopatía Espongiforme Transmisible, ya que se trata de proteínas, el sentido común preventivo indica que deben considerarse incluidos. Si afectan a humanos se identifican con el número ONU 2814, mientras que si afectan solamente a animales se identifican con el número ONU 2900.

— Nota Técnica de Prevención n.º 628/2003. INSST.

> *Véase: Embalaje de sustancias infecciosas. Zoonosis. Rodenticida. Pesticidas. Bodegas. Trabajos de alcantarillado. E.P. de la piel. E.P. de la piel, causada por agentes infecciosos.*

SUSTANCIAS INFLAMABLES

1. Las sustancias y preparados líquidos cuyo punto de inflamación es bajo.

Se consideran sustancias fácilmente inflamables:

• Las sustancias y preparados que pueden calentarse y finalmente inflamarse en contacto con el aire a temperatura ambiente sin aporte de energía.

• Las sustancias y preparados sólidos que pueden inflamarse fácilmente tras un breve contacto con una fuente de inflamación y que siguen quemándose o consumiéndose una vez retirada dicha fuente.

• Las sustancias y preparados en estado líquido cuyo punto de inflamación es muy bajo.

• Las sustancias y preparados que, en contacto con agua o con aire húmedo, desprenden gases extremadamente inflamables en cantidades peligrosas.

Se consideran sustancias extremadamente inflamables: Las sustancias y preparados líquidos que tengan un punto de inflamación extremadamente bajo y un punto de ebullición bajo, y las sustancias y preparados gaseosos que, a temperatura y presión ambientes, sean inflamables en contacto con el aire.

— Artículo 2 RCEEPP.

— Artículo 2 RCEESP.

— Notas Técnicas de Prevención n.º 137/1985. 332/1994. 378, 379/1995. 635/2003. 649, 650, 651/2004. 726, 727/2006. INSST.

2. Las sustancias o mezclas inflamables se agrupan según sus características físicas en gases, líquidos, sólidos y aerosoles.

• Gases inflamables: Son gases que se inflaman con el aire a 20°C y a una presión de referencia de 101,3 kPa.

• Líquidos inflamables: Son líquidos con un punto de inflamación no superior a 60°C. Se dividen en 3 categorías: Categoría 1: Punto de inflamación < 23°C y punto inicial de ebullición ≤ 35°C. Categoría 2: Punto de inflamación < 23°C y punto inicial de ebullición > 35°C. Categoría 3: Punto de inflamación ≥ 23°C y ≤ 60°C.

• Sólidos inflamables: Son sustancias sólidas que se inflaman con facilidad o que pueden provocar fuego o contribuir a provocar fuego por fricción.

Las sustancias sólidas fácilmente inflamables son sustancias pulverulentas, granulares o pastosas, que son peligrosas en situaciones en las que es fácil que se inflamen por breve contacto con una fuente de ignición, tal como una cerilla encendida, y si la llama se propaga rápidamente.

Los polvos metálicos o las aleaciones metálicas se clasifican como sólidos inflamables si hay ignición y si la reacción se propaga en 10 minutos o menos.

• Aerosoles inflamables: Los aerosoles son recipientes no recargables fabricados en metal, vidrio o plástico y que contienen un gas comprimido, licuado o disuelto a presión, con o sin líquido, pasta o polvo. Estos recipientes están dotados de un dispositivo de descarga que permite expulsar su contenido en forma de partículas sólidas o líquidas en suspensión en un gas; en forma de espuma, pasta o polvo; o en estado líquido o gaseoso.

Un aerosol se clasifica como inflamable cuando uno de sus componentes está clasificado como tal, concretamente: un gas, un sólido o un líquido con un punto de inflamación $\leq 93\,°C$.

— Notas Técnicas de Prevención n.º 137/1985. 880/2010. INSST.

Véase: Ignifugo. Sustancias peligrosas. Líquidos inflamables. Sustancias explosivas. Sustancias comburentes. Sustancias tóxicas. Sustancias nocivas. Sustancias corrosivas. Sustancias irritantes. Sustancias sensibilizantes. Sustancias cancerígenas. Sustancias mutagénicas. Sustancias tóxicas para la reproducción. Sustancias peligrosas para el medio ambiente. Fugas de sustancias peligrosas.

SUSTANCIAS IRRITANTES

Las sustancias y preparados no corrosivos que, por contacto breve, prolongado o repetido con la piel o las mucosas, pueden provocar una reacción inflamatoria.

— Artículo 2 RCEEPP.

— Artículo 2.2.j RCEESP.

— Notas Técnicas de Prevención n.º 137/1985. 332/1994. 635/2003. 649, 650, 651/2004. 726, 727/2006. INSST.

Véase: Sustancias peligrosas. Sustancias explosivas. Sustancias comburentes. Sustancias inflamables. Sustancias tóxicas. Sustancias nocivas. Sustancias corrosivas. Sustancias sensibilizantes. Sustancias cancerígenas. Sustancias mutagénicas. Sustancias tóxicas para la reproducción. Sustancias peligrosas para el medio ambiente. Fugas de sustancias peligrosas.

SUSTANCIAS LÍQUIDAS

Pueden ser ingeridas accidentalmente pero, en la práctica, el mayor riesgo se produce por inhalación de sus vapores, que se comportan como gases, y también de sus aerosoles. El contacto con la piel puede producir su absorción o efectos locales que pueden llegar a ser muy importantes, principalmente en zonas delicadas como los ojos.

— Nota Técnica de Prevención n.º 108/1984. INSST.

Véase: Líquidos combustibles. Líquidos corrosivos. Líquidos inestables. Líquidos inflamables. Vapores. Gas. Aerosoles.

SUSTANCIAS LUBRICANTES

Véase: Lubrificantes.

SUSTANCIAS MUTAGÉNICAS

Las sustancias y preparados que, por inhalación, ingestión o penetración cutánea, pueden producir defectos genéticos hereditarios o aumentar su frecuencia.

Sustancias capaces de producir mutaciones en el material genético. Coinciden en un 85% con las sustancias cancerígenas, ya que los procesos cancerígenos parecen soler provenir de mutaciones.

— Artículo 2 RCEEPP.

— Artículo 2.2.m RCEESP.

— Notas Técnicas de Prevención n.º 137/1985. 332/1994. 635/2003. 649, 650, 651/2004. 726, 727/2006. INSST.

Véase: Sustancias peligrosas. Sustancias explosivas. Sustancias comburentes. Sustancias inflamables. Sustancias tóxicas. Sustancias nocivas. Sustancias corrosivas. Sustancias irritantes. Sustancias sensibilizantes. Sustancias cancerígenas. Sustancias tóxicas para la reproducción. Sustancias peligrosas para el medio ambiente. Fugas de sustancias peligrosas.

SUSTANCIAS NOCIVAS

Las sustancias y preparados que, por inhalación, ingestión o penetración cutánea, pueden provocar la muerte o efectos agudos o crónicos para la salud.

— Artículo 2 RCEEPP.

— Artículo 2.2.h RCEESP.

— Notas Técnicas de Prevención n.º 137/1985. 332/1994. 635/2003. 649, 650, 651/2004. 726, 727/2006. INSST.

Véase: Sustancias peligrosas. Sustancias explosivas. Sustancias comburentes. Sustancias inflamables. Sustancias tóxicas. Sustancias corrosivas. Sustancias irritantes. Sustancias sensibilizantes. Sustancias cancerígenas. Sustancias mutagénicas. Sustancias tóxicas para la reproducción. Sustancias peligrosas para el medio ambiente. Fugas de sustancias peligrosas.

SUSTANCIAS OXIDANTES

Véase: Sustancias comburentes.

SUSTANCIAS PELIGROSAS PARA EL MEDIO AMBIENTE

1. Las sustancias o preparados que, en caso de contacto con el medio ambiente, constituirían o podrían constituir un peligro inmediato o futuro para uno o más componentes del medio ambiente.

— Artículo 2 RCEEPP.

— Artículo 2.2.º RCEESP.

— Notas Técnicas de Prevención n.º 137/1985. 332/1994. 635/2003. 649, 650, 651/2004. 726, 727/2006. INSST.

2. Sustancias o mezclas definidas en el artículo 3 del Reglamento (CE) nº 1272/2008, de 16 de diciembre de 2008, sobre clasificación, etiquetado y envasado de sustancias y mezclas.

— Artículo 3.25 LPCC.

Véase: *Sustancias peligrosas. Sustancias explosivas. Sustancias comburentes. Sustancias inflamables. Sustancias tóxicas. Sustancias nocivas. Sustancias corrosivas. Sustancias irritantes. Sustancias sensibilizantes. Sustancias cancerígenas. Sustancias mutagénicas. Sustancias tóxicas para la reproducción. Fugas de sustancias peligrosas.*

SUSTANCIAS PELIGROSAS

1. Se consideran peligrosas las siguientes sustancias y preparados:

• *Explosivos*: las sustancias y preparados sólidos, líquidos, pastosos, o gelatinosos que, incluso en ausencia de oxígeno atmosférico, puedan reaccionar de forma exotérmica con rápida formación de gases y que, en determinadas condiciones de ensayo, detonan, deflagran rápidamente o bajo el efecto del calor, en caso de confinamiento parcial, explosionan.

• *Comburentes*: las sustancias y preparados que, en contacto con otras sustancias, en especial con sustancias inflamables, produzcan una reacción fuertemente exotérmica.

• *Extremadamente inflamables*: las sustancias y preparados líquidos que tengan un punto de ignición extremadamente bajo y un punto de ebullición bajo, y las sustancias y preparados gaseosos que, a temperatura y presión normales, sean inflamables en contacto con el aire.

• *Fácilmente inflamables*: las sustancias y preparados: 1.º Que puedan calentarse e inflamarse en el aire a temperatura ambiente sin aporte de energía, o 2.º Los sólidos que puedan inflamarse fácilmente tras un breve contacto con una fuente de inflamación y que sigan quemándose o consumiéndose una vez retirada dicha fuente, o 3.º Los líquidos cuyo punto de ignición sea muy bajo, o 4.º Que, en contacto con el agua o con el aire húmedo, desprendan gases extremadamente inflamables en cantidades peligrosas.

• *Inflamables*: las sustancias y preparados líquidos cuyo punto de ignición sea bajo.

• Muy tóxicos: las sustancias y preparados que, por inhalación, ingestión o penetración cutánea en muy pequeña cantidad puedan provocar efectos agudos o crónicos e incluso la muerte.

• *Tóxicos*: las sustancias y preparados que, por inhalación, ingestión o penetración cutánea en pequeñas cantidades puedan provocar efectos agudos o crónicos e incluso la muerte.

• *Nocivos*: las sustancias y preparados que, por inhalación, ingestión o penetración cutánea puedan provocar efectos agudos o crónicos e incluso la muerte.

• *Corrosivos*: las sustancias y preparados que, en contacto con tejidos vivos puedan ejercer una acción destructiva de los mismos.

• *Irritantes*: las sustancias y preparados no corrosivos que, en contacto breve, prolongado o repetido con la piel o las mucosas puedan provocar una reacción inflamatoria.

• *Sensibilizantes*: las sustancias y preparados que, por inhalación o penetración cutánea, puedan ocasionar una reacción de hipersensibilidad, de forma que una exposición posterior a esa sustancia o preparado dé lugar a efectos negativos característicos. l) Carcinogénicos: las sustancias y preparados que, por inhalación, ingestión o penetración cutánea puedan producir cáncer o aumentar su frecuencia.

• *Mutagénicos*: las sustancias y preparados que, por inhalación, ingestión o penetración cutánea, puedan producir alteraciones genéticas hereditarias o aumentar su frecuencia.

• *Tóxicos para la reproducción*: las sustancias y preparados que, por inhalación, ingestión o penetración cutánea, puedan producir efectos negativos no hereditarios en la descendencia, o aumentar la frecuencia de éstos, o afectar de forma negativa a la función o a la capacidad reproductora.

• *Peligrosos para el medio ambiente*: las sustancias y preparados que presenten o puedan presentar un peligro inmediato o futuro para uno o más componentes del medio ambiente.

— Artículo 2 RCEEPP.

— Notas Técnicas de Prevención n.º 635/2003. 649, 650, 651/2004. 726, 727/2006. INSST.

2. Toda sustancia o mezcla incluida en la parte 1 o enumerada en la parte 2 del anexo I, incluyendo aquellas en forma de materia prima, producto, subproducto, residuo o producto intermedio.

— Artículo 3.21 RDAG.

Véase: Fichas de datos de seguridad. Preparados. Sustancias. Productos potencialmente peligrosos. Líquidos inestables. Sustancias explosivas. Envasado de sustancias peligrosas. Etiquetado de sustancias peligrosas. Sustancias comburentes. Sustancias inflamables. Sustancias tóxicas. Sustancias nocivas. Sustancias corrosivas. Sustancias irritantes. Sustancias sensibilizantes. Sustancias cancerígenas. Sustancias mutagénicas. Sustancias tóxicas para la reproducción. Sustancias peligrosas para el medio ambiente. Fugas de sustancias peligrosas. Agentes químicos peligrosos. Presencia de sustancias peligrosas. Establecimiento de nivel inferior.

SUSTANCIAS PIROFÓRICAS

Son sustancias o mezclas líquidas o sólidas que, aún en pequeñas cantidades, pueden inflamarse al cabo de 5 minutos de entrar en contacto con el aire. En el caso de los líquidos se incluyen aquellos que, cuando se vierten sobre un papel de filtro, provocan la carbonización o inflamación del mismo en menos de 5 minutos.

— Nota Técnica de Prevención n.º 880/2010. INSST.

Véase: Sustancias peligrosas. Sustancias inflamables.

SUSTANCIAS QUÍMICAS

1. Todo elemento o compuesto químico, por sí solo o mezclado, tal como se presenta en estado natural o es producido, utilizado o vertido, incluido el vertido como residuo, en una actividad laboral, se haya elaborado o no de modo intencional y se haya comercializado o no.

—Artículo 2.1 RDSSAQ.

— Notas Técnicas de Prevención n.º 526/1999. 583/2001. 808/2008. INSST.

2. Absorción de sustancias químicas por la piel.

— Nota Técnica de Prevención n.º 336/1994. INSST.

— Guía técnica para la evaluación y prevención de los riesgos relacionados con agentes químicos. 2013. INSST.

3. Umbrales olfativos y seguridad de sustancias químicas peligrosas.

— Nota Técnica de Prevención n.º 320/1993. INSST.

4. Reacciones químicas peligrosas con el agua.

— Notas Técnica de Prevención n.º 237/1989. INSST.

Véase: Productos químicos. Preparados. Agentes químicos. Agentes químicos peligrosos. Exposición a un agente químico. Riesgos químicos. Industria química. Productos químicos: Etiquetado. Productos químicos: Envasado. Sustancias peligrosas. Presencia de sustancias peligrosas. Fichas de datos de seguridad. Ropa de trabajo contra riesgos químicos.

SUSTANCIAS RADIACTIVAS

1. Propiedad de ciertos cuerpos cuyos átomos, al desintegrarse espontáneamente, emiten radiaciones, y cuya unidad de medida en el sistema internacional es el becquerel.

2. Los trabajadores ocupados en las actividades económicas, y expuestos a los agentes o sustancias que a continuación se indican, pueden contraer una Enfermedad Profesional (E.P.):

a) Causada por agentes físicos:

• Empleo de sustancias radiactivas y rayos X en los laboratorios de investigación, que pueden producir E.P. provocadas por radiaciones ionizantes. (Código 2I0104).

• Fabricación y aplicación de productos luminosos con sustancias radiactivas en pinturas de esferas de relojería, que pueden producir enfermedades provocadas por radiaciones ionizantes. (Código 2I0105).

• Trabajos industriales en que se utilicen rayos X y materiales radiactivos, medidas de espesor y de desgaste, que pueden producir enfermedades provocadas por radiaciones ionizantes. (Código 2I0106).

• Transporte de materias radiactivas, que pueden producir enfermedades provocadas por radiaciones ionizantes. (Código 2I0113).

b) Causada por agentes cancerígenos:

• Empleo de sustancias radiactivas y rayos X en los laboratorios de investigación, que pueden provocar la E.P. de síndrome linfo y mieloproliferativos. (Código 6N0104).

• Fabricación y aplicación de productos luminosos con sustancias radiactivas en pinturas de esferas de relojería, que pueden provocar la E.P. de síndrome linfo y mieloproliferativos. (Código 6N0105).

• Trabajos industriales en que se utilicen rayos X y materiales radiactivos, medidas de espesor y de desgaste, que pueden provocar la E.P. de síndrome linfo y mieloproliferativos. (Código 6N0106).

• Todos los trabajos expuestos a la acción de los rayos X o de las sustancias radiactivas naturales o artificiales o a cualquier fuente de emisión corpuscular, que puede provocar la E.P. de carcinoma epidermoide de piel. (Código 6N02).

• Fabricación y aplicación de productos luminosos con sustancias radiactivas en pinturas de esferas de relojería, que puede provocar la E.P. de carcinoma epidermoide de piel. (Código 6N0205).

• Trabajos industriales en que se utilicen rayos X y materiales radiactivos, medidas de espesor y de desgaste, que puede provocar la E.P. de carcinoma epidermoide de piel. (Código 6N0206).

Por ello, debe realizarse reconocimientos médicos previos y periódicos a dichos trabajadores, con la prohibición de no contratar a los calificados como no aptos para desempeñar los puestos de trabajo de que se trate.

— Artículo 243 LGSS, en relación con RDEP (Anexo I).

Véase: Radiaciones. Radiactividad. Energía: Producción.

SUSTANCIAS REACTIVAS

1. Sustancia que se emplea para provocar una reacción química.

2. Los trabajadores ocupados en las actividades económicas, y expuestos a los agentes o sustancias que a continuación se indican, pueden contraer una Enfermedad Profesional (E.P.), causada por agentes químicos:

• Utilización de ácidos orgánicos como reactivos de laboratorio. (Código 1E0116).

• Fabricación de ácido nítrico y otros reactivos químicos como ácido sulfúrico, cianuros, amidas, urea, sosa, nitritos e intermediarios de colorantes, donde se utilice amoniaco. (Código 1J0108).

• Utilización de epóxidos como reactivos en la fabricación de disolventes, plastificantes, cementos, adhesivos y resinas sintéticas. (Código 1M0101).

Por ello, debe realizarse reconocimientos médicos previos y periódicos a dichos trabajadores, con la prohibición de no contratar a los calificados como no aptos para desempeñar los puestos de trabajo de que se trate.

— Artículo 243 LGSS, en relación con RDEP (Anexo I).

Véase: Isocianatos. Poliuretano. Ácido nítrico. Ácido sulfúrico. Cianuros. Amidas. Subproductos.

SUSTANCIAS SECANTES

1. Aquellas sustancias químicas que se agregan a las pinturas o a otras sustancias para acelerar su secado.

2. Los trabajadores ocupados en las actividades económicas, y expuestos a los agentes o sustancias que a continuación se indican, pueden contraer una Enfermedad Profesional (E.P.), causada por agentes químicos:

• Fabricación de colorantes y secantes que contengan compuestos de manganeso. (Código 1A0609).

Por ello, debe realizarse reconocimientos médicos previos y periódicos a dichos trabajadores, con la prohibición de no contratar a los calificados como no aptos para desempeñar los puestos de trabajo de que se trate.

— Artículo 243 LGSS, en relación con RDEP (Anexo I).

Véase: Pinturas. Colorantes. Secado.

SUSTANCIAS SENSIBILIZANTES

1. Las sustancias y preparados que, por inhalación o penetración cutánea, pueden ocasionar una reacción de hipersensibilización, de forma que una exposición posterior a esa sustancia o preparado dé lugar a efectos nocivos característicos.

— Artículo 2 RCEEPP.

— Artículo 2.2.k RCEESP.

— Notas Técnicas de Prevención n.º 137/1985. 332/1994. 635/2003. 649, 650, 651/2004. 726, 727/2006. INSST.

2. Aquellas sustancias que pueden producir una reacción de tipo alérgico y que puede manifestarse de múltiples formas (asma, dermatitis, etc.).

— Nota Técnica de Prevención n.º 108/1984. INSST.

Véase: Sustancias peligrosas. Sustancias explosivas. Sustancias comburentes. Sustancias inflamables. Sustancias tóxicas. Sustancias nocivas. Sustancias corrosivas. Sustancias irritantes. Sustancias cancerígenas. Sustancias mutagénicas. Sustancias tóxicas para la reproducción. Sustancias peligrosas para el medio ambiente. Fugas de sustancias peligrosas.

SUSTANCIAS SOLIDAS

Las sustancias solidas pueden ser inhaladas en forma de polvo o aerosol, pero su penetración profunda en el aparato respiratorio sólo se produce cuando las partículas tienen un diámetro inferior a cinco micras. Su ingestión es muy infrecuente y la acción a través de la piel es menos importante que la de los líquidos. En el caso de los sólidos es particularmente importante la característica de su posible o imposible solubilización en los fluidos biológicos, ya que condiciona el tipo de efecto tóxico.

— Nota Técnica de Prevención n.º 108/1984. INSST.

Véase: Polvos. Cerámica. Porcelana.

SUSTANCIAS TERATÓGENAS

Sustancias y preparados que por inhalación, ingestión o penetración cutánea puedan inducir lesiones en el feto durante su desarrollo intrauterino. Sustancias capaces de alterar el normal desarrollo de un feto, al ser absorbidas por una mujer gestante.

— Notas Técnicas de Prevención n.º 137/1985. 159/1986. INSST.

Véase: Agentes teratógenos. Sustancias tóxicas para la reproducción. Trabajadora y fertilidad. Trabajador y fertilidad. Siloxanos.

SUSTANCIAS TÓXICAS PARA LA REPRODUCCIÓN

1. Las sustancias o preparados que, por inhalación, ingestión o penetración cutánea, pueden producir efectos nocivos no hereditarios en la descendencia, o aumentar la frecuencia de éstos, o afectar de forma negativa a la función o a la capacidad reproductora masculina o femenina.

— Artículo 2 RCEEPP.

— Artículo 2.2.n RCEESP.

— Notas Técnicas de Prevención n.º 137/1985. 332/1994. 635/2003. 649, 650, 651/2004. 726, 727/2006. INSST.

2. Se definen como tóxicos para la reproducción las sustancias y preparados que, por inhalación, ingestión o penetración cutánea, puedan producir efectos negativos no hereditarios en la descendencia, o aumentar la frecuencia de éstos, o afectar de forma negativa a la función o a la capacidad reproductora. La toxicidad para la reproducción incluye el deterioro de la función o capacidad reproductora masculina y femenina, así como la inducción de efectos nocivos no hereditarios en la descendencia. Estos efectos se clasifican en dos grandes grupos:

• Efectos sobre la fertilidad masculina o femenina, donde se incluyen los efectos negativos sobre la libido, el comportamiento sexual, cualquier aspecto de la espermatogénesis u ovogénesis, o sobre la actividad hormonal o la respuesta fisiológica que pueden interferir la capacidad de fertilizar, el propio proceso de fertilización o el desarrollo del huevo fecundado hasta la fase de implantación, con inclusión de esta última.

• Toxicidad en el desarrollo, en un sentido más amplio para incluir cualquier efecto que interfiera con el desarrollo normal, tanto antes como después del nacimiento. Aquí se incluyen los efectos inducidos o manifestados en la época prenatal así como los que se manifiestan tras el nacimiento.

— Nota Técnica de Prevención n.º 414/1996. INSST.

3. Sustancias químicas y sus efectos sobre la reproducción humana.

— Nota Técnica de Prevención n.º 245/1989. INSST.

4. Protección y promoción de la salud reproductiva: Funciones del personal sanitario del servicio de prevención.

— Notas Técnicas de Prevención n.º 413, 414/1996. 542/2000. 612/2003. INSST.

Véase: Sustancias peligrosas. Trabajadora y fertilidad. Trabajador y fertilidad. Sustancias teratógenas. Agentes Teratógenos. Siloxanos. Sustancias explosivas. Sustancias comburentes. Sustancias inflamables. Sustancias tóxicas. Sustancias nocivas. Sustancias corrosivas. Sustancias irritantes. Sustancias sensibilizantes. Sustancias cancerígenas. Sustancias mutagénicas. Sustancias peligrosas para el medio ambiente. Fugas de sustancias peligrosas.

SUSTANCIAS TÓXICAS

1. Las sustancias y preparados que, por inhalación, ingestión o penetración cutánea en pequeñas cantidades, provocan la muerte o efectos agudos o crónicos para la salud.

Muy tóxicas: Las sustancias y preparados que, por inhalación, ingestión o penetración cutánea en muy pequeña cantidad, pueden provocar la muerte o efectos agudos o crónicos para la salud.

— Artículo 2 RCEEPP.

— Artículo 2.2.f, g RCEESP.

— Notas Técnicas de Prevención n.º 137/1985. 332/1994. 635/2003. 649, 650, 651/2004. 726, 727/2006. INSST.

2. Las sustancias y preparados que, por inhalación, ingestión o penetración cutánea en pequeñas cantidades puedan provocar efectos agudos o crónicos e incluso la muerte.

Sustancias muy tóxicas. Las sustancias y preparados que, por inhalación, ingestión o penetración cutánea en muy pequeña cantidad puedan provocar efectos agudos o crónicos e incluso la muerte

— Nota Técnica de Prevención n.º 635/2003. INSST.

3. Producto tóxico. Sustancias y mezclas que están clasificadas como peligrosas por su toxicidad aguda en el apartado 3.1 del anexo I del Reglamento CLP.

— Anexo 2.44 RAPQ.

Véase: Sustancias peligrosas. Sustancias explosivas. Sustancias comburentes. Sustancias inflamables. Sustancias nocivas. Sustancias corrosivas. Sustancias irritantes. Sustancias sensibilizantes. Sustancias cancerígenas. Sustancias mutagénicas. Sustancias tóxicas para la reproducción. Sustancias peligrosas para el medio ambiente. Fugas de sustancias peligrosas.

SUSTANCIAS

1. Los elementos químicos y sus compuestos en estado natural, o los obtenidos mediante cualquier procedimiento de producción, incluidos los aditivos necesarios para conservar la estabilidad del producto y las impurezas que resulten del procedimiento utilizado, excluidos los disolventes que puedan separarse sin afectar la estabilidad de la sustancia ni modificar su composición.

— Artículo 2 RCEEPP.

— Artículo 2.1.a RCEESP.

— Notas Técnicas de Prevención n.º 635/2003. 649, 650, 651/2004. 726, 727/2006. INSST.

2. Los elementos químicos y sus compuestos en estado natural, o los obtenidos mediante cualquier procedimiento de producción, incluidos los aditivos necesarios para conservar la estabilidad del producto y las impurezas que resulten del procedimiento utilizado, excluidos los disolventes que puedan separarse sin modificar la estabilidad ni la composición de la sustancia.

— Nota Técnica de Prevención n.º 649/2004. INSST.

Véase: Preparados. Fichas de datos de seguridad. Productos químicos. Productos químicos: Envasado. Productos químicos: Etiquetado.

SUSTITUCIÓN DE PRODUCTOS PELIGROSOS

1. El empresario garantizará la eliminación o reducción al mínimo del riesgo que entrañe un agente químico peligroso para la salud y seguridad de los trabajadores durante el trabajo. Para ello, el empresario deberá, preferentemente, evitar el uso de dicho agente sustituyéndolo por otro o por un proceso químico que, con arreglo a sus condiciones de uso, no sea peligroso o lo sea en menor grado.

Cuando la naturaleza de la actividad no permita la eliminación del riesgo por sustitución, el empresario garantizará la reducción al mínimo de dicho riesgo aplicando medidas de prevención y protección que sean coherentes con la evaluación del riesgo.

— Artículo 5 RDSSAQ.

2. Para los agentes químicos cancerígenos y mutágenos el principio de sustitución se aplica de forma aún más estricta puesto que deja de ser una prioridad en el conjunto de acciones preventivas para convertirse en un imperativo legal «siempre que sea técnicamente posible».

— Artículo 4 RDEACT.

— Notas Técnicas de Prevención n.º 673/2004. 712/2005. INSST.

Véase: Principios de la acción preventiva.

T

TABIQUES TRANSPARENTES

1. Los tabiques transparentes o translúcidos y, en especial, los tabiques acristalados situados en los locales o en las proximidades de los puestos de trabajo y vías de circulación, deberán estar claramente señalizados y fabricados con materiales seguros, o bien estar separados de dichos puestos y vías, para impedir que los trabajadores puedan golpearse con los mismos o lesionarse en caso de rotura.

— Anexo I. Parte A.4 RDSSLT.

2. En el interior de las obras de construcción: Los tabiques transparentes o translúcidos y, en especial, los tabiques acristalados situados en los locales o en las proximidades de los puestos de trabajo y vías de circulación, deberán estar claramente señalizados y fabricados con materiales seguros o bien estar separados de dichos puestos y vías, para evitar que los trabajadores puedan golpearse con los mismos o lesionarse en caso de rotura de dichos tabiques.

— Anexo IV. Parte B.5 RDSSTOC.

Véase: Puertas. Puertas transparentes. Ventanas.

TALADO DE ARBOLES

1. El talado de árboles consiste en cortar por el pie un árbol o una masa de árboles.

2. Los trabajadores ocupados en las actividades económicas, y expuestos a los agentes o sustancias que a continuación se indican, pueden contraer una Enfermedad Profesional (E.P.):

a) Causada por agentes físicos:

• <u>Talado y corte de árboles con sierras portátiles, donde el trabajador este expuesto a ruidos continuos y diarios de un nivel sonoro igual o superior a 80 decibelios A, que puede contraer la E.P. de hipoacusia.</u> (Código 2A0108).

b) Causada por agentes cancerígenos:

• <u>Trabajos de tala de árboles, donde se produzca polvo de madera dura, que pueden provocar la E.P. de neoplasia maligna de cavidad nasal.</u> (Código 6L0102).

Por ello, debe realizarse reconocimientos médicos previos y periódicos a dichos trabajadores, con la prohibición de no contratar a los calificados como no aptos para desempeñar los puestos de trabajo de que se trate.

— Artículo 243 LGSS, en relación con RDEP (Anexo I).

3. Procede la responsabilidad civil contractual del empresario a indemnizar al trabajador por los daños y perjuicios producidos, cuando se acredita:

• Que la empresa ha incumplido sus obligaciones de información y formación y se produce un accidente realizando trabajos de tala en las proximidades de una línea de alta tensión.

— STSJ Galicia 23.12.09.

Véase: Agricultura. Sierras. Trabajos con sierras.

TALADRADORAS

1. Herramientas portátiles eléctricas con las que se realizan la mayoría de los agujeros en paredes y en piezas de los talleres mecánicos.

2. Los trabajadores ocupados en las actividades económicas, y expuestos a los agentes o sustancias que a continuación se indican, pueden contraer una Enfermedad Profesional (E.P.), causada por agentes físicos:

- Trabajos en los que se produzcan: vibraciones transmitidas a la mano y al brazo por gran número de máquinas o por objetos mantenidos sobre una superficie vibrante (gama de frecuencia de 25 a 250 Hz), como son aquellos en los que se manejan maquinarias que transmitan vibraciones, como martillos neumáticos, punzones, taladros, taladros a percusión, perforadoras, pulidoras, esmeriles, sierras mecánicas, desbrozadoras, que pueden producir una E.P. de carácter vascular. (Código 2B0101).

Por ello, debe realizarse reconocimientos médicos previos y periódicos a dichos trabajadores, con la prohibición de no contratar a los calificados como no aptos para desempeñar los puestos de trabajo de que se trate.

— Artículo 243 LGSS, en relación con RDEP (Anexo I).

Véase: Herramientas portátiles eléctricas. Enfermedades vasculares. Vibraciones. Martillos neumáticos. Martillos eléctricos. Punzones. Pulidoras. Esmeriles.

TALCO

1. Mineral muy difícil de fundir, de textura laminar, muy suave al tacto, lustroso, tan blando que se raya con la uña, y de color generalmente verdoso. Es un silicato de magnesia.

2. Los trabajadores ocupados en las actividades económicas y expuestos a los agentes o sustancias que a continuación se indican, pueden contraer una Enfermedad Profesional (E.P.), causada por inhalación de sustancias y agentes no comprendidos en otros apartados:

- Trabajos expuestos a la inhalación de talco cuando esta combinado con tremolita, serpentina o antofilita, con exposición a la inhalación de polvos minerales (talco), que pueden provocar talcosis. (Código 4D0115).
- Trabajos expuestos a la inhalación de talco cuando esta combinado con tremolita, serpentina o antofilita, con exposición a la inhalación de polvos minerales (caolín), que pueden provocar silicocaolinosis. (Código 4D0215).
- Trabajos expuestos a la inhalación de talco cuando esta combinado con tremolita, serpentina o antofilita., que pueden provocar caolinosis y otras silicatosis. (Código 4D0315).

Por ello, debe realizarse reconocimientos médicos previos y periódicos a dichos trabajadores, con la prohibición de no contratar a los calificados como no aptos para desempeñar los puestos de trabajo de que se trate.

— Artículo 243 LGSS, en relación con RDEP (Anexo I).

TALIO

1. Elemento químico metálico, muy tóxico, de color blanco azulado, ligero, usado como catalizador y en la fabricación de vidrios protectores, insecticidas y raticidas.

2. Los trabajadores ocupados en las actividades económicas, y expuestos a los agentes o sustancias que a continuación se indican, pueden contraer una Enfermedad Profesional (E.P.), causada por agentes químicos:

• Extracción del talio de minerales de pirita. (Código 1A1001).

• Preparación, manipulación y empleo de rodenticidas. (Código 1A1002).

• Producción y empleo de sales de talio. (Código 1A1003).

• Utilización del talio y sus compuestos en la industria farmacéutica, industria del vidrio, en la fabricación de colorantes y pigmentos y en la pirotecnia. (Código 1A1004).

• Fabricación de células fotoeléctricas sensibles al infrarrojo. (Código 1A1005).

Por ello, debe realizarse reconocimientos médicos previos y periódicos a dichos trabajadores, con la prohibición de no contratar a los calificados como no aptos para desempeñar los puestos de trabajo de que se trate.

— Artículo 243 LGSS, en relación con RDEP (Anexo I).

Véase: Catalizadores. Industria del vidrio.

TALLADORES

1. Personas que tallan o tienen por oficio dar forma o trabajar un material.

2. Los trabajadores ocupados en las actividades económicas, y expuestos a los agentes o sustancias que a continuación se indican, pueden contraer una Enfermedad Profesional (E.P.):

a) Causada por agentes físicos:

• Trabajos que requieran habitualmente de una posición de rodillas mantenidas como son trabajos en minas, en la construcción, servicio doméstico, colocadores de parquet y baldosas, jardineros, talladores y pulidores de piedras, trabajadores agrícolas y similares, que pueden producir la E.P. de bursitis. (Código 2C0101).

• Trabajos en los que se produzca un apoyo prolongado y repetido de forma directa o indirecta sobre las correderas anatómicas que provocan lesiones nerviosas por compresión. Movimientos extremos de hiperflexión y de hiperextensión. Trabajos que entrañen compresión prolongada en la muñeca o de una presión mantenida o repetida sobre el talón de la mano, como ordeño de vacas, grabado, talla y pulido de vidrio, burilado, trabajo de zapatería, leñadores, herreros, peleteros, lanzadores de martillo, disco y jabalina, que pueden producir enfermedades por posturas forzadas y movimientos repetitivos, como el síndrome del canal de Guyon. (Código 2F0301).

b) Causada por inhalación de sustancias y agentes no comprendidos en otros apartados:

• Trabajos de tallado y pulido de rocas silíceas, trabajos de canterías, que pueden provocar la E.P. de silicosis, por la exposición a la inhalación de polvo de sílice libre. (Código 4A0102).

Por ello, debe realizarse reconocimientos médicos previos y periódicos a dichos trabajadores, con la prohibición de no contratar a los calificados como no aptos para desempeñar los puestos de trabajo de que se trate.

— Artículo 243 LGSS, en relación con RDEP (Anexo I).

Véase: Bursitis. Pulidores.

TALLERES

1. A efectos del presente Real Decreto, se entiende por talleres de reparación de vehículos automóviles y de sus equipos y componentes, aquellos establecimientos industriales en los que se efectúen operaciones encaminadas a la restitución de las condiciones normales del estado y de funcionamiento de vehículos automóviles o de equipos y componentes de los mismos, en los que se hayan puesto de manifiesto alteraciones en dichas condiciones con posterioridad al término de su fabricación.

— Artículo 2 RDTRV.

2. Los trabajadores ocupados en las actividades económicas, y expuestos a los agentes o sustancias que a continuación se indican, pueden contraer una Enfermedad Profesional (E.P.):

a) Causada por agentes químicos:

• Trabajos en garajes, depósitos y talleres de reparación, donde se utilice óxido de carbono, que pueden provocar una E.P. causada por agentes químicos. (Código 1T0108).

b) Causada por agentes cancerígenos:

• 3. Trabajos de reparación de vehículos automóviles, donde exista exposición a la inhalación de polvos de amianto (asbesto), que pueden provocar la E.P. de neoplasia maligna de bronquio y pulmón. (Código 6A0110).

Por ello, debe realizarse reconocimientos médicos previos y periódicos a dichos trabajadores, con la prohibición de no contratar a los calificados como no aptos para desempeñar los puestos de trabajo de que se trate.

— Artículo 243 LGSS, en relación con RDEP (Anexo I).

Véase: Garajes. Mecánicos. Chapistas. Fosos de inspección de vehículos.

TANQUES

1. Depósitos de gran tamaño montado sobre un camión o un remolque para transporte de líquidos o sustancias pulverulentas.

2. Los trabajadores ocupados en las actividades económicas, y expuestos a los agentes o sustancias que a continuación se indican, pueden contraer una Enfermedad Profesional (E.P.):

a) Causada por agentes químicos:

• Preparación, distribución y limpieza de tanques de carburantes que contengan benceno. (Código 1K0104).

b) Causada por agentes cancerígenos:

• Preparación, distribución y limpieza de tanques de carburantes que contengan benceno, que puede provocar una E.P. síndrome linfo y mieloproliferativos. (Código 6D0104).

Por ello, debe realizarse reconocimientos médicos previos y periódicos a dichos trabajadores, con la prohibición de no contratar a los calificados como no aptos para desempeñar los puestos de trabajo de que se trate.

— Artículo 243 LGSS, en relación con RDEP (Anexo I).

Véase: Depósitos. Estanques. Cisternas. Transporte de mercancías. Transporte de mercancías peligrosas. Transporte por carretera.

TANTALIO

1. Elemento químico metálico, de color gris, pesado, duro, dúctil, muy resistente a la corrosión, usado para fabricar material quirúrgico, prótesis e injertos, y en la industria química y electrónica.

2. Los trabajadores ocupados en las actividades económicas, y expuestos a los agentes o sustancias que a continuación se indican, pueden contraer una Enfermedad Profesional (E.P.), causada por inhalación de sustancias y agentes no comprendidos en otros apartados:

• Trabajos en los que exista la posibilidad de inhalación de metales sinterizados, compuestos de carburos metálicos de alto punto de fusión y metales de ligazón de bajo punto de fusión (Los carburos metálicos más utilizados son los de titanio, vanadio, cromo, molibdeno, tungsteno y wolframio; como metales de ligazón se utilizan hierro, níquel y cobalto), que pueden provocar las E.P. de neumoconiosis o de siderosis. (Códigos 4E0101, 4E0201).

• Trabajos de mezclado, tamizado, moldeado y rectificado de carburos de tungsteno, titanio, tantalio, vanadio y molibdeno aglutinados con cobalto, hierro y níquel, con exposición a la inhalación de metales sinterizados, que pueden provocar la la E.P. de neumoconiosis, por inhalación de metales sinterizados y de metales de ligazón, que pueden provocar las E.P. de neumoconiosis o de siderosis. (Códigos 4E0102, 4E0202).

Por ello, debe realizarse reconocimientos médicos previos y periódicos a dichos trabajadores, con la prohibición de no contratar a los calificados como no aptos para desempeñar los puestos de trabajo de que se trate.

— Artículo 243 LGSS, en relación con RDEP (Anexo I).

Véase: Industria química. Industria de la electrónica.

TAQUILLAS

Véase: Locales de vestuarios.

TARJETA PROFESIONAL DE LA CONSTRUCCIÓN

La Tarjeta Profesional de la Construcción es el documento expedido por la Fundación Laboral de la Construcción que constituye una forma de acreditar, entre otros datos, la formación específica recibida del sector por el trabajador en materia de prevención de riesgos laborales, así como la categoría profesional del trabajador y los períodos de ocupación en las distintas empresas en las que vaya ejerciendo su actividad.

La Tarjeta Profesional de la Construcción tiene las siguientes funciones:

• Acreditar que su titular ha recibido al menos formación inicial en materia de prevención de riesgos laborales, de acuerdo con lo previsto en el presente Convenio y en la Ley 32/2006, de 18 de octubre, reguladora de la subcontratación en el sector de la construcción.

• Acreditar la categoría profesional de su titular y su experiencia en el sector.

• Acreditar que su titular ha sido sometido a los reconocimientos médicos de acuerdo con lo previsto en el presente Convenio.

— Artículos 148.1 y 150 CCGC.

Véase: Fundación de SST. Deber de formación.

TAXIDERMIA

1. Técnica de disecar los animales para conservarlos con apariencia de vivos.

2. Los trabajadores ocupados en las actividades económicas, expuestos a los agentes o sustancias que a continuación se indican, pueden contraer una Enfermedad Profesional (E.P.):

a) Causada por agentes químicos:

• Taxidermia, donde se utilice arsénico y sus compuestos. (Código 1A0124).

b) Causada por agentes cancerígenos:

• Taxidermia, donde se utilice arsénico, que puede provocar alguna de las siguientes E.P: neoplasia de maligna de bronquio y pulmón (Código 6C0112), carcinoma epidemoide de piel (Código 6C0212), disqueratosis lenticular en disco (Código 6C0312) y angiosarcoma del hígado (Código 6C0412).

Por ello, debe realizarse reconocimientos médicos previos y periódicos a dichos trabajadores, con la prohibición de no contratar a los calificados como no aptos para desempeñar los puestos de trabajo de que se trate.

— Artículo 243 LGSS, en relación con RDEP (Anexo I).

Véase: Arsénico.

TÉCNICOS DE PREVENCIÓN HABILITADOS DE LAS COMUNIDADES AUTÓNOMAS

Son los funcionarios públicos con habilitación específica, de las Comunidades Autónomas, que pueden realizar funciones de asesoramiento, información y comprobación de las condiciones de prevención de riesgos laborales. Cuando aprecien algún tipo de irregularidad en materia de prevención de riesgos laborales requerirán al empresario para subsane dichas diferencias, si el empresario no cumple con el requerimiento efectuado, remitirán informe sobre dichas irregularidades a la Inspección de Trabajo. Estos informes gozan de presunción de certeza.

— Artículo 9 LPRL.

— Artículos 59 y siguientes ROFIT.

— Artículos 39 y siguientes RPOS.

Véase: Inspección de Trabajo. Presunción de certeza. Inspección de Trabajo: Requerimientos.

TECNOESTRÉS

Es un estado psicológico negativo relacionado con el uso de las tecnologías de la información y la comunicación (TIC) o amenaza de su uso en un futuro. Ese estado viene condicionado por la percepción de un desajuste entre las demandas y los recursos relacionados con el uso de las TIC que lleva a un alto nivel de activación psicofisiológica no placentera y al desarrollo de actitudes negativas hacia las TIC.

— Nota Técnica de Prevención n.º 730/2006. INSST.

Véase: Carga física de trabajo. Estrés Laboral. Burnout. Carga mental de trabajo. Fatiga. Rotación de puesto de trabajo.

TEJADOS DE MATERIALES LIGEROS

1. Se entiende por tejados de materiales ligeros, las diversas placas planas, onduladas o nervadas, no concebidas para soportar el tránsito de las personas sobre los mismos, salvo que se adopten medidas de protección y hechas de los siguientes materiales principalmente: Vidrio armado o no. Amianto-cemento. Chapa ondulada de espesor inferior a 100 mm. Resinas de poliéster con o sin fibra de vidrio, cloruro de polivinilo, y más generalmente, polímeros termoplásticos. Pizarra. Tejas.

Los principales riesgos y factores de riesgo asociados a la realización de trabajos sobre este tipo de tejados o cubiertas de materiales ligeros son:

• Caídas de altura. Al subir o bajar de la cubierta mediante escaleras manuales portátiles o fijas; por rotura de las cubiertas al pasar el operario; pisar directamente sobre claraboyas o tragaluces interiores de insuficiente resistencia; por las inclemencias atmosféricas.

• Caída de objetos o de parte de la cubierta sobre personas. Por acumular cargas excesivas sobre las mismas; al pisar directamente sobre la superficie rompiéndose una parte de la misma; por contactos eléctricos con cables accesibles desde la cubierta.

— Nota Técnica de Prevención n.º 448/1997. INSST.

2. El acceso a techos o cubiertas que no ofrezcan suficientes garantías de resistencia solo podrá autorizarse cuando se proporcionen los equipos necesarios para que el trabajo pueda realizarse de forma segura.

— Anexo I. Parte 1.2.º RDSSLT.

Véase: Trabajos en los tejados. Caída de personas. Caída de objetos. Trabajos en altura.

TELEOPERADORES

1. Personas que por vía telefónica, se encargan de atender a los clientes de una empresa, resolviendo sus dudas, incidencias y reclamaciones, así como aquellas personas que se encargan de vender productos o servicios de la empresa.

2. Los trabajadores ocupados en las actividades económicas, y expuestos a los agentes o sustancias que a continuación se indican, pueden contraer una Enfermedad Profesional (E.P.), causada por agentes físicos:

• Actividades en las que se precise uso mantenido y continuo de la voz, como son profesores, cantantes, actores, teleoperadores, locutores, pueden provocar una E.P. de nódulos en las cuerdas vocales. (Código 2L0101).

Por ello, debe realizarse reconocimientos médicos previos y periódicos a dichos trabajadores, con la prohibición de no contratar a los calificados como no aptos para desempeñar los puestos de trabajo de que se trate.

— Artículo 243 LGSS, en relación con RDEP (Anexo I).

Véase: Trabajo a distancia. Teletrabajo. Trabajo emocional.

TELETRABAJO

El teletrabajo consiste en el desarrollo de una actividad laboral remunerada, para la que se utiliza, como herramienta básica de trabajo, las tecnologías de la información y telecomunicación y en el que no existe una presencia permanente ni en el lugar físico de trabajo de la empresa que ofrece los bienes o servicios ni en la empresa que demanda tales bienes o servicios.

De acorde con esta definición las posibilidades de teletrabajar son muchas y variadas; establecer el lugar físico de trabajo en el domicilio particular, acudir a centros compartidos que ofrezcan tecnologías de telecomunicaciones (telecottages), el personal nómada de una empresa (red comercial), etc.

— Nota Técnica de Prevención n.º 412/1996. INSST.

    Véase: Trabajo a distancia. Teleoperadores.

TEMPERATURA

1. En los locales de trabajo cerrados deberán cumplirse, en particular, las siguientes condiciones:

    • La temperatura de los locales donde se realicen trabajos sedentarios propios de oficinas o similares estará comprendida entre 17 y 27.ºC. La temperatura de los locales donde se realicen trabajos ligeros estará comprendida entre 14 y 25.ºC.

    • La humedad relativa estará comprendida entre el 30 y el 70 por 100, excepto en los locales donde existan riesgos por electricidad estática en los que el límite inferior será el 50 por 100.

— Anexo III. 3 RDSSLT.

2. Temperatura en los centros de trabajo.

— Nota Técnica de Prevención n.º 501/1998. INSST.

3. Temperatura en obras de construcción: La temperatura debe ser la adecuada para el organismo humano durante el tiempo de trabajo, cuando las circunstancias lo permitan, teniendo en cuenta los métodos de trabajo que se apliquen y las cargas físicas impuestas a los trabajadores.

— Anexo IV. Parte A.8 RDSSTOC.

4. En el interior de las obras de construcción:

    • La temperatura de los locales de descanso, de los locales para el personal de guardia, de los servicios higiénicos, de los comedores y de los locales de primeros auxilios deberá corresponder al uso específico de dichos locales.

    • Las ventanas, los vanos de iluminación cenitales y los tabiques acristalados deberán permitir evitar una insolación excesiva, teniendo en cuenta el tipo de trabajo y uso del local.

— Anexo IV. Parte B.4 RDSSTOC.

5. Procede la reducción del tiempo de exposición en aquellas faenas del campo en las que concurran circunstancias de especial penosidad derivadas de condiciones anormales de temperatura o humedad, la jornada ordinaria no podrá exceder de seis horas y veinte minutos diarios y treinta y ocho horas semanales de trabajo efectivo.

En las faenas que hayan de realizarse teniendo el trabajador los pies en agua o fango y en las de cava abierta, entendiendo por tales las que se realicen en terrenos que no estén previamente alzados, la jornada ordinaria no podrá exceder de seis horas diarias y treinta y seis semanales de trabajo efectivo.

— Artículo 24 RDJET.

Véase: Humedad. Termómetros. Psicómetro. Aislamiento térmico. Calor. Deshidratación. Estrés térmico. Agotamiento por calor. Síncope por calor. Golpe de calor.

TENSOACTIVO

1. Tensoactivo o tensioactivo es un compuesto que reduce la tensión superficial del líquido al que se añade. El detergente es una sustancia tensioactiva.

2. Los trabajadores ocupados en las actividades económicas, y expuestos a los agentes o sustancias que a continuación se indican, pueden contraer una Enfermedad Profesional (E.P.), causada por agentes químicos:

• <u>Fabricación de agentes tensoactivos, donde se utilicen epóxidos.</u> (Código 1M0103).

Por ello, debe realizarse reconocimientos médicos previos y periódicos a dichos trabajadores, con la prohibición de no contratar a los calificados como no aptos para desempeñar los puestos de trabajo de que se trate.

— Artículo 243 LGSS, en relación con RDEP (Anexo I).

Véase: Detergentes. Productos de limpieza.

TERMÓMETROS

1. Aparatos que sirven para medir la temperatura.

2. Los trabajadores ocupados en las actividades económicas, y expuestos a los agentes o sustancias que a continuación se indican, pueden contraer una Enfermedad Profesional (E.P.), causada por agentes químicos:

• <u>Fabricación y reparación de termómetros, barómetros, bombas de mercurio, lámparas de incandescencia, lámparas radiofólicas, tubos radiográficos, rectificadores de corriente y otros aparatos que contengan mercurio.</u> (Código 1A0709).

Por ello, debe realizarse reconocimientos médicos previos y periódicos a dichos trabajadores, con la prohibición de no contratar a los calificados como no aptos para desempeñar los puestos de trabajo de que se trate.

— Artículo 243 LGSS, en relación con RDEP (Anexo I).

Véase: Mercurio. Psicómetro. Aparatos medidores. Temperatura.

TIEMPO DE ASEO PERSONAL

Los trabajadores con riesgo de exposición a amianto dispongan para su aseo personal, dentro de la jornada laboral, de, al menos, diez minutos antes de la comida y otros diez minutos antes de abandonar el trabajo.

— Artículo 9 RDSSSA.

Véase: Amianto. Período de trabajo. Tiempo de trabajo.

TIEMPO DE CONDUCCIÓN

1. El tiempo que dura la actividad de conducción registrada:

• automática o semiautomáticamente por un aparato de control tal como se define en el anexo I y en el anexo IB del Reglamento (CEE) n.º 3821/85; o,

• manualmente de conformidad con el artículo 16, apartado 2, del Reglamento (CEE) n.º 3821/85.

— Artículo 4.j Reglamento (CE) n.º 561/2006, de 15 de marzo de 2006.

2. Tiempo diario de conducción: El tiempo acumulado total de conducción entre el final de un período de descanso diario y el principio del siguiente período de descanso diario o entre un período de descanso diario y un período de descanso semanal.

Tiempo semanal de conducción: El tiempo acumulado total de conducción durante una semana.

— Artículo 4.k Reglamento (CE) n.º 561/2006, de 15 de marzo de 2006.

3. Período de conducción: El tiempo de conducción acumulado desde el momento en que un conductor empieza a conducir tras un período de descanso o una pausa hasta que toma un período de descanso o una pausa. El período de conducción puede ser continuado o interrumpido.

— Artículo 4.q Reglamento (CE) n.º 561/2006, de 15 de marzo de 2006.

Véase: Tiempo de trabajo. Período de descanso. Semana.

TIEMPO DE TRABAJO: REDUCCIÓN DEL TIEMPO DE EXPOSICIÓN

Por razones de prevención de riesgos laborales.

Por trabajos penosos, insalubres, tóxicos o peligrosos. Procederá la limitación o reducción de los tiempos de exposición a riesgos ambientales especialmente nocivos en aquellos casos en que, pese a la observancia de la normativa legal aplicable, la realización de la jornada ordinaria de trabajo entrañe un riesgo especial para la salud de los trabajadores debido a la existencia de circunstancias excepcionales de penosidad, peligrosidad, insalubridad o toxicidad, sin que resulte posible la eliminación o reducción del riesgo mediante la adopción de otras medidas de protección o prevención adecuadas.

El tiempo de reducción será el que se acuerde por empresario y trabajadores, y en caso de desacuerdo, el que decida la Autoridad laboral.

— Artículo 23 RDJET.

Véase: Tiempo de trabajo: Reducción de jornada. Trabajos penosos. Trabajos insalubres. Trabajos tóxicos. Trabajos peligrosos. Pluses por trabajos penosos, tóxicos o peligrosos. Valores límite. Valores límite ambientales: Exposición de corta duración, Exposición diaria.

TIEMPO DE TRABAJO: REDUCCIONES DE JORNADA

Reducciones de jornada por razones de prevención de riesgos laborales.

1. Por trabajos en el campo. En aquellas faenas que exijan para su realización extraordinario esfuerzo físico o en las que concurran circunstancias de especial penosidad derivadas de condiciones anormales de temperatura o humedad, la jornada ordinaria no podrá exceder de seis horas y veinte minutos diarios y treinta y ocho horas semanales de trabajo efectivo.

En las faenas que hayan de realizarse teniendo el trabajador los pies en agua o fango y en las de cava abierta, entendiendo por tales las que se realicen en terrenos que no estén previamente alzados, la jornada ordinaria no podrá exceder de seis horas diarias y treinta y seis semanales de trabajo efectivo.

— Artículo 24 RDJET.

2. Por trabajos en el interior de las minas, trabajos subterráneos y trabajos en túneles.

— Artículos 25, 26, 27, 28 RDJET.

3. Por trabajos en cajones de aire comprimido.

— Artículo 30 RDJET.

4. Por trabajos en cámaras frigoríficas y de congelación.

— Artículo 31 RDJET.

> *Véase: Tiempo de trabajo: Reducción del tiempo de exposición. Pluses por trabajos penosos, tóxicos o peligrosos.*

TIEMPO DE TRABAJO

1. La duración de la jornada de trabajo será la pactada en los convenios colectivos o contratos de trabajo.

La duración máxima de la jornada ordinaria de trabajo será de cuarenta horas semanales de trabajo efectivo de promedio en cómputo anual.

— Artículo 34.1 LET.

2. El tiempo durante el cual un marino está obligado a prestar servicio por cuenta del buque.

— Anexo. Cláusula 2.a RDOTTM.

3. Todo período durante el cual el trabajador permanezca en el trabajo, a disposición del empresario y en ejercicio de su actividad o de sus funciones, de conformidad con las legislaciones y/o prácticas nacionales.

— Artículo 2.1 Directiva 2003/88/CE, de 4 noviembre, relativa a determinados aspectos de la ordenación del tiempo de trabajo.

> *Véase: Horas extraordinarias. Período de descanso. Derecho a ausentarse. Pausas de trabajo obligatorias. Tiempo de aseo personal. Semana.*

TIJERAS

1. Herramientas manuales que sirven para cortar principalmente hojas de metal aunque se utilizan también para cortar otros materiales más blandos.

— Nota Técnica de Prevención n.º 393/1995. INSST.

2. Los trabajadores ocupados en las actividades económicas, y expuestos a los agentes o sustancias que a continuación se indican, pueden contraer una Enfermedad Profesional (E.P.), causada por agentes físicos:

• Trabajos en los que se produzca un apoyo prolongado y repetido de forma directa o indirecta sobre las correderas anatómicas que provocan lesiones nerviosas por compresión. Movimientos extremos de hiperflexión y de hiperextensión. Trabajos que entrañen contracción repetida del músculo supinador largo, como conductores de automóviles, presión crónica por uso de tijera, que pueden contraer enfermedades por posturas forzadas y movimientos repetitivos, como parálisis del nervio radial. (Código 2F0601).

Por ello, debe realizarse reconocimientos médicos previos y periódicos a dichos trabajadores, con la prohibición de no contratar a los calificados como no aptos para desempeñar los puestos de trabajo de que se trate.

— Artículo 243 LGSS, en relación con RDEP (Anexo I).

Véase: Herramientas portátiles manuales. Alicates. Cinceles. Cuchillos. Destornilladores. Llaves. Martillos. Picos. Punzones. Sierras.

TINTORERÍAS

1. Establecimiento donde se limpian o tiñen telas, ropas y otras cosas.

2. Los trabajadores ocupados en las actividades económicas, y expuestos a los agentes o sustancias que a continuación se indican, pueden contraer una Enfermedad Profesional (E.P.), causada por agentes químicos:

- Desengrasado y limpieza de piezas metálicas, como productos de limpieza y desengrasado en tintorerías, donde se utilicen derivados halogenados. (Código 1H0202).
- Utilización de ésteres en productos de limpieza, lavandería y tintorería. (Código 1N0117).

Por ello, debe realizarse reconocimientos médicos previos y periódicos a dichos trabajadores, con la prohibición de no contratar a los calificados como no aptos para desempeñar los puestos de trabajo de que se trate.

— Artículo 243 LGSS, en relación con RDEP (Anexo I).

Véase: Lavanderías. Lavanderos.

TITANIO

1. Elemento químico metálico, de color gris oscuro, de gran dureza, resistente a la corrosión, de propiedades físicas parecidas a las del acero, abundante en la corteza terrestre, y usado en la industria química, aeronáutica y aeroespacial.

2. Los trabajadores ocupados en las actividades económicas, y expuestos a los agentes o sustancias que a continuación se indican, pueden contraer una Enfermedad Profesional (E.P.):

a) Causada por inhalación de sustancias y agentes no comprendidos en otros apartados:

- Trabajos en los que exista la posibilidad de inhalación de metales sinterizados, compuestos de carburos metálicos de alto punto de fusión y metales de ligazón de bajo punto de fusión (Los carburos metálicos más utilizados son los de titanio, vanadio, cromo, molibdeno, tungsteno y wolframio; como metales de ligazón se utilizan hierro, níquel y cobalto), que pueden provocar las E.P. de neumoconiosis o de siderosis. (Códigos 4E0101, 4E0201).
- Trabajos de mezclado, tamizado, moldeado y rectificado de carburos de tungsteno, titanio, tantalio, vanadio y molibdeno aglutinados con cobalto, hierro y níquel, con exposición a la inhalación de metales sinterizados, que pueden provocar la la E.P. de neumoconiosis, por inhalación de metales sinterizados y de metales de ligazón, que pueden provocar las E.P. de neumoconiosis o de siderosis. (Códigos 4E0102, 4E0202).

Por ello, debe realizarse reconocimientos médicos previos y periódicos a dichos trabajadores, con la prohibición de no contratar a los calificados como no aptos para desempeñar los puestos de trabajo de que se trate.

— Artículo 243 LGSS, en relación con RDEP (Anexo I).

Véase: Vanadio. Industria aeronáutica. Industria aeroespacial.

TOLUENO

1. Líquido derivado del benceno, que se emplea como disolvente en la industria química y, principalmente, en la fabricación de trinitrotolueno.

2. Los trabajadores ocupados en las actividades económicas, y expuestos a los agentes o sustancias que a continuación se indican, pueden contraer una Enfermedad Profesional (E.P.):

• Industria química: fabricación de ácido benzoico, benzoaldehidos, benceno, fenol, caprolactama, linóleo, toluendiisocianato (resinas poliuretano), sulfonatos de tolueno (detergentes), cuero artificial, revestimiento de tejidos y papeles, explosivos, tintes y otros compuestos orgánicos. (Código 1K0301).

• Preparación de combustibles y las operaciones de mezclado, trasvasado, limpiado de estanques y cisternas. (Código 1K0302).

• Operaciones de disolución de resinas naturales o sintéticas para la preparación de colas, adhesivos, lacas, barnices, esmaltes, masillas, tintas, diluyentes de pinturas y productos de limpieza. (Código 1K0303).

• Utilización de los productos citados, en especial las operaciones de secado que facilitan la evaporación del tolueno y los xilenos. (Código 1K0304).

• Uso en laboratorio de análisis químico y de anatomía patológica. (Código 1K0305).

• Aditivo de las gasolinas. (Código 1K0306).

• Utilización en la industria de la limpieza. (Código 1K0307).

• Utilización de insecticidas. (Código 1K0308).

• Utilización en perfumería. (Código 1K0309).

• Esterilización del hilo de sutura quirúrgica catgut. (Código 1K0310).

• Producción de nitratos metálicos, ácidos oxálicos, ftálico o sulfúrico, de nitritos y ácidos nitrosos, de trinitrofenol, de trinitrotolueno, de nitroglicerina, de dinitrato de etilenglicol, donde se utilice ácido nítrico. (Código 1D0106).

Por ello, debe realizarse reconocimientos médicos previos y periódicos a dichos trabajadores, con la prohibición de no contratar a los calificados como no aptos para desempeñar los puestos de trabajo de que se trate.

— Artículo 243 LGSS, en relación con RDEP (Anexo I).

Véase: Benceno. Sustancias disolventes. Sustancias diluyentes. Xileno.

TORRES DE ACCESO

Las torres de acceso son estructuras de andamio tubular montadas utilizando elementos prefabricados y capaces de salvar diferentes desniveles con la única finalidad de facilitar el tránsito entre diferentes alturas en la construcción, la industria y la rehabilitación principalmente, ofreciendo una cómoda superficie de paso y acorde capacidad de carga. El conjunto más simple se apoya sobre cuatro montantes verticales nivelados con la ayuda de cuatro husillos de adecuada capacidad de carga, que se completa con los tramos de escalera y opcionalmente con plataformas para crear rellanos y facilitar la circulación.

— Notas Técnicas de Prevención n.º 734, 735/2006. INSST.

Véase: Vías de circulación. Aberturas en los suelos. Plataformas de trabajo. Barandillas. Andamios. Plataformas suspendidas. Góndolas. Desniveles. Pasarelas. Torres de trabajo móviles. Muelles de carga y descarga. Caída de objetos. Caída de personas. Redes de seguridad. Trabajos en altura.

TORRES DE TRABAJO MÓVILES

Las torres de trabajo móviles son estructuras de andamio tubular montadas utilizando elementos prefabricados y capaces de ser desplazadas manualmente sobre superficies lisas y firmes, son autoportantes, tienen una o más plataformas de trabajo y el conjunto más simple apoya sobre cuatro montantes nivelados con la ayuda de cuatro ruedas dotadas de un sistema de frenado y adecuada capacidad de carga. Las estructuras también pueden estar montadas con marcos estructurales a modo de escala vertical.

— Notas Técnicas de Prevención n.º 695, 696/2005. INSST.

Véase: Aberturas en los suelos. Plataformas de trabajo. Barandillas. Andamios. Plataformas suspendidas. Góndolas. Desniveles. Pasarelas. Torres de acceso. Muelles de carga y descarga. Caída de objetos. Caída de personas. Redes de seguridad. Trabajos en altura.

TRABAJADOR AUTÓNOMO ECONÓMICAMENTE DEPENDIENTE

1. Aquel que realiza una actividad económica o profesional a título lucrativo y de forma habitual, personal, directa y predominante para una persona física o jurídica, denominada cliente, del que dependen económicamente por percibir de él, al menos, el 75 por ciento de sus ingresos por rendimientos de trabajo y de actividades económicas o profesionales, y no tiene a su cargo trabajadores por cuenta ajena, salvo excepciones.

— Artículo 11 LETA.

2. Cuando el trabajador autónomo (económicamente dependiente o no), opere con maquinaria, equipos, productos, materias o útiles proporcionados por la empresa para la que ejecutan su actividad profesional, pero no realicen esa actividad en el centro de trabajo de tal empresa, ésta asumirá la obligación de proporcionar al trabajador autónomo, la información necesaria para que la utilización y manipulación de la maquinaria, equipos, productos, materias primas y útiles de trabajo se produzca sin riesgos para la seguridad y la salud.

— Artículo 8.5 LETA.

Véase: Empresario. Empresario titular del centro de trabajo. Promotor. Empresario principal. Empresario contratista. Empresario subcontratista. Trabajador autónomo. Propia actividad. Deber de Coordinación de actividades empresariales.

TRABAJADOR AUTÓNOMO

1. La LPRL es de aplicación a los trabajadores autónomos, en las obligaciones específicas que puedan derivarse de la misma.

— Artículo 3.1 LPRL.

2. Se considera trabajador autónomo la persona física que realice de forma habitual, personal y directa, por cuenta propia y fuera del ámbito de dirección y organización de otra persona, una actividad económica o profesional a título lucrativo.

— Artículo 2.1 DRETA.

— Artículo 1.1 LETA.

3. La persona física distinta del contratista y del subcontratista, que realiza de forma personal y directa una actividad profesional, sin sujeción a un contrato de trabajo, y que asume contractualmente ante el promotor, el contratista o el subcontratista el compromiso de realizar determinadas partes o instalaciones de la obra. El trabajador autónomo no podrá subcontratar los trabajos que hubiera contratado. Cuando el trabajador autónomo emplee en la obra a trabajadores por cuenta ajena, tendrá la consideración de contratista o subcontratista a los efectos de la presente ley.

— Artículos 3.g y 5.2.e LSC.

— Artículo 2.1.j RDSSTOC.

— Artículo 8.8 LETA.

4. El trabajador autónomo tendrá derecho a interrumpir su actividad y abandonar el lugar de trabajo cuando considere que dicha actividad entraña un riesgo grave e inminente para su vida o salud.

— Artículo 8.7 LETA.

5. Las obligaciones de los trabajadores autónomos concurrentes (y empresarios concurrentes) en materia de Coordinación de actividades, entre otras, son:

• Informar de los riesgos que su trabajo acarrea a las demás empresas y trabajadores autónomos concurrentes.

— Artículo 24.1 LPRL.

• Informarse recíprocamente sobre los riesgos específicos de las actividades que desarrollen en el centro de trabajo que puedan afectar a los trabajadores de las otras empresas concurrentes en el centro, en particular sobre aquellos que puedan verse agravados o modificados por circunstancias derivadas de la concurrencia de actividades.

• La información deberá ser suficiente y habrá de proporcionarse antes del inicio de las actividades, cuando se produzca un cambio en las actividades concurrentes que sea relevante a efectos preventivos y cuando se haya producido una situación de emergencia. La información se facilitará por escrito cuando alguna de las empresas genere riesgos calificados como graves o muy graves.

• Cuando, como consecuencia de los riesgos de las actividades concurrentes, se produzca un accidente de trabajo, el empresario deberá informar de aquél a los demás empresarios presentes en el centro de trabajo.

— Artículo 4.2 RDCAE.

• En cumplimiento del deber de cooperación, los trabajadores autónomos concurrentes (y los empresarios concurrentes) en el centro de trabajo establecerán los medios de coordinación para la prevención de riesgos laborales que consideren necesarios y pertinentes. Al establecer los medios de coordinación se tendrán en cuenta el grado de peligrosidad de las actividades que se desarrollen en el centro de trabajo, el número de trabajadores de las empresas presentes en el centro de trabajo y la duración de la concurrencia de las actividades desarrolladas por tales empresas.

— Artículo 5 RDCAE.

— Artículo 8.3 LETA.

• Tener en cuenta la información recibida del empresario titular del centro de trabajo, para realizar la evaluación de los riesgos y en la planificación de su actividad preventiva.

— Artículo 9.1 RDCAE.

— Artículo 8.3 LETA.

• Cumplir con las instrucciones recibidas del empresario titular del centro de trabajo.

— Artículo 9.2 RDCAE.

— Artículo 8.3 LETA.

6. En las obras de construcción, los trabajadores autónomos estarán obligados a:

• Aplicar los principios de la acción preventiva que se recogen en el artículo 15 de la LPRL, en particular al desarrollar las tareas o actividades indicadas en el artículo 10 del presente Real Decreto.

• Cumplir las disposiciones mínimas de seguridad y salud establecidas en el anexo IV del presente Real Decreto, durante la ejecución de la obra.

• Cumplir las obligaciones en materia de prevención de riesgos que establece para los trabajadores el artículo 29, apartados 1 y 2, de la LPRL.

• Ajustar su actuación en la obra conforme a los deberes de coordinación de actividades empresariales establecidos en el artículo 24 de la LPRL, participando en particular en cualquier medida de actuación coordinada que se hubiera establecido (trabajador autónomo concurrente).

• Utilizar equipos de trabajo que se ajusten a lo dispuesto en el Real Decreto 1215/1997, de 18 de julio, por el que se establecen las disposiciones mínimas de seguridad y salud para la utilización por los trabajadores de los equipos de trabajo.

• Elegir y utilizar equipos de protección individual en los términos previstos en el Real Decreto 773/1997, de 30 de mayo, sobre disposiciones mínimas de seguridad y salud relativas a la utilización por los trabajadores de equipos de protección individual.

• Atender las indicaciones y cumplir las instrucciones del Coordinador en materia de seguridad y de salud durante la ejecución de la obra o, en su caso, de la Dirección Facultativa.

• Los trabajadores autónomos deberán cumplir lo establecido en el Plan de Seguridad y Salud.

— Artículo 12 RDSSTOC.

7. Los trabajadores autónomos pueden cometer infracciones en materia de prevención de riesgos laborales, en los siguientes casos:

• Por no adoptar las medidas de cooperación y de coordinación, a que estén obligados, que constituye una infracción grave en materia de prevención de riesgos laborales, que lleva aparejada una sanción económica de 2.046 euros a 40.985 euros.

— Artículos 12.13 y 40.2 LISOS.

• Por no adoptar las medidas de cooperación y de coordinación, a que estén obligados, cuando se trate de actividades consideradas como peligrosas o con riesgos especiales, constituye una infracción muy grave en materia de prevención de riesgos laborales que lleva aparejada una sanción económica de 40.986 euros a 819.780 euros y la publicación de la infracción.

— Artículos 13.7 y 40.2 LISOS.

Véase: Trabajador. Trabajadores socios de cooperativas. Empresario. Emprendedores. Empresario titular del centro de trabajo. Promotor. Empresario principal. Empresario contratista. Empresario subcontratista. Trabajador autónomo económicamente dependiente. Propia actividad. Deber de Coordinación de actividades empresariales.

TRABAJADOR DE EDAD AVANZADA

1. El cambio y las innovaciones son una constante de las organizaciones modernas y los trabajadores de edad avanzada, por lo general, presentan cierta resistencia al cambio.

La resistencia al cambio puede adoptar distintas manifestaciones que pueden ser categorizadas en tres tipos:

• Manifestaciones externas: destrucción, sabotaje, huelgas, rotación, problemas laborales, etc.

• Manifestaciones internas: estrés, problemas emocionales y comportamentales.

• Manifestaciones difusas: baja motivación, insatisfacción, poca implicación, decremento de la productividad. Este tipo de manifestaciones suele tener efectos insidiosos que a menudo pasan sin ser conocidos.

— Notas Técnicas de Prevención n.º 366, 367/1995. 416/1996. INSST.

2. Envejecimiento y trabajo: La visión.

— Nota Técnica de Prevención n.º 348/1994. INSST.

Véase: Estrés laboral. Trabajadores especialmente sensibles.

TRABAJADOR DEL MAR

1. Toda persona que ejerza una actividad profesional a bordo de un buque, incluidas las personas en período de formación y los aprendices, con exclusión del personal de tierra que realice trabajos a bordo de un buque atracado en el muelle y de los prácticos de puerto.

— Artículo 2.5 RDSSTBP.

2. Riesgos biológicos en los trabajos de pesca marítima.

— Nota Técnica de Prevención n.º 625/2003. INSST.

3. La Jurisprudencia se viene pronunciando que ni el golpe de mar, ni el fuerte oleaje son causa que justifique el recargo en las prestaciones, ni una indemnización civil, debido a que es imprevisible y ajeno al empresario.

— STSJ Granada 4.4.07.

— STSJ Galicia 16.4.02. 14.3.03.

Véase: Buque de pesca. Navíos. Trabajos en navíos. Gente del mar. Armador. Capitán de buque. Pesca de altura. Pesca de arrastre. Pesca de bajura. Pesca de cerco. Reconocimientos médicos previos: Obligatoriedad expresa.

TRABAJADOR EXPUESTO

1. Cualquier trabajador que se encuentre total o parcialmente en una zona peligrosa.

— Artículo 2.d RDSSET.

2. Persona sometida a una exposición a causa de su trabajo derivada de las prácticas que pudieran entrañar dosis superiores a alguno de los límites de dosis para miembros del público, establecidos en el Reglamento sobre protección sanitaria contra radiaciones ionizantes.

— Artículo 2 RDFRE.

Véase: Zonas peligrosas. Valores límite.

TRABAJADOR MÓVIL

Todo trabajador empleado como miembro del personal de transporte de una empresa que realice servicios de transporte de pasajeros o mercancías por carretera, vía aérea o navegación interior.

— Artículo 2.7 Directiva 2003/88/CE, de 4 noviembre.

Véase: Transporte por carretera.

TRABAJADOR Y FERTILIDAD

La exposición de los trabajadores a determinadas sustancias puede producir infertilidad, como la exposición al pesticida dibromocloropropano.

Existen sustancias tóxicas para la fertilidad, de efectos gonadotrópicos que pueden alterar la fertilidad masculina y femenina y sustancias mutágenas que también afectan a la fertilidad.

Estas sustancias producen efectos en los:

• Los testículos u otros sistemas implicados en la reproducción. La infertilidad y la esterilidad son los más conocidos, entendiendo por infertilidad una reducción temporal en la capacidad de procreación, mientras que esterilidad implica irreversibilidad.

• Los gametos paternos que alteren la información hereditaria. La concepción con espermatozoides mutados podría dar lugar, teóricamente, a abortos espontáneos o malformaciones congénitas.

— Nota Técnica de Prevención n.º 441/1997. INSST.

Véase: Trabajadora y fertilidad. Sustancias tóxicas para la reproducción. Sustancias teratógenas. Agentes teratógenos. Siloxanos.

TRABAJADOR

Cualquier persona empleada por el empresario, incluidos los trabajadores en prácticas y los aprendices, con exclusión de los trabajadores al servicio del hogar familiar.

— Artículo 3.a Directiva 89/391/CEE, de 12 junio de 1989.

Véase: Trabajador autónomo. Trabajadores al servicio del hogar familiar. Trabajos de voluntariado.

TRABAJADORA EMBARAZADA

1. Cualquier trabajadora embarazada que comunique su estado al empresario, con arreglo a las legislaciones y/o prácticas nacionales.

— Artículo 2.a Directiva 92/85/CEE, de 19 octubre de 1992.

— Notas Técnicas de Prevención n.º 914, 915/2011. INSST.

2. Durante el embarazo se producen en el organismo una serie de cambios fisiológicos, algunos de los cuales están relacionados con la carga de trabajo, como son los referentes al sistema cardiocirculatorio y a las modificaciones endocrinas y metabólicas. Estas alteraciones, si bien no son factores de riesgo en sí, pueden suponer una sobrecarga para la mujer trabajadora. Puede concluirse, que durante la gestación existe una sobrecarga funcional para el corazón que la mujer normalmente supera, pero que, si el corazón está trabajando fuera del embarazo en el límite de su capacidad funcional, la sobrecarga gravídica puede hacerle desfallecer. En cuanto al metabolismo, existen modificaciones en el metabolismo basal, y en el consumo de oxígeno (incremento del 20% y entre el 20-30% respectivamente).

— Nota Técnica de Prevención n.º 413/1996. INSST.

3. A efectos de lo dispuesto sobre la evaluación de riesgos en el artículo 26.1 de la LPRL, el anexo VII del RSP incluye una lista no exhaustiva de agentes, procedimientos y condiciones de trabajo que pueden influir negativamente en la salud de las trabajadoras embarazadas o en período de lactancia natural, del feto o del niño durante el período de lactancia natural, en cualquier actividad susceptible de presentar un riesgo específico de exposición.

En todo caso la trabajadora embarazada no podrá realizar actividades que supongan riesgo de exposición a los agentes o condiciones de trabajo incluidos en la lista no exhaustiva de la parte A del anexo VIII, cuando, de acuerdo con las conclusiones obtenidas de la evaluación de riesgos, ello pueda poner en peligro su seguridad o su salud o la del feto.

En los casos previstos en este párrafo, se adoptarán las medidas previstas en el artículo 26 de la LPRL, con el fin de evitar la exposición a los riesgos indicados.

— Artículo 4.1.b RSP.

4. La gestación impone una serie de cambios en la mujer. Aunque se trata de un proceso fisiológico, lo cierto es que algunos de estos cambios pueden limitar la capacidad funcional de la trabajadora embarazada y su tolerancia a determinadas condiciones del entorno laboral. En este sentido, los cambios más relevantes de la mujer gestante se manifiestan en cambios circulatorios, el peso corporal, la postura y el equilibrio, la laxitud de ligamentos, las extremidades superiores y la frecuencia urinaria. Por ello, deben establecerse específicas medidas preventivas.

— Nota Técnica de Prevención n.º 785/2007. INSST.

5. Se deberán adoptar las medidas necesarias para garantizar que no se obligue a las mujeres embarazadas o lactantes a desempeñar un trabajo que haya sido determinado por la autoridad competente como perjudicial para su salud o la de su hijo, o respecto del cual se haya establecido mediante evaluación que conlleva un riesgo significativo para la salud de la madre o del hijo.

— Artículo 3 Convenio OIT 183, de junio de 2000.

6. El estrés puede influir en el embarazo.

— Nota Técnica de Prevención n.º 413/1996. INSST.

7. Mujeres embarazadas en las obras de construcción: Las mujeres embarazadas y las madres lactantes deberán tener la posibilidad de descansar tumbadas en condiciones adecuadas.

— Anexo IV. Parte A.17 RDSSTOC.

8. No observar las normas específicas en materia de protección de la seguridad y la salud de las trabajadoras durante los períodos de Embarazo y Lactancia, constituye una infracción muy grave en materia de prevención de riesgos laborales que lleva aparejada una sanción económica de 40.986 euros a 819.780 euros y la publicación de infracción.

— Artículos 13.1 y 40.2.c LISOS.

Véase: Trabajadora que ha dado a luz. Agentes teratógenos. Exámenes prenatales. Riesgo durante el embarazo. Tóxicos para la reproducción. Trabajadora y fertilidad. Cambio de puesto de trabajo. Siloxanos. Sustancias tóxicas para la reproducción. Trabajadora en período de lactancia.

TRABAJADORA EN PERÍODO DE LACTANCIA

1. Cualquier trabajadora en período de lactancia en el sentido de las legislaciones y/o prácticas nacionales, comunique su estado al empresario, con arreglo a dichas legislaciones y/o prácticas nacionales.

— Artículo 2.a Directiva 92/85/CEE, de 19 octubre de 1992.

— Notas Técnicas de Prevención n.º 664/2004. 914, 915/2011. INSST.

2. La trabajadora en período de lactancia no podrá realizar actividades que supongan el riesgo de una exposición a los agentes o condiciones de trabajo enumerados en la lista no exhaustiva del anexo VIII, parte B, cuando de la evaluación se desprenda que ello pueda poner en peligro su seguridad o su salud o la del niño durante el período de lactancia natural.

En los casos previstos en este párrafo, se adoptarán las medidas previstas en el artículo 26 de la Ley 31/1995, de 8 de noviembre, de Prevención de Riesgos Laborales, con el fin de evitar la exposición a los riesgos indicados.

— Artículo 4.1.b RSP.

3. Se deberán adoptar las medidas necesarias para garantizar que no se obligue a las mujeres embarazadas o lactantes a desempeñar un trabajo que haya sido determinado por la autoridad competente como perjudicial para su salud o la de su hijo, o respecto del cual se haya establecido mediante evaluación que conlleva un riesgo significativo para la salud de la madre o del hijo.

— Artículo 3 Convenio OIT 183, de 15 de junio de 2000.

4. Madres lactantes en las obras de construcción: Las mujeres embarazadas y las madres lactantes deberán tener la posibilidad de descansar tumbadas en condiciones adecuadas.

— Anexo IV. Parte A.17 RDSSTOC.

5. No observar las normas específicas en materia de protección de la seguridad y la salud de las trabajadoras durante los períodos de Embarazo y Lactancia, constituye una infracción muy grave en materia de prevención de riesgos laborales que lleva aparejada una sanción económica de 40.986 euros a 819.780 euros y la publicación de infracción.

— Artículos 13.1 y 40.2.c LISOS.

Véase: Riesgo durante la lactancia natural. Trabajadora que ha dado a luz.

TRABAJADORA QUE HA DADO A LUZ

Cualquier trabajadora que haya dado a luz en el sentido de las legislaciones y/o prácticas nacionales, que comunique se estado al empresario, con arreglo a dichas legislaciones y/o prácticas nacionales.

— Artículo 2b Directiva 92/85/CEE, de 19 octubre de 1992.

— Nota Técnica de Prevención n.º 914, 915/2011. INSST.

Véase: Trabajadora y fertilidad. Sustancias tóxicas para la reproducción. Trabajadora embarazada. Riesgo durante el embarazo. Trabajadora en período de lactancia. Riesgo durante la lactancia natural.

TRABAJADORA Y FERTILIDAD

Aunque se sabe que determinados hábitos de vida durante el embarazo, tales como alimentación incorrecta y consumo de alcohol y tabaco, pueden afectar a la salud del feto, se conoce muy poco acerca de las causas directas de la mayoría de los problemas de la reproducción.

Existen evidencias de que la exposición en ciertos ambientes laborales es peligrosa y puede afectar al ciclo reproductivo de la mujer, a su capacidad para quedarse embarazada, o a la salud del feto, por lo que debe considerarse que algunas exposiciones profesionales pueden interferir la reproducción aunque pasen desapercibidas durante los períodos en los que no se desee la fertilidad.

La gónada femenina, a diferencia de la masculina, tiene un número limitado de células germinales desde el momento del nacimiento, por lo que cualquier efecto sobre éstas puede producir una disminución de la fecundidad, aumento de las gestaciones malogradas, menopausia precoz o infertilidad. Esta característica diferencial de la gónada femenina es el argumento fundamental para tomar las medidas preventivas adecuadas durante toda la vida fértil de la mujer.

— Notas Técnicas de Prevención n.º 542/2000. 612/2003. INSST.

Véase: Trabajador y fertilidad. Sustancias tóxicas para la reproducción. Sustancias teratógenas. Agentes teratógenos. Siloxanos. Exámenes prenatales. Trabajadora embarazada. Riesgo durante el embarazo. Sustancias tóxicas para la reproducción.

TRABAJADORES AÉREOS

1. Personas que realizan su trabajo en aeronaves y aeropuertos

2. Los trabajadores ocupados en las actividades económicas, y expuestos a los agentes o sustancias que a continuación se indican, pueden contraer una Enfermedad Profesional (E.P.), causada por agentes físicos:

• Tráfico aéreo (personal de tierra, mecánicos y personal de navegación, de aviones a reacción, etc.), donde los trabajadores estén expuestos a ruidos continuos y diarios de un nivel sonoro igual o superior a 80 decibelios A, que pueden contraer la E.P. de hipoacusia. (Código 2A0107).

• Deficiencia mantenida de los sistemas de presurización durante vuelos de gran altitud, que pueden producir una E.P. provocada por compresión o descompresión atmosférica. (Código 2H0103).

Por ello, debe realizarse reconocimientos médicos previos y periódicos a dichos trabajadores, con la prohibición de no contratar a los calificados como no aptos para desempeñar los puestos de trabajo de que se trate.

— Artículo 243 LGSS, en relación con RDEP (Anexo I).

Véase: Tráfico aéreo. Ruido. Presurizar. Trabajadores de aeropuertos. Motores de aviación. Motores reactores.

TRABAJADORES CON DISCAPACIDAD

1. Los lugares de trabajo y, en particular, las puertas, vías de circulación, escaleras, servicios higiénicos y puestos de trabajo, utilizados u ocupados por trabajadores minusválidos, deberán estar acondicionados para que dichos trabajadores puedan utilizarlos.

— Anexo I. Parte A.13 RDSSLT.

2. Trabajadores discapacitados en las obras de construcción: Los lugares de trabajo deberán estar acondicionados teniendo en cuenta, en su caso, a los trabajadores discapacitados.

Esta disposición se aplicará, en particular, a las puertas, vías de circulación, escaleras, duchas, lavabos, retretes y lugares de trabajo utilizados u ocupados directamente por trabajadores discapacitados.

— Anexo IV. Parte A.18 RDSSTOC.

— Nota Técnica de Prevención n.º 1004/2014. INSST.

Véase: Personas con discapacidad. Trabajadores especialmente sensibles. Discriminación directa. Discriminación indirecta.

TRABAJADORES DE AEROPUERTOS

1. Personas que realizan su trabajo en los aeropuertos, en empresas dedicadas al tráfico de personas y mercancías.

2. Los trabajadores ocupados en las actividades económicas, y expuestos a los agentes o sustancias que a continuación se indican, pueden contraer una Enfermedad Profesional (E.P.), causada por agentes físicos:

• <u>Tráfico aéreo (personal de tierra, mecánicos y personal de navegación, de aviones a reacción, etc.), donde los trabajadores estén expuestos a ruidos continuos y diarios de un nivel sonoro igual o superior a 80 decibelios A, que pueden contraer la E.P. de hipoacusia. (Código 2A0107).</u>

Por ello, debe realizarse reconocimientos médicos previos y periódicos a dichos trabajadores, con la prohibición de no contratar a los calificados como no aptos para desempeñar los puestos de trabajo de que se trate.

— Artículo 243 LGSS, en relación con RDEP (Anexo I).

Véase: Aviones. Tráfico aéreo. Ruido. Trabajadores de tráfico aéreo. Trabajadores aéreos. Motores de aviación. Motores reactores.

TRABAJADORES DE LA GUARDIA CIVIL

1. Aquellas actividades militares de la Guardia Civil, cuyas particularidades lo impidan, no le es de aplicación la Ley de Prevención de Riesgos Laborales. No obstante, LPRL inspirará la normativa específica que se dicte para regular la protección de la seguridad y la salud de los trabajadores que prestan sus servicios en las indicadas actividades.

— Artículo 3.2 LPRL.

2. El RDPAGE es de aplicación a las funciones que realicen los miembros del Cuerpo de la Guardia Civil y los funcionarios del Cuerpo Nacional de Policía, que no presenten características exclusivas de las actividades de policía, seguridad, resguardo aduanero y servicios operativos de protección civil, les será de aplicación la normativa general sobre prevención de riesgos laborales, con las peculiaridades establecidas para la Administración General del Estado en este real decreto y las contenidas en los reales decretos 179/2005, de 18 de febrero, y 2/2006, de 16 de enero, respectivamente para la Guardia Civil y la Policía Nacional.

Asimismo, dicha normativa general sobre prevención de riesgos laborales será igualmente aplicable a los miembros del servicio de Vigilancia Aduanera, cuando realicen actividades cuyas peculiaridades no lo impidan.

— Artículo 2.4 RDPAGE.

Véase: Trabajadores públicos. Trabajadores de orden público. Trabajadores de la Policía. Trabajadores de protección civil. Trabajadores de las Fuerzas Armadas. Trabajos en centros militares. E.P. infecciosas transmitidas por personas.

TRABAJADORES DE LA POLICÍA

1. Aquellas actividades de policía, seguridad y reguardo aduanero, cuyas particularidades lo impidan, no le es de aplicación la Ley de Prevención de Riesgos Laborales. No obstante, LPRL inspirará la normativa específica que se dicte para regular la protección de la seguridad y la salud de los trabajadores que prestan sus servicios en las indicadas actividades.

— Artículo 3.2 LPRL.

2. El RDPAGE es de aplicación a las funciones que realicen los miembros del Cuerpo de la Guardia Civil y los funcionarios del Cuerpo Nacional de Policía, que no presenten características exclusivas de las actividades de policía, seguridad, resguardo aduanero y servicios operativos de protección civil, les será de aplicación la normativa general sobre prevención de riesgos laborales, con las peculiaridades establecidas para la Administración General del Estado en este real decreto y las contenidas en los reales decretos 179/2005, de 18 de febrero, y 2/2006, de 16 de enero, respectivamente para la Guardia Civil y la Policía Nacional.

Asimismo, dicha normativa general sobre prevención de riesgos laborales será igualmente aplicable a los miembros del servicio de Vigilancia Aduanera, cuando realicen actividades cuyas peculiaridades no lo impidan.

— Artículo 2.4 RDPAGE.

Véase: Trabajadores públicos. Trabajadores de orden público. Trabajadores de la Guardia Civil. Trabajadores de protección civil. Trabajadores de las Fuerzas Armadas. Trabajos en centros militares. E.P. infecciosas transmitidas por personas.

TRABAJADORES DE LAS FUERZAS ARMADAS

Aquellas actividades de las Fuerzas Armadas, cuyas particularidades lo impidan, no le es de aplicación la Ley de Prevención de Riesgos Laborales. No obstante, LPRL inspirará la normativa específica que se dicte para regular la protección de la seguridad y la salud de los trabajadores que prestan sus servicios en las indicadas actividades.

— Artículo 3.2 LPRL.

Véase: Centros militares. Trabajadores públicos. Trabajadores de orden público. Trabajadores de la policía. Trabajadores de la Guardia Civil. Trabajadores de protección civil. Trabajos en centros militares. E.P. infecciosas transmitidas por personas.

TRABAJADORES DE LIMPIEZA

1. Trabajadores dedicados a limpiar los lugares de trabajo, incluyendo la maquinaria y otros elementos utilizados en la actividad económica.

2. Los trabajadores ocupados en las actividades económicas, y expuestos a los agentes o sustancias que a continuación se indican, pueden contraer una Enfermedad Profesional (E.P.):

a) Causada por agentes biológicos:

• Trabajadores dedicados a la limpieza y mantenimiento de instalaciones que sean susceptibles de transmitir la E.P. infecciosa de legionella. (Código 3D0105).

b) Causada por inhalación de sustancias y agentes no comprendidos en otros apartados:

• Personal de limpieza, donde los trabajadores estén expuestos a sustancias de alto peso molecular (de origen vegetal o animal), que pueden provocar alguna de las siguientes E.P: rinoconjuntivitis (Código 4H0128), asma (Código 4H0228), alveolitis alérgica extrínseca (Código 4H0328), síndrome de disfunción reactivo de la vía aérea (Código 4H0428), fibrosis intersticial difusa (Código 4H0528), bisinosis, cannabiosis, linnosis, bagazosis, estipatosis, suberosis (Código 4H0628), y neumopatía intersticial difusa (Código 4H0728).

• Personal de limpieza, donde los trabajadores estén expuestos a sustancias de bajo peso molecular (metales, sustancias químicas, etc.), que pueden provocar alguna de las siguientes E.P: rinoconjuntivitis (Código 4I0130), urticaria (Código 4I0230), angiodemas (Código 4I0230), asma (Código 4I0330), alveolitis alérgica extrínseca (Código 4I0430), síndrome de disfunción de la vía reactiva (Código 4I0530), fibrosis intersticial difusa (Código 4I0630), fiebre de los metales (Código 4I0730), y neumopatía intersticial difusa (Código 4I0830).

c) **E.P. de la piel,** causada por sustancias y agentes no comprendidos en otros apartados:

• Personal de limpieza, donde los trabajadores estén expuestos a sustancias de alto peso molecular (de origen vegetal o animal), que pueden provocar una E.P. de la piel, causada por sustancias de alto peso molecular. (Código 5B0127).

• Personal de limpieza, donde los trabajadores estén expuestos a sustancias de bajo peso molecular (metales, sustancias químicas, etc.), que pueden provocar una E.P. de la piel, causada por sustancias de bajo peso molecular. (Código 5A0129).

Por ello, debe realizarse reconocimientos médicos previos y periódicos a dichos trabajadores, con la prohibición de no contratar a los calificados como no aptos para desempeñar los puestos de trabajo de que se trate.

— Artículo 243 LGSS, en relación con RDEP (Anexo I).

Véase: Limpieza. Productos de limpieza. Limpieza de los lugares de trabajo. Trabajadores del servicio del hogar familiar. Trabajos feminizados.

TRABAJADORES DE ORDEN PÚBLICO

1. La LPRL no será de aplicación en aquellas actividades cuyas particularidades lo impidan en el ámbito de las funciones públicas de:

• Policía, seguridad y resguardo aduanero.

• Servicios operativos de protección civil y peritaje forense en los casos de grave riesgo, catástrofe y calamidad pública.

• Fuerzas Armadas y actividades militares de la Guardia Civil.

No obstante, la LPRL inspirará la normativa específica que se dicte para regular la protección de la seguridad y la salud de los trabajadores que prestan sus servicios en las indicadas actividades.

— Artículo 3.2 LPRL.

2. Los trabajadores ocupados en las actividades económicas, y expuestos a los agentes o sustancias que a continuación se indican, pueden contraer una Enfermedad Profesional (E.P.):

a) Causada por agentes biológicos:

• Personal de orden público, que puede contraer una E.P. infecciosa transmitida por personas. (Código 3A0110).

• Personal de orden público, que pueden contraer una E.P. infecciosa transmitida por animales (o por sus productos y cadáveres). (Código 3B0131).

b) E.P. de la piel, causada por sustancias y agentes no comprendidos en otros apartados.

• Personal del orden público, expuestos a agentes infecciosos, que pueden contraer una E.P. de la piel causada por dichos agentes. (Código 5D0107).

Por ello, debe realizarse reconocimientos médicos previos y periódicos a dichos trabajadores, con la prohibición de no contratar a los calificados como no aptos para desempeñar los puestos de trabajo de que se trate.

— Artículo 243 LGSS, en relación con RDEP (Anexo I).

Véase: Trabajadores públicos. Trabajadores de la Policía. Trabajadores de la Guardia Civil. Trabajadores de protección civil. Trabajadores de las Fuerzas Armadas. Trabajos en centros militares. E.P. infecciosas transmitidas por personas.

TRABAJADORES DE PROTECCIÓN CIVIL

1. Aquellas actividades de los servicios operativos de protección civil y peritaje forense en los casos de grave riesgo, catástrofe y calamidad pública, cuyas particularidades lo impidan, no le es de aplicación la Ley de Prevención de Riesgos Laborales. No obstante, LPRL inspirará la normativa específica que se dicte para regular la protección de la seguridad y la salud de los trabajadores que prestan sus servicios en las indicadas actividades.

— Artículo 3.2 LPRL.

2. En los servicios operativos de protección civil y peritaje forense en los casos de grave riesgo, catástrofe y calamidad pública la exclusión únicamente se entenderá a efectos de asegurar el buen funcionamiento de los servicios indispensables para la protección de la seguridad, de la salud y el orden público en circunstancias de excepcional gravedad y magnitud, quedando en el resto de actividades al amparo de la normativa general de prevención de riesgos laborales.

— Artículo 2.6 RDPAGE.

Véase: Trabajadores de orden público. Trabajadores de la policía. Trabajadores de la Guardia Civil. Trabajadores de las fuerzas armadas. Trabajos en centros militares. E.P. infecciosas transmitidas por personas. Emergencia. Plan de emer-

gencia. *Plan de emergencia exterior. Plan de emergencia interior. Plan de emergencia estatal. Accidente mayor. Accidentes graves. Trabajos de voluntariado.*

TRABAJADORES DEL SERVICIO DEL HOGAR FAMILIAR

1. Se considera relación laboral especial del servicio del hogar familiar la que conciertan el titular del mismo, como empleador, y el empleado que, dependientemente y por cuenta de aquél, presta servicios retribuidos en el ámbito del hogar familiar.

— Artículo 2.1.b LET.

— Artículo 1.2 RDSHF.

2. A los efectos de esta relación laboral especial, se considerará empleador al titular del hogar familiar, ya lo sea efectivamente o como simple titular del domicilio o lugar de residencia en el que se presten los servicios domésticos. Cuando esta prestación de servicios se realice para dos o más personas que, sin constituir una familia ni una persona jurídica, convivan en la misma vivienda, asumirá la condición de titular del hogar familiar la persona que ostente la titularidad de la vivienda que habite o aquella que asuma la representación de tales personas, que podrá recaer de forma sucesiva en cada una de ellas.

El objeto de esta relación laboral especial son los servicios o actividades prestados para el hogar familiar, pudiendo revestir cualquiera de las modalidades de las tareas domésticas, así como la dirección o cuidado del hogar en su conjunto o de algunas de sus partes, el cuidado o atención de los miembros de la familia o de las personas que forman parte del ámbito doméstico o familiar, y otros trabajos que se desarrollen formando parte del conjunto de tareas domésticas, tales como los de guardería, jardinería, conducción de vehículos y otros análogos.

— Artículo 1.3 RDSHF.

3. La expresión trabajo doméstico designa el trabajo realizado en un hogar u hogares o para los mismos. La expresión trabajador doméstico designa a toda persona, de género femenino o género masculino, que realiza un trabajo doméstico en el marco de una relación de trabajo. Una persona que realice trabajo doméstico únicamente de forma ocasional o esporádica, sin que este trabajo sea una ocupación profesional, no se considera trabajador doméstico.

— Artículo 1 Convenio OIT 189, de 16 de junio de 2011.

4. La LPRL no es de aplicación a la relación laboral de carácter especial del servicio del hogar familiar. No obstante lo anterior, el titular del hogar familiar está obligado a cuidar de que el trabajo de sus empleados se realice en las debidas condiciones de seguridad e higiene.

— Artículo 3.4 LPRL.

5. Los trabajadores ocupados en las actividades económicas, y expuestos a los agentes o sustancias que a continuación se indican, pueden contraer una Enfermedad Profesional (E.P.):

a) Causada por agentes físicos:

• Trabajos que requieran habitualmente de una posición de rodillas mantenidas como son trabajos en minas, en la construcción, servicio doméstico, colocadores de parquet y baldosas, jardineros, talladores y pulidores de piedras, trabajadores agrícolas y similares, que pueden producir la E.P. de bursitis. (Código 2C0101).

b) Causada por agentes biológicos:

• Personal no sanitario, trabajadores de centros asistenciales o de cuidados de enfermos, tanto en ambulatorios como en instituciones cerradas o a domicilio, que puede contraer una E.P. infecciosa transmitida por personas. (Código 3A0104).

c) Causada por inhalación de sustancias y agentes no comprendidos en otros apartados:

• Trabajadores que se dedican al cuidado de personas y asimilados, donde los trabajadores estén expuestos a sustancias de bajo peso molecular (metales, polvos de maderas, sustancias químicas, etc.), que pueden provocar alguna de las siguientes E.P.: rinoconjuntivitis (Código 4I0132), urticaria (Código 4I0232), angiodemas (Código 4I0232), asma (Código 4I0332), alveolitis alérgica extrínseca (Código 4I0432), síndrome de disfunción de la vía reactiva (Código 4I0532), fibrosis intersticial difusa (Código 4I0632), fiebre de los metales (Código 4I0732), y neumopatía intersticial difusa (Código 4I0832).

d) E.P. de la piel, causada por sustancias y agentes no comprendidos en alguno de los otros apartados:

• Trabajadores que se dedican al cuidado de personas y asimilados, donde los trabajadores estén expuestos a sustancias de bajo peso molecular (metales, polvos de maderas, sustancias químicas, etc.), que pueden provocar una E.P. de la piel, causada por sustancias de bajo peso molecular. (Código 5A0131).

• Personal no sanitario, trabajadores de centros asistenciales o de cuidados de enfermos, tanto a nivel ambulatorio, de instituciones cerradas o domicilio, expuesto a agentes infecciosos, que puede contraer una E.P. de la piel causada por dichos agentes. (Código 5D0102).

Por ello, debe realizarse reconocimientos médicos previos y periódicos a dichos trabajadores, con la prohibición de no contratar a los calificados como no aptos para desempeñar los puestos de trabajo de que se trate.

— Artículo 243 LGSS, en relación con RDEP (Anexo I).

Véase: Trabajador. Cuidado de personas. Limpieza. Trabajadores de limpieza. Trabajos feminizados. Jardinería. Conductor.

TRABAJADORES DESIGNADOS
Véase: Designación de trabajadores.

TRABAJADORES ESPECIALMENTE SENSIBLES
1. Aquellos trabajadores que presentan unas características personales de carácter físico, mental o sensorial que les hacen especialmente vulnerables a algún o algunos de los factores de riesgo presentes en el centro de trabajo.

• El empresario garantizará de manera específica la protección de los trabajadores que, por sus propias características personales o estado biológico conocido, incluidos aquellos que tengan reconocida la situación de discapacidad física, psíquica o sensorial, sean especialmente sensibles a los riesgos derivados del trabajo. A tal fin, deberá tener en cuenta dichos aspectos en las evaluaciones de los riesgos y, en función de éstas, adoptará las medidas preventivas y de protección necesarias.

• Los trabajadores no serán empleados en aquellos puestos de trabajo en los que, a causa de sus características personales, estado biológico o por su discapacidad física, psíquica o sensorial debidamente reconocida, puedan ellos, los demás trabajadores u otras personas relacionadas con la empresa ponerse en situación de peligro o, en general, cuando se encuentren manifiestamente en estados o situaciones transitorias que no respondan a las exigencias psicofísicas de los respectivos puestos de trabajo.

• Igualmente, el empresario deberá tener en cuenta en las evaluaciones los factores de riesgo que puedan incidir en la función de procreación de los trabajadores y trabajadoras, en particular por la exposición a agentes físicos, químicos y biológicos que puedan ejercer efectos mutagénicos o de toxicidad para la procreación, tanto en los aspectos de la fertilidad, como del desarrollo de la descendencia, con objeto de adoptar las medidas preventivas necesarias.

— Artículo 25 LPRL.

— Nota Técnica de Prevención n.º 1004/2014. INSST.

2. El empresario está obligado a tomar en consideración las capacidades profesionales de los trabajadores en materia de seguridad y de salud en el momento de encomendarles las tareas.

— Artículo 15.2 LPRL.

3. Se ha declarado la obligación empresarial de cambiar de puesto de trabajo exento de riesgo:

• A un trabajador que desempeña funciones de atención al público y que sufre estrés laboral, porque padece una discapacidad auditiva que le dificulta la comprensión de la comunicación oral del puesto que desempeña.

— STSJ Cantabria 27.7.06.

• A una trabajadora dado que las características de su puesto e trabajo agravan la enfermedad dermatológica que padece, no pudiendo seguir prestando servicios en su actual puesto de trabajo, pues ello perjudica su salud, siendo indiferente que la causa sea sobrevenida, que derive de enfermedad profesional o enfermedad común, y con independencia de cualquier otra medida que pueda adoptar la empresa.

— STSJ Valencia 12.6.08.

Véase: Agudeza visual. Visión cromática. Cambio de puesto de trabajo. Personas con discapacidad. Trabajadores con discapacidad. Discriminación directa. Discriminación indirecta. Trabajador de edad avanzada.

TRABAJADORES FORESTALES

1. Aquellos trabajadores que realizan su actividad laboral en los bosques y en el aprovechamiento de leñas, pastos, etc.

2. Los trabajadores ocupados en las actividades económicas, y expuestos a los agentes o sustancias que a continuación se indican, pueden contraer una Enfermedad Profesional (E.P.), causada por agentes biológicos:

• <u>Trabajos forestales, que pueden provocar una E.P. infecciosa transmitida por animales (o por sus productos y cadáveres)</u>. (Código 3B0123).

• <u>Personal de conservación de la naturaleza, que pueden provocar una E.P. infecciosa transmitida por animales (o por sus productos y cadáveres)</u>. (Código 3B0130).

Por ello, debe realizarse reconocimientos médicos previos y periódicos a dichos trabajadores, con la prohibición de no contratar a los calificados como no aptos para desempeñar los puestos de trabajo de que se trate.

— Artículo 243 LGSS, en relación con RDEP (Anexo I).

Véase: Guardas de caza. E.P. infecciosas transmitidas por personas.

TRABAJADORES NOCTURNOS

1. A los efectos de lo dispuesto en esta ley, se considera trabajo nocturno el realizado entre las diez de la noche y las seis de la mañana. El empresario que recurra regularmente a la realización de trabajo nocturno deberá informar de ello a la autoridad laboral. La jornada de trabajo de los trabajadores nocturnos no podrá exceder de ocho horas diarias de promedio, en un período de referencia de quince días. Dichos trabajadores no podrán realizar horas extraordinarias.

Para la aplicación de lo dispuesto en el párrafo anterior, se considerará trabajador nocturno a aquel que realice normalmente en período nocturno una parte no inferior a tres horas de su jornada diaria de trabajo, así como a aquel que se prevea que puede realizar en tal período una parte no inferior a un tercio de su jornada de trabajo anual.

— Artículo 36.1 LET.

2. El empresario deberá garantizar que los trabajadores nocturnos que ocupe dispongan de una evaluación gratuita de su estado de salud, antes de su afectación a un trabajo nocturno y, posteriormente, a intervalos regulares. Los trabajadores nocturnos a los que se reconozcan problemas de salud ligados al hecho de su trabajo nocturno tendrán derecho a ser destinados a un puesto de trabajo diurno que exista en la empresa y para el que sean profesionalmente aptos. El cambio de puesto de trabajo se llevará a cabo de conformidad con lo dispuesto en los artículos 39 y 41, en su caso, de la presente ley.

— Artículo 36.4 LET.

3. Los menores de 18 años no pueden realizar trabajos nocturnos.

— Artículo 6.2 LET.

4. Se considera trabajador nocturno, por una parte, todo trabajador que realice durante el período nocturno una parte no inferior a tres horas de su tiempo de trabajo diario, realizadas normalmente.

Por otra parte, todo trabajador que pueda realizar durante el período nocturno determinada parte de su tiempo de trabajo anual, definida a elección del Estado miembro que se trate:

• Por la legislación nacional, previa consulta de los interlocutores sociales, o, b) Por convenios colectivos o acuerdos celebrados entre interlocutores sociales a nivel nacional o regional.

— Artículo 2.4 Directiva 2003/88/CE, de 4 noviembre, relativa a determinados aspectos de la ordenación del tiempo de trabajo.

Véase: Período nocturno. Trabajo a turnos. Trabajo por sistema de incentivos. Reconocimientos médicos previos: Obligatoriedad expresa.

TRABAJADORES PÚBLICOS

1. Trabajadores públicos o empleados públicos son aquellos que trabajan para los distintos organismos y entes de la Administración Pública, estatal, regional o local. Le es de aplicación la normativa de prevención de riesgos laborales con las particularidades derivadas de su normativa específica.

— Artículo 3 LPRL.

2. Quedan incluidos:

• Los funcionarios, que se rigen por el Estatuto Básico del Empleado Público (EBEP).

• El personal laboral, que se rigen por el Estatuto de los Trabajadores (ET) y por el EBEP.

• El personal estatutario, que se rigen por la Ley 55/2003, de 16 de diciembre, del Estatuto Marco del personal estatutario de los servicios de salud.

— Artículo 3 LPRL.

— Directrices básicas para el desarrollo de la prevención de los riesgos laborales en la Administración General del Estado. 2015. INSST.

Véase: Trabajadores de la Guardia Civil. Trabajadores de la Policía. Trabajadores de las Fuerzas Armadas. Trabajadores de orden público.

TRABAJADORES SANITARIOS

1. Personas que trabajan en la sanidad.

2. Los trabajadores ocupados en las actividades económicas, y expuestos a los agentes o sustancias que a continuación se indican, pueden contraer una Enfermedad Profesional (E.P.):

a) Causada por agentes biológicos:

• Personal sanitario, que puede contraer una E.P. infecciosa transmitida por personas. (Código 3A0101).

• Personal sanitario y auxiliar de instituciones cerradas, que puede contraer una E.P. infecciosa transmitida por personas. (Código 3A0102).

• Personal de auxilio, que puede contraer una E.P. infecciosa transmitida por personas. (Código 3A0108).

• Personal sanitario, que puede contraer una E.P. infecciosa transmitida por animales (o por sus productos y cadáveres). (Código 3B0110).

b) Causada por inhalación de sustancias y agentes no comprendidos en otros apartados:

• Personal sanitario, donde los trabajadores estén expuestos a sustancias de alto peso molecular (de origen vegetal o animal), que pueden provocar alguna de las siguientes E.P: rinoconjuntivitis (Código 4H0123), asma (Código 4H0223), alveolitis alérgica extrínseca (Código 4H0323), síndrome de disfunción reactivo de la vía aérea (Código 4H0423), fibrosis intersticial difusa (Código 4H0523), bisinosis, cannabiosis, linnosis, bagazosis, estipatosis, suberosis (Código 4H0623), y neumopatía intersticial difusa (Código 4H0723).

• Personal sanitario: enfermería, anatomía patológica, laboratorio, donde los trabajadores estén expuestos a sustancias de bajo peso molecular (metales, polvos de maderas, sustancias químicas, etc.), que pueden provocar alguna de las siguientes E.P: rinoconjuntivitis (Código 4I0122), urticaria (Código 4I0222), angiodemas (Código 4I0222), asma (Código 4I0322), alveolitis alérgica extrínseca (Código

4I0422), síndrome de disfunción de la vía reactiva (Código 4I0522), fibrosis intersticial difusa (Código 4I0622), fiebre de los metales (Código 4I0722), y neumopatía intersticial difusa (Código 4I0822).

c) E.P. de la piel, causada por sustancias y agentes no comprendidos en alguno de los otros apartados:

• Personal sanitario: enfermería, anatomía patológica, laboratorio, donde los trabajadores estén expuestos a sustancias de bajo peso molecular (metales, polvos de maderas, sustancias químicas, etc.), que pueden provocar una E.P. de la piel, causada por sustancias de bajo peso molecular. (Código 5A0122).

• Personal sanitario, donde los trabajadores estén expuestos a sustancias de alto peso molecular (de origen vegetal o animal), que pueden provocar una E.P. de la piel, causada por sustancias de alto peso molecular. (Código 5B0123).

• Personal sanitario, expuesto a agentes infecciosos, que puede contraer una E.P. de la piel causada por dichos agentes. (Código 5D0101).

• Personal no sanitario, trabajadores de centros asistenciales o de cuidados de enfermos, tanto a nivel ambulatorio, de instituciones cerradas o domicilio, expuesto a agentes infecciosos, que puede contraer una E.P. de la piel causada por dichos agentes. (Código 5D0102).

• Trabajos de toma, manipulación o empleo de sangre humana o sus derivados, expuestos a agentes infecciosos, que pueden contraer una E.P. de la piel causada por dichos agentes. (Código 5D0104).

Por ello, debe realizarse reconocimientos médicos previos y periódicos a dichos trabajadores, con la prohibición de no contratar a los calificados como no aptos para desempeñar los puestos de trabajo de que se trate.

— Artículo 243 LGSS, en relación con RDEP (Anexo I).

Véase: Enfermeros Hospitales. Sanatorios. Radioterapia. Clínicas de radioterapia. Trabajo en hospitales. Trabajo con exposición a rayos X. E.P infecciosas transmitidas por personas. E.P. de la piel causadas por agentes infecciosos.

TRABAJADORES SOCIALES

1. Personas tituladas, cuya profesión es allanar o prevenir dificultades de orden social o personal en casos particulares o colectivos, por medio de consejo, gestiones, informes, ayuda financiera, sanitaria, moral, etc.

2. Los trabajadores ocupados en las actividades económicas, y expuestos a los agentes o sustancias que a continuación se indican, pueden contraer una Enfermedad Profesional (E.P.):

a) Causada por inhalación de sustancias y agentes no comprendidos en otros apartados:

• Trabajadores sociales, donde los trabajadores estén expuestos a sustancias de bajo peso molecular (metales, polvos de maderas, sustancias químicas, etc.), que pueden provocar alguna de las siguientes E.P: rinoconjuntivitis (Código 4I0131), urticaria (Código 4I0231), angiodemas (Código 4I0231), asma (Código 4I0331), alveolitis alérgica extrínseca (Código 4I0431), síndrome de disfunción de la vía reactiva (Código 4I0531), fibrosis intersticial difusa (Código 4I0631), fiebre de los metales (Código 4I0731), y neumopatía intersticial difusa (Código 4I0831).

b) E.P. de la piel, causada por sustancias y agentes no comprendidos en alguno de los otros apartados:

• Trabajadores sociales, donde los trabajadores estén expuestos a sustancias de bajo peso molecular (metales, polvos de maderas, sustancias químicas, etc.), que pueden provocar una E.P. de la piel, causada por sustancias de bajo peso molecular. (Código 5A0130).

Por ello, debe realizarse reconocimientos médicos previos y periódicos a dichos trabajadores, con la prohibición de no contratar a los calificados como no aptos para desempeñar los puestos de trabajo de que se trate.

— Artículo 243 LGSS, en relación con RDEP (Anexo I).

Véase: Cuidado de personas. Trabajadores del servicio del hogar familiar. Residencias de mayores. Trabajos feminizados. Trabajos de voluntariado. E.P. infeccionas transmitidas por personas.

TRABAJADORES SOCIOS DE COOPERATIVAS

La LPRL le es de aplicación a las sociedades cooperativas, en las que existan socios cuya actividad consista en la prestación de un trabajo personal, con las peculiaridades derivadas de su normativa específica.

— Artículos 3.1, 29.3 y Disposición Adicional Décima LPRL.

Véase: Trabajadores autónomos.

TRABAJO A DISTANCIA

1. Tendrá la consideración de trabajo a distancia aquel en que la prestación de la actividad laboral se realice de manera preponderante en el domicilio del trabajador o en el lugar libremente elegido por este, de modo alternativo a su desarrollo presencial en el centro de trabajo de la empresa.

— Artículo 13.1 LET.

2. La legislación nacional en materia de seguridad y salud en el trabajo deberá aplicarse al trabajo a domicilio teniendo en cuenta las características propias de éste y deberá determinar las condiciones en que, por razones de seguridad y salud, ciertos tipos de trabajo y la utilización de determinadas sustancias podrán prohibirse en el trabajo a domicilio.

— Artículo 7 Convenio OIT 177, de 20 de junio de 1996.

Véase: Teleoperadores. Teletrabajo.

TRABAJO A TURNOS

1. Se considera trabajo a turnos toda forma de organización del trabajo en equipo según la cual los trabajadores ocupan sucesivamente los mismos puestos de trabajo, según un cierto ritmo, continuo o discontinuo, implicando para el trabajador la necesidad de prestar sus servicios en horas diferentes en un período determinado de días o de semanas.

En las empresas con procesos productivos continuos durante las veinticuatro horas del día, en la organización del trabajo de los turnos se tendrá en cuenta la rotación de los mismos y que ningún trabajador esté en el de noche más de dos semanas consecutivas, salvo adscripción voluntaria.

Las empresas que por la naturaleza de su actividad realicen el trabajo en régimen de turnos, incluidos los domingos y días festivos, podrán efectuarlo bien por equipos de trabajadores que desarrollen su actividad por semanas completas, o contratando personal para completar los equipos necesarios durante uno o más días a la semana.

— Artículo 36.3 LET.

— Notas Técnicas de Prevención n.º 260/1989. 310/1993. 455/1997. 502/1999. INSST.

2. Toda forma de organización del trabajo en equipo por la que los trabajadores ocupen sucesivamente los mismos puestos de trabajo con arreglo a un ritmo determinado, incluyendo el ritmo rotatorio, y que podrá ser de tipo continuo o discontinuo, implicando para los trabajadores la necesidad de realizar un trabajo en distintas horas a lo largo de un período dado de días o semanas.

— Artículo 2.5 Directiva 2003/88/CE, de 4 noviembre, relativa a determinados aspectos de la ordenación del tiempo de trabajo.

3. Se considera trabajador a turnos, todo trabajador cuyo horario de trabajo se ajuste a un régimen de trabajo por turnos.

— Artículo 2.6 Directiva 2003/88/CE, de 4 noviembre, relativa a determinados aspectos de la ordenación del tiempo de trabajo.

> *Véase: Trabajadores nocturnos. Período nocturno. Trabajo por sistema de incentivos.*

TRABAJO DE LOS PENADOS

1. El trabajo directamente productivo de los penados en instituciones penitenciarias, se trata de una relación laboral de carácter especial, y por ello le es de aplicación la LPRL.

— Artículo 2.1.c LET.

— Artículo 27.2 LOGP.

— Artículos 132, 133 RP.

2. Las ocupaciones no productivas que se desarrollen en establecimientos penitenciarios como: formación profesional ocupacional, estudio y formación académica, las prestaciones personales en servicios auxiliares comunes del establecimiento, etc., no le es de aplicación la normativa laboral, ni la normativa de prevención de riesgos laborales.

— Artículo 153 RP.

— Artículos 1.3, 5.1.b RDRLP.

> *Véase: Trabajos en beneficio de la comunidad. Centros penitenciarios. Trabajos en centros penitenciarios. E.P. infecciosas transmitidas por personas.*

TRABAJO DE MENORES

1. En materia de prevención de riesgos hay que tener en cuenta, entre otras, las siguientes obligaciones relativas a los trabajadores menores de dieciocho años:

• Los padres o tutores que hayan intervenido en la contratación del menor de 18 años tienen derecho a que el empresario les informe sobre los posibles riesgos y de todas las medidas adoptadas para la protección de su seguridad y salud.

— Artículo 27 LPRL.

• Los trabajadores menores de 18 años tienen derecho a una protección específica en materia de prevención de riesgos laborales.

— Artículo 27 LPRL.

• Jornada máxima. Los trabajadores menores de 18 años no podrán realizar más de 8 horas diarias de trabajo efectivo, incluyendo, en su caso el tiempo dedicado a la formación y, si trabajasen para varios empleadores, las horas realizadas con cada uno de ellos.

— Artículo 34 LET.

• Descanso en jornada continuada. Cuando la jornada continuada exceda de 4 horas y media, los trabajadores menores de 18 años tendrán derecho a un período de descanso de 30 minutos. Este período de descanso se considerará tiempo de trabajo efectivo cuando así este establecido en Convenio Colectivo o contrato de trabajo

— Artículo 34 LET.

• Los trabajadores menores de 18 años tienen derecho a un descanso semanal de dos días ininterrumpidos.

— Artículo 37 LET.
• No pueden realizar trabajos nocturnos
• Artículo 6.2 LET.
• No pueden realizar horas extraordinarias.

— Artículo 6.3 LET.

2. La intervención de los menores de dieciséis años en espectáculos públicos solo se autorizará en casos excepcionales por la autoridad laboral, siempre que no suponga peligro para su salud ni para su formación profesional y humana. El permiso deberá constar por escrito y para actos determinados.

— Artículo 6.4 LET.

3. No observar las normas específicas en materia de protección de la seguridad y la salud de los menores, constituye una infracción muy grave en materia de prevención de riesgos laborales que lleva aparejada una sanción económica de 40.986 euros a 819.780 euros y la publicación de infracción.

— Artículos 13.2 y 40.2.c LISOS.

Véase: Trabajadores nocturnos. Trabajadores especialmente sensibles. Trabajadores con discapacidad.

TRABAJO EMOCIONAL

Son aquellos trabajos de prestación de servicios que se caracterizan porque requieren un contacto directo con el cliente, paciente o usuario, la mayor parte de la jornada laboral; como por ejemplo médicos, enfermeros, profesores, policías, camareros, cajeros, teleoperadores, etc. Este tipo de trabajadores se diferencian del resto porque en su jornada laboral, no solo deben realizar tareas físicas o mentales, sino que también deben expresar emociones durante las interacciones que realizan cara a cara (o voz a voz, si es por teléfono) con sus receptores del servicio.

En las interacciones sociales las personas intentan crear ciertas impresiones mostrando las emociones «apropiadas» para la situación o para que su imagen no se vea amenazada.

— Nota Técnica de Prevención n.º 720/2006. INSST.

Véase: Teleoperadores. Teletrabajo.

TRABAJO EN CENTROS DE ENSEÑANZA

1. Se trata del trabajo realizado por el personal docente en establecimientos destinados a la enseñanza.

2. Modelo para el diseño y preparación de una clase.

— Nota Técnica de Prevención n.º 16/1982. INSST.

3. Modelos de actuación del profesor según los objetivos.

— Nota Técnica de Prevención n.º 161/1986. INSST.

4. Acto didáctico: Estructura temporal.

— Nota Técnica de Prevención n.º 216/1988. INSST.

5. Cambio de conducta y comunicación: Introducción y elementos fundamentales del proceso.

— Notas Técnicas de Prevención n.º 504, 505/1998. INSST.

6. Estrés en el colectivo docente: Metodología para su evaluación.

— Nota Técnica de Prevención n.º 574/2000. INSST.

7. Elementos básicos para la elaboración de una herramienta pedagógica para niños y adolescentes.

— Nota Técnica de Prevención n.º 743/2006. INSST.

8. ¿Podemos enseñar a aprender? Coaching: Una herramienta eficaz para la prevención.

— Nota Técnica de Prevención n.º 744/2006. INSST.

9. Residuos peligrosos en centros docentes de secundaria: Gestión intracentro y gestión extracentro.

— Notas Técnicas de Prevención n.º 767, 793/2007-2008.

10. Desarrollo de competencias y riesgos psicosociales (II). Ejemplo de aplicación en la docencia.

— Nota Técnica de Prevención n.º 857/2010. INSST.

11. Procedimiento de solución autónoma de los conflictos de violencia laboral.

— Notas Técnicas de Prevención n.º 891, 892/2011. INSST.

12. La formación inicial universitaria de maestros/as de educación infantil y primaria en PRL.

— Nota Técnica de Prevención n.º 920/2011. INSST.

13. Seguridad en el laboratorio: Cuestionario de seguridad para laboratorios de secundaria.

— Nota Técnica de Prevención n.º 921/2011. INSST.

14. Proyectos de investigación universitarios: Gestión de la prevención de riesgos laborales (I) (II).

— Notas Técnicas de Prevención n.º 1099, 1100/2017. INSST.

Véase: Profesores. Laboratorios de investigación. E.P. nódulos en las cuerdas vocales. Riesgos psicosociales.

TRABAJO «OFF-SHORE»

El trabajo realizado principalmente en instalaciones situadas en el mar o a partir de ellas (incluidas las plataformas de perforación), relacionado directa o indirectamente con la explotación, extracción o explotación de recursos minerales, incluidos los hidrocarburos, y la inmersión relacionada con tales actividades, tanto si éstas se realizan desde una instalación situada en el mar como desde un buque.

— Artículo 2.8 Directiva 2003/88/CE, de 4 noviembre.

Véase: Trabajos subacuáticos. Cracking. Reforming. Trabajo en cajones de aire comprimido.

TRABAJOS CON AMPLIFICADORES DE SONIDO

1. Aparatos que sirven para aumentar la amplitud o intensidad del sonido.

2. Los trabajadores ocupados en las actividades económicas, y expuestos a los agentes o sustancias que a continuación se indican, pueden contraer una Enfermedad Profesional (E.P.), causada por agentes físicos:

• Trabajos de instalación y pruebas de equipos de amplificación de sonido, donde el trabajador este expuesto a ruidos continuos y diarios de un nivel sonoro igual o superior a 80 decibelios A, que puede contraer la E.P. de hipoacusia. (Código 2A0113).

Por ello, debe realizarse reconocimientos médicos previos y periódicos a dichos trabajadores, con la prohibición de no contratar a los calificados como no aptos para desempeñar los puestos de trabajo de que se trate.

— Artículo 243 LGSS, en relación con RDEP (Anexo I).

Véase: Ruido. Protectores auditivos.

TRABAJOS CON ANIMALES

1. Trabajos con seres orgánicos que viven, sientes y se mueven por propio impulso.

2. Los trabajadores ocupados en las actividades económicas, y expuestos a los agentes o sustancias que a continuación se indican, pueden contraer una Enfermedad Profesional (E.P.), causada por agentes biológicos, que pueden provocar enfermedades infecciosas o parasitarias transmitidas por animales o por sus productos y cadáveres:

• Trabajos de manipulación, carga, descarga, transporte y empleo de los despojos de animales. (Código 3B0108).
• Personal de cuidado, recogida, cría y transporte de animales. (Código 3B0113).
• Tiendas de animales. (Código 3B0118).
• Trabajos de manipulación de excretas humanas o de animales. (Código 3B0120).
• Trabajos que impliquen la manipulación o exposición de excretas de animales: ganaderos, veterinarios, trabajadores de animalarios. (Código 3B0132).

Por ello, debe realizarse reconocimientos médicos previos y periódicos a dichos trabajadores, con la prohibición de no contratar a los calificados como no aptos para desempeñar los puestos de trabajo de que se trate.

— Artículo 243 LGSS, en relación con RDEP (Anexo I).

Véase: Comercio de animales. Avicultores. Ganaderos. Granjas. Granjeros. Granjas de ganado vacuno. Curtidores. Curtidos. Peleteros. Carniceros. Matarifes. Mataderos. Pastores. Veterinarios. Entomólogos. Zoonosis. Zoológicos. Transporte de animales. Guardas de caza.

TRABAJOS CON APARATOS VIBRADORES

1. Trabajos realizados con aparatos que producen vibraciones. Entendiendo por vibración cada movimiento vibratorio, o doble oscilación de las moléculas o del cuerpo vibrante.

2. Los trabajadores ocupados en las actividades económicas, y expuestos a los agentes o sustancias que a continuación se indican, pueden contraer una Enfermedad Profesional (E.P.), causada por agentes físicos:

• Trabajos que requieran el empleo de vibradores en la construcción, donde el trabajador este expuesto a ruidos continuos y diarios de un nivel sonoro igual o superior a 80 decibelios A, que puede contraer la E.P. de hipoacusia. (Código 2A0114).

• Trabajos en los que se produzcan: vibraciones transmitidas a la mano y al brazo por gran número de máquinas o por objetos mantenidos sobre una superficie vibrante (gama de frecuencia de 25 a 250 Hz), como son aquellos en los que se manejan maquinarias que transmitan vibraciones, como martillos neumáticos, punzones, taladros, taladros a percusión, perforadoras, pulidoras, esmeriles, sierras mecánicas, desbrozadoras, que pueden producir una E.P. de carácter vascular. (Código 2B0101).

Por ello, debe realizarse reconocimientos médicos previos y periódicos a dichos trabajadores, con la prohibición de no contratar a los calificados como no aptos para desempeñar los puestos de trabajo de que se trate.

— Artículo 243 LGSS, en relación con RDEP (Anexo I).

Véase: Trabajos con martillos neumáticos. Trabajos con remachadoras. Enfermedades vasculares. Vibraciones. Martillos neumáticos. Esmeriles. Trabajos con esmeriles. Pulidoras. Punzones. Taladradoras. Pluses por trabajos penosos, tóxicos o peligrosos.

TRABAJOS CON BULLDOZERS

1. Máquina de excavación y empuje compuesta de un tractor sobre orugas o sobre dos ejes con neumáticos y chasis rígido o articulado y una cuchilla horizontal, perpendicular al eje longitudinal del tractor situada en la parte delantera del mismo.

— Nota Técnica de Prevención n.º 75/1983. INSST.

2. Los trabajadores ocupados en las actividades económicas, y expuestos a los agentes o sustancias que a continuación se indican, pueden contraer una Enfermedad Profesional (E.P.), causada por agentes físicos:

• Trabajos de obras públicas (rutas, construcciones, etc.) efectuados con máquinas ruidosas como las bulldozers, excavadoras, palas mecánicas, etc., donde el trabajador este expuesto a ruidos continuos y diarios de un nivel sonoro igual o superior a 80 decibelios A. (Código 2A0110).

Por ello, debe realizarse reconocimientos médicos previos y periódicos a dichos trabajadores, con la prohibición de no contratar a los calificados como no aptos para desempeñar los puestos de trabajo de que se trate.

— Artículo 243 LGSS, en relación con RDEP (Anexo I).

Véase: Buldozers. Ruido. Excavadoras. Excavaciones. Trabajos con excavadoras. Construcción. Obras públicas. Palas cargadoras. Vehículos y maquinaria para movimientos de tierras. Trabajos de movimiento de tierras. Trabajos con palas mecánicas. Trabajos con excavadoras. Conducción. Conductor.

TRABAJOS CON CEPILLADORAS

1. Trabajos de alisar con un cepillo la madera o los metales.

2. Los trabajadores ocupados en las actividades económicas, y expuestos a los agentes o sustancias que a continuación se indican, pueden contraer una Enfermedad Profesional (E.P.), causada por agentes físicos:

• Trabajos de molienda de caucho, de plástico y la inyección de esos materiales para moldeo-Manejo de maquinaria de transformación de la madera, sierras circulares, de cinta, cepilladoras, tupies, fresas, donde el trabajador este expuesto a ruidos continuos y diarios de un nivel sonoro igual o superior a 80 decibelios A, que puede contraer la E.P. de hipoacusia. (Código 2A0116).

Por ello, debe realizarse reconocimientos médicos previos y periódicos a dichos trabajadores, con la prohibición de no contratar a los calificados como no aptos para desempeñar los puestos de trabajo de que se trate.

— Artículo 243 LGSS, en relación con RDEP (Anexo I).

Véase: Cepilladoras. Trabajos con máquina fresadora. Trabajos con máquina tupi.

TRABAJOS CON DESBROZADORAS

1. La desbrozadora es una máquina que corta, prensa y machaca las hierbas, plantas y ramas que crecen en el campo, para conseguir un secado más rápido y uniforme del terreno. Este tipo de desbrozadoras pueden ser accionadas y arrastradas por un tractor.

También es una herramienta máquina utilizada en jardinería para cortar las malas hierbas a ras de suelo y para repasar los lugares a los que un cortacésped no puede llegar, como las esquinas y los bordes. El corte lo realiza con un hilo de nailon o cuchillas presentadas en discos.

2. Los trabajadores ocupados en las actividades económicas, y expuestos a los agentes o sustancias que a continuación se indican, pueden contraer una Enfermedad Profesional (E.P.), causada por agentes físicos:

• Trabajos en los que se produzcan: vibraciones transmitidas a la mano y al brazo por gran número de máquinas o por objetos mantenidos sobre una superficie vibrante (gama de frecuencia de 25 a 250 Hz), como son aquellos en los que se manejan maquinarias que transmitan vibraciones, como martillos neumáticos, punzones, taladros, taladros a percusión, perforadoras, pulidoras, esmeriles, sierras mecánicas, desbrozadoras, que pueden producir una E.P. de carácter vascular. (Códigos 2B0101, 2B0201).

Por ello, debe realizarse reconocimientos médicos previos y periódicos a dichos trabajadores, con la prohibición de no contratar a los calificados como no aptos para desempeñar los puestos de trabajo de que se trate.

— Artículo 243 LGSS, en relación con RDEP (Anexo I).

Véase: Enfermedades vasculares. Agricultura.

TRABAJOS CON ESMERILES

1. Trabajos realizados con una herramienta portátil que utiliza un motor eléctrico para afilar instrumentos metálicos y pulir o desgastar otras cosas, mediante una piedra artificial o lija.

2. Los trabajadores ocupados en las actividades económicas, y expuestos a los agentes o sustancias que a continuación se indican, pueden contraer una Enfermedad Profesional (E.P.):

- Trabajos en los que se produzcan: vibraciones transmitidas a la mano y al brazo por gran número de máquinas o por objetos mantenidos sobre una superficie vibrante (gama de frecuencia de 25 a 250 Hz), como son aquellos en los que se manejan maquinarias que transmitan vibraciones, como martillos neumáticos, punzones, taladros, taladros a percusión, perforadoras, pulidoras, esmeriles, sierras mecánicas, desbrozadoras, que pueden producir una E.P. de carácter vascular. (Códigos 2B0101, 2B0201).

Por ello, debe realizarse reconocimientos médicos previos y periódicos a dichos trabajadores, con la prohibición de no contratar a los calificados como no aptos para desempeñar los puestos de trabajo de que se trate.

— Artículo 243 LGSS, en relación con RDEP (Anexo I).

Véase: Esmeriles. Trabajos con aparatos vibradores. Trabajos con remachadoras. Burilado. Grabadores. Enfermedades vasculares. Vibraciones. Vibraciones transmitidas al sistema mano-brazo. Martillos neumáticos. Taladradoras. Punzones. Pulidoras. Pulidores.

TRABAJOS CON EXCAVADORAS

1. Trabajos con máquinas para excavar, para hacer en el terreno hoyos, zanjas, desmontes, pozos o galerías subterráneas.

2. Los trabajadores ocupados en las actividades económicas, y expuestos a los agentes o sustancias que a continuación se indican, pueden contraer una Enfermedad Profesional (E.P.), causada por agentes físicos:

- Trabajos de obras públicas (rutas, construcciones, etc.) efectuados con máquinas ruidosas como las bulldozers, excavadoras, palas mecánicas, etc., donde el trabajador este expuesto a ruidos continuos y diarios de un nivel sonoro igual o superior a 80 decibelios A. (Código 2A0110).

Por ello, debe realizarse reconocimientos médicos previos y periódicos a dichos trabajadores, con la prohibición de no contratar a los calificados como no aptos para desempeñar los puestos de trabajo de que se trate.

— Artículo 243 LGSS, en relación con RDEP (Anexo I).

Véase: Ruido. Excavadoras. Excavaciones. Trabajos Construcción. Obras públicas. Palas cargadoras. Vehículos y maquinaria para movimientos de tierras. Trabajos de movimiento de tierras. Trabajos con palas mecánicas. Bulldozers. Trabajos con bulldozers. Conducción. Conductor.

TRABAJOS CON EXPLOSIVOS

En el exterior e las obras de construcción: Los trabajos con explosivos, así como los trabajos en cajones de aire comprimido se ajustarán a lo dispuesto en su normativa específica.

— Anexo IV. Parte C.12 RDSSTOC.

Véase: Trabajos peligrosos. Trabajos con riesgos especiales. Trabajos penosos, tóxicos o peligrosos. Actividades peligrosas.

TRABAJOS CON EXPOSICIÓN A RAYOS X

1. Los rayos X constituyen una radiación electromagnética ionizante, capaz de atravesar cuerpos opacos y de imprimir las películas fotográficas.

— Notas Técnicas de Prevención n.º 614/2003. 728/2006. INSST.

2. Los trabajadores ocupados en las actividades económicas, y expuestos a los agentes o sustancias que a continuación se indican, pueden contraer una Enfermedad Profesional (E.P.), causada por agentes físicos:

• Todos los trabajos expuestos a la acción de los rayos X o de las sustancias radiactivas naturales o artificiales o a cualquier fuente de emisión corpuscular, que pueden producir enfermedades provocadas por radiaciones ionizantes. (Código 2I01).

Por ello, debe realizarse reconocimientos médicos previos y periódicos a dichos trabajadores, con la prohibición de no contratar a los calificados como no aptos para desempeñar los puestos de trabajo de que se trate.

— Artículo 243 LGSS, en relación con RDEP (Anexo I).

Véase: Rayos X. Radioterapia. Clínicas de radioterapia. Hospitales. Radiaciones. Radiaciones ópticas. Radiaciones microondas. Radiaciones infrarrojas. Radiaciones visibles. Radiaciones ultravioleta. Energía radiante. Radancia. Irradancia. Radiaciones ionizantes. Rayos gamma. Rayos cósmicos. Radioactividad. Radiaciones laser. Radiación incoherente. Radiaciones térmicas. Dosímetros de radiación. Instalaciones nucleares. Instalaciones radioactivas. E.P. por energía radiante. E.P. por radiaciones ionizantes. Pluses por trabajos penosos, tóxicos o peligrosos.

TRABAJOS CON FRESADORAS

1. Las fresadoras son máquinas de corte rotativo de alta velocidad. Se utilizan sobre todo para cortar ranuras, practicar cortes decorativos a lo largo de los bordes de las piezas de madera o para vaciar áreas.

2. Los trabajadores ocupados en las actividades económicas y expuestos a los agentes o sustancias que a continuación se indican, pueden contraer una Enfermedad Profesional (E.P.), causada por agentes físicos:

• Trabajos de molienda de caucho, de plástico y la inyección de esos materiales para moldeo-Manejo de maquinaria de transformación de la madera, sierras circulares, de cinta, cepilladoras, tupies, fresas, donde el trabajador este expuesto a ruidos continuos y diarios de un nivel sonoro igual o superior a 80 decibelios A, que puede contraer la E.P. de hipoacusia. (Código 2A0116).

Por ello, debe realizarse reconocimientos médicos previos y periódicos a dichos trabajadores, con la prohibición de no contratar a los calificados como no aptos para desempeñar los puestos de trabajo de que se trate.

— Artículo 243 LGSS, en relación con RDEP (Anexo I).

Véase: Fresadoras. Trabajos con cepilladoras. Trabajos con máquina tupi. Ruido.

TRABAJOS CON HUMEDAD

1. Trabajos realizados en ambientes húmedos.

2. Los trabajadores ocupados en las actividades económicas, y expuestos a los agentes o sustancias que a continuación se indican, pueden contraer una Enfermedad Profesional (E.P.), causada por agentes biológicos:

- Trabajos en contacto con humedad. (Código 3D0104).
- Trabajos en zonas húmedas y/o pantanosas: pantanos, arrozales, salinas, huertas. (Código 3D0107).

Por ello, debe realizarse reconocimientos médicos previos y periódicos a dichos trabajadores, con la prohibición de no contratar a los calificados como no aptos para desempeñar los puestos de trabajo de que se trate.

— Artículos 243 LGSS, en relación con RDEP (Anexo I).

Véase: Humedad. Trabajos en arrozales. Trabajos en pantanos. Zonas pantanosas. Trabajos en salinas. Pluses por trabajos penosos, tóxicos o peligrosos.

TRABAJOS CON MÁQUINA TUPI

1. La máquina tupi es una herramienta eléctrica que se usa para fresar y agujerear un área determinada de piezas duras como la madera o el plástico. Se usa mucho más en carpintería.

2. Los trabajadores ocupados en las actividades económicas, y expuestos a los agentes o sustancias que a continuación se indican, pueden contraer una Enfermedad Profesional (E.P.), causada por agentes físicos:

- Trabajos de molienda de caucho, de plástico y la inyección de esos materiales para moldeo-Manejo de maquinaria de transformación de la madera, sierras circulares, de cinta, cepilladoras, tupies, fresas, donde el trabajador este expuesto a ruidos continuos y diarios de un nivel sonoro igual o superior a 80 decibelios A, que puede contraer la E.P. de hipoacusia. (Código 2A0116).

Por ello, debe realizarse reconocimientos médicos previos y periódicos a dichos trabajadores, con la prohibición de no contratar a los calificados como no aptos para desempeñar los puestos de trabajo de que se trate.

— Artículo 243 LGSS, en relación con RDEP (Anexo I).

Véase: Carpinterías. Trabajos con máquina fresadora.

TRABAJOS CON MAQUINARIA

1. Mecanismo que da movimiento a un artefacto.

2. Los trabajadores ocupados en las actividades económicas y expuestos a los agentes o sustancias que a continuación se indican, pueden contraer una Enfermedad Profesional (E.P.), causada por agentes físicos:

• Trabajos de molienda de caucho, de plástico y la inyección de esos materiales para moldeo-Manejo de maquinaria de transformación de la madera, sierras circulares, de cinta, cepilladoras, tupies, fresas, donde el trabajador este expuesto a ruidos continuos y diarios de un nivel sonoro igual o superior a 80 decibelios A. (Código 2A0116).

Por ello, debe realizarse reconocimientos médicos previos y periódicos a dichos trabajadores, con la prohibición de no contratar a los calificados como no aptos para desempeñar los puestos de trabajo de que se trate.

— Artículo 243 LGSS, en relación con RDEP (Anexo I).

Véase: Manejo de maquinaria. Máquinas. Motores. Motores diesel. Motores de explosión. Motores reactores. Motores de pistón. Trabajos con motores.

TRABAJOS CON MARTILLOS NEUMÁTICOS

1. Los martillos o perforadores neumáticos son herramientas de percusión movida por aire comprimido, que se usa especialmente para perforar el asfalto, el pavimento, etc.

2. Los trabajadores ocupados en las actividades económicas, y expuestos a los agentes o sustancias que a continuación se indican, pueden contraer una Enfermedad Profesional (E.P.), causada por agentes físicos:

• Trabajos con martillos y perforadores neumáticos en minas, túneles y galerías subterráneas, donde el trabajador este expuesto a ruidos continuos y diarios de un nivel sonoro igual o superior a 80 decibelios A, que puede contraer la E.P. de hipoacusia. (Código 2A0105).

• Trabajos en los que se produzcan: vibraciones transmitidas a la mano y al brazo por gran número de máquinas o por objetos mantenidos sobre una superficie vibrante (gama de frecuencia de 25 a 250 Hz), como son aquellos en los que se manejan maquinarias que transmitan vibraciones, como martillos neumáticos, punzones, taladros, taladros a percusión, perforadoras, pulidoras, esmeriles, sierras mecánicas, desbrozadoras, que pueden producir una E.P. de carácter vascular. (Códigos 2B0101, 2B0201).

Por ello, debe realizarse reconocimientos médicos previos y periódicos a dichos trabajadores, con la prohibición de no contratar a los calificados como no aptos para desempeñar los puestos de trabajo de que se trate.

— 243 LGSS, en relación con RDEP (Anexo I).

Véase: Trabajos con aparatos vibradores. Enfermedades vasculares. Vibraciones. Martillos neumáticos. Esmeriles. Pulidoras. Punzones. Taladradoras. Pluses por trabajos penosos, tóxicos o peligrosos.

TRABAJOS CON METALES

1. Los metales son los elementos químicos capaces de conducir la electricidad y el calor, que exhiben un brillo característico y que, con la excepción del mercurio, resultan sólidos a temperatura normal. El término se utiliza para nombrar a elementos puros o a aleaciones con características metálicas.

2. Los trabajadores ocupados en las actividades económicas, y expuestos a los agentes o sustancias que a continuación se indican, pueden contraer una Enfermedad Profesional (E.P.), causada por agentes físicos:

• Trabajos de estampado, embutido, remachado y martillado de metales donde el trabajador este expuesto a ruidos continuos y diarios de un nivel sonoro igual o superior a 80 decibelios A. (Código 2A0102).

Por ello, debe realizarse reconocimientos médicos previos y periódicos a dichos trabajadores, con la prohibición de no contratar a los calificados como no aptos para desempeñar los puestos de trabajo de que se trate.

— Artículo 243 LGSS, en relación con RDEP (Anexo I).

Véase: Ruido. E.P. hipoacusia.

TRABAJOS CON MOTORES

1. Motores: Aparatos que transmiten el movimiento a una máquina.

2. Los trabajadores ocupados en las actividades económicas, y expuestos a los agentes o sustancias que a continuación se indican, pueden contraer una Enfermedad Profesional (E.P.), causada por agentes físicos:

• Trabajos de control y puesta a punto de motores de aviación, reactores o de pistón, donde el trabajador este expuesto a ruidos continuos y diarios de un nivel sonoro igual o superior a 80 decibelios A, que puede contraer la E.P. de hipoacusia. (Código 2A0104).

• Trabajos con motores diesel, en particular en las dragas y los vehículos de transportes de ruta, ferroviarios y marítimos. donde el trabajador este expuesto a ruidos continuos y diarios de un nivel sonoro igual o superior a 80 decibelios A. (Código 2A0111).

Por ello, debe realizarse reconocimientos médicos previos y periódicos a dichos trabajadores, con la prohibición de no contratar a los calificados como no aptos para desempeñar los puestos de trabajo de que se trate.

— Artículo 243 LGSS, en relación con RDEP (Anexo I).

Véase: Máquinas. Motores. Motores diesel. Motores de explosión. Motores reactores. Motores de pistón. Trabajos con maquinaria. Trabajadores aéreos. Trabajadores de aeropuertos. Tráfico aéreo.

TRABAJOS CON MOVIMIENTOS REPETITIVOS

1. Las tareas repetitivas son aquellas en las que una acción se repite de la misma manera numerosas veces a lo largo de la jornada laboral.

2. Una tarea es repetitiva cuando está caracterizada por ciclos, independientemente de su duración, o bien, cuando por más del 50% del tiempo se realiza el mismo gesto laboral o una secuencia de gestos.

— Notas Técnicas de Prevención n.º 844/2009. 916/2011. INSST.

3. Se consideran tareas repetitivas aquellas actividades cuyo ciclo sea inferior a 30 segundos o aquellos trabajos en los que se repitan los mismos movimientos elementales durante más de un 50% de la duración del ciclo, que pueden producir síndrome del túnel carpiano, tendinitis y tenosinovitis.

— Nota Técnica de Prevención n.º 311/1993. INSST.

4. El empresario que organice el trabajo en la empresa según un cierto ritmo deberá tener en cuenta el principio general de adaptación del trabajo a la persona, especialmente de cara a atenuar el trabajo monótono y repetitivo en función del tipo de actividad y de las exigencias en materia de seguridad y salud de los trabajadores. Dichas exigencias deberán ser tenidas particularmente en cuenta a la hora de determinar los períodos de descanso durante la jornada de trabajo.

— Artículo 36.5 LET.

5. La realización del trabajo con movimientos repetitivos y posturas forzadas, puede producir alguna de las siguientes Enfermedades Profesionales, causadas por agentes físicos:

- Enfermedades de las bolsas serosas debido a la presión. (Código 2C).
- Celulitis subcutáneas. (Código 2C).
- Bursitis. (Códigos 2C01, 2C02, 2C03, 2C04 y 2C05).
- Higroma. (Código 2C.06).
- Hombro: Patología tendinosa de manguito de los rotadores. (Código 2D01).
- Codo y antebrazo: Epicondilitis y epitrocleitis. (Código 2D02).
- Muñeca y mano: Tendinitis del abductor largo y extensor corto del pulgar (T. De Quervain), tenosinovitis estenosante digital (dedo en resorte), tenosinovitis del extensor largo del primer dedo. (Código 2D03).
- Arrancamiento por fatiga de las apófisis espinosa. (Código 2E).
- Enfermedades provocadas por posturas forzadas y movimientos repetitivos en el trabajo: Parálisis de los nervios debidos a la presión. (Código 2F).
- Síndrome del canal epitrocleo-olecraniano por compresión del nervio cubital en el codo. (Código 2F01).
- Síndrome del túnel carpiano por compresión del nervio mediano en la muñeca. (Código 2F02).
- Síndrome del canal de Guyon por compresión del nervio cubital en la muñeca. (Código 2F03).
- Síndrome de compresión del ciático popliteo externo por compresión del mismo a nivel del cuello del peroné. (Código 2F04).
- Parálisis de los nervios del serrato mayor, angular, romboides, circunflejo. Código 2F05).
- Parálisis del nervio radial por compresión del mismo. (Código 2F06).
- Lesiones del menisco por mecanismos de arrancamiento y compresión asociadas, dando lugar a fisuras o roturas completas. (Código 2G01).

Por ello, debe realizarse reconocimientos médicos previos y periódicos a dichos trabajadores, con la prohibición de no contratar a los calificados como no aptos para desempeñar los puestos de trabajo de que se trate.

— Artículo 243 LGSS, en relación con RDEP (Anexo I).

Véase: Trabajos con posturas forzadas. Fatiga. Rotación de puesto de trabajo. E.P. bursitis. E.P. higroma. E.P. epicondilitis y epitrocleitis.

TRABAJOS CON PALAS MECÁNICAS

1. Máquinas para cargar, recoger tierra y piedras para nivelar el terreno, etc.

2. Los trabajadores ocupados en las actividades económicas, y expuestos a los agentes o sustancias que a continuación se indican, pueden contraer una Enfermedad Profesional (E.P.), causada por agentes físicos:

• <u>Trabajos de obras públicas (rutas, construcciones, etc.) efectuados con máquinas ruidosas como las bulldozers, excavadoras, palas mecánicas, etc., donde el trabajador este expuesto a ruidos continuos y diarios de un nivel sonoro igual o superior a 80 decibelios A</u>. (Código 2A0110).

Por ello, debe realizarse reconocimientos médicos previos y periódicos a dichos trabajadores, con la prohibición de no contratar a los calificados como no aptos para desempeñar los puestos de trabajo de que se trate.

— Artículo 243 LGSS, en relación con RDEP (Anexo I).

Véase: Ruido. Carretillas elevadoras automotoras. Dumper. Palas cargadoras. Construcción. Obras públicas. Excavadoras. Excavaciones. Retroexcavadoras. Vehículos y maquinaria para movimientos de tierras. Trabajos de movimientos de tierras. Trabajos con excavadoras. Bulldozers. Trabajos con bulldozers. Conducción. Conductor.

TRABAJOS CON POSTURAS FORZADAS

1. Por posturas forzadas se entiende las posiciones del cuerpo fijas o restringidas, las posturas que sobrecargan los músculos y los tendones (por ejemplo flexiones o extensiones), las posturas que cargan las articulaciones de una manera asimétrica (por ejemplo los giros o desviaciones), y las posturas que producen carga estática en la musculatura (posturas sostenidas en el tiempo).

2. Se consideran trabajos que entrañan posturas forzadas:

• Trabajos de rodillas, de los mineros, servicio doméstico, colocadores de parquet, enlosadores, pulidores de piedras, trabajadores agrícolas, etc.

• Trabajos con el brazo alzado, de los pintores, escayolistas y montadores de estructuras.

• Trabajos con la muñeca forzada, de los carpinteros, pescaderos, curtidores, deportistas, mecánicos, chapistas, caldereros y albañiles.

• Trabajos de manipulación de cargas pesadas, de los mozos de mudanzas, de los mozos de carga y descarga, etc.

• Trabajos que entrañen comprensión prolongada de la muñeca, de los ordeñadores de vacas, grabadores, talla y pulido del vidrio, burilado, zapateros, herreros, peleteros, etc.

• Trabajos en cuclillas, de los soladores, colocadores de parquet, trabajadores agrícolas, mineros, etc.

3. Los trabajadores con riesgo de exposición al amianto no podrán realizar horas extraordinarias ni trabajar por sistema de incentivos en el supuesto de que su actividad laboral exija sobreesfuerzos físicos, posturas forzadas o se realice en ambientes calurosos determinantes de una variación de volumen de aire inspirado.

— Artículo 7 RDSSRA.

4. La realización del trabajo con posturas forzadas y movimientos repetitivos, puede producir alguna de las siguientes Enfermedades Profesionales, causadas por agentes físicos:

- Enfermedades de las bolsas serosas debido a la presión. (Código 2C).
- Celulitis subcutáneas. (Código 2C).
- Bursitis. (Códigos 2C01, 2C02, 2C03, 2C04 y 2C05).
- Higroma. (Código 2C.06).
- Hombro: Patología tendinosa de manguito de los rotadores. (Código 2D01).
- Codo y antebrazo: Epicondilitis y epitrocleitis. (Código 2D02).
- Muñeca y mano: Tendinitis del abductor largo y extensor corto del pulgar (T. De Quervain), tenosinovitis estenosante digital (dedo en resorte), tenosinovitis del extensor largo del primer dedo. (Código 2D03).
- Arrancamiento por fatiga de las apófisis espinosa. (Código 2E).
- Enfermedades provocadas por posturas forzadas y movimientos repetitivos en el trabajo: Parálisis de los nervios debidos a la presión. (Código 2F).
- Síndrome del canal epitrocleo-olecraniano por compresión del nervio cubital en el codo. (Código 2F01).
- Síndrome del túnel carpiano por compresión del nervio mediano en la muñeca. (Código 2F02).
- Síndrome del canal de Guyon por compresión del nervio cubital en la muñeca. (Código 2F03).
- Síndrome de compresión del ciático popliteo externo por compresión del mismo a nivel del cuello del peroné. (Código 2F04).
- Parálisis de los nervios del serrato mayor, angular, romboides, circunflejo. Código 2F05).
- Parálisis del nervio radial por compresión del mismo. (Código 2F06).
- Lesiones del menisco por mecanismos de arrancamiento y compresión asociadas, dando lugar a fisuras o roturas completas. (Código 2G01).

Por ello, debe realizarse reconocimientos médicos previos y periódicos a dichos trabajadores, con la prohibición de no contratar a los calificados como no aptos para desempeñar los puestos de trabajo de que se trate.

— Artículo 243 LGSS, en relación con RDEP (Anexo I).

Véase: Ergonomía. Trabajos con movimientos repetitivos. Colocadores de parquet. Soladores. Trabajos en cuclillas Rotación de puestos de trabajo. E.P. bursitis. E.P. higroma.

TRABAJOS CON PULIDORAS

1. Trabajos realizados con máquinas destinadas a pulir distintos materiales.

2. Los trabajadores ocupados en las actividades económicas, y expuestos a los agentes o sustancias que a continuación se indican, pueden contraer una Enfermedad Profesional (E.P.), causada por agentes físicos:

- Trabajos en los que se produzcan: vibraciones transmitidas a la mano y al brazo por gran número de máquinas o por objetos mantenidos sobre una superficie vibrante (gama de frecuencia de 25 a 250 Hz), como son aquellos en los que se manejan maquinarias que transmitan vibraciones, como martillos neumáticos, punzones, taladros, taladros a percusión, perforadoras, pulidoras, esmeriles, sierras mecánicas, desbrozadoras. (Códigos 2B0101, 2B0201).

• Trabajos que requieran habitualmente de una posición de rodillas mantenidas como son trabajos en minas, en la construcción, servicio doméstico, colocadores de parquet y baldosas, jardineros, talladores y pulidores de piedras, trabajadores agrícolas y similares. (Código 2C0101).

Por ello, debe realizarse reconocimientos médicos previos y periódicos a dichos trabajadores, con la prohibición de no contratar a los calificados como no aptos para desempeñar los puestos de trabajo de que se trate.

— Artículo 243 LGSS, en relación con RDEP (Anexo I).

Véase: Pulidoras. Pulidores. Trabajos con aparatos vibradores. Vibraciones. Vibraciones transmitidas al sistema mano-brazo. Trabajos con posturas forzadas.

TRABAJOS CON REMACHADORAS

1. Máquinas que sirven para remachar. Remachar: Machacar la punta o la cabeza del clavo ya clavado, para mayor firmeza.

2. Los trabajadores ocupados en las actividades económicas, y expuestos a los agentes o sustancias que a continuación se indican, pueden contraer una Enfermedad Profesional (E.P.), causada por agentes físicos:

• Trabajos con remachadoras y pistolas de sellado, que produzcan vibraciones mecánicas. (Códigos 2B0102, 2B0202).

Por ello, debe realizarse reconocimientos médicos previos y periódicos a dichos trabajadores, con la prohibición de no contratar a los calificados como no aptos para desempeñar los puestos de trabajo de que se trate.

— Artículo 243 LGSS, en relación con RDEP (Anexo I).

Véase: Vibraciones. Trabajos con aparatos vibradores. Trabajos con esmeriles.

TRABAJOS CON RIESGOS ESPECIALES

1. Trabajos cuya realización exponga a los trabajadores a riesgos de especial gravedad para su seguridad y salud, comprendidos los indicados en la relación no exhaustiva que figura en el anexo II.

— Artículo 2.1.b RDSSTOC.

2. Se consideran trabajos con riesgos especiales:

• Trabajos con riesgos especialmente graves de sepultamiento, hundimiento o caída de altura, por las particularidades características de la actividad desarrollada, los procedimientos aplicados, o entorno del puesto de trabajo.

• Trabajos en los que la exposición a agentes químicos o biológicos suponga un riesgo de especial gravedad, o para los que la vigilancia específica de la salud de los trabajadores sea legalmente exigible.

• Trabajos con exposición a radiaciones ionizantes para los que la normativa específica obliga a la delimitación de zonas controladas o vigiladas.

• Trabajos en la proximidad de las líneas eléctricas de alta tensión.

• Trabajos que expongan a riesgo de ahogamiento por inmersión.

• Obras de excavación túneles, pozos y otros trabajos que supongan movimientos de tierras subterráneos.

• Trabajos realizados por inmersión con equipo subacuático.

• Trabajos realizados en cajones de aire comprimido.

• Trabajos que impliquen el uso de explosivos. j) Trabajos que requieran montar o desmontar elementos prefabricados pesados.

— Anexo II RDSSTOC.

Véase: Actividades peligrosas. Actividades potencialmente peligrosas. Autorización. Autorización para realizar trabajos especiales. Zonas peligrosas. Ambiente hiperbárico. Cámaras hiperbáricas. Buceo. Trabajos en cajones de aire comprimido. Trabajos subacuáticos. Trabajos en espacios confinados. Trabajos tóxicos. Trabajos peligrosos. Pluses por trabajos penosos, tóxicos o peligrosos. Sepultamiento.

TRABAJOS CON SIERRAS

1. Trabajos realizados con herramientas para cortar madera, piedra u otros objetos duros, que generalmente consiste en una hoja de acero dentada sujeta a una empuñadura, bastidor o armazón.

2. Los trabajadores ocupados en las actividades económicas, y expuestos a los agentes o sustancias que a continuación se indican, pueden contraer una Enfermedad Profesional (E.P.), causada por agentes físicos:

• Talado y corte de árboles con sierras portátiles, donde el trabajador este expuesto a ruidos continuos y diarios de un nivel sonoro igual o superior a 80 decibelios A, que puede contraer la E.P. de hipoacusia. (Código 2A0108).

• Trabajos de molienda de caucho, de plástico y la inyección de esos materiales para moldeo-Manejo de maquinaria de transformación de la madera, sierras circulares, de cinta, cepilladoras, tupies, fresas, donde el trabajador este expuesto a ruidos continuos y diarios de un nivel sonoro igual o superior a 80 decibelios A, que puede contraer la E.P. de hipoacusia. (Código 2A0116).

• Trabajos en los que se produzcan: vibraciones transmitidas a la mano y al brazo por gran número de máquinas o por objetos mantenidos sobre una superficie vibrante (gama de frecuencia de 25 a 250 Hz), como son aquellos en los que se manejan maquinarias que transmitan vibraciones, como martillos neumáticos, punzones, taladros, taladros a percusión, perforadoras, pulidoras, esmeriles, sierras mecánicas, desbrozadoras, que pueden producir una E.P. de carácter vascular. (Códigos 2B0101, 2B0201).

Por ello, debe realizarse reconocimientos médicos previos y periódicos a dichos trabajadores, con la prohibición de no contratar a los calificados como no aptos para desempeñar los puestos de trabajo de que se trate.

— Artículo 243 LGSS, en relación con RDEP (Anexo I).

Véase: Sierras. Talado de árboles. Carpinterías.

TRABAJOS CON TALADRADORAS

1. Herramienta aguda o cortante con que se agujerea la madera u otra cosa.

2. Los trabajadores ocupados en las actividades económicas, y expuestos a los agentes o sustancias que a continuación se indican, pueden contraer una Enfermedad Profesional (E.P.), causada por agentes físicos:

• Trabajos en los que se produzcan: vibraciones transmitidas a la mano y al brazo por gran número de máquinas o por objetos mantenidos sobre una superficie vibrante (gama de frecuencia de 25 a 250 Hz), como son aquellos en los que se manejan maquinarias que transmitan vibraciones, como martillos neumáticos, punzones, taladros, taladros a percusión, perforadoras, pulidoras, esmeriles, sierras mecánicas, desbrozadoras, que pueden producir una E.P. de carácter vascular. (Códigos 2B0101, 2B0201).

Por ello, debe realizarse reconocimientos médicos previos y periódicos a dichos trabajadores, con la prohibición de no contratar a los calificados como no aptos para desempeñar los puestos de trabajo de que se trate.

— Artículo 243 LGSS, en relación con RDEP (Anexo I).

Véase: Enfermedades vasculares. Taladradoras.

TRABAJOS CON TENSIÓN

1. Trabajo durante el cual un trabajador entra en contacto con elementos en tensión, o entra en la zona de peligro, bien sea con una parte de su cuerpo, o con las herramientas, equipos, dispositivos o materiales que manipula. No se consideran como trabajos en tensión las maniobras y las mediciones, ensayos y verificaciones definidas a continuación.

• Maniobra: intervención concebida para cambiar el estado eléctrico de una instalación eléctrica no implicando montaje ni desmontaje de elemento alguno.

• Mediciones, ensayos y verificaciones: actividades concebidas para comprobar el cumplimiento de las especificaciones o condiciones técnicas y de seguridad necesarias para el adecuado funcionamiento de una instalación eléctrica, incluyéndose las dirigidas a comprobar su estado eléctrico, mecánico o térmico, eficacia de protecciones, circuitos de seguridad o maniobra, etc.

— Anexo I.8 RDSSTRE.

2. Procede la imposición del recargo en las prestaciones económicas de la Seguridad Social:

• Encomendar trabajos en alta tensión a operarios sin la más mínima formación para ello.

— STSJ Valladolid 15.9.10.

Véase: Riesgo eléctrico. Corriente eléctrica. Corriente de contacto. Corriente de puesta a tierra. Instalación eléctrica. Instalaciones de distribución de energía. Instalaciones de puesta a tierra. Trabajos sin tensión. Zona de trabajos en tensión. Soldadura eléctrica al arco. Trabajos peligrosos. Pluses por trabajos penosos, tóxicos o peligrosos.

TRABAJOS DE ALCANTARILLADO

1. Trabajos realizados en conductos subterráneos por donde van las aguas sucias y las inmundicias de las poblaciones.

2. Los trabajadores ocupados en las actividades económicas, y expuestos a los agentes o sustancias que a continuación se indican, pueden contraer una Enfermedad Profesional (E.P.), causada por agentes biológicos:

• Trabajos de alcantarillado (ratas), expuestos a agentes biológicos, que pueden provocar enfermedades infecciosas o parasitarias transmitidas por animales o por sus productos y cadáveres. (Código 3B0127).

Por ello, debe realizarse reconocimientos médicos previos y periódicos a dichos trabajadores, con la prohibición de no contratar a los calificados como no aptos para desempeñar los puestos de trabajo de que se trate.

— Artículo 243 LGSS, en relación con RDEP (Anexo I).

Véase: Alcantarillado. Zoonosis. Pesticidas. Plaguicidas. Rodenticida. Parásitos. Pluses por trabajos penosos, tóxicos o peligrosos.

TRABAJOS DE CALDERERÍA

1. Actividad metalúrgica que consiste en el corte, la forja y el entramado de barras y planchas de hierro o de acero.

2. Los trabajadores ocupados en las actividades económicas, y expuestos a los agentes o sustancias que a continuación se indican, pueden contraer una Enfermedad Profesional (E.P.), causada por agentes físicos:

• Trabajos de calderería, donde el trabajador este expuesto a ruidos continuos y diarios de un nivel sonoro igual o superior a 80 decibelios A. (Código 2A0101).

Por ello, debe realizarse reconocimientos médicos previos y periódicos a dichos trabajadores, con la prohibición de no contratar a los calificados como no aptos para desempeñar los puestos de trabajo de que se trate.

— Artículo 243 LGSS, en relación con RDEP (Anexo I).

Véase: Ruido. Calderas. Calefacción.

TRABAJOS DE COLABORACIÓN SOCIAL

Las Administraciones Públicas podrán utilizar trabajadores perceptores de las prestaciones por desempleo sin pérdida para éstos de las cantidades que en tal concepto vinieran percibiendo, en trabajos de colaboración temporal, que sean de utilidad social y redunden en beneficio de la comunidad, abonando la diferencia para completar el importe de la base reguladora del trabajador.

— Artículo 38 RDMFE.

Véase: Ámbito de aplicación de la normativa de PRL.

TRABAJOS DE DESTRUCCIÓN

1. Trabajos de reducir a pedazos o a cenizas algo material, u ocasionarle un grave daño

2. Los trabajadores ocupados en las actividades económicas, y expuestos a los agentes o sustancias que a continuación se indican, pueden contraer una Enfermedad Profesional (E.P.):

a) Causada por agentes físicos:

• Trabajos de expolio y destrucción de municiones y explosivos, donde el trabajador este expuesto a ruidos continuos y diarios de un nivel sonoro igual o superior a 80 decibelios A. (Código 2A0101).

b) Causada por agentes cancerígenos:

• Trabajos que impliquen la eliminación de materiales con amianto, que pueden provocar alguna de las siguientes E.P (cánceres): neoplasia maligna de bronquio y pulmón (Código 6A0112), mesotelioma (Código 6A0212), mesotelioma de pleura (Código 6A0312), mesotelioma de peritoneo (Código 6A0412), mesotelioma de otras localizaciones (Código 6A0512) y cáncer de laringe (Código 6A0612).

Por ello, debe realizarse reconocimientos médicos previos y periódicos a dichos trabajadores, con la prohibición de no contratar a los calificados como no aptos para desempeñar los puestos de trabajo de que se trate.

— Artículo 243 LGSS, en relación con RDEP (Anexo I).

Véase: Desguaces. Ruido.

TRABAJOS DE FERMENTACIÓN

1. La fermentación es un proceso de oxidación incompleta que no requiere oxígeno y mediante la degradación de compuestos se obtiene un compuesto orgánico. Por ejemplo: Las levaduras fermentan los azúcares de la uva y los convierten en alcoholes en la producción de vino.

2. Los trabajadores ocupados en las actividades económicas, y expuestos a los agentes o sustancias que a continuación se indican, pueden contraer una Enfermedad Profesional (E.P.), causada por agentes biológicos:

• Trabajos de fermentación del vinagre, que pueden provocar una E.P. infecciosa (micosis, legionella y helmintiasis), por la exposición a agentes biológicos durante el trabajo. (Código 3D0109).

Por ello, debe realizarse reconocimientos médicos previos y periódicos a dichos trabajadores, con la prohibición de no contratar a los calificados como no aptos para desempeñar los puestos de trabajo de que se trate.

— Artículo 243 LGSS, en relación con RDEP (Anexo I).

Véase: Vinagre. Trabajos en cuevas de fermentación.

TRABAJOS DE LA INDUSTRIA TEXTIL

1. La industria textil es aquella que se dedica a la producción de fibras (fibra natural y sintética), hilados, telas y productos relacionados con la confección de ropa.

2. Los trabajadores ocupados en las actividades económicas, y expuestos a los agentes o sustancias que a continuación se indican, pueden contraer una Enfermedad Profesional (E.P.), causada por agentes físicos:

• Trabajos en telares de lanzadera batiente, donde el trabajador este expuesto a ruidos continuos y diarios de un nivel sonoro igual o superior a 80 decibelios A. (Código 2A0103).

Por ello, debe realizarse reconocimientos médicos previos y periódicos a dichos trabajadores, con la prohibición de no contratar a los calificados como no aptos para desempeñar los puestos de trabajo de que se trate.

— Artículo 243 LGSS, en relación con RDEP (Anexo I).

Véase: Industria textil. Ruido.

TRABAJOS DE MOLIENDA

1. Trabajos de moler materiales de quebrantar un cuerpo, reduciéndolo a menudísimas partes, o hasta hacerlo polvo.

2. Los trabajadores ocupados en las actividades económicas, y expuestos a los agentes o sustancias que a continuación se indican, pueden contraer una Enfermedad Profesional (E.P.):

a) Causada por agentes químicos:

• Extracción de minerales que contienen antimonio y sus procesos de molienda, tamizado y concentrado. (Código 1B0101).

b) Causada por agentes físicos:

• Trabajos de molienda de caucho, de plástico y la inyección de esos materiales para moldeo-Manejo de maquinaria de transformación de la madera, sierras circulares, de cinta, cepilladoras, tupies, fresas, donde el trabajador este expuesto a ruidos continuos y diarios de un nivel sonoro igual o superior a 80 decibelios A, que puede contraer la E.P. de hipoacusia. (Código 2A0116).

• Trabajos de molienda de piedras y minerales, donde el trabajador este expuesto a ruidos continuos y diarios de un nivel sonoro igual o superior a 80 decibelios A, que puede contraer la E.P. de hipoacusia. (Código 2A0117).

c) Causada por inhalación de sustancias y agentes no comprendidos en otros apartados:

• Operaciones de molido y ensacado de la barita, donde se utilicen polvos de talco o de caolín, que pueden producir las E.P. de talcosis (Código 4D0116), silicocaolinosis (Código 4D0216) o caolinosis y otras silicatosis (Código 4D0316), provocadas por la inhalación de polvos de talco o de caolín.

• Preparación de polvos de aluminio, especialmente el polvo fino (operaciones, demolido, cribado y mezclas), que puede provocar la E.P. de neumoconiosis por inhalación de polvo de aluminio. (Código 4G0102).

• Molienda de semillas, donde los trabajadores estén expuestos a sustancias de alto peso molecular (de origen vegetal o animal), que pueden provocar alguna de las siguientes E.P: rinoconjuntivitis (Código 4H0108), asma (Código 4H0208), alveolitis alérgica extrínseca (Código 4H0308), síndrome de disfunción reactivo de la vía aérea (Código 4H0408), fibrosis intersticial difusa (Código 4H0508), bisinosis, cannabiosis, linnosis, bagazosis, estipatosis, suberosis (Códigos 4H0608), neumopatía intersticial difusa (Código 4H0708).

• Extracción de minerales que contienen antimonio y sus procesos de molienda, tamizado y concentrado, que pueden provocar una E.P., causada por la inhalación de polvos, humos y vapores de antimonio. (Código 4J0101).

d) E.P. de la piel, causada por sustancias y agentes no comprendidos en alguno de los otros apartados:

• Molienda de semillas, donde los trabajadores estén expuestos a sustancias de alto peso molecular (de origen vegetal o animal), que pueden provocar una E.P. de la piel, causada por sustancias de alto peso molecular. (Código 5B0108).

Por ello, debe realizarse reconocimientos médicos previos y periódicos a dichos trabajadores, con la prohibición de no contratar a los calificados como no aptos para desempeñar los puestos de trabajo de que se trate.

— Artículo 243 LGSS, en relación con RDEP (Anexo I).

Véase: Molinos. Ruido. Aluminio.

TRABAJOS DE MONTAJE

1. Trabajos de armar las piezas de un aparato o máquina.

2. Los trabajadores ocupados en las actividades económicas, y expuestos a los agentes o sustancias que a continuación se indican, pueden contraer una Enfermedad Profesional (E.P.), causada por agentes físicos:

• Trabajos en los que se produzca un apoyo prolongado y repetido de forma directa o indirecta sobre las correderas anatómicas que provocan lesiones nerviosas por compresión. Movimientos extremos de hiperflexión y de hiperextensión. Trabajos que requieran movimientos repetidos o mantenidos de hiperextensión e hiperflexión de la muñeca, de aprehensión de la mano como lavanderos, cortadores de tejidos y material plástico y similares, trabajos de montaje (electrónica, mecánica), industria textil, mataderos (carniceros, matarifes), hostelería (camareros, cocineros), soldadores, carpinteros, pulidores, pintores, que pueden provocar la E.P. de síndrome del túnel carpiano. (Código 2F0201).

Por ello, debe realizarse reconocimientos médicos previos y periódicos a dichos trabajadores, con la prohibición de no contratar a los calificados como no aptos para desempeñar los puestos de trabajo de que se trate.

— Artículo 243 LGSS, en relación con RDEP (Anexo I).

Véase: Máquinas. Montadores de estructuras.

TRABAJOS DE MOVIMIENTOS DE TIERRAS

1. En el exterior de las obras de construcción:

a) Antes de comenzar los trabajos de movimientos de tierras, deberán tomarse medidas para localizar y reducir al mínimo los peligros debidos a cables subterráneos y demás sistemas de distribución.

b) En las excavaciones, pozos, trabajos subterráneos o túneles deberán tomarse las precauciones adecuadas:

• Para prevenir los riesgos de sepultamiento por desprendimiento de tierras, caídas de personas, tierras, materiales u objetos, mediante sistemas de entibación, blindaje, apeo, taludes u otras medidas adecuadas.

• Para prevenir la irrupción accidental de agua, mediante los sistemas o medidas adecuados.

• Para garantizar una ventilación suficiente en todos los lugares de trabajo de manera que se mantenga una atmósfera apta para la respiración que no sea peligrosa o nociva para la salud.

• Para permitir que los trabajadores puedan ponerse a salvo en caso de que se produzca un incendio o una irrupción de agua o la caída de materiales.

c) Deberán preverse vías seguras para entrar y salir de la excavación.

d) Las acumulaciones de tierras, escombros o materiales y los vehículos en movimiento deberán mantenerse alejados de las excavaciones o deberán tomarse las medidas adecuadas, en su caso mediante la construcción de barreras, para evitar su caída en las mismas o el derrumbamiento del terreno.

— Anexo IV. Parte C.9 RDSSTOC.

— Artículo 193 CCGC.

Véase: Vehículos y maquinaria para movimientos de tierras. Trabajos con palas mecánicas. Trabajos con excavadoras. Bulldozers. Trabajos con bulldozers. Conducción. Conductor.

TRABAJOS DE RECOGIDA DE BASURAS

1. Recolección de residuos desechados y otros desperdicios.

2. Los trabajadores ocupados en las actividades económicas, y expuestos a los agentes o sustancias que a continuación se indican, pueden contraer una Enfermedad Profesional (E.P.), causada por agentes físicos:

• Recolección de basura doméstica, donde el trabajador este expuesto a ruidos continuos y diarios de un nivel sonoro igual o superior a 80 decibelios A, que puede contraer la E.P. de hipoacusia. (Código 2A0112).

Por ello, debe realizarse reconocimientos médicos previos y periódicos a dichos trabajadores, con la prohibición de no contratar a los calificados como no aptos para desempeñar los puestos de trabajo de que se trate.

— Artículo 243 LGSS, en relación con RDEP (Anexo I).

Véase: Ruido. Biorresiduos. Residuos. Residuos comerciales. Residuos domésticos. Residuos industriales. Residuos peligrosos. Residuos radiactivos. Residuos urbanos. Reciclado. Saneamiento público.

TRABAJOS DE TRÁFICO AÉREO

1. Movimiento o tránsito de personas, mercancías, etc., por vía aérea.

2. Los trabajadores ocupados en las actividades económicas, y expuestos a los agentes o sustancias que a continuación se indican, pueden contraer una Enfermedad Profesional (E.P.), causada por agentes físicos:

• Tráfico aéreo (personal de tierra, mecánicos y personal de navegación, de aviones a reacción, etc.) donde el trabajador este expuesto a ruidos continuos y diarios de un nivel sonoro igual o superior a 80 decibelios A. (Código 2A0107).

Por ello, debe realizarse reconocimientos médicos previos y periódicos a dichos trabajadores, con la prohibición de no contratar a los calificados como no aptos para desempeñar los puestos de trabajo de que se trate.

— Artículo 243 LGSS, en relación con RDEP (Anexo I).

Véase: Ruido. Tráfico aéreo. Trabajadores de aeropuertos. Aviones. Motores reactores. Motores de aviación.

TRABAJOS DE VOLUNTARIADO

1. No se trata de un trabajo por cuenta ajena, sino de un conjunto de actividades de interés general desarrolladas por personas físicas, sin contraprestación económica o material, desarrolladas a través de entidades de voluntariado.

— Artículo 3.1 LV.

2. Al existir una responsabilidad civil (contractual o extracontractual) por los daños sufridos y al estar obligado el voluntario a cumplir con las medidas de seguridad y salud existentes en la entidad de voluntariado, le es de aplicación de una manera indirecta la normativa en materia de prevención de riesgos.

— Artículos 10.1.e y 11.j LV.

Véase: Trabajador. Cuidado de personas. Trabajadores del servicio del hogar familiar. Residencias de mayores. Trabajadores sociales. Trabajos feminizados. E.P. infeccionas transmitidas por personas. Trabajadores de Protección Civil. Emergencia. Plan de emergencia. Plan de emergencia exterior. Plan de emergencia interior. Plan de emergencia estatal. Accidente mayor. Accidentes graves.

TRABAJOS EN AISLAMIENTO

Se considera trabajos en situación de aislamiento aquellos que se realizan en soledad, sin otras personas que desarrollen su labor en el mismo recinto o sala. Por lo general, las personas que realizan estos trabajos no tienen contacto visual con otras personas y, a menudo, no pueden oír ni ser oídos sin el uso de mecanismos (teléfono, interfono, etc.).

Para aquellos casos en que la situación de aislamiento no es permanente, se hace necesario establecer un tiempo mínimo a partir del cual se considera que el trabajo se realiza en situación de aislamiento. Por lo general, este tiempo mínimo suele fijarse en una hora, aunque para trabajos peligrosos pueden ser minutos.

— Nota Técnica de Prevención n.º 344/1994. INSST.

Véase: Espacios cerrados. Trabajos en cajones de aire comprimido. Trabajos en espacios confinados. Trabajos en minas. Trabajos en excavaciones. Trabajos en pozos. Trabajos subterráneos. Trabajos en túneles. Trabajos en zanjas.

TRABAJOS EN ALTURA

1. Se define trabajo en altura, como el trabajo en cualquier lugar desde el que una persona puede caer una distancia susceptible de causar daños personales: Incluye aquellos que utilizan técnicas de acceso y posicionamiento mediante cuerdas conocidos como trabajos verticales.

Los trabajos verticales son, por tanto, una variante de los trabajos en altura donde se podrían destacar los siguientes aspectos diferenciales:

• El sistema utilizado cuenta, como mínimo, con dos cuerdas con sujeción independiente. Una utilizada como medio de acceso, descenso y apoyo (cuerda de trabajo), y otra destinada a la protección frente al riesgo de caída (cuerda de seguridad).

• El arnés utilizado por el trabajador estará conectado, de forma independiente, a cada una de estas cuerdas.

• El trabajador debe permanecer un tiempo en suspensión, de la cuerda de trabajo, mientras realiza la tarea.

No incluye: caída desde una escalera fija de un lugar de trabajo ni caídas al mismo nivel.

— Nota Técnica de Prevención n.º 789/2008. INSST.

2. En los trabajos en altura teniendo en cuenta la evaluación del riesgo y, especialmente, en función de la duración del trabajo y de las exigencias de carácter ergonómico, deberá facilitarse un asiento provisto de los accesorios apropiados.

— Anexo II. Punto 4.1.3 RDSSET.

3. Obras de construcción: En los puestos de trabajo en las obras en el exterior de los locales, y siempre que lo exijan las características de la obra o de la actividad; las circunstancias o cualquier riesgo, los trabajos en altura sólo podrán efectuarse, en principio, con la ayuda de equipos concebidos para tal fin o utilizando dispositivos de protección colectiva, tales como barandillas, plataformas o redes de seguridad, Si por la naturaleza del trabajo ello no fuera posible, deberá disponerse de medios de acceso seguros y utilizarse cinturones de seguridad con anclaje u otros medios e protección equivalentes.

— Anexo IV. Parte C.3 RDSSTOC.

Véase: Andamios. Andamios colgados móviles. Plataformas de trabajo. Pasarelas. Aberturas en los suelos. Desniveles. Trabajos en los tejados. Tejados de materiales ligeros. Góndolas. Caída de personas. Trabajos verticales.

TRABAJOS EN ARROZALES

1. Tierras sembradas de arroz.

2. Procede la reducción del tiempo de exposición en aquellas faenas del campo en las que concurran circunstancias de especial penosidad derivadas de condiciones anormales de temperatura o humedad, la jornada ordinaria no podrá exceder de seis horas y veinte minutos diarios y treinta y ocho horas semanales de trabajo efectivo.

En las faenas que hayan de realizarse teniendo el trabajador los pies en agua o fango y en las de cava abierta, entendiendo por tales las que se realicen en terrenos que no estén previamente alzados, la jornada ordinaria no podrá exceder de seis horas diarias y treinta y seis semanales de trabajo efectivo.

— Artículo 24 RDJET.

3. Los trabajadores ocupados en las actividades económicas, y expuestos a los agentes o sustancias que a continuación se indican, pueden contraer una Enfermedad Profesional (E.P.), causada por agentes biológicos:

• Trabajos en zonas húmedas y/o pantanosas: pantanos, arrozales, salinas, huertas, que pueden provocar una E.P. infecciosa (micosis, legionella y helmintiasis). (Código 3D0107).

Por ello, debe realizarse reconocimientos médicos previos y periódicos a dichos trabajadores, con la prohibición de no contratar a los calificados como no aptos para desempeñar los puestos de trabajo de que se trate.

— Artículo 243 LGSS, en relación con RDEP (Anexo I).

Véase: Agricultura. Trabajos con humedad. Trabajos en pantanos. Zonas pantanosas. Trabajos en salinas. E.P. infecciosas. E.P. infecciosas transmitidas por animales. E.P. infecciosas transmitidas por personas.

TRABAJOS EN BENEFICIO DE LA COMUNIDAD

1. Los trabajos en beneficio de la comunidad, que no podrán imponerse sin el consentimiento del penado, le obligan a prestar su cooperación no retribuida en determinadas actividades de utilidad pública, que podrán consistir, en relación con delitos de similar naturaleza al cometido por el penado, en labores de reparación de los daños causados o de apoyo o asistencia a las víctimas, así como en la participación del penado en talleres o programas formativos o de reeducación, laborales, culturales, de educación vial, sexual y otros similares

— Artículo 2.1 RDPTBC.

2. Los condenados a esta pena estarán incluidos en la acción protectora de la Seguridad Social por las contingencias de accidente de trabajo y enfermedades profesionales, y en la acción protectora de la LPRL, con determinadas excepciones.

— Artículo 11 RDPTBC.

— Artículos 22 y 23 RDRLP.

> Véase: Trabajo de los penados. Centros penitenciarios. Trabajos en centros penitenciarios. E.P. infecciosas transmitidas por personas.

TRABAJOS EN CAJONES DE AIRE COMPRIMIDO

1. Trabajos realizados dentro de una estructura tubular de acero abierta por abajo, donde las personas trabajan (se hunde en el terreno bajo su propio peso), para realizar cimentaciones de puentes y muelles. La cámara de trabajo está sometida a una presión superior a la atmosférica para impedir que el agua entre en la excavación.

En la actualidad existen procedimientos más seguros, rápidos y económicos (por ejemplo pilotes de gran diámetro) que permiten evitar riesgos innecesarios, especialmente los procesos de compresión y descompresión que requieren tiempos suficientes, tal y como ocurre en los trabajos realizados por los buzos o submarinistas.

2. La realización de este tipo de trabajos requiere la autorización previa de la Autoridad Laboral, que se solicitará dentro de los 3o días anteriores a su inicio.

— Artículo 3 Orden de 20 de enero de 1956.

3. En el exterior de las obras de construcción. Los trabajos con explosivos, así como los trabajos en cajones de aire comprimido se ajustarán a lo dispuesto en su normativa específica.

— Anexo IV. Parte C.12 RDSSTOC.

4. El tiempo de permanencia en el interior del cajón, la duración del trabajo, el tiempo de comprensión y el tiempo de descompresión, varían en función de la presión relativa a la que se trabaje.

— Artículo 27 y Anexo I Orden de 20 de enero de 1956.

— Artículo 30 RDJET.

5. Antes de ser admitido en los trabajos en aire comprimido e inmediatamente de la primera compresión todo trabajador será sometido a un reconocimiento médico previo, que dictaminará si el trabajador es apto o no físicamente para estas labores, y, consecuente con ello, el empresario admitirá o rechazará al aspirante.

— Artículo 21 Orden de 20 de enero de 1956.

6. En el exterior de las obras de construcción. Los trabajos con explosivos, así como los trabajos en cajones de aire comprimido se ajustarán a lo dispuesto en su normativa específica.

— Anexo IV. Parte C.12 RDSSTOC.

Véase: Presurizar. Ambiente hiperbárico. Cámaras hiperbáricas. Buceo. Trabajos con riesgos especiales. Trabajos subacuáticos. Trabajos en espacios confinados. Aviones. Tráfico aéreo. Trabajadores aéreos. Reconocimientos médicos previos: Obligatoriedad expresa. Trabajo off-shore. E.P. por descompresión atmosférica.

TRABAJOS EN CÁMARAS FRIGORÍFICAS

1. Trabajos realizados en instalaciones de frío artificial, que se destina a conservar alimentos u otros productos que podrían descomponerse a la temperatura ambiente.

2. Reducciones de la jornada de trabajo en trabajos en cámaras frigoríficas y de congelación.

— Artículo 31 RDJET.

Véase: Instalaciones frigoríficas. Estrés por frio.

TRABAJOS EN CANTERAS

1. Trabajos realizados en los lugares donde se saca piedra, greda u otra sustancia análoga para obras varias.

2. La vigilancia y control en materia de prevención de riesgos laborales en los trabajos de minas, canteras y túneles que exijan la aplicación de la técnica minera, la corresponde a los ingenieros de minas del Ministerio de Industria.

— Artículo 7 LPRL.

3. Los trabajadores ocupados en las actividades económicas y expuestos a los agentes o sustancias que a continuación se indican, pueden contraer una Enfermedad Profesional (E.P.), causada por inhalación de sustancias y agentes no comprendidos en otros apartados:

• Trabajos en minas, túneles, canteras, galerías, obras públicas, con exposición a la inhalación de polvo de sílice, que puede provocar silicosis. (Código 4A0101).

• Trabajos de tallado y pulido de rocas silíceas, trabajos de canterías con exposición a la inhalación de polvo de sílice, que puede provocar silicosis. (Código 4A0102).

Por ello, debe realizarse reconocimientos médicos previos y periódicos a dichos trabajadores, con la prohibición de no contratar a los calificados como no aptos para desempeñar los puestos de trabajo de que se trate.

— Artículo 243 LGSS, en relación con RDEP (Anexo I).

Véase: Minerales. Minería. Trabajos en minas.

TRABAJOS EN CENTROS MILITARES

Los trabajos en los centros y establecimientos militares será de aplicación lo dispuesto en la LPRL, con las particularidades previstas en su normativa específica.

— Artículo 3.3 y Disposición Adicional Novena LPRL.

— Artículo 1 y sig. RDSSCEM.

Véase: Centros militares. Trabajadores de orden público. Trabajadores de la policía. Trabajadores de la Guardia Civil. Trabajadores de protección civil. Trabajadores de las fuerzas armadas. E.P. infecciosas transmitidas por personas.

TRABAJOS EN CENTROS PENITENCIARIOS

Los trabajos en los establecimientos penitenciarios, se adaptarán a la LPRL, aquellas actividades cuyas características justifiquen una regulación especial, lo que se llevará a efecto en los términos señalados en la Ley 7/1990, de 19 de julio, sobre negociación colectiva y participación en la determinación de las condiciones de trabajo de los empleados públicos.

— Artículo 3.3 LPRL.

Véase: Trabajos en beneficio de la comunidad. Trabajo de los penados. Centros penitenciarios. E.P. infecciosas transmitidas por personas.

TRABAJOS EN CUCLILLAS

1. Trabajos realizados con el cuerpo doblado de suerte que las nalgas se acerquen al suelo o descansen en los calcañares.

2. Los trabajadores ocupados en las actividades económicas, y expuestos a los agentes o sustancias que a continuación se indican, pueden contraer una Enfermedad Profesional (E.P.), causada por agentes físicos:

• Trabajos en los que se produzca un apoyo prolongado y repetido de forma directa o indirecta sobre las correderas anatómicas que provocan lesiones nerviosas por compresión. Movimientos extremos de hiperflexión y de hiperextensión. Trabajos que requieran posición prolongada en cuclillas, como empedradores, soladores, colocadores de parqué, jardineros y similares, que pueden provocar la E.P. de síndrome de compresión ciática, por la exposición a posturas forzadas y/o movimientos repetitivos. (Código 2F0401).

• Trabajos que requieran posturas en hiperflexión de la rodilla en posición mantenida en cuclillas de manera prolongada como son: Trabajos en minas subterráneas, electricistas, soladores, instaladores de suelos de madera, fontaneros, que pueden provocar la E.P. de lesiones del menisco por la exposición a posturas forzadas y/o movimientos repetitivos. (Código 2G0101).

Por ello, debe realizarse reconocimientos médicos previos y periódicos a dichos trabajadores, con la prohibición de no contratar a los calificados como no aptos para desempeñar los puestos de trabajo de que se trate.

— Artículo 243 LGSS, en relación con RDEP (Anexo I).

Véase: Colocación de parquet. Soladores. Trabajos con posturas forzadas.

TRABAJOS EN CUEVAS DE FERMENTACIÓN

1. La fermentación es un proceso de oxidación incompleta que no requiere oxígeno y mediante la degradación de compuestos se obtiene un compuesto orgánico. Por ejemplo: Las levaduras fermentan los azúcares de la uva y los convierten en alcoholes en la producción de vino.

2. Los trabajadores ocupados en las actividades económicas, y expuestos a los agentes o sustancias que a continuación se indican, pueden contraer una Enfermedad Profesional (E.P.), causada por agentes biológicos:

• Trabajos en cuevas de fermentación, que pueden provocar una E.P. infecciosa (micosis, legionella y helmintiasis). (Código 3D0101).

• Trabajos subterráneos: minas, túneles, galerías, cuevas, con exposición a agentes biológicos que pueden provocar enfermedades infecciosas. (Código 3D0106).

Por ello, debe realizarse reconocimientos médicos previos y periódicos a dichos trabajadores, con la prohibición de no contratar a los calificados como no aptos para desempeñar los puestos de trabajo de que se trate.

— Artículo 243 LGSS, en relación con RDEP (Anexo I).

Véase: Cuevas. Trabajos de fermentación.

TRABAJOS EN DISCOTECAS

1. Trabajos realizados en el interior de los locales públicos donde sirven bebidas y se baila al son de música de discos.

2. Los trabajadores ocupados en las actividades económicas, y expuestos a los agentes o sustancias que a continuación se indican, pueden contraer una Enfermedad Profesional (E.P.), causada por agentes físicos:

• Salas de recreación (discotecas, etc.) donde los trabajadores esten expuestos a ruidos continuos y diarios de un nivel sonoro igual o superior a 80 decibelios A, que pueden contraerla E.P. de hipoacusia. (Código 2A0109).

Por ello, debe realizarse reconocimientos médicos previos y periódicos a dichos trabajadores, con la prohibición de no contratar a los calificados como no aptos para desempeñar los puestos de trabajo de que se trate.

— Artículo 243 LGSS, en relación con RDEP (Anexo I).

Véase: Ruido. Camareros. Discotecas.

TRABAJOS EN ESPACIOS CONFINADOS

1. Un recinto confinado es cualquier espacio con aberturas limitadas de entrada y salida y ventilación natural desfavorable, en el que pueden acumularse contaminantes tóxicos o inflamables, o tener una atmósfera deficiente en oxígeno, y que no está concebido para una ocupación continuada por parte del trabajador.

Los riesgos en estos espacios son múltiples, ya que además de la acumulación de sustancias tóxicas o inflamables y escasez de oxígeno se añaden los ocasionados por la estrechez, incomodidad dé posturas de trabajo, limitada iluminación, etc.

Otro aspecto a destacar es la amplificación de algunos riesgos como en el caso del ruido, muy superior al que un mismo equipo generaría en un espacio abierto, por la transmisión de las vibraciones.

— Artículo 22.bis.1 RPS.

— Nota Técnica de Prevención n.º 223/1988. INSST.

2. Espacios confinados en obras de construcción:

• En caso de que algunos trabajadores deban penetrar en una zona cuya atmósfera pudiera contener sustancias tóxicas o nocivas, o no tener oxígeno en cantidad suficiente o ser inflamable, la atmósfera confinada deberá ser controlada y se deberán adoptar medidas adecuadas para prevenir cualquier peligro.

• En ningún caso podrá exponerse a un trabajador a una atmósfera confinada de alto riesgo. Deberá, al menos, quedar bajo vigilancia permanente desde el exterior y deberán tomarse todas las debidas precauciones para que se le pueda prestar auxilio eficaz e inmediato.

— Anexo IV. Parte A.7 RDSSTOC.

3. Se exige la presencia en el lugar de trabajo de los recursos preventivos necesarios.

— Artículo 22 bis.1. RPS.

4. Síndrome tóxico por polvo orgánico (ODTS). Es una enfermedad aguda febril no alérgica, caracterizada por: fiebre, temblores, tos seca, opresión torácica, disnea, dolor de cabeza, dolores musculares y articulares, fatiga, náusea y malestar general. Los síntomas hacen pensar en la gripe, pero normalmente desaparecen al día siguiente.

Bajo este nombre se pueden englobar otras enfermedades tales como: las fiebres de los manipuladores de grano (síndrome de los silos), la bisinosis, la fiebre de los humidificadores y climatizadores, el síndrome de los poceros y otras fiebres inhalatorias.

Esta enfermedad es típica de trabajadores expuestos a niveles elevados de polvo orgánico normalmente en espacios confinados.

— Nota Técnica de Prevención n.º 802/2008. INSST.

> *Véase: Espacios cerrados. Túneles. Minería. Cuevas. Trabajos en minas. Trabajos con riesgos especiales. Trabajos en aislamiento. Trabajos en cajones de aire comprimido. Trabajos en excavaciones. Trabajos en pozos. Trabajos subterráneos. Trabajos en túneles. Trabajos en zanjas.*

TRABAJOS EN EXCAVACIONES

1. En el exterior de las obras de construcción.

a) Antes de comenzar los trabajos de movimientos de tierras, deberán tomarse medidas para localizar y reducir al mínimo los peligros debidos a cables subterráneos y demás sistemas de distribución.

b) En las excavaciones, pozos, trabajos subterráneos o túneles deberán tomarse las precauciones adecuadas:

• Para prevenir los riesgos de sepultamiento por desprendimiento de tierras, caídas de personas, tierras, materiales u objetos, mediante sistemas de entibación, blindaje, apeo, taludes u otras medidas adecuadas.

• Para prevenir la irrupción accidental de agua, mediante los sistemas o medidas adecuados.

• Para garantizar una ventilación suficiente en todos los lugares de trabajo de manera que se mantenga una atmósfera apta para la respiración que no sea peligrosa o nociva para la salud.

• Para permitir que los trabajadores puedan ponerse a salvo en caso de que se produzca un incendio o una irrupción de agua o la caída de materiales.

c) Deberán preverse vías seguras para entrar y salir de la excavación.

d) Las acumulaciones de tierras, escombros o materiales y los vehículos en movimiento deberán mantenerse alejados de las excavaciones o deberán tomarse las medidas adecuadas, en su caso mediante la construcción de barreras, para evitar su caída en las mismas o el derrumbamiento del terreno.

— Anexo IV. Parte C.9 RDSSTOC.

Véase: Trabajos en aislamiento. Trabajos en cajones de aire comprimido. Tra-bajos en espacios confinados. Trabajos en pozos. Trabajos subterráneos. Trabajos en túneles. Trabajos en zanjas. Retroexcavadora.

TRABAJOS EN HOSPITALES

1. Trabajo en establecimientos destinados al diagnóstico y tratamiento de enfermos, donde a menudo se practican la investigación y la docencia.

2. Carga mental en el trabajo hospitalario: Guía para su valoración.

— Nota Técnica de Prevención n.º 275/1991. INSST.

3. Hospitales: Protección contra incendios.

— Nota Técnica de Prevención n.º 282/1991. INSST.

4. Patógenos transmitidos por la sangre: Un riesgo laboral.

— Nota Técnica de Prevención n.º 398/1995. INSST.

5. Óxido de etileno: prevención de la exposición en hospitales.

— Nota Técnica de Prevención n.º 470/1997. INSST.

6. Prevención de la exposición a glutaraldehído en hospitales.

— Nota Técnica de Prevención n.º 506/1999. INSST.

7. Exposición ocupacional a medicamentos administrados en forma de aerosol. Riba-virina.

— Nota Técnica de Prevención n.º 519/1999. INSST.

8. Exposición laboral a medicamentos administrados en forma de aerosol: Pentami-dina.

— Nota Técnica de Prevención n.º 541/1991. INSST.

9. Exposición a agentes biológicos. La gestión de equipos de protección individual en centros sanitarios.

— Nota Técnica de Prevención n.º 572/2000. INSST.

10. Exposición laboral a gases anestésicos.

— Notas Técnicas de Prevención n.º 606/1991. 932, 933/2012. INSST.

11. Protección y promoción de la salud reproductiva: Funciones del personal sanitario del servicio de prevención.

— Notas Técnicas de Prevención n.º 413, 414/1996. 542/2000. 612/2003. INSST.

12. Riesgo biológico en el transporte de muestras y materiales infecciosos.

— Nota Técnica de Prevención n.º 628/2003. INSST.

13. Evaluación de la exposición laboral a aerosoles.

— Nota Técnica de Prevención n.º 731/2006. 764, 765/2007. 799, 800, 814/2008. INSST.

14. Exposición laboral a citostáticos en el ámbito sanitario.

— Nota Técnica de Prevención n.º 740/2006. INSST.

15. Ventilación general en hospitales.

— Nota Técnica de Prevención n.º 859/2010. INSST.

16. Prevención de la exposición a formaldehido.

— Nota Técnica de Prevención n.º 873/2010. 1075/2016. INSST.

17. Riesgo biológico: evaluación y prevención en trabajos con cultivos celulares.

— Nota Técnica de Prevención n.º 902/2011. INSST.

18. Evaluación del riesgo por manipulación manual de pacientes: Método MAPO.

— Nota Técnica de Prevención n.º 907/2011. INSST.

19. Imagen mediante Resonancia Magnética (I): Técnica, riesgos y medidas preventivas.

— Nota Técnica de Prevención n.º 1063/2015. INSST.

20. Formaldehido: Exposición en plantas de tratamiento mecánico biológico de residuos.

— Nota Técnica de Prevención n.º 1075/2016. INSST.

21. Gestión de residuos sanitarios. Recogida, transporte y almacenamiento.

— Notas Técnicas de Prevención n.º 372/1995. 838, 853/2009. 1075/2016. INSST.

Véase: Hospitales. Sanatorios. Radioterapia. Clínicas de radioterapia. Enfermeros. Trabajadores sanitarios. Trabajos con exposición a rayos X. E.P. infecciosas transmitidas por personas.

TRABAJOS EN IMPRENTA

1. Trabajos en talleres o lugares donde se imprime.

2. Los trabajadores ocupados en las actividades económicas, y expuestos a los agentes o sustancias que a continuación se indican, pueden contraer una Enfermedad Profesional (E.P.), causada por agentes físicos:

- Trabajos en imprenta rotativa en la industria gráfica, donde el trabajador este expuesto a ruidos continuos y diarios de un nivel sonoro igual o superior a 80 decibelios A, que puede contraer la E.P. de hipoacusia. (Código 2A0115).

Por ello, debe realizarse reconocimientos médicos previos y periódicos a dichos trabajadores, con la prohibición de no contratar a los calificados como no aptos para desempeñar los puestos de trabajo de que se trate.

— Artículo 243 LGSS, en relación con RDEP (Anexo I).

Véase: Industria gráfica. Litograbados.

TRABAJOS EN LA CONSTRUCCIÓN

1. Trabajos realizados en cualquier obra, pública o privada, en la que se efectúen trabajos de construcción o de ingeniería civil.

2. Los trabajadores ocupados en el sector de la construcción, y expuestos a los agentes o sustancias que a continuación se indican, pueden contraer una Enfermedad Profesional (E.P.), causada por agentes físicos:

- Trabajos que requieran habitualmente de una posición de rodillas mantenidas como son trabajos en minas, en la construcción, servicio doméstico, colocadores de parquet y baldosas, jardineros, talladores y pulidores de piedras, trabajadores agrícolas y similares, que pueden producir la E.P. de bursitis. (Código 2C0101).

Por ello, debe realizarse reconocimientos médicos previos y periódicos a dichos trabajadores, con la prohibición de no contratar a los calificados como no aptos para desempeñar los puestos de trabajo de que se trate.

— Artículo 243 LGSS, en relación con RDEP (Anexo I).

Véase: Albañiles. Construcción. Obra de construcción. Obras públicas. Trabajos en obras públicas.

TRABAJOS EN LOS TEJADOS

1. Trabajos realizados en la parte superior del edificio, cubierta comúnmente por tejas.

2. El acceso a techos o cubiertas que no ofrezcan suficientes garantías de resistencia solo podrá autorizarse cuando se proporcionen los equipos necesarios para que el trabajo pueda realizarse de forma segura.

— Anexo I. Punto A.1.2.º RDSSLT.

Véase: Plataformas de trabajo. Aberturas de las plataformas de trabajo. Caída de personas. Tejados con materiales ligeros.

TRABAJOS EN MINAS

1. Trabajos realizados en excavación que se hacen para extraer un mineral.

2. Reducción del tiempo de exposición por trabajos en el interior de las minas, trabajos subterráneos y trabajos en túneles.

— Artículos 25, 26, 27, 28 RDJET.

3. La vigilancia y control en materia de prevención de riesgos laborales en los trabajos de minas, canteras y túneles que exijan la aplicación de la técnica minera, la corresponde a los ingenieros de minas del Ministerio de Industria.

— Artículo 7 LPRL.

4. Los trabajadores ocupados en las actividades económicas, y expuestos a los agentes o sustancias que a continuación se indican, pueden contraer una Enfermedad Profesional (E.P.):

a) Causada por agentes físicos:

• Trabajos con martillos y perforadores neumáticos en minas, túneles y galerías subterráneas, donde el trabajador este expuesto a ruidos continuos y diarios de un nivel sonoro igual o superior a 80 decibelios A, que puede contraer la E.P. de hipoacusia. (Código 2A0105).

• Trabajos que requieran habitualmente de una posición de rodillas mantenidas como son trabajos en minas, en la construcción, servicio doméstico, colocadores de parquet y baldosas, jardineros, talladores y pulidores de piedras, trabajadores agrícolas y similares, que pueden producir la E.P. de bursitis. (Códigos 2C0101, 2C0201).

• Trabajos que requieran posturas en hiperflexión de la rodilla en posición mantenida en cuclillas de manera prolongada como son: Trabajos en minas subterráneas, electricistas, soladores, instaladores de suelos de madera, fontaneros, que pueden provocar la E.P. de lesiones del menisco por la exposición a posturas forzadas y/o movimientos repetitivos. (Código 2G0101).

b) Causada por inhalación de sustancias y agentes no comprendidos en otros apartados:

• Trabajos en minas, túneles, canteras, galerías, obras públicas, que pueden provocar la E.P. de silicosis, por la inhalación de polvo de sílice libre. (Código 4A0101).

• Trabajos que impliquen exposición a polvo de carbón, que pueden provocar neumoconiosis. (Código 4B0101).

• Trabajos de explotación de minas de hierro cuyo contenido en sílice sea prácticamente nulo, con exposición a la inhalación de polvos minerales (talco), que pueden provocar talcosis. (Código 4D0114).

• Trabajos de explotación de minas de hierro cuyo contenido en sílice sea prácticamente nulo, con exposición a la inhalación de polvos minerales (caolín), que pueden provocar silicocaolinosis. (Código 4D0214).

• Trabajos de explotación de minas de hierro cuyo contenido en sílice sea prácticamente nulo, con exposición a la inhalación de polvos minerales (otros silicatos naturales), que pueden provocar caolinosis y otras silicatosis. (Código 4D0302).

Por ello, debe realizarse reconocimientos médicos previos y periódicos a dichos trabajadores, con la prohibición de no contratar a los calificados como no aptos para desempeñar los puestos de trabajo de que se trate.

— Artículo 243 LGSS, en relación con RDEP (Anexo I).

Véase: Mineros. Espacios cerrados. Minería. Túneles. Cuevas. Trabajos en túneles. Trabajos subterráneos. Trabajos en espacios confinados. Trabajos en aislamiento. Trabajos en canteras. Reconocimientos médicos previos: Obligatoriedad expresa.

TRABAJOS EN NAVÍOS

1. Trabajos realizados en barcos de grandes dimensiones.

2. Los trabajadores ocupados en las actividades económicas, y expuestos a los agentes o sustancias que a continuación se indican, pueden contraer una Enfermedad Profesional (E.P.), causada por agentes físicos:

• Trabajos en salas de máquinas de navíos, donde el trabajador este expuesto a ruidos continuos y diarios de un nivel sonoro igual o superior a 80 decibelios A, que puede contraer la E.P. de hipoacusia. (Código 2A0106).

Por ello, debe realizarse reconocimientos médicos previos y periódicos a dichos trabajadores, con la prohibición de no contratar a los calificados como no aptos para desempeñar los puestos de trabajo de que se trate.

— Artículo 243 LGSS, en relación con RDEP (Anexo I).

Véase: Buque de pesca. Navíos. Gente del mar. Trabajador del mar. Armador. Capitán de buque. Pesca de altura. Pesca de arrastre. Pesca de bajura. Pesca de cerco. Reconocimientos médicos previos: Obligatoriedad expresa.

TRABAJOS EN OBRAS PÚBLICAS

1. Trabajos realizados en cualquier obra, pública o privada, en la que se efectúen trabajos de construcción o de ingeniería civil.

2. Los trabajadores ocupados en obras públicas, y expuestos a los agentes o sustancias que a continuación se indican, pueden contraer una Enfermedad Profesional (E.P.), causada por inhalación de sustancias y agentes no comprendidos en otros apartados:

• Trabajos en minas, túneles, canteras, galerías, obras públicas, con exposición a la inhalación de polvo de sílice, que puede provocar silicosis. (Código 4A0101).

Por ello, debe realizarse reconocimientos médicos previos y periódicos a dichos trabajadores, con la prohibición de no contratar a los calificados como no aptos para desempeñar los puestos de trabajo de que se trate.

— Artículo 243 LGSS, en relación con RDEP (Anexo I).

Véase: Albañiles. Construcción. Obra de construcción. Obras públicas. Trabajos en la construcción.

TRABAJOS EN PANTANOS

1. Trabajos realizados en terrenos hundidos de fondo más o menos cenagoso y abundante vegetación, donde las aguas se estancan de forma natural.

2. Los trabajadores ocupados en las actividades económicas, y expuestos a los agentes o sustancias que a continuación se indican, pueden contraer una Enfermedad Profesional (E.P.), causada por agentes biológicos:

• Trabajos en zonas húmedas y/o pantanosas: pantanos, arrozales, salinas, huertas, con exposición a agentes biológicos que pueden provocar enfermedades infecciosas. (Código 3D0107).

Por ello, debe realizarse reconocimientos médicos previos y periódicos a dichos trabajadores, con la prohibición de no contratar a los calificados como no aptos para desempeñar los puestos de trabajo de que se trate.

— Artículo 243 LGSS, en relación con RDEP (Anexo I).

Véase: Humedad. Zonas pantanosas. Trabajos en arrozales. Trabajos con humedad. Trabajos en salinas. Enfermedades infecciosas. Zonas endémicas. Zonas pantanosas. Bacterias. Virus. E.P. infecciosas. E.P. transmitidas por animales. E.P. transmitidas por personas. Pluses por trabajos penosos, tóxicos o peligrosos.

TRABAJOS EN POZOS

1. En el exterior de las obras de construcción:

a) Antes de comenzar los trabajos de movimientos de tierras, deberán tomarse medidas para localizar y reducir al mínimo los peligros debidos a cables subterráneos y demás sistemas de distribución.

b) En las excavaciones, pozos, trabajos subterráneos o túneles deberán tomarse las precauciones adecuadas:

• Para prevenir los riesgos de sepultamiento por desprendimiento de tierras, caídas de personas, tierras, materiales u objetos, mediante sistemas de entibación, blindaje, apeo, taludes u otras medidas adecuadas.

• Para prevenir la irrupción accidental de agua, mediante los sistemas o medidas adecuados.

• Para garantizar una ventilación suficiente en todos los lugares de trabajo de manera que se mantenga una atmósfera apta para la respiración que no sea peligrosa o nociva para la salud.

• Para permitir que los trabajadores puedan ponerse a salvo en caso de que se produzca un incendio o una irrupción de agua o la caída de materiales.

c) Deberán preverse vías seguras para entrar y salir de la excavación.

d) Las acumulaciones de tierras, escombros o materiales y los vehículos en movimiento deberán mantenerse alejados de las excavaciones o deberán tomarse las medidas adecuadas, en su caso mediante la construcción de barreras, para evitar su caída en las mismas o el derrumbamiento del terreno.

— Anexo IV. Parte C.9 RDSSTOC.

2. Se incumplió la normativa de prevención de riesgos laborales ante la caída de dos trabajadores en una fosa séptica, debida a la inhalación de gases procedentes de la misma, sin que existiese una medida de seguridad adecuada a esta situación, ni ningún procedimiento escrito donde constase el método de trabajo.

— SAP La Rioja 21.1.03.

Véase: Trabajos en aislamiento. Trabajos en cajones de aire comprimido. Trabajos en espacios confinados. Trabajos en excavaciones. Trabajos subterráneos. Trabajos en túneles. Trabajos en zanjas. Síndrome tóxico.

TRABAJO EN PROXIMIDAD

Trabajo durante el cual el trabajador entra, o puede entrar, en la zona de proximidad, sin entrar en la zona de peligro, bien sea con una parte de su cuerpo, o con las herramientas, equipos, dispositivos o materiales que manipula.

— Anexo I.12 RDSSTRE.

Véase: Zona de proximidad. Zona de trabajos en tensión. Zonas peligrosas.

TRABAJOS EN SALINAS

1. Trabajos en instalaciones donde se beneficia la sal de las aguas del mar o de ciertos manantiales, cuando se ha evaporado el agua.

2. Los trabajadores ocupados en las actividades económicas, y expuestos a los agentes o sustancias que a continuación se indican, pueden contraer una Enfermedad Profesional (E.P.), causada por agentes biológicos:

• Trabajos en zonas húmedas y/o pantanosas: pantanos, arrozales, salinas, huertas, con exposición a agentes biológicos que pueden provocar enfermedades infecciosas. (Código 3D0107).

Por ello, debe realizarse reconocimientos médicos previos y periódicos a dichos trabajadores, con la prohibición de no contratar a los calificados como no aptos para desempeñar los puestos de trabajo de que se trate.

— Artículo 243 LGSS, en relación con RDEP (Anexo I).

Véase: Humedad. Trabajos en arrozales. Trabajos con humedad. Trabajos en pantanos. Zonas pantanosas.

TRABAJOS EN TÚNELES

1. Trabajos realizados en vías subterráneas abiertas artificialmente para el paso de personas y vehículos.

2. Reducción del tiempo de exposición por trabajos en el interior de las minas, trabajos subterráneos y trabajos en túneles.

— Artículos 25, 26, 27, 28 RDJET.

3. La vigilancia y control en materia de prevención de riesgos laborales en los trabajos de minas, canteras y túneles que exijan la aplicación de la técnica minera, la corresponde a los ingenieros de minas del Ministerio de Industria.

— Artículo 7 LPRL.

4. En el exterior de las obras de construcción:

a) Antes de comenzar los trabajos de movimientos de tierras, deberán tomarse medidas para localizar y reducir al mínimo los peligros debidos a cables subterráneos y demás sistemas de distribución.

b) En las excavaciones, pozos, trabajos subterráneos o túneles deberán tomarse las precauciones adecuadas:

• Para prevenir los riesgos de sepultamiento por desprendimiento de tierras, caídas de personas, tierras, materiales u objetos, mediante sistemas de entibación, blindaje, apeo, taludes u otras medidas adecuadas.

• Para prevenir la irrupción accidental de agua, mediante los sistemas o medidas adecuados.

• Para garantizar una ventilación suficiente en todos los lugares de trabajo de manera que se mantenga una atmósfera apta para la respiración que no sea peligrosa o nociva para la salud.

• Para permitir que los trabajadores puedan ponerse a salvo en caso de que se produzca un incendio o una irrupción de agua o la caída de materiales.

c) Deberán preverse vías seguras para entrar y salir de la excavación.

d) Las acumulaciones de tierras, escombros o materiales y los vehículos en movimiento deberán mantenerse alejados de las excavaciones o deberán tomarse las medidas adecuadas, en su caso mediante la construcción de barreras, para evitar su caída en las mismas o el derrumbamiento del terreno.

— Anexo IV. Parte C.9 RDSSTOC.

5. Los trabajadores ocupados en las actividades económicas, y expuestos a los agentes o sustancias que a continuación se indican, pueden contraer una Enfermedad Profesional (E.P.):

a) Causada por agentes químicos:

• Incendios y explosiones (sobre todo en espacios cerrados, en los túneles y en las minas), donde se utilice óxido de carbono. (Código 1T0110).

b) Causada por agentes químicos:

• Trabajos con martillos y perforadores neumáticos en minas, túneles y galerías subterráneas, donde el trabajador este expuesto a ruidos continuos y diarios de un nivel sonoro igual o superior a 80 decibelios A, que puede contraer la E.P. de hipoacusia. (Código 2A0105).

c) Causada por agentes biológicos:

• Trabajos subterráneos: minas, túneles, galerías, cuevas, que pueden provocar una E.P. infecciosa (micosis, legionella y helmintiasis). (Código 3D0106).

d) Causada por inhalación de sustancias y agentes no comprendidos en otros apartados:

• Trabajos en minas, túneles, canteras, galerías, obras públicas, que pueden provocar la E.P. de silicosis, por la inhalación de polvo de sílice libre. (Código 4A0101).

e) Causada por agentes cancerígenos:

• Mantenimiento de redes eléctricas subterráneas, que contengan hidrocarburos aromáticos, que pueden provocar la E.P. de lesiones premalignas de piel (Código 6J0122), y/o E.P. de carcinoma de células escamosas (Código 6J0222).

Por ello, debe realizarse reconocimientos médicos previos y periódicos a dichos trabajadores, con la prohibición de no contratar a los calificados como no aptos para desempeñar los puestos de trabajo de que se trate.

— Artículo 243 LGSS, en relación con RDEP (Anexo I).

Véase: Espacios cerrados. Túneles. Minería. Cuevas. Trabajos en minas. Trabajos en aislamiento. Trabajos en cajones de aire comprimido. Trabajos en espacios confinados. Trabajos en excavaciones. Trabajos en pozos. Trabajos subterráneos. Trabajos en zanjas. E.P. nistagmus.

TRABAJOS EN ZANJAS

1. Se entiende por zanja una excavación larga y angosta realizada en el terreno. Con carácter general se deberá considerar peligrosa toda excavación que, en terrenos corrientes, alcance una profundidad de 0,80 m y 1,30 m en terrenos consistentes.

— Nota Técnica de Prevención n.º 278/1991. INSST.

2. Son obras de ejecución de construcción de acometidas de la red de agua potable; en este apartado también están incluidas las tareas realizadas para llevar a cabo la instalación de ramales incluyendo los trabajos de obra civil y el montaje necesario.

— Nota Técnica de Prevención n.º 820/2008. INSST.

Véase: Trabajos en aislamiento. Trabajos en cajones de aire comprimido. Trabajos en espacios confinados. Trabajos en excavaciones. Trabajos en pozos. Trabajos subterráneos. Trabajos en túneles.

TRABAJOS FEMINIZADOS

A lo largo del tiempo se ha considerado que ciertas actividades laborales se consideren más apropiadas para las mujeres, y otras más apropiadas para los hombres. Así, trabajos feminizados son aquellos en los que la presencia de la mujer es mayoritaria, como: limpieza, guarderías, agricultura, industria de la alimentación, lavanderías, peluquería, etc.

— Notas Técnicas de Prevención n.º 657, 658/2004. INSST.

Véase: Cuidado de personas. Trabajadores del servicio del hogar familiar. Residencias de mayores. Trabajadores sociales. Trabajos de voluntariado. E.P. infecciosas transmitidas por personas.

TRABAJOS INSALUBRES

1. Es considerado insalubre el trabajo que es dañoso para la salud de los trabajadores.

2. Procederá la limitación o reducción de los tiempos de exposición a riesgos ambientales especialmente nocivos en aquellos casos en que, pese a la observancia de la normativa legal aplicable, la realización de la jornada ordinaria de trabajo entrañe un riesgo especial para la salud de los trabajadores debido a la existencia de circunstancias excepcionales de penosidad, peligrosidad, insalubridad o toxicidad, sin que resulte posible la eliminación o reducción del riesgo mediante la adopción de otras medidas de protección o prevención adecuadas.

— Artículo 23.1 RDJET.

Véase: Actividades insalubres.

TRABAJOS PELIGROSOS

1. Trabajos que contienen la capacidad intrínseca de una actividad peligrosa o la potencialidad de una situación que puede ocasionar daños a los trabajadores.

2. Procederá la limitación o reducción de los tiempos de exposición a riesgos ambientales especialmente nocivos en aquellos casos en que, pese a la observancia de la normativa legal aplicable, la realización de la jornada ordinaria de trabajo entrañe un riesgo especial para la salud de los trabajadores debido a la existencia de circunstancias excepcionales de penosidad, peligrosidad, insalubridad o toxicidad, sin que resulte posible la eliminación o reducción del riesgo mediante la adopción de otras medidas de protección o prevención adecuadas.

— Artículo 23.1 RDJET.

Véase: Actividades peligrosas. Tiempo de trabajo: Resducción del tiempo de exposición. Pluses por trabajos penosos, tóxicos o peligrosos. Trabajos con explosivos. Trabajos con exposición a Rayos X. Trabajos con riesgos especiales. Trabajos con tensión. Zonas peligrosas.

TRABAJOS PENOSOS

1. Es considerado penoso un trabajo por la necesidad de utilizar permanentemente un equipo de protección individual, que produzca una situación permanente de aislamiento del trabajador (protectores auditivos).

— STS 6.10.95. 6.11.95.

— STSJ Valencia 18.6.08.

— STSJ Navarra 25.2.10.

2. No se considera penoso el trabajo cuando el nivel diario de exposición al ruido que soporta en trabajador en su puesto de trabajo, medido con los protectores auditivos puestos, solo alcanza los 54,6 decibelios.

— STS 25.11.09. 3.2.10.

3. Procederá la limitación o reducción de los tiempos de exposición a riesgos ambientales especialmente nocivos en aquellos casos en que, pese a la observancia de la normativa legal aplicable, la realización de la jornada ordinaria de trabajo entrañe un riesgo especial para la salud de los trabajadores debido a la existencia de circunstancias excepcionales de penosidad, peligrosidad, insalubridad o toxicidad, sin que resulte posible la eliminación o reducción del riesgo mediante la adopción de otras medidas de protección o prevención adecuadas.

— Artículo 23.1 RDJET.

4. Procede la reducción del tiempo de exposición en aquellas faenas del campo en las que concurran circunstancias de especial penosidad derivadas de condiciones anormales de temperatura o humedad, la jornada ordinaria no podrá exceder de seis horas y veinte minutos diarios y treinta y ocho horas semanales de trabajo efectivo.

En las faenas que hayan de realizarse teniendo el trabajador los pies en agua o fango y en las de cava abierta, entendiendo por tales las que se realicen en terrenos que no estén previamente alzados, la jornada ordinaria no podrá exceder de seis horas diarias y treinta y seis semanales de trabajo efectivo.

— Artículo 24 RDJET.

Véase: Tiempo de trabajo: Reducción del tiempo de exposición. Pluses por trabajos penosos, tóxicos o peligrosos. Actividades molestas. Trabajos con aparatos vibradores. Trabajos con martillos neumáticos. Trabajos de alcantarillado. Trabajos con humedad. Trabajos en pantanos.

TRABAJOS POR SISTEMA DE INCENTIVOS

Los trabajadores con riesgo de exposición al amianto no podrán realizar horas extraordinarias ni trabajar por sistema de incentivos en el supuesto de que su actividad laboral exija sobreesfuerzos físicos, posturas forzadas o se realice en ambientes calurosos determinantes de una variación de volumen de aire inspirado.

— Artículo 7 RDSSRA.

Véase: Amianto. Trabajadores nocturnos. Trabajo a turnos.

TRABAJOS SIN TENSIÓN

Trabajos en instalaciones eléctricas que se realizan después de haber tomado todas las medidas necesarias para mantener la instalación sin tensión.

— Anexo I.6 RDSSTRE.

Véase: Riesgo eléctrico. Corriente eléctrica. Corriente de contacto. Corriente de puesta a tierra. Instalación eléctrica. Instalaciones de distribución de energía. Instalaciones de puesta a tierra. Trabajos con tensión. Zona de trabajos en tensión. Soldadura eléctrica al arco.

TRABAJOS SUBACUÁTICOS

1. Trabajos realizados bajo en agua.

2. Los trabajadores ocupados en las actividades económicas, y expuestos a los agentes o sustancias que a continuación se indican, pueden contraer una Enfermedad Profesional (E.P.), causada por agentes físicos:

• Trabajos subacuáticos en operadores de cámaras submarinas hiperbáricas con escafandra o provistos de equipos de buceo autónomo, que pueden producir E.P. provocadas por compresión o descompresión atmosférica. (Código 2H0101).

Por ello, debe realizarse reconocimientos médicos previos y periódicos a dichos trabajadores, con la prohibición de no contratar a los calificados como no aptos para desempeñar los puestos de trabajo de que se trate.

— Artículo 243 LGSS, en relación con RDEP (Anexo I).

Véase: Ambiente hiperbárico. Cámaras hiperbáricas. Buceo. Trabajos con riesgos especiales. Trabajos en cajones de aire comprimido. Trabajos en espacios confinados. Trabajo off-shore.

TRABAJOS SUBTERRÁNEOS

1. Trabajos realizados en lugares o espacios que está debajo de tierra.

2. Reducción del tiempo de exposición por trabajos en el interior de las minas, trabajos subterráneos y trabajos en túneles.

— Artículos 25, 26, 27, 28 RDJET.

3. En el exterior de las obras de construcción:

a) Antes de comenzar los trabajos de movimientos de tierras, deberán tomarse medidas para localizar y reducir al mínimo los peligros debidos a cables subterráneos y demás sistemas de distribución.

b) En las excavaciones, pozos, trabajos subterráneos o túneles deberán tomarse las precauciones adecuadas:

• Para prevenir los riesgos de sepultamiento por desprendimiento de tierras, caídas de personas, tierras, materiales u objetos, mediante sistemas de entibación, blindaje, apeo, taludes u otras medidas adecuadas.

• Para prevenir la irrupción accidental de agua, mediante los sistemas o medidas adecuados.

• Para garantizar una ventilación suficiente en todos los lugares de trabajo de manera que se mantenga una atmósfera apta para la respiración que no sea peligrosa o nociva para la salud.

• Para permitir que los trabajadores puedan ponerse a salvo en caso de que se produzca un incendio o una irrupción de agua o la caída de materiales.

c) Deberán preverse vías seguras para entrar y salir de la excavación.

d) Las acumulaciones de tierras, escombros o materiales y los vehículos en movimiento deberán mantenerse alejados de las excavaciones o deberán tomarse las medidas adecuadas, en su caso mediante la construcción de barreras, para evitar su caída en las mismas o el derrumbamiento del terreno.

— Anexo IV. Parte C.9 RDSSTOC.

— Artículo 200 CCGC.

4. Los trabajadores ocupados en las actividades económicas, y expuestos a los agentes o sustancias que a continuación se indican, pueden contraer una Enfermedad Profesional (E.P.):

a) Causada por agentes químicos:

• Trabajos subterráneos, donde se utilice ácido sulfhídrico. (Código 1D0304).

b) Causada por agentes físicos:

• Trabajos con martillos y perforadores neumáticos en minas, túneles y galerías subterráneas, donde el trabajador este expuesto a ruidos continuos y diarios de un nivel sonoro igual o superior a 80 decibelios A, que puede contraer la E.P. de hipoacusia. (Código 2A0105).

c) Causada por agentes biológicos:

• Trabajos subterráneos: minas, túneles, galerías, cuevas, que pueden provocar una E.P. infecciosa (micosis, legionella y helmintiasis). (Código 3D0106).

Por ello, debe realizarse reconocimientos médicos previos y periódicos a dichos trabajadores, con la prohibición de no contratar a los calificados como no aptos para desempeñar los puestos de trabajo de que se trate.

— Artículo 243 LGSS, en relación con RDEP (Anexo I).

Véase: Espacios cerrados. Túneles. Mineria. Cuevas. Trabajos en minas. Trabajos en aislamiento. Trabajos en cajones de aire comprimido. Trabajos en espacios confinados. Trabajos en excavaciones. Trabajos en pozos. Trabajos en túneles. Trabajos en zanjas. Trabajos en aislamiento.

TRABAJOS TÓXICOS

1. Trabajos realizados en ambientes o con sustancias que contienen veneno o producen envenenamiento.

2. Procederá la limitación o reducción de los tiempos de exposición a riesgos ambientales especialmente nocivos en aquellos casos en que, pese a la observancia de la normativa legal aplicable, la realización de la jornada ordinaria de trabajo entrañe un riesgo especial para la salud de los trabajadores debido a la existencia de circunstancias excepcionales de penosidad, peligrosidad, insalubridad o toxicidad, sin que resulte posible la eliminación o reducción del riesgo mediante la adopción de otras medidas de protección o prevención adecuadas.

— Artículo 23.1 RDJET.

Véase: Tiempo de trabajo: Reducción del tiempo de exposición. Pluses por trabajos penosos, tóxicos o peligrosos. Trabajos con riesgos especiales.

TRABAJOS VERTICALES

1. Los trabajos verticales son técnicas para trabajar en altura que se basan en la utilización de cuerdas, anclajes y aparatos de progresión para acceder a objetos naturales (árboles), subsuelo (pozos), construcciones (edificios, diques, puentes, etc.), junto con todos los accesorios incorporados a las mismas para la realización de algún tipo de trabajo.

La utilización de las técnicas de trabajos verticales, es aconsejable en aquellos trabajos donde el montaje de sistemas tradicionales (por ej. andamios), resulta dificultoso técnicamente o presentan un riesgo mayor que realizarlo con dichas técnicas con independencia de que la duración de muchos de estos trabajos, hace que económicamente no sean rentables.

— Notas Técnicas de Prevención n.º 682, 683, 684/2005. INSST.

Véase: Trabajos en altura. Caída de personas. Andamios colgados móviles.

TRACTORES

1. Todo vehículo agrícola o forestal de ruedas u orugas, de motor, con dos ejes al menos y una velocidad máxima de fabricación igual o superior a 6 km/h, cuya función resida fundamentalmente en su potencia de tracción y que esté especialmente concebido para arrastrar, empujar, transportar y accionar determinados equipos intercambiables destinados a usos agrícolas o forestales, o arrastrar remolques o equipos agrícolas o forestales; puede ser adaptado para transportar cargas en faenas agrícolas o forestales y estar equipado con uno o varios asientos de pasajeros.

— Artículo 3.8 Reglamento (UE) n.º 167, de 5 de febrero de 2013.

2. Causas más frecuentes de vuelco de los tractores:

- Falta de adiestramiento el conductor.
- Falta de mantenimiento adecuado del tractor.

— Notas Técnicas de Prevención n.º 259/1989. 1986, 1087/2017. INSST.

3. Los tractores deben disponer de estructura de protección en caso de vuelco y cinturones de seguridad. Los fabricantes se aseguraran que los tractores cumplan los requisitos relativos a la seguridad laboral

— Artículo 18 del Reglamento (UE) n.º 167, de 5 de febrero de 2013.

Véase: Pala cargadora. Dumper. Bulldozer. Equipo intercambiable. Remolques.

TRÁFICO AÉREO

1. Movimiento o tránsito de personas y mercancías a través de aeronaves.

2. Los trabajadores ocupados en las actividades económicas, y expuestos a los agentes o sustancias que a continuación se indican, pueden contraer una Enfermedad Profesional (E.P.), causada por agentes físicos:

- Tráfico aéreo (personal de tierra, mecánicos y personal de navegación, de aviones a reacción, etc.), donde los trabajadores estén expuestos a ruidos continuos y diarios de un nivel sonoro igual o superior a 80 decibelios A, que pueden contraer la E.P. de hipoacusia. (Código 2A0107).
- Deficiencia mantenida de los sistemas de presurización durante vuelos de gran altitud, que pueden producir una E.P. provocada por compresión o descompresión atmosférica. (Código 2H0103).

Por ello, debe realizarse reconocimientos médicos previos y periódicos a dichos trabajadores, con la prohibición de no contratar a los calificados como no aptos para desempeñar los puestos de trabajo de que se trate.

— Artículo 243 LGSS, en relación con RDEP (Anexo I).

Véase: Trabajos de tráfico aéreo. Aviones. Ruido. Presurizar. Trabajadores aéreos. Trabajadores de aeropuertos. Motores de aviación. Motores reactores.

TRÁFICO URBANO

1. Consiste en la circulación, movimiento o tránsito de vehículos.

2. Los trabajadores ocupados en las actividades económicas, y expuestos a los agentes o sustancias que a continuación se indican, pueden contraer una Enfermedad Profesional (E.P.), causada por agentes químicos:

- Tráfico urbano, instalaciones de incineración. Industria petrolera, industria química, donde los trabajadores pueden estar expuestos al óxido de carbono. (Código 1T0113).

Por ello, debe realizarse reconocimientos médicos previos y periódicos a dichos trabajadores, con la prohibición de no contratar a los calificados como no aptos para desempeñar los puestos de trabajo de que se trate.

— Artículo 243 LGSS, en relación con RDEP (Anexo I).

Véase: Óxidos de carbono.

TRANSFORMADORES

1. Aparatos que sirven para convertir la corriente alterna de alta tensión y débil intensidad en otra de baja tensión y gran intensidad, o viceversa.

2. Los trabajadores ocupados en las actividades económicas, y expuestos a los agentes o sustancias que a continuación se indican, pueden contraer una Enfermedad Profesional (E.P.), causada por agentes químicos:

• Fabricación de transformadores, condensadores, aislamiento de cables y de hilos eléctricos, donde se utilicen derivados halogenados de hidrocarburos aromáticos. (Código 1K0506).

• Utilización de policlorobifenilos (PCBs) (organoclorados) como constituyente de fluidos dieléctricos en condensadores y transformadores, fluidos hidráulicos, aceites lubricantes, plaguicidas o aditivos en plastificantes y pinturas, etc. (Código 1S0201).

Por ello, debe realizarse reconocimientos médicos previos y periódicos a dichos trabajadores, con la prohibición de no contratar a los calificados como no aptos para desempeñar los puestos de trabajo de que se trate.

— Artículo 243 LGSS, en relación con RDEP (Anexo I).

Véase: Corriente eléctrica. Corriente alterna. Rectificadores.

TRANSPALETA

Véase: Carretillas manuales.

TRANSPORTE DE ANIMALES

1. Sistema de medios para conducir animales de un lugar a otro.

2. Los trabajadores ocupados en las actividades económicas, y expuestos a los agentes o sustancias que a continuación se indican, pueden contraer una Enfermedad Profesional (E.P.), causada por agentes biológicos:

• Personal de cuidado, recogida, cría y transporte de animales, que pueden contraer una E.P. infecciosa transmitida por animales (o por sus productos y cadáveres). (Código 3B0113).

Por ello, debe realizarse reconocimientos médicos previos y periódicos a dichos trabajadores, con la prohibición de no contratar a los calificados como no aptos para desempeñar los puestos de trabajo de que se trate.

— Artículo 243 LGSS, en relación con RDEP (Anexo I).

Véase: Avicultores. Ganaderos. Granjas. Granjeros. Granjas de ganado vacuno. Curtidores. Curtidos. Carniceros. Matarifes. Mataderos. Pastores. Trabajos con animales. Comercio de animales. Veterinarios. Entomólogos. Zoonosis. Zoológicos. Transportes por carretera. Transporte de mercancías. Tractores. Remolques.

TRANSPORTE DE MATERIAS RADIACTIVAS

1. Transporte de materias que tienen la propiedad de ciertos cuerpos cuyos átomos, al desintegrarse espontáneamente, emiten radiaciones, y cuya unidad de medida en el sistema internacional es el becquerel.

2. Los trabajadores ocupados en las actividades económicas, y expuestos a los agentes o sustancias que a continuación se indican, pueden contraer una Enfermedad Profesional (E.P.):

a) Causada por agentes físicos:

• Transporte de materias radiactivas, que puede producir una E.P. provocada por radiaciones ionizantes. (Código 2I0113).

b) Causada por agentes cancerígenos:

• Transporte de materias radiactivas, que pueden provocar la E.P. de síndrome linfo y mieloproliferativos. (Código 6N0113).

• Transporte de materias radiactivas, que puede provocar la E.P. de carcinoma epidermoide de piel. (Código 6N0213).

Por ello, debe realizarse reconocimientos médicos previos y periódicos a dichos trabajadores, con la prohibición de no contratar a los calificados como no aptos para desempeñar los puestos de trabajo de que se trate.

— Artículo 243 LGSS, en relación con RDEP (Anexo I).

Véase: Automóviles. Conducción. Conducción en equipo. Conductor. Vehículos. Vehículos eléctricos híbridos. Conductores de automóviles. Transporte por carretera. Transporte de mercancías. Transporte de mercancías peligrosas. Materiales radiactivos. Residuos radiactivos. Transporte de animales. Tractores. Remolques.

TRANSPORTE DE MERCANCÍAS PELIGROSAS

1. Tanto los vehículos de transporte de mercancías peligrosas por carretera, como las materias transportadas deben de estar perfectamente señalizadas, de forma que las mismas y sus peligros puedan ser fácilmente identificables. Así, estos medios de transporte deben llevar obligatoriamente:

• Panel naranja de los contenedores, CGEM (contenedor de gas con elementos múltiples), contenedores cisterna, cisternas portátiles y vehículos.
• Marcado y Etiquetado de Bultos (capítulo 5.2 del ADR/07).
• Etiquetado (placas-etiquetas) de los contenedores, CGEM, contenedores cisterna, cisternas portátiles y vehículos.

— Notas Técnicas de Prevención n.º 309/1993. 786/2008. INSST.

2. Transporte de sustancias infecciosas. Se ha de cumplir con una estricta normativa internacional y nacional de cara a evitar el uso de embalajes defectuosos o el deterioro de los mismos, con el consiguiente riesgo para los trabajadores que los manipulan y para el público en general. Como norma general, está prohibido el envío de materias infecciosas sin identificar y las compañías aéreas prohíben rigurosamente transportar a mano materiales infecciosos, así como su envío por valija diplomática.

— Nota Técnica de Prevención n.º 628/2003. INSST.

3. La vigilancia y control en materia de prevención de riesgos laboarales, en los trabajos de fabricación, transporte, almacenamiento, manipulación y utilización de explosivos, corresponde al Cuerpo Técnico de Inspección del Transporte Terrestre.

— Artículo 7 LPRL.

4. Los trabajadores ocupados en las actividades económicas, y expuestos a los agentes o sustancias que a continuación se indican, pueden contraer una Enfermedad Profesional (E.P.), causada por inhalación de sustancias y agentes no comprendidos en otros apartados:

• Carga, descarga o transporte de mercancías que pudieran contener fibras de amianto, que pueden provocar las E.P. de asbestosis (Código 4C0108) y/o afecciones fibrosantes de la pleura y pericardio (Código 4C0208), provocadas por la inhalación de polvo de amianto (asbesto).

Por ello, debe realizarse reconocimientos médicos previos y periódicos a dichos trabajadores, con la prohibición de no contratar a los calificados como no aptos para desempeñar los puestos de trabajo de que se trate.

— Artículo 243 LGSS, en relación con RDEP (Anexo I).

Véase: Automóviles. Conducción. Conducción en equipo. Conductor. Vehículos. Vehículos eléctricos híbridos. Conductores de automóviles. Transporte por carretera. Transporte de mercancías. Transporte de materias radiactivas. Cisternas. Tanques. Líquidos inflamables. Transporte de animales. Tractores. Remolques. Plan de seguridad laboral vial.

TRANSPORTE DE MERCANCÍAS

1. Se considera lugar de trabajo para los trabajadores móviles:

• El lugar donde está ubicado el establecimiento principal de la empresa para la que trabaja la persona que realiza actividades móviles de transporte por carretera, y sus diversos establecimientos secundarios, coincidan o no con su domicilio social o su establecimiento principal.

• El vehículo que utiliza la persona que realiza actividades móviles de transporte por carretera cuando realiza su trabajo.

• Cualquier otro lugar donde se llevan a cabo las actividades relacionadas con la ejecución del transporte.

— Artículo 2.c Directiva 2002/15/CE, de 11 marzo, relativa a la ordenación del tiempo de trabajo de las personas que realizan actividades móviles de transporte por carretera.

Véase: Automóviles. Conducción. Conducción en equipo. Conductor. Vehículos. Masa máxima autorizada. Vehículos eléctricos híbridos. Conductores de automóviles. Transporte por carretera. Transporte de mercancías peligrosas. Transporte de materias radiactivas. Cisternas. Tanques. Transporte de animales. Tractores. Remolques.

TRANSPORTE MANUAL DE CARGAS

Véase: Manipulación manual de cargas.

TRANSPORTE POR CARRETERA

Todo desplazamiento realizado total o parcialmente por una carretera abierta al público de un vehículo, vacío o con carga, destinado al transporte de viajeros o de mercancías.

— Artículo 4.a Reglamento (CE) n.º 561/2006, de 15 de marzo de 2006.

Véase: Automóviles. Conducción. Conducción en equipo. Conductor. Trabajador móvil. Vehículos. Masa máxima autorizada. Vehículos eléctricos híbridos. Conductores de automóviles. Transporte de mercancías. Transporte de mercancías peligrosas. Transporte de materias radiactivas. Transporte de animales. Cisternas. Tanques. Tractores. Remolques. Plan de seguridad laboral vial.

TRATAMIENTOS ELECTROLÍTICOS

1. Los tratamientos electrolíticos se pueden resumir en tres tipos principales:

- Electropulido.
- Recubrimiento metálico electrolítico.
- Recubrimiento por oxidación electrolítica (anodizado). El fundamento de todos ellos consiste en la introducción de las piezas metálicas en un baño compuesto por determinados productos (electrolito) y por el que, al circular una corriente eléctrica continua, produce reacciones electroquímicas controladas que consiguen variar la superficie metálica para dotarla de propiedades deseadas.

En el electropulido, la pieza actúa como ánodo y el baño está compuesto generalmente de ácidos inorgánicos concentrados, como el sulfúrico, clorhídrico, perclórico, fosfórico y crómico.

El recubrimiento metálico electrolítico consiste en la deposición sobre la pieza de iones metálicos para otorgarle protección o con fines decorativos.

— Nota Técnica de Prevención n.º 265/1991. INSST.

Véase: Metales. Anodizado. Aluminio. Galvanoplastia. Electrodeposición. Electrólisis.

TÚNELES

1. Vías subterráneas abiertas artificialmente para el paso de personas y vehículos. Instalaciones cubiertas y alargadas que comunican dos puntos y sirve para distintos fines.

2. La vigilancia y control en materia de prevención de riesgos laborales en los trabajos de minas, canteras y túneles que exijan la aplicación de la técnica minera, la corresponde a los ingenieros de minas del Ministerio de Industria.

— Artículo 7 LPRL.

3. Los trabajadores ocupados en las actividades económicas, y expuestos a los agentes o sustancias que a continuación se indican, pueden contraer una Enfermedad Profesional (E.P.):

a) Causada por agentes químicos:

- Incendios y explosiones (sobre todo en espacios cerrados, en los túneles y en las minas), por la exposición a los óxidos de carbono. (Código 1T0110).

b) Causada por agentes físicos:

- Trabajos con martillos y perforadores neumáticos en minas, túneles y galerías subterráneas, donde el trabajador este expuesto a ruidos continuos y diarios de un nivel sonoro igual o superior a 80 decibelios A, que puede contraer la E.P. de hipoacusia. (Código 2A0105).

c) Causada por agentes biológicos:

• Trabajos subterráneos: minas, túneles, galerías, cuevas, que pueden provocar una E.P. infecciosa (micosis, legionella y helmintiasis), por la exposición a agentes biológicos durante el trabajo. (Código 3D0106).

d) Causada por inhalación de sustancias y agentes no comprendidos en otros apartados:

• Trabajos en minas, túneles, canteras, galerías, obras públicas, que pueden provocar la E.P. de silicosis, por la inhalación de polvo de sílice libre. (Código 4A0101).

Por ello, debe realizarse reconocimientos médicos previos y periódicos a dichos trabajadores, con la prohibición de no contratar a los calificados como no aptos para desempeñar los puestos de trabajo de que se trate.

— Artículo 243 LGSS, en relación con RDEP (Anexo I).

Véase: Cuevas. Minería. Trabajos en túneles. Trabajos en minas. Trabajos subterráneos. Trabajos en espacios confinados.

TUNGSTENO

1. Elemento químico metálico, de color gris acerado, muy duro y denso, con el punto de fusión más elevado de todos los elementos y usado en los filamentos de las lámparas incandescentes, en resistencias eléctricas, y aleado con el acero, en la fabricación de herramientas. Otro nombre del tungsteno, es el de wolframio.

2. Los trabajadores ocupados en las actividades económicas, y expuestos a los agentes o sustancias que a continuación se indican, pueden contraer una Enfermedad Profesional (E.P.), causada por inhalación de sustancias y agentes no comprendidos en otros apartados:

• Trabajos en los que exista la posibilidad de inhalación de metales sinterizados, compuestos de carburos metálicos de alto punto de fusión y metales de ligazón de bajo punto de fusión (Los carburos metálicos más utilizados son los de titanio, vanadio, cromo, molibdeno, tungsteno y wolframio; como metales de ligazón se utilizan hierro, níquel y cobalto), que pueden provocar las E.P. de neumoconiosis o de siderosis. (Códigos 4E0101, 4E0201).

• Trabajos de mezclado, tamizado, moldeado y rectificado de carburos de tungsteno, titanio, tantalio, vanadio y molibdeno aglutinados con cobalto, hierro y níquel, con exposición a la inhalación de metales sintetizados, que pueden provocar la la E.P. de neumoconiosis, por inhalación de metales sintetizados y de metales de ligazón, que pueden provocar las E.P. de neumoconiosis o de siderosis. (Códigos 4E0102, 4E0202).

Por ello, debe realizarse reconocimientos médicos previos y periódicos a dichos trabajadores, con la prohibición de no contratar a los calificados como no aptos para desempeñar los puestos de trabajo de que se trate.

— Artículo 243 LGSS, en relación con RDEP (Anexo I).

Véase: Lámparas de incandescencia.

TURBINAS EÓLICAS
Véase: Aerogeneradores.

U

ULTRASONIDOS

1. El oído humano es capaz de detectar los sonidos comprendidos en un margen de frecuencia entre 20 y 20.000 Hz. Los sonidos emitidos en un rango superior al ya citado y que no son percibidos por el oído humano se denominan ultrasonidos.

Los efectos que pueden producir una exposición a ultrasonidos pueden diferenciarse en función de cuál sea su vía de transmisión:

• Por contacto, principalmente manifestada en las manos, en las operaciones de limpieza y desengrase. Pueden producir alteraciones funcionales del sistema nervioso, dolores de cabeza, vértigo, fatiga, calentamiento de la piel y de los huesos y destrucción de las propias células por un fenómeno de cavitación.

• Por vía aérea tanto en las operaciones señaladas como en el resto de la mayoría de operaciones de uso industrial. Pueden producir efectos biológicos que se manifiestan en el desarrollo anormal de las células, efectos hematológicos, efectos genéticos y sobre el sistema nervioso, con una sintomatología semejante a la manifestada en la exposición por contacto.

Los ultrasonidos los podemos encontrar entre otras, en las actividades de soldadura de plásticos y/o metales, de limpieza industrial y desengrase, etc.

— Nota Técnica de Prevención n.º 205/1988. INSST.

Véase: Soldadura y oxicorte. Limpieza.

UREA

1. Producto nitrogenado que constituye la mayor parte de la materia orgánica contenida en la orina de los vertebrados terrestres.

2. Los trabajadores ocupados en las actividades económicas, y expuestos a los agentes o sustancias que a continuación se indican, pueden contraer una Enfermedad Profesional (E.P.), causada por agentes químicos:

• <u>Fabricación de ácido nítrico y otros reactivos químicos como ácido sulfúrico, cianuros, amidas, urea, sosa, nitritos e intermediarios de colorantes, donde se utilice amoniaco.</u> (Código 1J0108).

Por ello, debe realizarse reconocimientos médicos previos y periódicos a dichos trabajadores, con la prohibición de no contratar a los calificados como no aptos para desempeñar los puestos de trabajo de que se trate.

— Artículo 243 LGSS, en relación con RDEP (Anexo I).

Véase: Ácido nítrico. Amoniaco.

URGENCIA

Véase: Emergencia.

USUARIO INTERMEDIO

Es toda persona física o jurídica establecida en la Comunidad, distinta del fabricante o el importador, que use una sustancia, como tal o en forma de mezcla, en el transcurso de sus actividades industriales o profesionales. Los distribuidores o los consumidores no son usuarios intermedios. Los usuarios intermedios pueden ser formuladores, usuarios finales, fabricantes de artículos, trasvasadores, etc.

— Reglamento (CE) 1907/2006 sobre el registro, la evaluación, la autorización y la restricción de sustancias y preparados químicos.

Véase: Fabricantes. Importadores. Distribuidores.

V

VACUNACIÓN

Producción de inmunidad en un individuo por medios artificiales. La inmunización activa (vacunación) consiste en introducir, tanto por vía oral como por inyección (inoculación) una bacteria, virus o sus toxinas especialmente tratadas, de forma que estimulan la producción de anticuerpos. La inmunización pasiva está inducida por la inyección de anticuerpos ya formados.

— Notas Técnicas de Prevención n.º 384/1995. 636/2003. INSST.

Véase: Agentes biológicos. Bacterias. Virus.

VALORES LÍMITE AL AMIANTO

Los valores límite establecidos para las fibras minerales artificiales de amianto tienen en cuenta su clasificación en la lista de sustancias peligrosas. Se han añadido valores límite para otras fibras de forma que se puedan medir las concentraciones ambientales en número de fibras respirables. Solamente en el caso de fibras no respirables o fibras biosolubles se pueden considerar como partículas no clasificadas y mantener la medida de las concentraciones gravimétricas.

— Notas Técnicas de Prevención n.º 641, 642/2003. INSST.

Véase: Amianto. Asbesto.

VALORES LÍMITE AMBIENTALES: EXPOSICIÓN DE CORTA DURACIÓN

1. Es el valor de referencia para la exposición de corta duración, definido como la concentración media del agente químico en la zona de respiración del trabajador, medida o calculada para cualquier período de 15 minutos a lo largo de la jornada laboral, excepto para aquellos agentes químicos para los que se especifique un período de referencia inferior, en la lista de Valores Límite.

Este valor no debe ser superado por ninguna exposición corta a lo largo de la jornada laboral.

— Nota Técnica de Prevención n.º 583/2001. INSST.

2. El valor límite de corta exposición puede producir efectos agudos por la exposición de los trabajadores en operaciones de carga o descarga de corta duración, por ello, lo más apropiado sería un valor límite para períodos exposición de 10 ó 15 minutos.

— Nota Técnica de Prevención n.º 724/2006. INSST.

3. Los TLV-STEL: Límites de exposición para cortos períodos de tiempo. Es una de las tres categorías que incluyen los TLV americanos.

Son concentraciones medias ponderadas para períodos de 15 minutos a las que pueden estar expuestos los trabajadores, durante cualquier período continuo de esta duración en el transcurso de la jornada de trabajo, sin sufrir una irritación intolerable, un cambio crónico o irreversible en los tejidos o una narcosis en grado suficiente como para que se incremente la predisposición al accidente, se dificulten las reacciones de defensa o se reduzcan más de 4 de estas situaciones por día, estando espaciadas como mínimo en 60 minutos y no excediéndose el TLV-TWA diario.

— Nota Técnica de Prevención n.º 108/1984. INSST.

Véase: Límites de exposición profesional. Valores límite. Valores límite ambientales. Valores límite ambientales: Exposición diaria. Valores límite ambientales:

Valores límite techo. Valores límite biológicos. Valores límite cancerígenos. Valores límite de radiaciones ópticas. Valores límite americanos.

VALORES LÍMITE AMBIENTALES: EXPOSICIÓN DIARIA

1. Es el valor de referencia para la exposición diaria, definido como la concentración media del agente químico en la zona de respiración del trabajador medida, o calculada de forma ponderada con respecto al tiempo, para la jornada laboral real y referida a una jornada estándar de 8 horas diarias.

Representan condiciones a las cuales se cree, basándose en los conocimientos actuales, que la mayoría de los trabajadores pueden estar expuestos 8 horas diarias y 40 semanales, durante toda su vida laboral, sin sufrir efectos adversos para su salud.

Este valor no debe ser superado en la exposición diaria. Cuando se trate de un agente químico con un período de inducción largo o bien existan variaciones sistemáticas entre distintas jornadas, puede resultar aceptable una valoración de base semanal.

— Nota Técnica de Prevención n.º 583/2001. INSST.

2. Valor límite media ponderada en el tiempo, es una de las tres categorías que incluyen los TLV americanos. Se trata de concentraciones medias ponderadas en el tiempo, para jornadas normales de 8 horas o 40 horas semanales, a las cuales la mayoría de los trabajadores puede estar expuesta repetidamente día tras día sin sufrir efectos adversos.

— Nota Técnica de Prevención n.º 108/1984. INSST.

3. Valores límite de exposición laboral: Límite de la medida ponderada en función del tiempo de la concentración de un agente químico en el aire en la zona de respiración del trabajador con relación al período de referencia especificado. La mayor parte están establecidos para períodos de referencia de 8 h, aunque también pueden establecerse para períodos más cortos o para desviaciones puntuales de la concentración.

Los valores para gases y vapores se expresan en términos independientes de la temperatura y la presión del aire, en ml/m^3 (ppm, V/V) y, en términos dependientes de estas variables en mg/m^3, para una temperatura de 20°C y una presión de 101,3 kPa. Para mayor concreción, ver las definiciones de Valores LEP o Valores de Exposición Profesional.

— Nota Técnica de Prevención n.º 808/2008. INSST.

Véase: Límites de exposición profesional. Valores límite. Valores límite ambientales. Valores límite ambientales: Exposiciones de corta duración. Valores límite ambientales: Valores límite techo. Valores límite biológicos. Valores límite cancerígenos. Valores límite de radicines ópticas. Valores límite americanos.

VALORES LÍMITE AMBIENTALES: VALORES LÍMITE TECHO

Los TLV-C: Valores techo. Es una de las tres categorías que incluyen los TLV americanos. Se trata de concentraciones no sobrepasables en ningún instante.

— Nota Técnica de Prevención n.º 108/1984. INSST.

Véase: Límites de exposición profesional. Valores límite. Valores límite ambientales. Valores límite ambientales: Exposición diaria. Valores límite ambientales: Exposiciones de corta duración. Valores límite biológicos. Valores límite cancerígenos. Valores límite de radiaciones ópticas. Valores límite americanos.

VALORES LÍMITE AMBIENTALES

1. Valores límite de referencia para las concentraciones de los agentes químicos (biológicos, cancerígenos, radiactivos) en la zona de respiración de un trabajador. Se distinguen dos tipos de valores límite ambientales:

- Valor límite ambiental para la exposición diaria: valor límite de la concentración media, medida o calculada de forma ponderada con respecto al tiempo para la jornada laboral real y referida a una jornada estándar de ocho horas diarias.

- Representan condiciones a las cuales se cree, basándose en los conocimientos actuales, que la mayoría de los trabajadores pueden estar expuestos 8 horas diarias y 40 semanales, durante toda su vida laboral, sin sufrir efectos adversos para su salud. Este valor no debe ser superado en la exposición diaria. Cuando se trate de un agente químico con un período de inducción largo o bien existan variaciones sistemáticas entre distintas jornadas, puede resultar aceptable una valoración de base semanal.

- Valor límite ambiental para exposiciones de corta duración: valor límite de la concentración media, medida o calculada para cualquier período de quince minutos a lo largo de la jornada laboral, excepto para aquellos agentes químicos para los que se especifique un período de referencia inferior. Este valor no debe ser superado por ninguna exposición corta a lo largo de la jornada laboral.

— Artículo 2.9 RDSSAQ.

— Notas Técnicas de Prevención n.º 525, 526/1999. 607/2001. 808/2008. 1073/2016. INSST.

2. Puede añadirse otro valor límite ambiental, como son, los valores límite media ponderada en el tiempo (Una de las tres categorías que incluyen los TLV americanos). Se trata de concentraciones medias ponderadas en el tiempo, para jornadas normales de 8 horas o 40 horas semanales, a las cuales la mayoría de los trabajadores puede estar expuesta repetidamente día tras día sin sufrir efectos adversos.

— Nota Técnica de Prevención n.º 108/1984. INSST.

Véase: Tiempo de trabajo: Reducción del tiempo de exposición. Límites de exposición profesional. Valores límite. Valores límite ambientales: Exposición diaria. Valores límite ambientales: Exposiciones de corta duración. Valores límite ambientales: Valores límite techo. Valores límite biológicos. Valores límite cancerígenos. Valores límite de radiaciones ópticas. Valores límite americanos.

VALORES LÍMITE AMERICANOS

Son los denominados TLV:

- TLV-TWA: medidas ponderadas en el tiempo.
- TLV-STEL: límites de exposición para cortos períodos de tiempo.
- TLV-C: valores techo.

— Notas Técnicas de Prevención n.º 525, 526/1999. 808/2008. INSST.

Véase: Límites de exposición profesional. Valores límite. Valores límite ambientales. Valores límite ambientales: Exposición diaria. Valores límite ambientales: Exposiciones de corta duración. Valores límite ambientales: Valores límite techo. Valores límite biológicos. Valores límite cancerígenos. Valores límite de radiaciones ópticas.

VALORES LÍMITE BIOLÓGICOS

1. El límite de la concentración, en el medio biológico adecuado, del agente químico o de uno de sus metabolitos o de otro indicador biológico directa o indirectamente relacionado con los efectos de la exposición del trabajador al agente en cuestión.

— Artículo 2.10 RDSSAQ.

— Nota Técnica de Prevención n.º 147/1985. INSST.

2. Valores límite biológicos para el control de exposición a metales.

— Nota Técnica de Prevención n.º 109/1984. INSST.

> *Véase: Límites de exposición profesional. Valores límite. Valores límite ambientales. Valores límite ambientales: Exposición diaria. Valores límite ambientales: Exposiciones de corta duración. Valores límite ambientales: Valores límite techo. Valores límite cancerígenos. Valores límite de radiaciones ópticas. Valores límite americanos.*

VALORES LÍMITE CANCERÍGENOS

Se entenderá por «valor límite», salvo que se especifique lo contrario, el límite de la media ponderada en el tiempo de la concentración de un agente cancerígeno o mutágeno en el aire dentro de la zona en que respira el trabajador, en relación con un período de referencia específico, tal como se establece en el anexo III de este Real Decreto.

— Artículo 2.3 RDEACT.

> *Véase: Límites de exposición profesional. Valores límite. Valores límite ambientales. Valores límite ambientales: Exposición diaria. Valores límite ambientales: Exposiciones de corta duración. Valores límite ambientales: Valores límite techo. Valores límite biológicos. Valores límite de radiaciones ópticas. Valores límite americanos.*
>
> *Agentes cancerígenos. Cáncer profesional. Sustancias cancerígenas.*

VALORES LÍMITE DE RADIACIONES ÓPTICAS

Los límites de la exposición óptica basados directamente en los efectos sobre la salud comprobados y en consideraciones biológicas. El cumplimiento de estos límites garantizará que los trabajadores expuestos a fuentes artificiales de radiación óptica estén protegidos contra todos los efectos nocivos para la salud que se conocen.

— Artículo 2.e RDSSROA.

> *Véase: Límites de exposición profesional. Valores límite. Valores límite ambientales. Valores límite ambientales: Exposición diaria. Valores límite ambientales: Exposiciones de corta duración. Valores límite ambientales: Valores límite techo. Valores límite biológicos. Valores límite cancerígenos. Valores límite americanos.*

VALOR LÍMITE

1. Se entenderá por «valor límite», salvo que se especifique lo contrario, el límite de la media ponderada en el tiempo de la concentración de un agente cancerígeno o mutágeno (químico, biológico, radiactivo) en el aire dentro de la zona en que respira el trabajador, en relación con un período de referencia específico, tal como se establece en el anexo III de este real decreto.

— Artículo 2.3 RDEACT.

— Nota Técnica de Prevención n.º 449/1997. INSST.

2. Valores límite de referencia en EEUU.

— Nota Técnica de Prevención n.º 244/1989. INSST.

3. Diferencia entre valores límite Mak de la RFA y los valores límite TLV de los EEUU.

— Notas Técnicas de Prevención n.º 66/1983. 162/1986. INSST.

4. La superación de los límites de exposición a los agentes nocivos que, conforme a la normativa sobre prevención de riesgos laborales, origine riesgo de daños graves para la seguridad y salud de los trabajadores, sin adoptar las medidas preventivas adecuadas, salvo que se trate de infracción muy grave conforme al artículo siguiente, constituye una infracción grave en materia de prevención de riesgos laborales que lleva aparejada una sanción económica de 2.046 euros a 40.985 euros.

— Artículos 12.9 y 40.2.b LISOS.

> *Véase: Nivel de exposición. Trabajador expuesto. Fichas de datos de seguridad. Tiempo de trabajo: Reducción del tiempo de exposición. Límites de exposición profesional. Valores límite ambientales. Valores límite ambientales: Exposición diaria. Valores límite ambientales: Exposiciones de corta duración. Valores límite ambientales: Valores límite techo. Valores límite biológicos. Valores límite cancerígenos. Valores límite de radiaciones ópticas. Valores límite americanos.*

VANADIO

1. Elemento químico metálico, de color gris claro, dúctil y resistente a la corrosión, usado como catalizador y, aleado, para mejorar las propiedades mecánicas del hierro, el acero y el titanio.

2. Los trabajadores ocupados en las actividades económicas, y expuestos a los agentes o sustancias que a continuación se indican, pueden contraer una Enfermedad Profesional (E.P.):

a) Causada por agentes químicos:
- Producción de vanadio metálico. (Código 1A1101).

- Empleo de óxidos de vanadio como catalizadores en procesos de oxidación de la industria química y como reveladores y sensibilizadores fotográficos. (Código 1A1102).

- Limpiezas de calderas y tanques, hornos de fuel-oil. (Código 1A1103).

- Preparación de pentóxidos de vanadio usado, entre otros fines, en la producción de minerales de aluminio. (Código 1A1104).

- Fabricación de ferrovanadio. (Código 1A1105).

b) Causada por inhalación de sustancias y agentes no comprendidos en otros apartados:
- Trabajos en los que exista la posibilidad de inhalación de metales sinterizados, compuestos de carburos metálicos de alto punto de fusión y metales de ligazón de bajo punto de fusión (Los carburos metálicos más utilizados son los de titanio, vanadio, cromo, molibdeno, tungsteno y wolframio; como metales de ligazón se utilizan hierro, níquel y cobalto), que pueden provocar las E.P. de neumoconiosis o de siderosis. (Códigos 4E0101, 4E0201).

• Trabajos de mezclado, tamizado, moldeado y rectificado de carburos de tungsteno, titanio, tantalio, vanadio y molibdeno aglutinados con cobalto, hierro y níquel, con exposición a la inhalación de metales sintetizados, que pueden provocar la la E.P. de neumoconiosis, por inhalación de metales sintetizados y de metales de ligazón, que pueden provocar las E.P. de neumoconiosis o de siderosis. (Códigos 4E0102, 4E0202).

Por ello, debe realizarse reconocimientos médicos previos y periódicos a dichos trabajadores, con la prohibición de no contratar a los calificados como no aptos para desempeñar los puestos de trabajo de que se trate.

— Artículo 243 LGSS, en relación con RDEP (Anexo I).

Véase: Catalizadores. Hierro. Acero. Titanio.

VAPORES

1. Fluido gaseoso cuya temperatura es inferior a su temperatura crítica. Su presión no aumenta al ser comprimido, sino que se transforma parcialmente en líquido. Máquina de vapor: Máquina que funciona por la fuerza expansiva del vapor de agua.

2. Los trabajadores ocupados en las actividades económicas, y expuestos a los agentes o sustancias que a continuación se indican, pueden contraer una Enfermedad Profesional (E.P.), causada por agentes químicos:

• Aplicación directa de los productos plaguicidas que contiene organofosforados y carbamatos inhibidores de la colinesterasa por aspersión, nieblas, rocío, pulverizado, micropulverizado, vaporización, por vía terrestre o aérea, con métodos manuales o mecánicos. (Código 1S0104).

Por ello, debe realizarse reconocimientos médicos previos y periódicos a dichos trabajadores, con la prohibición de no contratar a los calificados como no aptos para desempeñar los puestos de trabajo de que se trate.

— Artículo 243 LGSS, en relación con RDEP (Anexo I).

Véase: Nieblas. Gas. Ventilación. Aerosoles.

VARILLAS DE SOLDADURA

1. Barra larga y delgada utilizada en las operaciones de soldadura. Es el metal de aportación que se usa para realizar soldaduras heterogéneas, es decir, blandas o fuertes. Entre los materiales principales para la fabricación de este tipo de varillas de aportes, destacan: plata, oro, aluminio, silicio, cobre fosforoso, y otros, para soldaduras fuertes. Y, estaño, plomo, estaño, plata, cadmio, cinc, y otras, para soldaduras blandas.

2. Los trabajadores ocupados en las actividades económicas, y expuestos a los agentes o sustancias que a continuación se indican, pueden contraer una Enfermedad Profesional (E.P.):

a) Causada por agentes químicos:

• Fabricación de varillas de soldadura, donde se utilice cadmio, que puede provocar una E.P. causada por agentes químicos. (Código 1A0210).

• Empleo de los fluoruros en las fundiciones y para recubrir las varillas soldadoras, que pueden provocar una E.P. causada por agentes químicos. (Código 1C0305).

b) Causada por agentes cancerígenos:

• <u>Fabricación de varillas de soldadura, que contengan cadmio, que puede provocar la E.P. de neoplasia maligna de bronquio, pulmón y próstata</u>. (Código 6G0110).

Por ello, debe realizarse reconocimientos médicos previos y periódicos a dichos trabajadores, con la prohibición de no contratar a los calificados como no aptos para desempeñar los puestos de trabajo de que se trate.

— Artículo 243 LGSS, en relación con RDEP (Anexo I).

Véase: Soldadura y oxicorte. Colofonía.

VEHÍCULOS ELÉCTRICOS HÍBRIDOS

Aquellos que, con fines de propulsión mecánica, se alimenten de las dos fuentes siguientes de energía o potencia acumulada instaladas en él:

• un combustible fungible.

• una batería, un condensador, un volante de inercia o generador o cualquier otro dispositivo de acumulación de energía o potencia eléctrica. La presente definición incluye el vehículo cuya fuente de energía procede de un combustible fungible únicamente con el fin de recargar el dispositivo de acumulación de energía o potencia eléctrica.

— Artículo 3.51 Reglamento (UE) n.º 167/2013, de 5 de febrero de 2013.

Véase: Automóviles. Conducción. Conducción en equipo. Conductor. Vehículos. Conductores de automóviles. Transporte por carretera. Transporte de mercancías. Transporte de mercancías peligrosas. Transporte de materias radiactivas. Transporte de animales. Tractores. Remolques.

VEHÍCULOS Y MAQUINARIA PARA MANIPULACIÓN DE MATERIALES

Véase: Vehículos y maquinaria para movimientos de tierras.

VEHÍCULOS Y MAQUINARIA PARA MOVIMIENTO DE TIERRAS

1. En el exterior de las obras de construcción:

a) Los vehículos y maquinaria para movimientos de tierras y manipulación de materiales deberán ajustarse a lo dispuesto en su normativa específica. En todo caso, y a salvo de disposiciones específicas de la normativa citada, los vehículos y maquinaria para movimientos de tierras y manipulación de materiales deberán satisfacer las condiciones que se señalan en los siguientes puntos de este apartado.

b) Todos los vehículos y toda maquinaria para movimientos de tierras y para manipulación de materiales deberán:

• Estar bien proyectados y construidos, teniendo en cuenta, en la medida de lo posible, los principios de la ergonomía.

• Mantenerse en buen estado de funcionamiento.

• Utilizarse correctamente.

c) Los conductores y personal encargado de vehículos y maquinarias para movimientos de tierras y manipulación de materiales deberán recibir una formación especial.

d) Deberán adoptarse medidas preventivas para evitar que caigan en las excavaciones o en el agua vehículos o maquinarias para movimiento de tierras y manipulación de materiales.

e) Cuando sea adecuado, las maquinarias para movimientos de tierras y manipulación de materiales deberán estar equipadas con estructuras concebidas para proteger al conductor contra el aplastamiento, en caso de vuelco de la máquina, y contra la caída de objetos.

— Anexo IV. Parte C.7 RDSSTOC.

Véase: Trabajos de movimiento de tierras. Trabajos con palas mecánicas. Trabajos con excavadoras. Bulldozers. Trabajos con bulldozers. Conducción. Conductor.

VEHÍCULOS

1. Se define, en el ámbito de la Unión Europea, vehículo de motor, tractor de motor, remolque o semirremolque o un conjunto de estos vehículos, de la siguiente manera:

• Vehículo de motor. Todo vehículo previsto de un dispositivo de propulsión que circule por carretera por sus propios medios, distinto de los que se desplazan permanentemente sobre carriles, y destinado normalmente al transporte de viajeros o de mercancías.

• Tractor. Todo vehículo provisto de un dispositivo de autopropulsión que circule por carretera, distinto de los que se desplazan permanentemente sobre carriles, y concebido especialmente para tirar de remolques, semirremolques, herramientas o máquinas, o para empujarlos o accionarlos.

• Remolque. Todo vehículo de transporte destinado a ser enganchado a un vehículo de motor o a un tractor.

• Semirremolque. Un remolque sin eje delantero, acoplado de forma que una parte importante de su peso y del peso de su carga sea soportada por el tractor o el vehículo de motor.

— Artículo 4.b Reglamento (CE) n.º 561/2006, de 15 de marzo de 2006.

2. Tienen la consideración de vehículos a motor todos los vehículos idóneos para circular por la superficie terrestre e impulsados a motor, incluidos los ciclomotores, vehículos especiales, remolques y semirremolques, cuya puesta en circulación requiera autorización administrativa de acuerdo con lo dispuesto en la legislación sobre tráfico, circulación de vehículos a motor y seguridad vial.

— Artículo 1 RSOCVM

3. Los trabajadores ocupados en las actividades económicas, y expuestos a los agentes o sustancias que a continuación se indican, pueden contraer una Enfermedad Profesional (E.P.), causada por agentes cancerígenos:

• Tratamiento antióxido de vehículos, donde se utilicen hidrocarburos aromáticos, que pueden provocar la E.P. de lesiones premalignas de piel (Código 6J0115), y/o E.P. de carcinoma de células escamosas (Código 6J0215).

Por ello, debe realizarse reconocimientos médicos previos y periódicos a dichos trabajadores, con la prohibición de no contratar a los calificados como no aptos para desempeñar los puestos de trabajo de que se trate.

— Artículo 243 LGSS, en relación con RDEP (Anexo).

Véase: Automóviles. Masa máxima autorizada. Frenos. Conducción. Conducción en equipo. Conductor. Vehículos eléctricos híbridos. Conductores de automóviles. Transporte por carretera. Transporte de mercancías. Transporte de mercancías peligrosas. Transporte de materias radiactivas. Transporte de animales. Tractores. Remolques.

VENTANAS

1. Los trabajadores deberán poder realizar de forma segura las operaciones de abertura, cierre, ajuste o fijación de ventanas, vanos de iluminación cenital y dispositivos de ventilación. Cuando estén abiertos no deberán colocarse de tal forma que puedan constituir un riesgo para los trabajadores.

Las ventanas y vanos de iluminación cenital deberán poder limpiarse sin riesgo para los trabajadores que realicen esta tarea o para los que se encuentren en el edificio y sus alrededores. Para ello deberán estar dotados de los dispositivos necesarios o haber sido proyectados integrando los sistemas de limpieza.

— Anexo I. Parte A.4 RDSSLT.

2. En el interior de las obras de construcción:

• Las ventanas, vanos de iluminación cenital y dispositivos de ventilación deberán poder abrirse, cerrarse, ajustarse y fijarse por los trabajadores de manera segura. Cuando estén abiertos, no deberán quedar en posiciones que constituyan un peligro para los trabajadores.

• Las ventanas y vanos de iluminación cenital deberán proyectarse integrando los sistemas de limpieza o deberán llevar dispositivos que permitan limpiarlos sin riesgo para los trabajadores que efectúen este trabajo ni para los demás trabajadores que se hallen presentes.

— Anexo IV. Parte B.6 RDSSTOC.

Véase: Puertas transparentes. Tabiques transparentes. Ventilación.

VENTILACIÓN

1. Acción y efecto de ventilar o ventilarse. Instalación con que se ventila un recinto.

2. La ventilación hace referencia al suministro y/o extracción del aire de una zona, local o edificio, ya sea de forma natural o mecánica.

Los objetivos de la ventilación consisten en mantener los niveles de oxígeno en valores que hicieran la atmósfera de cualquier lugar respirable y que ésta fuera percibida fresca y limpia.

Existen dos tipos de ventilación:

• La ventilación por extracción localizada, que se trata de eliminar un agente contaminante en el mismo foco de generación, impidiendo así, su dispersión por el local.

• La ventilación general por dilución, que pretende reducir los niveles de contaminación en un espacio hasta niveles aceptables. La ventilación general puede ser natural, mecánica o mixta.

— Notas Técnicas de Prevención n.º 343/1994. 373/1995. 741, 742/2006. INSST.

3. Los trabajadores no deberán estar expuestos de forma frecuente o continuada a corrientes de aire cuya velocidad exceda los siguientes límites:

- Trabajos en ambientes no calurosos: 0,25 m/s.
- Trabajos sedentarios en ambientes calurosos: 0,5 m/s.
- Trabajos no sedentarios en ambientes calurosos: 0,75 m/s.

Estos límites no se aplicarán a las corrientes de aire expresamente utilizadas para evitar el estrés en exposiciones intensas al calor, ni a las corrientes de aire acondicionado, para las que el límite será de 0,25 m/s en el caso de trabajos sedentarios y 0,35 m/s en los demás casos.

Sin perjuicio de lo dispuesto en relación a la ventilación de determinados locales en el Real Decreto 1618/1980, de 4 de julio, por el que se aprueba el Reglamento de calefacción, climatización y agua caliente sanitaria, la renovación mínima del aire de los locales de trabajo, será de 30 metros cúbicos de aire limpio por hora y trabajador, en el caso de trabajos sedentarios en ambientes no calurosos ni contaminados por humo de tabaco y de 50 metros cúbicos, en los casos restantes, a fin de evitar el ambiente viciado y los olores desagradables.

El sistema de ventilación empleado y, en particular, la distribución de las entradas de aire limpio y salidas de aire viciado, deberán asegurar una efectiva renovación del aire del local de trabajo.

— Anexo III.3 RDSSLT.

4. La ventilación general no puede considerarse en sí misma como una solución al problema higiénico planteado, sino más bien como un complemento necesario a la extracción localizada cuando ésta no tiene filtro depurador y descarga en el interior del local, o bien se utiliza un sistema de impulsión localizada.

— Nota Técnica de Prevención n.º 7/1982. INSST.

5. Ventilación en las obras de construcción.

- Teniendo en cuenta los métodos de trabajo y las cargas físicas impuestas a los trabajadores, éstos deberán disponer de aire limpio en cantidad suficiente.
- En caso de que se utilice una instalación de ventilación, deberá mantenerse en buen estado de funcionamiento y los trabajadores no deberán estar expuestos a corrientes de aire que perjudiquen su salud. Siempre que sea necesario para la salud de los trabajadores, deberá haber un sistema de control que indique cualquier avería.

— Anexo IV. Parte A.6 RDSSTOC.

6. En el interior de las obras de construcción:

- En caso de que se utilicen instalaciones de aire acondicionado o de ventilación mecánica, éstas deberán funcionar de tal manera que los trabajadores no estén expuestos a corrientes de aire molestas.
- Deberá eliminarse con rapidez todo depósito de cualquier tipo de suciedad que pudiera entrañar un riesgo inmediato para la salud de los trabajadores por contaminación del aire que respiran.

— Anexo IV. Parte B.3 RDSSTOC.

7. En la prevención de riesgos químicos, la técnica de ventilación denominada extracción localizada, que capta el agente en las inmediaciones del foco de emisión, se muestra más adecuada como medida específica de control.

La extracción localizada efectúa la captación de los contaminantes por aspiración lo más cerca posible de su punto de emisión, evitando así su difusión al ambiente y eliminando por tanto la posibilidad de que sean inhalados

— Notas Técnicas de Prevención n.º 7/1982. 373/1995. 615/2003. 668, 672/2004. 741/2006. INSST.

8. Ventilación en establecimientos hospitalarios.

— Normas Técnicas de Prevención n.º 742/2006. 859/2010. INSST.

— Norma UNE 100713:2005.

9. Métodos de medición y de eficacia de la ventilación

— Nota Técnica de Prevención n.º 345/1994. INSST.

10. Dispersión de gases y/o vapores en el centro de trabajo.

— Nota Técnica de Prevención n.º 475/1998. INSST.

11. Contaminación biológica. Calidad del aire interior: Riesgos microbiológicos en los sistemas de ventilación/climatización.

— Nota Técnica de Prevención n.º 313/1993. INSST.

12. Los trabajadores ocupados en lugares mal ventilados, y expuestos a los agentes o sustancias que a continuación se indican, pueden contraer una Enfermedad Profesional (E.P.), causada por agentes químicos:

  • Utilización del dióxido de nitrógeno como gas protector en los locales exiguos o mal ventilados, donde se utilicen óxidos de nitrógeno. (Código 1T0306).

Por ello, debe realizarse reconocimientos médicos previos y periódicos a dichos trabajadores, con la prohibición de no contratar a los calificados como no aptos para desempeñar los puestos de trabajo de que se trate.

— Artículo 243 LGSS, en relación RDEP (Anexo I).

  Véase: Ventanas. Óxidos de carbono. Dióxido de carbono. Monóxido de carbono. Ambiente de trabajo. Calidad del aire. Olores. Olores desagradables. Síndrome de edificio enfermo. Ozono.

VESTUARIOS
  Véase: Locales de vestuarios.

VETERINARIOS
1. Personas legalmente autorizadas para ejercer la veterinaria. Veterinaria es la disciplina que se ocupa principalmente de prevenir y curar las enfermedades de los animales, así como de controlar los alimentos de origen animal.

2. Los trabajadores ocupados en las actividades económicas, y expuestos a los agentes o sustancias que a continuación se indican, pueden contraer una Enfermedad Profesional (E.P.):

  a) Causada por agentes biológicos:

  • Veterinarios, que pueden contraer una E.P. infecciosa transmitida por animales (o por sus productos y cadáveres). (Códigos 3B0106, 3B0116).

• 4. Trabajos que impliquen la manipulación o exposición de excretas de animales (Expeler el excremento. Expulsar los residuos metabólicos, como la orina o el anhídrido carbónico de la respiración): ganaderos, veterinarios, trabajadores de animalarios, que pueden provocar una E.P. infecciosa transmitida por animales (o por sus productos y cadáveres). (Código 3B0132).

b) Causada por inhalación de sustancias y agentes no comprendidos en otros apartados:

• Granjeros, ganaderos, veterinarios y procesadores de carne, donde los trabajadores estén expuestos a sustancias de alto peso molecular (de origen vegetal o animal), que pueden provocar alguna de las siguientes E.P: rinoconjuntivitis (Código 4H0113), asma (Código 4H0213), alveolitis alérgica extrínseca (Código 4H0313), síndrome de disfunción reactivo de la vía aérea (Código 4H0413), fibrosis intersticial difusa (Código 4H0513), bisinosis, cannabiosis, linnosis, bagazosis, estipatosis, suberosis (Códigos 4H0613), y neumopatía intersticial difusa (Código 4H0713).

c) E.P. de la piel, causada por sustancias y agentes no comprendidos en alguno de los otros apartados:

• Granjeros, ganaderos, veterinarios y procesadores de carne, donde los trabajadores estén expuestos a sustancias de alto peso molecular (de origen vegetal o animal), que pueden provocar una E.P. de la piel, causada por sustancias de alto peso molecular. (Código 5B0113).

• Veterinarios, expuestos a agentes infecciosos. (Código 5D0110).

Por ello, debe realizarse reconocimientos médicos previos y periódicos a dichos trabajadores, con la prohibición de no contratar a los calificados como no aptos para desempeñar los puestos de trabajo de que se trate.

— Artículo 235 LGSS, en relación con RDEP (Anexo I).

Véase: Avicultores. Ganaderos. Granjas. Granjeros. Granjas de ganado vacuno. Curtidores. Curtidos. Carniceros. Matarifes. Mataderos. Pastores. Trabajos con animales. Comercio de animales. Entomólogos. Zoonosis. Zoológicos. Transporte de animales.

VÍAS DE CIRCULACIÓN

1. Las vías de circulación de los lugares de trabajo, tanto las situadas en el exterior de los edificios y locales como en el interior de los mismos, incluidas las puertas, pasillos, escaleras, escalas fijas, rampas y muelles de carga, deberán poder utilizarse conforme a su uso previsto, de forma fácil y con total seguridad para los peatones o vehículos que circulen por ellas y para el personal que trabaje en sus proximidades.

A efectos de lo dispuesto en el apartado anterior, el número, situación, dimensiones y condiciones constructivas de las vías de circulación de personas o de materiales deberán adecuarse al número potencial de usuarios y a las características de la actividad y del lugar de trabajo.

En el caso de los muelles y rampas de carga deberá tenerse especialmente en cuenta la dimensión de las cargas transportadas.

La anchura mínima de las puertas exteriores y de los pasillos será de 80 centímetros y 1 metro, respectivamente.

— Anexo I. Parte A.5 RDSSLT.

2. Cuando sea necesario para la protección de los trabajadores, las vías de circulación de vehículos deberán estar delimitadas con claridad mediante franjas continuas de un color bien visible, preferentemente blanco o amarillo, teniendo en cuenta el color del suelo. La delimitación deberá respetar las necesarias distancias de seguridad entre vehículos y objetos próximos, y entre peatones y vehículos.

— Anexo VII.3 RDSSST.

3. Vías de circulación en el sector de la construcción:

• Las vías de circulación, incluidas las escaleras, las escalas fijas y los muelles y rampas de carga deberán estar calculados, situados, acondicionados y preparados para su uso de manera que se puedan utilizar fácilmente, con toda seguridad y conforme al uso al que se les haya destinado y de forma que los trabajadores empleados en las proximidades de estas vías de circulación no corran riesgo alguno.

• Las dimensiones de las vías destinadas a la circulación de personas o de mercancías, incluidas aquellas en las que se realicen operaciones de carga y descarga, se calcularán de acuerdo con el número de personas que puedan utilizarlas y con el tipo de actividad. Cuando se utilicen medios de transporte en las vías de circulación, se deberá prever una distancia de seguridad suficiente o medios de protección adecuados para las demás personas que puedan estar presentes en el recinto. Se señalizarán claramente las vías y se procederá regularmente a su control y mantenimiento.

• Las vías de circulación destinadas a los vehículos deberán estar situadas a una distancia suficiente de las puertas, portones, pasos de peatones, corredores y escaleras.

• Si en la obra hubiera zonas de acceso limitado, dichas zonas deberán estar equipadas con dispositivos que eviten que los trabajadores no autorizados puedan penetrar en ellas. Se deberán tomar todas las medidas adecuadas para proteger a los trabajadores que estén autorizados a penetrar en las zonas de peligro. Estas zonas deberán estar señalizadas de modo claramente visible. Para garantizar la protección de los trabajadores, el trazado de las vías de circulación deberá estar claramente marcado en la medida en que lo exijan la utilización y las instalaciones de los locales.

Los lugares de trabajo (en las obras de construcción) deberán estar acondicionados teniendo en cuenta, en su caso, a los trabajadores discapacitados. Esta disposición se aplicará, en particular, a las puertas, vías de circulación, escaleras, duchas, lavabos, retretes y lugares de trabajo utilizados u ocupados directamente por trabajadores discapacitados.

— Anexo IV. Parte A.11, 18 y Parte B.8 RDSSTOC.

— Artículo 163 CCGC.

4. En las vías de circulación tiene que existir una zona de tránsito de personal debidamente protegida para evitar que las distintas máquinas que circulan puedan invadir esa zona de paso.

— STSJ Burgos 6.11.02.

5. Procede la imposición del recargo en las prestaciones económicas de la Seguridad Social cuando:

• Ante la ausencia de señalización adecuada de las vías de circulación para las carretillas elevadoras, de modo que cualquier persona podía pasa por los lugares de circulación de las mismas, aunque se alertara o llamara la atención a los trabajadores del riesgo de atropello, ya que ello por sí solo no era suficiente para prevenir adecuadamente el riesgo.

— STSJ Cataluña 17.2.10.

• Por no existir en las vías de circulación una zona de tránsito de personal debidamente protegida para evitar que las distintas máquinas que circulan puedan invadir esa zona de paso.

— STSJ Burgos 6.11.02.

6. No procede la imposición del recargo en las prestaciones económicas cuando:

• Estaba diferenciada la zona asfaltada, propia para circulación de vehículos, y el perímetro alrededor de arena que la delimitaba, diferencia de pavimentos que excluía cualquier clase añadida de delimitación.

— STSJ Extremadura 26.11.02.

Véase: Vías y salidas de emergencia. Torres de acceso. Puertas. Escaleras. Escalas. Rampas. Rampas de carga. Muelles de carga y descarga. Suelos. Superficies de trabajo.

VÍAS Y SALIDAS DE EMERGENCIA

1. Las vías y salidas de evacuación deberán permanecer expeditas y desembocar lo más directamente posible en el exterior o en una zona de seguridad.

En caso de peligro, los trabajadores deberán poder evacuar todos los lugares de trabajo rápidamente y en condiciones de máxima seguridad.

El número, la distribución y las dimensiones de las vías y salidas de evacuación dependerán del uso, de los equipos y de las dimensiones de los lugares de trabajo, así como del número máximo de personas que puedan estar presentes en los mismos.

Las puertas de emergencia deberán abrirse hacia el exterior y no deberán estar cerradas, de forma que cualquier persona que necesite utilizarlas en caso de urgencia pueda abrirlas fácil e inmediatamente. Estarán prohibidas las puertas específicamente de emergencia que sean correderas o giratorias.

Las puertas situadas en los recorridos de las vías de evacuación deberán estar señalizadas de manera adecuada. Se deberán poder abrir en cualquier momento desde el interior sin ayuda especial. Cuando los lugares de trabajo estén ocupados, las puertas deberán poder abrirse.

Las vías y salidas específicas de evacuación deberán señalizarse conforme a lo establecido en el Real Decreto 485/1997, de 14 de abril, sobre disposiciones mínimas de señalización de seguridad y salud en el trabajo. Esta señalización deberá fijarse en los lugares adecuados y ser duradera.

Las vías y salidas de evacuación, así como las vías de circulación que den acceso a ellas, no deberán estar obstruidas por ningún objeto de manera que puedan utilizarse sin trabas en cualquier momento. Las puertas de emergencia no deberán cerrarse con llave.

En caso de avería de la iluminación, las vías y salidas de evacuación que requieran iluminación deberán estar equipadas con iluminación de seguridad de suficiente intensidad.

— Anexo I. Parte A.10 RDSSLT.

2. Obras de construcción: En los lugares de trabajo de las obras de construcción, y siempre que lo exijan las características de la obra o de la actividad; las circunstancias o cualquier riesgo, deberán señalizarse las vías y salidas de emergencia conforme al Real Decreto 485/1997, de 14 abril, sobre disposiciones mínimas en materia de señalización de seguridad y salud en el trabajo. Dicha señalización deberá fijarse en los lugares adecuados y tener la resistencia suficiente.

— Anexo IV. Parte A.4 RDSSTOC.

Véase: Vías de circulación. Torres de acceso. Puertas. Escaleras. Escalas. Rampas. Rampas de carga. Muelles de carga y descarga. Señalización de seguridad. Iluminación de seguridad. Señalización de emergencia.

VIBRACIONES TRANSMITIDAS AL CUERPO ENTERO

La vibración mecánica que, cuando se transmite a todo el cuerpo, conlleva riesgos para la salud y la seguridad de los trabajadores, en particular, lumbalgias y lesiones de la columna vertebral.

— Artículo 2.b RDSSVM.

— Notas Técnicas de Prevención n.º 784/2007. 839/2009. 1068/2016. INSST.

Véase: Vibraciones. Vibraciones transmitas mano-brazo.

VIBRACIONES TRANSMITIDAS AL SISTEMA MANO-BRAZO

La vibración mecánica que, cuando se transmite al sistema humano de mano y brazo, supone riesgos para la salud y la seguridad de los trabajadores, en particular, problemas vasculares, de huesos o de articulaciones, nerviosos o musculares.

— Artículo 2.a RDSSVM.

— Notas Técnicas de Prevención n.º 792/2008. 1068/2016. INSST.

Véase: Vibraciones. Vibraciones transmitidas cuerpo entero. Trabajos con pulidoras.

VIBRACIONES

1. Se puede definir la vibración como el movimiento de vaivén que ejercen las partículas de un cuerpo debido a una excitación. Desde un punto de vista generalista se denomina vibración a la propagación de ondas elásticas que producen deformaciones y tensiones sobre un medio continuo. No obstante lo anterior conviene separar el concepto de vibración del de oscilación: mientras en las oscilaciones hay conversión de energía cinética en potencial gravitatoria y viceversa, en las vibraciones hay intercambio entre energía cinética y energía potencial elástica.

— Nota Técnica de Prevención n.º 963/2013. INSST.

— Guía técnica para la evaluación y prevención de los riesgos relacionados con las vibraciones mecánicas. 2009. INSST.

2. El término vibraciones comprende toda vibración transmitida al organismo humano por estructuras sólidas que sea nociva para la salud o entrañe cualquier otro tipo de peligro.

— Artículo 3.b Convenio OIT n.º 148, de 20 de junio de 1977.

3. Los trabajadores ocupados en las actividades económicas, y expuestos a los agentes o sustancias que a continuación se indican, pueden contraer una Enfermedad Profesional (E.P.), causada por agentes físicos:

• Trabajos que requieran el empleo de vibradores en la construcción, donde el trabajador este expuesto a ruidos continuos y diarios de un nivel sonoro igual o superior a 80 decibelios A, que puede contraer la E.P. de hipoacusia. (Código 2A0114).

• Trabajos en los que se produzcan: vibraciones transmitidas a la mano y al brazo por gran número de máquinas o por objetos mantenidos sobre una superficie vibrante (gama de frecuencia de 25 a 250 Hz), como son aquellos en los que se manejan maquinarias que transmitan vibraciones, como martillos neumáticos, punzones, taladros, taladros a percusión, perforadoras, pulidoras, esmeriles, sierras mecánicas, desbrozadoras, que pueden producir una E.P. de carácter vascular. (Código 2B0101).

Por ello, debe realizarse reconocimientos médicos previos y periódicos a dichos trabajadores, con la prohibición de no contratar a los calificados como no aptos para desempeñar los puestos de trabajo de que se trate.

— Artículo 243 LGSS, en relación con RDEP (Anexo I).

4. Se declara Enfermedad Profesional:

• A la enfermedad de Kienböck, caracterizada por el dolor y disminución de la función articular en grado variable de la muñeca, relacionada con la vibración transmitida a la mano, que es absorbida a nivel de la articulación del carpo, de un soldador de taloneras de la furgoneta VAN, que soldaba piezas metálicas de aproximadamente 3,6 Kg. de peso y 160 cm. de largo en dos fases.

— STSJ Cataluña 7.11.05.

• A la necrosis del semilunar del albañil que utilizaba con frecuencia herramientas que producen vibraciones, como sierras radiales y martillos neumáticos.

— STSJ Valencia 5.4.05.

• A la rotura de fibrocartílago triangular de ambas manos de la trabajadora dedicada al lijado o pulido de piezas metálicas (bombas de inyección) con herramientas portátiles (lima y rotalit) y máquinas fijas (maquina grata) que producen vibraciones.

— STSJ Castilla-La Mancha 17.10.02.

• A la hernia discal dorsal y la profusión discal lumbosacra, debido a la existencia de relación de causalidad entre dichas patologías y el manejo de maquina rompedora o troceadora, generadora de vibraciones durante la operación con la misma.

— STSJ Valladolid 30.6.05.

5. Se declara una Incapacidad Permanente Total para su profesión habitual:

• De un conductor de camión, pues dicha profesión exige posturas mantenidas en la columna lumbar, tiene sobrecarga y soporta vibraciones.

— STSJ Murcia 15.5.06.

• De un conductor de retroexcavadora, por una hernia discal producida por las vibraciones.

— STSJ Valladolid 10.1.07.

6. Procede la responsabilidad civil contractual del empresario a indemnizar al trabajador por los daños y perjuicios producidos cuando se acredita:

• La relación de causalidad entre la Enfermedad Profesional declarada y los incumplimientos del empresario de no dotar al trabajador de medios de protección contra los movimientos vibratorios, por no informar sobre los riesgos del puesto de trabajo, y por no realizar reconocimientos específicos para descubrir patologías derivadas de las vibraciones.

— STSJ Cataluña 7.11.05.

Véase: Ruido. Martillos neumáticos. Martillos eléctricos. Acelerómetro. Enfermedades vasculares. Trabajos con aparatos vibradores. Trabajos con martillos neumáticos. Trabajos con remachadoras. Punzones. Taladros. Pulidoras. Trabajos con pulidoras. Esmeriles. Vibraciones transmitidas cuerpo entero. Vibraciones transmitidas al sistema mano-brazo.

VIGILANCIA DE LA SALUD
Véase: Deber de vigilancia de la salud.

VIGILANCIA DE LAS ACTIVIDADES PREVENTIVAS
Véase: Recurso preventivo.

VIGILANCIA DE LAS CONDICIONES DE TRABAJO
Véase: Controles periódicos.

VIGILANCIA DEL MERCADO
1. Actividades realizadas y medidas adoptadas por las autoridades nacionales para garantizar que los vehículos, sistemas, componentes o unidades técnicas independientes que se comercializan cumplen los requisitos establecidos en la pertinente legislación de armonización de la Unión y no comportan riesgo alguno para la salud, la seguridad o cualquier otro aspecto relacionado con la protección del interés público.

— Artículo 3.44 Reglamento (UE) n.º 167/2013, de 5 de febrero de 2013.

2. Autoridad de vigilancia del mercado: autoridad de cada Estado miembro responsable de ejercer la vigilancia del mercado en el territorio del mismo.

— Artículo 3.45 Reglamento (UE) n.º 167/2013, de 5 de febrero de 2013.

3. Autoridad nacional: autoridad de homologación o cualquier otra autoridad que intervenga en la vigilancia del mercado, el control de las fronteras o la matriculación en un Estado miembro, con respecto a los vehículos, sistemas, componentes, unidades técnicas independientes, piezas o equipos;

— Artículo 3.46 Reglamento (UE) n.º 167/2013, de 5 de febrero de 2013.

4. Medidas de vigilancia del mercado de vehículos:

• En el caso de los vehículos, sistemas, componentes y unidades técnicas independientes que hayan recibido la homologación de tipo, las autoridades de vigilancia del mercado realizarán, a una escala adecuada, los controles pertinentes de documentos, teniendo en cuenta los principios establecidos de evaluación de riesgo, las reclamaciones y otras informaciones. Las autoridades de vigilancia del mercado podrán exigir a los agentes económicos que faciliten la documentación e información que consideren necesarias para la ejecución de sus actividades. Cuando los agentes económicos presenten certificados de conformidad, las autoridades de vigilancia del mercado tendrán en cuenta debidamente dichos certificados.

• El artículo 19, apartado 1, del Reglamento (CE) nº 765/2008 será de aplicación en su totalidad a los equipos y piezas distintos de los contemplados en el apartado 1 del presente artículo.

— Artículo 7 Reglamento (UE) n.º 167/2013, de 5 de febrero de 2013.

Véase: Homologación. Homologación: Obligaciones de los Estados. Homologación: Autoridades. Marcado CE. Certificación. Fabricantes. Importadores. Distribuidores. Máquinas: Comercialización.

VINAGRE

1. Líquido agrio y astringente, producido por la fermentación ácida del vino, y compuesto principalmente de ácido acético y agua.

2. Los trabajadores ocupados en las actividades económicas, y expuestos a los agentes o sustancias que a continuación se indican, pueden contraer una Enfermedad Profesional (E.P.):

a) Causada por agentes químicos:

• Utilización del acetaldehído en la fabricación del vinagre y en el azogado de espejos, que pueden provocar una E.P. causada por agentes químicos. (Código 1G0110).

b) Causada por agentes biológicos:

• Trabajos de fermentación del vinagre, que pueden provocar una E.P. infecciosa (micosis, legionella y helmintiasis), por la exposición a agentes biológicos durante el trabajo. (Código 3D0109).

Por ello, debe realizarse reconocimientos médicos previos y periódicos a dichos trabajadores, con la prohibición de no contratar a los calificados como no aptos para desempeñar los puestos de trabajo de que se trate.

— Artículo 243 LGSS, en relación con RDEP (Anexo I).

Véase: Ácido acético. Trabajos de fermentación. Trabajos en cuevas de fermentación.

VINILBENCENO

1. Denominado también estireno monómero.

2. Los trabajadores expuestos al vinilbenceno (estireno y divinilbenceno) (Código 1K04), pueden contraer una Enfermedad Profesional (E.P.) causada por agentes químicos, en las actividades o trabajos que a continuación se relacionan:

• Síntesis y producción de polímeros (poliestireno), de copolímeros (acrilonitrilo butadieno estireno o ABS) y de resinas poliésteres. (Código 1K0401).

• Uso del divinilbenceno como monómero, para la polimerización de caucho sintético. (Código 1K0402).

• Disolvente y aditivo en el carburante para aviones. (Código 1K0403).

• Fabricación de insecticidas. (Código 1K0404).

• Fabricación de piscinas, yates, bañeras, carrocerías de automóviles. (Código 1K0405).

• Fabricación de plásticos, goma sintética, resinas, aislantes. (Código 1K0406).

- Utilización como resina cambiadora de iones en la depuración de agua. (Código 1K0407).
- Utilización en odontología. (Código 1K0408).

Por ello, debe realizarse reconocimientos médicos previos y periódicos a dichos trabajadores, con la prohibición de no contratar a los calificados como no aptos para desempeñar los puestos de trabajo de que se trate.

— Artículo 243 LGSS, en relación con RDEP (Anexo I).

Véase: Estileno.

VIOLENCIA LABORAL

1. La Organización Mundial de la Salud define la violencia como «el uso deliberado de la fuerza física o el poder, ya sea en grado de amenaza o efectivo, contra uno mismo, otra persona o un grupo, que cause o tenga muchas probabilidades de causar lesiones, muertes, daños psicológicos, trastornos del desarrollo o privaciones».

La Organización Internacional del Trabajo define la violencia como «cualquier tipo de comportamiento agresivo o insultante susceptible de causar un daño o molestias físicas o psicológicas a sus víctimas, ya sean estos objetivos intencionados o testigos inocentes involucrados de forma no personal o accidental en los incidentes».

Violencia laboral es cualquier forma de violencia que se produzca en el entorno del trabajo que cause o pueda llegar a causar daño físico, psicológico o moral, constituyendo un riesgo psicosocial. Existen determinadas conductas que implican la existencia de violencia laboral:

- Descrédito de la capacidad laboral y deterioro de las condiciones del ejercicio profesional. Común a la mayor parte de situaciones de violencia laboral cuando se prolongan en el tiempo, y característica del acoso laboral. Se desarrolla en distintos momentos, como declarar la incompetencia, impedir la competencia y demostrar la incompetencia.
- Aislamiento social laboral. Característico de las situaciones de violencia laboral prolongadas, se convierte en central en los procesos de acoso laboral y discriminatorio.
- Incluye las interferencias en el contacto social laboral, la restricción expresa del contacto y la negación del contacto.
- Desprestigio personal. Característica del acoso discriminatorio, también puede aparecer en otras dinámicas de violencia laboral, incluyendo las burlas y ridiculizaciones personales, las críticas a la vida privada y la difusión de rumores o calumnias sobre la persona.
- Agresiones y humillaciones. La agrupación de estrategias cualitativas muestra, por su coincidencia en las mismas personas y los resultados cuantitativos, el grupo de estrategias más explícitas y directas. Este grupo incluye el acoso sexual, la agresión física (violencia física) y las prácticas laborales humillantes y discriminatorias.
- Robos y daños. De menor incidencia en general, pero muy presentes en algunos sectores productivos. Los robos o daños a los materiales para el ejercicio de la actividad profesional y el adecuado mantenimiento de las condiciones de la actividad laboral, se agrupan en este factor.
- Amenazas. La presencia de amenazas explícitas o implícitas son indicadores expresos de la toxicidad del entorno laboral.

— Notas Técnicas de Prevención n.º 489/1998. 891/2011. INSST.

2. Acoso y violencia en el trabajo.

— CTIT n.º 69/2009, de 19 febrero.

Véase: Atraco. Acoso. Acoso psicológico en el trabajo. Acoso sexual.

VIRUS

1. Cualquiera de los agentes infecciosos más pequeños que las formas corrientes de bacterias, algunas apenas visibles y otras invisibles con el microscopio ordinario, que pasan a través de los filtros, de un tamaño entre 0,2 y 0,01 m. Se multiplican en el cuerpo animal pero no pueden ser cultivados en medios inertes sino que requieren células vivas.

Agente infeccioso acelular, que solo puede multiplicarse dentro de las células de otros organismos. Solamente algún tipo de virus es visible al microscopio. Infectan todo tipo de organismo vivo como bacterias, personas, animales plantas, etc. Pueden causar enfermedades infeccionas como la gripe, VIH, coronavirus Covid-19, etc. Las enfermedades infecciosas producidas por virus se tratan con antivirales, no con antibióticos.

— Nota Técnica de Prevención n.º 335/1994. INSST.

2. Son las formas de vida más simples, están constituidas únicamente por material genético: ADN (Ácido desoxirribonucleico) o ARN (Ácido ribonucleico) y una cápside o cubierta proteica. Son parásitos obligados, es decir, precisan de un huésped para poder reproducirse. La infección la llevan a cabo inyectando su material genético en las células del huésped. Una vez en su interior se sirven de la maquinaria biológica del huésped para producir copias de sí mismos hasta lograr su total recomposición y en un número tal que rompe las membranas celulares pasando así a infectar nuevas células.

— Nota Técnica de Prevención n.º 203/1988. INSST.

Véase: Bacterias. Vacunación. Microorganismo. Glutaraldehído. Enfermedades infecciosas. Zonas endémicas. Zonas pantanosas. Trabajos en pantanos. E.P. infecciosas. E.P. transmitidas por animales. E.P. transmitidas por personas.

VISIÓN CROMÁTICA

Las alteraciones de la visión cromática pueden ser hereditarias (es decir, consecuencia de un desarrollo incompleto del sentido de la visión) o adquiridas (consecuencia de la exposición a ciertas sustancias químicas, secundarias a enfermedades oculares o sistémicas o resultado de un traumatismo craneal). La acción de las sustancias químicas sobre la retina y/o el nervio óptico, puede producir discromatopsias.

• Defectos en el eje Rojo-Verde: asociados en general con las vías ópticas; de carácter progresivo, interesando todos los colores pero principalmente el rojo y el verde.

• Defectos en el eje Amarillo-Azul: de origen retiniano, con tendencia a salvaguardar la visión del rojo y del verde. Puede combinarse con (a) dando lugar a una ceguera total de los colores.

— Nota Técnica de Prevención n.º 352/1994. INSST.

Véase: Agudeza visual. Trabajadores especialmente sensibles.

VULCANIZACIÓN

1. Consiste en combinar azufre con goma elástica para que esta conserve su elasticidad en frío y en caliente.

2. Los trabajadores ocupados en las actividades económicas, y expuestos a los agentes o sustancias que a continuación se indican, pueden contraer una Enfermedad Profesional (E.P.):

a) Causada por agentes químicos:

• El furfural (epóxido) se utiliza, además, en la preparación y uso de moldes para fundición, en la vulcanización del caucho, refinado de aceites de petróleo y como agente humectante. (Código 1M0109).

• Preparación de la carbanilina como aceleradora de la vulcanización, donde se utilice sulfuro de carbono. (Código 1U0103).

b) Causada por agentes cancerígenos:

• Tratamientos de caucho vulcanizado, donde se utilice bis (cloruro-metil) éter, que puede provocar la E.P. de neoplasia de bronquio y pulmón. (Código 6F0103).

Por ello, debe realizarse reconocimientos médicos previos y periódicos a dichos trabajadores, con la prohibición de no contratar a los calificados como no aptos para desempeñar los puestos de trabajo de que se trate.

— Artículo 243 LGSS, en relación con RDEP (Anexo I).

Véase: Azufre. Goma. Gutapercha. Industria del caucho. Resinas. Látex. Humectante.

W

WOLFRAMIO

Véase: Tungsteno.

X

XILENO

1. El xileno es un líquido incoloro de olor dulce que se inflama fácilmente. Se encuentra de manera natural en el petróleo y en el alquitrán. El xileno se usa como disolvente en la imprenta y en las industrias de caucho y cuero. También se usa como agente de limpieza, diluyente de pinturas y barnices.

2. Los trabajadores expuestos al xileno en operaciones de producción, transporte y utilización del xileno y tolueno y otros productos que los contienen (Código 1K03), pueden contraer una Enfermedad Profesional (E.P.), causada por agentes químicos, en las actividades o trabajos que a continuación se relacionan:

- Industria química: fabricación de ácido benzoico, benzoaldehidos, benceno, fenol, caprolactama, linóleo, toluendiisocianato (resinas poliuretano), sulfonatos de tolueno (detergentes), cuero artificial, revestimiento de tejidos y papeles, explosivos, tintes y otros compuestos orgánicos. (Código 1K0301).
- Preparación de combustibles y las operaciones de mezclado, trasvasado, limpiado de estanques y cisternas. (Código 1K0302)
- Operaciones de disolución de resinas naturales o sintéticas para la preparación de colas, adhesivos, lacas, barnices, esmaltes, masillas, tintas, diluyentes de pinturas y productos de limpieza. (Código 1K0303)
- Utilización de los productos citados, en especial las operaciones de secado que facilitan la evaporación del tolueno y los xilenos. (Código 1K0304)
- Uso en laboratorio de análisis químico y de anatomía patológica. (Código 1K0305)
- Aditivo de las gasolinas. (Código 1K0306)
- Utilización en la industria de la limpieza. (Código 1K0307)
- Utilización de insecticidas. (Código 1K0308)
- Utilización en perfumería. (Código 1K0309)
- Esterilización del hilo de sutura quirúrgica catgut. (Código 1K0310)

Por ello, debe realizarse reconocimientos médicos previos y periódicos a dichos trabajadores, con la prohibición de no contratar a los calificados como no aptos para desempeñar los puestos de trabajo de que se trate.

— Artículo 243 LGSS, en relación con RDEP (Anexo I).

Véase: Petróleo. Alquitrán. Sustancias disolventes. Sustancias diluyentes. Tolueno.

Y

YATES

1. Embarcaciones de recreo.

2. Los trabajadores ocupados en las actividades económicas, y expuestos a los agentes o sustancias que a continuación se indican, pueden contraer una Enfermedad Profesional (E.P.), causada por agentes químicos:

• Fabricación de piscinas, yates, bañeras, carrocerías de automóviles, donde se utilice vinilbenceno (estireno y divinilbenceno). (Código 1K0405).

Por ello, debe realizarse reconocimientos médicos previos y periódicos a dichos trabajadores, con la prohibición de no contratar a los calificados como no aptos para desempeñar los puestos de trabajo de que se trate.

— Artículo 243 LGSS, en relación con RDEP (Anexo I).

Véase: Navíos. Bañeras. Carrocerías. Aguas: Tratamiento. Depuración. Piscinas.

YODO

1. Elemento químico de color azul violeta y muy reactivo, que se encuentra principalmente en el nitrato de Chile, en el agua del mar y concentrado en ciertas algas marinas, forma parte de la estructura de las hormonas tiroideas y se usa como colorante, como reactivo en química y fotografía, y como desinfectante en medicina.

2. Los trabajadores ocupados en las actividades económicas, y expuestos a los agentes o sustancias que a continuación se indican, pueden contraer una Enfermedad Profesional (E.P.), causada por agentes químicos:

• Utilización del yodo como agente oxidante. (Código 1C0401).

• Extracción del yodo a partir de algas, del salitre de Chile, y en el curso de ciertas operaciones como el refinado de petróleo. (Código 1C0402).

• Utilización en la industria química, farmacéutica y fotográfica. (Código 1C0403).

Por ello, debe realizarse reconocimientos médicos previos y periódicos a dichos trabajadores, con la prohibición de no contratar a los calificados como no aptos para desempeñar los puestos de trabajo de que se trate.

— Artículo 243 LGSS, en relación con RDEP (Anexo I).

Véase: Industria química. Industria farmacéutica.

YUTE

1. Materia textil que se obtiene de la corteza interior de una planta de la familia de las tiliáceas.

2. Los trabajadores ocupados en las actividades económicas, y expuestos a los agentes o sustancias que a continuación se indican, pueden contraer una Enfermedad Profesional (E.P.):

a) Causada por inhalación de sustancias y agentes no comprendidos en otros apartados:

• Trabajos en los que se manipula cáñamo, bagazo de caña de azúcar, yute, lino, esparto, sisal y corcho, donde los trabajadores estén expuestos a sustancias de alto peso molecular (de origen vegetal o animal), que pueden provocar alguna de las siguientes E.P: rinoconjuntivitis (Código 4H0129), asma (Código 4H0229), alveolitis alérgica extrínseca (Código 4H0329), síndrome de disfunción reactivo de la vía aérea (Código 4H0429), fibrosis intersticial difusa (Código 4H0529), bisinosis, cannabiosis, linnosis, bagazosis, estipatosis, suberosis (Código 4H0629), neumopatía intersticial difusa (Código 4H0729).

b) E.P. de la piel, causada por sustancias y agentes no comprendidos en alguno de los otros apartados:

• Trabajos en los que se manipula cáñamo, bagazo de caña de azúcar, yute, lino, esparto, sisal y corcho, donde los trabajadores estén expuestos a sustancias de alto peso molecular (de origen vegetal o animal), que pueden provocar una E.P. de la piel, causada por sustancias de alto peso molecular. (Código 5B0129).

Por ello, debe realizarse reconocimientos médicos previos y periódicos a dichos trabajadores, con la prohibición de no contratar a los calificados como no aptos para desempeñar los puestos de trabajo de que se trate.

— Artículo 243 LGSS, en relación con RDEP (Anexo I).

Véase: Cáñamo. Caña de azúcar. Esparto. Corcho.

Z

ZAPATEROS

1. Personas que fabrican, reparan o venden zapatos.

2. Los trabajadores ocupados en las actividades económicas, y expuestos a los agentes o sustancias que a continuación se indican, pueden contraer una Enfermedad Profesional (E.P.), causada por agentes físicos:

• Zapateros y trabajos que requieran presión mantenida en cara anterior del muslo, que pueden producir la E.P. de bursitis. (Código 2C0301).

• Trabajos en los que se produzca un apoyo prolongado y repetido de forma directa o indirecta sobre las correderas anatómicas que provocan lesiones nerviosas por compresión. Movimientos extremos de hiperflexión y de hiperextensión. Trabajos que entrañen compresión prolongada en la muñeca o de una presión mantenida o repetida sobre el talón de la mano, como ordeño de vacas, grabado, talla y pulido de vidrio, burilado, trabajo de zapatería, leñadores, herreros, peleteros, lanzadores de martillo, disco y jabalina, que pueden producir enfermedades por posturas forzadas y movimientos repetitivos, como el síndrome del canal de Guyon. (Código 2F0301).

Por ello, debe realizarse reconocimientos médicos previos y periódicos a dichos trabajadores, con la prohibición de no contratar a los calificados como no aptos para desempeñar los puestos de trabajo de que se trate.

— Artículo 243 LGSS, en relación con RDEP (Anexo I).

Véase: Calzado. Calzado de trabajo. E.P. bursitis.

ZINC

1. Elemento químico metálico, de color blanco, brillante y blando. Usado en la fabricación de pilas eléctricas, en la formación de aleaciones como el latón, y en la galvanización del hierro y el acero.

2. Los trabajadores ocupados en las actividades económicas, y expuestos a los agentes o sustancias que a continuación se indican, pueden contraer una Enfermedad Profesional (E.P.):

a) Causada por agentes químicos:

• Preparación del cadmio por procesado del zinc, cobre o plomo, donde se utilice cadmio y sus compuestos. (Código 1A0301).

• Preparación de zinc amalgamado para pilas eléctricas donde se utilice mercurio. (Código 1A0706).

• Fabricación de aleaciones con níquel (cobre, manganeso, zinc, cromo, hierro, molibdeno), donde se utilice níquel. (Código 1A0805).

• Fabricación de zinc utilizando plomo; fusión de zinc viejo y de plomo en lingotes. (Código 1A0905).

b) Causada por agentes cancerígenos:

• Fabricación de aleaciones con níquel (cobre, manganeso, zinc, cromo, hierro, molibdeno), que puede provocar la E.P. de neoplasia de bronquio y pulmón (Cáncer). (Código 6K0305).

• 6. Preparación del cadmio por procesado del zinc, cobre o plomo, que puede provocar la E.P. de neoplasia maligna de bronquio, pulmón y próstata. (Código 6G0101).

Por ello, debe realizarse reconocimientos médicos previos y periódicos a dichos trabajadores, con la prohibición de no contratar a los calificados como no aptos para desempeñar los puestos de trabajo de que se trate.

— Artículo 243 LGSS, en relación con RDEP (Anexo I).

Véase: Baterías. Pilas. Galvanoplastia.

ZONA CON RIESGO DE CONTACTO

1. Deberán tomarse las medidas adecuadas para la protección de los trabajadores autorizados a acceder a las zonas de los lugares de trabajo donde la seguridad de los trabajadores pueda verse afectada por riesgos de caída, caída de objetos y contacto o exposición a elementos agresivos. Asimismo, deberá disponerse, en la medida de lo posible, de un sistema que impida que los trabajadores no autorizados puedan acceder a dichas zonas.

— Anexo I. Parte A.2 RDSSLT.

Véase: Zona peligrosa. Riesgo eléctrico. Electricidad: Contacto directo. Electricidad: Contacto indirecto.

ZONA CONTROLADA

Lugar de trabajo clasificado como tal, en función del riesgo de exposición a radiaciones ionizantes, de acuerdo con lo dispuesto en el artículo 21 del RPSRI.

— Artículo 2.a RDPTERI.

Véase: Radiaciones ionizantes.

ZONA DE PROXIMIDAD

Espacio delimitado alrededor de la zona de peligro, desde la que el trabajador puede invadir accidentalmente esta última. Donde no se interponga una barrera física que garantice la protección frente al riesgo eléctrico, la distancia desde el elemento en tensión al límite exterior de esta zona será la indicada en la tabla 1.

— Anexo I.11 RDSSTRE.

Véase: Trabajos en proximidad. Zona de trabajos en tensión. Zonas peligrosas.

ZONA DE TRABAJOS EN TENSIÓN O ZONA DE PELIGRO

1. Espacio alrededor de los elementos en tensión en el que la presencia de un trabajador desprotegido supone un riesgo grave e inminente de que se produzca un arco eléctrico, o un contacto directo con el elemento en tensión, teniendo en cuenta los gestos o movimientos normales que puede efectuar el trabajador sin desplazarse.

Donde no se interponga una barrera física que garantice la protección frente a dicho riesgo, la distancia desde el elemento en tensión al límite exterior de esta zona será la indicada en la tabla 1.

— Anexo I.7 RDSSTRE.

2. Se ha considerado infracción en materia de prevención de riesgos laborales:

• No delimitar la zona de prohibición con medidas de protección colectiva, para impedir todo contacto accidental.

— STSJ Galicia 27.7.01.

— STSJ Valencia 9.6.09.

3. Se ha condenado por la comisión de un delito contra los derechos de los trabajadores:

• Por no poner a ninguna persona a vigilar, para impedir que ningún trabajador, ni la escalera se acercase a la línea de media tensión, ni ordenar a los trabajadores que no recolectasen de los árboles por debajo de la línea eléctrica.

— SAP Sevilla 17.2.09.

Véase: Arco eléctrico. Choque eléctrico. Circuito eléctrico. Corriente de contacto. Corriente de defecto. Corriente de puesta a tierra. Corriente eléctrica. Cortocircuito fusible. Electricistas. Industria eléctrica. Instalación eléctrica. Instalaciones de distribución de energía. Instalaciones de puesta a tierra. Interruptor automático. Riesgo eléctrico. Soldadura exotérmica. Trabajos en proximidad. Zona de proximidad.

ZONAS ENDÉMICAS

1. Área geográfica donde se desarrolla constantemente una enfermedad.

2. Los trabajadores ocupados en las actividades económicas, y expuestos a los agentes o sustancias que a continuación se indican, pueden contraer una Enfermedad Profesional (E.P.), causada por agentes biológicos:

• Trabajos desarrollados en zonas endémicas, con exposición a agentes biológicos, que pueden provocar E.P. infecciosas como, paludismo, amebiasis, tripanosomiasis, dengue, fiebre amarilla, fiebre papataci, fiebre recurrente, peste, lesishmaniosis, pian, tifus exantemático, borrelias y otras ricketsiosis. (Código 3C0101).

Por ello, debe realizarse reconocimientos médicos previos y periódicos a dichos trabajadores, con la prohibición de no contratar a los calificados como no aptos para desempeñar los puestos de trabajo de que se trate.

— Artículo 243 LGSS, en relación con RDEP (Anexo I).

Véase: Véase: Enfermedades infecciosas. Zonas pantanosas. Trabajos en pantanos. Bacterias. Virus. E.P. infecciosas. E.P. transmitidas por animales. E.P. transmitidas por personas.

ZONAS PANTANOSAS

1. Terrenos hundidos de fondo más o menos cenagoso y abundante vegetación, donde las aguas se estancan de forma natural.

2. Los trabajadores ocupados en las actividades económicas, y expuestos a los agentes o sustancias que a continuación se indican, pueden contraer una Enfermedad Profesional (E.P.), causada por agentes biológicos:

• Trabajos en zonas húmedas y/o pantanosas: pantanos, arrozales, salinas, huertas, que pueden provocar una E.P. infecciosa (micosis, legionella y helmintiasis). (Código 3D0107).

Por ello, debe realizarse reconocimientos médicos previos y periódicos a dichos trabajadores, con la prohibición de no contratar a los calificados como no aptos para desempeñar los puestos de trabajo de que se trate.

— Artículo 243 LGSS, en relación con RDEP (Anexo I).

Véase: Humedad. Enfermedades infecciosas. Zonas endémicas. Trabajos en pantanos. Trabajos con humedad. Trabajos en arrozales. Trabajos en salinas. Bacterias. Virus. E.P. infecciosas. E.P. transmitidas por animales. E.P. transmitidas por personas.

ZONAS PELIGROSAS

1. Deberán tomarse las medidas adecuadas para la protección de los trabajadores autorizados a acceder a las zonas de los lugares de trabajo donde la seguridad de los trabajadores pueda verse afectada por riesgos de caída, caída de objetos y contacto o exposición a elementos agresivos. Asimismo, deberá disponerse, en la medida de lo posible, de un sistema que impida que los trabajadores no autorizados puedan acceder a dichas zonas.

— Anexo I. Parte A.2 RDSSLT.

2. Se considera zona peligrosa cualquier zona situada en el interior o alrededor de un equipo de trabajo en la que la presencia de un trabajador expuesto entrañe un riesgo para su seguridad o para su salud.

— Artículo 2.c RDSSET.

3. En las zonas peligrosas o de alto riesgo existirá alumbrado de seguridad del nivel que permita a los trabajadores terminar un trabajo potencialmente peligroso antes de abandonar la zona, para los casos en que se produzca un fallo en el suministro eléctrico normal.

— Instrucción Técnica Complementaria ITC-BT-28 del REBT.

4. El empresario adoptará las medidas necesarias a fin de garantizar que sólo los trabajadores que hayan recibido información suficiente y adecuada puedan acceder a las zonas de riesgo grave y específico.

— Artículo 15.3 LPRL.

5. Zonas peligrosas en obras de construcción: Si en la obra hubiera zonas de acceso limitado, dichas zonas deberán estar equipadas con dispositivos que eviten que los trabajadores no autorizados puedan penetrar en ellas. Se deberán tomar todas las medidas adecuadas para proteger a los trabajadores que estén autorizados a penetrar en las zonas de peligro. Estas zonas deberán estar señalizadas de modo claramente visible.

— Anexo IV. Parte A.11 RDSSTOC.

Véase: Autorización. Autorización para realizar trabajos especiales. Trabajador expuesto. Trabajos con riesgos especiales. Trabajos peligrosos. Trabajos en proximidad. Zona de proximidad. Zona de trabajos en tensión.

ZOOLÓGICOS

1. Lugar en que se conservan, cuidan y a veces se crían diversas especies animales para que sean contempladas por el público y para su estudio.

2. Los trabajadores ocupados en las actividades económicas, y expuestos a los agentes o sustancias que a continuación se indican, pueden contraer una Enfermedad Profesional (E.P.):

a) Causada por agentes biológicos:

• Trabajos que impliquen la manipulación o exposición de excretas de animales (Expeler el excremento. Expulsar los residuos metabólicos, como la orina o el anhídrido carbónico de la respiración): ganaderos, veterinarios, trabajadores de animalarios, que pueden provocar una E.P. infecciosa transmitida por animales (o por sus productos y cadáveres), por la exposición a agentes biológicos durante el trabajo. (Código 3B0132).

b) Causada por inhalación de sustancias y agentes no comprendidos en otros apartados:

• Personal de zoológicos, entomólogos, donde los trabajadores estén expuestos a sustancias de alto peso molecular (de origen vegetal o animal), que pueden provocar alguna de las siguientes E.P: rinoconjuntivitis (Código 4H0126), asma (Código 4H0226), alveolitis alérgica extrínseca (Código 4H0326), síndrome de disfunción reactivo de la vía aérea (Código 4H0426), fibrosis intersticial difusa (Código 4H0526), bisinosis, cannabiosis, linnosis, bagazosis, estipatosis, suberosis (Código 4H0626), y neumopatía intersticial difusa (Código 4H0726).

• Personal de zoológicos, entomólogos, donde los trabajadores estén expuestos a sustancias de bajo peso molecular (metales, polvos de maderas, sustancias químicas, etc.), que pueden provocar alguna de las siguientes E.P: rinoconjuntivitis (Código 4I0123), asma (Código 4I0323), alveolitis alérgica extrínseca (Código 4I0423), fibrosis intersticial difusa (Código 4I0623), y neumopatía intersticial difusa (Código 4I0823).

c) E.P. de la piel, causada por sustancias y agentes no comprendidos en alguno de los otros apartados:

• Personal de zoológicos, entomólogos, donde los trabajadores estén expuestos a sustancias de alto peso molecular (de origen vegetal o animal), que pueden provocar una E.P. de la piel, causada por sustancias de alto peso molecular. (Código 5B0126).

Por ello, debe realizarse reconocimientos médicos previos y periódicos a dichos trabajadores, con la prohibición de no contratar a los calificados como no aptos para desempeñar los puestos de trabajo de que se trate.

— Artículo 243 LGSS, en relación con RDEP (Anexo I).

Véase: Avicultores. Ganaderos. Granjas. Granjeros. Granjas de ganado vacuno. Curtidores. Curtidos. Carniceros. Matarifes. Mataderos. Pastores. Trabajos con animales. Veterinarios. Entomólogos. Zoonosis. Transporte de animales.

ZOONOSIS

La Organización Mundial de la Salud (OMS) define las zoonosis como aquellas enfermedades que se transmiten de forma natural de los animales vertebrados al hombre, y viceversa. Existen además otras enfermedades infecciosas (bacterianas y víricas) que, aunque ordinariamente no se transmiten del hombre a los animales, pueden afectar a ambos, para las cuales también se utiliza el término zoonosis.

Se trata de agentes que viven de forma saprofítica en ciertos medios y son fuente de infección tanto para el hombre como para los animales, como por ejemplo la listeriosis.

Las zoonosis son tan antiguas como la relación entre el hombre y los animales, pero la evolución de las técnicas de análisis cada vez más eficaces, de que se dispone actualmente, permiten identificar agentes infecciosos, sobretodo virus, que tan sólo hace diez años habrían pasado inadvertidos o confundidos con virus próximos conocidos.

— Nota Técnica de Prevención n.º 411/1996. INSST.

Véase: Avicultores. Ganaderos. Granjas. Granjeros. Granjas de ganado vacuno. Curtidores. Curtidos. Carniceros. Matarifes. Mataderos. Despojos de animales. Pastores. Trabajos con animales. Veterinarios. Entomólogos. Zoológicos. Transporte de animales. Trabajos de alcantarillado. Rodenticida. Pesticidas. Alcantarillado.

Índice